Python 核心编程（第二版）

[美] Wesley J. Chun 著
宋吉广 译

人 民 邮 电 出 版 社
北 京

图书在版编目（CIP）数据

Python 核心编程：第二版/（美）丘恩（Chun,W.J.）著；
宋吉广译. —北京：人民邮电出版社，2008.7
ISBN 978-7-115-17850-3

Ⅰ. P… Ⅱ. ①丘…②宋…Ⅲ. 软件工具—程序设计
Ⅳ. TP311.56

中国版本图书馆 CIP 数据核字（2008）第 035957 号

版权声明

Python 核心编程（第二版）

◆ 著 [美] Wesley J. Chun
译 宋吉广
责任编辑 李 际

◆ 人民邮电出版社出版发行 北京市崇文区夕照寺街 14 号
邮编 100061 电子函件 315@ptpress.com.cn
网址 http://www.ptpress.com.cn
三河市海波印务有限公司印刷
新华书店总店北京发行所经销

◆ 开本：787×1092 1/16
印张：42.25
字数：1 317 千字 2008 年 7 月第 1 版
印数：1 – 3 500 册 2008 年 7 月河北第 1 次印刷

著作权合同登记号 图字：01-2007-0861 号

ISBN 978-7-115-17850-3/TP

定价：89.00 元

读者服务热线：(010)67132705 印装质量热线：(010)67129223

反盗版热线：(010)67171154

内 容 提 要

Preface

本书是经典的 Python 指导书，在第一版的基础上进行了全面升级。全书分为两个部分：第 1 部分占据了大约三分之二的篇幅，阐释这门语言的“核心”内容，包括基本的概念和语句、语法和风格、Python 对象、数字类型、序列类型、映射和集合类型、条件和循环、文件和输入/输出、错误和异常、函数和函数式编程、模块、面向对象编程、执行环境等内容：第 2 部分则提供了各种高级主题来展示可以使用 Python 做些什么，包括正则表达式、网络编程、网络客户端编程、多线程编程、图形用户界面编程、Web 编程、数据库编程、扩展 Python 和一些其他材料。

本书适合 Python 初学者，以及已经入门但想继续学习和提高自身 Python 技巧的程序员。

献给我的父母，

他们告诉我这世上每个人都是与众不同的。

同样献给我的妻子，

她与一个与众不同的人相伴。

译者序

本书的翻译过程真是一波三折，前后丢了两次翻译好的书稿，坏处是拖延了本书与读者见面的时间，好处是质量得到了更好的保证。

最后书稿的顺利完成得到了中国 Python 社区的大力支持和帮助，每一个文字都包含着不止一个人的努力和付出，相信这本书的出版能够在一定意义上真正推动 Python 在中国软件开发界的普及和应用。

有人说，我们中国还是没有像国外那样的环境来开展自由与开源软件的教育和推广，这句话是有一定道理的，但这也正是需要我们不懈努力的原因之一。从无到有，从一到万，这个方向是不会变的，现在越来越多的企业和个人已经感觉到这件事情的重要性，政府和高校也在做很多探索和尝试。我们要做的，恐怕就是踏踏实实地做点事，文档的中文化、软件的汉化、开发社区的建立、线上线下的互动、实际项目的开发……自由与开源软件离不开中国软件领域人才的不懈努力和贡献，这件事也只有中国人自己才能够做好。这不是一个口号，而是事实。当周围的人在评说优劣好坏的时候，我们不妨俯下身子亲自看一看，用一用，而不是人云亦云。

做自由与开源软件需要好的环境，而好环境的构建是由其中每个参与者的心态所决定的，而不是由口水战、特殊事件来引导方向。等到了这个阶段，我们的社区也许就真的成熟了，环境也就做好了，这个环境的构建是一个自生系统，由内部相关人共同努力，而不是受外界舆论和政策导向的影响。

非常感谢人民邮电出版社计算机图书分社的刘涛副社长和李际编辑对自由与开源软件事业的支持，还要感谢付飞编辑对本书审校作出的贡献。

这是我个人负责翻译的第二本书，第一本是《Ubuntu 官方指南》，一路走来感觉真的很累。技术翻译在中国还是一个“苦”差事，你越要较真，你就越“苦”，在书稿完成后，这种感觉又是“苦咖啡”的那种“苦”了，苦而留香。

本书是在无数贡献者坚持不懈的付出下才得以出版的。希望通过我们的努力，能让 Python 在中国落地开花，也希望读者能够记住所有辛勤的贡献者。

本书的翻译工作得到了中文 Python 用户组（CPyUG）的大力支持，是大家通力合作的结晶，贡献者有：

Zoom.Quiet、吴璟宇、Filia Tao、陆闻亮、任轶、王淑羽、杜军、魏忠、史振嵩、王金凤、谭金灿、张婷、黄冬、张沈鹏、孙承杰、严小松、tocer、路文杰等。

此外，还有两位不愿留下姓名的杰出贡献者，他们的英文名是 phay 和 subowen。

宋吉广

前　言 Preface

欢迎走进 Python 核心编程

我们很高兴能帮你尽快并尽可能深入地学习 Python。掌握语法是本书的一个目标，不管怎样，我们都坚信，哪怕是一个初学者，只要他能掌握 Python 的运作机理，他就不再仅仅是用 Python“编写”，而是能开发出更高效的 Python 应用程序。但是你知道，并不是掌握了一门语言的语法就能让你立刻登堂入室。

在本书中，你能发现许多可以立即上手的例子。为了巩固基础，你还会在每章的末尾找到有趣又富有挑战性的习题。这些初级和中级水平的习题可以检验你的学习效果，并且提升你的 Python 技巧。确实没有什么能代替经验，我们只是想尽量用最短的时间让你不止初涉 Python，而且能学会驾驭它。

关于本书

本书之所以比其他 Python 书籍畅销，是因为它拥有广泛的选题、丰富的例子和必要的深入解析。本书不需要你拥有 C 语言或者面向对象程序设计之类的背景。本书同样也不是一本让你很难入门的个案解析。最后，本书也绝非一本纯粹的参考书或者快速入门指南。你手中的这本书包括了针对这门语言特性的包罗万象的介绍（第一部分中），通过其下各章你可以洞悉 Python 编程的每个细节。

本书 40%是介绍，40%是晋级，余下的 20%则是参考。我们将目标锁定于那些已经熟悉某种其他高级语言的人士和大、中学生。因为 Python 可以应用于 Zope、Plone、MailMan 和 Django 等大型的解决方案，所以本书可能被主要用于与这些系统有关的开发、管理、维护和整合工作。

对于书中代码的关注，第一版大约三分之一的读者来信抱怨说书中没有足够多和足够成熟的应用程序。也有人说代码的例子不够长或者不够完整。其他人则全部写信说他们喜欢书中简洁易懂的例子，它们从不连篇累牍、乱人心智。我们偏爱提供简短代码背后的哲学是，让读者能学会窥一斑而知全豹。像搭积木一样步步深入，最终垒土成山，完成大型应用程序。书中大多数大型程序都有逐行解释。丰富的翻译代码注释遍布其中，你可以在学习 Python 的同时加以实践——尽可能充分地使用交互解释器。通过这个方法你不仅可以学习和提高 Python 水平，同时还能在向源文件粘贴代码之前就解决 bug。

学习 Python 不能光学不练。你会发现每章的末尾的练习是本书的重要优势。它们可以检验你对该章主题和定义的理解，还能尽可能将你引向编码。开发应用程序是最快最高效学习程序设计语言所无可替代的方式。你将面对简单、中等、困难三种深度的问题。你要自己编写那些读者想在书中看到的“大”应用程序，而不是由我代劳，这将令你获益匪浅。

关于读者

本书主要面向那些没有接触过 Python 的程序员和那些已经有所了解但想继续学习和提高自身 Python 技巧的程序员。Python 已经被应用在了众多领域，包括工程、信息技术、科学、商务、娱乐，等等。这些领域涵盖了，但绝不局限于下列 Python 用户（以及本书读者）：

- 软件工程师；
- 硬件设计师/计算机辅助设计工程师；
- 质量评测/测试和自动控制构架开发者；
- 信息服务/信息技术/系统和网络管理员；
- 科学家和数学家；
- 技术或项目管理人员；
- 多媒体或音频/视频工程师；
- 源代码管理和发布工程师；
- 网站管理员和内容管理员；
- 客户/技术支持工程师；
- 数据库工程师和管理员；
- 研究与开发工程师；
- 软件集成开发和专业服务人士；
- 大学和高中教职人员；
- 网络服务系统工程师；
- 金融软件工程师；
- 诸多其他行业人士。

一些知名的大公司都在使用着 Python，例如：Google、雅虎、NASA、Lucasfilm/Industrial Light and Magic、Red Hat、Zope、迪斯尼、皮克斯和梦工厂。

作者的 Python 经历

我是十多年前在一家名为 Four11 的公司里初涉 Python 的。那时，公司拥有一个拳头产品——Four11.com 白页目录服务。Python 当时被用于设计我们的下一个产品：Rocketmail 在线电子邮件服务系统，也就是今天雅虎邮件系统的前身（白页是指用户信息数据库，Rocketmail 是第一个主流的免费邮件系统。日后 Four11 被雅虎收购，雅虎使用 Rocketmail 的引擎开发了雅虎邮件——译者注）。

学习 Python 和加入最早的雅虎邮件引擎团队都是令人愉悦的。借此，我重构了地址簿和拼写检查程序。那时，Python 的身影也逐渐出现在了其他的雅虎页面上。比如“网上寻友”（People Search）、“黄页”、“地图和出行路线”（Maps and Driving Directions）等，我还曾担任过“网上寻友”的主管工程师。

虽然当时 Python 对我来说是全新的，但是它却很容易上手——比我之前学过的语言都简单多了。由于当时 Python 教程的匮乏，所以我不得不使用《Python 库参考手册》和《快速参考指南》作为我的学习工具，这也触发了我写作你手中这本书的念头。

我还在雅虎的日子里，就可以利用 Python 找到有趣的途径来完成五花八门的工作了。每次，Python 的力量都能让我眼前一亮、信手拈来地化解问题。我同时还开发了一些 Python 课程，并将本书的内容用于授课，所以这真算得上是完全原创。

本书不仅是一本出众的学习用书，同样也是一部绝佳的 Python 教学用书。身为一位工程师，我知道如何学习、掌握、应用一门新技术。作为一名职业讲师，我也知道如何向顾客提供最高效的训练。正因为有了这些经验，才能给你带来真实情况的模拟和提示，这是你无法从那些仅仅是“训练师”或“书籍作者”的人那里获得的。

关于作者的写作风格：技术性强，但通俗易懂

与一本严格意义上的“入门”读物或纯粹的计算机核心技术参考书籍不同的是，我的教学经验告诉我，一本易于阅读并且还能坚持技术导向的书才是最符合读者需求的。也只有这样的书才能让你尽可能以最快的速度提高 Python，并能将其应用于你的任务中。我们引入概念，并配以相应的实例来加快学习进程。在每章的最后提供了许多练习，借此你可以巩固学到的概念并验证阅读中产生的想法。

能与 Bruce Eckel 的写作风格相提并论，让我们既感到荣幸，又觉得过誉了。这可不是一本枯燥的大学教材，作为作者，我是在和你交流，把你当作是我广受好评的 Python 培训班中的一员。作为一个终身学习者，我经常将自己置身于学生中，告诉你如何才能让你尽可能快速透彻地掌握概念。你将能够快速通畅的阅读本书，而不必去在意那些技术资料。

身为一名工程师，我知道为了让你掌握 Python 的概念需要传授什么。作为一个老师，我知道如何将技术细节凝炼成能让你轻松理解并能立刻上手的语言。本书充分地展现了我的写作风格和教学风格，但使用 Python 编程更是一种享受。

关于第二版

在本书第一版出版之后，随着 2.0 版的发布，Python 进入了自己的第二个时代。自那之后，这门语言的重大进步为其带来了全面而持续的成功和认可。摒除了缺陷，加入了新特点，这为全球的 Python 开发者带来了新一级别的能力和挑战。我真的很担心，这本续作能否在涵盖所有激动人心的新特点的同时还保持原来简单易懂的特点。本书涵盖了 2006 年秋发布的 Python 2.5 版本，乃至一些关于将来 2.6 版的预告。如同第一版一样，我们的目标是让本书所有主题不受版本的影响，让读者能终身受用，而不是很快被淘汰。

Python 的创始人 Guido van Rossum 一直慢慢酝酿着 Python 的下一次大转变，他亲切地称之为“Python 3000”。“Python 3000”和它的缩写“Py3k”都只是 Python 3.0 的代号。它会和 2.x 版本平行开发。尽管会产生一些和过去 Python 版本的不兼容，但是核心团队会尽全力确保绝大部分的向下兼容性（这也是 Python 新版本研发的惯例）。我们更加期盼能在摒除原有设计缺陷和争议的同时，添加更多有趣的特性。

在本版中加入的新主题包括：

- 布尔型和集合类型（第 5 章和第 7 章）
- 新式类（第 13 章）
  - 子类、内建类
  - 静态方法和类方法
  - slot
  - 属性
  - 描述符
  - 元类
- 函数（第 11 章）
  - 生成器
  - 函数（与方法）装饰器
  - 静态嵌套作用域

    - 内部函数
    - 闭包
    - Currying 和偏函数应用
- 循环结构（第 8 章）
    - 迭代器
    - 列表解析
    - 生成器表达式
- 扩展导入语法（第 12 章）
    - as 关键字
    - 多行导入
    - 绝对导入
    - 相对导入
- 改良的异常处理功能（第 10 章）
    - with 语句
    - try-except-finally 语句

此外，我们很高兴在本书中加入 3 章新内容：第 17 章、第 21 章和第 23 章。这 3 章里面有很多中级的内容会经常用到。所有原来的章节都已经更新到 Python 的最新版本。

章节导航

本书分为两大部分：第一部分，占据了大约三分之二的篇幅，来向你阐释这门语言的“核心”内容。第二部分则提供了各种高级主题来向你展示你可以使用 Python 来做些什么。

Python 无处不在——有时发现正在使用 Python 的人，以及他们正在用 Python 解决的工作是令人惊异的——尽管我们很高兴在本书中加入了许多主题，比如 Java/Jython、Win32 编程、使用 HTMLgen 处理 CGI、使用第三方工具（wxWidgets、GTK+、Qt 等）的 GUI 编程、XML 处理、数字科学计算处理、视觉和图形图像处理、Web 服务和应用程序框架（Zope、Plone、Django、TurboGears 等），但是没有足够的时间将这些主题完善成独立的章节。不管怎样，我们很高兴至少针对这些 Python 发展的关键领域已经完成了很不错的介绍。这当然就包括前面提到的那些主题。

以下是每章概览：

第 1 部分：Python 核心

第 1 章——欢迎来到 Python 世界

在开始的地方我们会介绍 Python 的历史、特性和优点等，当然还有如何获得和安装 Python。

第 2 章——快速入门

如果你是一个有经验的程序员，只想看看 Python 如何工作的，这一章就是你想要去的地方。在这里我们会介绍 Python 中基本的概念和语句，其中很多内容对你来说也许会很熟悉，你可以只学习 Python 中正确的语法，然后直接开始你的项目了。

第 3 章——Python 基础

本章将对 Python 的语法进行总览，并给出一些关于风格的注意事项。你可以接触到 Python 的关键词，还会了解它的内存管理能力。在本章的结尾将会出现你的第一个 Python 程序，你可以体会到真正的 Python 代码。

第 4 章——Python 对象

本章主要介绍 Python 中的对象。除了一般对象的属性外，我们还会展示 Python 的数据类型和操作符，以及多种对标准类型的分类方法。本章还会涉及一部分内建函数，它们对绝大多数 Python 对象都有效。

第 5 章——数字

在这一章，我们会讨论 Python 主要的数字类型：整型、浮点型和复数。我们会研究对所有数字有效的操作符、内建函数以及工厂函数，还会简短地看一下其他相关的类型。

第 6 章——序列：字符串、列表和元组

这一章是你遇到的第一个内容丰富的章节，它将向你展示 Python 中所有的序列类型：字符串、列表和元组、它们功能很强大。我们还会向你展示和每个类型有关的内建函数、方法及特性，当然还有所有的操作符。

第 7 章——映射和集合类型

字典是 Python 中的集合类型，又称散列类型。和其他数据类型一样，字典也有操作符、内建函数和方法。本章还会讲述集合类型，同样会讨论它们的操作符、内建函数、工厂函数和内建方法。

第 8 章——条件和循环

和许多其他高级编程语言一样，Python 支持诸如 for 和 while 之类的循环，以及 if 语句（及相关内容）。Python 还有一个内建函数 range()，它可以使 Python 的 for 循环表现得像一个传统的计数循环，而不是像一个“foreach”迭代循环。本章还涵盖了一些辅助语句，例如 break、continue 和 pass。还有一部分内容是关于新的结构，例如迭代器、列表解析和生成器表达式。

第 9 章——文件和输入输出

除了标准文件对象和输入/输出，本章还介绍了文件系统存取、文件执行和永久存储。

第 10 章——错误和异常

Python 的最强大的结构之一就是它的异常处理能力。在本章，你可以看到完全的处理过程，还有一些用来告诉我们如何引发或者抛出异常的指示。还有一点更重要的内容是如何创造我们自己的异常类。

第 11 章——函数和函数式编程

编写和调用函数相对而言还是比较直观的，但是 Python 还有许多特性会让你觉得有用，比如默认参数，“命名”参数或者说关键词参数、可变长度参数和函数式编程结构。我们还将粗略看一下变量范围和递归，另外还要讨论一些高级特性，比如生成器、装饰器、内部函数、闭包、偏函数程序（currying 的更普遍形式）。

第 12 章——模块

Python 的一个关键能力就是它的可扩充性。这种特性允许“即插即用”访问，还鼓励了代码复用。写成模块的程序可以被其他程序导入，过程简单到只要一行代码。此外，多模块的软件分发可以通过使用包（package）来简化。

第 13 章——面向对象编程

Python 是个完全的面向对象（OO）编程语言，而且从一开始就是这样设计的。当然，Python 不强

迫你用这种方式编程，你可以继续开发结构式、过程式的代码。任何时间当你准备好利用 OO 编程的优势时，你可以转换到 OO 编程上。同样地，本章是为了指导你完全理解这些概念，还讨论了一些高级主题，例如操作符重载、定制和授权。本章还介绍了一些关于新式类的新特性，例如 slot、属性（property）、描述符（descriptor）和元类（metaclass）。

第 14 章——执行环境

“执行”这个词可以有很多不同的意义，从可调用和可执行的对象到执行其他程序（Python 或者其他的）。本章会讨论这些主题，以及通过操作系统接口来控制执行，另外还提出几种不同的终止执行的方法。

第 2 部分：高级主题

第 15 章——正则表达式

正则表达式是个非常强大的工具，可以用来进行模式匹配、提取和搜索-替换。本章可以学习到这些内容。

第 16 章——网络编程

如今有太多的程序是面向网络的。你该从何下手呢？可以从本章学习到如何使用 TCP/IP 和 UDP/IP 来创建客户端和服务器端，另外还可以初步了解 SocketServer 和 Twisted。

第 17 章——网络客户端编程

在第 16 章中，我们介绍了如何使用套接字来进行网络编程。今天我们使用的绝大部分网络协议都是使用套接字开发的。在这一章，我们将探索更高一层的库，它们被用来创建上述网络协议的客户端。特别地，我们会关注 FTP、NNTP、SMTP 和 POP3 客户端。

第 18 章——多线程编程

多线程编程可以用来提高很多类型的程序的执行性能。很多人想要一些关于 Python 中多线程编程的文档，本章可以让这些呼声停止了，因为这里会解释概念，并向你展示如何正确的建造一个 Python 多线程程序。

第 19 章——图形用户界面编程

Tkinter 是 Python 上的默认图形用户界面（GUI）开发模块，它是基于 Tk 图形工具集的。我们将向你展示如何打造一个简单的 GUI 程序例子（我至少要说 10 遍：真的非常快！）。最好的一种学习方法是复制，通过修改已有的这几个程序例子，你已经开始了你的 GUI 之旅。我们以一个较复杂的例子结束本章，当然还顺便介绍了 Tix、Pmw、wxPython 和 PyGTK。

第 20 章——Web 编程

我们使用 Python 编程一共有三个主要形式，即 Web 客户端、Web 服务器和广受欢迎的通用网关接口（CGI）程序，后者用来帮助 Web 服务器传送动态产生的 Web 页面。本章将会包括所有内容：简单/高级的 Web 客户端和 CGI 程序，以及如何建立你自己的 Web 服务器。

第 21 章——数据库编程

对 Python 来说，数据库编程和其他类型的编程一样，都很简单、有趣。我们首先回顾一下基本的概念，然后介绍 Python 数据库的程序接口（API）。接着我们将向你展示如何才能连接到一个关系数据库，如何使用 Python 进行查询和其他操作。最后，如果你不想碰 SQL，不想考虑底层的数据库而只想使用对象，我们将向你介绍一些对象-关系管理器（ORM），它们可以再次简化数据库编程。

第 22 章——扩展 Python

我们以前提到过代码复用和语言扩展的强大性。在纯 Python 中，这些扩展是以模块形式存在的，但是你也可以使用 C、C++或者 Java 来开发底层代码，并提供无缝的 Python 接口。使用低级别的编程语言编写你的扩展可以让你提高性能和安全性，因为源代码不需要公开。本章将一步一步介绍扩展的打造过程。

第 23 章——其他话题

本章包含了一些额外材料，我们会在下一版将它们扩展成全面、单独的章节。本章的主题包括 Web 服务、微软 Office（Win32 COM 客户端）编程和 Java/Jython。

选读段落

书中某些标有星号（*）的段落和练习，表示其为晋级或者可选读的。它们通常是自成一体的，你可以在今后有时间的时候再研究。

如果你已经有了足够的编程知识，并且已经设置好了 Python 开发环境。那么你就可以跳过第 1 章，直接进入第 2 章了。从那里你可以理解 Python 并开始实际应用。

体例

Python 的新功能以这个图标标注。图标中数字是指该功能首次出现时的版本号。

本书资源

你可以在本书的网站（http://corepython.com）上找到：勘误表、更新、研讨预告、Python 训练、下载和其他相关信息。

致谢

第二版致谢
审稿人和供稿人
Shannon -jj Behrens（权威审稿人）
Michael Santos（权威审稿人）
Rick Kwan
Lindell Aldermann（第 6 章 Unicode 新段落的合著者）
Wai-Yip Tung（第 20 章 Unicode 实例的合著者）
Eric Foster-Johnson（《Beginning Python》的合著者）
Alex Martelli（《Python Cookbook》的编辑和《Python in a Nutshell》的作者）
Larry Rosenstein
Jim Orosz
Krishna Srinivasan
Chuck Kung
精神动力
我出色的孩子和宠物仓鼠
出版
Mark Taub 和 Debra Williams-Cauley（组稿编辑）
Lara Wysong（策划编辑）
John Fuller（执行编辑）
Sam RC（International Typesetting and Composition 项目主管）
第一版致谢
审稿人和供稿者
Guido van Rossum（Python 语言的创始人）
Dowson Tong
James C. Ahlstrom（《Internet Programming with Python》的合著者）
S. Candelaria de Ram
Cay S. Horstmann（《Core Java and Core JavaServer Faces》的合著者）
Michael Santos
Greg Ward（distutils 包和文档的创始人）
Vincent C. Rubino
Martijn Faassen
Emile van Sebille
Raymond Tsai
Albert L. Anders（多线程编程相关章节的合著者）
Fredrik Lundh（《Python Standard Library》一书作者）
Cameron Laird
Fred L. Drake, Jr.（《Python & XML》的合著者，Python 官方文档的编辑）
Jeremy Hylton
Steve Yoshimoto
Aahz Maruch（《Python for Dummies》一书作者）
Jeffrey E. F. Friedl（《Mastering Regular Expressions》一书作者）

Pieter Claerhout

Catriona（Kate） Johnston

David Ascher（《Learning Python》的合著者，《Python Cookbook》的编辑）

Reg Charney

Christian Tismer（Stackless Python 的创始人）

Jason Stillwell

以及我在加州大学圣克鲁斯分校的学生们

精神动力

James P.Prior（我高中的编程老师）

Louise Moser 和 P. Michael Melliar-Smith（我在 UCSB（加州大学圣巴巴拉分校）的毕业论文指导教师）

Alan Parsons、 Eric Woolfson、Andrew Powell、Ian Bairnson、Stuart Elliott、David Paton 和其他所有的项目参与者，以及那些 Projectologists 和 Roadkillers 的伙伴（感谢那些音乐、鼓励和美好的时光）。

我还要感谢我的家人、朋友和上司，是你们让我安稳地度过了那些秉烛而作却常常才思枯竭的疯狂岁月。最后，我还要向所有信任我的人献上最诚挚的感谢（你知道，我在说你！）——没有你们，我是无法取得今天的成绩的。那些不信任我的人……好吧，我想你知道你能做些什么！

最后，我还要深深地感谢你们，我的读者，以及 Python 社区。我非常高兴能指导你们学习 Python，并且希望在我们的第二次远航中你能与我们一同享受这段旅程！

Wesley Chun

加利福尼亚，硅谷

2006 年 7 月

目　录

Contents

第 1 部分　Python 核心

第 2 部分 高级主题

Part I

第1部分 Python 核心

第 1 章　欢迎来到 Python 世界

本章主题

- 什么是 Python
- Python 的起源
- Python 的特点
- 下载 Python
- 安装 Python
- 运行 Python
- Python 文档
- 比较 Python（与其他语言的比较）
- 其他实现

开篇将介绍一些Python的背景知识，包括什么是Python、Python的起源和它的一些关键特性。一旦你来了兴致，我们就会向你介绍怎样获得 Python，以及如何在你的系统上安装并运行它。本章最后的练习将会帮助你非常自如地使用Python，包括使用交互式解释器，以及创建并运行脚本程序。

1.1 什么是Python

Python是一门优雅而健壮的编程语言，它继承了传统编译语言的强大性和通用性，同时也借鉴了简单脚本和解释语言的易用性。它可以帮你完成工作，而且一段时间以后，你还能看明白自己写的这段代码。你会对自己如此快地学会它和它强大的功能感到十分的惊讶，更不用提你已经完成的工作了！只有你想不到，没有Python做不到。

1.2 起源

Guido van Rossum于1989年底始创了Python，那时，他还在荷兰的CWI（Centrum voor Wiskunde en Informatica，国家数学和计算机科学研究院）。1991年初，Python发布了第一个公开发行版。这一切究竟是如何开始的呢？像C、C++、Lisp、Java和Perl一样，Python来自于某个研究项目，项目中的那些程序员利用手边现有的工具辛苦地工作着，他们设想并开发出了更好的解决办法。

那时van Rossum是一位研究人员，对解释型语言ABC有着丰富的设计经验，这个语言同样也是在CWI开发的。但是他不满足其有限的开发能力。已经使用并参与开发了像 ABC 这样的高级语言后，再退回到C语言显然是不可能的。他所期望的工具有一些是用于完成日常系统管理任务的，而且它还希望能够访问Amoeba分布式操作系统的系统调用。尽管van Rossum也曾想过为Amoeba开发专用语言，但是创造一种通用的程序设计语言显然更加明智，于是在1989年末，Python的种子被播下了。

1.3 特点

尽管Python已经流行了超过15年，但是一些人仍旧认为相对于通用软件开发产业而言，它还是个新丁。我们应当谨慎地使用“相对”这个词，因为“网络时代”的程序开发，几年看上去就像几十年。

当人们询问：“什么是 Python？”的时候，很难用任何一个具象来描述它。人们更倾向于一口气不加思索地说出他们对Python的所有感觉，Python是___（请填写），这些特点究竟又是什么呢？为了让你能知其所以然，我们下面会对这些特点进行逐一地阐释。

1.3.1 高级

伴随着每一代编程语言的产生，我们会达到一个新的高度。汇编语言是献给那些挣扎在机器代码中的人的礼物，后来有了FORTRAN、C和 Pascal语言，它们将计算提升到了崭新的高度，并且开创了软件开发行业。伴随着C语言诞生了更多的像C++、Java这样的现代编译语言。我们没有止步于此，于是有了强大的、可以进行系统调用的解释型脚本语言，例如Tcl、Perl和Python。

这些语言都有高级的数据结构，这样就减少了以前“框架”开发需要的时间。像Python中的列表（大小可变的数组）和字典（哈希表）就是内建于语言本身的。在核心语言中提供这些重要的构建单元，可以鼓励人们使用它们，缩短开发时间与代码量，产生出可读性更好的代码。

在C语言中，对于混杂数组（Python中的列表）和哈希表（Python中的字典）还没有相应的标准库，所以它们经常被重复实现，并被复制到每个新项目中去。这个过程混乱而且容易产生错误。C++使用标准模板库改进了这种情况，但是标准模板库是很难与Python内建的列表和字典的简洁和易读相提并论的。

1.3.2 面向对象

建议：面向对象编程为数据和逻辑相分离的结构化和过程化编程添加了新的活力。面向对象编程支持将特定的行为、特性以及和/或功能与它们要处理或所代表的数据结合在一起。Python的面向对象的特性是与生俱来的。然而，Python绝不像Java或Ruby仅仅是一门面向对象语言，事实上它融汇了多种编程风格。例如，它甚至借鉴了一些像Lisp和Haskell这样的函数语言的特性。

1.3.3 可升级

大家常常将Python与批处理或Unix系统下的shell相提并论。简单的shell脚本可以用来处理简单的任务，就算它们可以在长度上（无限度的）增长，但是功能总会有所穷尽。shell脚本的代码重用度很低，因此，你只能止步于小项目。实际上，即使一些小项目也可能导致脚本又臭又长。Python却不是这样，你可以不断地在各个项目中完善你的代码，添加额外的新的或者现存的Python元素，也可以随时重用代码。Python提倡简洁的代码设计、高级的数据结构和模块化的组件，这些特点可以让你在提升项目的范围和规模的同时，确保灵活性、一致性并缩短必要的调试时间。

“可升级”这个术语最经常用于衡量硬件的负载，通常指为系统添加了新的硬件后带来的性能提升。我们乐于在这里对这个引述概念加以区分，我们试图用“可升级”来传达一种观念，这就是：Python提供了基本的开发模块，你可以在它上面开发你的软件，而且当这些需要扩展和增长时，Python的可插入性和模块化架构则能使你的项目生机盎然和易于管理。

1.3.4 可扩展

就算你的项目中有大量的Python代码，你也依旧可以有条不紊地通过将其分离为多个文件或模块加以组织管理。而且你可以从一个模块中选取代码，而从另一个模块中读取属性。更棒的是，对于所有模块，Python的访问语法都是相同的。不管这个模块是Python标准库中的还是你一分钟之前创造的，哪怕是你用其他语言写的扩展都没问题！借助这些特点，你会感觉自己根据需要“扩展”了这门语言，而且你已经这么做了。

代码中的瓶颈，可能是在性能分析中总排在前面的那些热门或者一些特别强调性能的地方，可以作为Python扩展用C重写。需要重申的是，这些接口和纯Python模块的接口是一模一样的，乃至代码和对象的访问方法也是如出一辙的。唯一不同的是，这些代码为性能带来了显著的提升。自然，这全部取决你的应用程序以及它对资源的需求情况。很多时候，使用编译型代码重写程序的瓶颈部分绝对是益处多多的，因为它能明显提升整体性能。

程序设计语言中的这种可扩展性使得工程师能够灵活附加或定制工具，缩短开发周期。虽然像C、C++乃至Java等主流第三代语言（3GL）都拥有该特性，但是这么容易地使用C编写扩展确实是Python的优势。此外，还有像PyRex这样的工具，允许C和Python混合编程，使编写扩展更加轻而易举，因为它会把所有的代码都转换成C语言代码。

因为Python的标准实现是使用C语言完成的（也就是CPython），所以要使用C和C++编写Python扩展。Python的Java实现被称作Jython，要使用Java编写其扩展。最后，还有IronPython，这是针对.NET或Mono平台的C#实现。你可以使用C#或者VB.Net扩展IronPython。

1.3.5 可移植性

在各种不同的系统上可以看到Python的身影，这是由于在今天的计算机领域，Python取得了持续快速的成长。因为 Python 是用 C 写的，又由于 C 的可移植性，使得 Python 可以运行在任何带有 ANSI C 编译器的平台上。尽管有一些针对不同平台开发的特有模块，但是在任何一个平台上用 Python 开发的通用软件都可以稍事修改或者原封不动地在其他平台上运行。这种可移植性既适用于不同的架构，也适用于不同的操作系统。

1.3.6 易学

Python 关键字少、结构简单、语法清晰。这样就使得学习者可以在更短的时间内轻松上手。对初学者而言，可能感觉比较新鲜的东西就是 Python 的面向对象特点了。那些还未能全部精通 OOP（Object Oriented Programming，面向对象的程序设计）的人对径直使用 Python 还是有所顾忌的，但是 OOP 并非必须或者强制的。入门也是很简单的，你可以先稍加涉猎，等到有所准备之后才开始使用。

1.3.7 易读

Python 与其他语言显著的差异是，它没有其他语言通常用来访问变量、定义代码块和进行模式匹配的命令式符号。通常这些符号包括：美元符号（$）、分号（;）、波浪号（～）等。没有这些分神的家伙，Python 代码变得更加定义清晰和易于阅读。让很多程序员沮丧（或者欣慰）的是，不像其他语言，Python 没有给你多少机会使你能够写出晦涩难懂的代码，而是让其他人很快就能理解你写的代码，反之亦然。如前所述，一门语言的可读性让它更易于学习。我们甚至敢冒昧的声称，即使对那些之前连一行 Python 代码都没看过的人来说，那些代码也是相当容易理解的。

1.3.8 易维护

源代码维护是软件开发生命周期的组成部分。只要不被其他软件取代或者被放弃使用，你的软件通常会保持继续的再开发。这通常可比一个程序员在一家公司的在职时间要长得多了。Python 项目的成功很大程度上要归功于其源代码的易于维护，当然这也要视代码长度和复杂度而定。然而，得出这个结论并不难，因为 Python 本身就是易于学习和阅读的。Python 另外一个激动人心的优势就是，当你在阅读自己六个月之前写的脚本程序的时候，不会把自己搞得一头雾水，也不需要借助参考手册才能读懂自己的软件。

1.3.9 健壮性

没有什么能够比允许程序员在错误发生的时候根据出错条件提供处理机制更有效的了。针对错误，Python 提供了“安全合理”的退出机制，让程序员能掌控局面。一旦你的 Python 由于错误崩溃，解释程序就会转出一个“堆栈跟踪”，那里面有可用到的全部信息，包括你程序崩溃的原因，以及是哪段代码（文件名、行数、行数调用等）出错了。这些错误被称为异常。如果在运行时发生这样的错误，Python 使你能够监控这些错误并进行处理。

这些异常处理可以采取相应的措施，例如解决问题、重定向程序流、执行清除或维护步骤、正常关闭应用程序，亦或干脆忽略掉。无论如何，这都可以有效地缩减开发周期中的调试环节。Python 的健壮性对软件设计师和用户而言都是大有助益的。一旦某些错误处理不当，Python 也还能提供一些信息，作为某个错误结果而产生的堆栈追踪不仅可以描述错误的类型和位置，还能指出代码所在模块。

1.3.10 高效的快速原型开发工具

我们之前已经提到了 Python 是多么的易学易读。但是，你或许要问了，BASIC 也是如此啊，Python 有什么出类拔萃的呢？与那些封闭僵化的语言不同，Python 有许多面向其他系统的接口，它的功能足够强大，本身也足够强壮，所以完全可以使用 Python 开发整个系统的原型。显然，传统的编译型语言也能实现同样的系统建模，但是 Python 工程方面的简洁性让我们可以在同样的时间内游刃有余地完成相同的工作。此外，大家已经为 Python 开发了为数众多的扩展库，所以无论你打算开发什么样的应用程序，都可能找到先行的前辈。你所要做的全部事情，就是来个“即插即用”（当然，也要自行配置一番）！只要你能想得出来，Python 模块和包就能帮你实现。Python 标准库是很完备的，如果你在其中找不到所需的，那么第三方模块或包就会为你完成工作提供可能。

1.3.11 内存管理器

C 或者 C++最大的弊病在于内存管理是由开发者负责的。所以哪怕是对于一个很少访问、修改和管理内存的应用程序，程序员也必须在执行了基本任务之外履行这些职责。这些加在开发者身上的没有必要的负担和责任常常会分散精力。

在 Python 中，由于内存管理是由 Python 解释器负责的，所以开发人员就可以从内存事务中解放出来，全神贯注于最直接的目标，仅仅致力于开发计划中首要的应用程序。这会使错误更少、程序更健壮、开发周期更短。

1.3.12 解释性和（字节）编译性

Python 是一种解释型语言，这意味着开发过程中没有了编译这个环节。一般来说，由于不是以本地机器码运行，纯粹的解释型语言通常比编译型语言运行得慢。然而，类似于 Java，Python 实际上是字节编译的，其结果就是可以生成一种近似机器语言的中间形式。这不仅改善了 Python 的性能，还同时使它保持了解释型语言的优点。

核心笔记：文件扩展名

Python 源文件通常用.py 扩展名。当源文件被解释器加载或者显式地进行字节码编译的时候会被编译成字节码。由于调用解释器的方式不同，源文件会被编译成带有.pyc 或.pyo 扩展名的文件，你可以在第 12 章学到更多的关于扩展名的知识。

1.4 下载和安装 Python

得到所有 Python 相关软件最直接的方法就是去访问它的网站（http://python.org）。为了方便读者，你也可以访问本书的网站（http://corepython.com）并点击左侧的“Download Python”链接——我们在表格中罗列了当前针对大多数平台的 Python 版本，当然，这还是主要集中在“三巨头”身上：Unix，Win32 和 MacOS X。

正如我们在前面 1.3.5 小节中提到的，Python 可应用的平台非常广泛。我们可以将其划分成如下的几大类和可用平台：

- 所有 Unix 衍生系统（Linux，MacOS X，Solaris，FreeBSD 等）
- Win32 家族（Windows NT，2000，XP 等）
- 早期平台：MacOS 8/9，Windows 3.x，DOS，OS/2，AIX
- 掌上平台（掌上电脑/移动电话）：Nokia Series 60/SymbianOS，Windows CE/Pocket PC，Sharp Zaurus/arm-linux，PalmOS
- 游戏控制台：Sony PS2，PSP，Nintendo GameCube
- 实时平台：VxWorks，QNX
- 其他实现版本：Jython，IronPython，stackless

- 其他

Python 大部分的最近版本都只是针对“三巨头”的。实际上，最新的 Linux 和 MacOS X 版本都已经安装好了 Python——你只需查看一下是哪个版本。尽管其他平台只能找到相对较早的 2.x 对应版本，但是就 1.5 版而言这些版本也有了显著的改进。一些平台有其对应二进制版本，可以直接安装，另外一些则需要在安装前手工编译。

Unix 衍生系统（Linux，MacOS X，Solaris，FreeBSD 等）

正如前文所述，基于 Unix 的系统可能已经安装了 Python。最好的检查方法就是通过命令行运行 Python，查看它是否在搜索路径中而且运行正常。只需输入：

```
myMac: ~wesley$ python
Python 2.4 (#4, Mar 19 2005, 03:25:10)
[GCC 3.3 20030304 (Apple Computer, Inc. build 1671) ] on Darwin
Type "help", "copyright", "credits" or "license" for more information.
">>>"
```

Windows/DOS 系统

首先从前文提到的 python.org 或是 corepython.com 网站下载 msi 文件（例如，python-2.5.msi），之后执行该文件安装 Python。如果你打算开发 Win32 程序，例如使用 COM 或 MFC，或者需要 Win32 库，强烈建议下载并安装Python的Windows扩展。之后你就可以通过DOS命令行窗口或者IDLE和Pythonwin中的一个来运行 Python 了，IDLE 是 Python 缺省的 IDE（Integrated Development Environment，集成开发环境），而 Pythonwin 则来自 Windows 扩展模块。

自己动手编译 Python

对绝大多数其他平台，下载.tgz 文件，解压缩这些文件，然后执行以下操作以编译 Python。

```
1. ./configure
2. make
3. make install
```

Python 通常被安装在固定的位置，所以你很容易就能找到。如今，在系统上安装多种版本的 Python 已经是司空见惯的事情了。虽然容易找到二进制执行文件，你还是要设置好库文件的安装位置。

在 Unix 中，可执行文件通常会将 Python 安装到/usr/local/bin 子目录下，而库文件则通常安装在/usr/local/lib/python2.x 子目录下，其中的 2.x 是你正在使用的版本号。MacOS X 系统中，Python 则安装在/sw/bin 以及/或者/usr/local/bin 子目录下。而库文件则在/sw/lib、usr/local/lib，以及/或者/Library/ Frameworks/Python.framework/Versions 子目录下。

在 Windows 中，默认的安装地址是 C:\Python2x。请避免将其安装在 C:\Program Files 目录下。是的，我们知道这是通常安装程序的文件夹。但是 DOS 是不支持“Program Files”这样的长文件名的，它通常会被用“Progra～1”这个别名代替。这有可能给程序运行带来一些麻烦，所以最好尽量避免。所以，听我的，将 Python 安装在 C:\Python 目录下，这样标准库文件就会被安装在 C:\Python\Lib 目录下。

1.5 运行 Python

有三种不同的办法来启动 Python。最简单的方式就是交互式的启动解释器，每次输入一行 Python 代码来执行。另外一种启动 Python 的方法是运行 Python 脚本。这样会调用相关的脚本解释器。最后一种办法就是用集成开发环境中的图形用户界面运行 Python。集成开发环境通常整合了其他的工具，例如集成的调试器、文本编辑器，而且支持各种像 CVS 这样的源代码版本控制工具。

1.5.1 命令行上的交互式解释器

在命令行上启动解释器，你马上就可以开始编写 Python 代码。在 Unix，DOS 或其他提供命令行解释器或 shell 窗口的系统中，都可以这么做。学习 Python 的最好方法就是在交互式解释器中练习。在你需要体验 Python 的一些特性时，交互式解释器也非常有用。

Unix 衍生系统（Linux，MacOS X，Solaris，FreeBSD 等）

要访问 Python，除非你已经将 Python 所在路径添加到系统搜索路径之中，否则就必须输入 Python 的完整路径名才可以启动 Python。Python 一般安装在/usr/bin 或/usr/local/bin 子目录中。

我们建议读者把 Python（python 执行文件，或 Jython 执行文件——如果你想使用 Java 版的解释器的话）添加到你的系统搜索路径之中，这样你只需要输入解释器的名字就可以启动 Python 解释器了，而不必每次都输入完整路径。

要将 Python 添加到搜索路径中，只需要检查你的登录启动脚本，找到以 set path 或 PATH=指令开始，后面跟着一串目录的那行，然后添加解释器的完整路径。所有事情都做完之后，更新一下 shell 路径变量。现在在 Unix 提示符（根据 shell 的不同可能是%或$）处键入 python（或 jython）就可以启动解释器了，如下所示。

```
$ python
```

Python 启动成功之后，你会看到解释器启动信息，表明 Python 的版本号及平台信息，最后显示解释器提示符“>>>”等待你输入 Python 命令。

Windoes/DOS 环境

为了把 Python 添加到搜索路径中，你需要编辑 C:\autoexec.bat 文件并将完整的 Python 安装路径添加其中。这通常是 C:\Python 或 C:\Program Files \Python（或是“Program Files”在 DOS 下的简写名字 C:\Progra～1\Python）。

要想在 DOS 中将 Python 添加到搜索路径中去，需要编辑 C:\autoexec.bat 文件，把 Python 的安装目录添加上去。一般是 C:\Python 或 C:\Program Files\Python（或者它在 DOS 中的简写名字 C:\Progra～1\Python）。在一个 DOS 窗口中（它可以是纯 DOS 环境或是在 Windows 中的启动的一个 DOS 窗口）启动 Python 的命令与 Unix 操作系统是一样的，都是“python”，它们唯一的区别在于提示符不同，DOS 中是 C:\>，如图 1-1 所示。

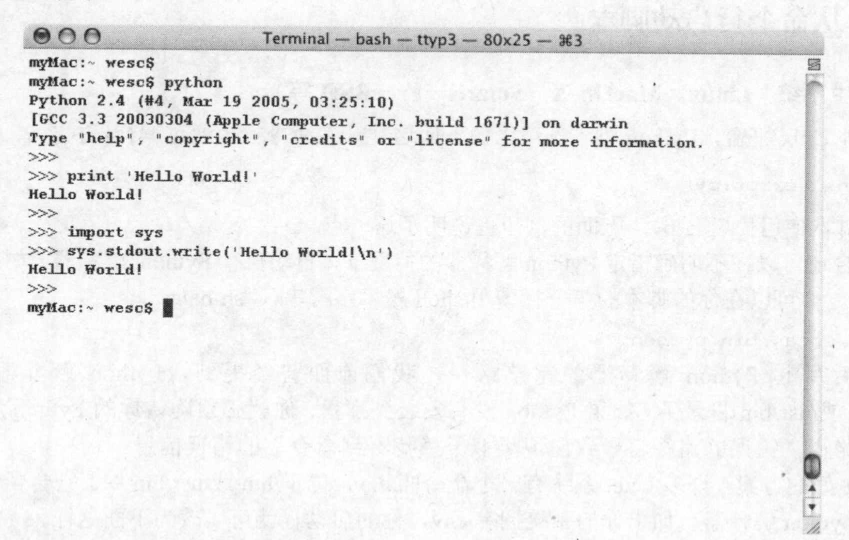

图 1-1 在一个 UNIX（MacOS X）窗口启动 Python 时的屏幕画面

```
C:\> python
```

命令行选项

当从命令行启动 Python 的时候，可以给解释器一些选项。这里有部分选项可供选择。

—d	提供调试输出。
—o	生成优化的字节码（生成 .pyo 文件）。
—s	不导入 site 模块以在启动时查找 Python 路径。
—v	冗余输出（导入语句详细追踪）。
—m mod	将一个模块以脚本形式运行。
—Q opt	除法选项（参阅文档）。
—c cmd	运行以命令行字符串形式提交的 Python 脚本。
file	从给定的文件运行 Python 脚本（参阅后文）。

```
MS-DOS
Microsoft Windows XP [Version 5.1.2600]
(C) Copyright 1985-2001 Microsoft Corp.

C:\WINDOWS\system32>python
Python 2.4.2 (#67, Sep 28 2005, 12:41:11) [MSC v.1310 32 bit (Intel)] on win32
Type "help", "copyright", "credits" or "license" for more information.
>>>
>>> print 'Hello World!'
Hello World!
>>> ^Z


C:\WINDOWS\system32>
```

图 1-2 在一个 DOS/命令行 窗口启动 Python

1.5.2 从命令行启动脚本

Unix 衍生系统（Linux，MacOS X，Solaris，FreeBSD 等）

不管哪种 Unix 平台，Python 脚本都可以像下面这样，在命令行上通过解释器执行。

```
$ python script.py
```

Python 脚本使用扩展名.py，上面的例子也说明了这一点。

Unix 平台还可以在不明确指定 Python 解释器的情况下，自动执行 Python 解释器。如果你使用的是类 Unix 平台，你可以在你的脚本的第一行使用 shell 魔术字符串（“sh-bang”）。

```
#!/usr/local/bin/python
```

在#!之后写上 Python 解释器的完整路径，我们前面曾经提到，Python 解释器通常安装在/usr/local/bin 或/usr/bin 目录下。如果 Python 没有安装到那里，你就必须确认你的 Python 解释器确实位于你指定的路径。错误的路径将导致出现类似于“找不到命令”的错误信息。

有一个更好的方案，许多 Unix 系统有一个命令叫 env，位于/bin 或/usr/bin 中。它会帮你在系统搜索路径中找到 python 解释器。如果你的系统拥有 env，你的启动行就可以改为下面这样。

```
#!/usr/bin/env python
```

或者，如果你的env位于/bin的话，

```
#!/bin/env python
```

当你不能确定Python的具体路径或者Python的路径经常变化时（但不能挪到系统搜索路径之外），env就非常有用。当你在你的脚本首行书写了合适的启动指令之后，这个脚本就能够直接执行。当调用脚本时，会先载入Python解释器，然后运行你的脚本。我们刚才提到，这样就不必显式调用Python解释器了，而只需要键入脚本的文件名。

```
$ script.py
```

注意，在键入文件名之前，必须先将这个文件的属性设置为可以执行。在文件列表中，你的文件应该将它设置为自己拥有rwx权限。如果在确定Python安装路径，或者改变文件权限，或使用chmod命令时遇到困难，请和系统管理员一道检查一下。

Windows/DOS 环境

DOS命令窗口不支持自动执行机制，不过至少在WinXP当中，它能像在Windows中一样做到通过输入文件名执行脚本，这就是“文件类型”接口。这个接口允许Windows根据文件扩展名识别文件类型，从而调用相应的程序来处理这个文件。举例来说，如果你安装了带有PythonWin的Python，双击一个带有.py扩展名的Python脚本就会自动调用Python或PythonWin IDE（如果你安装了的话）来执行你的脚本。运行以下命令就和双击它的效果一样。

```
C:\> script.py
```

这样无论是基于Unix操作系统还是Win32操作系统都可以无需在命令行指定Python解释器的情况下运行脚本，但是如果调用脚本时，得到类似“命令无法识别”之类的错误提示信息，你也总能正确处理。

1.5.3 集成开发环境

你也可以从图形用户界面环境运行Python，你所需要的是支持Python的GUI程序。如果你已经找到了一个，很有可能它恰好也是集成开发环境。集成开发环境不仅仅是图形接口，通常会带有源代码编辑器、追踪和排错工具。

Unix 衍生系统（Linux，MacOS X，Solaris，FreeBSD 等）

IDLE可以说是Unix平台下Python的第一个集成开发环境(IDE)。最初版本的IDLE也是Guido van Rossum开发的，在Python1.5.2中，它首次露面。IDLE代表的就是IDE，只不过多了一个“L”。我猜测，IDLE是借用了“Monty Python”一个成员的名字[译注1]...嗯...IDLE基于Tkinter，要运行它的话你的系统中必须先安装Tcl/Tk。目前的Python发行版都带有一个迷你版的Tcl/Tk库，因此就不再需要Tcl/Tk的完整安装了。

如果你已经在系统中安装好了Python，或者你有一个Python RPM包，可是它并没有包含IDLE或Tkinter，那在你尝试IDLE之前，必须先将这两样东西安装好。（如果你需要，确实有一个独立的Tkinter RPM包可供下载，以便和Python一起工作）如果你是自己编译的Python，而且有Tk库可用，那Tkinter会自动编译进Python，而且Tkinter和IDLE也会随Python的安装而安装。

如果你打算运行IDLE，就必须找到你的标准库安装位置：/usr/local/lib/python2.x/idlelib/idle.py。如果你是自己编译Python，你会在/usr/local/bin目录中发现一个名为idle的脚本，这样你就可以在shell命令行中直接运行 idle。图 1-3 是类 Unix 系统下的 IDLE 界面。MacOS X 是一个非常类似 Unix（基于 mach 内核，BSD 服务）的操作系统。在 MacOS X 下，Python 可以用传统的 Unix 编译工具编译。MacOS X 发行版自带一个编译好的 Python 解释器，不过并没有任何一个面向 Mac 的特殊工具（比如 GNU readline，IDE 等），当然也没有 Tkinter 和 IDLE。

你可能会打算自己下载并编译一个出来，不过要小心一点，有时你新安装的 Python 会与 Apple 预装的版本混淆在一起。认真一点没有坏处。你也可以通过 Fink/Finkcommander 和 DarwinPorts 得到 MacOS X 版的 Python。

http://fink.sourceforge.net/

http://darwinports.org

如果要得到最新 Mac 版 Python 的组建和信息，请访问如下网页

http://undefined.org/python

http://pythonmac.org/packages

另一个选择是从 Python 站点下载 MacOS X 的通用二进制包。这个磁盘映像文件（DMG）要求操作系统版本至少为 10.3.9，它适用于基于 PowerPC 和 Intel 硬件的 Mac 机器。

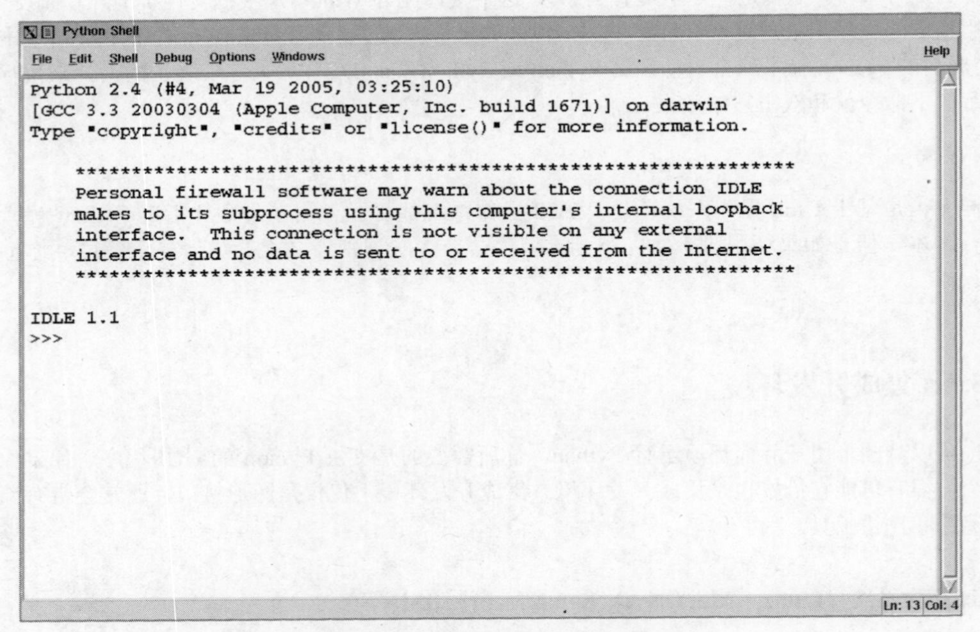

图 1-3 在 Unix 中启动 IDLE

Windows 环境

PythonWin 是 Python 的第一个 Windows 接口，并且还是个带有图形用户界面的集成开发环境。PythonWin 发行版本中包含 WindowsAPI 和 COM 扩展。PythonWin 本身是针对 MFC 库编写的，它可以作为开发环境来开发你自己的 Windows 应用程序。你可以从下面给出的网页中下载并安装它。

PythonWin 通常被安装在和 Python 相同的目录中，在它自己的安装目录 C:\Python2x\Lib\site-packages\pythonwin 中有可执行的启动文件 pythonwin.exe。PythonWin 拥有一个带有颜色显示的编辑器、一个新的增强版排错器、交互 shell 窗口、COM 扩展和更多的有用特性。如图 1-4 就是运行在 Windows 上的 PythonWin 集成开发环境的屏幕截图。

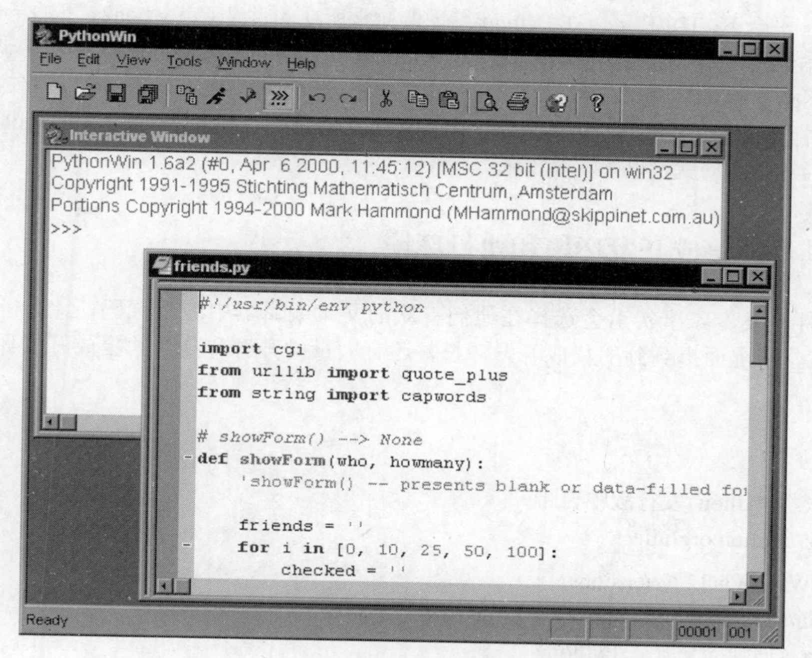

图 1-4 Windows 环境中的 PythonWin

你可以在下面由 Mark Hammond 维护的网站中找到更多的关于 PythonWin 和 Python 针对 Windowns 的扩展（也被称为“win32all”）。

http://starship.python.net/crew/mhammond/win32/

http://sourceforge.net/projects/pywin32/

IDLE 也有 Windows 平台版本，这是由 Tcl/ Tk 和 Python/ Tkinter 的跨平台性特点决定的，它看上去很像 Unix 平台下的版本，如图 1-5 所示。

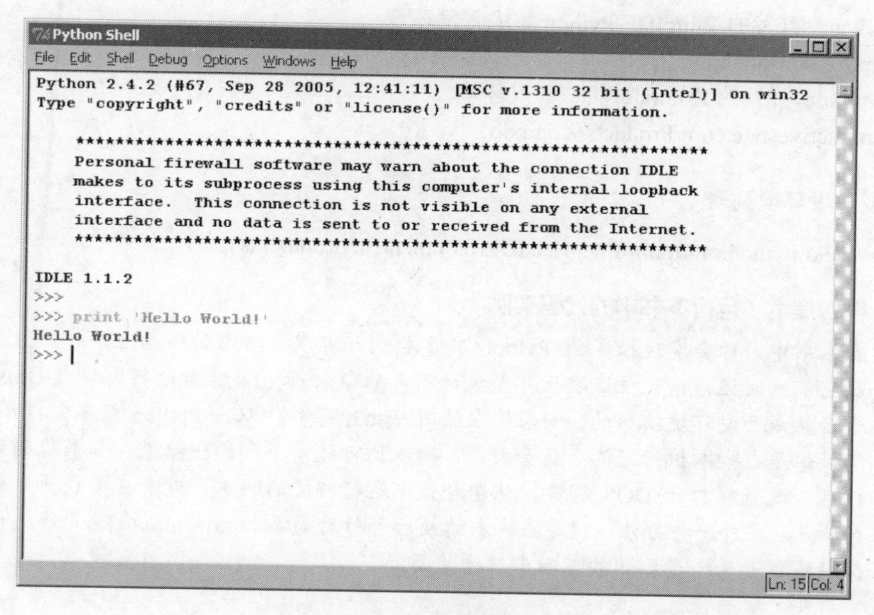

图 1-5 在 Windows 中启动 IDLE

在 Windows 平台下，IDLE 可以在 Python 编译器通常所在的目录 C:\Python2x 下的子目录 Lib\idlelib 中找到。从 DOS 命令行窗口中启动 IDLE，请调用 idle.py。你也可以从 Windows 环境中调用 idle.py，但是会启动一个不必要的 DOS 窗口。取而代之的方法是双击 idle.pyw，以.pyw 作为扩展名的文件不会通过打开 DOS 命令行窗口来运行脚本。事实上你可以在桌面上创建一个到 C:\Python2x\Lib\idlelib\idle.pyw 的快捷方式，然后双击启动就可以了，简单吧！

1.5.4 其他的集成开发环境和执行环境

很多的软件开发专家事实上会选择在他们喜欢的文本编辑器中编写代码，比如 vi（m） 或者 emacs。除了这些和上面提到到的集成开发环境，还有大量的开源和商业的集成开发环境，下面是个简短的列表。

开源

- IDLE（在 Python 发行版中自带）
  http://python.org/idle/
- PythonWin+Win32 Extensions
  http://starship.python.net/crew/skippy/win32
- IPython（增强的交互式 Python）
  http://ipython.scipy.org
- IDE Studio（IDLE 以及更多）
  http://starship.python.net/crew/mike/Idle
- Eclipse
  http://pydev.sf.net
  http://eclipse.org/

商业

- WingWare 开发的 WingIDE Python 集成开发环境
  http://wingware.com/
- ActiveState 开发的 Komodo 集成开发环境
  http://activestate.com/Products/Komodo

通用集成开发环境列表

http://wiki.python.org/moin/IntegratedDevelopmentEnvironments

核心提示：运行本书中的代码实例

在本书中，你会发现很多的 Python 脚本样例，可以从本书的网站上下载。但是当你运行它们的时候，请记住这些代码是设计用来从命令行（DOS 命令行窗口或 Unix shell）或者集成开发环境执行的。如果你在使用 Win32 系统，双击 Python 程序会打开 DOS 窗口，但是在脚本执行完毕后就会关闭，所以你可能看不到输出结果。如果你遇到了这种情况，就直接打开 DOS 窗口，从命令行中运行相关的脚本，或者在集成开发环境中执行脚本。另外一种办法，就是在脚本的最后一行后面添加 raw_input( )语句，这样就可以保持窗口开着，直到你按下回车键才关闭。

1.6 Python 文档

Python 文档可以在很多地方找到，最便捷的方式就是从 Python 网站查看在线文档。如果你没上网，并且使用的是 Win32 系统，那么在 C:\Python2x\Doc\目录下会找到一个名为 Python2x.chm 的离线帮助文档。它使用 IE 接口，所以你实际上是使用网页浏览器来查看文档。其他的离线文档包括 PDF 和 PostScript（PS）文件。最后，如果你下载了 Python 发行版，你会得到 LaTeX 格式的源文件。

在本书的网站中，我们创建了一个包括绝大多数 Python 版本的文档，只要访问 http://corepython.com，单击左侧的“Documentation”就可以了。

1.7 比较 Python（Python 与其他语言的比较）

Python 已经和很多语言比较过了。一个原因就是 Python 提供了很多其他语言拥有的特性，另外一个原因就是 Python 本身也是由诸多其他语言发展而来的，包括 ABC、Modula-3、C、C++、Algol-68、SmallTalk、Unix shell 和其他的脚本语言，等等。Python 就是“浓缩的精华”：Van Rossum 研究过很多语言，从中吸收了许多觉得不错的特性，并将它们溶于一炉。

然而，往往因为 Python 是一门解释型语言，你会发现大多数的比较是在 Perl、Java、Tcl，还有 JavaScript 之间进行的。Perl 是另外一种脚本语言，远远超越了标准的 shell 脚本。像 Python 一样，Perl 赋予了你所有编程语言的功能特性，还有系统调用能力。

Perl 最大的优势在于它的字符串模式匹配能力，其提供了一个十分强大的正则表达式匹配引擎。这使得 Perl 实际上成为了一种用于过滤、识别和抽取字符串文本的语言，而且它一直是开发 Web 服务器端 CGI（common gateway interface，通用网关接口）网络程序的最流行的语言。Python 的正则表达式引擎很大程度上是基于 Perl 的。

然而，Perl 语言的晦涩和对符号语法的过度使用，让解读变得很困难。这些语法令初学者不得精要，为他们的学习带来了不小的阻碍。Perl 的这些额外的“特色”使得完成同一个任务会有多个方法，进而引起了开发者之间的分歧。最后，通常当你想阅读几个月前写的 Perl 脚本的时候都不得不求助参考书。

Python 也经常被拿来和 Java 作对比，因为他们都有类似的面向对象的特性和语法。Java 的语法尽管比 C++简单的多，但是依旧有些繁琐，尤其是当你想完成一个小任务的时候。Python 的简洁与纯粹使用 Java 相比提供了更加快速的开发环境。在 Python 和 Java 的关系上，一个非常重大的革命就是 Jython 的开发。Jython 是一个完全用 Java 开发的 Python 解释器，现在可以在只有 Java 虚拟机的环境中运行 Python 程序。我们会在后面的章节中简单讲述 Jython 的更多优点，但是现在就可以告诉你：在 Jython 的脚本环境中，你可以熟练地处理 Java 对象，Java 可以和 Python 对象进行交互，你可以访问自己的 Java 标准类库，就如同 Java 一直是 Python 环境的一部分一样。

现在，由于 Rails 项目的流行，Python 也经常被拿来和 Ruby 进行比较。就像前面我们提到的，Python 是多种编程范式的混合，它不像 Ruby 那样完全面向对象，也没有像 Smalltalk 那样的块，或许这正是 Ruby 最引人注目的特性。Python 有一个字节码解释器，而 Ruby 没有。Python 更加易读，而 Ruby 事实上可以看作是面向对象的 Perl。相对于 Rails，Python 有几个自己的 Web 应用框架，比如 Django 和 Turbogears 这两个项目。

Tcl 是另一种可以与 Python 相提并论的脚本语言。Tcl 是最易于使用的脚本语言之一，程序员很容易像访问系统调用一样对 Tcl 语言进行扩展。Tcl 直到今天仍然很流行，与 Python 相比，它或许有更多局限性（主要是因为它有限的几种数据类型），不过它也拥有和 Python 一样的通过扩展超越其原始设计的能力。更重要的是，Tcl 通常总是和它的图形工具包 Tk 一起工作，一起协同开发图形用户界面应用程序。因为它非常流行，所以 Tk 已经被移植到 Perl（Perl/Tk）和 Python（Tkinter）中。同样有一个有争议的观点，那就是与 Tcl 相比，因为 Python 有类、模块及包的机制，所以写起大程序来更加得心应手。

Python 有一点点函数化编程(functional programming ，FP)结构，这使得它有点类似于 List 或 Scheme 语言。尽管 Python 不是传统的函数化编程语言，但它持续地从 Lisp 和 haskell 语言中借用一些有价值的特性。举例来说，列表解析就是一个广受欢迎的来自 Haskell 的特性，而 Lisp 程序员在遇到 lambda、map、filter 和 reduce 时也会感到异常亲切。

JavaScript 是另外一种非常类似 Python 的面向对象脚本语言。优秀的 JavaScript 程序员学起 Python 来易如反掌。聪慧的读者会注意到 JavaScript 是基于原型系统的，而 Python 则遵循传统的面向对象系统，这使得二者的类和对象有一些差异。

下面列出了有关 Python 与其他语言进行比较的网页。

Perl

http://www2.linuxjournal.com/article/3882
http://llama.med.harvard.edu/～fgibbons/PerlPythonPhrasebook.html
http://aplawrence.com/Unixart/pythonvsperl.html
http://pleac.sf.net/pleac_python
http://www.garshol.priv.no/download/text/perl.html

Java

http://dirtsimple.org/2004/12/python-is-not-java.html
http://twistedmatrix.com/users/glyph/rant/python-vs-java.html
http://netpub.cstudies.ubc.ca/oleary/python/python_java_comparison.php

Lisp

http://strout.net/python/pythonvslisp.html
http://norvig.com/python-lisp.html

Ruby

http://blog.ianbicking.org/ruby-python-power.html
http://www.rexx.com/～oinkoink/Ruby_v_Python.html
http://dev.rubycentral.com/faq/rubyfaq-2.html

Perl、C++

http://strombergers.com/python/

Perl、Java、C++

http://furryland.org/～mikec/bench/

C++、Java、Ruby

http://dmh2000.com/cjpr

Perl, Java, PHP, Tcl

http://www-128.ibm.com/developerworks/linux/library/l-python101.html
http://www-128.ibm.com/developerworks/linux/library/l-script-survey/

C、C++、Java、Perl、Rexx、Tcl

http://www.ubka.uni-karlsruhe.de/indexer-vvv/ira/2000/5

你可以在下面的网址中看到更多 Python 与其他的语言的比较：

http://www.python.org/doc/Comparisons.html

1.8 其他实现

标准版本的 Python 是用 C 来编译的，又被称为 Cpython。除此之外，还有一些其他的 Python 实现。我们将在下面讲述些实现，除了本书中提到的这些实现以外，下面的网址还有更多的实现版本。

http://python.org/dev/implementations.html

Java

我们在上一节中曾经提到，还有一个可以用的 Python 解释器是完全由 Java 写成的，名为 Jython。尽管两种解释器之间存在一些细微的差别，但是它们非常接近，而且启动环境也完全相同。那 Jython 又有哪些优势呢？Jython...

- 只要有 Java 虚拟机，就能运行 Jython。
- 拥有访问 Java 包与类库的能力。
- 为 Java 开发环境提供了脚本引擎。
- 能够很容易的测试 Java 类库。
- 提供访问 Java 原生异常处理的能力。
- 继承了 JavaBeans 特性和内省能力。
- 鼓励 Python 到 Java 的开发（反之亦然）。
- GUI 开发人员可以访问 Java 的 AWT/Swing 库。
- 利用了 Java 原生垃圾收集器（CPython 未实现此功能）。

对 Jython 进行详细论述，超出了本文的范围，不过网上有非常多的 Jython 信息。Jython 目前仍然在不断开发之中，不时会增加新的特性。你可以通过访问 Jython 的网站得到更多有用的信息。

http://jython.org

.NET/Mono

现在已经有一个名为 IronPython 的 Python 实现，它是用 C# 语言完成的，它适用的环境是.NET 和 Mono。你可以在一个.NET 应用程序中整合 IronPython 解释器来访问.NET 对象。ronPython 的扩展可以用 C#或 VB.NET 语言编写。除此之外，还有一种名为 Boo 的.NET/Mono 语言。你可以在下面的网址获得更多关于 IronPython 和 Boo 语言的信息。

http://codeplex.com/Wiki/View.aspx?ProjectName=IronPython

http://boo.codehaus.org/

Stackless

CPython 的一个局限就是每个 Python 函数调用都会产生一个 C 函数调用（从计算机科学的角度来说，我们在讨论栈帧）。这意味着同时产生的函数调用是有限制的，因此 Python 难以实现用户级的线程库和复杂递归应用。一旦超越这个限制，程序就会崩溃。你可以通过使用一个“stackless”的 Python 实现来突破这个限制，一个 C 栈帧可以拥有任意数量的 Python 栈帧，这样你就能够拥有几乎无穷的函数调用，并能支持巨大数量的线程，这个 Python 实现的名字就叫……Stackless（嘿嘿，很惊讶吗？）

Stackless 唯一的问题就是它要对现有的 CPython 解释器做重大修改，所以它几乎是一个独立的分支。另一个名为 Greenlets 的项目也支持微线程，它是一个标准的 C 扩展，因此不需要对标准 Python 解释器做任何修改。通过以下网址你能了解更多信息。

http://stackless.com

http://codespeak.net/py/current/doc/greenlet.html

1.9 练习

1-1. 安装 Python。请检查 Python 是否已经安装到你的系统上，如果没有，请下载并安装它。

1-2. 执行 Python。有多少种运行 Python 的不同方法？你喜欢哪一种？为什么？

1-3. Python 标准库。

（a）请找到系统中 Python 执行程序的安装位置和标准库模块的安装位置。

（b）看看标准库里的一些文件，比如 string.py。这会帮助你适应阅读 Python 脚本。

1-4. 交互执行。启动你的 Python 交互解释器。你可以通过输入完整的路径名来启动它。当然，如果你已经在搜索路径中设置了它的位置，那么只输入它的名字（python 或者 python.exe）就行了（你可以任选最适合你的的 Python 实现方式，例如命令行、图形用户接口/集成开发环境、Jython、IronPython 或者 Stackless）。启动界面看上去就像本章描述的一样，一旦你看到>>>提示符，就意味着解释器准备好要接受你的 Python 命令了。

试着输入命令 print 'Hello World!'（然后按回车键），完成著名的 Hello World!程序，然后退出解释器。在 Unix 系统中，按下 Ctrl+D 会发送 EOF 信号来中止 Python 解释器，在 DOS 系统中，使用的组合键是 Ctrl+Z。如果要从 Macintosh、PythonWin、Windows 或 Unix 中的 IDLE 这样的图形用户环境中退出，只要简单的关闭相关窗口就可以了。

1-5. 编写脚本。作为练习 1-4 的延续，创建“Hello World!”的 Python 脚本其实和上面的交互性练习并不是一回事。如果你在使用 Unix 系统，尝试建立自动运行代码行，这样你就可以在没有调用 Pyton 解释器的情况下运行程序了。

1-6. 编写脚本。使用 print 语句编写脚本，在屏幕上显示你名字、年龄、最喜欢的颜色和与你相关的一些事情（背景、兴趣、爱好等）。

译注 1： Monty Python，也称“蒙地蟒蛇”，是英国的一个 6 人喜剧团体，在 20 世纪 70 年代的电视剧和 80 年代的电影作品红极一时。Guido van Rossum 就是该团体的忠实影剧迷，故而将本语言命名为 Python。这里的 IDLE 指的是其成员 Eric Idle。

第2章 快速入门

本章主题

- 引言
- 输入/输出
- 注释
- 操作符
- 变量与赋值
- Python 数据类型
- 缩进
- 循环与条件
- 文件
- 错误
- 函数
- 类
- 模块

本章将对 Python 的主要特性做一个快速介绍，这样你就可以借助以前的编程经验识别出熟悉的语言结构，并立刻将 Python 付诸使用。虽然细节内容会在后续的章节中逐一讲解，但是对整体的了解可以让你迅速融入到 Python 中。阅读本章的最好的方法就是在电脑上打开 Python 解释器，尝试书中的示例，当然也可以随心所欲地自己做实验。

我们已经在第 1 章和练习 1-4 中介绍了如何启动 Python 解释器。在所有的交互示例中，你会看到 Python 的主提示符（>>>）和次提示符（...）。主提示符是解释器告诉你它在等待你输入下一个语句，次提示符告诉你解释器正在等待你输入当前语句的其他部分。

Python 有两种主要的方式来完成你的要求：语句和表达式（函数、算术表达式等）。相信大部分读者已经了解二者的不同，但是不管怎样，我们还是再来复习一下。语句使用关键字来组成命令，类似告诉解释器一个命令。你告诉 Python 做什么，它就为你做什么，语句可以有输出，也可以没有输出。下面我们先用 print 语句完成程序员们老生常谈第一个编程实例，Hello World。

```
>>> print 'Hello World!'
Hello World!
```

而表达式没有关键字。它们可以是使用数学操作符构成的算术表达式，也可以是使用括号调用的函数。它们可以接受用户输入，也可以不接受用户输入，有些会有输出，有些则没有。（在 Python 中未指定返回值的函数会自动返回 None，等价于 NULL）下面举一个例子，函数 abs()接受一个数值输入，然后输出这个数值的绝对值。

```
>>> abs(4)
4
>>> abs(-4)
4
```

本章中我们将分别介绍语句和表达式。我们先来研究 **print** 语句。

2.1 程序输出，print 语句及“Hello World!”

有些语言，比如 C，通过函数输出数据到屏幕，例如函数 printf()。然而在 Python 和大多数解释执行的脚本语言中，则使用语句进行输出。很多的 shell 脚本语言使用 echo 命令来输出程序结果。

核心笔记：在交互式解释器中显示变量的值

通常当你想看变量内容时，你会在代码中使用 **print** 语句输出。不过在交互式解释器中，你可以用 **print** 语句显示变量的字符串表示，或者仅使用变量名查看该变量的原始值。

在下面的例子中，我们把一个字符串赋值给变量 myString，先用 **print** 来显示变量的内容，之后用变量名称来显示。

```
>>> myString = 'Hello World!'
>>> print myString
Hello World!
>>> myString
'Hello World!'
```

注意，在仅用变量名时，输出的字符串是用单引号括起来了的。这是为了让非字符串对象也能以字符串的方式显示在屏幕上——即它显示的是该对象的字符串表示，而不仅仅是字符串本身。引号表示你刚刚输入的变量的值是一个字符串。等你对 Python 有了较深入的了解之后，你就会知道 print 语句调用 str()函数显示对象，而交互式解释器则调用 repr()函数来显示对象。

下划线（_）在解释器中有特别的含义，表示最后一个表达式的值。所以上面的代码执行之后，下划线变量会包含字符串。

```
>>> _
Hello World!
```

Python 的 print 语句，与字符串格式操作符（%）结合使用，可实现字符串替换功能，这一点和 C 语言中的 printf()函数非常相似。

```
>>> print "%s is number %d!" % ("Python", 1)
Python is number 1!
```

%s 表示由一个字符串来替换，而%d 表示由一个整型来替换，另外一个很常用的就是%f，它表示由一个浮点型来替换。我们会在本章中看到更多类似的例子。Python 非常灵活，所以即使你将数字传递给%s，也不会像其他要求严格的语言一样引发严重后果。参阅 6.4.1 节以了解更多关于字符串格式操作符的信息。Print 语句也支持将输出重定向到文件。这个特性是从 Python2.0 开始新增的。符号 >> 用来重定向输出，下面这个例子将输出重定向到标准错误输出。

```
import sys
print >> sys.stderr, 'Fatal error: invalid input!'
```

下面是一个将输出重定向到日志文件的例子。

```
logfile = open('/tmp/mylog.txt', 'a')
print >> logfile, 'Fatal error: invalid input!'
logfile.close()
```

2.2 程序输入和 raw_input()内建函数

从用户那里得到数据输入的最容易的方法是使用 raw_input()内建函数。它读取标准输入，并将读取到的数据赋值给指定的变量。你可以使用 int() 内建函数将用户输入的字符串转换为整型。

```
>>> user = raw_input('Enter login name: ')
Enter login name: root
>>> print 'Your login is:', user
Your login is: root
```

上面这个例子只能用于文本输入。下面是输入一个数值字符串（并将字符串转换为整型）的例子：

```
>>> num = raw_input('Now enter a number: ')
Now enter a number: 1024
>>> print 'Doubling your number: %d' % (int(num) * 2)
Doubling your number: 2048
```

内建函数 int()将数值字符串转换成整型值，这样才可以对它进行数学运算。参阅第 6.5.3 节以了解更多有关内建函数 raw_input()的知识。

核心笔记：从交互式解释器中获得帮助

在学习 Python 的过程中，如果需要得到一个生疏函数的帮助，只需要对它调用内建函数 help()。通过用函数名作为 help()的参数就能得到相应的帮助信息。

```
>>> help(raw_input)
Help on built-in function raw_input in module __builtin__:
raw_input(...)
    raw_input([prompt]) -> string
```

从标准输入读取一个字符串并自动删除串尾的换行字符。如果用户键入了 EOF 字符（Unix: Ctrl+D, Windows: Ctrl+Z+回车），则引发 EOFError，在 Unix 平台，只要可用，就使用 GNU readline 库。如果提供提示字符串参数，则显示该字符串并自动删去字符串末尾的换行字符。（本段是 help（raw_input）的输出，译文是对其加以解释，方便读者理解——译者注）

核心风格：一直在函数外做用户交互操作

新手在需要显示信息或得到用户输入时，很容易想到使用 print 语句和raw_input()内建函数。不过我们在此建议函数应该保持其清晰性，也就是它只应该接受参数，返回结果。从用户那里得到需要的数据，然后调用函数处理，从函数得到返回值，然后显示结果给用户。这样你就能够在其他地方也可以使用你的函数而不必担心自定义输出的问题。这个规则的一个例外是，如果函数的基本功能就是为了得到用户输出，或者就是为了输出信息，这时在函数内使用 print 语句或 raw_input() 也未尝不可。更重要的是，将函数分为两大类，一类只做事，不需要返回值（比如与用户交互或设置变量的值），另一类则执行一些运算，最后返回结果。如果输出就是函数的目的，那么在函数体内使用 print 语句也是可以接受的选择。

2.3 注释

和大部分脚本及 Unix-shell 语言一样，Python 也使用 # 符号标示注释，从 # 开始，直到一行结束的内容都是注释。

```
>>> # one comment
... print 'Hello World!'        # another comment
Hello World!
```

有一种叫做文档字符串的特别注释。你可以在模块、类或者函数的起始添加一个字符串，起到在线文档的功能，这是 Java 程序员非常熟悉的一个特性。

```
def foo():
    "This is a doc string."
    return True
```

与普通注释不同，文档字符串可以在运行时访问，也可以用来自动生成文档。

2.4 操作符

和其他绝大多数的语言一样，Python 中的标准算术操作符以你熟悉的方式工作。

```
+    -    *    /    //    %    **
```

加、减、乘、除和取余都是标准操作符。Python 有两种除法操作符，单斜杠用作传统除法，双斜杠用作浮点除法（对结果进行四舍五入）。传统除法是指如果两个操作数都是整型的话，它将执行的是地板除（取比商小的最大整数）（关于“地板除”请参考第 5 章——译者注），而浮点除法是真正的除法，不管操作数是什么类型，浮点除法总是执行真正的除法。你可以在第 5 章学到更多有关传统除法、真正的除法及浮点除法的知识。

还有一个乘方操作符，双星号（**）。尽管我们一直强调这些操作符的算术本质，但是请注意对于其他数据类型，有些操作符是被重载了，比如字符串和列表。让我们看一个例子。

```
>>> print -2 * 4 + 3 ** 2
1
```

就像你看到的，操作符的优先级和你想象的一样：+和−优先级最低，*、/、//、%优先级较高，单目操作符+和−优先级更高，乘方的优先级最高。（3**2）首先求值，然后是（−2*4），然后是对两个结果进行求和。

Python 当然也有标准比较操作符，比较运算根据表达式的值的真假返回布尔值。

```
<      <=      >      >=      ==      !=      <>
```

试一试，看看这些比较运算会得到什么结果。

```
>>> 2 < 4
True
>>> 2 == 4
False
>>> 2 > 4
False
>>> 6.2 <= 6
False
>>> 6.2 <= 6.2
True
>>> 6.2 <= 6.20001
True
```

Python 目前支持两种“不等于”比较操作符，!=和<>，分别是 C 风格和 ABC/Pascal 风格。目前后者慢慢地被淘汰了，所以我们推荐使用前者。

Python 也提供了逻辑操作符。

```
and     or     not
```

使用逻辑操作符可以将任意表达式连接在一起，并得到一个布尔值。

```
>>> 2 < 4 and 2 == 4
False
>>> 2 > 4 or 2 < 4
True
>>> not 6.2 <= 6
True
>>> 3 < 4 < 5
True
```

最后一个例子在其他语言中通常是不合法的，不过 Python 支持这样的表达式，既简洁又优美。它实际上是下面表达式的缩写：

```
>>> 3 < 4 and 4 < 5
```

参阅 4.5 节以得到更多有关 Python 操作符的信息。

核心风格：合理使用括号增强代码的可读性

在很多场合使用括号都是一个好主意，而没用括号的话，会使程序得到错误结果，或使代码可读性降低，引起阅读者困惑。括号在 Python 语言中不是必须存在的，不过为了可读性，使用括号总是值得的。任何维护你代码的人会感谢你，在你再次阅读自己的代码时，你也会感谢你自己。

2.5 变量和赋值

Python 中变量名规则与其他大多数高级语言一样，都是受 C 语言影响（或者说这门语言本身就是 C 语言写成的）。变量名仅仅是一些字母开头的标识符——所谓字母开头——意指大写或小写字母，另外还包括下划线（_）。其他的字符可以是数字、字母或下划线。Python 变量名是大小写敏感的，也就是说变量“case”与“CaSe”是两个不同的变量。

Python 是动态类型语言，也就是说不需要预先声明变量的类型。变量的类型和值在赋值那一刻被初始化。变量赋值通过等号来执行。

```
>>> counter = 0
>>> miles = 1000.0
>>> name = 'Bob'
>>> counter = counter + 1
>>> kilometers = 1.609 * miles
>>> print '%f miles is the same as %f km' % (miles, kilometers)
1000.000000 miles is the same as 1609.000000 km
```

上面是五个变量赋值的例子。第一个是整型赋值，第二个是浮点型赋值，第三个是字符串赋值，第四个是对一个整型增 1，最后一个是浮点乘法赋值。

Python 也支持增量赋值，也就是操作符和等号合并在一起，看下面的例子。

```
n = n * 10
```

将上面的例子改成增量赋值方式就是：

```
n *= 10
```

Python 不支持 C 语言中的自增 1 和自减 1 操作符，这是因为+和−也是单目操作符，Python 会将− −n 解释为−(−n)从而得到 n，同样++n 的结果也是 n。

2.6 数字

Python 支持五种基本数字类型，其中有三种是整型类型。

- 有符号整型
  - 长整型
  - 布尔值
- 浮点值
- 复数

下面是一些例子。

int	0101	84	−237	0x80	017	−680	−0X92
long	29979062458L	−841401	0xDECADEDEADBEEFBADFEEDDEAL				
bool	True	False					
float	3.14159	4.2E−10	−90.	6.022e23	−1.609E−19		
complex	6.23+1.5j	−1.23−875J	0+1j	9.80665−8.31441J	−.0224+0j		

Python 中有两种有趣的类型，就是 Python 的长整型和复数类型。请不要将 Python 的长整型与 C 语言的长整型混淆。Python 的长整型所能表达的范围远远超过 C 语言的长整型，事实上，Python 长整

型仅受限于用户计算机的虚拟内存总数。如果你熟悉 Java，Python 的长整型类似于 Java 中的 BigInteger 类型。

从长远来看，整型与长整型正在逐步统一为一种整型类型。从 Python2.3 开始，再也不会报整型溢出错误，结果会被自动转换为长整型。在未来版本的 Python 中，两种整型类型将会无缝结合，长整型后缀“L”也会变得可有可无。

布尔值是特殊的整型。尽管布尔值由常量 True 和 False 来表示，如果将布尔值放到一个数值上下文环境中（比如将 True 与一个数字相加），True 会被当成整型值 1，而 False 则会被当成整型值 0。复数（包括-1 的平方根，即所谓的虚数）在其他语言中通常不被直接支持（一般通过类来实现）。

其实还有第 6 种数字类型，即 decimal，用于十进制浮点型。不过它并不是内建类型，你必须先导入 decimal 模块才可以使用这种数值类型。由于需求日渐强烈，Python 2.4 增加了这种类型。举例来说，由于在二进制表示中有一个无限循环片段，数字 1.1 无法用二进制浮点型精确表示。因此，数字 1.1 实际上会被表示成如下形式。

```
>>> 1.1
1.1000000000000001

>>> print decimal.Decimal('1.1')
1.1
```

第 5 章将详细介绍所有的数字类型。

2.7 字符串

Python 中字符串被定义为引号之间的字符集合。Python 支持使用成对的单引号或双引号，三引号（三个连续的单引号或者双引号）可以用来包含特殊字符。使用索引操作符（[ ]）和切片操作符（[:]）可以得到子字符串。字符串有其特有的索引规则：第一个字符的索引是 0，最后一个字符的索引是-1。

加号（+）用于字符串连接运算，星号（*）则用于字符串重复。下面是几个例子。

```
>>> pystr = 'Python'
>>> iscool = 'is cool!'
>>> pystr[0]
'P'
>>> pystr[2:5]
'tho'
>>> iscool[:2]
'is'
>>> iscool[3:]
'cool!'
>>> iscool[-1]
'!'
>>> pystr + iscool
'Pythonis cool!'
>>> pystr + ' ' + iscool
'Python is cool!'
>>> pystr * 2
'PythonPython'
>>> '-' * 20
'--------------------'
```

```
>>> pystr = '''python
... is cool'''
>>> pystr
'python\nis cool'
>>> print pystr
python
is cool
>>>
```

你可以在第6章学到更多有关字符串的知识。

2.8 列表和元组

可以将列表和元组当成普通的“数组”，它能保存任意数量任意类型的Python对象。和数组一样，通过从0开始的数字索引访问元素，但是列表和元组可以存储不同类型的对象。

列表和元组有几处重要的区别。列表元素用中括号（[ ]）包裹，元素的个数及元素的值可以改变。元组元素用小括号（( )）包裹，不可以更改（尽管他们的内容可以）。元组可以看成是只读的列表。通过切片运算（[ ] 和[:]）可以得到子集，这一点与字符串的使用方法一样。

```
>>> aList = [1, 2, 3, 4]
>>> aList
[1, 2, 3, 4]
>>> aList[0]
1
>>> aList[2:]
[3, 4]
>>> aList[:3]
[1, 2, 3]
>>> aList[1] = 5
>>> aList
[1, 5, 3, 4]
```

元组也可以进行切片运算，得到的结果也是元组（不能被修改）。

```
>>> aTuple = ('robots', 77, 93, 'try')
>>> aTuple
('robots', 77, 93, 'try')
>>> aTuple[:3]
('robots', 77, 93)
>>> aTuple[1] = 5
Traceback (innermost last):
  File "<stdin>", line 1, in ?
TypeError: object doesn't support item assignment
```

可以在第6章学到更多有关列表、元组及字符串的知识。

2.9 字典

字典是 Python 中的映射数据类型，工作原理类似 Perl 中的关联数组或哈希表，由键-值(key-value)

对构成。几乎所有类型的 Python 对象都可以用作键，不过一般还是以数字或者字符串最为常用。

值可以是任意类型的 Python 对象，字典元素用大括号（{ }）包裹。

```
>>> aDict = {'host': 'earth'}          # create dict
>>> aDict['port'] = 80                 # add to dict
>>> aDict
{'host': 'earth', 'port': 80}
>>> aDict.keys()
['host', 'port']
>>> aDict['host']
'earth'
>>> for key in aDict:
... print key, aDict[key]
...
host earth
port 80
```

在第 7 章中会详细讲解字典。

2.10 代码块及缩进对齐

代码块通过缩进对齐表达代码逻辑，而不是使用大括号。因为没有了额外的字符，程序的可读性更高。而且缩进完全能够清楚地表达一个语句属于哪个代码块。当然，代码块也可以只有一个语句组成。

对一个 Python 初学者来说，仅使用缩进可能令他诧异。人们通常竭力避免改变，因此对那些使用大括号很多年的人来说，初次使用纯缩进来表示逻辑也许会多少感到有些不够坚定（不用大括号？到底成不成啊？）。然而回想一下，Python 有两大特性，一是简洁，二是可读性好。如果你实在讨厌使用缩进作为代码分界，我们希望你从现在开始，半年后再来看一下这种方式。也许你会发现生活中没有大括号并不会像你想像的那么糟糕。

2.11 if 语句

标准 if 条件语句的语法如下。

```
if expression:
    if_suite
```

如果表达式的值非 0 或者为布尔值 True，则代码组 if_suite 被执行；否则就去执行下一条语句。代码组（suite）是一个 Python 术语，它由一条或多条语句组成，表示一个子代码块。Python 与其他语言不同，条件条达式并不需要用括号括起来。

```
if x < .0:
    print "x" must be atleast 0!'
```

Python 当然也支持 else 语句，语法如下。

```
if expression:
    if_suite
else:
    else_suite
```

Python 还支持 elif（意指“else-if”）语句，语法如下。

```
if expression1:
    if_suite
elif expression2:
    elif_suite
else:
    else_suite
```

在本书写作之时，正在进行一个关于是否需要增加 switch/case 语句的讨论，不过目前并没有什么实质性的进展。在将来版本的 Python 语言当中，也非常有可能看到这样的“动物”。这个例子似乎有点奇怪、让人觉得困惑，但是因为有了 Python 干净的语法，if-elif-else 语句并不像别人说的那么丑陋（以致不能让人接受）。如果你非要避免写一堆 if-elif-else 语句，另一种变通的解决方案是使用 for 循环（参阅 2.13）来迭代你可能的“cases”列表。

在第 8 章你可以学到更多有关 if、elif 和 else 条件语句的知识。

2.12 while 循环

标准 while 条件循环语句的语法类似 if。再说一次，要使用缩进来分隔每个子代码块。

```
while expression:
    while_suite
```

语句 while_suite 会被连续不断地循环执行，直到表达式的值变成 0 或 False，接着 Python 会执行下一句代码。类似 if 语句，Python 的 while 语句中的条件表达式也不需要用括号括起来。

```
>>> counter = 0
>>> while counter < 3:
...     print 'loop #%d' % (counter)
...     counter += 1
loop #0
loop #1
loop #2
```

while 循环和马上就要讲到的 for 循环会在第 8 章的关于循环的小节进行详细讲解。

2.13 for 循环和 range（）内建函数

Python 中的 for 循环与传统的 for 循环（计数器循环）不太一样，它更像 shell 脚本里的 foreach 迭代。Python 中的 for 接受可迭代对象（例如序列或迭代器）作为其参数，每次迭代其中一个元素。

```
>>> print 'I like to use the Internet for:'
I like to use the Internet for:
>>> for item in ['e-mail', 'net-surfing', 'homework',
'chat']:
...     print item
...
e-mail
net-surfing
homework
chat
```

上面例子的输出如果能在同一行就会美观许多。print 语句默认会给每一行添加一个换行符。只要在

print 语句的最后添加一个逗号（,），就可以改变它这种行为。

```
print 'I like to use the Internet for:'
for item in ['e-mail', 'net-surfing', 'homework', 'chat']:
    print item,
print
```

上面的代码还添加了一个额外的没有任何参数的 print 语句，它用来输出一个换行符。否则，提示信息就会立刻出现在我们的输出之后。下面是以上代码的输出。

```
I like to use the Internet for:
e-mail net-surfing homework chat
```

为了输出清晰美观，带逗号的 print 语句输出的元素之间会自动添加一个空格。通过指定输出格式，程序员可以最大程度地控制输出布局，也不用担心这些自动添加的空格。它也可以将所有数据放到一处输出——只需要将数据放在格式化操作符右侧的元组或字典中。

```
>>> who = 'knights'
>>> what = 'Ni!'
>>> print 'We are the', who, 'who say', what, what, what, what
We are the knights who say Ni! Ni! Ni! Ni!
>>> print 'We are the %s who say %s' % \
...     (who, ((what + ' ') * 4))
We are the knights who say Ni! Ni! Ni! Ni!
```

使用字符串格式操作符还允许我们做一些字符串输出之前的整理工作，就像你在刚才的例子中看到的一样。

通过演示一个让 Python for 循环更像传统循环（换言之，计数循环）的示例，我们来结束对循环的介绍。因为我们不能改变 for 循环的行为（迭代一个序列），我们可以生成一个数字序列。这样，尽管我们确实是在迭代一个序列，但是它至少展示的是递增计数的效果。

```
>>> for eachNum in [0, 1, 2]:
...     print eachNum
...
0
1
2
```

在这个循环中，eachNum 包含的整型值可以用于显示，也可以用于计算。因为我们要使用的数值范围可能会经常变化，Python 提供了一个 range()内建函数来生成这种列表。它正好能满足我们的需要，接受一个数值范围，生成一个列表。

```
>>> for eachNum in range(3):
...     print eachNum
...

0
1
2
```

对字符串来说，很容易迭代每一个字符。

```
>>> foo = 'abc'
>>> for c in foo:
```

```
...     print c
...
a
b
c
```

range()函数经常和 len()函数一起用于字符串索引。在这里我们要显示每一个元素及其索引值。

```
>>> foo = 'abc'
>>> for i in range(len(foo)):
...     print foo[i], '(%d)' % i
...
a (0)
b (1)
c (2)
```

不过，这些循环有一个约束，你要么循环索引，要么循环元素。这导致了 enumerate()函数的推出（Python2.3 新增）。它同时做到了这两点。

```
>>> for i, ch in enumerate(foo):
...     print ch, '(%d)' % i
...
a (0)
b (1)
c (2)
```

2.14 列表解析

这是一个让人欣喜的术语，表示你可以在一行中使用一个 for 循环将所有值放到一个列表当中：

```
>>> squared = [x ** 2 for x in range(4)]
>>> for i in squared:
...     print i

0
1
4
9
```

列表解析甚至能做更复杂的事情，比如挑选出符合要求的值放入列表。

```
>>> sqdEvens = [x ** 2 for x in range(8) if not x % 2]
>>>
>>> for i in sqdEvens:
...     print i

0
4
16
36
```

2.15 文件和内建函数 open()、file()

在你已经习惯一门语言的语法之后，文件访问是相当重要的一环。在一些工作做完之后，将它保存到持久存储是很重要的。

如何打开文件

```
handle = open(file_name, access_mode = 'r')
```

file_name 变量包含我们希望打开的文件的字符串名字，access_mode 中 'r' 表示读取，'w' 表示写入，'a'表示添加。其他可能用到的标识还有'+'表示读写，'b'表示二进制访问。如果未提供 access_mode，默认值为 'r'。如果 open() 成功，一个文件对象句柄会被返回。所有后续的文件操作都必须通过此文件句柄进行。当一个文件对象返回之后，我们就可以访问它的一些方法，比如 readlines()和 close()。文件对象的方法属性也必须通过句点属性标识法访问（参阅下面的核心笔记）。

核心笔记：什么是属性？

属性是与数据有关的项目。属性可以是简单的数据值，也可以是可执行对象，比如函数和方法。哪些对象拥有属性呢？很多。类、模块、文件和复数等对象都拥有属性。

我如何访问对象属性？使用句点属性标识法。也就是说在对象名和属性名之间加一个句点（.）：object.attribute。

下面有一些代码，提示用户输入文件名，然后打开一个文件，并显示它的内容到屏幕上。

```
filename = raw_input('Enter file name: ')
fobj = open(filename, 'r')
for eachLine in fobj:
    print eachLine,
fobj.close()
```

我们的代码没有用循环一次取一行显示，而是做了点改变。我们一次读入文件地所有行，然后关闭文件，再迭代每一行输出。这样写代码的好处是能够快速完整地访问文件。内容输出和文件访问不必交替进行。这样代码更清晰，而且将不相关的任务区分开来。需要注意的一点是文件的大小。上面的代码适用于文件大小适中的文件。对于很大的文件来说，上面的代码会占用太多的内存，这时你最好一次读一行（下一节有一个好例子）。

我们的代码中另一个有趣的语句是我们又一次在 print 语句中使用逗号来抑制自动生成的换行符号。为什么要这样做？因为文件中的每行文本已经自带了换行字符，如果我们不抑制 print 语句产生的换行符号，文本在显示时就会有额外的空行产生。

file()内建函数是最近才添加到 Python 当中的。它的功能等同于 open()，不过 file()这个名字可以更确切地表明它是一个工厂函数（生成文件对象）。类似于 int()生成整型对象，dict()生成字典对象。在第 9 章，我们将详细介绍文件对象和它们的内建方法属性，以及如何访问本地文件系统。请参考第 9 章以了解详细信息。

2.16　错误和异常

编译时会检查语法错误，不过 Python 也允许在程序运行时检测错误。当检测到一个错误，Python 解释器就引发一个异常，并显示异常的详细信息。程序员可以根据这些信息迅速定位问题并进行调试，并找出处理错误的办法。

要给你的代码添加错误检测及异常处理，只要将它们“封装”在 try-except 语句当中。try 之后的代码组，就是你打算管理的代码。except 之后的代码组，则是你处理错误的代码。

```
try:
    filename = raw_input('Enter file name: ')
    fobj = open(filename, 'r')
```

```
    for eachLine in fobj:
        print eachLine,
    fobj.close()
except IOError, e:
    print 'file open error:', e
```

程序员也可以通过使用 raise 语句故意引发一个异常。在第 10 章你可以学到更多有关 Python 异常的知识。

2.17 函数

类似于其他语言，Python 中的函数使用小括号(())调用。函数在调用之前必须先定义。如果函数中没有 return 语句，就会自动返回 None 对象。

Python 是通过引用调用的。这意味着函数内对参数的改变会影响到原始对象。不过事实上只有可变对象会受此影响，对不可变对象来说，它的行为类似按值调用。

2.17.1 如何定义函数

```
def function_name([arguments]):
    "optional documentation string"
    function_suite
```

定义一个函数的语法由 def 关键字及紧随其后的函数名，再加上该函数需要的几个参数组成。函数参数（比较上面例子中的 arguments）是可选的，这也是为什么把它们放到中括号中的原因。（在你的代码里千万别写上中括号！）这个语句由一个冒号（：）结束（与 if 和 while 语句的结束方式一样），之后是代表函数体的代码组，下面是一个简短的例子。

```
def addMe2Me(x):
    'apply + operation to argument'
    return (x + x)
```

这个函数，做的是“在我的值上加我”的工作。它接受一个对象，将它的值加到自身，然后返回和。对于数值类型参数，它的结果是显而易见的，不过我要在这里指出，加号操作符几乎与所有数据类型工作。换句话说，几乎所有的标准数据类型都支持 + 操作符，不管是数值相加还是序列合并。

2.17.2 如何调用函数

```
>>> addMe2Me(4.25)
8.5
>>>
>>> addMe2Me(10)
20
>>>
>>> addMe2Me('Python')
'PythonPython'
>>>
>>> addMe2Me([-1, 'abc'])
[-1, 'abc', -1, 'abc']
```

Python 语言中调用函数与在其他高级语言中一样，为函数名加上函数操作符——一对小括号。括号之间是所有可选的参数。即使一个参数也没有，小括号也不能省略。注意一下，+操作符在非数值类型中如何工作。

2.17.3 默认参数

函数的参数可以有一个默认值，如果提供有默认值，在函数定义中，参数以赋值语句的形式提供。事实上这仅仅是提供默认参数的语法，它表示函数调用时如果没有提供这个参数，它就取这个值作为默认值。

```
>>> def foo(debug=True):
...     'determine if in debug mode with default argument'
...     if debug:
...         print 'in debug mode'
...     print 'done'
...
>>> foo()
in debug mode
done
>>> foo(False)
done
```

在上面的例子里，debug 参数有一个默认值 True。如果我们没有传递参数给函数 foo()，debug 自动拿到一个值 True。在第二次调用 foo()时，我们故意传递一个参数 False 给 foo()，这样，默认参数就没有被使用。函数拥有的特性远比我们在这里介绍的多，请阅读第 11 章以了解更详细的函数的信息。

2.18 类

类是面向对象编程的核心，它扮演相关数据及逻辑容器的角色。它们提供了创建“真实”对象（也就是实例）的蓝图。因为 Python 并不强求你以面向对象的方式编程（与 Java 不同），此刻你也可以不学习类。不过我们还是在这儿放了些例子，以方便感兴趣的读者浏览。

如何定义类

```
class ClassName(base_class[es]):
    "optional documentation string"
    static_member_declarations
    method_declarations
```

使用 class 关键字定义类。可以提供一个可选的父类或者说基类；如果没有合适的基类，那就使用 object 作为基类。class 行之后是可选的文档字符串、静态成员定义及方法定义。

```
class FooClass(object):
   """my very first class: FooClass"""
   version = 0.1            # class (data) attribute
def __init__(self, nm='John Doe'):
```

```
        """constructor"""
        self.name = nm # class instance (data) attribute
        print 'Created a class instance for', nm
    def showname(self):
        """display instance attribute and class name"""
        print 'Your name is', self.name
        print 'My name is', self.__class__.__name__
    def showver(self):
        """display class(static) attribute"""
        print self.version       # references FooClass.version
    def addMe2Me(self, x):       # does not use 'self'
        """apply + operation to argument"""
        return x + x
```

在上面这个类中，我们定义了一个静态变量 version，它将被所有实例及 4 个方法共享——__init__()、showname()、showver()及熟悉的 addMe2Me()。这些 show*()方法并没有做什么有用的事情，仅仅输出对应的信息。__init__()方法有一个特殊名字，所有名字开始和结束都有两个下划线的方法都是特殊方法。

当一个类实例被创建时，__init__()方法会自动执行，在类实例创建完毕后执行，类似构造器。__init__()可以被当成构造器，不过不像其他语言中的构造器，它并不创建实例——它仅仅是你的对象创建后执行的第一个方法。它的目的是执行一些该对象的必要的初始化工作。通过创建自己的 __init__()方法，你可以覆盖默认的 __init__()方法（默认的方法什么也不做），从而能够修饰刚刚创建的对象。在这个例子里，我们初始化了一个名为 name 的类实例属性（或者说成员）。这个变量仅在类实例中存在，它并不是实际类本身的一部分。__init__()需要一个默认的参数，前一节中曾经介绍过。毫无疑问，你也注意到每个方法都有的一个参数，self。

什么是 self? 它是类实例自身的引用。其他面向对象语言通常使用一个名为 this 的标识符。

如何创建类实例

```
>>> foo1 = FooClass()
Created a class instance for John Doe
```

屏幕上显示的字符串正是自动调用 __init__() 方法的结果。当一个实例被创建，__init__()就会被自动调用，不管这个__int__()是自定义的还是默认的。

创建一个类实例就像调用一个函数，它们确实拥有一样的语法，它们都是可调用对象。类实例使用同样的函数操作符调用一个函数或方法。既然我们成功创建了第一个类实例，那现在来进行一些方法调用。

```
>>> foo1.showname()
Your name is John Doe
My name is __main__.FooClass
>>>
>>> foo1.showver()
0.1
>>> print foo1.addMe2Me(5)
10
>>> print foo1.addMe2Me('xyz')
xyzxyz
```

每个方法的调用都返回我们期望的结果。比较有趣的数据是类名字。在showname()方法中，我们显示self.__class__.__name__变量的值。对一个实例来说，这个变量表示实例化它的类的名字（self.__class__引用实际的类）。在我们的例子里，创建类实例时我们并未传递名字参数，因此默认参数'John Doe' 就被自动使用。在我们下一个例子里，我们将指定一个参数。

```
>>> foo2 = FooClass('Jane Smith')
Created a class instance for Jane Smith
>>> foo2.showname()
Your name is Jane Smith
My name is FooClass
```

第 13 章将详细介绍 Python 类和类实例。

2.19 模块

模块是一种组织形式，它将彼此有关系的 Python 代码组织到一个个独立文件当中。模块可以包含可执行代码、函数和类，或者这些东西的组合。

当你创建了一个 Python 源文件，模块的名字就是不带.py 后缀的文件名。一个模块创建之后，你可以从另一个模块中使用 import 语句导入这个模块来使用。

2.19.1 如何导入模块

```
import module_name
```

2.19.2 如何访问一个模块函数或访问一个模块变量

一旦导入完成，一个模块的属性（函数和变量）可以通过熟悉的句点属性标识法访问。

```
module.function()
module.variable
```

现在我们再次提供 Hello World! 例子，不过这次使用 sys 模块中的输出函数。

```
>>> import sys
>>> sys.stdout.write('Hello World!\n')
Hello World!
>>> sys.platform
'win32'
>>> sys.version
'2.4.2 (#67, Sep 28 2005, 10:51:12) [MSC v.1310 32 bit
(Intel)]'
```

这些代码的输出与我们使用print语句完全相同。唯一的区别在于这次调用了标准输出的write()方法，而且这次需要显式地在字符串中提供换行字符。不同于 print 语句，write()不会自动在字符串后面添加换行符号。

关于模块和导入，你可以在第 12 章中得到更多有用的信息。在那里会详细介绍本章上面所有提到的主题，希望我们提供的快速入门能达到帮助你迅速使用 Python 开始工作的目标。

核心笔记：什么是“PEP”

在本书中你会经常看到 PEP 这个字眼。一个 PEP 就是一个 Python 增强提案（Python Enhancement Proposal），这也是在新版 Python 中增加新特性的方式。从初学者的角度看，它们是一些高级读物，不但提供了新特性的完整描述，还有添加这些新特性的理由，如果需要的话，还会提供新的语法、技术实现细节、向后兼容信息等。在一个新特性被整合进 Python 之前，必须通过 Python 开发社区、PEP 作者及实现者，还有 Python 的创始人 Guido van Rossum 的一致同意。PEP1 阐述了 PEP 的目标及书写指南。在 PEP0 中可以找到所有的 PEP。PEP 索引的网址是 http://python.org/dev/peps。

2.20 实用的函数

本章中，我们用到了很多实用的内建函数。表 2.1 中总结了这些函数，并且提供了一些其他的有用函数（注意我们并没有提供完整的使用语法，仅提供了我们认为可能对你有用的部分）。

表 2.1 对新 Python 程序员有用的内建函数

函 数	描 述
`dir([obj])`	显示对象的属性，如果没有提供参数，则显示全局变量的名字
`help([obj])`	以一种整齐美观的形式，显示对象的文档字符串，如果没有提供任何参数，则会进入交互式帮助
`int(obj)`	将一个对象转换为整型
`len(obj)`	返回对象的长度
`open(fn, mode)`	以 mode('r' = 读，'w'= 写)方式打开一个文件名为 fn 的文件
`range([[start,]stop[,step])`	返回一个整型列表。起始值为 start，结束值为 stop −1，start 默认值为 0，step 默认值为 1
`raw_input(str)`	等待用户输入一个字符串，可以提供一个可选的参数 str 用作提示信息。
`str(obj)`	将一个对象转换为字符串
`type(obj)`	返回对象的类型（返回值本身是一个 type 对象！）

2.21 练习

2-1. 变量，print 和字符串格式化操作符。启动交互式解释器，给一些变量赋值（字符串，数值等）并通过输入变量名显示它们的值。再用 print 语句做同样的事。这二者有何区别？也尝试着使用字符串格式操作符%，多做几次，慢慢熟悉它。

2-2. 程序输出。阅读下面的 Python 脚本。

```
#!/usr/bin/env python
1 + 2 * 4
```

（a）你认为这段脚本是用来做什么的？

（b）你认为这段脚本会输出什么？

（c）输入以上代码，并保存为脚本，然后运行它。它所做的与你的预期一样吗？为什么一样/不一样？

（d）这段代码单独执行和在交互解释器中执行有何不同？试一下，然后写出结果。

（e）如何改进这个脚本，以便它能和你想像的一样工作？

2-3. 数值和操作符。启动交互解释器，使用 Python 对两个数值（任意类型）进行加、减、乘、除运算。然后使用取余操作符来得到两个数相除的余数，最后使用乘方操作符求 A 数的 B 次方。

2-4. 使用 raw_input()函数得到用户输入。

（a）创建一段脚本使用 raw_input() 内建函数从用户输入得到一个字符串，然后显示这个用户刚刚键入的字符串。

（b）添加一段类似的代码，不过这次输入的是数值。将输入数据转换为一个数值对象，（使用 int()或其他数值转换函数）并将这个值显示给用户看（注意，如果你用的是早于 1.5 的版本，你需要使用 string.ato*() 函数执行这种转换）。

2-5. 循环和数字。

分别使用 while 和 for 创建一个循环。

（a）写一个 while 循环，输出整型为 0～10（要确保是 0～10，而不是 0～9 或 1～10）。

（b）做同（a）一样的事，不过这次使用 range()内建函数。

2-6. 条件判断。判断一个数是正数，还是负数，或者是 0。开始先用固定的数值，然后修改你的代码支持用户输入数值再进行判断。

2-7. 循环和字串。从用户那里接受一个字符串输入，然后逐字符显示该字符串。先用 while 循环实现，然后再用 for 循环实现。

2-8. 循环和操作符。创建一个包含五个固定数值的列表或元组，输出他们的和。然后修改你的代码为接受用户输入数值。分别使用 while 和 for 循环实现。

2-9. 循环和操作符。创建一个包含五个固定数值的列表或元组，输出他们的平均值。本练习的难点之一是通过除法得到平均值。你会发现整型除会截去小数，因此你必须使用浮点除以得到更精确的结果。float()内建函数可以帮助你实现这一功能。

2-10. 带循环和条件判断的用户输入。使用 raw_input()函数来提示用户输入一个 1 和 100 之间的数，如果用户输入的数满足这个条件，显示成功并退出。否则显示一个错误信息然后再次提示用户输入数值，直到满足条件为止。

2-11. 带文本菜单的程序写一个带文本菜单的程序，菜单项如下：（1）取五个数的和；（2）取五个数的平均值...（X）退出。由用户做一个选择，然后执行相应的功能。当用户选择退出时程序结束。这个程序的有用之处在于用户在功能之间切换不需要一遍一遍地重新启动你的脚本（这对开发人员测试自己的程序也会大有用处）。

2-12. dir()内建函数。

（a）启动 Python 交互式解释器，通过直接键入 dir()回车以执行 dir()内建函数。你看到什么？显示你看到的每一个列表元素的值，记下实际值和你想像的值。

（b）你会问，dir()函数是干什么的？我们已经知道在 dir 后边加上一对括号可以执行 dir()内建函数，如果不加括号会如何？试一试。解释器返回给你什么信息？你认为这个信息表示什么意思？

（c）type() 内建函数接收任意的 Python 对象作为参数并返回他们的类型。在解释器中键入 type(dir)，看看你得到的是什么？

（d）本练习的最后一部分，我们来瞧一瞧 Python 的文档字符串。通过 dir.__doc__可以访问 dir()内建函数的文档字符串。print dir.__doc__可以显示这个字符串的内容。许多内建函数、方法、模块及模块属性都有相应的文档字符串。我们希望你在你的代码中也要书写文档字符串，它会对使用这些代码的人提供及时方便的帮助。

2-13. 利用 dir()找出 sys 模块中更多的东西。

（a）启动 Python 交互解释器，执行 dir()函数，然后键入 import sys 以导入 sys 模块。再次执行 dir()函数以确认 sys 模块被正确的导入。然后执行 dir(sys)，你就可以看到 sys 模块的所有属性了。

（b）显示 sys 模块的版本号属性及平台变量。记住在属性名前一定要加 sys.，这表示这个属性是 sys 模块的。其中 version 变量保存着你使用的 Python 解释器版本，platform 属性则包含你运行 Python 时使用的计算机平台信息。

（c）最后，调用 sys.exit() 函数。这是一种热键之外的另一种退出 Python 解释器的方式。

2-14. 操作符优先级和括号分组。重写 2.4 小节中 print 语句里的算术表达式，试着在这个表达式中添加合适的括号以便它能正常工作。

2-15. 元素排序。

让用户输入 3 个数值并将分别将它们保存到 3 个不同的变量中。不使用列表或排序算法，自己写代码来对 3 个数由小到大排序。（b）修改（a）的解决方案，使之从大到小排序。

2-16. 文件。键入 2.15 节的文件显示的代码，然后运行它，看看能否在你的系统上正常工作，然后试一下其他的输入文件。

第3章 Python基础

本章主题

- ✦ 语句和语法
- ✦ 变量赋值
- ✦ 基本风格指南
- ✦ 内存管理
- ✦ 第一个 Python 程序

我们下一个目标是了解基本的Python语法，介绍一些基本的编程风格，之后简要介绍一下标识符、变量和关键字。我们也会讨论变量占用的内存是如何分配和回收的。最后，我们会给出一个较大的Python样例程序，让你实际体验一下这些特性。不必担心，在你畅游Python的过程中有很多救生员在保护着你。

3.1 语句和语法

Python语句中有一些基本规则和特殊字符：

- 井号（#）表示之后的字符为Python注释；
- 换行（\n）是标准的行分隔符（通常一个语句一行）；
- 反斜线（\）继续上一行；
- 分号（;）将两个语句连接在一行中；
- 冒号（:）将代码块的头和体分开；
- 语句（代码块）用缩进块的方式体现；
- 不同的缩进深度分隔不同的代码块；
- Python文件以模块的形式组织。

3.1.1 注释（#）

首要说明的事情是：尽管Python是可读性最好的语言之一，这并不意味着程序员在代码中就可以不写注释。和很多Unix脚本类似，Python注释语句从#字符开始，注释可以在一行的任何地方开始，解释器会忽略掉该行#之后的所有内容。要正确地使用注释。

3.1.2 继续（\）

Python语句，一般使用换行分隔，也就是说一行一个语句。一行过长的语句可以使用反斜杠（\）分解成几行，如下例。

```
# check conditions
if (weather_is_hot == 1) and \
   (shark_warnings == 0):
       send_goto_beach_mesg_to_pager()
```

有两种例外情况一个语句不使用反斜线也可以跨行。在使用闭合操作符时，单一语句可以跨多行，例如：在含有小括号、中括号、花括号时可以多行书写。另外就是三引号包括下的字符串也可以跨行书写，如下例。

```
# 显示一个三引号字符串
print '''hi there, this is a long message for you
that goes over multiple lines... you will find
out soon that triple quotes in Python allows
this kind of fun! it is like a day on the beach!'''

# 给一些变量赋值
go_surf, get_a_tan_while, boat_size, toll_money = (1,
     'windsurfing', 40.0, -2.00)
```

如果要在使用反斜线换行和使用括号元素换行两者之间作一个选择，我们推荐使用括号，这样可读性会更好。

3.1.3 多个语句构成代码组（:）

缩进相同的一组语句构成一个代码块，我们称之为代码组。像 if、while、def 和 class 这样的复合语句，首行以关键字开始，以冒号（:）结束，该行之后的一行或多行代码构成代码组。我们将首行及后面的代码组称为一个子句（clause）。

3.1.4 代码组由不同的缩进分隔

我们在 2.10 一节中曾提到，Python 使用缩进来分隔代码组。代码的层次关系是通过同样深度的空格或制表符缩进体现的。同一代码组的代码行必须严格左对齐（左边有同样多的空格或同样多的制表符），如果不严格遵守这个规则，同一组的代码就可能被当成另一个组，甚至会导致语法错误。

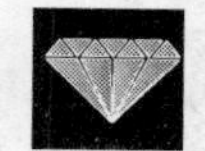

核心风格：缩进 4 个空格宽度，避免使用制表符

对一个初次使用空白字符作为代码块分界的人来说，遇到的第一个问题是，缩进多大宽度才合适？2 个太少，6～8 个又太多，因此我们推荐使用 4 个空格宽度。需要说明一点，不同的文本编辑器中制表符代表的空白宽度不一，如果你的代码要跨平台应用，或者会被不同的编辑器读写，建议你不要使用制表符。使用空格或制表符这两种风格都得到了 Python 创始人的支持，并被收录到 Python 代码风格指南文档。在 3.4 节中你会看到同样的建议。

随着缩进深度的增加，代码块的层次也在加深，没有缩进的代码块是最高层次的，被称做脚本的“主体”（main）部分。

使用缩进对齐这种方式组织代码，不但代码风格优雅，而且也大大提高了代码的可读性。而且它有效避免了“悬挂 else”（dangling-else）问题，和未写大括号的单一子句问题。（如果 C 语言中 if 语句没写大括号，而后面却跟着两个缩进的语句，这会造成不论条件表达式是否成立，第二个语句总会执行。这种问题很难调试，不知道困惑了多少程序员。）

最后一点，由于 Python 只使用缩进方式表达代码块逻辑，因此“神圣的大括号战争”永远不会发生在 Python 身上。C、C++和 Java 语言中，开始大括号可以在第 1 行的尾部，也可以在第 2 行的头部，也可以在第 2 行空几格后开始，这就造成不同的人选择不同的风格，于是你就会看到大括号战争的场景了。

3.1.5 同一行书写多个语句（;）

分号（;）允许你将多个语句写在同一行上，语句之间用分号隔开，而这些语句也不能在这行开始一个新的代码块。这里有一个例子：

```
import sys; x = 'foo'; sys.stdout.write(x + '\n')
```

必须指出一点，同一行上书写多个语句会大大降低代码的可读性，Python 虽然允许但不提倡你这么做。

3.1.6 模块

每一个 Python 脚本文件都可以被当成是一个模块。模块以磁盘文件的形式存在。当一个模块变得过大，并且驱动了太多功能的话，就应该考虑拆一些代码出来另外建一个模块。模块里的代码可以是一段直接执行的脚本，也可以是一堆类似库函数的代码，从而可以被别的模块导入（import）调用。

3.2 变量赋值

本节主题是变量赋值。我们将在 3.3 小节中讨论什么样的标识符才是合法的变量名。

3.2.1 赋值操作符

Python 语言中，等号（=）是主要的赋值操作符（其他的是增量赋值操作符）。

```
anInt = -12
aString = 'cart'
aFloat = -3.1415 * (5.0 ** 2)
anotherString = 'shop' + 'ping'
aList = [3.14e10, '2nd elmt of a list', 8.82-4.371j]
```

注意，赋值并不是直接将一个值赋给一个变量，尽管你可能根据其他语言编程经验认为应该如此。在 Python 语言中，对象是通过引用传递的。在赋值时，不管这个对象是新创建的，还是一个已经存在的，都是将该对象的引用（并不是值）赋值给变量。如果此刻你还不是 100%理解清楚，也不用着急。在本章的后面部分，我们还会再讨论这个话题，现在你只需要有这么一个概念即可。

同样的，如果你比较熟悉 C，你会知道赋值语句其实是被当成一个表达式（可以返回值）。不过这条并不适合于 Python, Python 的赋值语句不会返回值。类似下面的语句在 Python 中是非法的。

```
>>> x = 1
>>> y = (x = x + 1)      # 赋值语句不是合法表达式
  File "<stdin>", line 1
    y = (x = x + 1)
           ^
SyntaxError: invalid syntax
```

链式赋值没问题，比如（本章稍后部分会给出更多的例子）：

```
>>> y = x = x + 1
>>> x, y
(2, 2)
```

3.2.2 增量赋值

从 Python 2.0 开始，等号可以和一个算术操作符组合在一起，将计算结果重新赋值给左边的变量。这被称为增量赋值，类似下面这样的语句：

```
x = x + 1
```

现在可以被写成：

```
x += 1
```

增量赋值通过使用赋值操作符，将数学运算隐藏在赋值过程当中。如果你用过 C、C++或者 Java，会觉得下面的操作符很熟悉。

```
+=      -=      *=      /=      %=      **=
<<=     >>=     &=      ^=      |=
```

增量赋值相对普通赋值不仅仅是写法上的改变，最有意义的变化是第一个对象（我们例子中的 A）仅被处理一次。可变对象会被就地修改（无修拷贝引用），不可变对象则和 A=A+B 的结果一样（分配一个新对象），我们前面提到过，有一个例外就是 A 仅被求值一次。

```
>>> m = 12
>>> m %= 7
>>> m
5
>>> m **= 2
>>> m
25
>>> aList = [123, 'xyz']
>>> aList += [45.6e7]
>>> aList
[123, 'xyz', 456000000.0]
```

Python 不支持类似 x++或--x 这样的前置/后置自增/自减运算。

3.2.3 多重赋值

```
>>> x = y = z = 1
>>> x
1
>>> y
1
>>> z
1
```

在上面的例子中，一个值为 1 的整型对象被创建，该对象的同一个引用被赋值给 x、y 和 z。也就是将一个对象赋给了多个变量。当然，在 Python 当中，将多个对象赋给多个变量也是可以的。

3.2.4 “多元”赋值

另一种将多个变量同时赋值的方法我们称为多元赋值（multuple）。这不是 Python 官方术语，而是我们将“mul-tuple”连在一起自创的。因为采用这种方式赋值时，等号两边的对象都是元组（我们在 2.8 节讲过元组是一种 Python 基本数据类型）。

```
>>> x, y, z = 1, 2, 'a string'
>>> x
1
>>> y
2
>>> z
'a string'
```

在上面的例子里，两个整型对象（值分别为 1 和 2）及一个字符串对象，被分别赋值给 x，y 和 z。通常元组需要用圆括号（小括号）括起来，尽管它们是可选的。我们建议总是加上圆括号以使你的代码有更高的可读性。

```
>>> (x, y, z) = (1, 2, 'a string')
```

在其他类似 C 的语言中，如果你要交换两个值，你会想到使用一个临时变量如 tmp 来临时保存其中一个值。

```
/* C 语言中两个变量交换 */
tmp = x;
x = y;
y = tmp;
```

在上面的 C 代码片段中，变量 x 和变量 y 的值被互相交换。临时变量 tmp 用于在将 y 赋值给 x 前先保存 x 的值。将 y 的值赋给 x 之后，才可以将保存在 tmp 变量中的 x 的值赋给 y。Python 的多元赋值方式可以实现无需中间变量交换两个变量的值。

```
# Python 中两个变量交换
>>> x, y = 1, 2
>>> x
1
>>> y
2
>>> x, y = y, x
>>> x
2
>>> y
1
```

显然，Python 在赋值之前已经事先对 x 和 y 的新值做了计算。

3.3　标识符

标识符是计算机语言中允许作为名字的有效字符串集合。其中，有一部分是关键字，构成语言的标识符。这样的标识符是保留字，不能用于其他用途，否则会引起语法错误（SyntaxError 异常）。

Python 还有称为“内建”（built-in）的标识符集合，虽然它们不是保留字，但是不推荐使用这些特别的名字（见 3.3.3）。

3.3.1　合法的 Python 标识符

Python 标识符字符串规则和其他大部分用 C 编写的高级语言相似：

- 第一个字符必须是字母或下划线（_）；
- 剩下的字符可以是字母和数字或下划线；
- 大小写敏感。

标识符不能以数字开头；除了下划线，其他的符号都不允许使用。处理下划线最简单的方法是把它们当成字母字符。大小写敏感意味着标识符 foo 不同于 Foo，而这两者也不同于 FOO。

3.3.2　关键字

表 3.1 列出了 Python 关键字。一般来说，任何语言的关键字都是相对稳定的，但事情总会改变（Python 是一种发展和进化中的语言），Keyword 模块中同时包含了一个关键字列表和一个 iskeyword() 函数。

表 3.1 Python 关键字[a]（此处部分 a b c d e 为角标 ）

and	as[b]	assert[c]	break
class	continue	def	del
elif	else	except	exec
finally	for	from	global
if	import	in	is
lambda	not	or	pass
print	raise	return	try
while	with[b]	yield[d]	None[e]

a．从 Python1.4 开始关键字 access 就被废除了。

b．Python2.6 时加入。

c．Python1.5 时加入。

d．Python2.3 时加入。

e．Python2.4 中非关键字常量。

3.3.3 内建

除了关键字之外，Python 还有可以在任何一级代码使用的“内建”（built-in）的名字集合，这些名字可以由解释器设置或使用。虽然 built-in 不是关键字，但是应该把它当作“系统保留字”，不做他用。然而，有些情况要求覆盖（也就是重定义、替换）它们。Python 不支持重载标识符，所以任何时刻都只有一个名字绑定。

我们还可以告诉高级读者 built-in 是__builtins__模块的成员，在你的程序开始或在交互解释器中给出>>>提示之前，由解释器自动导入的。把它们看成适用在任何一级 Python 代码的全局变量。

3.3.4 专用下划线标识符

Python 用下划线作为变量前缀和后缀指定特殊变量。稍后我们会发现，对于程序来说，其中的有些变量是非常有用的，而其他的则是未知或无用的。这里对 Python 中下划线的特殊用法做了总结。

- _xxx　不用'from module import *'导入
- __xxx__　系统定义名字
- __xxx　类中的私有变量名

核心风格：避免用下划线作为变量名的开始

因为下划线对解释器有特殊的意义，而且是内建标识符所使用的符号，我们建议程序员避免用下划线作为变量名的开始。一般来讲，变量名_xxx 被看作是“私有的”，在模块或类外不可以使用。当变量是私有的时候，用_xxx 来表示变量是很好的习惯。因为变量名__xxx__对 Python 来说有特殊含义，对于普通的变量应当避免这种命名风格。

3.4 基本风格指南

注释

注释对于自己和后来人来说都是非常重要的，特别是对那些很久没有被动过的代码而言，注释更显得有用了。既不能缺少注释，也不能过度使用注释。尽可能使注释简洁明了，并放在最合适的地方。这样注释便为每个人节省了时间和精力。记住，要确保注释的准确性。

文档

Python 还提供了一个机制，可以通过__doc__特别变量，动态获得文档字串。在模块、类声明、或函数声明中第一个没有赋值的字符串可以用属性 obj.__doc__来进行访问，其中 obj 是一个模块、类、或函数的名字。这在运行时也可以进行！

缩进

因为缩进对齐有非常重要的作用，你得考虑用什么样的缩进风格才让代码容易阅读。在选择要空的格数的时候，常识也起着非常大的作用。

1 个或 2 个可能不够，很难确定代码语句属于哪个块。

8～10 个可能太多，如果代码内嵌的层次太多，就会使得代码很难阅读。4 个空格非常的流行，更不用说 Python 的创造者也支持这种风格。5 和 6 个也不坏，但是文本编辑器通常不支持这样的设置，所以也不经常使用。3 个和 7 个是边界情况。

当使用制表符 Tab 的时候，请记住不同的文本编辑器对它的设置是不一样。如果你的代码会存在并运行在不同的平台上，或者会用不同的文本编辑器打开，建议你不要使用 Tab。

选择标识符名称

好的判断也适用于选择标识符名称，请为变量选择短而意义丰富的标识符。虽然变量名的长度对于今天的编程语言不再是一个问题，但是使用简短的名字依然是个好习惯，这个原则同样使用于模块（Python 文件）的命名。

Python 风格指南

Guido van Rossum 在多年前写下 Python 代码风格指南。目前它已经被至少 3 个 PEP 代替：7（C 代码风格指南）、8（Python 代码风格指南）和 257（文档字符串规范）。这些 PEP 被归档、维护并定期更新。

渐渐地，你会听到“Pythonic”这个术语，它指的是以 Python 的方式去编写代码、组织逻辑和对象行为。更久以后，你才会真正理解它的含义。PEP 20 写的是 Python 之禅，你可以从那里开始探索“Pythonic”真正含义的旅程。如果你不能上网，但想看到它，那就从你的 Python 解释器输入 import this 然后回车。下面是一些网上资源。

www.Python.org/doc/essays/styleguide.html
www.Python.org/dev/peps/pep-0007/
www.Python.org/dev/peps/pep-0008/
www.Python.org/dev/peps/pep-0020/
www.Python.org/dev/peps/pep-0257/

3.4.1 模块结构和布局

用模块来合理组织你的 Python 代码是简单又自然的方法。你应该建立一种统一且容易阅读的结构，并将它应用到每一个文件中去。下面就是一种非常合理的布局。

```
# (1) 起始行(Unix)
# (2) 模块文档
# (3) 模块导入
# (4) 变量定义
# (5) 类定义
```

```
# (6) 函数定义
# (7) 主程序
```

（1）起始行

通常只有在类 Unix 环境下才使用起始行，有起始行就能够仅输入脚本名字来执行脚本，无需直接调用解释器。

（2）模块文档

简要介绍模块的功能及重要全局变量的含义，模块外可通过 module.__doc__ 访问这些内容。

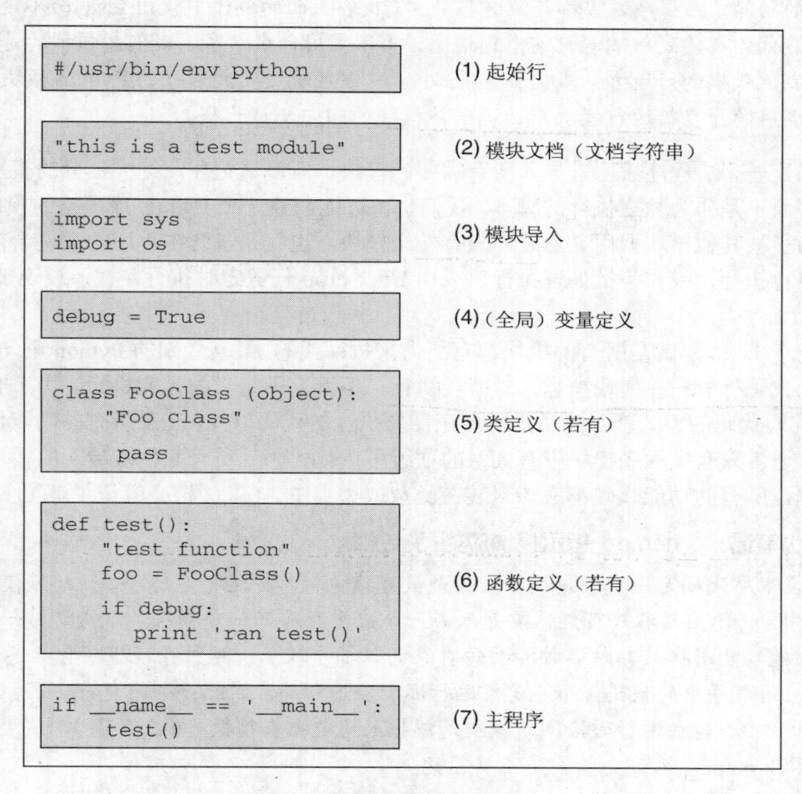

图 3-1 典型 Python 文件结构

（3）模块导入

导入当前模块的代码需要的所有模块；每个模块仅导入一次（当前模块被加载时）；函数内部的模块导入代码不会被执行，除非该函数正在执行。

（4）变量定义

这里定义的变量为全局变量，本模块中的所有函数都可直接使用。从好的编程风格角度说，除非必须，否则就要尽量使用局部变量代替全局变量，如果坚持这样做，你的代码就不但容易维护，而且还可以提高性能并节省内存。

（5）类定义语句

所有的类都需要在这里定义。当模块被导入时 class 语句会被执行，类也就会被定义。类的文档变量是 class.__doc__。

（6）函数定义语句

此处定义的函数可以通过 module.function()在外部被访问到，当模块被导入时 def 语句会被执行，函数也就都会定义好，函数的文档变量是 function.__doc__。

（7）主程序

无论这个模块是被别的模块导入还是作为脚本直接执行，都会执行这部分代码。通常这里不会有太多功能性代码，而是根据执行的模式调用不同的函数。

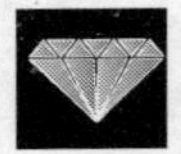

核心风格：主程序调用main()函数

主程序代码通常都和你前面看到的代码相似，检查 __name__ 变量的值然后再执行相应的调用（参阅下一个核心笔记）。主程序中的代码通常包括变量赋值、类定义和函数定义，随后检查__name__来决定是否调用另一个函数（通常调用main()函数）来完成该模块的功能。主程序通常都是做这些事。（我们上面的例子中使用test()而不是main()是为了避免你在读到核心笔记前感到迷惑。）不管用什么名字，我们想强调的是：这儿是放置测试代码的好地方。我们在3.4.2小节中曾经说过，大部分的Python模块都是用于导入调用的，直接运行模块应该调用该模块的回归测试代码。

很多项目都是一个主程序，由它导入所有需要的模块。所以请记住，绝大部分的模块创建的目的是为了被别人调用而不是作为独立执行的脚本。我们也很可能创建一个Python库风格的模块，这种模块的创建目的就是为了被其他模块调用。总之，只有一个模块，也就是包含主程序的模块会被直接执行，或由用户通过命令行执行，或作为批处理执行，或由Unix cron任务定时执行，或通过Web服务器调用，或通过GUI执行。

时刻记住一个事实，那就是所有的模块都有能力来执行代码。最高级别的Python语句——也就是说，那些没有缩进的代码行——在模块被导入时就会执行，不管是不是真的需要执行。由于有这样一个“特性”，比较安全的写代码的方式就是除了那些真正需要执行的代码以外，几乎所有的功能代码都在函数当中。再说一遍，通常只有主程序模块中有大量的顶级可执行代码，所有其他被导入的模块只应该有很少的顶级执行代码，所有的功能代码都应该封装在函数或类当中。（参阅核心笔记了解更多信息）

核心笔记：__name__指示模块应如何被加载

由于主程序代码无论模块是被导入还是被直接执行都会运行，我们必须知道模块如何决定运行方向。一个应用程序可能需要导入另一个应用程序的一个模块，以便重用一些有用的代码（否则就只能用拷贝粘贴那种非面向对象的笨拙手段）。这种情况下，你只想访问那些位于其他应用程序中的代码，而不是想运行那个应用程序。因此一个问题出现了，“Python是否有一种方法，能在运行时检测该模块是被导入还是被直接执行呢？”答案就是...（掌声雷动）...没错！__name__系统变量就是正确答案。

- 如果模块是被导入，__name__ 的值为模块名字；
- 如果模块是被直接执行，__name__ 的值为'__main__'。

3.4.2　在主程序中书写测试代码

优秀的程序员和软件工程师，总是会为我们的应用程序提供一组测试代码或者简单教程。对那些仅仅为了让别的程序导入而创建的模块来说，Python有效地简化了这个任务。这些模块理论上永远不会被直接执行，那么，在这个模块被直接执行时进行系统测试岂不妙哉？设置起来难吗？一点儿也不难。

测试代码仅当该文件被直接执行时运行，也就是说，不是在被别的模块导入时。上文及核心笔记中提到如何判断一个模块是被直接运行还是被导入的。我们应该利用__name__变量这个有利条件。将测试代码放在一个叫做main()或test()（或者你随便取个名字）的函数中，如果该模块是被当成脚本运行，就调用这个函数。

这些测试代码应该随着测试条件及测试结果的变更及时修改，每次代码更新都应该运行这些测试代码，以确认修改没有引发新问题。只要坚持这样做，你的代码就会足够健壮，更不用提验证和测试新特性和更新了。

在主程序中放置测试代码是测试模块的简单快捷的手段。Python 标准库中还提供了 unittest 模块，有时候它被称为 PyUnit，是一个测试框架。如何使用 unittest 超出了本书的范围，不过当需要对一个大系统的组件进行正规系统的回归测试时，它就会派上用场。

3.5 内存管理

到现在为止，你已经看了不少 Python 代码的例子。我们本节的主题是变量和内存管理的细节，包括：

- 变量无须事先声明；
- 变量无须指定类型；
- 程序员不用关心内存管理；
- 变量名会被“回收”；
- del 语句能够直接释放资源。

3.5.1 变量定义

大多数编译型语言，变量在使用前必须先声明，其中的 C 语言更加苛刻：变量声明必须位于代码块最开始，且在任何其他语句之前。其他语言，像 C++和 Java，允许“随时随地”声明变量，比如，变量声明可以在代码块的中间，不过仍然必须在变量被使用前声明变量的名字和类型。在 Python 中，无需此类显式变量声明语句，变量在第一次被赋值时自动声明。和其他大多数语言一样，变量只有被创建和赋值后才能被使用。

```
>>> a
Traceback (innermost last):
  File "<stdin>", line 1, in ?
NameError: a
```

变量一旦被赋值，你就可以通过变量名来访问它。

```
>>> x = 4
>>> y = 'this is a string'
>>> x
4
>>> y
'this is a string'
```

3.5.2 动态类型

还要注意一点，Python 中不但变量名无需事先声明，而且也无需类型声明。在 Python 语言中，对象的类型和内存占用都是运行时确定的。尽管代码被编译成字节码，Python 仍然是一种解释型语言。在创建——也就是赋值时，解释器会根据语法和右侧的操作数来决定新对象的类型。在对象创建后，一个该对象的应用会被赋值给左侧的变量。

3.5.3 内存分配

作为一个负责任的程序员，我们知道在为变量分配内存时，是在借用系统资源，在用完之后，应该释放借用的系统资源。Python 解释器承担了内存管理的复杂任务，这大大简化了应用程序的编写。你只需要关心你要解决的问题，至于底层的事情放心交给 Python 解释器去做就行了。

3.5.4 引用计数

要保持追踪内存中的对象，Python 使用了引用计数这一简单技术。也就是说 Python 内部记录着所有使用中的对象各有多少引用。你可以将它想像成扑克牌游戏“黑杰克”或“21 点”。一个内部跟踪变量，称为一个引用计数器。每个对象各有多少个引用，简称引用计数。当对象被创建时，就创建了一个引用计数，当这个对象不再需要时，也就是说，这个对象的引用计数变为 0 时，它被垃圾回收。（严格来说这不是 100%正确，不过现阶段你可以就这么理解）

1．增加引用计数

当对象被创建并（将其引用）赋值给变量时，该对象的引用计数就被设置为 1。

当同一个对象（的引用）又被赋值给其他变量时，或作为参数传递给函数、方法或类实例时，或者被赋值为一个窗口对象的成员时，该对象的一个新的引用，或者称作别名，就被创建（则该对象的引用计数自动加 1）。

请看以下声明。

```
x = 3.14
y = x
```

语句 x=3.14 创建了一个浮点型对象并将其引用赋值给 x。x 是第一个引用，因此，该对象的引用计数被设置为 1。语句 y=x 创建了一个指向同一对象的别名 y（参阅图 3-2）。事实上并没有为 Y 创建一个新对象，而是该对象的引用计数增加了 1 次（变成了 2）。这是对象引用计数增加的方式之一。还有一些其他的方式也能增加对象的引用计数，比如该对象作为参数被函数调用或这个对象被加入到某个容器对象当中时。

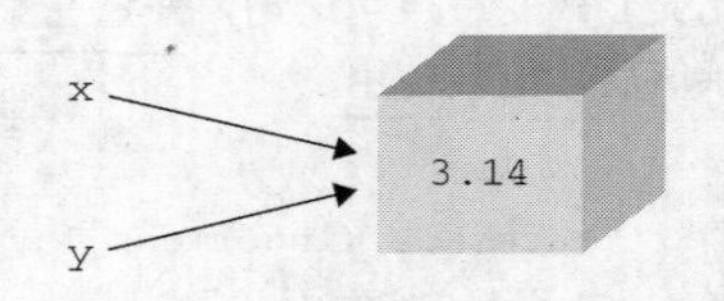

图 3-2 有两个引用的同一对象

总之，对象的引用计数增加时：

- 对象被创建

  ```
  x = 3.14
  ```

- 或另外的别名被创建

  ```
  y = x
  ```

- 或被作为参数传递给函数（新的本地引用）

  ```
  foobar(x)
  ```

- 或成为容器对象的一个元素

  ```
  myList = [123, x, 'xyz']
  ```

下面让我们来看一下引用计数是如何变少的。

2．减少引用计数

当对象的引用被销毁时，引用计数会减小。最明显的例子就是当引用离开其作用范围时，这种情况最经常出现在函数运行结束时，所有局部变量都被自动销毁，对象的引用计数也就随之减少。

当变量被赋值给另外一个对象时，原对象的引用计数也会自动减 1：

```
foo = 'xyz'
bar = foo
foo = 123
```

当字符串对象"xyz"被创建并赋值给 foo 时，它的引用计数是 1。当增加了一个别名 bar 时，引用计数变成了 2。不过当 foo 被重新赋值给整型对象 123 时，xyz 对象的引用计数自动减 1，又重新变成了 1。

其他造成对象的引用计数减少的方式包括使用 del 语句删除一个变量（参阅稍后小节），或者当一个对象被移出一个窗口对象时（或该容器对象本身的引用计数变成了 0 时）。总结一下，一个对象的引用计数在以下情况下会减少。

- 一个本地引用离开了其作用范围。比如 foobar()（参见刚才的例子）函数结束时。
- 对象的别名被显式销毁。

```
del y           # or del x
```

- 对象的一个别名被赋值给其他对象。

```
x = 123
```

- 对象被从一个窗口对象中移除。

```
myList.remove(x)
```

- 窗口对象本身被销毁。

```
del myList      # or goes out-of-scope
```

参阅 11.8 节了解更多变量作用范围的信息。

3. del 语句

Del 语句会删除对象的一个引用，它的语法如下。

```
del obj1[, obj2[,... objN]]
```

例如，在上例中执行 del y 会产生两个结果。

- 从现在的名称空间中删除 y。
- x 的引用计数减 1。

引申一步，执行 del x 会删除该对象的最后一个引用，也就是该对象的引用计数会减为 0，这会导致该对象从此“无法访问”或“无法抵达”。从此刻起，该对象就成为垃圾回收机制的回收对象。注意任何追踪或调试程序会给一个对象增加一个额外的引用，这会推迟该对象被回收的时间。

3.5.5 垃圾收集

不再使用的内存会被一种称为垃圾收集的机制释放。像上面说的，虽然解释器跟踪对象的引用计数，但垃圾收集器负责释放内存。垃圾收集器是一块独立代码，它用来寻找引用计数为 0 的对象。它也负责检查那些虽然引用计数大于 0 但也应该被销毁的对象。特定情形会导致循环引用。

一个循环引用发生在当你有至少两个对象互相引用时，也就是说所有的引用都消失时，这些引用仍然存在，这说明只靠引用计数是不够的。Python 的垃圾收集器实际上是一个引用计数器和一个循环垃圾收集器。当一个对象的引用计数变为 0，解释器会暂停，释放掉这个对象和仅有这个对象可访问（可到达）的其他对象。作为引用计数的补充，垃圾收集器也会留心被分配的总量很大的（及未通过引用计数销毁的那些）对象。在这种情况下，解释器会暂停下来，试图清理所有未引用的循环。

3.6 第一个 Python 程序

我们已经熟悉了语法、代码风格、变量赋值及内存分配，现在来看一点略微复杂的代码。这个例子中还有你不熟悉（我们还未讲到的）的 Python 结构，不过我们相信因为 Python 非常的简单和优雅，你一定可以弄懂每一行代码的用途。

我们将要介绍两段处理文本文件的相关脚本。首先是makeTextFile.py，创建一个文本文件；它提示用户输入每一行文本，然后将结果写到文件中。另一个是readTextFile.py，读取并显示该文本文件的内容。研究一下这两段代码，看看他们是如何工作的。

例3.1 创建文件（makeTextFile.py）

这个脚本提醒用户输入一个（尚不存在的）文件名，然后由用户输入该文件的每一行。最后，将所有文本写入文本文件。

```
1   #!/usr/bin/env python
2
3   'makeTextFile.py -- create text file'
4
5   import os
6   ls = os.linesep
7
8   # get filename
9   while True:
10
11  if os.path.exists(fname):
12      print "ERROR: '%s' already exists" % fname
13  else:
14      break
15
16  # get file content (text) lines
17  all = []
18  print "\nEnter lines ('.' by itself to quit).\n"
19
20  # loop until user terminates input
21  while True:
22      entry = raw_input('> ')
23      if entry == '.':
24          break
25      else:
26          all.append(entry)
27
28  # write lines to file with proper line-ending
29  fobj = open(fname, 'w')
30  fobj.writelines(['%s%s' % (x, ls) for x in all])
31  fobj.close()
32  print 'DONE!'
```

1~3行

UNIX启动行之后是模块的文档字符串。应该坚持写简洁并有用的文档字符串。这里我们写的有点短，不过对这段代码已经够用了。（建议读者看一下标准库中cgi模块的文档字符串，那是一个很好的示例）。

5~6行

之后我们导入os模块，在第6行我们为os.linesep属性取了一个新别名。这样做一方面可以缩短变量名，另一方面也能改善访问该变量的性能。

核心提示：使用局部变量替换模块变量

类似 os.linesep 这样的名字需要解释器做两次查询：（1）查找 os 以确认它是一个模块，（2）在这个模块中查找 linesep 变量。因为模块也是全局变量，我们多消耗了系统资源。如果你在一个函数中像这样频繁使用一个属性，我们建议你为该属性取一个本地变量别名。变量查找速度将会快很多——在查找全局变量之前，总是先查找本地变量。这也是一个让你的程序跑的更快的技巧：将经常用到的模块属性替换为一个本地引用。代码“跑”得更快，而也不用老是敲那么长的变量名了。在我们的代码片段中，并没有定义函数，所以不能给你定义本地别名的示例。不过我们有一个全局别名，至少也减少了一次名字查询。

8 ~ 4 行

显然这是一个无限循环，也就是说除非我们在 while 语句体中提供 break 语句，否则它会一直循环下去。

while 语句根据后面的表达式决定是否进行下一次循环，而 True 则确保它一直循环下去。

10 ~ 14 行

提示用户输入一个未使用的文件名。raw_input() 内建函数接受一个“提示字符串”参数，作为对用户的提示信息。raw_input()返回用户输入的字符串，也就是为 fname 赋值。如果用户不小心输入了一个已经存在的文件的名字，我们要提示这个用户重新输入另一个名字。os.path.exists()是 os 模块中一个有用的函数，帮助我们确认这一点。当有输入一个不存在的文件名时，os.path.exists()才会返回 False, 这时我们中断循环继续下面的代码。

16 ~ 26 行

这部分代码提供用户指令，引导用户输入文件内容，一次一行。我们在第 17 行初始化了列表 all，它用来保存每一行文本。第 21 行开始另一个无限循环，提示用户输入每一行文本，一行仅输入一个句点(.) 表示输入结束。23～26 行的 if-else 语句判断是否满足结束条件以中止循环（24 行），否则就再添加新的一行（26 行）。

28 ~ 32 行

现在所有内容都保存在内存当中，我们需要将它们保存到文件。第 29 行打开文件准备进行写操作，第 30 行将内存中的内容逐行写入文件。每个文件都需要一个行结束符（或文件结束字符）。第 30 行的结构称为列表解析，它进行以下工作：对我们文件的每一行，根据程序运行平台添加一个合适的行结束符。'%s%s'为每一行添加行结束符，(x, ls) 表示每一行及其行结束符，对 Unix 平台，是'\n'，对 DOS 或 win32 平台，则是'\r\n'。通过使用 os.lineseq，我们不必关心程序运行在什么平台，也不必要根据不同的平台决定使用哪种行结束符。文件对象的 writelines()方法接收包含行结束符的结果列表，并将它写入文件。

不错吧。现在来看一下如何查看刚刚创建的文件。出于这个目的，我们创建了第二个 Python 脚本，readTextFile.py。你会看到，它比 makeTextFile.py 短的多。创建一个文件的复杂度总是比读取它要大。你可能感兴趣的、有新意的一点在于异常处理的出现。

1 ~ 3 行

和前面一样，是 Unix 启动行及模块文档字符串。

5 ~ 7 行

不同于 makeTextFil.py，我们在这个例子中不再关心用户是否输入合适的文件名。

例 3.2 文件读取和显示（readTextFile.py）

```
1    #!/usr/bin/env python
2
3    'readTextFile.py -- read and display text file'
4
```

```
5    # get filename
6    fname = raw_input('Enter filename: ')
7    print
8
9    # attempt to open file for reading
10   try:
11     fobj = open(fname, 'r')
12   except IOError, e:
13     print "*** file open error:", e
14   else:
15     # display contents to the screen
16     for eachLine in fobj:
17         print eachLine,
18     fobj.close()
```

换句话说，我们在其他地方进行验证工作（如果需要）。第7行打印一个空行，以便将提示信息和文件内容分隔开来。

9 ~ 18 行

脚本的剩余部分展示了一种新的 Python 结构，try-except-else 语句。try 子句是一段我们希望监测错误的代码块。在第 10～11 行代码，我们尝试打开用户输入的文件。except 子句是我们处理错误的地方。在 12～13 行，我们检查 open()是否失败——通常是 IOError 类型的错误。

最后，14～18 行的 else 子句在 try 代码块运行无误时执行。我们在这儿将文件的每一行显示在屏幕上。注意由于我们没有移除代表每行结束的行结束符，我们不得不抵制 print 语句自动生成的行结束符——通过在 print 语句的最后加一个逗号可以达到这一目的。第 18 行关闭文件，从而结束这段脚本。

最后要讲的一点是关于使用 os.path.exists()和异常处理：一般程序员倾向于使用前者，因为有一个现成的函数可以检查错误条件——并且很简单，这是个布尔函数，它会告你“是”还是“不是”（注意，这个函数内可能已经有异常处理代码）。那你为什么还要重新发明一个轮子来干同样一件事？异常处理最适用的场合，是在没有合适的函数处理异常状况的时候。这时程序员必须识别这些非正常的错误，并做出相应处理。对我们的例子来说，我们能够通过检查文件是否存在来避免异常发生，不过因为有可能因为其他原因造成文件打开失败，比如缺少权限，网络驱动器突然连接失败等等。从更安全的角度来说，就不应该使用类似 os.path.exists()之类的函数，而是使用异常处理，尤其是在没有合适函数的情况下更应如此。

你会在第 9 章中找到更多文件系统函数的例子，在第 10 章则有更多关于异常处理的知识。

3.7 相关模块和开发工具

《Python 风格指南》（Python Style Guide，PEP8）、《Python 快速参考指南》（Python Quick Reference Guide）和《Python 常见问答》（Python FAQ）都是开发者很重要的“工具”。另外，还有一些模块会帮助你成为一个优秀的 Python 程序员。

调试器：pdb。

记录器：logging。

性能测试器：profile、hotshot、cProfile。

logging 模块是在 Python2.3 中新增的，它定义了一些函数和类帮助你的程序实现灵活的日志系统。共有五级日志级别：紧急、错误、警告、信息和调试。

历史上，不同的人们为了满足不同的需求重复实现了很多性能测试器，Python 也有好几个性能测试模块。最早的 Python profile 模块是 Python 写成的，用来测试函数的执行时间及每次脚本执行的总时间，既没有特定函数的执行时间也没有被包含的子函数调用时间。在三个 profile 模块中，它是最老的也是最慢的，尽管如此，它仍然可以提供一些有价值的性能信息。hotshot 模块是在 Python2.2 中新增的，它的目标是取代 profile 模块，它修复了 profile 模块的一些错误，因为它是用 C 语言写成，所以它有效地提高了性能。注意 hotshot 重点解决了性能测试过载的问题，但却需要更多的时间来生成结果。Python2.5 版修复了 hotshot 模块的一个关于时间计量的严重 bug。

cProfile 模块是 Python2.5 新增的，它用来替换掉已经有历史的 hotshot 和 profile 模块。作者已确认的它的一个较明显的缺点是它需要花较长时间从日志文件中载入分析结果，不支持子函数状态细节及某些结果不准。它也是用 C 语言来实现的。

3.8 练习

3-1. 标识符。为什么 Python 中不需要变量名和变量类型声明？

3-2. 标识符。为什么 Python 中不需要声明函数类型？

3-3. 标识符。为什么应当避免在变量名的开始和和结尾使用双下划线？

3-4. 语句。在 Python 中一行可以书写多个语句吗？

3-5. 语句。在 Python 中可以将一个语句分成多行书写吗？

3-6. 变量赋值

（a）赋值语句 x, y, z = 1, 2, 3 会在 x、y、z 中分别赋什么值？

（b）执行 z, x, y = y, z, x 后，x、y、z 中分别含有什么值？

3-7. 标识符。下面哪些是 Python 合法的标识符？如果不是，请说明理由。在合法的标识符中，哪些是关键字？

```
int32          40XL           $aving$        printf         print
_print         this           self           __name__       0x40L
bool           true           big-daddy      2hot2touch     type
thisIsn'tAVar  thisIsAVar     R_U_Ready      Int            True
if             do             counter-1      access         _
```

下面的问题涉及了 makeTextFile.py 和 readTextFile.py 脚本。

3-8. Python 代码。将脚本拷贝到你的文件系统中，然后修改它。可以添加注释，修改提示符（'>'太单调了）等，修改这些代码，使它看上去更舒服。

3-9. 移植。如果你在不同类型的计算机系统中分别安装有 Python，检查一下，os.linesep 的值是否有不同。记下操作系统的类型及 linesep 的值。

3-10. 异常。使用类似 readTextFile.py 中异常处理的方法取代 readTextFile.py makeTextFile.py 中对 os.path.exists()的调用。反过来，用 os.path.exists()取代 readTextFile.py 中的异常处理方法。

3-11. 字符串格式化 不再抑制 readTextFile.py 中 print 语句生成的 NEWLINE 字符，修改你的代码，在显示一行之前删除每行末尾的空白。这样，你就可以移除 print 语句末尾的逗号了。提示：使用字符串对象的 strip()方法。

3-12. 合并源文件。将两段程序合并成一个，给它起一个你喜欢的名字，比如 readNwriteTextFiles.py。让用户自己选择是创建还是显示一个文本文件。

3-13. *添加新功能。将你上一个问题改造好的 readNwriteTextFiles.py 增加一个新功能：允许用户编辑一个已经存在的文本文件。你可以使用任何方式，无论是一次编辑一行，还是一次编辑所有文本。需要提醒一下的是，一次编辑全部文本有一定难度，你可能需要借助 GUI 工具包或一个基于屏幕文本编辑的模块比如 curses 模块。要允许用户保存他的修改（保存到文件）或取消他的修改（不改变原始文件），并且要确保原始文件的安全性（不论程序是否正常关闭）。

第4章 Python对象

本章主题

- Python 对象
- 内建类型
- 标准类型操作符
- 值的比较
- 对象身份比较
- 布尔类型
- 标准类型内建函数
- 标准类型总览
- 各种类型
- 不支持的类型

我们现在来学习 Python 语言的核心部分。首先我们来了解什么是 Python 对象，然后讨论最常用的内建类型，接下来我们讨论标准类型操作符和内建函数，之后给出对标准类型的不同的分类方式。这有助于我们更好地理解他们如何工作。最后我们会提到 Python 目前还不支持的类型（这对那些有其他高级语言经验的人会有所帮助）。

4.1 Python 对象

Python 使用对象模型来存储数据。构造任何类型的值都是一个对象。尽管 Python 通常被当成一种"面向对象的编程语言"，但你完全能够写出不使用任何类和实例的实用脚本。不过 Python 的对象语法和架构鼓励我们使用这些特性，下面让我们仔细研究一下 Python 对象。

所有的 Python 对像都拥有三个特性：身份，类型和值。

身份：每一个对象都有一个唯一的身份标识自己，任何对象的身份可以使用内建函数 id()来得到。这个值可以被认为是该对象的内存地址。你极少会用到这个值，也不用太关心它究竟是什么。

类型：对象的类型决定了该对象可以保存什么类型的值，可以进行什么样的操作，以及遵循什么样的规则。你可以用内建函数 type()查看 Python 对象的类型。因为在 Python 中类型也是对象（还记得我们提到 Python 是面向对象的这句话吗?），所以 type()返回的是对象而不是简单的字符串。

值 ：对象表示的数据项。

上面三个特性在对象创建的时候就被赋值，除了值之外，其他两个特性都是只读的。对于新式类型和类，对象的类型也是可以改变的，不过并不推荐初学者这样做。

如果对象支持更新操作，那么它的值就可以改变，否则它的值也是只读的。对象的值是否可以更改被称为对象的可改变性（mutability），我们会在后面的 4.7 小节中讨论这个问题。只要一个对象还没有被销毁，这些特性就一直存在。

Python 有一系列的基本（内建）数据类型，必要时也可以创建自定义类型来满足你对应用程序的需求。绝大多数应用程序通常使用标准类型，对特定的数据存储则通过创建和实例化类来实现。

对象属性

某些 Python 对象有属性、值或相关联的可执行代码，比如方法（method）。Python 用句点（.）标记法来访问属性。属性包括相应对象的名字等，在 2.14 小节中曾做过介绍。最常用的属性是函数和方法，不过有一些 Python 类型也有数据属性。含有数据属性的对象包括（但不限于）：类、类实例、模块、复数和文件。

4.2 标准类型

- 数字（分为几个子类型，其中有三个是整型）
- Integer 整型
- Boolean 布尔型
- Long integer 长整型
- Floating point real number 浮点型
- Complex number 复数型
- String 字符串
- List 列表
- Tuple 元组
- Dictionary 字典

在本书中，标准类型也称作“基本数据类型”，因为这些类型是Python内建的基本数据类型，我们会在第5、第6和第7章中详细介绍它们。

4.3 其他内建类型

- 类型
- Null对象（None）
- 文件
- 集合/固定集合
- 函数/方法
- 模块
- 类

这些是当你做Python开发时可能会用到的一些数据类型。我们在这里讨论Type和None类型的使用，除此之外的其他类型将在其他章节中讨论。

4.3.1 类型对象和type类型对象

在本章我们要讨论所有的Python类型，虽然看上去把类型本身也当成对象有点特别，我们还是要在这里提一提。你一定还记得，对象的一系列固有行为和特性（比如支持哪些运算，具有哪些方法）必须事先定义好。从这个角度看，类型正是保存这些信息的最佳位置。描述一种类型所需要的信息不可能用一个字符串来搞定，所以类型不能是一个简单的字符串，这些信息不能也不应该和数据保存在一起，所以我们将类型定义成对象。

下面我们来正式介绍内建函数type()。通过调用type()函数你能够得到特定对象的类型信息。

```
>>> type(42)
<type 'int'>
```

我们仔细研究一下这个例子，请注意看 type函数有趣的返回值。我们得到一个简洁的输出结果<type 'int'>。不过你应当意识到它并不是一个简单地告诉你42是个整型的字符串。你看到的<type 'int'>实际上是一个类型对象，碰巧它输出了一个字符串来告诉你它是个int型对象。

现在你该问自己了，那么类型对象的类型是什么？来，我们试验一下。

```
>>> type(type(42))
<type 'type'>
```

没错，所有类型对象的类型都是type，它也是所有Python类型的根和所有Python标准类的默认元类（metaclass）。你现在有点搞不明白，没关系，随着我们逐步深入地学习类和类型，你就会慢慢理解。

随着Python 2.2 中类型和类的统一，类型对象在面向对象编程和日常对象使用中扮演着更加重要的角色。从现在起，类就是类型，实例是对应类型的对象。

4.3.2 None——Python的 Null对象

Python有一个特殊的类型，被称为 Null 对象或者 NoneType，它只有一个值，那就是 None。它不支持任何运算也没有任何内建方法。如果非常熟悉C语言，就会知道和None类型最接近的C类型就是void，None类型的值和C的NULL值非常相似（其他类似的对象和值包括Perl的undef和Java的void类型与null值）。

None 没有什么有用的属性，它的布尔值总是 False。

核心笔记：布尔值

所有标准对象均可用于布尔测试，同类型的对象之间可以比较大小。每个对象天生具有布尔 True 或 False 值。空对象、值为零的任何数字或者 Null 对象 None 的布尔值都是 False。

下列对象的布尔值是 False。

- None;
- False（布尔类型）;
- 所有的值为零的数;
- 0（整型）;
- 0.0（浮点型）;
- 0L（长整型）;
- 0.0+0.0j（复数）;
- ""（空字符串）;
- []（空列表）;
- ()（空元组）;
- {}（空字典）。

值不是上面列出来的任何值的对象的布尔值都是 True，例如 non-empty、non-zero 等。用户创建的类实例如果定义了 nonzero(__nonzero__())或 length(__len__())且值为 0，那么它们的布尔值就是 False。

4.4 内部类型

- 代码
- 帧
- 跟踪记录
- 切片
- 省略
- Xrange

我们在这里简要介绍一下这些内部类型，一般的程序员通常不会直接和这些对象打交道。不过为了这一章的完整性，我们还是在这里介绍一下它们。请参阅源代码或者 Python 的内部文档和在线文档来获得更详尽的信息。

你如果对异常感到迷惑的话，可以告诉你它们是用类来实现的。在老版本的 Python 中，异常是用字符串来实现的。

4.4.1 代码对象

代码对象是编译过的 Python 源代码片段，它是可执行对象。通过调用内建函数 compile()可以得到代码对象。代码对象可以被 exec 命令或 eval()内建函数来执行。在第 14 章将详细研究代码对象。

代码对象本身不包含任何执行环境信息，它是用户自定义函数的核心，在被执行时动态获得上下文。(事实上代码对象是函数的一个属性)一个函数除了有代码对象属性以外，还有一些其他函数必须的属性，包括函数名、文档字符串、默认参数、及全局命名空间等。

4.4.2 帧对象

帧对象表示 Python 的执行栈帧。帧对象包含 Python 解释器在运行时所需要知道的所有信息。它的属性包括指向上一帧的链接，正在被执行的代码对象（参见上文），本地及全局名称空间字典及当前指令等。每次函数调用产生一个新的帧，每一个帧对象都会相应创建一个 C 栈帧。用到帧对象的一个地方是跟踪记录对象。

4.4.3 跟踪记录对象

当你的代码出错时，Python 就会引发一个异常。如果异常未被捕获和处理，解释器就会退出脚本运行，显示类似下面的诊断信息。

```
Traceback (innermost last):
  File "<stdin>", line N?, in ???
ErrorName: error reason
```

当异常发生时，一个包含针对异常的栈跟踪信息的跟踪记录对象被创建。如果一个异常有自己的处理程序，处理程序就可以访问这个跟踪记录对象。

4.4.4 切片对象

当使用 Python 扩展的切片语法时，就会创建切片对象。扩展的切片语法允许对不同的索引切片操作，包括步进切片、多维切片和省略切片。多维切片语法是 sequence[start1 : end1, start2 : end2]，或使用省略号，sequence[...,start1 : end1]。切片对象也可以由内建函数 slice()来生成。步进切片允许利用第 3 个切片元素进行步进切片，它的语法为 sequence[起始索引：结束索引：步进值]。Python 很早就支持扩展步进切片语法了，但直到 Python2.3 以前都必须依靠 C 语言的 API 或 Jython 才能工作。下面是几个步进切片的例子。

```
>>> foostr = 'abcde'
>>> foostr[::-1]
'edcba'
>>> foostr[::-2]
'eca'
>>> foolist = [123, 'xba', 342.23, 'abc']
>>> foolist[::-1]
['abc', 342.23, 'xba', 123]
```

4.4.5 省略对象

省略对象用于扩展切片语法中，起记号作用。这个对象在切片语法中表示省略号。类似 Null 对象 None，省略对象有一个唯一的名字 Ellipsis，它的布尔值始终为 True。

4.4.6 XRange 对象

调用内建函数 xrange() 会生成一个 Xrange 对象，xrange()是内建函数 range()的兄弟版本，用于需要节省内存使用或 range()无法完成的超大数据集场合。在第 8 章你可以找到更多关于 range()和 xrange() 的使用信息。

4.5 标准类型操作符

4.5.1 对象值的比较

比较操作符用来判断同类型对象是否相等，所有的内建类型均支持比较运算，比较运算返回布尔值 True 或 False。如果你正在使用的是早于 Python2.3 的版本，因为这些版本还没有布尔类型，所以会看到比较结果为整型值 1（代表 True）或 0（代表 False）。

注意，实际进行的比较运算因类型而异。换言之，数字类型根据数值的大小和符号比较，字符串按照字符序列值进行比较，等等。

```
>>> 2 == 2
True
>>> 2.46 <= 8.33
True
>>> 5+4j >= 2-3j
True
>>> 'abc' == 'xyz'
False
>>> 'abc' > 'xyz'
False
>>> 'abc' < 'xyz'
True
>>> [3, 'abc'] == ['abc', 3]
False
>>> [3, 'abc'] == [3, 'abc']
True
```

不同于很多其他语言，多个比较操作可以在同一行上进行，求值顺序为从左到右。

```
>>> 3 < 4 < 7            # same as ( 3 < 4 ) and ( 4 < 7 )
True
>>> 4 > 3 == 3           # same as ( 4 > 3 ) and ( 3 == 3 )
True
>>> 4 < 3 < 5 != 2 < 7
False
```

我们会注意到比较操作是针对对象的值进行的，也就是说比较的是对象的数值而不是对象本身。在后面的部分我们会研究对象身份的比较。

表 4.1 标准类型值比较操作符

操 作 符	功 能
expr1 < expr2	expr1 小于 expr2
expr1 > expr2	expr1 大于 expr2
expr1 <= expr2	expr1 小于等于 expr2
expr1 >= expr2	expr1 大于等于 expr2
expr1 == expr2	expr1 等于 expr2
expr1 != expr2	expr1 不等于 expr2（C 风格）
expr1 <> expr2	expr1 不等于 expr2（ABC/Pascal 风格）

未来很有可能不再支持< >操作符，建议你一直使用!= 操作符。

4.5.2 对象身份比较

作为对值比较的补充，Python 也支持对象本身的比较。对象可以被赋值到另一个变量（通过引用）。

因为每个变量都指向同一个（共享的）数据对象，只要任何一个引用发生改变，该对象的其他引用也会随之改变。

为了方便大家理解，最好先别考虑变量的值，而是将变量名看作对象的一个链接。让我们来看以下三个例子：

例 1：foo1 和 foo2 指向相同的对象

```
foo1 = foo2 = 4.3
```

当你从值的观点看这条语句时，它表现的只是一个多重赋值，将 4.3 这个值赋给了 foo1 和 foo2 这两个变量。这当然是对的，不过它还有另一层含义。事实是一个值为 4.3 的数字对象被创建，然后这个对象的引用被赋值给 foo1 和 foo2，结果就是 foo1 和 foo2 指向同一个对象。图 4-1 演示了一个对象两个引用。

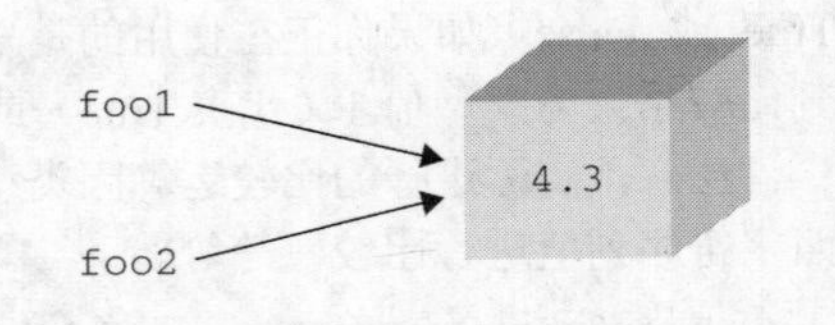

图 4-1 foo1 和 foo2 指向相同的对象

例 2：foo1 和 foo2 指向相同的对象

```
foo1 = 4.3
foo2 = foo1
```

这个例子非常类似上一个，一个值为 4.3 的数值对象被创建，然后赋给一个变量，当执行 foo2 = foo1 时，foo2 被指向 foo1 所指向的同一个对象，这是因为 Python 通过传递引用来处理对象。foo2 就成为原始值 4.3 的一个新的引用。这样 foo1 和 foo2 就都指向了同一个对象。示意图也和图 4-1 一样。

例 3：foo1 和 foo2 指向不同的对象

```
foo1 = 4.3
foo2 = 1.3 + 3.0
```

这个例子有所不同。首先一个数字对象被创建，然后赋值给 foo1。然后第二个数值对象被创建并赋值给 foo2。尽管两个对象保存的是同样大小的值，但事实上系统中保存的都是两个独立的对象，其中 foo1 是第一个对象的引用，foo2 则是第二个对象的引用。图 4-2 演示给我们这里有两个不同的对象，尽管这两个对象有同样大小的数值。我们为什么在示意图中使用盒子？没错，对象就像一个装着内容的盒子。当一个对象被赋值到一个变量，就像在这个盒子上贴了一个标签，表示创建了一个引用。每当这个对象有了一个新的引用，就会在盒子上新贴一张标签。当一个引用被销毁时，这个标签就会被撕掉。当所有的标签都被撕掉时，这个盒子就会被回收。那么，Python 是怎么知道这个盒子有多少个标签呢？

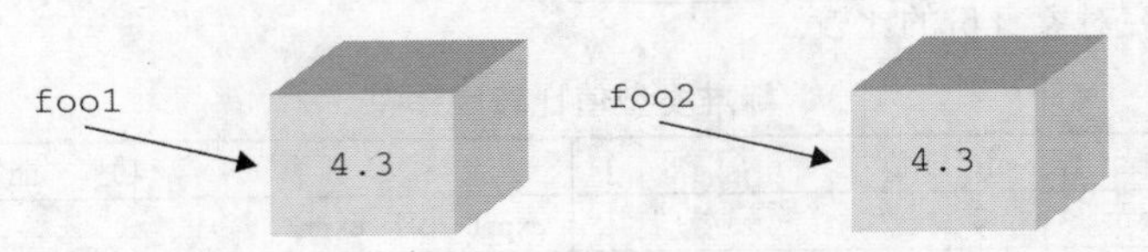

图 4-2 foo1 和 foo2 指向不同的对象

每个对象都天生具有一个计数器，记录它自己的引用次数。这个数目表示有多少个变量指向该对象。这也就是我们在 3.5.5～3.5.7 小节提到的引用计数。Python 提供了 is 和 is not 操作符来测试两个变量是否指向同一个对象。像下面这样执行一个测试。

```
a is b
```

这个表达式等价于下面的表达式。

```
id(a) == id(b)
```

对象身份比较操作符拥有同样的优先级，表 4.2 列出了这些操作符。在下面这个例子里，我们创建了一个变量，然后将第二个变量指向同一个对象。

```
>>> a = [ 5, 'hat', -9.3]
>>> b = a
>>> a is b
True
>>> a is not b
False
>>>
>>> b = 2.5e-5
>>> b
2.5e-005
>>> a
[5, 'hat', -9.3]
>>> a is b
False
>>> a is not b
True
```

is 与 not 标识符都是 Python 关键字。

表 4.2 标准类型对象身份比较操作符

操 作 符	功 能
obj1 **is** obj2	obj1 和 obj2 是同一个对象
obj1 **is not** obj2	obj1 和 obj2 不是同一个对象

核心笔记：实践

在上面的例子中，你会注意到我们使用的是浮点型而不是整型。为什么会这样？整型对象和字符串对象是不可变对象，所以 Python 会很高效地缓存它们。这会造成我们认为 Python 应该创建新对象时，它却没有创建新对象的假象。请看下面的例子。

```
>>> a = 1
>>> id(a)
8402824
>>> b = 1
>>> id(b)
8402824
>>>
>>> c = 1.0
>>> id(c)
8651220
>>> d = 1.0
>>> id(d)
8651204
```

在上面的例子中，a 和 b 指向了相同的整型对象，但是 c 和 d 并没有指向相同的浮点型对象。如果我们是纯粹主义者，我们会希望 a 与 b 能和 c 与 d 一样，因为我们本意就是为了创建两个整型对象，而不是像 b = a 这样的结果。

Python 仅缓存简单整型，因为它认为在 Python 应用程序中这些小整型会经常被用到。当我们在写作本书的时候，Python 缓存的整型范围是（−1, 100），不过这个范围是会改变的，所以请不要在你的应用程序使用这个特性。

Python 2.3 中决定，在预定义缓存字符串表之外的字符串，如果不再有任何引用指向它，那这个字符串将不会被缓存。也就是说，被缓存的字符串将不会像以前那样永生不灭，对象回收器一样可以回收不再被使用的字符串。从 Python 1.5 起提供的用于缓存字符的内建函数 intern() 也已经不再推荐使用，即将被废弃。

4.5.3 布尔类型

布尔逻辑操作符 and、or 和 not 都是 Python 关键字，这些操作符的优先级按从高到低的顺序列于表 4.3。not 操作符拥有最高优先级，只比所有比较操作符低一级。and 和 or 操作符则相应地再低一级。

表 4.3 标准类型布尔操作符

操 作 符	功 能
not expr	expr 的逻辑非（否）
expr1 **and** expr2	expr1 和 expr2 的逻辑与
expr1 **or** expr2	expr1 和 expr2 的逻辑或

```
>>> x, y = 3.1415926536, -1024
>>> x < 5.0
True
>>> not (x < 5.0)
False
>>> (x < 5.0) or (y > 2.718281828)
True
>>> (x < 5.0) and (y > 2.718281828)
False
>>> not (x is y)
True
```

前面我们提到过 Python 支持一个表达式进行多种比较操作，其实这个表达式本质上是由多个隐式的 and 连接起来的多个表达式。

```
>>> 3 < 4 < 7                    #与"( 3 < 4 ) and ( 4 < 7 )"一样
True
```

4.6 标准类型内建函数

除了这些操作符，我们刚才也看到，Python 提供了一些内建函数用于这些基本对象类型：cmp()、repr()、str()、type()和等同于 repr()函数的单反引号（``）操作符。

表 4.4 标准类型内建函数

函 数	功 能
cmp(obj1, obj2)	比较 obj1 和 obj2，根据比较结果返回整型 i: i < 0 if obj1 < obj2 i > 0 if obj1 > obj2 i == 0 if obj1 == obj2
repr(obj) 或 \`obj\`	返回一个对象的字符串表示
str(obj)	返回对象适合可读性好的字符串表示
type(obj)	得到一个对象的类型，并返回相应的 type 对象

4.6.1 type()

我们现在来正式介绍 type()。在 Python2.2 以前，type() 是内建函数。不过从那时起，它变成了一个“工厂函数”。在本章的后面部分我们会讨论工厂函数，现在你仍然可以将 type()仅仅当成一个内建函数来看。type() 的用法如下。

```
type(object)
```

type() 接受一个对象作为参数，并返回它的类型。它的返回值是一个类型对象。

```
>>> type(4)                                  # 整型
<type 'int'>
>>>
>>> type('Hello World!')                     # 字符型
<type 'string'>
>>>
>>> type(type(4))                            #   type 类型
<type 'type'>
```

在上面的例子里，我们通过内建函数 type() 得到了一个整型和一个字符串的类型；为了确认一下类型本身也是类型，我们对 type()的返回值再次调用 type()。注意 type()有趣的输出，它看上去不像一个典型的 Python 数据类型，比如一个整型或一个字符串，一些东西被一个大于号和一个小号包裹着。这种语法是为了告诉你它是一个对象。每个对象都可以实现一个可打印的字符串表示。不过并不总是这样，对那些不容易显示的对象来说，Python 会以一个相对标准的格式表示这个对象，格式通常是这种形式：<object_something_or_another>，以这种形式显示的对象通常会提供对象类别、对象 id 或位置，或者其他合适的信息。

4.6.2 cmp()

内建函数 cmp()用于比较两个对象 obj1 和 obj2。如果 obj1 小于 obj2，则返回一个负整型，如果 obj1 大于 obj2 则返回一个正整型，如果 obj1 等于 obj2，则返回 0。它的行为非常类似于 C 语言的 strcmp()函数。比较是在对象之间进行的，不管是标准类型对象还是用户自定义对象。如果是用户自定义对象，cmp()会调用该类的特殊方法__cmp__()。在第 13 章会详细介绍类的这些特殊方法。下面是几个使用 cmp()内建函数的对数值和字符串对象进行比较的例子。

```
>>> a, b = -4, 12
>>> cmp(a,b)
-1
>>> cmp(b,a)
1
>>> b = -4
>>> cmp(a,b)
0
>>>
>>> a, b = 'abc', 'xyz'
>>> cmp(a,b)
-23
>>> cmp(b,a)
23
>>> b = 'abc'
>>> cmp(a,b)
0
```

在后面我们会研究 cmp()用于其他对象的比较操作。

4.6.3 str()和 repr() (及 `` 操作符)

内建函数 str()和 repr()或反引号操作符（``）可以方便地以字符串的方式获取对象的内容、类型、数值属性等信息。str()函数得到的字符串可读性好，而 repr()函数得到的字符串通常可以用来重新获得该对象，通常情况下 obj == eval(repr(obj)) 这个等式是成立的。这两个函数接受一个对象作为其参数，返回适当的字符串。在下面的例子里，我们会随机取一些 Python 对象来查看他们的字符串表示。

```
>>> str(4.53-2j)
'(4.53-2j)'
>>>
>>> str(1)
'1'
>>>
>>> str(2e10)
'20000000000.0'
>>>
>>> str([0, 5, 9, 9])
'[0, 5, 9, 9]'
>>>
>>> repr([0, 5, 9, 9])
'[0, 5, 9, 9]'
>>>
>>> `[0, 5, 9, 9]`
'[0, 5, 9, 9]'
```

尽管 str(),repr()和``运算在特性和功能方面都非常相似，事实上 repr()和``做的是完全一样的事情，它们返回的是一个对象的“官方”字符串表示，也就是说绝大多数情况下可以通过求值运算（使用内建函数 eval()）重新得到该对象，但 str()则有所不同。str()致力于生成一个对象的可读性好的字符串表示，它的返回结果通常无法用于 eval()求值，但很适合用于 print 语句输出。需要再次提醒的是，并不是所有 repr()返回的字符串都能够用 eval()内建函数得到原来的对象。

```
>>> eval(`type(type))`)
  File "<stdin>", line 1
    eval(`type(type))`)
                     ^
SyntaxError: invalid syntax
```

也就是说 repr() 输出对 Python 比较友好，而 str()的输出对用户比较友好。虽然如此，很多情况下这三者的输出仍然都是完全一样的。

核心笔记：为什么我们有了 repr ( ) 还需要``？

在 Python 学习过程中，你偶尔会遇到某个操作符和某个函数是做同样一件事情。之所以如此是因为某些场合函数会比操作符更适合使用。举个例子，当处理类似函数这样的可执行对象或根据不同的数据项调用不同的函数处理时，函数就比操作符用起来方便。另一个例子就是双星号（＊＊）乘方运算和 pow()内建函数，x ** y 和 pow(x,y) 执行的都是 x 的 y 次方（译者注：事实上 Python 社区目前已经不鼓励继续使用``操作符。这是本书成书之后的变化）。

4.6.4 type()和 isinstance()

Python 不支持方法或函数重载，因此你必须自己保证调用的就是你想要的函数或对象。幸运的是，我们前面 4.3.1 小节提到的 type()内建函数可以帮助你确认这一点。一个名字里究竟保存的是什么？相当多，尤其是这是一个类型的名字时。确认接收到的类型对象的身份有很多时候都是很有用的。为了达到此目的，Python 提供了一个内建函数 type()。type()返回任意 Python 对象的类型，而不局限于标准类型。让我们通过交互式解释器来看几个使用 type()内建函数返回多种对象类型的例子。

```
>>> type('')
<type 'str'>
>>>
>>> s = 'xyz'
>>> type(s)
<type 'str'>
>>>
>>> type(100)
<type 'int'>
>>> type(0+0j)
<type 'complex'>
>>> type(0L)
<type 'long'>
>>> type(0.0)
<type 'float'>
>>>
>>> type([])
<type 'list'>
>>> type(())
<type 'tuple'>
>>> type({})
<type 'dict'>
>>> type(type)
<type 'type'>
>>>
>>> class Foo: pass                    # new-style class
...
>>> foo = Foo()
>>> class Bar(object): pass            # new-style class
...
>>> bar = Bar()
>>>

>>> type(Foo)
<type 'classobj'>
>>> type(foo)
<type 'instance'>
>>> type(Bar)
<type 'type'>
>>> type(bar)
<class '__main__.Bar'>
```

Python2.2统一了类型和类，如果你使用的是低于Python2.2的解释器，你可能看到不一样的输出结果。

```
>>> type('')
<type 'string'>
>>> type(0L)
<type 'long int'>
>>> type({})
<type 'dictionary'>
>>> type(type)
<type 'builtin_function_or_method'>
>>>
>>> type(Foo)     # assumes Foo created as in above
<type 'class'>
>>> type(foo)     # assumes foo instantiated also
<type 'instance'>
```

除了内建函数type()，还有一个有用的内建函数叫做 isinstance()。我们会在第13章（面向对象编程）正式研究这个函数，不过在这里我们还是要简要介绍一下如何利用它来确认一个对象的类型。

1．举例

在例4.1中我们提供了一段脚本来演示在运行时环境使用isinstance() 和 type()函数。随后我们讨论type()的使用，以及怎么将这个例子移植为改用 isinstance()。

运行 typechk.py，我们会得到以下输出。

```
-69 is a number of type: int
9999999999999999999999 is a number of type: long
98.6 is a number of type: float
(-5.2+1.9j) is a number of type: complex
xxx is not a number at all!!
```

例4.1 检查类型(typechk.py)

函数displayNumType() 接受一个数值参数，它使用内建函数type()来确认数值的类型（或不是一个数值类型）。

```
1 #!/usr/bin/env python
2
3 def displayNumType(num):
4    print num, 'is',
5    if isinstance(num, (int, long, float, complex)):
6      print 'a number of type:', type(num).__name__
7    else:
8      print 'not a number at all!!'
9
10 displayNumType(-69)
11 displayNumType(9999999999999999999999L)
12 displayNumType(98.6)
13 displayNumType(-5.2+1.9j)
14 displayNumType('xxx')
```

2．例子进阶

（1）原始

这个完成同样功能的函数与本书的第一版中的例子已经大不相同。

```
def displayNumType(num):
    print num, "is",
    if type(num) == type(0):
        print 'an integer'
    elif type(num) == type(0L):
        print 'a long'
    elif type(num) == type(0.0):
        print 'a float'
    elif type(num) == type(0+0j):
        print 'a complex number'
    else:
        print 'not a number at all!!'
```

由于 Python 奉行简单但是比较慢的方式，所以我们必须这么做，看一眼我们原来的条件表达式：

```
if type(num) == type(0)...
```

（2）减少函数调用的次数

如果我们仔细研究一下我们的代码，会看到我们调用了两次 type()。要知道每次调用函数都会付出性能代价，如果我们能减少函数的调用次数，就会提高程序的性能。

利用在本章我们前面提到的 types 模块，我们还有另一种比较对象类型的方法，那就是将检测得到的类型与一个已知类型进行比较。如果这样，我们就可以直接使用 type 对象而不用每次计算出这个对象来。那么我们现在修改一下代码，改为只调用一次 type()函数。

```
>>> import types
>>> if type(num) == types.IntType...
```

（3）对象值比较 VS 对象身份比较

在这一章的前面部分我们讨论了对象的值比较和身份比较，如果你了解其中的关键点，你就会发现我们的代码在性能上还不是最优的。在运行时期，只有一个类型对象来表示整型类型。也就是说，type(0),type(42),type(-100) 都是同一个对象<type 'int'>（types.IntType 也是这个对象）。

如果它们是同一个对象，我们为什么还要浪费时间去获得并比较它们的值呢（我们已经知道它们是相同的了）？所以比较对象本身是一个更好地方案。下面是改进后的代码。

```
if type(num) is types.IntType... # or type(0)
```

这样做有意义吗？我们用对象身份的比较来替代对象值的比较。如果对象是不同的，那意味着原来的变量一定是不同类型的（因为每一个类型只有一个类型对象），我们就没有必要去检查（值）了。一次这样的调用可能无关紧要，不过当很多类似的代码遍布在你的应用程序中的时候，就有影响了。

（4）减少查询次数

这是一个对前一个例子较小的改进，如果你的程序像我们的例子中做很多次比较的话，程序的性能就会有一些差异。为了得到整型的对象类型，解释器不得不首先查找 types 这个模块的名字，然后在该模块的字典中查找 IntType。通过使用 from-import，你可以减少一次查询。

```
from types import IntType
if type(num) is IntType...
```

（5）惯例和代码风格

Python2.2 对类型和类的统一导致 isinstance()内建函数的使用率大大增加。我们将在第 13 章（面向对象编程）正式介绍 isinstance()，在这里我们简单浏览一下。

这个布尔函数接受一个或多个对象作为其参数，由于类型和类现在都是一回事，int 现在既是一个类型又是一个类。我们可以使用 isinstance()函数来让我们的 if 语句更方便，并具有更好的可读性。

```
if isinstance(num, int)...
```

在判断对象类型时也使用 isinstance()已经被广为接受，我们上面的 typechk.py 脚本最终与改成了使用 isinstance()函数。值得一提的是，isinstance()接受一个类型对象的元组作为参数，这样我们就不必像使用 type()时那样写一堆 if-elif-else 判断了。

4.6.5 Python 类型操作符和内建函数总结

表 4.5 列出了所有操作符和内建函数，其中操作符顺序是按优先级从高到低排列的。同一种灰度的操作符拥有同样的优先级。注意在 operator 模块中有这些（和绝大多数 Python)操作符相应的同功能的函数可供使用。

表 4.5　　标准类型操作符和内建函数

操作符/函数	描　述	结　果[a]
	字符串表示	
``	对象的字符串表示	str
	内建函数	
cmp(obj1, obj2)	比较两个对象	int
repr(obj)	对象的字符串表示	str
str(obj)	对象的字符串表示	str
type(obj)	检测对象的类型	type
	值比较	
<	小于	bool
>	大于	bool
<=	小于或等于	bool
>=	大于或等于	bool
==	等于	bool
!=	不等于	bool
<>	不等于	bool
	对象比较	
is	是	bool
is not	不是	bool
	布尔操作符	
not	逻辑反	bool
and	逻辑与	bool
or	逻辑或	bool

a 布尔比较总是返回 True 或 False

4.7 类型工厂函数

Python2.2 统一了类型和类，所有的内建类型现在也都是类，在这基础之上，原来的所谓内建转换函数像 int()、type()、list()等，现在都成了工厂函数。也就是说虽然他们看上去有点像函数，实质上他们是类。当你调用它们时，实际上是生成了该类型的一个实例，就像工厂生产货物一样。

下面这些大家熟悉的工厂函数在之前的Python版里被称为内建函数。

- int(), long(), float(), complex()
- str(), unicode(), basestring()
- list(), tuple()
- type()

以前没有工厂函数的其他类型，现在也都有了工厂函数。除此之外，那些支持新式类的全新的数据类型，也添加了相应的工厂函数。下面列出了这些工厂函数。

- dict()
- bool()
- set(), frozenset()
- object()
- classmethod()
- staticmethod()
- super()
- property()
- file()

4.8 标准类型的分类

如果让我们最啰嗦地描述标准类型，我们也许会称它们是Python的“基本内建数据对象原始类型”。

- “基本”是指这些类型都是Python提供的标准或核心类型。
- “内建”是由于这些类型是Python默认就提供的。
- “数据”是因为他们用于一般数据存储。
- “对象”是因为对象是数据和功能的默认抽象。
- “原始”是因为这些类型提供的是最底层的粒度数据存储。
- “类型”是因为他们就是数据类型。

不过，上面这些描述实际上并没有告诉你每个类型如何工作，以及它们能发挥什么作用。事实上，几个类型共享某一些的特性，比如功能的实现手段，另一些类型则在访问数据值方面有一些共同之处。我们感兴趣的还有这些类型的数据如何更新，以及它们能提供什么样的存储。有3种不同的模型可以帮助我们对基本类型进行分类，每种模型都展示给我们这些类型之间的相互关系。这些模型可以帮助我们更好的理解类型之间的相互关系以及他们的工作原理。

4.8.1 存储模型

我们对类型进行分类的第一种方式，就是看看这种类型的对象能保存多少个对象。Python的类型，就像绝大多数其他语言一样，能容纳一个或多个值。一个能保存单个字面对象的类型，我们称它为原子或标量存储；那些可容纳多个对象的类型，我们称之为容器存储（容器对象有时会在文档中被称为复合对象，不过这些对象并不仅仅指类型，还包括类似类实例这样的对象）。容器类型又带来一个新问题，那就是它是否可以容纳不同类型的对象。所有的Python容器对象都能够容纳不同类型的对象。表4.6按存储模型对Python的类型进行了分类。

字符串看上去像一个容器类型，因为它“包含”字符（并且经常多于一个字符），不过由于Python并没有字符类型（参见章节4.8），所以字符串是一个自我包含的文字类型。

表 4.6 以存储模型为标准的类型分类

存储模型	
分类	Python 类型
标量/原子类型	数值（所有的数值类型），字符串（全部是文字）
容器类型	列表、元组、字典

4.8.2 更新模型

另一种对标准类型进行分类的方式就是，针对每一个类型问一个问题："对象创建成功之后，它的值可以进行更新吗？"在前面我们介绍 Python 数据类型时曾经提到，某些类型允许他们的值进行更新，而另一些则不允许。可变对象允许他们的值被更新，而不可变对象则不允许他们的值被更改。表 4.7 列出了支持更新和不支持更新的类型。

看完这个表之后，你可能马上冒出一个问题："等等，你说数值和字符串对象是不可改变的？看看下面的例子！"

```
x = 'Python numbers and strings'
x = 'are immutable?!? What gives?'
i = 0
i = i + 1
```

"在我看来，这可不像是不可变对象的行为！" 没错，是这样，不过你还没有搞清楚幕后的真相。上面的例子中，事实上是一个新对象被创建，然后它取代了旧对象。就是这样，请多读一遍这段。

新创建的对象被关联到原来的变量名，旧对象被丢弃，垃圾回收器会在适当的时机回收这些对象。你可以通过内建函数 id()来确认对象的身份在两次赋值前后发生了变化。

表 4.7 以更新模型为标准的类型分类

更新模型	
分类	Python 类型
可变类型	列表，字典
不可变类型	数字、字符串、元组

下面我们在上面的例子里加上 id()调用，就会清楚地看到对象实际上已经被替换了。

```
>>> x = 'Python numbers and strings'
>>> print id(x)
16191392
>>> x = 'are immutable?!? What gives?'
>>> print id(x)
16191232
>>> i = 0
>>> print id(i)
7749552
>>> i = i + 1
>>> print id(i)
7749600
```

你看到的身份数字很可能和我不同，每次执行这些数字也会不同，这是正常的。这个数字与该对象当时分配的内存地址密切相关。因此不同的机器、不同的执行时间都会生成不同的对象身份。另一类对象，列表可以被修改而无须替换原始对象，请看下面的例子。

```
>>> aList = ['ammonia', 83, 85, 'lady']
>>> aList
['ammonia', 83, 85, 'lady']
>>>
>>> aList[2]
85
>>>
>>> id(aList)
135443480
>>>
>>> aList[2] = aList[2] + 1
>>> aList[3] = 'stereo'
>>> aList
['ammonia', 83, 86, 'stereo']
>>>
>>> id(aList)
135443480
>>>
>>> aList.append('gaudy')
>>> aList.append(aList[2] + 1)
>>> aList
['ammonia', 83, 86, 'stereo', 'gaudy', 87]
>>>
>>> id(aList)
135443480
```

注意列表的值不论怎么改变，列表的 ID 始终保持不变。

4.8.3 访问模型

尽管前面两种模型分类方式在介绍 Python 时都很有用，它们还不是区分数据类型的首要模型。对这种目的，我们使用访问模型。也就是说根据访问我们存储的数据的方式对数据类型进行分类。在访问模型中共有三种访问方式：直接存取、顺序和映射。表 4.8 按访问方式对数据类型进行了分类。

对非容器类型可以直接访问。所有的数值类型都归到这一类。

序列类型是指容器内的元素按从 0 开始的索引顺序访问。一次可以访问一个元素或多个元素，也就是大家所了解的切片(slice)。字符串、列表和元组都归到这一类。我们前面提到过，Python 不支持字符类型，因此，虽然字符串是简单文字类型，但因为它有能力按照顺序访问子字符串，所以也将它归到序列类型。

映射类型类似序列的索引属性，不过它的索引并不使用顺序的数字偏移量取值，它的元素无序存放，通过一个唯一的键来访问，这就是映射类型，它容纳的是哈希键-值对的集合。

我们在以后的章节中将主要使用访问模型，详细介绍各种访问模型的类型，以及某个分类的类型之间有哪些相同之处（比如操作符和内建函数），然后讨论每种 Python 标准类型。所有类型的特殊操作符、内建函数及方法都会在相应的章节特别说明。

为什么要对同样的数据类型再三分类呢？首先，我们为什么要分类？ 因为 Python 提供了高级的数据结构，我们需要将那些原始的类型和功能强大的扩展类型区分开来。另一个原因就是这有助于搞清楚某种类型应该具有什么行为。举例来说，如果我们基本上不用问自己“列表和元组有什么区别？”或“什么是可变类型和不可变类型？”这些问题的时候，我们也就达到了目的。最后，某些分类中的所有类型具有一些相同的特性。一个优秀的工匠应该知道他或她的工具箱里都有哪些宝贝。

表4.8 以访问模型为标准的类型分类

访问模型	
分类	Python类型
直接访问	数字
顺序访问	字符串、列表、元组
映射访问	字典

表4.9 标准类型分类

数据类型	存储模型	更新模型	访问模型
数字	标量	不可更改	直接访问
字符串	标量	不可更改	顺序访问
列表	容器	可更改	顺序访问
元组	容器	不可更改	顺序访问
字典	容器	可更改	映射访问

另一个问题就是，“为什么要用这么多不同的模型或从不同的方面来分类？” 所有这些数据类型看上去是很难分类的。它们彼此都有着错综复杂的关系，所有类型的共同之处最好能揭示出来，而且我们还想揭示每种类型的独到之处。没有两种类型横跨所有的分类（当然，所有的数值子类型做到了这一点，所以我们将它们归纳到一类当中）。最后，我们确信搞清所有类型之间的关系会对你的开发工作有极大的帮助。你对每种类型的了解越多，你就越能在自己的程序中使用恰当的类型以达到最佳的性能。

我们提供了一个汇总表（表4.9）。表中列出了所有的标准类型和我们使用的三个模型，以及每种类型归入的分类。

4.9 不支持的类型

在我们深入了解各个标准类型之前，我们在本章的结束列出Python目前还不支持的数据类型（因为在不同的语言中其相应的命名可能有诧异，所以为了不扰乱读者，在各节开头保持了类型原文——译者注）。

1．char或byte

Python没有 char 或 byte 类型来保存单一字符或8位整型。你可以使用长度为1的字符串表示字符或8位整型。

2．指针

Python替你管理内存，因此没有必要访问指针。在Python中你可以使用id()函数得到一个对象的身份号，这是最接近于指针的地址。因为你不能控制这个值，所以其实没有太大意义。其实在Python中，一切都是指针。

3．int vs short vs long

Python 的普通整型相当于标准整型类型，不需要类似C语言中的 int、short和long 这三种整型类型。事实上 Python 的整型实现等同于 C 语言的长整型。由于 Python 的整型与长整型密切融合，用户几乎不需要担心什么。你仅需要使用一种类型，就是 Python 的整型。即便数值超出整型的表达范围，比如两个很大的数相乘，Python 会自动的返回一个长整型给你而不会报错。

4．float vs double

C 语言有单精度和双精度两种浮点类型。Python 的浮点类型实际上是 C 语言的双精度浮点类型。Python 认为同时支持两种浮点类型的好处与支持两种浮点类型带来的开销不成比例，所以 Python 决定不支持单精度浮点型。对那些宁愿放弃更大的取值范围而需要更高精确度的用户来说，Python 还有一种十进制浮点型类型 Decimal，不过你必须导入 decimal 模块才可以使用它。浮点型总是不精确的。Decimals 则拥有任意的精度。在处理金钱这类确定的值时，Decimal 类型就很有用。在处理重量、长度或其他度量单位的场合，float 足够用了。

4.10 练习

4-1. Python 对象。与所有 Python 对象有关的三个属性是什么？请简单的描述一下。

4-2. 类型。不可更改（immutable）指的是什么？Python 的哪些类型是可更改的（mutable），哪些不是？

4-3. 类型。哪些 Python 类型是按照顺序访问的，它们和映射类型的不同是什么？

4-4. type()。内建函数 type()做什么？type()返回的对象是什么？

4-5. str() 和 repr()。内建函数 str()与 repr()之间的不同是什么？哪一个等价于反引号（``）操作符？

4-6. 对象相等。你认为 type(a) == type(b)和 type(a) is type(b)之间的不同是什么？为什么会选择后者？函数 isinstance()与这有什么关系？

4-7. 内建函数 dir()。在第 2 章的几个练习中，我们用内建函数 dir()做了几个实验，它接受一个对象，然后给出相应的属性。请对 types 模块做相同的实验。记下你熟悉的类型，包括你对这些类型的认识，然后记下你还不熟悉的类型。在学习 Python 的过程中，你要逐步将“不熟悉”的类型变得“熟悉”起来。

4-8. 列表和元组。列表和元组的相同点是什么？不同点是什么？

4-9. * 实践，给定以下赋值：

```
a = 10
b = 10
c = 100
d = 100
e = 10.0
f = 10.0
```

请问下面各表达式的输出是什么？为什么？

```
(a)  a is b
(b)  c is d
(c)  e is f
```

第5章　数字

本章主题

- 数字简介
- 整型
- 布尔型
- 标准整型
- 长整型
- 浮点型实数
- 复数
- 操作符
- 内建函数
- 其他数字类型
- 相关模块

本章的主题是 Python 中的数字。我们会详细介绍每一种数字类型，它们适用的各种操作符，以及用于处理数字的内建函数。在本章的末尾，我们简单介绍了几个标准库中用于处理数字的模块。

5.1 数字简介

数字提供了标量贮存和直接访问。它是不可更改类型，也就是说变更数字的值会生成新的对象。当然，这个过程无论对程序员还是对用户都是透明的，并不会影响软件的开发方式。

Python 支持多种数字类型：整型、长整型、布尔型、双精度浮点型、十进制浮点型和复数。

5.1.1 如何创建数值对象并用其赋值（数字对象）

创建数值对象和给变量赋值一样同样简单。

```
anInt = 1
aLong = -9999999999999999L
aFloat = 3.1415926535897932384626433832795
aComplex = 1.23+4.56J
```

5.1.2 如何更新数字对象

通过给数字对象（重新）赋值，您可以“更新”一个数值对象。我们之所以给更新这两个字加上引号，是因为实际上并没有更新该对象的原始数值。这是因为数值对象是不可改变对象。Python 的对象模型与常规对象模型有些不同。你所认为的更新实际上是生成了一个新的数值对象，并得到它的引用。

在学习编程的过程中，我们一直接受这样的教育：变量就像一个盒子，里面装着变量的值。在 Python 中，变量更像一个指针指向装变量值的盒子。对不可改变类型来说，你无法改变盒子的内容，但可以将指针指向一个新盒子。每次将另外的数字赋给变量的时候，实际上是创建了一个新的对象并把它赋给变量（不仅仅是数字，对于所有的不可变类型，都是如此）。

```
anInt += 1
aFloat = 2.718281828
```

5.1.3 如何删除数字对象

按照 Python 的法则，你无法真正删除一个数值对象，你仅仅是不再使用它而已。如果你确实想删除一个数值对象的引用，使用 del 语句即可（参见 3.5.6 小节）。删除对象的引用之后，你就不能再使用这个引用（变量名），除非你给它赋一个新值。如果试图使用一个已经被删除的对象引用，会引发 NameError 异常。

```
del anInt
del aLong, aFloat, aComplex
```

好了，既然你已经了解如何创建和更新数值对象，那么来看一下 Python 的 4 种主要数字类型。

5.2 整型

Python 有几种整型类型。布尔类型是只有两个值的整型。常规整型是绝大多数现代系统都能识别的整型。Python也有长整型类型。然而，它表示的数值大小远超过C语言的长整型。下面我们先来了解一下这些类型，然后再来研究那些用于Python整型类型的操作符和内建函数。

5.2.1 布尔型

Python 从版本2.3开始支持布尔类型。该类型的取值范围只有两个值，也就是布尔值True和布尔值False。我们会在本章的末尾一节5.7.1详细讲解布尔对象。

5.2.2 标准整型

Python的标准整型类型是最通用的数字类型。在大多数32位机器上，标准整型类型的取值范围是-2^{31}到$2^{31}-1$，也就是-2 147 483 648～2 147 483 647。如果在64位机器上使用64位编译器编译Python，那么在这个系统上的整型将是64位。下面是一些Python标准整型类型对象的例子。

```
0101    84  -237      0x80   017  -680      -0X92
```

Python 标准整型类型等价于C的（有符号）长整型。整型一般以十进制表示，但是Python也支持八进制或十六进制来表示整型。如果八进制整型以数字“0”开始，十六进制整型则以“0x”或“0X”开始。

5.2.3 长整型

关于Python长整型类型我们必须要提的是，请不要将它和C或其他编译型语言的长整型类型混淆。那些语言的长整型典型的取值范围是32位或64位。Python的长整型类型能表达的数值仅仅与你的机器支持的（虚拟）内存大小有关，换句话说，Python能轻松表达很大的整型。

长整型类型是标准整型类型的超集，当你的程序需要使用比标准整型类型更大的整型时，长整型类型就有用武之地了。在一个整型值后面加个L（大写或小写都可以），表示这个整型是长整型。这个整型可以是十进制、八进制、或十六进制。下面是一些长整型的例子。

```
16384L  -0x4E8L  017L -2147483648l  052144364L
299792458l   0xDECADEDEADBEEFBADFEEDDEAL    -5432101234L
```

核心风格：用大写字母“L”表示长整型

尽管Python也支持用小写字母L标记的长整型，但是我们郑重推荐您仅使用大写的“L”，这样能有效避免数字1和小写L的混淆。Python在显示长整型类型数值的时候总是用大写“L”，目前整型和长整型正在逐渐缓慢的统一，您只有在对长整型调用repr()函数时才有机会看到“L”，如果对长整型对象调用str()函数就看不到L。举例如下。

```
>>> aLong = 999999999l
>>> aLong
999999999L
>>> print aLong
999999999
```

5.2.4 整型和长整型的统一

这两种整型类型正在逐渐统一为一种。在 Python 2.2 以前，标准整型类型对象超出取值范围会溢出（比如上面提到的大于 2^{32} 的数），但是从 Python2.2 以后就再也没有这样的错误了。

Python 2.1

```
>>> 9999 ** 8
Traceback (most recent call last):
  File "<stdin>", line 1, in ?
OverflowError: integer exponentiation
```

Python 2.2

```
>>> 9999 ** 8
99920027994400699944002799920001L
```

移除这个错误是第一步。下一步修改位移位，左移位导致出界（导致 0 值）在过去是经常可能发生的事。

```
>>> 2 << 32
0
```

在 Python2.3 中，这个操作产生一个警告，不过在 2.4 版里移除了这个 Warning，并且这步操作生成了一个真正的长整型。

Python 2.3

```
>>> 2 << 32
__main__:1: FutureWarning: x<<y losing bits or changing sign will return a long in Python
2.4
and up
0
```

Python 2.4

```
>>> 2 << 32
8589934592L
```

不远的将来，至少普通用户会几乎感觉不到长整型的存在。必要时整型会悄悄自动转换为长整型。当然，那些要调用 C 的人仍然可以继续使用这两种整型类型，因为 C 代码必须区分不同的整型类型。如果你想详细了解标准整型与长整型整合的信息，请阅读 PEP237。

5.3 双精度浮点型

Python 中的浮点型类似 C 语言中的 double 类型，是双精度浮点型，可以用直接的十进制或科学计数法表示。每个浮点型占 8 个字节（64 位），完全遵守 IEEE754 号规范（52M/11E/1S），其中 52 个位用于表示底，11 个位用于表示指数（可表示的范围大约是 $\pm10^{308.25}$），剩下的一个位表示符号。这看上去相当完美，然而，实际精度依赖于机器架构和创建 Python 解释器的编译器。

浮点型值通常都有一个小数点和一个可选的后缀 e（大写或小写，表示科学计数法）。在 e 和指数之间可以用正（+）或负（-）表示指数的正负（正数的话可以省略符号）。下面是一些典型的浮点型值的例子。

```
0.0     -777.       1.6       -5.555567119    96e3 * 1.0
4.3e25  9.384e-23   -2.172818 float(12)       1.000000001
3.1416  4.2E-10     -90.      6.022e23        -1.609E-19
```

5.4 复数

在很久以前，数学家们被下面这样的等式困扰。

$$x^2 = -1$$

这是因为任何实数（无论正数还是负数）乘以自己总是会得到一个非负数。一个数怎么可以乘以自己却得到一个负数？没有这样的实数存在。就这样，直到18世纪，数学家们发明了一个虚拟的数i（或者是j，看你读的是哪本教科书了）。

$$j = \sqrt{-1}$$

基于这个特殊的数（或者称之为概念），数学从此有了一个新的分支。现在虚数已经广泛应用于数值和科学计算应用程序中。一个实数和一个虚数的组合构成一个复数。一个复数是一对有序浮点型（x, y），表示为 $x + yj$，其中x是实数部分，y是虚数部分。

复数渐渐在日常运算、机械、电子等行业获得了广泛的应用。由于一些研究人员不断重复制造用于复数运算的工具，在很久以前的Python1.4版本里，复数终于成为一个真正Python数据类型。

下面是Python语言中有关复数的几个概念。

- 虚数不能单独存在，它们总是和一个值为0.0的实数部分一起来构成一个复数。
- 复数由实数部分和虚数部分构成。
- 表示虚数的语法：real+imagj。
- 实数部分和虚数部分都是浮点型。
- 虚数部分必须有后缀j或J。

下面是一些复数的例子：

```
64.375+1j    4.23-8.5j    0.23-8.55j    1.23e-045+6.7e+089j
6.23+1.5j    -1.23-875J 0+1j    9.80665-8.31441J -.0224+0j
```

复数的内建属性

复数对象拥有数据属性（参见4.1.1节），分别为该复数的实部和虚部。复数还拥有conjugate方法，调用它可以返回该复数的共轭复数对象（两头牛背上的架子称为轭，轭使两头牛同步行走。共轭即为按一定的规律相配的一对——译者注）。

```
>>> aComplex = -8.333-1.47j
>>> aComplex
(-8.333-1.47j)
>>> aComplex.real
-8.333
>>> aComplex.imag
-1.47
>>> aComplex.conjugate()
(-8.333+1.47j)
```

表 5.1 描述了复数的所有属性

表 5.1 复数属性

属　性	描　述
num. real	该复数的实部
num. imag	该复数的虚部
num. conjugate（）	返回该复数的共轭复数

5.5 操作符

数值类型可进行多种运算。从标准操作符到数值操作符，甚至还有专门的整型操作符。

5.5.1 混合模式操作符

也许你还记得，过去将两个数相加时，你必须努力保证操作数是合适的类型。自然地，加法总是使用 + 号，然而在计算机语言看来这件事没那么简单，因为数字又有很多不同的类型。

当两个整型相加时，+ 号表示整型加法，当两个浮点型相加时，+ 表示浮点型加法，依此类推。在 Python 中，甚至非数字类型也可以使用 + 操作符。举例来说，字符串 A+ 字符串 B 并不表示加法操作，它表示的是把这两个字符串连接起来，生成一个新的字符串。关键之处在于支持 + 操作符的每种数据类型，必须告诉 Python，+ 操作符应该如何去工作。这也体现了重载概念的具体应用。

虽然我们不能让一个数字和一个字符串相加，但 Python 确实支持不同的数字类型相加。当一个整型和一个浮点型相加时，系统会决定使用整型加法还是浮点型加法（实际上并不存在混合运算）。Python 使用数字类型强制转换的方法来解决数字类型不一致的问题，也就是说它会强制将一个操作数转换为同另一个操作数相同的数据类型。这种操作不是随意进行的，它遵循以下基本规则。

首先，如果两个操作数都是同一种数据类型，没有必要进行类型转换。仅当两个操作数类型不一致时，Python 才会去检查一个操作数是否可以转换为另一类型的操作数。如果可以，转换它并返回转换结果。由于某些转换是不可能的，比如将一个复数转换为非复数类型，将一个浮点型转换为整型等，因此转换过程必须遵守几个规则。

要将一个整型转换为浮点型，只要在整型后面加个“.0”就可以了。要将一个非复数转换为复数，则只需要要加上一个“0j”的虚数部分。这些类型转换的基本原则是：整型转换为浮点型，非复数转换为复数。在 Python 语言参考中这样描述 coerce() 方法：

- 如果有一个操作数是复数，另一个操作数被转换为复数；
- 否则，如果有一个操作数是浮点型，另一个操作数被转换为浮点型；
- 否则，如果有一个操作数是长整型，则另一个操作数被转换为长整型；
- 否则，两者必然都是普通整型，无须类型转换。（参见下文中的示意图）。

图 5-1 的流程图阐释了强制转换的规则。数字类型之间的转换是自动进行的，程序员无须自己编码处理类型转换。不过在确实需要明确指定对某种数据类型进行特殊类型转换的场合，Python 提供了 coerce() 内建函数来帮助你实现这种转换。（见 5.6.2 小节）

下面演示一下 Python 的自动数据类型转换。为了让一个整型和一个浮点型相加，必须使二者转换为同一类型。因为浮点型是超集，所以在运算开始之前，整型必须强制转换为一个浮点型，运算结果也是浮点型。

```
>>> 1 + 4.5
5.5
```

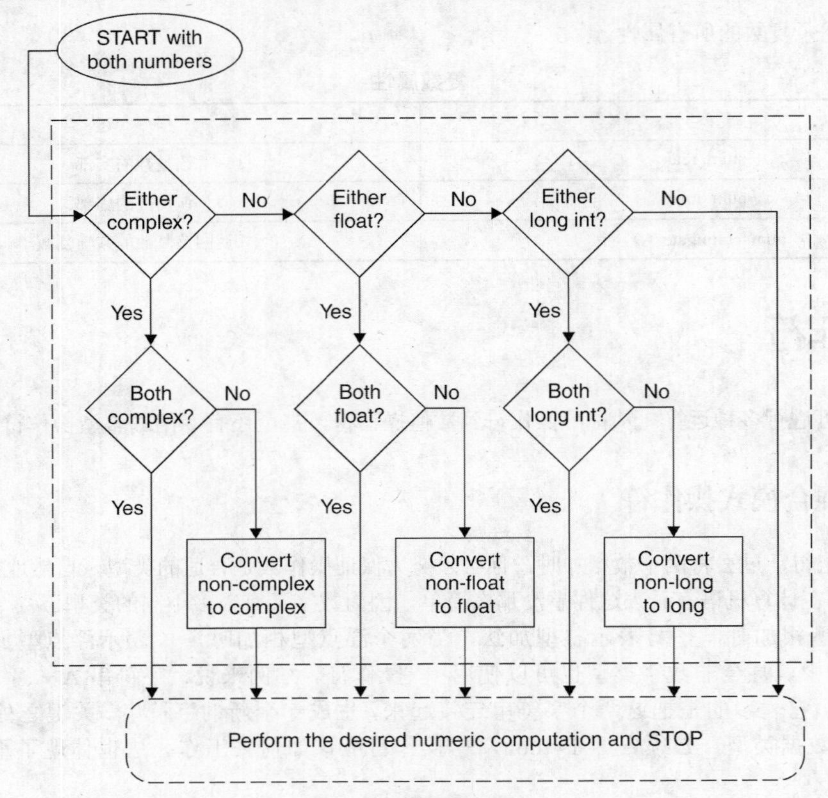

图 5-1 数值类型转换

5.5.2 标准类型操作符

第 4 章中讲到的标准操作符都可以用于数值类型。上文中提到的混合模式运算问题，也就是不同数据类型之间的运算，在运算之前，Python 内部会将两个操作数转换为同一数据类型。

下面是一些数字标准运算的例子。

```
>>> 5.2 == 5.2
True
>>> -719 >= 833
False
>>> 5+4e >= 2-3e
True
>>> 2 < 5 < 9          # same as ( 2 < 5 ) and ( 5 < 9 )
True
>>> 77 > 66 == 66      # same as ( 77 > 66 ) and ( 66 == 66 )
True
>>> 0. < -90.4 < 55.3e2 != 3 < 181
False
>>> (-1 < 1) or (1 < -1)
True
```

5.5.3 算术操作符

Python 支持单目操作符正号（+）和负号（-）；双目操作符 +、-、*、/、%和 ** ，分别表示加法、减法、乘法、除法、取余和幂运算。从 Python2.2 起，还增加了一种新的整除操作符 //。

1. 除法

拥有 C 背景的程序员一定熟悉传统除法——也就是说，对整型操作数，会执行“地板除”(floor，取比商小的最大整型。例如 5 除以 2 等于 2.5，其中“2”就称为商的“地板”，即“地板除”的结果。本书中使用“地板除”的说法是为了沿用原作者的风格，译者注）。对浮点操作数会执行真正的除法。然而，对第一次学编程的人或者那些依赖精确计算的人来说，可能就需要多次调整代码才能得到自己想要的结果。

在未来的 Python 版本中，Python 开发小组已经决定改变 / 操作符的行为。/ 的行为将变更为真正的除法，会增加一种新的运算来表示地板除。下面我们总结一下 Python 现在的除法规则，以及未来的除法规则。

传统除法

如果是整型除法，传统除法会舍去小数部分，返回一个整型（地板除）。如果操作数之一是浮点型，则执行真正的除法。包括 Python 语言在内的很多语言都是这种行为。请看下面的例子。

```
>>> 1 / 2                    # perform integer result (floor)
0
>>> 1.0 / 2.0                # returns actual quotient
0.5
```

真正的除法

除法运算总是返回真实的商，不管操作数是整型还是浮点型。在未来版本的 Python 中，这将是除法运算的标准行为。现阶段通过执行 from __future__ import division 指令，也可以做到这一点。

```
>>> from __future__ import division
>>>
>>> 1 / 2         # returns real quotient
0.5
>>> 1.0 / 2.0     # returns real quotient
0.5
```

地板除

从 Python 2.2 开始，一个新的操作符 // 已经被增加进来，以执行地板除：// 除法不管操作数为何种数值类型，总是舍去小数部分，返回数字序列中比真正的商小的最接近的数字。

```
>>> 1 // 2                   # floors result, returns integer
0
>>> 1.0 // 2.0               # floors result, returns float
0.0
>>> -1 // 2                  # move left on number line
-1
```

关于除法运算的变更，支持的人和反对的人几乎一样多。有些人认为这种变化是错误的，有些人则不想修改自己的现有代码，而剩下的人则想要真正的除法。

之所以会有这种变化是因为 Python 的核心开发团队认为 Python 的除法运算从一开始就设计失误。特别是，随着 Python 的逐渐发展，它已经成为那些从未接触过地板除的人们的首选学习语言。Python 语言的创始人在他的“What's New in Python 2.2”一文中讲到：

```
def velocity(distance, totalTime):
    rate = distance / totalTime
```

你可能会说，只要有一个参数为浮点型这个函数就能正常工作。像上面提到的那样，要确保它能正常工作需要强制将参数转换为浮点类型，也就是 rate = float(distance) / float(totalTime)。将来除法将转变为真正的除法，上面的代码可以无需更改正常工作。需要地板除的地方只需要改变为两个连续的除号。

是的，代码会受到一些影响，Python 团队已经创作了一系列脚本来帮助你转换旧代码，以确保它能适应新的除法行为。而且对那些强烈需要某种除法行为的人来说，Python 解释器提供了 Qdivision_style 启动参数。-Qnew 执行新的除法行为，-Qold 则执行传统除法行为（默认为 Qold）。你也可以帮助你的用户使用-Qwarn 或-Qwarnall 参数度过过渡时期。

关于这次变化的详细信息可以参考 PEP238。如果你对这场论战感兴趣，也可以翻阅 2001 年的 comp.lang.python 归档。表 5.2 总结了除法操作符在不同 Python 版本中的行为差异。

表 5.2 除法操作符的行为差异

操 作 符	2.1.x 及更早版本	2.2 及更新版本 (No import division)	2.2 及更新版本 (import of division)
/	传统除	传统除	真正除
//	无	地板除	地板除

2．取余

整型取余相当容易理解，浮点型取余就略复杂些。

商取小于等于精确值的最大整型的乘积之差。即： x - (math.floor(x/y) * y) 或者

$$x - \left\lfloor \frac{x}{y} \right\rfloor \times y$$

对于复数，取余的定义类似于浮点型，不同之处在于商仅取其实数部分，即 x - (math.floor((x/y).real) * y)。

3．幂运算

幂运算操作符和一元操作符之间的优先级关系比较特别: 幂运算操作符比其左侧操作数的一元操作符优先级低，比其右侧操作数的一元操作符的优先级高，由于这个特性你会在算术操作符表中找到两个**。下面举几个例子：

```
>>> 3 ** 2
9
>>> -3 ** 2  # ** 优先级高于左侧的 -
-9
>>> (-3) ** 2     # 加括号提高 -的优先级
9
>>> 4.0 ** -1.0  # ** 优先级低于右侧的  -
0.25
```

第 2 种情况下解释器先计算 3**2 再取其相反数，我们需要给“-3”加上括号来得到我们希望的结果。最后一个例子，结果是 4**(-1)，这是按照规定的优先级获得的结果。

注意 1/4 作为整型除法结果是 0 所以以整型为底进行负数指数运算会引发一个 negative power（负数指数）异常。

```
>>> 4 ** -1
Traceback (innermost last):
```

```
  File "<stdin>", line 1, in ?
ValueError:  integer to the negative power
```

4．总结

表 5.3 总结了所有的算术操作符，从上到下，计算优先级依次降低。这里列出的所有操作符都比即将在 5.5.4 小节讲到的位操作符优先级高。

表 5.3 算术操作符

算术操作符	功 能
expr 1expr 2**	表达式 1 表达表达式 2 结果[a]
+expr	结果符号不变
-expr	对结果符号取负
expr 1expr 2**	表达式 1 表达表达式 2 结果[a]
expr 1*expr 2	表达式 1 乘以表达式 2
expr 1/expr 2	表达式 1 除以表达式 2（传统除或真正除）
expr 1//expr 2	表达式 1 地板除以表达式 2
expr 1%expr 2	表达式 1 对表达式 2 取余
expr 1+expr 2	表达式 1 加表达式 2
expr 1-expr 2	表达式 1 减表达式 2

a. ** 操作符优先级高于单目操作符

下面是更多 Python 数值运算的例子：

```
>>> -442 - 77
-519
>>>
>>> 4 ** 3
64
>>>
>>> 4.2 ** 3.2
98.7183139527
>>> 8 / 3
2
>>> 8.0 / 3.0
2.66666666667
>>> 8 % 3
2
>>> (60. - 32.) * ( 5. / 9. )
15.5555555556
>>> 14 * 0x04
56
>>> 0170 / 4
30
>>> 0x80 + 0777
639
>>> 45L * 22L
990L
>>> 16399L + 0xA94E8L
```

```
709879L
>>> -2147483648L - 52147483648L
-54294967296L
>>> 64.375+1j + 4.23-8.5j
(68.605-7.5j)
>>> 0+1j ** 2        # same as 0+(lj**2)
(-1+0j)
>>> 1+1j ** 2        # same as 1+(lj**2)
0j
>>> (1+1j) ** 2
2j
```

注意指数操作符的优先级高于连接实部和虚部的+号操作符。就上面最后一个例子来说，我们人为的加上了括号，这就改变运算顺序，从而得到我们想要的结果。

5.5.4 位操作符（只适用于整型）

Python 整型支持标准位运算：取反（～），按位与（&）、或（|）和异或（^），以及左移（<<）和右移（>>）。Python 这样处理位运算。

- 负数会被当成正数的 2 进制补码处理。
- 左移和右移 N 位等同于无溢出检查的 2 的 N 次幂运算：2**N。
- 对长整型来说，位操作符使用一种经修改的 2 进制补码形式，使得符号位可以无限向左扩展。

取反（～）运算的优先级与数字单目操作符相同，是所有位操作符中优先级最高的一个。左移和右移运算的优先级次之，但低于加减法运算。与、或、异或运算优先级最低。所有位操作符按优先级高低列在表 5.4 中。

表 5.4 整型位操作符

位 操 作 符	功 能
～num	单目运算，对数的每一位取反。结果为 -（num+1）
num1<<num2	num1 左移 num2 位
num1>>num2	num1 右移 num2 位
num1&num2	num1 与 num2 按位 与
num1^num2	num1 异或 num2
num1|num2	num1 与 num2 按位 或

下面是几个使用整型 30，45，60 进行位运算的例子。

```
>>> 30 & 45
12
>>> 30 | 45
63
>>> 45 & 60
44
>>> 45 | 60
61
>>> ～30
-31
```

```
>>> ~45
-46
>>> 45 << 1
90
>>> 60 >> 2
15
>>> 30 ^ 45
51
```

5.6 内建函数与工厂函数

5.6.1 标准类型函数

第 4 章中，我们介绍了 cmp()、str() 和 type() 内建函数。这些函数可以用于所有的标准类型。对数字对象来说，这些函数分别比较两个数的大小，将数字转换为字符串，以及返回数字对象的类型。

```
>>> cmp(-6, 2)
-1
>>> cmp(-4.333333, -2.718281828)
-1
>>> cmp(0xFF, 255)
0
>>> str(0xFF)
'255'
>>> str(55.3e2)
'5530.0'
>>> type(0xFF)
<type 'int'>
>>> type(98765432109876543210L)
<type 'long'>
>>> type(2-1j)
<type 'complex'>
```

5.6.2 数字类型函数

Python 现在拥有一系列针对数字类型的内建函数。一些函数用于数字类型转换，另一些则执行一些常用运算。

1. 转换工厂函数

函数 int()、long()、float() 和 complex() 用来将其他数值类型转换为相应的数值类型。从 Python 1.5 版本开始，这些函数也接受字符串参数，返回字符串所表示的数值。从 Python 1.6 版开始，int() 和 long() 在转换字符串时，接受一个进制参数。如果是数字类型之间的转换，则这个进制参数不能使用。

从 Python2.2 起，有了第 5 个内建函数 bool()。它用来将整型值 1 和 0 转换为标准布尔值 True 和 False。从 Python2.3 开始，Python 的标准数据类型添加了一个新成员：布尔（Boolean）类型。从此 true 和 false。现在有了常量值即 True 和 False（不再是 1 和 0）。要了解布尔类型的更多信息，参阅 5.7.1 小节。

另外，由于Python 2.2对类型和类进行了整合(这里指Python的传统风格类和新风格类——译者注)，所有这些内建函数现在都转变为工厂函数。我们曾经在第4章介绍过工厂函数，所谓工厂函数就是指这些内建函数都是类对象，当你调用它们时，实际上是创建了一个类实例。

不过不用担心，这些函数的使用方法并没有什么改变。

下面是一些使用内建函数的示例。

```
>>> int(4.25555)
4
>>> long(42)
42L
>>> float(4)
4.0
>>> complex(4)
(4+0j)
>>>
>>> complex(2.4, -8)
(2.4-8j)
>>>
>>> complex(2.3e-10, 45.3e4)
(2.3e-10+453000j)
```

表5.5是数值工厂函数总结。

表5.5 数值工厂函数[a]

类（工厂函数）	操 作
bool(obj)[b]	返回obj对象的布尔值，也就是 obj.__nonzero__()方法的返回值
int(obj,base=10)	返回一个字符串或数值对象的整型表示，类似string.atoi();从Python 1.6起，引入了可选的进制参数
long(obj,base=10)	返回一个字符或数据对象的长整型表示，类似string.atol()，从Python1.6起，引入了可选的进制参数
float(obi)	返回一个字符串或数据对象的浮点型表示，类似string.atof()
complex(str)**or** complex(real,imag=0.0)	返回一个字符串的复数表示，或者根据给定的实数（及一个可选的虚数部分）生成一个复数对象

a. 在Python2.3之前，这些都是内建函数

b. Python2.2中新增的内建函数，在Python2.3中改变为工厂函数

2. 功能函数

Python有5个运算内建函数用于数值运算：abs()、coerce()、divmod()、pow()、pow() 和 round()。我们将对这些函数逐一浏览，并给出一些有用的例子。

abs()返回给定参数的绝对值。如果参数是一个复数，那么就返回math.sqrt(num.real2 + num.imag2)。下面是几个abs()函数的示例。

```
>>> abs(-1)
1
>>> abs(10.)
10.0
>>> abs(1.2-2.1j)
2.41867732449
```

```
>>> abs(0.23 - 0.78)
0.55
```

函数 coerce()，尽管从技术上讲它是一个数据类型转换函数，不过它的行为更像一个操作符，因此我将它放到了这一小节。在 5.5.1 小节，我们讨论了 Python 如何执行数值类型转换。函数 coerce（）为程序员提供了不依赖 Python 解释器，而是自定义两个数值类型转换的方法。对一种新创建的数值类型来说，这个特性非常有用。函数 coerce()仅返回一个包含类型转换完毕的两个数值元素的元组。下面是几个例子。

```
>>> coerce(1, 2)
(1, 2)
>>>
>>> coerce(1.3, 134L)
(1.3, 134.0)
>>>
>>> coerce(1, 134L)
(1L, 134L)
>>>
>>> coerce(1j, 134L)
(1j, (134+0j))
>>>
>>> coerce(1.23-41j, 134L)
((1.23-41j), (134+0j))
```

divmod()内建函数把除法和取余运算结合起来，返回一个包含商和余数的元组。对整型来说，它的返回值就是地板除和取余操作的结果。对浮点型来说，返回的商部分是 math.floor（num1/num2），对复数来说，商部分是 ath.floor((num1/num2).real)。

```
>>> divmod(10,3)
(3, 1)
>>> divmod(3,10)
(0, 3)
>>> divmod(10,2.5)
(4.0, 0.0)
>>> divmod(2.5,10)
(0.0, 2.5)
>>> divmod(2+1j, 0.5-1j)
(0j, (2+1j))
```

函数 pow() 和双星号（**）操作符都可以进行指数运算。不过二者的区别并不仅仅在于一个是操作符，一个是内建函数。

在 Python 1.5 之前，并没有 ** 操作符。内建函数 pow()还接受第三个可选的参数，即一个余数参数。如果有这个参数的，pow() 先进行指数运算，然后将运算结果和第三个参数进行取余运算。这个特性主要用于密码运算，并且比 pow(x,y) % z 性能更好，这是因为这个函数的实现类似于 C 函数 pow(x,y,z)。

```
>>> pow(2,5)
32
>>>
>>> pow(5,2)
25
```

```
>>> pow(3.141592,2)
9.86960029446
>>>
>>> pow(1+1j, 3)
(-2+2j)
```

内建函数 round()用于对浮点型进行四舍五入运算。它有一个可选的小数位数参数。如果不提供小数位参数，它返回与第一个参数最接近的整型（但仍然是浮点类型）。第二个参数告诉 round 函数将结果精确到小数点后指定位数。

```
>>> round(3)
3.0
>>> round(3.45)
3.0
>>> round(3.4999999)
3.0
>>> round(3.4999999, 1)
3.5
>>> import math
>>> for eachNum in range(10):
...         print round(math.pi, eachNum)
...
3.0
3.1
3.14
3.142
3.1416
3.14159
3.141593
3.1415927
3.14159265
3.141592654
3.1415926536
>>> round(-3.5)
-4.0
>>> round(-3.4)
-3.0
>>> round(-3.49)
-3.0
>>> round(-3.49, 1)
-3.5
```

值得注意的是 round() 函数是按四舍五入的规则进行取整。也就是 round（0.5）得到 1，round（-0.5）得到－1。猛一看 int()、round()、math.floor() 这几个函数好像做的是同一件事，很容易将它们弄混，是不是？下面列出它们之间的不同之处。

- 函数 int()直接截去小数部分（返回值为整型）。
- 函数 floor()得到最接近原数但小于原数的整型（返回值为浮点型）。
- 函数 round()得到最接近原数的整型（返回值为浮点型）。

下面的例子用 4 个正数和 4 个负数作为这三个函数的参数，将返回结果列在一起做个比较（为了便于比较我们将 int()函数的返回值也转换成了浮点型)。

```
>>> import math
>>> for eachNum in (.2, .7, 1.2, 1.7, -.2, -.7, -1.2, -1.7):
...     print "int(%.1f)\t%+.1f" % (eachNum, float(int(each- Num)))
...     print "floor(%.1f)\t%+.1f" % (eachNum,
...     math.floor(eachNum))
...     print "round(%.1f)\t%+.1f" % (eachNum, round(eachNum))
...     print '-' * 20
...
int(0.2)    +0.0
floor(0.2)  +0.0
round(0.2)  +0.0
--------------------
int(0.7)    +0.0
floor(0.7)  +0.0
round(0.7)  +1.0
--------------------
int(1.2)    +1.0
floor(1.2)  +1.0
round(1.2)  +1.0
--------------------
int(1.7)    +1.0
floor(1.7)  +1.0
round(1.7)  +2.0
--------------------
int(-0.2)   +0.0
floor(-0.2) -1.0
round(-0.2) +0.0
--------------------
int(-0.7)   +0.0
floor(-0.7) -1.0
round(-0.7) -1.0
--------------------
int(-1.2)   -1.0
floor(-1.2) -2.0
round(-1.2) -1.0
--------------------
int(-1.7)   -1.0
floor(-1.7) -2.0
round(-1.7) -2.0
```

表 5.6 是数值运算函数一览。

表 5.6 数值运算内建函数 [a]

函 数	功 能
abs(num)	返回 num 的绝对值
coerce(num1,num2)	将 num1 和 num2 转换为同一类型，然后以一个元组的形式返回

续表

函　数	功　能
divmod(num1,num2)	除法－取余运算的结合。返回一个元组（num1/num2,num1 % num2）。对浮点型和复数的商进行下舍入（复数仅取实数部分的商）
pow(num1,num2,mod=1)	取 num1 的 num2 次方，如果提供 mod 参数，则计算结果再对 mod 进行取余运算
round(flt,ndig=1)	接受一个浮点型 flt 并对其四舍五入，保存 ndig 位小数。若不提供 ndig 参数，则默认小数点后 0 位

a．round()仅用于浮点型（译者注：整型也可以，不过它并没有什么实际意义）。

5.6.3 仅用于整型的函数

除了适应于所有数值类型的内建函数之外，Python 还提供一些仅适用于整型的内建函数（标准整型和长整型）。这些函数分为两类，一类用于进制转换，另一类用于 ASCII 转换。

1．进制转换函数

前面我们已经看到，除了十进制标准，Python 整型也支持八进制和十六进制整型。除此之外，Python 还提供了两个内建函数来返回字符串表示的八进制和十六进制整型，它们分别是 oct() 和 hex()。它们都接受一个整型（任意进制的）对象，并返回一个对应值的字符串对象。下面是几个示例。

```
>>> hex(255)
'0xff'
>>> hex(230948231)
'0x1606627L'
>>> hex(65535*2)
'0x1fffe'
>>>
>>> oct(255)
'0377'
>>> oct(230948231)
'01300630 47L'
>>> oct(65535*2)
'0377776'
```

2．ASCII 转换函数

Python 也提供了 ASCII（美国标准信息交换码）码与其序列值之间的转换函数。每个字符对应一个唯一的整型（0～255）。对所有使用 ASCII 表的计算机来说，这个数值是不变的。这保证了不同系统之间程序行为的一致性。函数 chr()接受一个单字节整型值，返回一个字符串，其值为对应的字符。函数 ord()则相反，它接受一个字符，返回其对应的整型值。

```
>>> ord('a')
97
>>> ord('A')
65
>>> ord('0')
48

>>> chr(97)
'a'
```

```
>>> chr(65L)
'A'
>>> chr(48)
'0'
```

表 5.7 列出了用于整型类型的所有内建函数。

表 5.7 仅适用于整型的内建函数

函 数	操 作
hex(num)	将数字转换成十六进制数并以字符串形式返回
oct(num)	将数字转换成八进制数并以字符串形式返回
chr(num)	将 ASCII 值的数字转换成 ASCII 字符，范围只能是 0 <= num <= 255
ord(chr)	接受一个 ASCII 或 Unicode 字符（长度为 1 的字符串），返回相应的 ASCII 值或 Unicode 值
unichr(num)	接受 Unicode 码值，返回 其对应的 Unicode 字符。所接受的码值范围依赖于你的 Python 是构建于 UCS-2 还是 UCS-4

5.7 其他数字类型

5.7.1 布尔"数"

从 Python2.3 开始，布尔类型添加到了 Python 中来。尽管布尔值看上去是"True"和"False"，但是事实上是整型的子类，对应与整型的 1 和 0。下面是有关布尔类型的主要概念。

- 有两个永不改变的值 True 或 False。
- 布尔型是整型的子类，但是不能再被继承而生成它的子类。
- 没有__nonzero__()方法的对象的默认值是 True。
- 对于值为零的任何数字或空集（空列表、空元组和空字典等）在 Python 中的布尔值都是 False。
- 在数学运算中，Boolean 值的 True 和 False 分别对应于 1 和 0。
- 以前返回整型的大部分标准库函数和内建布尔型函数现在返回布尔型。
- True 和 False 现在都不是关键字，但是在 Python 将来的版本中会是。

所有 Python 对象都有一个内建的 True 或 False 值，对内建类型来说，这个值究竟是 True 还是 False 请参阅章节 4.3.2 中的核心备注。下面是使用内建类型布尔值的一些例子。

```
# intro
>>> bool(1)
True
>>> bool(True)
True
>>> bool(0)
False
>>> bool('1')
True
>>> bool('0')
True
>>> bool([])
False
>>> bool ( (1,) )
```

```
True

# 使用布尔数
>>> foo = 42
>>> bar = foo < 100
>>> bar
True
>>> print bar + 100
101
>>> print '%s' % bar
True
>>> print '%d' % bar
1

# 无 __nonzero__()
>>> class C:  pass
>>> c = C()
>>>
>>> bool(c)
True
>>> bool(C)
True

#  重载 __nonzero__() 使它返回 False
>>> class C:
...     def __nonzero__(self):
...         return False
...
>>> c = C()
>>> bool(c)
False
>>> bool(C)
True

# 哦，别这么干!! (无论如何不要这么干！)
>>> True, False = False, True
>>> bool(True)
False
>>> bool(False)
True
```

你可以在 Python 文档和 PEP 285 看到有关布尔类型的知识。

5.7.2 十进制浮点型

从 Python2.4 起（参阅 PEP327）十进制浮点制成为一个 Python 特性。这主要是因为下面的语句经常会让一些编写科学计算或金融应用程序的程序员发狂。

```
>>> 0.1
0.1000000000000001
```

为什么会这样？这是因为语言绝大多数 C 语言的双精度实现都遵守 IEEE 754 规范，其中 52 位用于底。因此浮点值只能有 52 位精度，类似这样的值的二进制表示只能象上面那样被截断。0.1 的二进制表示是 0.11001100110011...*2^{-3}，因为它最接近的二进制进似值是 0.0001100110011…，或 1/16 + 1/32+1/256+…

你可以看到，这些片段不停的重复直到舍入出错。如果我们使用十进制来做同样的事情，感觉就会好很多，看上去会有任意的精度。注意下面，你不能混用十进制浮点型和普通的浮点型。你可以通过字符串或其他十进制数创建十进制数浮点型。必须导入 decimal 模块以便使用 Decimal 类。

```
>>> from decimal import Decimal
>>> dec = Decimal(.1)
Traceback (most recent call last):
   File "<stdin>", line 1, in ?
   File "/usr/local/lib/python2.4/decimal.py", line 523, in __new__
      raise TypeError("Cannot convert float to Decimal.  " +
TypeError: Cannot convert float to Decimal.  First convert the float to
a string
>>> dec = Decimal('.1')
>>> dec
Decimal("0.1")
>>> print dec
0.1
>>> dec + 1.0
Traceback (most recent call last):
   File "<stdin>", line 1, in ?
   File "/usr/local/lib/python2.4/decimal.py", line 906, in __add__
      other = _convert_other(other)
   File "/usr/local/lib/python2.4/decimal.py", line 2863, in
_convert_other
      raise TypeError, "You can interact Decimal only with int, long or
Decimal data types."
TypeError: You can interact Decimal only with int, long or Decimal data types.
>>>
>>> dec + Decimal('1.0')
 Decimal("1.1")
>>> print dec + Decimal('1.0')
1.1
```

你可以从 Python 文档中读取相关的 PEP 以了解十进制数。值得庆幸的是，十进制数和其他数值类型一样，可以使用同样的算术操作符。由于十进制数本质上是一种用于数值计算的特殊类，我们在本章的剩余部分将不再专门讲解十进制数。

5.8 相关模块

在 Python 标准库中有不少专门用于处理数值类型对象的模块，它们增强并扩展了内建函数的功能和数值运算的功能。表 5.8 列出了几个比较核心的模块。要详细了解这些模块，请参阅这些模块的文献或在线文档。

对高级的数字科学计算应用来说，你会对著名的第三方包 Numeric(NumPy) 和 SciPy 感兴趣。关于这两个包的详细请访问下面的网址。

http：//numeric.scipy.org/

http：//scipy.org/

表 5.8 数字类型相关模块

模　块	介　绍
decimal	十进制浮点运算类 Decimal
array	高效数值数组（字符、整型、浮点型等）
math/cmath	标准 C 库数学运算函数。常规数学运算在 match 模块，复数运算在 cmath 模块
operator	数字操作符的函数实现。比如 tor.sub(m,n)等价于 m - n
random	多种伪随机数生成器

核心模块：random

当你的程序需要随机数功能时，random 模块就能派上用场。该模块包含多个伪随机数发生器，它们均以当前的时间戳为随机数种子。这样只要载入这个模块就能随时开始工作。下面列出了该模块中最常用的函数。

randint()	两个整型参数，返回二者之间的随机整型
randrange()	它接受和 range()函数一样的参数，随机返回 range([start,]stop[,step])结果的一项
uniform()	几乎和 randint()一样，不过它返回的是二者之间的一个浮点型（不包括范围上限）
random()	类似于 uniform()，只不过下限恒等于 0.0，上限恒等于 1.0
choice()	随机返回给定序列（关于序列，见第 6 章）的一个元素

到此，我们的 Python 数值类型之旅就该结束了。表 5.9 总结了数值类型的所有内建函数和操作符。

表 5.9 数值类型操作符和内建函数

操作符/内建函数	描　述	整　型	长整型	浮点型	复　数	结　果
取绝对值	•	•	•	•		number[a]
取对应的字符	•	•				str
强制类型转换	•	•	•	•		tuple
complex()	复数工厂函数	•	•	•	•	complex
divmod()	除法及取余	•	•	•	•	tuple
float()	浮点工厂函数	•	•	•	•	float
hex()	整型转 16 进制	•	•			str
int()	整型工厂函数	•	•	•	•	int
long()	长整型工厂函数	•	•	•	•	long
oct()	八进制	•	•	•	•	str
ord()	字符序数			(str)		int
pow()	指数操作					number
round()	四舍五入					float

续表

操作符/内建函数	描　述	整　型	长整型	浮点型	复　数	结　果
**[b]	指数运算	•	•	•	•	number
+[c]	单目加	•	•	•	•	number
-[c]	单目减	•	•	•	•	number
～[c]	按位取反	•	•			int/long
**[b]	指数运算	•	•	•	•	number
*	乘法运算	•	•	•	•	number
/	传统或真正除法	•	•	•	•	number
//	地板除	•	•	•	•	number
%	取余	•	•	•	•	number
+	加法	•	•	•	•	number
-	减法	•	•	•	•	number
<<	位左移	•	•			int/long
>>	位右移	•	•			int/long
&	按位与运算	•	•			int/long
^	按位异或运算	•	•			int/long
|	按位或运算	•	•			int/long

a. 结果为 number 表示可以为所有四种数值类型，可能与操作数相同

b. ** 与单目操作符有特殊关系，参阅 5.5.3 小节和表 5.2

c. 单目操作符

5.9 练习

本章的练习可以先通过应用程序的形式实现。一旦功能齐备并且调试通过，建议读者将自己的代码功能用函数封装起来，以便在后面的练习中重用代码。关于编程风格我在这儿提醒一下，最好不要在函数内使用 print 语句输出信息，而是通过 return 语句返回必要的值。这样调用函数的代码就可以自己处理显示方式。这样你的代码就适应性更广，更便于重用。

5-1. 整形。讲讲 Python 普通整型和长整型的区别。

5-2. 操作符。

（a）写一个函数，计算并返回两个数的乘积。

（b）写一段代码调用这个函数，并显示它的结果。

5-3. 标准类型操作符。写一段脚本，输入一个测验成绩，根据下面的标准，输出他的评分成绩（A-F）。

A：90～100

B：80～89

C：70～79

D：60～69

F：<60

5-4. 取余。判断给定年份是否是闰年。使用下面的公式。

一个闰年就是指它可以被 4 整除，但不能被 100 整除，或者它既可以被 4 又可以被 100 整除。比如 1992 年、1996 年和 2000 年是闰年，但 1967 年和 1900 年则不是闰年。下一个是闰年的整世纪

是2400年。

5-5. 取余。取一个任意小于1美元的金额，然后计算可以换成最少多少枚硬币。硬币有1美分、5美分、10美分、25美分4种。1美元等于100美分。举例来说，0.76美元换算结果应该是3枚25美分，1枚1美分。类似76枚1美分，2枚25美分+2枚10美分+1枚5美分+1枚1美分这样的结果都是不符合要求的。

5-6. 算术。写一个计算器程序。你的代码可以接受这样的表达式，两个操作数加一个操作符：N1 操作符 N2。其中N1和N2为整型或浮点型，操作符可以是+、-、*、/、%、**，分别表示加法、减法、乘法、整型除、取余和幂运算。计算这个表达式的结果，然后显示出来。提示：可以使用字符串方法split()，但不可以使用内建函数 eval()。

5-7. 营业税。随意取一个商品金额，然后根据当地营业税额度计算应该交纳的营业税。

5-8. 几何。计算面积和体积。

（a）正方形和立方体

（b）圆和球

5-9. 数值形式回答下面关于数值格式的问题：

（a）为什么下面的例子里 17+32 等于49，而017+32等于47，017+032等于41？

```
>>> 17 + 32
49
>>> 017 + 32
47
>>> 017 + 032
41
```

（b）为什么下面这个表达式我们得到的结果是134L 而不是1342 ？

```
>>> 56l + 78l
134L
```

5-10. 转换。写一对函数来进行华氏度到摄氏度的转换。转换公式为C = (F - 32) *（5 / 9）应该在这个练习中使用真正的除法，否则你会得到不正确的结果。

5-11. 取余。

（a）使用循环和算术运算，求出0～20之间的所有偶数。

（b）同上，不过这次输出所有的奇数。

（c）综合（a）和（b），请问辨别奇数和偶数的最简单的方法是什么？

（d）使用（c）的成果，写一个函数，检测一个整型能否被另一个整型整除。先要求用户输入两个数，然后你的函数判断两者是否有整除关系，根据判断结果分别返回True和False。

5-12. 系统限制。写一段脚本确认一下你的Python所能处理的整型、长整型、浮点型和复数的范围。

5-13. 转换。写一个函数把由小时和分钟表示的时间转换为只用分钟表示的时间。

5-14. 银行利息。写一个函数，以定期存款利率为参数，假定该账户每日计算复利，请计算并返回年回报率。

5-15. 最大公约数和最小公倍数。请计算两个整型的最大公约数和最小公倍数。

5-16. 家庭财务。给定一个初始金额和月开销数，使用循环，确定剩下的金额和当月的支出数，包括最后的支出数。Payment()函数会用到初始金额和月额度，输出结果应该类似下面的格式（例子中的数字仅用于演示）。

```
Enter opening balance: 100.00
Enter monthly payment:  16.13
```

```
                Amount   Remaining
 Pymt#   Paid            Balance
 -----   ------   ---------
 0       $ 0.00          $100.00
 1       $16.13          $ 83.87
 2       $16.13          $ 67.74
 3       $16.13          $ 51.61
 4       $16.13          $ 35.48
 5       $16.13          $ 19.35
 6       $16.13          $  3.22
 7       $3.22           $  0.00
```

5-17. *随机数。熟读随机数模块然后解下面的题。

生成一个有 N 个元素的由随机数 n 组成的列表，其中 N 和 n 的取值范围分别为（$1 < N <= 100$）和（$0 <= n <= 2^{31} -1$）。然后再随机从这个列表中取 N（$1 <= N <= 100$）个随机数出来，对它们排序，然后显示这个子集。

第6章　序列：字符串、列表和元组

本章主题

- ✦ 序列简介
- ✦ 字符串
- ✦ 列表
- ✦ 元组

接下来我们要研究这样一些Python的类型，它们的成员有序排列的，并且可以通过下标偏移量访问到它的一个或者几个成员，这类Python类型统称为序列，包括字符串（普通字符串和unicode字符串）、列表和元组类型。

因为这些类型其实都是由一些成员共同组成的一个序列整体，所以我们把它们统称为序列，比如说，一个字符串是由一些字符（尽管 Python 并没有显式地定义字符这个类型）组成的序列，那么“Hello”这个字符串的第一个字符就是“H”，第二个字符就是‘e’……，同样的，列表类型和元组类型就是其他一些Python对象所组成的序列。

首先我们来熟悉一下适用于所有序列类型的操作符和内建函数（BIF）再对每一种从如下方面分别介绍；

- 简介；
- 操作符；
- 内建函数；
- 内建函数（如果可用）；
- 特性（如果可用）；
- 相关模块（如果可用）。

在本章的末尾我们会给出一个对于所有序列类型都适用的操作符和函数的参考图表，现在让我们概略看一下这些内容。

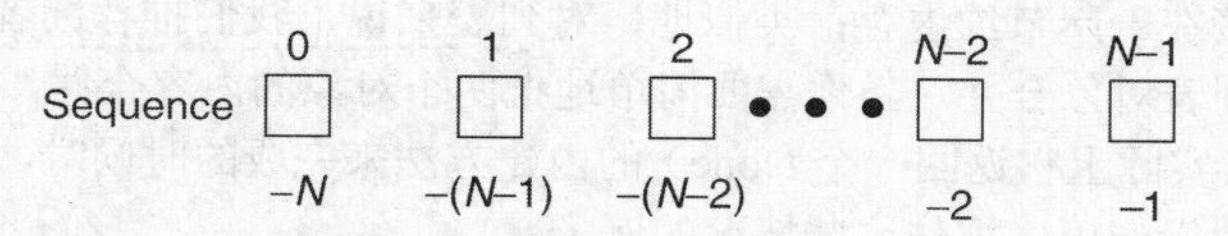

图 6-1 有多少可以保存并可以被访问的序列元素

6.1 序列

序列类型有着相同的访问模式：它的每一个元素可以通过指定一个偏移量的方式得到。而多个元素可以通过切片操作的方式一次得到，切片操作会在接下来的内容中讲到。下标偏移量是从0开始到总元素数-1结束——之所以要减1是因为我们是从0开始计数的。图6-1阐述了序列的元素是如何存储的。

6.1.1 标准类型操作符

标准类型操作符（参见4.5节）一般都能适用于所有的序列类型。当然，如果作复合类型的对象比较的话，这样说可能需要有所保留，不过其他的操作绝对是完全适用的。

6.1.2 序列类型操作符

表6.1列出了对所有序列类型都适用的操作符。操作符是按照优先级从高到底的顺序排列的。

1．成员关系操作符（in、not in）

成员关系操作符是用来判断一个元素是否属于一个序列的。比如对字符串类型来说，就是判断一个字符是否属于这个字符串；对和元组类型来说，就代表了一个对象是否属于该对象序列。in/not in 操作符的返回值一般来讲就是True/False，满足成员关系就返回True，否则返回False。该操作符的语法如下。

```
对象 [not] in 序列
```

表6.1 序列类型操作符

序列操作符	作 用
seq [ind]	获得下标为 ind 的元素
seq [ind1:ind2]	获得下标从 ind1 到 ind2 间的元素集合
seq * expr	序列重复 expr 次
seq1 + seq2	连接序列 seq1 和 seq2
obj **in** seq	判断 obj 元素是否包含在 seq 中
obj **not in** seq	判断 obj 元素是否不包含在 seq 中

2．连接操作符（+）

这个操作符允许我们把一个序列和另一个相同类型的序列做连接。语法如下。

```
sequence1 + sequence2
```

该表达式的结果是一个包含 sequence1 和 sequence2 的内容的新序列。注意，这种方式看起来似乎实现了把两个序列内容合并的概念，但是这个操作不是最快或者说最有效的。

对字符串来说，这个操作不如把所有的子字符串放到一个列表或可迭代对象中，然后调用一个 join 方法来把所有的内容连接在一起节约内存；类似地，对列表来说，我们推荐读者用列表类型的 extend() 方法来把两个或者多个列表对象合并。当你需要简单地把两个对象的内容合并，或者说不能依赖于可变对象的那些没有返回值（实际上它返回一个 None）的内建方法来完成的时候时，连接操作符还是很方便的一个选择。下面的切片操作可以视作这些情况的例子。

3．重复操作符（*）

当你需要需要一个序列的多份拷贝时，重复操作符非常有用，它的语法如下。

```
sequence * copies_int
```

copies_int 必须是一个整型（1.6 节里面有讲到，不能是长整型）。像连接操作符一样，该操作符返回一个新的包含多份原对象拷贝的对象。

4．切片操作符（[], [:], [::]）

简单地讲，所谓序列类型就是包含一些顺序排列的对象的一个结构。你可以简单的用方括号加一个下标的方式访问它的每一个元素，或者通过在方括号中用冒号把开始下标和结束下标分开的方式来访问一组连续的元素。

下面我们将详细的讲解提到的这两种方式。序列类型是其元素被顺序放置的一种数据结构类型，这种方式允许通过指定下标的方式来获得某一个数据元素，或者通过指定下标范围来获得一组序列的元素。这种访问序列的方式叫做切片，我们通过切片操作符就可以实现我们上面说到的操作。

访问某一个数据元素的语法如下：

```
sequence[index]
```

sequence 是序列的名字，index 是想要访问的元素对应的偏移量。偏移量可以是正值。范围从 0 到偏移最大值（比序列长度少一），用 len()函数（下一节会讲），可以得到序列长度，实际的范围是 0<=index<=len(sequence)−1。

另外，也可以使用负索引，范围是−1 到序列的负长度，−len(sequence)，−len(sequence) <=index <=−1。正负索引的区别在于正索引以序列的开始为起点，负索引以序列的结束为起点。

试图访问一个越界的索引会引发一个如下的异常；

```
>>> names = ('Faye', 'Leanna', 'Daylen')
>>> print names[4]
Traceback (most recent call last):
  File "<stdin>", line 1, in ?
IndexError: tuple index out of range
```

因为 Python 是面向对象的，所以你可以像下面这样直接访问一个序列的元素（不用先把它赋值给一个变量）。

```
>>> print ('Faye', 'Leanna', 'Daylen')[1]
Leanna
```

这个特性在你调用一个返回值是序列类型的函数，并且你只对返回的序列中的一个或某几个元素感兴趣时特别有用。

那么我们如何才能一次得到多个元素呢？其实这跟访问某一个单一元素一样简单，只要简单的给出开始和结束的索引值，并且用冒号分隔就可以了，其语法如下。

```
sequence[starting_index:ending_index]
```

通过这种方式我们可以得到从起始索引到结束索引（不包括结束索引对应的元素）之间的一“片”元素。起始索引和结束索引都是可选的，如果没有提供或者用 None 作为索引值，切片操作会从序列的最开始处开始，或者直到序列的最末尾结束。

在图 6-2～图 6-6 里面，我们以一个长度为 5 的序列为例，分别讲解了这几种切片方式。

图 6-2 整个序列：sequence 或 sequence[:]

图 6-3 序列切片操作：sequence[0:3]或 sequence[:3]

图 6-4 序列切片操作：sequence[2:5]或 sequence[2:]

图 6-5 序列切片操作：sequence[1:3]

图 6-6 序列切片操作：sequence[3]

5．用步长索引来进行扩展的切片操作

序列的最后一个切片操作是扩展切片操作，它多出来的第三个索引值被用做步长参数。你可以把这个参数看成跟内建函数 range()里面的步长参数或者类似于 C/C++、Perl、PHP 和 Java 语言里面 for 语句中的步长参数一样来理解。

Python 的虚拟机里面其实很早就有了扩展切片操作，只不过以前需要通过扩展的方式来使用。Jython 也支持这个语法（以前叫 JPython）。

很久以前的 C 解释程序 2.3 版就给出了其他所有方法。

以下是几个例子。

```
>>> s = 'abcdefgh'
>>> s[::-1]              # 可以视作"翻转"操作
'hgfedcba'
>>> s[::2]               # 隔一个取一个的操作
'aceg'
```

6．切片索引的更多内容

切片索引的语法要比简单的单一元素索引灵活得多。开始和结束素引值可以超过字符串的长度。换句话说，起始索引可以小于 0，而对于结束索引，即使索引值为 100 的元素并不存在也不会报错，简单地说，即使用 100 来作为一个长度不到 100 的序列的结束索引也不会有什么问题，例子如下。

```
>>> ('Faye', 'Leanna', 'Daylen')[-100:100]
('Faye', 'Leanna', 'Daylen')
```

有这么一个问题：有一个字符串，我们想通过一个循环按照这样的形式显示它：每次都把位于最后的一个字符砍掉，下面是实现这个要求的一种方法。

```
>>> s = 'abcde'
>>> i = -1
>>> for i in range(-1, -len(s), -1):
... print s[:i]
...
abcd
abc
ab
a
```

可是，该如何在第一次迭代的时候显示整个字符串呢？是否有一种方法可以不用在整个循环之前加入一个额外的 print 语句呢？我们该如何定义一个索引，来代表整个的序列呢？事实上在一个以负数作为索引的例子里是没有一个真正能解决这个问题的方法的，因为-1 已经是“最小”的索引了。我们不可能用 0 来作为索引值，因为这会切片到第一个元素之前而什么都不会显示。

```
>>> s[:0]
''
```

我们的方案是使用另一个小技巧：用 None 作为索引值，这样一来就可以满足你的需要，比如说，在你想用一个变量作为索引来从第一个到遍历最后一个元素的时候：

```
>>> s = 'abcde'
>>> for i in [None] + range(-1, -len(s), -1):
...     print s[:i]
...
abcde
abcd
abc
ab
a
```

现在这个程序符合我们的要求了。在进行下面的内容之前，必须指出，似乎还可以先创建一个只包含 None 的列表，然后用 extend()函数把 range()的输出添加到这个列表，或者先建立 range()输出组成的列表然后再把 None 插入到这个列表的最前面，然后对这个列表进行遍历，但是可变对象的内建函数 extend()根本就没有返回值，所以这个方法是行不通的。

```
>>> for i in [None].extend(range(-1, -len(s), -1)):
...     print s[:i]
...
Traceback (most recent call last):
  File "<stdin>", line 1, in ?
TypeError: iteration over non-sequence
```

这个错误发生的原因是[None].extend(...)函数返回 None，None 既不是序列类型也不是可迭代对象。在这种情况下使用上面提到的列表连接操作来实现是唯一不需要添加额外代码的方法。

6.1.3 内建函数（BIF）

在讲解序列类型的内建函数之前，有一点需要说明，序列本身就内含了迭代的概念，之所以会这样，是因为迭代这个概念就是从序列，迭代器，或者其他支持迭代操作的对象中泛化得来的。

由于 Python 的 for 循环可以遍历所有的可迭代类型，在（非纯序列对象上）执行 for 循环时就像在一个纯序列对象上执行一样。而且 Python 的很多原来只支持序列作为参数的内建函数现在也开始支持迭代器或者或类迭代器了。我们把这些类型统称为“可迭代对象”。

在这一章里我们会详细的讨论跟序列关系紧密的内建函数（BIF）。在第八章“条件判断和循环”里面将讨论针对“在循环中迭代”这种情况的内建函数（BIF）。

1．类型转换

内建函数 list()、str()和 tuple()被用做在各种序列类型之间转换。你可以把它们理解成其他语言里面的类型转换，但是并没有进行任何的转换。这些转换实际上是工厂函数（在第 4 章介绍），将对象作为参数，并将其内容（浅）拷贝到新生成的对象中。表 6.2 列出了适用于序列类型的转换函数。

表 6.2 序列类型转换工厂函数

函　数	含　义
list（iter）	把可迭代对象转换为列表
str（obj）	把 obj 对象转换成字符串（对象的字符串表示法）
unicode（obj）	把对象转换成 Unicode 字符串（使用默认编码）
basestring()	抽象工厂函数，其作用仅仅是为 str 和 unicode 函数提供父类，所以不能被实例化，也不能被调用（详见第 6.2 节）
tuple（iter）	把一个可迭代对象转换成一个元组对象

我们又用了一次“转换”这个词。不过，为什么 Python 里面不简单地把一个对象转换成另一个对象呢？回过头看一下第 4 章就会知道，一旦一个 Python 的对象被建立，我们就不能更改其身份或类型了。如果你把一个列表对象传给 list()函数，便会创建这个对象的一个浅拷贝，然后将其插入新的列表中。同样地，在做连接操作和重复操作时，我们也会这样处理。

所谓浅拷贝就是只拷贝了对对象的索引，而不是重新建立了一个对象。如果你想完全的拷贝一个对象（包括递归，如果你的对象是一个包含在容器中的容器），你需要用到深拷贝，关于浅拷贝和深拷贝的更多信息会在本章的末尾讲到。

str()函数在需要把一个对象的可打印信息输出时特别有用，不仅仅是对序列类型，对其他类型的对象同样如此。Unicode()是 str()函数的 unicode 版本，它跟 str()函数基本一样。list()和 tuple()函数在列表类型和元组类型的互换时非常有用。不过，虽然这些函数也适用于 string 类型（因为 string 类型也是序列的一种），但是在 string 类型上应用 tuple()和 list()函数却得不到我们通常希望的结果。

2. 可操作

Python 为序列类型提供以下可操作 BIF（见表 6.3）注意，len()、reversed()和 sum()函数只能接受序列类型对象作为参数，而剩下的则还可以接受可迭代对象作为参数，另外，max()和 min()函数也可以接受一个参数列表。

表 6.3 序列类型可用的内建函数

函数名	功能
enumerate(iter)[a]	接受一个可迭代对象作为参数，返回一个 enumerate 对象（同时也是一个迭代器），该对象生成由 iter 每个元素的 index 值和 item 值组成的元组（PEP 279）
len（seq）	返回 seq 的长度
max（iter,key=None） or max(arg0,arg1…, key=None)[b]	返回 iter 或（arg0,arg1,...）中的最大值，如果指定了 key，这个 key 必须是一个可以传给 sort()方法的，用于比较的回调函数
min（iter, key=None） or min（arg0, arg1…key=None）[b]	返回 iter 里面的最小值或者返回（arg0,arg1,...）里面的最小值；如果指定了 key，这个 key 必须是一个可以传给 sort()方法的，用于比较的回调函数
reversed（seq）[c]	接受一个序列作为参数，返回一个以逆序访问的迭代器（PEP 322）
sorted（iter, func=None, key=None, reverse=False）[c]	接受一个可迭代对象作为参数，返回一个有序的列表；可选参数 func、key 和 reverse 的含义跟 list.sort()内建函数的参数含义一样
sum(seq, init=0)[a]	返回 seq 和可选参数 init 的总和,其效果等同于 reduce(operator.add,seq,init)
zip([it0, it1,... itN])[d]	返回一个列表，其第一个元素是 it0、it1...这些元素的第一个元素组成的一个元组，第二个...依此类推

a. Python2.3 新增

b. 从 Python2.5 开始支持关键字参数

c. Python2.4 开始支持

d. Python2.0 加入，Python2.4 加强

我们将分别在每个序列的章节里面提供使用这些函数的例子。

6.2 字符串

字符串类型是 Python 里面最常见的类型。我们可以简单地通过在引号间包含字符的方式创建它。Python 里面单引号和双引号的作用是相同的，这一点 Python 不同于其他类 Shell 的脚本语言，在这些脚本语言中，通常转义字符仅仅在双引号字符串中起作用，在单一号括起的字符串中不起作用。Python 用"原始字符串"操作符来创建直接量字符串，所以再做区分就没什么意义了。其他的语言，比如 C 语言里面用单引号来标示字符，双引号标示字符串，而在 Python 里面没有字符这个类型。这可能是双引号和单引号在 Python 里面被视作一样的另一个原因。几乎所有的 Python 应用程序都会某种方式用到字符串类型。字符串是一种直接量或者说是一种标量，这意味着 Python 解释器在处理字符串时是把它作为单一值并且不会包含其他 Python 类型的。字符串是不可变类型，就是说改变一个字符串的元素需要新建一个新的字符串。字符串是由独立的字符组成的，并且这些字符可以通过切片操作顺序地访问。

根据在 2.2 节里面对类型和类的概念进行的统一，Python 实际上有三类字符串。通常意义的字符串

(str)和 Unicode 字符串（unicode）实际上都是抽象类 basestring 的子类。这个 basestring 是不能实例化的，如果你试图实例化一个 basestring 类，你会得到以下报错信息。

```
>>> basestring('foo')
Traceback (most recent call last):
  File "<stdin>", line 1, in <module>
TypeError: The basestring type cannot be instantiated
```

1. 字符串的创建和赋值

创建一个字符串就像使用一个标量一样简单，当然你也可以把 str()作为工厂方法来创建一个字符串并把它赋值给一个变量。

```
>>> aString = 'Hello World!'                # 使用单引号
>>> anotherString = "Python is cool!"       # 使用双引号
>>> print aString                           # print 不带引号的 Hello World!
Hello World!
>>> anotherString                           # 不是进行 print 操作，带有引号
'Python is cool!'                           # 把一个列表转换成一个字符串
>>> s = str(range(4))
>>> s
'[0, 1, 2, 3]'
```

2. 如何访问字符串的值（字符和子串）

Python 里面没有字符这个类型，而是用长度为 1 的字符串来表示这个概念，当然，这其实也是一个子串。用方括号加一个或者多于一个索引的方式来获得子串：

```
>>> aString = 'Hello World!'
>>> aString[0]
'H'
>>> aString[1:5]
'ello'
>>> aString[6:]
'World!'
```

3. 如何改变字符串

你可以通过给一个变量赋值（或者重赋值）的方式"更新"一个已有的字符串。新的值可能与原有值差不多，也可能跟原有串完全不同。

```
>>> aString = aString[:6] + 'Python!'
>>> aString
'Hello Python!'
>>> aString = 'different string altogether'
>>> aString
'different string altogether'
```

跟数字类型一样，字符串类型也是不可变的，所以你要改变一个字符串就必须通过创建一个新串的方式来实现。也就是说你不能只改变一个字符串的一个字符或者一个子串，然而，通过拼凑一个旧串的各个部分来得到一个新串是被允许的，正如上面你看到的那样。

4. 如何删除字符和字符串

再重复一遍，字符串是不可变的，所以你不能仅仅删除一个字符串里的某个字符，你能做的是清空一个空字符串，或者是把剔除了不需要的部分后的字符串组合起来形成一个新串。假设你想要从"Hello World!"里面删除小写的"l"。

```
>>> aString = 'Hello World!'
>>> aString = aString[:3] + aString[4:]
>>> aString
'Helo World!'
```

通过赋一个空字符串或者使用 del 语句来清空或者删除一个字符串：

```
>>> aString = ''
>>> aString
''
>>> del aString
```

在大部分应用程序里，没有必要显式的删除字符串。定义这个字符串的代码最终会结束，那时 Python 会自动释放这些字符串。

6.3 字符串和操作符

6.3.1 标准类型操作符

在第 4 章里面，我们介绍了一些适用于包括标准类型在内的大部分对象的操作符，在这里再看一下其中的一些操作符是怎样作用于字符串类型的，下面是几个简单的例子。

```
>>> str1 = 'abc'
>>> str2 = 'lmn'
>>> str3 = 'xyz'
>>> str1 < str2
True
>>> str2 != str3
True
>>> str1 < str3 and str2 == 'xyz'
False
```

在做比较操作的时候，字符串是按照 ASCII 值的大小来比较的。

6.3.2 序列操作符切片（[ ]和[:] ）

在先前的 6.1.1 节里面我们展示了如何访问序列类型的一个或一组元素，接下来我们会把这些知识应用到字符串类型上，着重考察以下的操作；

- 正向索引；
- 反向索引；
- 默认索引。

接下来以字符串'abcd'为例子。表里面分别列出了使用正索引和负索引来定位字符的情况。可以用长度操作符来确认该字符串的长度是 4。

0	1	2	3
a	b	c	d
–4	–3	–2	–1

```
>>> aString = 'abcd'
>>> len(aString)
4
```

正向索引时，索引值开始于 0，结束于总长度减 1（因为我们是从 0 开始索引的）。本例中最后一个索引是：

```
final_index  = len(aString) - 1
             = 4 - 1
             = 3
```

在这个范围内，我们可以访问任意的子串。用一个参数来调用切片操作符结果是一个单一字符，而使用一个数值范围（用）作为参数调用切片操作的参数会返回一串连续地字符。再强调一遍，对任何范围[start:end]，我们可以访问到包括 start 在内到 end（不包括 end）的所有字符，换句话说，假设 x 是[start:end]中的一个索引值，那么有: start<= x < end。

```
>>> aString[0]
'a'
>>> aString[1:3]
'bc'
>>> aString[2:4]
'cd'
>>> aString[4]
Traceback (innermost last):
  File "<stdin>", line 1, in ?
IndexError: string index out of range
```

使用不在允许范围（本例中是 0 到 3）内的索引值会导致错误。上面的 aString[2:4]却并没有出错，那是因为实际上它返回的是索引值 2 和 3 的值。但是直接拿 4 作为索引访问是不被允许的。

在进行反向索引操作时，是从−1 开始，向字符串的开始方向计数，到字符串长度的负数为索引的结束。最末一个索引（也就是第一个字符）是这样定位的：

```
final_index  = -len(aString)
             = -4
>>> aString[-1]
'd'
>>> aString[-3:-1]
'bc'
>>> aString[-4]
'a'
```

如果开始索引或者结束索引没有被指定，则分别以字符串的第一个和最后一个索引值为默认值。

```
>>> aString[2:]
'cd'
>>> aString[1:]
'bcd'
>>> aString[:-1]
'abc'
>>> aString[:]
'abcd'
```

注意：起始/结束索引都没有指定的话会返回整个字符串。

1．成员操作符（in ,not in）

成员操作符用于判断一个字符或者一个子串（中的字符）是否出现在另一个字符串中。出现则返回 True，否则返回 False.注意，成员操作符不是用来判断一个字符串是否包含另一个字符串的，这样的功能由 find()或者 index()（还有它们的兄弟：rfind()和 rindex()）函数来完成。

下面是一些字符串和成员操作符的例子。在 Python 2.3 以前，in(和 not in)操作符只允许用来判断一个单个字符是否属于一个字符串，就像下面第 2 个例子那样。2.3 以后这个限制去掉了，所有的字符串都可以拿来判断。

```
>>> 'bc' in 'abcd'
True
>>> 'n' in 'abcd'
False
>>> 'nm' not in 'abcd'
True
```

在例 6.1 里面，我们会用到下面这些 string 模块预定义的字符串:

```
>>> import string
>>> string.uppercase
'ABCDEFGHIJKLMNOPQRSTUVWXYZ'
>>> string.lowercase
'abcdefghijklmnopqrstuvwxyz'
>>> string.letters
'abcdefghijklmnopqrstuvwxyzABCDEFGHIJKLMNOPQRSTUVWXYZ'
>>> string.digits
'0123456789'
```

例 6.1 是一个用来检查 Python 有效标识符的小脚本，名字是 idcheck.py。我们知道，Python 标识符必须以字母或下划线开头，后面跟字母、下划线或者数字。

例 6.1 标识符检查（idcheck.py）

标识符合法性检查，首先要以字母或者下划线开始，后面要跟字母，下划线或者或数字。这个小例子只检查长度大于等于 2 的标识符。

```
1   #!usr/bin/env python
2
3   import string
4
5   alphas = string.letters + '_'
6   nums = string.digits
7
8   print 'Welcome to the Identifier Checker v1.0'
9   print 'Testees must be at least 2 chars long.'
10  myInput = raw_input('Identifier to test? ')
11
12  if len(myInput) > 1:
13
14      if myInput[0] not in alphas:
15          print '''invalid: first symbol must be
16              alphabetic'''
17      else:
18          for otherChar in myInput[1:]:
19
20              if otherChar not in alphas + nums:
21                  print '''invalid: remaining
22                      symbols must be alphanumeric'''
23                  break
24          else:
25              print "okay as an identifier"
```

这个例子还展示了字符串连接符（＋）的使用，本章的后面会讲到字符串连接符。运行几次后得到下面的输出:

```
$ python idcheck.py
Welcome to the Identifier Checker v1.0
Testees must be at least 2 chars long.
```

```
Identifier to test? counter
okay as an identifier
$
$ python idcheck.py
Welcome to the Identifier Checker v1.0
Testees must be at least 2 chars long.
Identifier to test? 3d_effects
invalid: first symbol must be alphabetic
```

让我们逐行解释这个应用程序。

3～6行

导入string模块并且预定义了两个字符串，用于后面的判断。

8～12行

输出提示信息，第12行的if语句过滤掉长度小于2的标识符或者候选标识符。

14～16行

检查第一个符号是不是字母或下划线，如果不是，输出结果并退出。

17～18行

否则，从第二个字符开始到最后一个字符，循环检查剩余的字符。

20～23行

检查剩余的符号是否都是字母，下划线或者数字。注意我们是如何使用连接操作符来创建合法字符集合的。只要发现一个非法字符，就显示结果并通过break语句退出。

核心提示：性能

一般来说，从性能的角度来考虑，把重复操作作为参数放到循环里面进行是非常低效的。

```
while i < len(myString):
        print 'character %d is:', myString[i]
```

上面的循环操作把大把的时间都浪费到了重复计算字符串myString的长度上了。每次循环迭代都要运行一次这个函数。如果把这个值做一次保存，我们就可以用更为高效的方式重写我们的循环操作。

```
length = len(myString)
while i < length:
       print 'character %d is:', myString[i]
```

这个方法同样适用于上面的例6.1

```
for otherChar in myInput[1:]:
    if otherChar not in alphas + nums:
      :
```

第18行的for循环包含了一个if语句，在这个if里面执行了合并两个字符串的操作。被合并的这两个字符串从始至终就没变过，而每次都会重新进行一次计算。如果先把这两个字符串存为一个新字符串，我们就可以直接引用这个字符串而不用进行重复计算了。

```
alphnums = alphas + nums
for otherChar in myInput[1:]:
   if otherChar not in alphnums:
     :
```

24～25行

或许现在就向你展示for-else循环语句有点儿早，可是我们必须先看一看这个语句（在第8章有详细的介绍）。for 循环的 else 语句是一个可选项，它只在 for 循环完整的结束，没有遇到 break 时执行。在我们的例子中，如果所有的符号都检查合格，那么我们就得到了一个合法的标识符，程序会返回一个这样的结果，然后执行完毕。

其实，这段程序并不是完美的，一个问题就是标识符的长度必须大于 1。我们的程序几乎是，但还并没有真正定义出 Python 标识符的范围，Python 标识符长度可以是 1。另一个问题是这段程序并没有考虑到 Python 的关键字，而这些都是作为保留字，不允许用做标识符的。我们把这两个问题作为课后练习留给读者（见练习 6-2）。

2．连接符（+）

运行时刻字符串连接

我们可以通过连接操作符来从原有字符串获得一个新的字符串。我们已经在前面的例 6-1 里面见识过连接符了，下面是一些更多的例子：

```
>>> 'Spanish' + 'Inquisition'
'SpanishInquisition'
>>>
>>> 'Spanish' + ' ' + 'Inquisition'
'Spanish Inquisition'
>>>
>>> s = 'Spanish' + ' ' + 'Inquisition' + ' Made Easy'
>>> s
'Spanish Inquisition Made Easy'
>>>
>>> import string
>>> string.upper(s[:3] + s[20])    # archaic (see below)
'SPAM'
```

最后一个例子展示了用一个字符串 s 的两个切片来构成一个新串的操作，从“Spanish”里面切出“Spa”加上从“Made”里面切出来的“M”。将抽取出来字符串切片连接后作为参数传给了 string.upper()方法，该方法负责把字符串的所有字符都变为大写。String 模块的方法是在 Python1.6 里面添加进来的，所以这个操作也可以用最后一个字符串的一个单一方法调用来完成（见下面的例子）。现在已经没有必要导入 string 模块了，除非你需要访问该模块自己定义的字符串常量。注意:虽然对初学者来说 string 模块的方式更便于理解，但出于性能方面的考虑，我们还是建议你不要用 string 模块。原因是 Python 必须为每一个参加连接操作的字符串分配新的内存，包括新产生的字符串。取而代之，我们推荐你像下面介绍的那样使用字符串格式化操作符（%），或者把所有的字符串放到一个列表中去，然后用一个 join()方法来把它们连接在一起。

```
>>> '%s %s' % ('Spanish', 'Inquisition')
'Spanish Inquisition'
>>>
>>> s = ' '.join(('Spanish', 'Inquisition', 'Made Easy'))
>>> s
'Spanish Inquisition Made Easy'
>>>
>>> # no need to import string to use string.upper():
>>> ('%s%s' % (s[:3], s[20])).upper()
'SPAM'
```

3．编译时字符串连接

上面的语法在运行时字符串连接的加法操作，这个用法是非常标准的。Python 中还有一种并不是经常用到，更像是一种程序员的习惯用法的语法.Python 的语法允许你在源码中把几个字符串连在一起写，以此来构建新字符串。

```
>>> foo = "Hello" 'world!'
>>> foo
'Helloworld!'
```

通过这种方法，你可以把长的字符串分成几部分来写，而不用加反斜杠。如上所示，你可以在一行里面混用两种分号。这种写法的好处是你可以把注释也加进来，如下所示。

```
>>> f = urllib.urlopen('http://'   # protocol
... 'localhost'                    # hostname
... ':8000'                        # port
... '/cgi-bin/friends2.py')        # file
```

如你所想，下面就是 urlopen()方法所得到的真实输入。

```
>>> 'http://' 'localhost' ':8000' '/cgi-bin/friends2.py'
'http://localhost:8000/cgi-bin/friends2.py'
```

4．普通字符串转化为 Unicode 字符串

如果把一个普通字符串和一个 Unicode 字符串做连接处理，Python 会在连接操作前先把普通字符串转化为 Unicode 字符串：

```
>>> 'Hello' + u' ' + 'World' + u'!'
u'Hello World!'
```

重复操作符（ * ）

重复操作符创建一个包含了原有字符串的多个拷贝的新串。

```
>>> 'Ni!' * 3
'Ni!Ni!Ni!'
>>>
>>> '*'*40
'****************************************'
>>>
>>> print '-' * 20, 'Hello World!', '-' * 20
-------------------- Hello World! --------------------
>>> who = 'knights'
>>> who * 2
'knightsknights'
>>> who
'knights'
```

像其他的标准操作符一样，原变量是不被修改的，就像上面最后一个例子所示。

6.4 只适用于字符串的操作符

6.4.1 格式化操作符（%）

Python 风格的字符串格式化操作符。只适用于字符串类型，非常类似于 C 语言里面的 printf()函数的字符串格式化，甚至所用的符号都一样，都用百分号（%），并且支持所有 printf()式的格式化操作。语法如下。

左边的 format_string 里面同通常会在 printf()函数的第一个参数里面见到的一样，包含%的格式化字符串。表 6.4 列出了可用的各种符号.arguments_to_convert 参数是你要转化、显示的变量，对应于你送给 prinf()的其他参数。

表 6.4 字符串格式化符号

格式化字符	转 换 方 式
%c	转换成字符（ASCII 码值，或者长度为一的字符串）
%r[a]	优先用 repr()函数进行字符串转换
%s	优先用 str()函数进行字符串转换
%d / %i	转成有符号十进制数
%u[b]	转成无符号十进制数
%o[b]	转成无符号八进制数
%x[b]/%X[b]	转成无符号十六进制数（x/X 代表转换后的十六进制字符的大小写）
%e/%E	转成科学计数法（e/E 控制输出 e/E）
%f/%F	转成浮点型（小数部分自然截断）
%g/%G	%e 和%f/%E 和%F 的简写
%%	输出%

a．Python2.0 新增；而且好像只有 Python 里面有。

b．Python2.4 里面%u/%o/%x/%X 在遇到负数的时候会返回一个有符号字符串。

Python 支持两种格式的输入参数。第一种是元组（见 2.8 节，6.15 节），这基本上是一种的 C printf()风格的转换参数集；Python 支持的第二种形式是字典形式（详见第七章）字典其实是一个哈希键-值对的集合。这种形式里面，键是作为格式字符串出现，相对应的值作为参数在进行转化时提供给格式字符串.格式字符串既可以跟 print 语句一起用来向终端用户输出数据，又可以用来合并字符串形成新字符串，而且还可以直接显示到 GUI 界面上去。其他的格式字符和方法见表 6.5。

表 6.5 格式化操作符辅助指令

符 号	作 用
*	定义宽度或者小数点精度
-	用做左对齐
+	在正数前面显示加号（+）
<sp>	在正数前面显示空格
#	在八进制数前面显示零（'0'），在十六进制前面显示'0x'或者'0X'（取决于用的是'x'还是'X'）
0	显示的数字前面填充‘0’而不是默认的空格
%	'%%'输出一个单一的'%'
(var)	映射变量（字典参数）
m.n	m 是显示的最小总宽度，n 是小数点后的位数（如果可用的话）

以下是一些使用格式字符串的例子。

1．十六进制输出

```
>>> "%x" % 108
'6c'
>>>
```

```
>>> "%X" % 108
'6C'
>>>
>>> "%#X" % 108
'0X6C'
>>>
>>> "%#x" % 108
'0x6c'
```

2. 浮点型和科学记数法形式输出

```
>>>
>>> '%f' % 1234.567890
'1234.567890'
>>>
>>> '%.2f' % 1234.567890
'1234.57'
>>>
>>> '%E' % 1234.567890
'1.234568E+03'
>>>
>>> '%e' % 1234.567890
'1.234568e+03'
>>>
>>> '%g' % 1234.567890
'1234.57'
>>>
>>> '%G' % 1234.567890
'1234.57'
>>>
>>> "%e" % (1111111111111111111111L)
'1.111111e+21'
```

3. 整型和字符串输出

```
>>> "%+d" % 4
'+4'
>>>
>>> "%+d" % -4
'-4'
>>>
>>> "we are at %d%%" % 100
'we are at 100%'
>>>
>>> 'Your host is: %s' % 'earth'
'Your host is: earth'
>>>
>>> 'Host: %s\tPort: %d' % ('mars', 80)
'Host: mars  Port: 80'
>>>
>>> num = 123
```

```
>>> 'dec: %d/oct: %#o/hex: %#X' % (num, num, num)
'dec: 123/oct: 0173/hex: 0X7B'
>>>
>>> "MM/DD/YY = %02d/%02d/%d" % (2, 15, 67)
'MM/DD/YY = 02/15/67'
>>>
>>> w, p = 'Web', 'page'
>>> 'http://xxx.yyy.zzz/%s/%s.html' % (w, p)
'http://xxx.yyy.zzz/Web/page.html'
```

上面的例子都是使用的元组类型的参数作转换。下面我们将把字典类型的参数提供给格式化操作符。

```
>>> 'There are %(howmany)d %(lang)s Quotation Symbols' % \
... {'lang': 'Python', 'howmany': 3}
'There are 3 Python Quotation Symbols'
```

4．令人称奇的调试工具

字符串格式化操作符不仅很酷、易用、上手快，而且是一个非常有用的调试工具。事实上，所有的Python对象都有一个字符串表示形式（通过 repr()函数，或 tr()函数来展现）。print 语句自动为每个对象调用 str()函数。更好的是，在定义自己的对象时，你可以利用“钩子”为你的对象创建字符串表达形式。这样，repr()，str()或者 print 被调用时，就可以获得一个适当的字符串描述信息。即使在坏得不能再坏的情况下，repr()或者 str()也不能显示一个对象的信息时，“Pythonic”的默认做法最起码能给你返回如下格式的信息。

```
<... something that is useful ...>.
```

6.4.2 字符串模板：更简单的替代品

字符串格式化操作符是 Python 里面处理这类问题的主要手段，而且以后也是如此。然而它也不是完美的，其中的一个缺点是它不是那么直观，尤其对刚从 C/C++转过来的 Python 新手来说更是如此，即使是现在使用字典形式转换的程序员也会偶尔出现遗漏转换类型符号的错误。比如说，用了%(lang)而不是正确的%(lang)s。为了保证字符串被正确的转换，程序员必须明确的记住转换类型参数，比如到底是要转成字符串、整型还是其他什么类型。

新式的字符串模板的优势是不用去记住所有的相关细节的，而是像现在 shell 风格的脚本语言里面那样使用美元符号（$）。

由于新式的字符串 Template 对象的引进使得 string 模块又重新活了过来，Template 对象有两个方法，substitute()和 safe_substitute()。前者更为严谨，在 key 缺少的情况下它会报一个 KeyError 的异常出来，而后者在缺少 key 时，直接原封不动的把字符串显示出来。

```
>>> from string import Template
>>> s = Template('There are ${howmany} ${lang} Quotation Symbols')
>>>
>>> print s.substitute(lang='Python', howmany=3)
There are 3 Python Quotation Symbols
>>>
>>> print s.substitute(lang='Python')
Traceback (most recent call last):
  File "<stdin>", line 1, in ?
  File "/usr/local/lib/python2.4/string.py", line 172, in substitute
    return self.pattern.sub(convert, self.template)
  File "/usr/local/lib/python2.4/string.py", line 162, in convert
    val = mapping[named]
KeyError: 'howmany'
```

```
>>>
>>> print s.safe_substitute(lang='Python')
There are ${howmany} Python Quotation Symbols
```

新式的字符串模板是从 Python2.4 开始加入的，更多信息请查阅《Python 类库参考手册》（Python Library Reference Manual）和 PEP 292。

6.4.3 原始字符串操作符（r/R）

关于原始字符串的目的，在 Python1.5 里面已经有说明，是为了对付那些在字符串中出现的特殊字符（下面的小节会介绍这些特殊字符）。在原始字符串里，所有的字符都是直接按照字面的意思来使用，没有转义特殊或不能打印的字符。

原始字符串的这个特性让一些工作变得非常的方便，比如正则表达式的创建（详见文档的 re 模块）。正则表达式是一些定义了高级搜索匹配方式的字符串，通常是由代表字符、分组、匹配信息、变量名和字符类等的特殊符号组成。正则表达式模块已经包含了足够用的符号。但当你必须插入额外的符号来使特殊字符表现的像普通字符的时候，你就陷入了“字符数字”的泥潭！这时原始字符串就会派上用场了。

除了原始字符串符号（引号前面的字母“r”）以外，原始字符串跟普通字符串有着几乎完全相同的语法。这个'r'可以是小写也可以是大写，唯一的要求是必须紧靠在第一个引号前。在 3 个例子的第 1 个例子里面，我们需要一个反斜杠加一个“n”来而不是一个换行符。

```
>>> '\n'
'\n'
>>> print '\n'

>>> r'\n'
'\\n'
>>> print r'\n'
\n
```

接下来的例子里，我们打不开我们的 README 文件了，为什么？因为'\t'和'\r'被当成不在我们的文件名中的特殊符号，但它们实际上是文件路径中的 4 个独立的字符。

```
>>> f = open('C:\windows\temp\readme.txt', 'r')
Traceback (most recent call last):
   File "<stdin>", line 1, in ?
     f = open('C:\windows\temp\readme.txt', 'r')
IOError: [Errno 2] No such file or directory: 'C:\\win- dows\\temp\readme.txt'
>>> f = open(r'C:\windows\temp\readme.txt', 'r')
>>> f.readline()
'Table of Contents (please check timestamps for last update!)\n'
>>> f.close()
```

最后我们要找一对原始的\n 字符而不是换行。为了找到它，我们使用了一个简单的正则表达式，它的作用是查找通常被用来表示空白字符的反斜线-字符对（backslash-character pairs）。

```
>>> import re
>>> m = re.search('\\[rtfvn]', r'Hello World!\n')
>>> if m is not None: m.group()
...
>>> m = re.search(r'\\[rtfvn]', r'Hello World!\n')
>>> if m is not None: m.group()
...
'\\n'
```

6.4.4 Unicode 字符串操作符（u/U）

Unocide 字符串操作符，大写的（U）和小写的（u）是在 Python1.6 中 和 Unicode 字符串一起被引入的，它用来把标准字符串或者是包含 Unicode 字符的字符串转换成完全的 Unicode 字符串对象。关于 Unicode 字符串的进一步信息在 6.7.4 节有详细介绍。另外，字符串方法（见 6.6 节）和正则表达式引擎也支持 Unicode。下面是几个例子。

```
u'abc'            U+0061 U+0062 U+0063
u'\u1234'         U+1234
u'abc\u1234\n'    U+0061 U+0062 U+0063 U+1234 U+0012
```

Unicode 操作符也可以接受原始 Unicode 字符串，只要我们将 Unicode 操作符和前面讨论过的原始字符串操作符连接在一起就可以了。注意，Unicode 操作符必须出现在原始字符串操作符前面。

```
ur'Hello\nWorld!'
```

6.5 内建函数

6.5.1 标准类型函数

cmp()

同比较操作符一样，内建的 cmp()函数也根据字符串的 ASCII 码值进行比较。

```
>>> str1 = 'abc'
>>> str2 = 'lmn'
>>> str3 = 'xyz'
>>> cmp(str1, str2)
-11
>>> cmp(str3, str1)
23
>>> cmp(str2, 'lmn')
0
```

6.5.2 序列类型函数

len()

```
>>> str1 = 'abc'
>>> len(str1)
3
>>> len('Hello World!')
12
```

正如你期望的那样，内建函数 len()返回字符串的字符数。

max() and min()

```
>>> str2 = 'lmn'
>>> str3 = 'xyz'
```

```
>>> max(str2)
'n'
>>> min(str3)
'x'
```

虽然 max()和 min()函数对其他的序列类型可能更有用，但对于 string 类型它们能很好地运行，返回最大或者最小的字符（按照 ASCII 码值排列），下面是几个例子。

```
>>> min('ab12cd')
'1'
>>> min('AB12CD')
'1'
>>> min('ABabCDcd')
'A'
```

enumerate()

```
>>> s = 'foobar'
>>> for i, t in enumerate(s):
... print i, t
...
0 f
1 o
2 o
3 b
4 a
5 r
```

zip()

```
>>> s, t = 'foa', 'obr'
>>> zip(s, t)
[('f', 'o'), ('o', 'b'), ('a', 'r')]
```

6.5.3 字符串类型函数

raw_input()

内建的 raw_input()函数使用给定字符串提示用户输入并将这个输入返回，下面是一个使用 raw_input()的例子。

```
>>> user_input = raw_input("Enter your name: ")
Enter your name: John Doe
>>>
>>> user_input
'John Doe'
>>>
>>> len(user_input)
8
```

Python 里面没有 C 风格的结束字符 NUL，你输入多少个字符，len()函数的返回值就是多少。

str() and unicode()

str()和 unicode()函数都是工厂函数，就是说产生所对应的类型的对象。它们接受一个任意类型的对象，然后创建该对象的可打印的或者 Unicode 的字符串表示。它们和 basestring 都可以作为参数传给 isinstance()函数来判断一个对象的类型。

```
>>> isinstance(u'\0xAB', str)
False
>>> not isinstance('foo', unicode)
True
>>> isinstance(u'', basestring)
True
>>> not isinstance('foo', basestring)
False
```

chr()、unichr()和 ord()

chr()函数用一个范围在 range（256）内的（就是 0～255）整数作参数，返回一个对应的字符。unichr()跟它一样，只不过返回的是 Unicode 字符，这个从 Python 2.0 才加入的 unichr()的参数范围依赖于你的 Python 是如何被编译的。如果是配置为 USC2 的 Unicode，那么它的允许范围就是 range（65536）或 0x0000-0xFFFF；如果配置为 UCS4，那么这个值应该是 range（1114112）或 0x000000-0x110000。如果提供的参数不在允许的范围内，则会报一个 ValueError 的异常。

ord()函数是 chr()函数（对于 8 位的 ASCII 字符串）或 unichr()函数（对于 Unicode 对象）的配对函数，它以一个字符（长度为 1 的字符串）作为参数，返回对应的 ASCII 数值，或者 Unicode 数值，如果所给的 Unicode 字符超出了你的 Python 定义范围，则会引发一个 TypeError 的异常。

```
>>> chr(65)
'A'
>>> ord('a')
97
>>> unichr(12345)
u'\u3039'
>>> chr(12345)
Traceback (most recent call last):
  File "<stdin>", line 1, in ?
    chr(12345)
ValueError: chr() arg not in range(256)
>>> ord(u'\ufffff')
Traceback (most recent call last):
  File "<stdin>", line 1, in ?
    ord(u'\ufffff')
TypeError: ord() expected a character, but string of length 2 found
>>> ord(u'\u2345')
9029
```

6.6 字符串内建函数

字符串方法是从 Python1.6 到 2.0 慢慢加进来的——它们也被加到了 Jython 中。这些方法实现了 string 模块中的大部分方法，表 6.6 列出了目前字符串内建支持的方法，所有这些方法都包含了对 Unicode 的支持，有一些甚至是专门用于 Unicode 的。

表 6.6 字符串类型内建方法

方 法	描 述
string.capitalize()	把字符串的第一个字符大写
string.center(width)	返回一个原字符串居中，并使用空格填充至长度 width 的新字符串
string.count(str, beg=0,end=len(string))	返回 str 在 string 里面出现的次数，如果 beg 或者 end 指定则返回指定范围内 str 出现的次数
string.decode(encoding='UTF-8' errors='strict')	以 dncoding 指定的编码格式解码 string，如果出错默认报一个 ValueError 的异常，除非 errors 指定的是'ignore'或者'replace'
string.encode(encoding='UTF-8', errors='strict')[a]	以 encoding 指定的编码格式编码 string，如果出错默认报一个 ValueError 的异常，除非 errors 指定的是'ignore'或者'replace'
string.endswith (obj, beg=0,end =len(string))[b, e]	检查字符串是否以 obj 结束，如果 beg 或者 end 指定则检查指定的范围内是否以 obj 结束，如果是，返回 True，否则返回 False。
string.expandtabs (tabsize=8)	把字符串 string 中的 tab 符号转为空格，默认的空格数 tabsize 是 8
string.find(str, beg=0,end=len(string))	检测 str 是否包含在 string 中，如果 beg 和 end 指定范围，则检查是否包含在指定范围内，如果是返回开始的索引值，否则返回-1
string.index(str, beg=0,end=len(string))	跟 find()方法一样，只不过如果 str 不在 string 中会报一个异常
string.isalnum()[a, b, c]	如果 string 至少有一个字符并且所有字符都是字母或数字则返回 True，否则返回 False
string.isalpha()[a, b, c]	如果 string 至少有一个字符并且所有字符都是字母则返回 True，否则返回 False
string.isdecimal()[b, c, d]	如果 string 只包含十进制数字则返回 True、否则返回 False
string.isdigit()[b, c]	如果 string 只包含数字则返回 True 否则返回 False
string.islower()[b, c]	如果 string 中包含至少一个区分大小写的字符，并且所有这些（区分大小写的）字符都是小写，则返回 True，否则返回 False
string.isnumeric()[b, c, d]	如果 string 中只包含数字字符，则返回 True，否则返回 False
string.isspace()[b, c]	如果 string 中只包含空格，则返回 True，否则返回 False
string.istitle()[b, c]	如果 string 是标题化的（见 title()）则返回 True，否则返回 False
string.isupper()[b, c]	如果 string 中包含至少一个区分大小写的字符，并且所有这些（区分大小写的）字符都是大写，则返回 True，否则返回 False
string.join(seq)	以 string 作为分隔符，将 seq 中所有的元素（字符串表示）合并为一个新的字符串
string.ljust(width)	返回一个原字符串左对齐，并使用空格填充至长度 width 的新字符串
string.lower()	转换 string 中所有大写字符为小写
string.lstrip()	截掉 string 左边的空格
string.partition(str)[e]	有点像 find()和 split()的结合体，从 str 出现的第一个位置起，把字符串 string 分成一个 3 元组（string_pre_str,str,string_post_str），如果 string 中不包含 str 则 string_pre_str == string
string.replace(str1, str2, num=string count(str1))	把 string 中的 str1 替换成 str2，如果 num 指定，则替换不超过 num 次
string.rfind(str, beg=0, end=len(string))	类似于 find()函数，不过是从右边开始查找
string.rindex(str, beg=0, end=len(string))	类似于 index()，不过是从右边开始
string.rjust(width)	返回一个原字符串右对齐，并使用空格填充至长度 width 的新字符串

续表

方 法	描 述
string.rpartition(str)[e]	类似于 partition()函数，不过是从右边开始查找
string.rstrip()	删除 string 字符串末尾的空格
string.split(str="", num =string.count(str))	以 str 为分隔符切片 string，如果 num 有指定值，则仅分隔 num 个子字符串
string.splitlines(num= string.count('\n'))[b, c]	按照行分隔，返回一个包含各行作为元素的列表，如果 num 指定则仅切片 num 行
string.startswith(obj, beg =0,end=len(string))[b, e]	检查字符串是否是以 obj 开头，是则返回 True，否则返回 False 如果 beg 和 end 指定值，则在指定范围内检查
string.strip([obj])	在 string 上执行 lstrip()和 rstrip()
string.swapcase()	翻转 string 中的大小写
string.title()[b, c]	返回"标题化"的 string，就是说所有单词都是以大写开始，其余字母均为小写（见 istitle()）
string.translate(str, del="")	根据 str 给出的表（包含 256 个字符）转换 string 的字符，要过滤掉的字符放到 del 参数中
string.upper()	转换 string 中的小写字母为大写
string.zfill(width)	返回长度为 width 的字符串，原字符串 string 右对齐，前面填充 0

a．Python1.6 中只适用于 Unicode 字符串，2.0 中适用于所有字符串。

b．1.5.2 版本中 string 模块没有该方法。

c．在 Jython2.1 新加入。

d．仅对 Unicode 字符串有效。

e．Python2.5 或者以上版本。

下面是几个使用字符串方法的例子。

```
>>> quest = 'what is your favorite color?'
>>> quest.capitalize()
'What is your favorite color?'
>>>
>>> quest.center(40)
'      what is your favorite color?      '
>>>
>>> quest.count('or')
2
>>>
>>> quest.endswith('blue')
False
>>>
>>> quest.endswith('color?')
True
>>>
>>> quest.find('or', 30)
-1
>>>
>>> quest.find('or', 22)
25
>>
>>> quest.index('or', 10)
16
```

```
>>>
>>> ':'.join(quest.split())
'what:is:your:favorite:color?'
>>> quest.replace('favorite color', 'quest')
>>>
'what is your quest?'
>>>
>>> quest.upper()
'WHAT IS YOUR FAVORITE COLOR?'
```

上面最复杂的例子是有split()和join()函数的那个。首先我们在string上调用split()函数，没有用参数，也就是说以空格作为分隔符分隔字符串，然后我们以这个包含单词的列表做参数调用join()方法把这些单词用一个新的分隔符冒号重新串在一起。注意。我们首先用split()函数把string切片成一个列表，然后我们在字符串':'上应用join()方法把这个列表重新连接成一个字符串。

6.7 字符串的独特特性

6.7.1 特殊字符串和控制字符

像其他高级语言和脚本语言一样，一个反斜线加一个单一字符可以表示一个特殊字符，通常是一个不可打印的字符，这就是我们上面讨论的特殊字符，如果这些特殊字符是包含在一个原始字符串中的，那么它就失去了转义的功能。

除了通常用的特殊字符，比如换行符(\n)，tab符(\t)之外，也可以直接用ASCII码值来标示特殊字符:\000或者\xXX，分别对应字符的八进制和十六进制ASCII码值，下面分别是十进制、八进制和十六进制的065和255。

```
            ASCII        ASCII    ASCII
Decimal     0            65       255
Octal       \000         \101     \177
Hexadecimal \x00         \x41     \xFF
```

特殊字符，包括反斜杠转义的那些都可以像普通字符一样存储到Python的字符串中。

跟C字符串的另一个不同之处是Python的字符串并不是以NUL(\000)作为结束符的。NUL跟其他的反斜杠转义字符没什么两样。事实上，一个字符串中不仅可以出现NUL字符，而且还可以出现不止一次，在字符串的任意位置都可以。表6.7列出了被大部分Python版本支持的转义字符。

如上所述，就像使用连字符来让一行的内容持续到下一行一样，可以用显式定义八进制或者十六进制的ASCII码的方式定义特殊字符，合法的ASCII码值范围是0～255（八进制的是0177，十六进制是0XFF）。

表6.7 反斜杠开头的转义字符

八 进 制	十 进 制	十 六 进 制		字 符	说 明
\0	000	0	0x00	NUL	空字符Nul
\a	007	7	0x07	BEL	响铃字符
\b	010	8	0x08	BS	退格
\t	011	9	0x09	HT	横向制表符
\n	012	10	0x0A	LF	换行

续表

八进制	十进制	十六进制		字 符	说 明
\v	013	11	0x0B	VT	纵向制表符
\f	014	12	0x0C	FF	换页
\r	015	13	0x0D	CR	回车
\e	033	27	0x1B	ESC	转义
\"	042	34	0x22	"	双引号
\'	047	39	0x27	'	单引号
\\	134	92	0x5C	\	反斜杠

\OOO　八进制值（范围是 000～0177）

\xXX　x 打头的十六进制值（范围是 0x00 到 0xFF）

\　连字符，将本行和下一行的内容连接起来。

控制字符的一个作用是用做字符串里面的定界符，在数据库或者 Web 应用中，大多数的可打印字符都是被允许用在数据项里面的，就是说可打印的字符不适合做定界符。

用可打印的字符串比如冒号(:)来作定界符，将会很难分辨一个字符到底是数据还是定界符。而且还会限定你能用在数据项里面的字符数量，而这不是你想要的。

一个通常的解决方案是，使用那些不经常使用的，不可打印的 ASCII 码值来作为定界符，它们是非常完美的定界符，这样一来诸如冒号这样的可打印字符就可以解脱出来用在数据项中了。

6.7.2 三引号

虽然你可以用单引号或者双引号来定义字符串，但是如果你需要包含诸如换行符这样的特殊字符时，单引号或者双引号就不是那么方便了。Python 的三引号就是为了解决这个问题的，它允许一个字符串跨多行，字符串中可以包含换行符、制表符以及其他特殊字符。

三引号的语法是一对连续的单引号或者双引号（通常都是成对的用）。

```
>>> hi = '''hi
there'''
>>> hi              # repr()
'hi\nthere'
>>> print hi        # str()
hi
there
```

三引号让程序员从引号和特殊字符串的泥潭里面解脱出来，自始至终保持一小块字符串的格式是所谓的 WYSIWYG（所见即所得）格式的。

一个典型的用例是，当你需要一块 HTML 或者 SQL 时，这时用字符串组合，特殊字符串转义将会非常的繁琐。

```
errHTML = '''
<HTML><HEAD><TITLE>
Friends CGI Demo</TITLE></HEAD>
<BODY><H3>ERROR</H3>
<B>%s</B><P>
<FORM><INPUT TYPE=button VALUE=Back
ONCLICK="window.history.back()"></FORM>
</BODY></HTML>
```

```
'''
cursor.execute('''
        CREATE TABLE users (
        login VARCHAR(8),
        uid INTEGER,
        prid INTEGER)
''')
```

6.7.3 字符串不变性

在第4.7.2节里面，我们讨论了字符串是一种不可变数据类型，就是说它的值是不能被改变或修改的。这就意味着如果你想修改一个字符串，或者截取一个子串，或者在字符串的末尾连接另一个字符串等，你必须新建一个字符串。

这听起来要比实际情况复杂。因为Python替你管理内存，你根本不需要知道到底发生了什么，每次你修改一个字符串或者做一些改变字符串内容的操作时，Python都会自动为你分配一个新串。在下面的例子里面，Python分别为“abc”和“def”分配了空间，当进行连接操作时，Python自动为新的字符串“abcdef”分配了空间。

```
>>> 'abc' + 'def'
'abcdef'
```

给变量赋值没什么不同。

```
>>> s = 'abc'
>>> s = s + 'def'
>>> s
'abcdef'
```

上面的例子里，看起来是我们先把abc赋给了s，然后在s的末尾添加了“def”。这样看起来字符串似乎是可变的，其实事实是在“s+'def'”这个操作进行的时候，新建了一个新字符串，然后这个新的对象被赋给了s，原来的字符串'abc'被释放掉了。

我们可以用id()函数来更明显的显示出来到底发生了什么复习一下，id()函数返回一个对象的身份，这个概念有点类似于“内存地址”。

```
>> s = 'abc'
>>>
>>> id(s)
135060856
>>>
>>> s += 'def'
>>> id(s)
135057968
```

注意修改前后的身份是不同的。另一个测试是针对字符串的一个字符或者一个子串所做的修改。我们现在将展示对字符串的一个字符或者一片字符的改动都是不被允许的。

```
>>> s
'abcdef'
>>>
>>> s[2] = 'C'
Traceback (innermost last):
 File "<stdin>", line 1, in ?
```

```
AttributeError: __setitem__
>>>
>>> s[3:6] = 'DEF'
Traceback (innermost last):
  File "<stdin>", line 1, in ?
AttributeError: __setslice__
```

两个操作都抛出了异常。为了实现要求，我们需要用现有字符串的子串来构建一个新串，然后把这个新串赋给原来的变量。

```
>>> s
'abcdef'
>>>
>>> s = '%sC%s' % (s[0:2], s[3:])
>>> s
'abCdef'
>>>
>>> s[0:3] + 'DEF'
'abCDEF'
```

对像字符串这样的不可变对象，我们探究了它在赋值操作中为左值所限制，左值必须是一个完整的对象，比如说一个字符串对象，不能是字符串的一部分。对赋值操作的右值没有这个限制。

6.8 Unicode

从 Python1.6 起引进的 Unicode 字符串支持，是用来在多种双字节字符的格式、编码进行转换的，其中包括一些对这类字符串的操作管理功能。内建的字符串和正则表达式对 Unicode 字符串的支持，再加上 string 模块的辅助，Python 已经可以应付大部分应用对 Unicode 的存储、访问、操作的需要了。我们会尽最大的努力把 Python 对 Unicode 的支持说清楚，但在这之前，让我们先讨论一些基本的术语，然后问一下自己，到底什么是 Unicode。

6.8.1 术语

表 6.8 Unicode 术语

名　词	意　思
ASCII	美国标准信息交换码
BMP	基本多文种平面（第零平面）
BOM	字节顺序标记（标识字节顺序的字符）
CJK/CJKV	中文-日文-韩文（和越南语）的缩写
Code point	类似于 ASCII 值，代表 Unicode 字符的值，范围在 range(1114112)或者说从 0x000000 到 0x10FFFF
Octet	八位二进制数的位组
UCS	通用字符集
UCS2	UCS 的双字节编码方式（见 UTF-16）

续表

名　词	意　思
UCS4	UCS 的四字节编码方式。
UTF	Unicode 或者 UCS 的转换格式。
UTF-8	8 位 UTF 转换格式（无符号字节序列，长度为 1～4 个字节）。
UTF-16	16 位 UTF 转换格式(无符号字节序列,通常是 16 位长[两个字节],见 UCS2）

6.8.2 什么是 Unicode

Unicode 是计算机可以支持这个星球上多种语言的秘密武器。在 Unicode 之前，用的都是 ASCII。ASCII 码非常简单，每个英文字符都是以 7 位二进制数的方式存贮在计算机内，其范围是 32～126。当用户在文件中键入一个大写字符 A 时，计算机会把 A 的 ASCII 码值 65 写入磁盘，然后当计算机读取该文件时，它会首先把 65 转化成字符 A 然后显示到屏幕上。

ASCII 编码的文件小巧易读。一个程序只需简单地把文件的每个字节读出来，把对应的数值转换成字符显示出来就可以了。但是 ASCII 字符只能表示 95 个可打印字符。后来的软件厂商把 ASCII 码扩展到了 8 位，这样一来它就可以多标识 128 个字符，可是 223 个字符对需要成千上万的字符的非欧洲语系的语言来说仍然太少。

Unicode 通过使用一个或多个字节来表示一个字符的方法突破了 ASCII 的限制。在这样机制下，Unicode 可以表示超过 90 000 个字符。

6.8.3 怎样使用 Unicode

早先，Python 只能处理 8 位的 ASCII 值，字符串就是简单的数据类型，为了处理一个字符串，用户必须首先创建一个字符串，然后把它作为参数传给 string 模块的一个函数来处理。2000 年，Python 1.6（和 2.0）版释出，Unicode 第一次在 Python 里面得到了支持。

为了让 Unicode 和 ASCII 码值的字符串看起来尽可能相像，Python 的字符串从原来的简单数据类型改成了真正的对象。ASCII 字符串成了 StringType，而 Unicode 字符串成了 UnicodeType 类型。它们的行为是非常相近的。string 模块里面都有相应的处理函数。string 模块已经停止了更新，只保留了 ASCII 码的支持，string 模块已经不推荐使用，在任何需要跟 Unicode 兼容的代码里都不要再用该模块，Python 保留该模块仅仅是为了向后兼容。

Python 里面处理 Unicode 字符串跟处理 ASCII 字符串没什么两样。Python 把硬编码的字符串叫做字面上的字符串，默认所有字面上的字符串都用 ASCII 编码，可以通过在字符串前面加一个'u'前缀的方式声明 Unicode 字符串，这个'u'前缀告诉 Python 后面的字符串要编码成 Unicode 字符串。

```
>>> "Hello World"     # ASCII string
>>> u"Hello World"    # Unicode string
```

内建的 str()函数和 chr()函数并没有升级成可以处理 Unicode。它们只能处理常规的 ASCII 编码字符串，如果一个 Unicode 字符串被作为参数传给了 str()函数，它会首先被转换成 ASCII 字符串然后在交给 str()函数。如果该 Unicode 字符串中包含任何不被 ASCII 字符串支持的字符，会导致 str()函数报异常。同样地，chr()函数只能以 0～255 作为参数工作。如果你传给它一个超出此范围的值（比如说一个 Unicode 字符）,它会报异常。

新的内建函数 unicode()和 unichar()可以看成 Unicode 版本的 str()和 chr()。Unicode()函数可以把任何 Python 的数据类型转换成一个 Unicode 字符串，如果是对象，并且该对象定义了__unicode__()方法，它还可以把该对象转换成相应的 Unicode 字符串。具体内容见 6.1.3 和 6.5.3 节。

6.8.4 Codec 是什么

codec 是 COder/DECoder 的首字母组合。它定义了文本跟二进制值的转换方式，跟 ASCII 那种用一个字节把字符转换成数字的方式不同，Unicode 用的是多字节。这导致了 Unicode 支持多种不同的编码方式。比如说 codec 支持的 4 种耳熟能详的编码方式：ASCII、ISO 8859-1/Latin-1、UTF-8 和 UTF-16。

其中最著名的是 UTF-8 编码，它也用一个字节来编码 ASCII 字符，这让那些必须同时处理 ASCII 码和 Unicode 码文本的程序员的工作变得非常轻松，因为 ASCII 字符的 UTF-8 编码跟 ASCII 编码完全相同。

UTF-8 编码可以用 1～4 个字节来表示其他语言的字符，CJK/East 这样的东亚文字一般都是用 3 个字节来表示，那些少用的、特殊的或者历史遗留的字符用 4 个字节来表示。这给那些需要直接处理 Unicode 数据的程序员带来了麻烦，因为他们没有办法按照固定长度逐一读出各个字符。幸运的是我们不需要掌握直接读写 Unicode 数据的方法，Python 已经替我们完成了相关细节，我们无须为处理多字节字符的复杂问题而担心。Python 里面的其他编码不是很常用，事实上，我们认为大部分的 Python 程序员根本就用不着去处理其他的编码，UTF-16 可能是个例外。

UTF-16 可能是以后大行其道的一种编码格式，它容易读写，因为它把所有的字符都是用单独的一个 16 位字，两个字节来存储的，正因为此，这两个字节的顺序需要定义一下，一般的 UTF-16 编码文件都需要一个 BOM（位顺序标记，Byte Order Mark），或者你显式地定义 UTF-16-LE（小端）或者 UTF-16-BE（大端）字节序。

从技术上讲，UTF-16 也是一种变长编码，但它不是很常用（人们一般不会知道或者根本不在意除了基本多文种平面 BMP 之外到底使用的是那种平面），尽管如此，UTF-16 并不向后兼容 ASCII，因此，实现它的程序很少，因为大家需要对 ASCII 进行支持。

6.8.5 编码解码

Unicode 支持多种编码格式，这为程序员带来了额外的负担，每当你向一个文件写入字符串的时候，你必须定义一个编码（encoding 参数）用于把对应的 Unicode 内容转换成你定义的格式，Python 通过 Unicode 字符串的 encode()函数解决了这个问题，该函数接受字符串中的字符为参数，输出你指定的编码格式的内容。

所以，每次我们写一个 Unicode 字符串到磁盘上我们都要用指定的编码器给他“编码”一下。相应地，当我们从这个文件读取数据时，我们必须“解码”该文件，使之成为相应的 Unicode 字符串对象。

1．简单的例子

下面的代码创建了一个 Unicode 字符串，用 UTF-8 编码器将它编码，然后写入到一个文件中去。接着把数据从文件中读回来，解码成 Unicode 字符串对象。最后，打印出 Unicode 字符串，用以确认程序正确地运行。

2．逐行解释

第 1～7 行

像通常一样，首先定义了 doc 字符串和用以表示解码器的常量，还有用以存储字符串的文件名。

第 9～19 行

我们创建了一个 Unicode 字符串，用我们指定的编码格式对其进行编码，然后把它写入到文件中去，（9-13 行），接着我们把内容从文件中重新读出来。解码，显示到屏幕上，输出的时候去掉 print 的自动换行，因为我们已经在字符串中写了一个换行符（15～19 行）。

例 6.2 简单 Unicode 字符串例子（uniFile.py）

这个简单的例子中，我们把一个 Unicode 字符串写入到磁盘文件，然后再把它读出并显示出来。写入的时候用 UTF-8 编码，读出也一样，用 UTF-8。

```
1   #!/usr/bin/env python
2   '''
3   An example of reading and writing Unicode strings:Writes
4   a Unicode string to a file in utf-8 and reads it back in.
5   '''
6   CODEC='utf-8'
7   FILE='unicode.txt'
8
9    hello_out = u"Hello world\n"
10   bytes_out = hello_out.encode(CODEC)
11   f =open(FILE, "w")
12   f.write(bytes_out)
13   f.close()
14
15   f =open(FILE, "r")
16   bytes_in = f.read()
17   f.close()
18   hello_in = bytes_in.decode(CODEC)
19   print hello_in,
```

运行该程序，我们得到如下的输出。

```
$ unicode_example.py
Hello World
```

在文件系统中也会发现一个叫 unicode.txt 的文件，里面包含跟输出的内容一致的数据。

```
$ cat unicode.txt
Hello World!
```

3．简单 Web 例子

在第 20 章 Web 编程里面我们展示了一个简单的在 CGI 应用中使用 Unicode 的例子。

6.8.6 把 Unicode 应用到实际应用中

这些处理 Unicode 字符串的例子简单到让人感到有点假，事实上，只要你遵守以下的规则，处理 Unicode 就是这么简单。

- 程序中出现字符串时一定要加个前缀 u。
- 不要用 str()函数，用 unicode()代替。
- 不要用过时的 string 模块——如果传给它的是非 ASCII 字符，它会把一切搞砸。
- 不到必须时不要在你的程序里面编解码 Unicod 字符。只在你要写入文件或数据库或者网络时，才调用 encode()函数；相应地，只在你需要把数据读回来的时候才调用 decode()函数。

这些规则可以规避 90%由于 Unicode 字符串处理引起的 bug。现在的问题是剩下的 10%的问题却让你处理不了，幸亏 Python 提供了大量的模块、库来替你处理这些问题。它们可以让你用 10 行 Python 语句写出其他语言需要 100 行语句才能完成的功能，但是相应地，对 Unicode 支持的质量也完全取决于这些模块、库。

Python 标准库里面的绝大部分模块都是兼容 Unicode 的，除了 pickle 模块！pickle 模块只支持 ASCII 字符串。如果你把一个 Unicode 字符串交给 pickle 模块来 unpickle，它会报异常。你必须先把你的字符串转换成 ASCII 字符串才可以。所以最好是避免基于文本的 pickle 操作。幸运地是现在二进制格式已经作为 pickle 的默认格式了，pickle 的二进制格式支持不错。这点在你向数据库里面存东西是尤为突出，把它们作为 BLOB 字段存储而不是作为 TEXT 或者 VARCHAR 字段存储要好很多。万一有人把你的字段改成了 Unicode 类型，这可以避免 pickle 的崩溃。

如果你的程序里面用到了很多第三方模块，那么你很可能在各个模块统一使用 Unicode 通讯方面遇到麻烦，Unicode 还没成为一项必须的规定，在你系统里面的第三方模块（包括你的应用要面对的平台\系统）需要用相同的 Unicode 编码，否则，可能你就不能正确的读写数据。

作为一个例子，假设你正在构建一个用数据库来读写 Unicode 数据的 Web 应用。为了支持 Unicode，你必须确保以下方面对 Unicode 的支持。

- 数据库服务器（MySQL、PostgreSQL、SQL Server 等）
- 数据库适配器（MySQLdb 等）
- Web 开发框架（mod_python、cgi,Zope、Plane、Django 等）

数据库方面最容易对付，你只要确保每张表都用 UTF-8 编码就可以了。

数据库适配器可能有点麻烦，有些适配器支持 Unicode 而有些不支持。比如说 MySQLdb，它并不是默认就支持 Unicode 模式，你必须在 connect()方法里面用一个特殊的关键字 use_unicode 来确保你得到的查询结果是 Unicode 字符串。mod_python 里面开启对 Unicode 的支持相当简单，只要在 request 对象里面把 text-encoding 一项设成"utf-8"就行了，剩下的 mod_python 都会替你完成，Zope 等其他复杂的系统可能需要更多的工作来支持 Unicode。

6.8.7 从现实中得来的教训

失误#1：你必须在一个极有限的时间内写出一个大型的应用，而且需要其他语言的支持，但是产品经理并没有明确定义这一点。你并没有考虑 Unicode 的兼容，直到项目快要结束……这时候再添加 Unicode 的支持几乎不太可能，不是吗？

结果#1：没能预测到最终用户对其他语言界面的需求，在集成他们用的面向其他语种的应用时又没有使用 Unicode 支持。更新整个系统既让人觉得枯燥，又浪费时间。

失误#2：在源码中到处使用 string 模块或者 str()和 chr()函数。

结果#2：通过全局的查找替换把 str()和 chr()替换成 unicode()和 unichr()，但是这样一来很可能就不能再用 pickle 模块，要用的话只能把所有要 pickle 处理的数据存成二进制形式，这样一来就必须修改数据库的结构，而修改数据库结构就意味着全部推倒重来。

失误#3：不能确定所有的辅助系统都完全地支持 Unicode。

结果#3：不得不去为那些系统打补丁，而其中有些系统可能你根本就没有源码。修复对 Unicode 支持的 bug 可能会降低代码的可靠性，而且非常有可能引入新的 bug。

总结：使应用程序完全支持 Unicode，兼容其他的语言本身就是一个工程。

它需要详细的考虑、计划。所有涉及的软件、系统都需要检查，包括 Python 的标准库和其他将要用到的第三方扩展模块。你甚至有可能需要组建一个经验丰富的团队来专门负责国际化（I18N）问题。

6.8.8 Python 的 Unicode 支持

1．内建的 unicode()函数

Unicode 的工厂方法，同 Unicode 字符串操作符（u / U）的工作方式很类似，它接受一个 string 做参数，返回一个 Unicode 字符串。

2．内建的 decode()/encode()方法

decode()和 encode()内建函数接受一个字符串做参数返回该字符串对应的解码后/编码后的字符串。decode()和 encode()都可以应用于常规字符串和 Unicode 字符串。decode()方法是在 Python2.2 以后加入的。

3．Unicode 类型

Unicode 字符串对象是 basestring 的子类、用 Unicode()工厂方法或直接在字符串前面加一个 u 或者 U 来创建实例。支持 Unicode 原始字符串，只要在你的字符串前面加一个 ur 或者 UR 就可以了。

4．Unicode 序数

标准内建函数 ord()工作方式相同，最近已经升级到可以支持 Unicode 对象了。内建的 unichr()函数返回一个对应的 Unicode 字符（需要一个 32 位的值）；否则就产生一个 ValueError 异常。

5．强制类型转换

混合类型字符串操作需要把普通字符串转换成 Unicode 对象。

6．异常

UnicodeError 异常是在 exceptions 模块中定义的，ValueError 的子类。所有关于 Unicode 编解码的异常都要继承自 UnicodeError。详见 encode()函数。

7．标准编码

表 6.9 简洁地列出了 Python 中常用的编码方式。更详细、完全的列表见 Python 文档，下面是它的链接。

```
http://docs.python.org/lib/standard-encodings.html
```

8．RE 引擎对 Unicode 的支持

正则表达式引擎需要 Unicode 支持。详见 6.9 节的 re 模块。

表 6.9 常用 Unicode 编辑码

编　码	描　述
utf-8	变量长度为 8 的编码（默认编码）
utf-16	变量长度为 16 的编码（大/小端）
utf-16-le	小端 UTF-16 编码
utf-16-be	大端 UTF-16 编码
ascii7	7 位 ASCII 码表
iso-8859-1	ISO 8859-1（Latin-1） 码表
unicode-escape	（定义见 Python Unicode 构造器）
raw-unicode-escape	（定义见 Python Unicode 构造器）
native	Python 用的内部格式

9．字符串格式化操作符

对于 Python 的格式化字符串的操作符，%s 把 Python 字符串中的 Unicode 对象执行了 str(u)操作，所以，输出的应该是 u.encode（默认编码）。如果格式化字符串是 Unicode 对象，所有的参数都将首先强制转换成 Unicode 然后根据对应的格式串一起进行格式转换。数字首先被转换成普通字符串，然后在转换成 Unicode。Python 字符串通过默认编码格式转化成 Unicode。Unicode 对象不变，所有其他格式字符串都需要像上面这样转化，下面是例子。

```
u"%s %s" % (u"abc", "abc")  ⇒ u"abc abc"
```

6.9 相关模块

表 6.10 列出了 Python 标准库里面与字符串有关的主要模块。

表 6.10 与字符串类型有关的模块

模 块	描 述
string	字符串操作相关函数和工具，比如 Template 类
re	正则表达式：强大的字符串模式匹配模块
struct	字符串和二进制之间的转换
c/StringIO	字符串缓冲对象，操作方法类似于 file 对象
base64	Base 16、32 和 64 数据编解码
codecs	解码器注册和基类
crypt	进行单方面加密
difflib[a]	找出序列间的不同
hashlib[b]	多种不同安全哈希算法和信息摘要算法的 API
hma[c]	HMAC 信息鉴权算法的 Python 实现
md5[d]	RSA 的 MD5 信息摘要鉴权
rotor	提供多平台的加解密服务
sha[d]	NIAT 的安全哈希算法 SHA
stringprep[e]	提供用于 IP 协议的 Unicode 字符串
textwrap[e]	文本包装和填充
unicodedata	Unicode 数据库

a. Python2.1 新加。
b. Python2.5 新加。
c. Python2.2 新加。
d. Python2.5 的 hashlib 中废除。
e. Python2.3 新加。

核心模块：re

正则表达式（RE）提供了高级的字符串模式匹配方案。通过描述这些模式的语法，你可以像使用“过滤器”一样高效地查找传进来的文本。这些过滤器允许你基于自定义的模式字符串抽取匹配模式、执行查找-替换或分割字符串。

Python 1.5 中加入的 re 模块代替了早期的 regex 和 regsub 模块，全面采用了 Perl 正则表达式语法，使得 Python 在对正则表达式的支持方面前进了一大步。Python 1.6 里面重写了正则表达式引擎（SRE），增加了对 Unicode 字符串的支持并对性能进行了重大的升级。SRE 引擎取代了原有正则表达式的模块下的 PCRE 引擎。

该模块中包含的关键函数有:compile() - 将一个 RE 表达式编译成一个可重用的 RE 对象；match() - 试图从字符串的开始匹配一个模式；search() - 找出字符串中所有匹配的项；sub() - 进行查找替换操作。其中的一些函数返回匹配到的对象，你可以通过组匹配来访问（如果找到的话）。15 章整章的内容都是讲述正则表达式的。

6.10　字符串关键点总结

1．一些引号分隔的字符

你可以把字符串看成是 Python 的一种数据类型，在 Python 单引号或者双引号之间的字符数组或者是连续的字符集合。在 Python 中最常用两个引号是单引号（'）和双引号（"）。字符串的实际内容是这些单引号（'）或者双引号（"）之间的字符，不包括引号本身。

可以用两种引号来创建字符串是很有益处的，因为是当你的字符串中包含单引号时，如果用单引号创建字符串，那么字符串中的双引号就不需要转义。反之亦然。

2．不可分字符类型

字符串是唯一的字面上的字符序列类型。不过，字符本身并不是一种类型，所以，字符串是字符存储操作的最基本单位。字符应该视为长度为 1 的字符串。

3．字符串格式化操作符（%）提供类似 printf()的功能

字符串格式化操作符(见 6.4.1 节)提供了一种基于多种输入类型的创建自定义字符串的灵活方式.它也提供了类似于 C/C++世界里的格式化操作的接口。

4．三引号

在 6.7.2 节里面，我们介绍了三引号，在三引号字符串中可以包含诸如换行回车或者 tab 键这样的特殊字符。三引号字符串是用两边各三个单引号（'''）或者两边各三个双引号（"""）来定义的。

5．原始字符串对每个特殊字符串都使用它的原意

第 6.4.2 节中，我们讲述了原始字符串，并且讨论了它们并不通过反斜线转义特殊字符的特性。这个特性使得原始字符串非常适用于那些需要字符串原意的场合，比如在定义一个正则表达式时。

6．Python 字符串不是通过 NUL 或者'\0'来结束的

C 编程的一个主要问题是你访问了一个字符串后面的本不属于你的空间，这种情况发生在你没有在字符串末尾添加终结符、NUL 或者'\0'（ASCII 值为 0）的时候。Python 不仅为你自动管理内存，而且也把 C 的这个负担或者说是小麻烦去掉了。Python 中的字符串不是以 NUL 结束的，所以你不需要为是否已经添加终结符担心。字符串中只包含你所定义的东西，没有别的。

6.11　列表

像字符串类型一样，列表类型也是序列式的数据类型，可以通过下标或者切片操作来访问某一个或者某一块连续的元素。然而，相同的方面也就这些，字符串只能由字符组成，而且是不可变的（不能单独改变它的某个值），而列表则是能保留任意数目的 Python 对象的灵活的容器。就像我们将要看到的例子中所示，创建列表非常简单，向列表中添加元素也是如此。

列表不仅可以包含 Python 的标准类型，而且可以用用户定义的对象作为自己的元素。列表可以包含不同类型的对象，而且要比 C 或者 Python 自己的数组类型（包含在 array 扩展包中）都要灵活，因为数组类型所有的元素只能是一种类型。列表可以执行 pop,empt、sort、reverse 等操作。列表也可以添加或者减少元素，还可以跟其他的列表结合或者把一个列表分成几个。可以对单独一个元素或者多个元素执行 insert、update 或 remove 操作。

元组类型在很多操作上都跟列表一样，许多用在列表上的例子在元组上照样能跑，我们有一节内容专门讲解元组类型。它们的主要不同在于元组是不可变的，或者说是只读的，所以那些用于更新列表的操作，比如用切片操作来更新一部分元素的操作，就不能用于元组类型。

1．如何创建列表类型数据并给它赋值

创建一个列表就像给一个变量赋值一样的简单。你手工写一个列表（空的或者有值的都行）然后赋值给一个变量，列表是由方括号（[]）来定义的，当然，你也可以用工厂方法来创建它。

```
>>> aList = [123, 'abc', 4.56, ['inner', 'list'], 7-9j]
>>> anotherList = [None, 'something to see here']
>>> print aList
[123, 'abc', 4.56, ['inner', 'list'], (7-9j)]
>>> print anotherList
[None, 'something to see here']
>>> aListThatStartedEmpty = []
>>> print aListThatStartedEmpty
[]
>>> list('foo')
['f', 'o', 'o']
```

2．如何访问列表中的值

列表的切片操作就像字符串中一样；切片操作符（[]）和索引值或索引值范围一起使用。

```
>>> aList[0]
123
>>> aList[1:4]
['abc', 4.56, ['inner', 'list']]
>>> aList[:3]
[123, 'abc', 4.56]
>>> aList[3][1]
'list'
```

3．如何更新列表

你可以通过在等号的左边指定一个索引或者索引范围的方式来更新一个或几个元素，也可以用append()方法来追加元素到列表中去。

```
>>> aList
[123, 'abc', 4.56, ['inner', 'list'], (7-9j)]
>>> aList[2]
4.56
>>> aList[2] = 'float replacer'
>>> aList
[123, 'abc', 'float replacer', ['inner', 'list'], (7-9j)]
>>>
>>> anotherList.append("hi, i'm new here")
>>> print anotherList
[None, 'something to see here', "hi, i'm new here"]
>>> aListThatStartedEmpty.append('not empty anymore')
>>> print aListThatStartedEmpty
['not empty anymore']
```

4．如何删除列表中的元素或者列表（本身）

要删除列表中的元素，如果你确切的知道要删除元素的索引可以用del语句，否则可以用remove()方法。

```
>>> aList
[123, 'abc', 'float replacer', ['inner', 'list'], (7-9j)]
>>> del aList[1]
>>> aList
[123, 'float replacer', ['inner', 'list'], (7-9j)]
>>> aList.remove(123)
>>> aList
['float replacer', ['inner', 'list'], (7-9j)]
```

你还可以通过pop()方法来删除并从列表中返回一个特定对象。

一般来说，程序员不需要去删除一个列表对象。列表对象出了作用域（比如程序结束，函数调用完成等等）后它会自动被析构，但是如果你想明确的删除一整个列表，你可以用del语句：

```
del aList
```

6.12 操作符

6.12.1 标准类型操作符

在第4章里，我们介绍了一些适用于包括标准类型在内的大部分对象的操作符，现在我们来看一下这些操作符如何作用在列表上。

```
>>> list1 = ['abc', 123]
>>> list2 = ['xyz', 789]
>>> list3 = ['abc', 123]
>>> list1 < list2
True
>>> list2 < list3
False
>>> list2 > list3 and list1 == list3
True
```

在使用比较操作符时，比较数字和字符串是很明了的，但是用在列表上时就不是那么简单了。列表比较操作有些狡猾，但是合乎逻辑。比较列表时也是用的内建的cmp()函数，基本的比较逻辑是这样的：两个列表的元素分别比较，直到有一方的元素胜出，比如我们上面的例子，'abc'和'xyz'的比较直接决定了比较结果，在'abc'<'xyz'时，list1<list2,list2>=list3，元组类型在进行比较操作时跟列表遵循相同的逻辑。

6.12.2 序列类型操作符

1．切片（[] 和[:]）

列表的切片操作跟字符串的切片操作很像，不过列表的切片操作返回的是一个对象或者是几个对象的集合，而不是像字符串那样，返回一个字符或者一个子串。我们定义以下几个列表用来做例子。

```
>>> num_list = [43, -1.23, -2, 6.19e5]
>>> str_list = ['jack', 'jumped', 'over', 'candlestick']
>>> mixup_list = [4.0, [1, 'x'], 'beef', -1.9+6j]
```

列表的切片操作也遵从正负索引规则，也有开始索引值，结束索引值，如果这两个值为空，默认也会分别指到序列的开始和结束位置。

```
>>> num_list[1]
-1.23
>>>
>>> num_list[1:]
[-1.23, -2, 619000.0]
>>>
>>> num_list[2:-1]
[-2]
>>>
>>> str_list[2]
'over'
>>> str_list[:2]
['jack', 'jumped']
>>>
>>> mixup_list
[4.0, [1, 'x'], 'beef', (-1.9+6j)]
>>> mixup_list[1]
[1, 'x']
```

跟字符串类型只能用字符为元素不同，列表类型的元素可以是另一个序列类型，这就意味着你在列表的元素上也可以使用所有的序列操作符或者在其上执行序列类型内建的各种操作。在下面的例子中，我们将会展示，不仅可以在一个切片操作的结果之上再进行切片，而且还可以改变这个切片的结果，即使新对象的类型跟原对象不同也可以。你会注意到，这跟多维数组有一些类似。

```
>>> mixup_list[1][1]
'x'
>>> mixup_list[1][1] = -64.875
>>> mixup_list
[4.0, [1, -64.875], 'beef', (-1.9+6j)]
```

这时用 num_list 来做的另一个例子：

```
>>> num_list
[43, -1.23, -2, 6.19e5]
>>>
>>> num_list[2:4] = [16.0, -49]
>>>
>>> num_list
[43, -1.23, 16.0, -49]
>>>
>>> num_list[0] = [65535L, 2e30, 76.45-1.3j]
>>>
>>> num_list
[[65535L, 2e+30, (76.45-1.3j)], -1.23, 16.0, -49]
```

注意在最后一个例子中，我们是如何把列表的单一元素替换成一个列表。在列表中进行诸如 remove、add 和 replace 的操作是多么的自由了吧！还有一点要注意，如果你想以子列表的形式得到一个列表中的一个切片，那需要确保在赋值时等号的左边也是一个列表而不是一个列表的元素。

2．成员关系操作（ in ,not in）

列表中（同样适用于元组），我们可以检查一个对象是否是一个列表（或者元组）的成员。

```
>>> mixup_list
[4.0, [1, 'x'], 'beef', (-1.9+6j)]
>>>
>>> 'beef' in mixup_list
True
>>>
>>> 'x' in mixup_list
False
>>>
>>> 'x' in mixup_list[1]
True
>>> num_list
[[65535L, 2e+030, (76.45-1.3j)], -1.23, 16.0, -49]
>>>
>>> -49 in num_list
True
>>>
>>> 34 in num_list
False
>>>
>>> [65535L, 2e+030, (76.45-1.3j)] in num_list
True
```

注意，'x'并不属于 mixup_list，因为'x'本身并不是 mixup_list 的一个成员，而是 mixup_list[1]的，mixup_list[1]也是一个列表类型。成员关系操作运算同样适用于元组类型。

3．连接操作符（+）

连接操作符允许我们把多个列表对象合并在一起。注意，列表类型的连接操作也只能在同类型之间进行，换句话说，你不能把两个不同类型的对象连接在一起，即便他们都是序列类型也不行。

```
>>> num_list = [43, -1.23, -2, 6.19e5]
>>> str_list = ['jack', 'jumped', 'over', 'candlestick']
>>> mixup_list = [4.0, [1, 'x'], 'beef', -1.9+6j]
>>>
>>> num_list + mixup_list
[43, -1.23, -2, 619000.0, 4.0, [1, 'x'], 'beef', (-1.9+6j)]
>>>
>>> str_list + num_list
['jack', 'jumped', 'over', 'candlestick', 43, -1.23, -2, 619000.0]
```

在 6.23 节里面我们会讲到，从 Python 1.5.2 起，我们可以用 extend()方法来代替连接操作符把一个列表的内容添加到另一个中去。使用 extend()方法比连接操作的一个优点是它实际上是把新列表添加到了原有的列表里面，而不是像连接操作那样新建一个列表。list.extend()方法也被用来做复合赋值运算，也就是 Python 2.0 中添加的替换连接操作（+=）。

必须指出，连接操作符并不能实现向列表中添加新元素的操作。在接下来的例子中，我们展示了一个试图用连接操作向列表中添加新元素而报错的例子。

```
>>> num_list + 'new item'
Traceback (innermost last):
   File "<stdin>", line 1, in ?
TypeError: illegal argument type for built-in operation
```

这个例子之所以是错误的，是因为我们在连接操作符的左右两边使用了不同类型的值，列表类型+字符串类型这样的操作是非法的。显然，我们的初衷是把一个字符串作为一个新元素添加到列表中去，不过我们的方法不正确。幸运的是，我们有一个正确的方法：

使用内建函数 append()（我们会在 6.13 节里面正式地介绍 append()和其他内建函数）。

```
>>> num_list.append('new item')
```

4．重复操作符（*）

重复操作符可能更多地应用在字符串类型中，不过，列表和元组跟字符串同属序列类型，所以需要的时候也可以使用这一操作。

```
>>> num_list * 2
[43, -1.23, -2, 619000.0, 43, -1.23, -2, 619000.0]
>>>
>>> num_list * 3
[43, -1.23, -2, 619000.0, 43, -1.23, -2, 619000.0, 43,
-1.23, -2, 619000.0]
```

Python 2.0 起,也开始支持复合赋值运算。

```
>>> hr = '-'
>>> hr *= 30
>>> hr
'------------------------------'
```

6.12.3 列表类型操作符和列表解析

其实 Python 中没有专门用于列表类型的操作符。列表可以使用大部分的对象和序列类型的操作符。此外，列表类型有属于自己的方法。列表才有的构建——列表解析。这种方法是结合了列表的方括弧和 for 循环，在逻辑上描述要创建的列表的内容。我们在第八章讨论列表解析，这里仅仅向本章其他地方所做的那样，展示一个简单的例子：

```
>>> [ i * 2 for i in [8, -2, 5] ]
[16, -4, 10]
>>> [ i for i in range(8) if i % 2 == 0 ]
[0, 2, 4, 6]
```

6.13 内建函数

6.13.1 标准类型函数

cmp()

在 4.6.1 节里，我们通过比较数字和字符串介绍了内建 cmp()函数。但我们还不知道 cmp()函数是如何跟其他的比如列表和元组类型合作的，这些类型不仅含有数字和字符串，而且还有列表、元组、字典之类的其他对象，甚至可以是用户自定义的对象。这种情况下 cmp()函数是如何工作的呢？

```
>>> list1, list2 = [123, 'xyz'], [456, 'abc']
>>> cmp(list1, list2)
-1
>>>
>>> cmp(list2, list1)
1
>>> list3 = list2 + [789]
>>> list3
[456, 'abc', 789]
>>>
>>> cmp(list2, list3)
-1
```

如果我们比较的是两个同类的对象，比较操作是非常直观的。比如数字和字符串，直接比较它们的值就行了。对于序列类型，比较操作稍微有点复杂了，但是方式上有相似Python在两个对象基本不能比较的时候尽量做出公平的结果，比如当两个对象没有关系时或者两种类型根本就没有用于比较的函数，这时Python只能根据“逻辑”来做出结论。

除了这种极端的情况之外，安全而又健全的比较方法是，如果有不相等的情况出现，比较操作就结束。这种算法是如何工作的呢？像我们前面简短的提到过的，列表的元素是可以无限迭代的。如果它的元素都是相同类型，则用标准的比较方法来作比较。否则，如果要比较的元素类型不一致，就像我们前面提到过的那样，如果比较的对象不一致，那么要得到一个准确的或者说绝对的比较结果就有些冒险。

当我们比较list1和list2时，list1和list2进行逐项比较。第一个比较操作发生在两个列表的第一个元素之间，比如说，123跟456比较，因为123<456，所以list1被认为小于list2。

如果比较的值相等，那么两个序列的下一个值继续比较，直到不相等的情况出现，或者到达较短的一个序列的末尾。在这种情况下，长的序列被认为是“较大”的。这就是为什么上面的list2<list3的原因。元组类型比较也是用这种算法。最后我们以这种算法的关键点作为本节的结束。

1．对两个列表的元素进行比较。

2．如果比较的元素是同类型的，则比较其值，返回结果。

3．如果两个元素不是同一种类型，则检查它们是否是数字。

  a．如果是数字，执行必要的数字强制类型转换，然后比较。

  b．如果有一方的元素是数字，则另一方的元素“大”（数字是“最小的”）。

  c．否则，通过类型名字的字母顺序进行比较。

4．如果有一个列表首先到达末尾，则另一个长一点的列表“大”。

5．如果我们用尽了两个列表的元素而且所有元素都是相等的，那么结果就是个平局，就是说返回一个0。

6.13.2 序列类型函数

1．len()

对字符串来说len()返回字符串的长度，就是字符串包含的字符个数。对列表或者元组来说，它会像你想像的那样返回列表或者元组的元素个数，容器里面的每个对象被作为一个项来处理。我们下面的例子用了上面已经定义的列表。

```
>>> len(num_list)
4
>>>
>>> len(num_list*2)
8
```

2. max() 和 min()

max()和 min()函数在字符串操作里面用处不大，因为它们能对字符串做的只能是找出字符串中“最大”和“最小”的字符（按词典序），而对列表和元组来说，它们被定义了更多的用处。比如对只包含数字和字符串对象的列表，max()和 min()函数就非常有用，重申一遍，混合对象的结构越复杂返回的结构准确性就越差。然而，在有些情况下（虽然很少），这样的操作可以返回你需要的结果。我们展示了一些使用上面定义好的列表的例子。

```
>>> max(str_list)
'park'
>>> max(num_list)
[65535L, 2e+30, (76.45-1.3j)]
>>> min(str_list)
'candlestick'
>>> min(num_list)
-49
```

3. sorted() 和 reversed()

```
>>> s = ['They', 'stamp', 'them', 'when', "they're", 'small']
>>> for t in reversed(s):
...  print t,
...
small they're when them stamp They
>>> sorted(s)
['They', 'small', 'stamp', 'them', "they're", 'when']
```

初学者使用字符串，应该注意如何把单引号和双引号的使用矛盾和谐掉，同时还要注意字符串排序使用的是字典序，而不是字母序（字母'T'的 ASCII 码值要比字母'a'的还要靠前）

4. enumerate() 和 zip()

```
>>> albums = ['tales', 'robot', 'pyramid']
>>> for i, album in enumerate(albums):
...     print i, album
...
0 tales
1 robot
2 pyramid
>>>
>>> fn = ['ian', 'stuart', 'david']
>>> ln = ['bairnson', 'elliott', 'paton']
>>>
>>> for i, j in zip(fn, ln):
...     print ('%s %s' % (i,j)).title()
...
Ian Bairnson
Stuart Elliott
David Paton
```

5. sum()

```
>>> a = [6, 4, 5]
>>> reduce(operator.add, a)
15
>>> sum(a)
15

>>> sum(a, 5)
20
>>> a = [6., 4., 5.]
```

```
>>> sum(a)
15.0
```

6．list() 和 tuple()

list()函数和 tuple()函数接受可迭代对象（比如另一个序列）作为参数，并通过浅拷贝数据来创建一个新的列表或者元组。虽然字符串也是序列类型的，但是它们并不是经常用于 list()和 tuple()。更多的情况下，它们用于在两种类型之间进行转换，比如你需要把一个已有的元组转换成列表类型的（然后你就可以修改它的元素了），或者相反。

```
>>> aList = ['tao', 93, 99, 'time']
>>> aTuple = tuple(aList)
>>> aList, aTuple
(['tao', 93, 99, 'time'], ('tao', 93, 99, 'time'))
>>> aList == aTuple
False
>>> anotherList = list(aTuple)
>>> aList == anotherList
True
>>> aList is anotherList
False
>>> [id(x) for x in aList, aTuple, anotherList]
[10903800, 11794448, 11721544]
```

正如我们在本章的开头所讨论的，无论 list()还是 tuple()都不可能做完全的转换（见 6.1.2 节）。也就是说，你传给 tuple()的一个列表对象不可能变成一个元组，而你传给 list()的对象也不可能真正的变成一个列表。虽然前后两个对象（原来的和新的对象）有着相同的数据集合（所以相等==），但是变量指向的却不是同一个对象了（所以执行 is 操作会返回 false）。还要注意，即使它们的所有的值都相同，一个列表也不可能“等于”一个元组。

6.13.3 列表类型内建函数

如果你不考虑 range()函数的话，Python 中没有特定用于列表的内建函数。range()函数接受一个数值作为输入，输出一个符合标准的列表。第 8 章里面详细讨论了 range()函数。列表类型对象可以使用大多数的对象和序列的内建函数，并且，列表对象有属于它们自己的方法。

6.14 列表类型的内建函数

Python 中的列表类型有自己的方法。我们会在第 13 章面向对象编程里面正式而详细的介绍方法这一概念，现在你只需要把方法视为特定对象的函数或者过程就好。本节讨论的方法就像内建的函数一样，除了它们只对列表类型进行操作之外。因为这些函数涉及到对列表更改（或者说更新），所以它们都不适应于元组。

你可以重温一下我们前面讲到的用点号的方式访问对象的属性 object.attribute 列表的方法也是这样:list.method()。我们用点号来访问一个对象的属性（在这里是一个函数），然后用函数操作符(())来调用这个方法。

我们可以在一个列表对象上应用 dir()方法来得到它所有的方法和属性。

```
>>> dir(list)      # or dir([])
['__add__', '__class__', '__contains__', '__delattr__',
'__delitem__', '__delslice__', '__doc__', '__eq__',
'__ge__', '__getattribute__', '__getitem__',
'__getslice__', '__gt__', '__hash__', '__iadd__',
```

```
'__imul__', '__init__', '__iter__', '__le__', '__len__',
'__lt__', '__mul__', '__ne__', '__new__', '__reduce__',
'__reduce_ex__', '__repr__', '__reversed__', '__rmul__',
'__setattr__', '__setitem__', '__setslice__', '__str__',
'append', 'count', 'extend', 'index', 'insert', 'pop',
'remove', 'reverse', 'sort']
```

表 6.11 列出了目前列表类型支持的所有方法，稍后我们给出使用这些方法的例子。

表 6.11 列表类型内建函数

列表函数	作用
list.append(obj)	向列表中添加一个对象 obj
list.count(obj)	返回一个对象 obj 在列表中出现的次数
list.extend(seq)[a]	把序列 seq 的内容添加到列表中
list.index(obj, i=0, j=len(list))	返回 list[k] == obj 的 k 值，并且 k 的范围在 i<=k<j;否则引发 ValueError 异常
list.insert(index, obj)	在索引量为 index 的位置插入对象 obj
list.pop(index=-1)[a]	删除并返回指定位置的对象，默认是最后一个对象
list.remove(obj)	从列表中删除对象 obj
list.reverse()	原地翻转列表
list.sort(func=None, key=None,reverse= False)[b]	以指定的方式排序列表中的成员，如果 func 和 key 参数指定，则按照指定的方式比较各个元素，如果 reverse 标志被置为 True，则列表以反序排列

a. Python1.5.2 加入的特性。

b. key 和 reverse 特性在 Python2.4 中加入。

```
>>> music_media = [45]
>>> music_media
[45]
>>>
>>> music_media.insert(0, 'compact disc')
>>> music_media
['compact disc', 45]
>>>
>>> music_media.append('long playing record')
>>> music_media
['compact disc', 45, 'long playing record']
>>>
>>> music_media.insert(2, '8-track tape')
>>> music_media
['compact disc', 45, '8-track tape', 'long playing record']
```

在前面的例子中，我们用一个元素初始化了一个列表，然后当向列表插入元素，或在尾部追加新的元素后，都会去检查这个列表。现在确认一下一个值是否在我们的列表中，并看看如何找出元素在列表中的索引值。我们用 in 操作符和 index()方法实现这两个需求。

```
>>> 'cassette' in music_media
False
>>> 'compact disc' in music_media
True
```

```
>>> music_media.index(45)
1
>>> music_media.index('8-track tape')
2
>>> music_media.index('cassette')
Traceback (innermost last):
  File "<interactive input>", line 0, in ?
ValueError: list.index(x): x not in list
```

噢！最后一个例子怎么出错了？呃，看起来用 index()来检查一个元素是否存在于一个 list 中并不是个好主意，因为我们出错了。应该先用 in 成员关系操作符(或者是 not in)检查一下，然后在用 index()找到这个元素的位置。我们可以把最后几个对 index()调用放到一个单独的 for 循环里面，像这样：

```
for eachMediaType in (45, '8-track tape', 'cassette'):
    if eachMediaType in music_media:
        print music_media.index(eachMediaType)
```

这个方案避免了我们上面犯的错误，因为在确认一个元素属于该列表之前 index()方法是不会被调用的。稍后我们将会发现该如何处理这种错误，而不是这样的一出错，程序就崩溃了。

接下来我们测试 sort()和 reverse()方法，它们会把列表中的元素排序，然后翻转。

```
>>> music_media
['compact disc', 45, '8-track tape', 'long playing record']
>>> music_media.sort()
>>> music_media
[45, '8-track tape', 'compact disc', 'long playing record']
>>> music_media.reverse()
>>> music_media
['long playing record', 'compact disc', '8-track tape', 45]
```

核心笔记：那些可以改变对象值的可变对象的方法是没有返回值的

Python 初学者经常会陷入一个误区：调用一个方法就返回一个值。最明显的例子就是 sort()。

```
>>> music_media.sort()    # 输出哪去了？
>>>
```

在使用可变对象的方法如 sort()、extend()和 reverse()的时候要注意，这些操作会在列表中原地执行操作，也就是说现有的列表内容会被改变，但是没有返回值!是的，与之相反，字符串方法确实有返回值。

```
>>> 'leanna, silly girl!'.upper()
'LEANNA, SILLY GIRL!'
```

温习一下，字符串是不可变的 —— 不可变对象的方法是不能改变它们的值的，所以它们必须返回一个新的对象。如果你确实需要返回一个对象，那么我们建议你看一下 Python 2.4 以后加入的 reversed()和 sorted()内建函数。

它们像列表的方法一样工作，不同的是它们可以用做表达式，因为它们返回一个对象。同时原来的那个列表还是那个列表，没有改变，而你得到的是一个新的对象。

回到 sort()方法，它默认的排序算法是归并排序（或者说"timsort"）的衍生算法，时间复杂度是 O(lg(n!))。关于这个算法我们不做进一步的讲解，可以通过源码查看它们的详情——Objects/listobject.c，还有算法描述: Objects/listsort.txt。

extend()方法接受一个列表的内容然后把它的所有元素追加到另一个列表中去：

```
>>> new_media = ['24/96 digital audio disc', 'DVD Audio disc', 'Super Audio CD']
>>> music_media.extend(new_media)
>>> music_media
['long playing record', 'compact disc', '8-track tape',
45, '24/96 digital audio disc', 'DVD Audio disc', 'Super
Audio CD']
```

从 2.2 开始，extend()方法的参数支持任何可迭代对象。在 2.2 之前，它的参数必须是序列对象，而在 1.6 之前它的参数必须是列表对象。通过可迭代对象（而不是一个序列对象），你能做更多有趣的事情，比如：

```
>>> motd = []
>>> motd.append('MSG OF THE DAY')
>>> f = open('/etc/motd', 'r')
>>> motd.extend(f)
>>> f.close()
>>> motd
['MSG OF THE DAY', 'Welcome to Darwin!\n']
```

1.5.2 中加入的 pop()方法会从列表中把最后的或指定的元素返回调用者。我们会在 6.15.1 节和练习中看到 pop()方法。

6.15 列表的特殊特性

用列表构建其他数据结构

列表有容器和可变的特性，这使得它非常灵活，用它来构建其他的数据结构不是件难事。我们马上能想到的是堆栈和队列。

1. 堆栈

堆栈是一个后进先出（LIFO）的数据结构，其工作方式就像自助餐厅里面用于放盘子的弹簧支架。把盘子想像成对象，第一个离开堆栈的是你最后放上的那个。在栈上“push”元素是个常用术语，意思是把一个对象添加到堆栈中。反之，要删除一个元素，你可以把它“pop”出堆栈，例 6.3 展示了一个菜单驱动的程序，它实现了一个简单的、用于存储字符串的堆栈。

逐行解释

1 ~ 3 行

一开始是 Unix 的起始行，然后我们初始化堆栈（其实是个列表）。

例 6.3 用列表模拟堆栈（stack.py）

这个简单的脚本把列表作为堆栈用于存储和取回输入的字符串，这个菜单驱动的程序仅使用了列表的 append()和 pop()方法。

```
1   #!/usr/bin/env python
2
3   stack = []
4
```

```
5  def pushit():
6    stack.append(raw_input(' Enter New string: ').strip())
7
8  def popit ():
9    if len (stack)==0:
10      print 'Cannot pop from an empty stack!'
11   else:
12      print 'Removed [', `stack.pop()`, ']'
13
14 def viewstack():
15   print stack       # calls str() internally
16
17 CMDs = {'u': pushit, 'o': popit, 'v': viewstack}
18
19 def showmenu():
20    pr="""
21 p(U)sh
22 p(O)p
23 (V)iew
24 (Q)uit
25
26 Enter choice: """
27
28  while True:
29      while True:
30          try:
31              choice = raw_input(pr).strip()[0].lower()
32          except (EOFError,KeyboardInterrupt,IndexError):
33              choice = 'q'
34
35          print '\nYou picked: [%s]' % choice
36          if choice not in 'uovq':
37             print 'Invalid option, try again'
38         else:
39             break
40
41     if choice == 'q':
42         break
43     CMDs[choice]()
44
45 if __name__ == '__main__':
46   showmenu()
```

5～6行

pushit()函数添加一个元素（通过提示由用户输入）到堆栈中。

8～12行

popit()函数从堆栈中移除一个元素（最新的那个）。试图从一个空的堆栈中移除元素会引发一个错误。这种情况下，用户会得到一个警告提示。当一个元素从堆栈中pop出来时，用户可以看到到底是哪个元素被移除了。我们用反单引号（`）来代替repr()函数，把字符串的内容用引号括起来显示，而不是单单显示字符串的内容。

14 ~ 15 行

viewstack()方法显示堆栈现有的内容。

17 行

虽然我们下一章才会正式讲解字典类型，但是这里我们还是希望给你展示一个小例子，一个包含命令的矢量（CMD）。这个字典的内容是前面定义的三个“动作”函数，它们可以通过字母进行访问，用户必须输入这些字母来执行相应的命令。比如说，要进栈一个字符串，用户就必须输入'u'，那么字母'u'是如何从字典里面访问到pushit()函数的呢？在第43行执行了选择的函数。

19 ~ 43 行

整个菜单驱动的应用都是由showmenu()函数控制的。它首先向用户提供一个选单，如果用户输入了合法选项就调用相应的函数。我们还没有详细地涉及到异常的处理，try-except语句，但本节里面的代码允许用户输入^D（EOF，产生一个EOF错误）或者^C（中断退出，产生一个KeyboardInterrupt异常），这两种操作在我们的脚本里面都会得到处理，结果等同于用户输入'q'退出应用程序。这是对Python异常处理特性的一次应用，说明了Python的异常处理机制是多么方便。外循环用来执行用户输入的指令直到用户退出应用，内循环提示用户输入一个合法的命令项。

45 ~ 46 行

如果调用文件，这部分的代码就会启动程序。如果该脚本只是被作为一个模块导入，则仅仅是导入定义的函数和变量，而菜单也就不会显示。关于第45行和 __name__ 变量，请查阅第3.4.1节。

下面简单的执行了一下该脚本。

```
$ stack.py
p(U)sh
p(O)p
(V)iew
(Q)uit

Enter choice: u

You picked: [u]
Enter new string: Python

p(U)sh
p(O)p
(V)iew
(Q)uit

Enter choice: u

You picked: [u]
Enter new string: is

p(U)sh
p(O)p
(V)iew
(Q)uit

Enter choice: u

You picked: [u]
Enter new string: cool!

p(U)sh
p(O)p
(V)iew
(Q)uit

Enter choice: v

You picked: [v]
['Python', 'is', 'cool!']
```

```
p(U)sh
p(O)p
(V)iew
(Q)uit

Enter choice: o

You picked: [o]
Removed [ 'cool!' ]

p(U)sh
p(O)p
(V)iew
(Q)uit

Enter choice: o

You picked: [o]
Removed [ 'is' ]

p(U)sh
p(O)p
(V)iew
(Q)uit

Enter choice: o

You picked: [o]
Removed [ 'Python' ]

p(U)sh
p(O)p
(V)iew
(Q)uit

Enter choice: o

You picked: [o]
Cannot pop from an empty stack!

p(U)sh
p(O)p
(V)iew
(Q)uit

Enter choice: ^D

You picked: [q]
```

2．队列

队列是一种先进先出（FIFO）的数据类型，它的工作原理类似于超市中排队交钱或者银行里面的排队，队列里的第一个人首先接受服务（满心想第一个出去）。新的元素通过“入队”的方式添加进队列的末尾，“出队”就是从队列的头部删除。下面的例子里面展示了这种操作，我们把上面的堆栈的例子进行了改造，用列表实现了一个简单的队列。

例6.4 把列表用做队列（queue.py）

这个例子中，我们把列表用做队列来存储和取回菜单驱动应用里面输入的字符串，只用到了列表的append()和pop()方法。

```
1    #!/usr/bin/env python
2
3   queue = []
4
5  def  enQ():
```

```
6       queue.append(raw_input(' Enter New string: ').strip())
7
8   def deQ():
9       if len(queue)==0:
10          print 'Cannot pop from an empty queue!'
11      else:
12          print 'Removed [', 'queue.pop(0)', ']'
13
14  def viewQ():
15      print queue    # calls str() internally
16
17  CMDs = {'e': enQ, 'd': deQ, 'v': viewQ}
18
19  def showmenu():
20      pr="""
21  (E)nqueue
22  (D)equeue
23  (V)iew
24  (Q)uit
25
26  Enter choice: """
27
28      while True:
29          while True:
30              try:
31                  choice = raw_input(pr).strip()[0].lower()
32              except (EOFError,KeyboardInterrupt,IndexError):
33                  choice = 'q'
34
35              print '\nYou picked: [%s]' % choice
36              if choice not in 'devq':
37                  print 'Invalid option, try again'
38              else:
39                  break
40
41          if choice == 'q':
42              break
43          CMDs[choice]()
44
45  if __name__ == '__main__':
46      showmenu()
```

逐行解释

该脚本跟上面的stack.py非常相似，所以我们只讲解一下有显著不同的行。

1～7行

定义了几个后面脚本要用到的常量。

5～6行

enQ()方法跟pushit()方法非常相近，只不过名字改变了。

8～12行

两个脚本的主要差别就在于此，deQ()函数不像popit()函数那样把列表的最后一个元素弹出来，而是第一个元素。

17、21～24、36行

选项改变了，所以我们也需要重写原来的提示信息和输入检查。

还是在这里列举一些输出。

```
$ queue.py
(E)nqueue
(D)equeue
(V)iew
(Q)uit
Enter choice: e
You picked: [e]
Enter new queue element: Bring out
(E)nqueue
(D)equeue
(V)iew
(Q)uit
Enter choice: e
You picked: [e]
Enter new queue element: your dead!
(E)nqueue
(D)equeue
(V)iew
(Q)uit
Enter choice: v
You picked: [v]
['Bring out', 'your dead!']
(E)nqueue
(D)equeue
(V)iew
(Q)uit
Enter choice: d
You picked: [d]
Removed [ 'Bring out' ]
(E)nqueue
(D)equeue
(V)iew
(Q)uit
Enter choice: d
You picked: [d]
   Removed [ 'your dead!' ]
(E)nqueue
(D)equeue
(V)iew
(Q)uit
Enter choice: d
You picked: [d]
Cannot dequeue from empty queue!
(E)nqueue
(D)equeue
(V)iew
(Q)uit
Enter choice: ^D
You picked: [q]
```

6.16 元组

实际上元组是跟列表非常相近的另一种容器类型。元组和列表看起来不同的一点是元组用的是圆括号而列表用的是方括号。而功能上，元组和列表相比有一个很重要的区别，元组是一种不可变类型。正因为这个原因，元组能做一些列表不能做的事情……用做一个字典的 key。另外当处理一组对象时，这个组默认是元组类型。

通常情况下，我们会先介绍可用于大部分对象的操作符和内建函数，然后是介绍针对序列类型的，最后是总结一下仅适用于元组类型的操作符和内建函数。不过，由于元组类型跟列表类型有着如此多的共同之处，按照这种讲法我们会重复非常多的上一节的内容。为了避免太多重复信息，我们会讲解元组和列表在应用于每一组操作符和内建函数上时的区别，然后讨论一下元组的不变性和其他的特性。

1. 如何创建一个元组并给它赋值

创建一个元组并给他赋值实际上跟创建一个列表并给它赋值完全一样，除了一点，只有一个元素的元组需要在元组分割符里面加一个逗号（,）以防止跟普通的分组操作符混淆。不要忘了它是一个工厂方法！

```
>>> aTuple = (123, 'abc', 4.56, ['inner', 'tuple'], 7-9j)
>>> anotherTuple = (None, 'something to see here')
>>> print aTuple
(123, 'abc', 4.56, ['inner', 'tuple'], (7-9j))
>>> print anotherTuple
(None, 'something to see here')
>>> emptiestPossibleTuple = (None,)
>>> print emptiestPossibleTuple
(None,)
>>> tuple('bar')
('b', 'a', 'r')
```

2. 如何访问元组中的值

元组的切片操作跟列表一样，用方括号作为切片操符（[]），里面写上索引值或者索引范围。

```
>>> aTuple[1:4]
('abc', 4.56, ['inner', 'tuple'])
>>> aTuple[:3]
(123, 'abc', 4.56)
>>> aTuple[3][1]
'tuple'
```

3. 如何更新元组

跟数字和字符串一样，元组也是不可变类型，就是说你不能更新或者改变元组的元素。在 6.2 和 6.3.2 节里，我们是通过现有字符串的片段再构造一个新字符串的方式解决的，对元组同样需要这样。

```
>>> aTuple = aTuple[0], aTuple[1], aTuple[-1]
>>> aTuple
(123, 'abc', (7-9j))
>>> tup1 = (12, 34.56)
>>> tup2 = ('abc', 'xyz')
>>> tup3 = tup1 + tup2
```

```
>>> tup3
(12, 34.56, 'abc', 'xyz')
```

4．如何移除一个元组的元素以及元组（本身）

删除一个单独的元组元素是不可能的。当然，把不需要的元素丢弃后，重新组成一个元组是没有问题的。

要显示地删除一整个元组，只要用 del 语句减少对象引用计数。当这个引用计数达到 0 的时候，该对象就会被析构。记住，大多数时候，我们不需要显式的用 del 删除一个对象，一出它的作用域它就会被析构，Python 编程里面用到显式删除元组的情况非常之少。

```
del aTuple
```

6.17 元组操作符和内建函数

6.17.1 标准类型操作符、序列类型操作符和内建函数

元组的对象和序列类型操作符和内建函数跟列表的完全一样。你仍然可以对元组进行切片操作、合并操作，以及多次拷贝一个元组，还可以检查一个对象是否属于一个元组，进行元组之间的比较等。

1．创建、重复、连接操作

```
>>> t = (['xyz', 123], 23, -103.4)
>>> t
(['xyz', 123], 23, -103.4)
>>> t * 2
(['xyz', 123], 23, -103.4, ['xyz', 123], 23, -103.4)
>>> t = t + ('free', 'easy')
>>> t
(['xyz', 123], 23, -103.4, 'free', 'easy')
```

2．成员关系操作、切片操作

```
>>> 23 in t
True
>>> 123 in t
False
>>> t[0][1]
123
>>> t[1:]
(23, -103.4, 'free', 'easy')
```

3．内建函数

```
>>> str(t)
(['xyz', 123], 23, -103.4, 'free', 'easy')
>>> len(t)
5
>>> max(t)
'free'
>>> min(t)
-103.4
>>> cmp(t, (['xyz', 123], 23, -103.4, 'free', 'easy'))
0
```

```
>>> list(t)
[['xyz', 123], 23, -103.4, 'free', 'easy']
```

4．操作符

```
>>> (4, 2) < (3, 5)
False
>>> (2, 4) < (3, -1)
True
>>> (2, 4) == (3, -1)
False
>>> (2, 4) == (2, 4)
True
```

6.17.2 元组类型操作符和内建函数、内建方法

像列表一样，元组也没有它自己专用的操作符和内建函数。上一节中描述的列表方法都跟列表对象的可变性有关，比如说排序、替换、添加等，因为元组是不可变的，所以这些操作对元组来说就是多余的，这些方法没有被实现。

6.18 元组的特殊特性

6.18.1 不可变性给元组带来了什么影响

是的，我们在好多地方使用到了“不可变性”这个单词，除了这个词的计算机学科定义和实现，从应用的角度来考虑，这个词的底线是什么？一个数据类型成为不可变的到底意味着什么？

在 3 个标准不可变类型里面——数字、字符串和元组字符串——元组是受到影响最大的，一个数据类型是不可变的，简单来讲，就意味着一旦一个对象被定义了，它的值就不能再被更新，除非重新创建一个新的对象。对数字和字符串的影响不是很大，因为它们是标量类型，当它们代表的值改变时，这种结果是有意义的，是按照你所想要的方式进行访问的。而对于元组，事情就不是这样了。

因为元组是容器对象，很多时候你想改变的只是这个容器中的一个或者多个元素。不幸的是这是不可能的，切片操作符不能用作左值进行赋值。这和字符串没什么不同，切片操作只能用于只读的操作。

不可变并不是坏事，比如我们把数据传给一个不了解的 API 时，可以确保我们的数据不会被修改。同样地，如果我们操作从一个函数返回的元组，可以通过内建 list()函数把它转换成一个列表。

6.18.2 元组也不是那么“不可变”

虽然元组是被定义成不可变的，但这并不影响它的灵活性。元组并不像我们想的那么不可变，这是什么意思？其实元组几个特定的行为让它看起来并不像我们先前声称的那么不可变。

比如说，既然我们可以把字符串组合在一起形成一个大字符串。那么把元组组合在一起形成一个大的元组也没什么不对。所以，连接操作可用，这个操作一点都没有改变那些小元组。我们所作的是把它们的元素结合在一起。这里有几个例子。

```
>>> s = 'first'
>>> s = s + ' second'
>>> s
'first second'
>>>
>>> t = ('third', 'fourth')
```

```
>>> t
('third', 'fourth')
>>>
>>> t = t + ('fifth', 'sixth')
>>> t
('third', 'fourth', 'fifth', 'sixth')
```

同样的概念也适用于重复操作。重复操作只不过是多次复制同样的元素。再有，我们前面提到过可以用一个简单的函数调用把一个元组变成一个可变的列表。我们的最后一个特性可能会吓到你。你可以“修改”特定的元组元素，哇！这意味着什么？

虽然元组对象本身是不可变的，但这并不意味着元组包含的可变对象也不可变了。

```
>>> t = (['xyz', 123], 23, -103.4)
>>> t
(['xyz', 123], 23, -103.4)
>>> t[0][1]
123
>>> t[0][1] = ['abc', 'def']
>>> t
(['xyz', ['abc', 'def']], 23, -103.4)
```

在上面的例子中，虽然 t 是一个元组类型变量，但是我们设法通过替换它的第一个元素（一个列表对象）的项来“改变”了它。我们替换了 t[0][1]，原来是个整型，我们把它替换成了一个列表对象 ['abc','def']。虽然我们只是改变了一个可变对象，但在某种意义上讲，我们也“改变”了我们的元组类型变量。

6.18.3 默认集合类型

所有的多对象的、逗号分隔的、没有明确用符号定义的（比如用方括号表示列表和用圆括号表示元组），这些集合默认的类型都是元组。下面是一个简单的示例。

```
>>> 'abc', -4.24e93, 18+6.6j, 'xyz'
('abc', -4.24e+093, (18+6.6j), 'xyz')
>>>
>>> x, y = 1, 2
>>> x, y
(1, 2)
```

所有函数返回的多对象（不包括有符号封装的）都是元组类型。注意，有符号封装的多对象集合其实是返回的一个单一的容器对象，比如：

```
def foo1():
    :
    return obj1, obj2, obj3
def foo2():
    :
    return [obj1, obj2, obj3]
def foo3():
    :
    return (obj1, obj2, obj3)
```

上面的例子中，foo1()返回 3 个对象，默认的作为一个 3 元组类型；foo2()返回一个单一对象，一个包含 3 个对象的列表；foo3()返回一个跟 foo1()相同的对象。唯一不同的是这里的元组是显式定义的。

为了避免令人讨厌的副作用，建议总是显式地用圆括号表达式表示元组或者创建元组。

```
>>> 4, 2 < 3, 5  # int, comparison, int
(4, True, 5)
```

```
>>> (4, 2) < (3, 5) # tuple comparison
False
```

在第 1 个例子中小于号的优先级高于逗号，2<3 的结果成了元组变量的第 2 个元素，适当地封装元组就会得到希望得到的结果。

6.18.4 单元素元组

曾经试过创建一个只有一个元素的元组？你在列表上试过，它可以完成，但是无论你怎么在元组上试验，都不能得到想要的结果。

```
>>> ['abc']
['abc']
>>> type(['abc'])     # a list
<type 'list'>
>>>
>>> ('xyz')
'xyz'
>>> type(('xyz'))     # a string, not a tuple
<type 'str'>
```

或许你忘记了圆括号被重载了，它也被用作分组操作符。由圆括号包裹的一个单一元素首先被作为分组操作，而不是作为元组的分界符。一个变通的方法是在第一个元素后面添一个逗号（,）来表明这是一个元组而不是在做分组操作。

```
>>> ('xyz',)
('xyz',)
```

6.18.5 字典的关键字

不可变对象的值是不可改变的。这就意味着它们通过 hash 算法得到的值总是一个值。这是作为字典键值的一个必备条件。在下一章节里面我们会讨论到，键值必须是可“hash”的对象，元组变量符合这个标准，而列表变量就不行。

核心笔记：列表 VS. 元组

一个经常会被问到的问题是，“为什么我们要区分元组和列表变量？”这个问题也可以被表述为“我们真的需要两个相似的序列类型吗？”，一个原因是在有些情况下，使用其中的一种类型要优于使用另一种类型。

最好使用不可变类型变量的一个情况是，如果你在维护一些敏感的数据，并且需要把这些数据传递给一个并不了解的函数（或许是一个根本不是你写的 API），作为一个只负责一个软件某一部分的工程师，如果你确信你的数据不会被调用的函数篡改，你会觉得安全了许多。

一个需要可变类型参数的例子是，在管理动态数据集合时。你需要先把它们创建出来，逐渐地或者不定期地添加它们，或者有时还要移除一些单个的元素。这是一个必须使用可变类型对象的典型例子。幸运的是，通过内建的 list()和 tuple()转换函数，你可以非常轻松地在两者之间进行转换。

list()和 tuple()函数允许你用一个列表来创建一个元组，反之亦然。如果你有一个元组变量，但你需要一个列表变量，因为你要更新一下它的对象，这时 list()函数就是你最好的帮手。如果你有一个列表变量，并且想把它传递给一个函数，或许一个 API，而你又不想让任何人弄乱你的数据，这时 tuple()函数就非常有用。

6.19 相关模块

表6.12列出了与序列类型相关的关键模块，这个列表包含了前面我们间接提到的数组模块，它就像列表类型，不过它要求所有的元素都是同一类型。copy模块（可以参考下面的6.20节）负责处理对象的浅拷贝和深拷贝。

表6.12 与序列类型相关的模块

模 块	内 容
array	一种受限制的可变序列类型，要求所有的元素必须都是相同的类型
copy	提供浅拷贝和深拷贝的能力（详见6.20）
operator	包含函数调用形式的序列操作符，比如operator.concat(m,n)就相当于连接操作（m+n）
re	Perl风格的正则表达式查找（和匹配），见第15章
StringIO/	把长字符串作为文件来操作，比如read()、seek()函数等
cStringIO	把长字符串作为文件来操作，比如read()、seek()函数等，C版的更快一些，但是它不能被继承
textwrap[a]	用作包装/填充文本的函数，也有一个类
types	包含Python支持的所有类型
collections[b]	高性能容器数据类型

a. Python 2.3新加。

b. Python 2.4新加。

operator模块除了提供与数字操作符相同的功能外，还提供了与序列类型操作符相同的功能。types模块是代表python支持的全部类型的type对象的引用。最后，UserList模块包含了list对象的完全的类实现。因为Python类型不能作为子类，所以这个模块允许用户获得类似list的类，也可以派生出新的类或功能。如果你熟悉面向对象编程的话，我们强烈推荐你阅读第13章。

6.20 *拷贝Python对象、浅拷贝和深拷贝

在前面的3.5节里面我们讲过，对象赋值实际上是简单的对象引用。也就是说，当你创建一个对象，然后把它赋给另一个变量的时候，Python并没有拷贝这个对象，而是拷贝了这个对象的引用。

比如，假设你想创建一对小夫妻的通用档案，名为person。然后你分别为他俩拷贝一份。在下面的例子中，我们展示了两种拷贝对象的方式，一种使用了切片操作，另一种用了工厂方法，为了区分出3个不同的对象，我们使用id()内建函数来显示每个对象的标识符。（我们还可以用is操作符来做相同的事情）。

```
>>> person = ['name', ['savings', 100.00]]
>>> hubby = person[:]      # slice copy
>>> wifey = list(person)  # fac func copy
>>> [id(x) for x in person, hubby, wifey]
[11826320, 12223552, 11850936]
```

为他们创建了初始有$100的个人存款账户，用户名改为定制的名字。但是，当丈夫取走$50后，他的行为影响到了他妻子的账户，虽然我们进行了分开的拷贝操作（当然，前提是我们希望他们每个人都

拥有自己单独的账号，而不是一个单一的联合账号。）为什么会这样呢？

```
>>> hubby[0] = 'joe'
>>> wifey[0] = 'jane'
>>> hubby, wifey
(['joe', ['savings', 100.0]], ['jane', ['savings', 100.0]])
>>> hubby[1][1] = 50.00
>>> hubby, wifey
(['joe', ['savings', 50.0]], ['jane', ['savings', 50.0]])
```

原因是我们仅仅做了一个浅拷贝。对一个对象进行浅拷贝其实是新创建了一个类型跟原对象一样，其内容是原来对象元素的引用，换句话说，这个拷贝的对象本身是新的，但是它的内容不是。序列类型对象的浅拷贝是默认类型拷贝，并可以以下几种方式实施（1）完全切片操作[:]；(2)利用工厂函数，比如 list()、dict()等；(3)使用 copy 模块的 copy 函数。

你的下一个问题可能是，当妻子的名字被赋值，为什么丈夫的名字没有受到影响？难道它们的名字现在不应该都是'jane'了吗？为什么名字没有变成一样的呢？怎么会是这样呢？这是因为在这两个列表的两个对象中。第 1 个对象是不可变的（是个字符串类型），而第 2 个是可变的（一个列表）。正因为如此，当进行浅拷贝时，字符串被显式的拷贝，并新创建了一个字符串对象，而列表元素只是把它的引用复制了一下，并不是它的成员。所以改变名字没有任何问题，但是更改他们银行账号的任何信息都会引发问题。现在，让我们分别看一下每个列表的元素的对象 ID 值。注意，银行账号对象是同一个对象，这也是为什么对一个对象进行修改会影响到另一个的原因。注意在我们改变他们的名字后，新的名字字符串是如何替换原有‘名字’字符串的。

改变前

```
>>> [id(x) for x in hubby]
[9919616, 11826320]
>>> [id(x) for x in wifey]
[9919616, 11826320]
```

改变后

```
>>> [id(x) for x in hubby]
[12092832, 11826320]
>>> [id(x) for x in wifey]
[12191712, 11826320]
```

假设我们要给这对夫妻创建一个联合账户，那这是一个非常棒的方案。但是，如果需要的是两个分离账户，就需要作些改动了。要得到一个完全拷贝或者说深拷贝——创建一个新的容器对象，包含原有对象元素（引用）全新拷贝的引用——需要 copy.deepcopy()函数。我们使用深拷贝来重写整个例子。

```
>>> person = ['name', ['savings', 100.00]]
>>> hubby = person
>>> import copy
>>> wifey = copy.deepcopy(person)
>>> [id(x) for x in person, hubby, wifey]
[12242056, 12242056, 12224232]
>>> hubby[0] = 'joe'
>>> wifey[0] = 'jane'
>>> hubby, wifey
(['joe', ['savings', 100.0]], ['jane', ['savings', 100.0]])
```

```
>>> hubby[1][1] = 50.00
>>> hubby, wifey
(['joe', ['savings', 50.0]], ['jane', ['savings', 100.0]])
```

这就是我们想要的方式。作为验证，让我们确认一下所有四个对象都是不同的。

```
>>> [id(x) for x in hubby]
[12191712, 11826280]
>>> [id(x) for x in wifey]
[12114080, 12224792]
```

以下有几点关于拷贝操作的警告。第一，非容器类型（比如数字、字符串和其他“原子”类型的对象，像代码、类型和 xrange 对象等）没有被拷贝一说，浅拷贝是用完全切片操作来完成的。第二，如果元组变量只包含原子类型对象，对它的深拷贝将不会进行。如果我们把账户信息改成元组类型，那么即便按我们的要求使用深拷贝操作也只能得到一个浅拷贝。

```
>>> person = ['name', ('savings', 100.00)]
>>> newPerson = copy.deepcopy(person)
>>> [id(x) for x in person, newPerson]
[12225352, 12226112]
>>> [id(x) for x in person]
[9919616, 11800088]
>>> [id(x) for x in newPerson]
[9919616, 11800088]
```

核心模块：copy

我们刚才描述的浅拷贝和深拷贝操作都可以在 copy 模块中找到。其实 copy 模块中只有两个函数可用：copy()进行浅拷贝操作，而 deepcopy()进行深拷贝操作。

6.21 序列类型小结

序列类型为数据的顺序存储提供了几种机制。字符串是最常用的数据载体，无论是用于给用户显示、存贮到硬盘、通过网络传输还是作为一个多源信息的容器。列表和元组提供了容器存储能力，允许简单的操作和访问多个对象，无论它们是 Python 的对象还是用户自定义的对象。单一元素或一组元素可以通过持续有序地索引偏移进行切片操作来访问。总之，这些数据类型为你的 Python 开发环境提供了灵活而易用的存贮工具。我们用表 6.13——序列类型的操作符、内建函数和方法的摘要列表来总结本章。

表 6.13 序列类型操作符、内建函数和方法

操作符、内建函数或方法	字符串	列表	元组
[] (list creation)		•	
()			•
“”	•		
append()		•	
capitalize()	•		
center()	•		
chr()	•		
cmp()	•	•	•

续表

操作符、内建函数或方法	字 符 串	列 表	元 组
count()	•	•	
decode()	•		
encode()	•		
endswith()	•		
expandtabs()	•		
extend()		•	
find()	•		
hex()	•		
index()	•	•	
insert()		•	
isdecimal()	•		
isdigit()	•		
islower()	•		
isnumeric()	•		
isspace()	•		
istitle()	•		
isupper()	•		
join()	•		
len()	•	•	•
list()	•	•	•
ljust()	•		
lower()	•		
lstrip()	•		
max()	•	•	•
min()	•	•	•
oct()	•		
ord()	•		
pop()		•	
raw_input()	•		
remove()		•	
replace()	•		
repr()	•	•	•
reverse()		•	
rfind()	•		
rindex()	•		
rjust()	•		
rstrip()	•		
sort()		•	
split()	•		
splitlines()	•		

续表

操作符、内建函数或方法	字 符 串	列 表	元 组
startswith()	•		
str()	•	•	•
strip()	•		
swapcase()	•		
split()	•		
title()	•		
tuple()	•	•	•
type()	•	•	•
upper()	•		
zfill()	•		
(attributes)	•	•	
[] (slice)	•	•	•
[:]	•	•	•
*	•	•	•
%	•		
+	•	•	•
in	•	•	•
not in	•	•	•

6.22 练习

6-1. 字符串。string 模块中是否有一种字符串方法或者函数可以帮我鉴定下一个字符串是否是另一个大字符串的一部分？

6-2. 字符串标识符。修改例 6-1 的 idcheck.py 脚本，使之可以检测长度为一的标识符，并且可以识别 Python 关键字。对后一个要求，你可以使用 keyword 模块（特别是 keyword.kelist）来辅助。

6-3. 排序

（a）输入一串数字、并从大到小排列之。

（b）跟 a 一样。不过要用字典序从大到小排列。

6-4. 算术。更新上一章里面你的得分测试练习方案，把测试得分放到一个列表中去。你的代码应该可以计算出一个平均分，见练习 2-9 和练习 5-3。

6-5. 字符串

（a）更新你在练习 2-7 里面的方案，使之可以每次向前向后都显示一个字符串的一个字符。

（b）通过扫描来判断两个字符串是否匹配（不能使用比较操作符或者 cmp()内建函数）。附加题：在你的方案里加入大小写区分。

（c）判断一个字符串是否重现（后面跟前面的一致）。附加题：在处理除了严格的回文之外，加入对例如控制符号和空格的支持。

（d）接受一个字符，在其后面加一个反向的拷贝，构成一个回文字符串。

6-6. 字符串。创建一个 string.strip()的替代函数：接受一个字符串，去掉它前面和后面的空格（如果使用 string.*strip()函数那本练习就没有意义了）

6-7. 调试。看一下在例 6.5 中给出的代码（buggy.py）

（a）研究这段代码并描述这段代码想做什么。在所有的（#）处都要填写你的注释。

（b）这个程序有一个很大的问题，比如输入6、12、20、30、等它会死掉。实际上它不能处理任何的偶数，找出原因。

（c）修正（b）中提出的问题。

6-8. 列表。给出一个整型值，返回代表该值的英文，比如输入89返回“eight-nine”。附加题：能够返回符合英文语法规则的形式，比如输入“89”返回“eighty-nine”。本练习中的值限定在0～1 000。

6-9. 转换。为练习5-13写一个姊妹函数，接受分钟数，返回小时数和分钟数。总时间不变，并且要求小时数尽可能大。

6-10. 字符串。写一个函数，返回一个跟输入字符串相似的字符串，要求字符串的大小写反转。比如，输入“Mr.Ed”，应该返回“mR.eD”作为输出。

例6.5　有bug的程序(buggy.py)

这是一个用于练习6-7的程序，判断这个程序是干什么的，在“#”处添加你的注释，找出其中的错误，并修改之。

```
1   #!/usr/bin/env python
2
3   #
4   num_str = raw_input('Enter a number: ')
5
6   #
7   num_num = int(num_str)
8
9   #
10  fac_list = range(1, num_num+1)
11  print "BEFORE:", 'fac_list'
12
13  #
14  i = 0
15
16  #
17  while i < len(fac_list):
18
19      #
20      if num_num % fac_list[i] == 0:
21          del fac_list[i]
22
23      #
24      i = i + 1
25
26  #
27  print"AFTER":,'fac_list'
```

6-11. 转换。

（a）创建一个从整型到IP地址的转换程序，如下格式：WWW.XXX.YYY.ZZZ。

（b）更新你的程序，使之可以逆转换。

6-12. 字符串。

（a）创建一个名字为findchr()的函数，函数声明如下。

```
def findchr(string, char)
```

findchr()要在字符串 string 中查找字符 char，找到就返回该值的索引，否则返回-1。不能用 string.*find()或者 string.*index()函数和方法。

（b）创建另一个叫 rfindchr()的函数，查找字符 char 最后一次出现的位置。它跟 findchr()工作类似，不过它是从字符串的最后开始向前查找的。

（c）创建第三个函数，名字叫 subchr()，声明如下。

```
def subchr(string, origchar, newchar)
```

subchr()跟 findchr()类似，不同的是，如果找到匹配的字符就用新的字符替换原先字符。返回修改后的字符串。

6-13. 字符串.string 模块包含三个函数，atoi()、atol()和 atof()，它们分别负责把字符串转换成整型、长整型和浮点型数字。从 Python1.5 起，Python 的内建函数 int()、long()、float()也可以做相同的事了，complex()函数可以把字符串转换成复数（然而 1.5 之前，这些转换函数只能工作于数字之上）。

string 模块中并没有实现一个 atoc()函数，那么你来实现一个 atoc()，接受单个字符串做参数输入，一个表示复数的字符串，例如'-1.23e+4-5.67j'，返回相应的复数对象。你不能用 eval()函数，但可以使用 complex()函数，而且你只能在如下的限制之下使用：complex():complex(real,imag)的 real 和 imag 都必须是浮点值。

6-14. 随机数。设计一个“石头、剪子、布”游戏，有时又叫“Rochambeau”，你小时候可能玩过，下面是规则。你和你的对手，在同一时间做出特定的手势，必须是下面一种：石头、剪子、布。胜利者从下面的规则中产生，这个规则本身是个悖论。

（a）布包石头。

（b）石头砸剪子。

（c）剪子剪破布。在你的计算机版本中，用户输入她/他的选项，计算机找一个随机选项，然后由你的程序来决定一个胜利者或者平手。注意：最好的算法是尽量少的使用 if 语句。

6-15. 转换。

（a）给出两个可识别格式的日期，比如 MM/DD/YY 或者 DD/MM/YY 格式，计算出两个日期间的天数。

（b）给出一个人的生日，计算从此人出生到现在的天数，包括所有的闰月。

（c）还是上面的例子，计算出到此人下次过生日还有多少天。

6-16. 矩阵。处理矩阵 M 和 N 的加和乘操作。

6-17. 方法。实现一个叫 myPop()的函数，功能类似于列表的 pop()方法，用一个列表作为输入，移除列表的最新一个元素，并返回它。

6-18. zip()内建函数。在 6.13.2 节里面关于 zip()函数的例子中，zip(fn,ln)返回的是什么？

6-19. 多列输出。有任意项的序列或者其他容器，把它们等距离分列显示。由调用者提供数据和输出格式。例如，如果你传入 100 个项并定义 3 列输出，按照需要的模式显示这些数据。这种情况下，应该是两列显示 33 个项，最后一列显示 34 个。你可以让用户来选择水平排序或者垂直排序。

第7章　映像和集合类型

本章主题

- ✦ 映射类型：字典
- ✦ 操作符
- ✦ 内建函数
- ✦ 内建方法
- ✦ 字典的键
- ✦ 集合类型
- ✦ 操作符
- ✦ 内建函数
- ✦ 内建方法
- ✦ 相关模块

本章我们来讨论 Python 语言中的映像类型和集合类型。和前面的章节一样，我们首先做一个介绍，再来讨论可用操作符，工厂函数、内建函数（BIF）和方法，然后再来看看每种数据类型的详细用法。

7.1 映射类型：字典

字典是 Python 语言中唯一的映射类型。映射类型对象里哈希值（键，key）和指向的对象（值。value）是一对多的关系。它们与 Perl 中的哈希类型（译者注：又称关联数组）相似，通常被认为是可变的哈希表。一个字典对象是可变的，它是一个容器类型，能存储任意个数的 Python 对象，其中也包括其他容器类型。字典类型和序列类型容器类（列表、元组）的区别是存储和访问数据的方式不同。序列类型只用数字类型的键（从序列的开始起按数值顺序索引）。映射类型可以用其他对象类型做键，一般最常见的是用字符串做键。和序列类型的键不同，映像类型的键直接或间接地和存储的数据值相关联。但因为在映射类型中，我们不再用“序列化排序”的键，所以映像类型中的数据是无序排列的。

显然，这并不影响我们使用映射类型，因为映射类型不要求用数字值做索引以从一个容器中获取对应的数据项。你可以用键直接“映射”到值，这就是为什么叫映射类型（“mapping type”）的原因。映射类型通常被称做哈希表，是因为字典对象就是哈希类型的。字典是 Python 中最强大的数据类型之一。

核心笔记：什么是哈希表？它们与字典的关系是什么？

序列类型用有序的数字键做索引将数据以数组的形式存储。一般索引值与所存储的数据毫无关系。还可以用另一种方式来存储数据：基于某种相关值，比如说一个字符串。我们在日常生活中一直这么做。把人们的电话号码按照他们的姓记录在电话簿上，按照时间在日历或约会簿上添加事件，等等。在这些例子中，你的键就是和数据项相关的值。

哈希表是一种数据结构：它按照我们所要求的去工作。哈希表中存储的每一条数据，叫做一个值（value），是根据与它相关的一个被称作为键（key）的数据项进行存储的。键和值合在一起被称为“键-值对”（key-value pairs）。哈希表的算法是获取键，对键执行一个叫做哈希函数的操作，并根据计算的结果，选择在数据结构的某个地址中来存储你的值。任何一个值存储的地址皆取决于它的键。正因为这种随意性，哈希表中的值是没有顺序的。你拥有的是一个无序的数据集。

你所能获得的有序集合只能是字典中的键的集合或者值的集合。方法 Keys()或 values()返回一个列表，该列表是可排序的。你还可以用 items()方法得到包含键、值对的元组的列表来排序。由于字典本身是哈希的，所以是无序的。

哈希表一般有很好的性能，因为用键查询相当快。

Python 的字典是作为可变的哈希表实现的。如果你熟悉 Perl 的话，就可以发现字典与 Perl 中的“关系数组”或散列相似。

现在我们就来研究 Python 字典。一个字典条目的语法格式是键值。而且，多条字典条目被包含在大括号（{}）里。

7.1.1 如何创建字典和给字典赋值

创建字典只需要把字典赋值给一个变量，不管这个字典是否包含元素。

```
>>> dict1 = {}
>>> dict2 = {'name': 'earth', 'port': 80}
```

```
>>> dict1, dict2
({}, {'port': 80, 'name': 'earth'})
```

从 Python 2.2 版本起，可以用工厂方法 dict() 来创建字典。 当我们详细讨论 dict()的时候会看到更多的例子，现在来看一个小例子。

```
>>> fdict = dict((['x', 1], ['y', 2]))
>>> fdict
{'y': 2, 'x': 1}
```

从 Python 2.3 版本起，可以用一个很方便的内建方法 fromkeys() 来创建一个“默认”字典，字典中元素具有相同的值 （如果没有给出， 默认为 None）：

```
>>> ddict = {}.fromkeys(('x', 'y'), -1)
>>> ddict
{'y': -1, 'x': -1}
>>>
>>> edict = {}.fromkeys(('foo', 'bar'))
>>> edict
{'foo': None, 'bar': None}
```

7.1.2 如何访问字典中的值

要想遍历一个字典（一般用键），你只需要循环查看它的键，像这样：

```
>>> dict2 = {'name': 'earth', 'port': 80}
>>>
>>>> for key in dict2.keys():
...     print 'key=%s, value=%s' % (key, dict2[key])
...
key=name, value=earth
key=port, value=80
```

从 Python 2.2 开始，你可以不必再用 keys()方法获取供循环使用的键值列表了。可以用迭代器来轻松地访问类序列对象（sequence-like objects），比如字典和文件。只需要用字典的名字就可以在 for 循环里遍历字典。

```
>>> dict2 = {'name': 'earth', 'port': 80}
>>>
>>>> for key in dict2:
...     print 'key=%s, value=%s' % (key, dict2[key])
...
key=name, value=earth
key=port, value=80
```

要得到字典中某个元素的值，可以用你所熟悉的字典键加上中括号来得到。

```
>>> dict2['name']
'earth'
>>>
>>> print 'host %s is running on port %d' % \
... (dict2['name'], dict2['port'])
host earth is running on port 80
```

字典 dict1 是空的，字典 dict2 有两个数据元素。字典 dict2 的键是 'name' 和 'port'，它们对应的值分别是'earth' 和 80。就像你看到的，通过键'name'可以得到字典中的元素的值。

如果我们想访问该字典中的一个数据元素，而它在这个字典中没有对应的键，将会产生一个错误：

```
>>> dict2['server']
Traceback (innermost last):
  File"<stdin>",line 1,in?
KeyError:server
```

在这个例子中，我们试图获得字典中'server'键所对应的值。你从上面的代码知道，'server'这个键并不存在。检查一个字典中是否有某个键的最好方法是用字典的 has_key()方法，或者另一种比较好的方法就是从 2.2 版本起用的，in 或 not in 操作符。has_key() 方法将会在未来的 Python 版本中弃用，所以用 in 或 not in 是最好的方法。

下面我们将介绍字典所有的方法。方法 has_key()和 in 以及 not in 操作符都是布尔类型的。对于前两者而言，如果字典中有该键就返回真(True)，否则返回假（False）（Python 2.3 版本以前，没有布尔常量，为真时返回 1，假时返回 0）。

```
>>> 'server' in dict2 # or dict2.has_key('server')
Falser
>>> 'name' in dict # or dict2.has_key('name')
True
>>> dict2['name']
'earth'
```

一个字典中混用数字和字符串的例子：

```
>>> dict3 = {}
>>> dict3[1] = 'abc'
>>> dict3['1'] = 3.14159
>>> dict3[3.2] = 'xyz'
>>> dict3
{3.2: 'xyz', 1: 'abc', '1': 3.14159}
```

除了逐一地添加每个键-值对外，我们也可以给 dict3 整体赋值。

```
dict3 = {3.2: 'xyz', 1: 'abc', '1': 3.14159}
```

如果事先已经知道所有的数据就可以用键-值对来创建一个字典（这是显而易见的）。通过字典 dict3 的示例说明你可以采用各种类型的数据作为字典的键。如果我们被问到是否可以改变某个字典值的键时，你可能会说“不”，对吗？

为什么在执行中字典中的键不允许被改变呢？你这样想就会明白：比方说，你创建了一个字典，字典中包含一个元素（一个键和一个值）。可能是由于某个变量的改变导致键发生了改变。这时候你如果用原来的键来取出字典里的数据，会得到 KeyError（因为键的值已经改变了），现在你没办法从字典中获取该值了，因为键本身的值发生了变化。由于上面的原因，字典中的键必须是可哈希的，所以数字和字符串可以作为字典中的键，但是列表和其他字典不行（见 7.5.2 小节字典的键必须是可哈希的）。

7.1.3 如何更新字典

你可以通过以下几种方式对一个字典做修改：添加一个新数据项或新元素（即，一个键-值对）；修改一个已存在的数据项；或删除一个已存在的数据项（下面有关于数据项删除操作的详细讲述）。

```
>>> dict2['name'] = 'venus' # 更新已有条目
>>> dict2['port'] = 6969  # 更新已有条目
>>> dict2['arch'] = 'sunos5'# 增加新条目
>>>
>>> print 'host %(name)s is running on port %(port)d' %dict2
host venus is running on port 6969
```

如果字典中该键已经存在，则字典中该键对应的值将被新值替代。上面的 print 语句展示了另一种在字典中使用字符串格式符（%）的方法。用字典参数可以简化 print 语句，因为这样做你只需要用到一次该字典的名字，而不用在每个元素出现的时候都用元组参数表示。你也可以用内建方法 update()将整个字典的内容添加到另一个字典。我们将在 7.4 节介绍此方法。

7.1.4 如何删除字典元素和字典

删除整个字典的操作不常见。通常，你删除字典中的单个元素或是清除整个字典的内容。但是，如果你真想“删除”一个字典，用 del 语句 （介绍见小节 3.5.5)。以下是删除字典和字典元素的例子。

```
del dict2['name']        # 删除键为"name"的条目
dict2.clear()            # 删除 dict1 中所有的条目
del dict2                # 删除整个 dict 字典
dict2.pop('name')        # 删除并返回键为"w"的条目
```

核心提示：避免使用内建对象名字作为变量的标识符

如果在 Python 2.3 前，你已经开始使用 Python，你可能用 dict 作为一个字典的标识符。但是，因为 dict() 现在已成为 Python 的类型和工厂方法，重载 dict()会给你带来麻烦和潜在的 bugs。编译器允许你做这样的重载，它认为你是聪明的，知道自己正在做什么！小心。请不要用 dict、list、file、bool、str、input、len 这样的内建类型为变量命名。

7.2 映射类型操作符

字典可以和所有的标准类型操作符一起工作，但却不支持像拼接（concatenation）和重复（repetition）这样的操作。这些操作对序列有意义，可对映射类型行不通。在接下来的两小节里，我们将向你讲述字典中的操作符。

7.2.1 标准类型操作符

标准类型操作符已在第 4 章介绍。下面是一些使用操作符的简单示例：

```
>>> dict4 = {'abc': 123}
>>> dict5 = {'abc': 456}
>>> dict6 = {'abc': 123, 98.6: 37}
>>> dict7 = {'xyz': 123}
>>> dict4 < dict5
True
```

```
>>> (dict4 < dict6) and (dict4 < dict7)
True
>>> (dict5 < dict6) and (dict5 < dict7)
True
>>> dict6 < dict7
False
```

字典是如何比较的呢？与列表和元组一样，这个过程比数字和字符串的比较更复杂些。详细算法请见第 7.3.1 小节。

7.2.2 映射类型操作符

1．字典的键查找操作符（[ ]）

键查找操作符是唯一仅用于字典类型的操作符，它和序列类型里单一元素的切片（slice）操作符很相象。对序列类型来说，用索引做唯一参数或下标（subscript）以获取一个序列中某个元素的值。对字典类型来说，是用键查询（字典中的元素）,所以键是参数（argument），而不是一个索引（index）。键查找操作符既可以用于给字典赋值，也可以用于从字典中取值：

d[k]v　通过键'k'，给字典中某元素赋值'v'；

d[k]　通过键'k'，查询字典中某元素的值。

2.（键）成员关系操作（ in、not in）。

从 Python 2.2 起，程序员可以不用 has_key()方法，而用 in 和 not in 操作符来检查某个键是否存在于字典中：

```
>>> 'name' in dict2
True
>>> 'phone' in dict2
False
```

7.3 映射类型的内建函数和工厂函数

7.3.1 标准类型函数[type()、str()和 cmp()]

如你所料，对一个字典调用 type()工厂方法，会返回字典类型，“<type 'dict'>”。调用 str()工厂方法将返回该字典的字符串表示形式，这些都很容易理解。

在前面的章节里，我们已经讲述了用 cmp() 内建函数来操作数字、字符串、列表和元组。那么字典又是如何比较的呢？字典是通过这样的算法来比较的：首先是字典的大小，然后是键，最后是值。可是，用 cmp() 做字典的比较一般不是很有用。

接下来的小节里，将进一步详细说明字典比较的算法，但这部分是高层次的阅读内容，可以跳过，因为字典的比较不是很有用也不常见。

***字典比较算法**

接下来的例子中，我们建立两个字典进行比较，然后慢慢修改，来看看这些修改对它们之间的比较带来的影响：

```
>>> dict1 = {}
>>> dict2 = {'host': 'earth', 'port': 80}
```

```
>>> cmp(dict1, dict2)
-1
>>> dict1['host'] = 'earth'
>>> cmp(dict1, dict2)
-1
```

在第一个比较中，dict1 比 dict2 小，因为 dict2 有更多元素（2 个 vs. 0 个）。在向 dict1 添加一个元素后，dict1 仍然比 dict2 小（2 vs. 1），虽然添加的元素在 dict2 中也存在。

```
>>> dict1['port'] = 8080
>>> cmp(dict1, dict2)
1
>>> dict1['port'] = 80
>>> cmp(dict1, dict2)
0
```

在向 dict1 中添加第二个元素后，两个字典的长度相同，所以用键比较大小。这时键相等，则通过它们的值比较大小。键 'host'的值相同，对于键 'port'，dict1 中值比 dict2 中的值大(8080 vs. 80)。当把 dict2 中'port'的值设成和 dict1 中的值一样，那么两个字典相等：它们有相同的大小、相同的键、相同的值，所以 cmp() 返回值是 0。（本段原文中为“dict2 中值比 dict1 中的值大”，应为笔者之误）

```
>>> dict1['prot'] = 'tcp'
>>> cmp(dict1, dict2)
1
>>> dict2['prot'] = 'udp'
>>> cmp(dict1, dict2)
-1
```

当向两个字典中的任何一个添加新元素时，这个字典马上会成为大的那个字典，就像例子中的 dict1 一样。向 dict2 添加键-值对后，因为两个字典的长度又相等了，会继续比较它们的键和值。

```
>>> cdict = {'fruits':1}
>>> ddict = {'fruits':1}
>>> cmp(cdict, ddict)
0
>>> cdict['oranges'] = 0
>>> ddict['apples'] = 0
>>> cmp(cdict, ddict)
14
```

上面的例子表明 cmp()可以返回除-1、0、1 外的其他值。算法按照以下的顺序。

（1）比较字典长度

如果字典的长度不同，那么用 cmp(dict1, dict2) 比较大小时，如果字典 dict1 比 dict2 长，cmp()返回正值；如果 dict2 比 dict1 长，则返回负值。也就是说，字典中的键的个数越多，这个字典就越大，即：

```
len(dict1) > len(dict2) ⇒  dict1 > dict2
```

（2）比较字典的键

如果两个字典的长度相同，那就按字典的键比较；键比较的顺序和 keys()方法返回键的顺序相同。（注意：相同的键会映射到哈希表的同一位置，这保证了对字典键的检查的一致性。）这时，如果两个字典的键不匹配时，对这两个（不匹配的键）直接进行比较。当 dict1 中第一个不同的键大于 dict2 中第一个不同的键，cmp()会返回正值。

（3）比较字典的值

如果两个字典的长度相同而且它们的键也完全匹配，则用字典中每个相同的键所对应的值进行比较。一旦出现不匹配的值，就对这两个值进行直接比较。若 dict1 比 dict2 中相同的键所对应的值大，cmp() 会返回正值。

（4）完全匹配

到此为止，每个字典有相同的长度、相同的键，每个键也对应相同的值，则字典完全匹配，返回 0 值。

图 7-1 说明了上述字典比较的算法

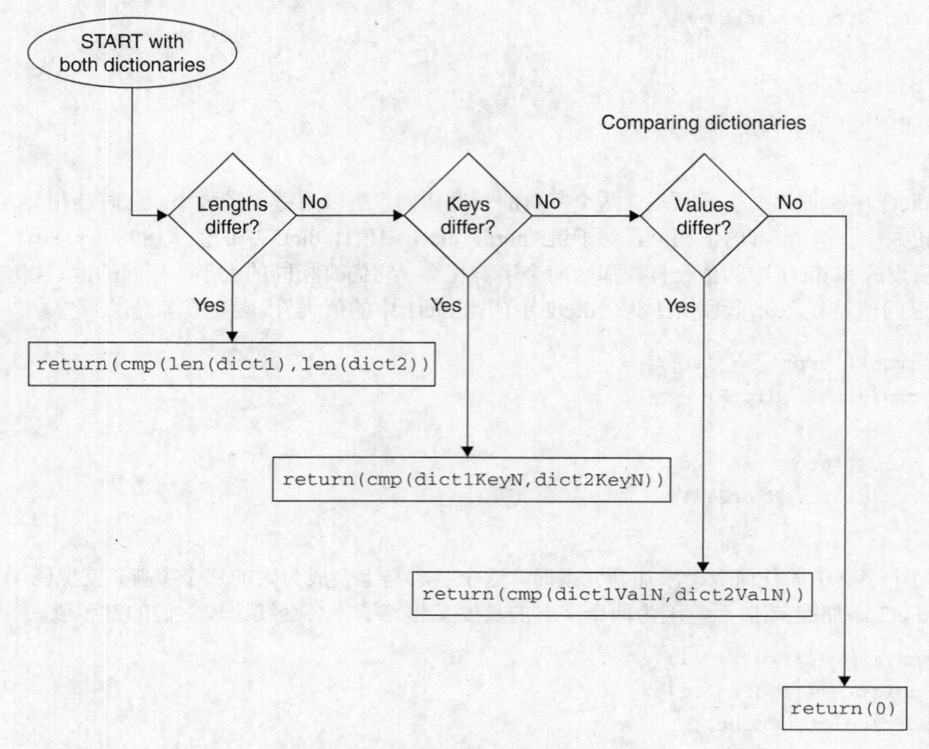

图 7-1　字典是如何进行比较的

7.3.2　映射类型相关的函数

```
dict()
```

工厂函数被用来创建字典。如果不提供参数，会生成空字典。当容器类型对象作为一个参数传递给方法 dict() 时很有意思。如果参数是可以迭代的，即一个序列，或是一个迭代器，或是一个支持迭代的对象，那每个可迭代的元素必须成对出现。在每个值对中，第 1 个元素是字典的键，第 2 个元素是字典中的值。见 Python 文档里关于 dict()的例子：

```
>>> dict(zip(('x', 'y'), (1, 2)))
{'y': 2, 'x': 1}
>>> dict([['x', 1], ['y', 2]])
{'y': 2, 'x': 1}
>>> dict([('xy'[i-1], i) for i in range(1,3)])
{'y': 2, 'x': 1}
```

如果输入参数是（另）一个映射对象，比如，一个字典对象，对其调用 dict()会从存在的字典里复制内容来生成新的字典。新生成的字典是原来字典对象的浅复制版本，它与用字典的内建方法 copy() 生成的字典对象是一样的。但是从已存在的字典生成新的字典速度比用copy()方法慢，我们推荐使用copy()。

从 Python 2.3 开始，调用 dict()方法可以接受字典或关键字参数字典（函数操作符，第十一章）。

```
>>> dict(x=1, y=2)
{'y': 2, 'x': 1}
>>> dict8 = dict(x=1, y=2)
>>> dict8
{'y': 2, 'x': 1}
>>> dict9 = dict(**dict8)
>>> dict9
{'y': 2, 'x': 1}
```

我们提醒读者 dict9 的例子只作为了解 dict()方法的用途，它不是现实中的例子。使用下面这些行的方法更聪明（效率更好）。

```
>>> dict9 = dict8.copy()
>>> dict9
{'y': 2, 'x': 1}
```

len()

内建函数 len()很灵活。它可用在序列、映像类型和集合上（在本章的后面我们会看到）。对字典调用 len()，它会返回所有元素（键-值对）的数目：

```
>>> dict2 = {'name': 'earth', 'port': 80}
>>> dict2
{'port': 80, 'name': 'earth'}
>>> len(dict2)
2
```

我们前面提到字典中的元素是没有顺序的。从上面的例子中可以看到，dict2 的元素显示的顺序和输入时的顺序正相反。

hash()

内建函数 hash()本身并不是为字典设计的方法，但它可以判断某个对象是否可以做一个字典的键。将一个对象作为参数传递给 hash()，会返回这个对象的哈希值。只有这个对象是可哈希的，才可作为字典的键 （函数的返回值是整型，不产生错误或异常）。

如果用比较操作符来比较两个数值，发现它们是相等的，那么即使二者的数据类型不同，它们也会得到相同的哈希值。

如果非可哈希类型作为参数传递给 hash()方法，会产生 TypeError 错误（因此，如果使用这样的对象作为键给字典赋值时会出错）：

```
>>> hash([])
Traceback (innermost last):
  File "<stdin>", line 1, in ?
TypeError: list objects are unhashable
>>>
>>> dict2[{}] = 'foo'
Traceback (most recent call last):
  File "<stdin>", line 1, in ?
```

```
TypeError: dict objects are unhashable
```

在表 7.1 中，我们列出以下 3 个映射类型的相关函数。

表 7.1

函　数	操　作
dict([container])	创建字典的工厂函数。如果提供了容器类(container)，就用其中的条目填充字典，否则就创建一个空字典
len(mapping)	返回映射的长度（键-值对的个数）
hash(obj)	返回 obj 的哈希值

7.4 映射类型内建方法

字典提供了大量方法来帮我们做事情，见表 7.2。

下面说明字典的一些很常见的方法。在上面的例子里，我们已经看到 has_key() 和它的替代方法 in 和 not in。如我们在 7.1 小节看到，试图查找一个字典里没有的键值会产生 KeyError 异常。

基本的字典方法关注他们的键和值。它们有：keys()方法，返回一个列表，包含字典中所有的键，values()方法，返回一个列表，包含字典中所有的值，items()，返回一个包含所有（键，值）元组的列表。这些方法在不按任何顺序遍历字典的键或值时很有用。

```
>>> dict2.keys()
['port', 'name']
>>>
>>> dict2.values()
[80, 'earth']
>>>
>>> dict2.items()
[('port', 80), ('name', 'earth')]
>>>
>>> for eachKey in dict2.keys():
... print 'dict2 key', eachKey, 'has value', dict2[eachKey]
...
dict2 key port has value 80
dict2 key name has value earth
```

keys()方法很有用，它返回一个包含字典中所有键的列表，此方法可以与 for 循环一起使用来获取字典中的值。

表 7.2

方法名字	操　作
dict.clear[a] ()	删除字典中所有元素
dict clear[a] ()	返回字典(浅复制)的一个副本
dict.fromkeys[c] (seq, val=None)	创建并返回一个新字典，以 seq 中的元素做该字典的键，val 做该字典中所有键对应的初始值（如果不提供此值，则默认为 None）
dict.get(key, default=None)[a]	对字典 dict 中的键 key，返回它对应的值 value，如果字典中不存在此键，则返回 default 的值（注意，参数 default 的默认值为 None）
dict.has_key(key)	如果键在字典中存在，返回 True，否则返回 False。在 Python2.2 版本引入 in 和 not in 后，此方法几乎已废弃不用了，但仍提供一个可工作的接口

续表

方法名字	操作
dict.items()	返回一个包含字典中键、值对元组的列表
dict.keys()	返回一个包含字典中键的列表
dict.iter*[d]()	方法 iteritems()、iterkeys()、itervalues()与它们对应的非迭代方法一样，不同的是它们返回一个迭代子，而不是一个列表
dict.pop[c] (key[,default])	和方法 get()相似。如果字典中 key 键存在，删除并返回 dict[key]；如果 key 键不存在，且没有给出 default 的值，则引发 KeyError 异常
dict.setdefault(key, default=None)[e]	和方法 set()相似，但如果字典中不存在 key 键，由 dict[key]=default 为它赋值
dict.update(dict2)[a]	将字典 dict2 的键-值对添加到字典 dict
dict.values()	返回一个包含字典中所有值的列表

a. Python 1.5 新增。

b. 关于深复制和浅复制的详细信息请参见 6.19 节。

c. Python 2.3 新增。

d. Python 2.2 新增。

e. Python 2.0 新增。

但是，它返回的元素是没有顺序的（和哈希表中的键一样），我们通常希望它们能按某种方式排序。

在 Python 2.4 版本以前，你只能调用字典的 keys()方法获得键的列表，然后调用列表的 sort()方法得到一个有序可遍历的列表。现在特别为迭代子设计了一个名为 sorted()的内建函数，它返回一个有序的迭代子：

```
>>> for eachKey in sorted(dict2):
...     print 'dict2 key', eachKey, 'has value',
dict2[eachKey]
...
dict2 key name has value earth
dict2 key port has value 80
```

update()方法可以用来将一个字典的内容添加到另外一个字典中。字典中原有的键如果与新添加的键重复，那么重复键所对应的原有条目的值将被新键所对应的值所覆盖。原来不存在的条目则被添加到字典中。clear()方法可以用来删除字典中的所有的条目。

```
>>> dict2= {'host': 'earth', 'port': 80}
>>> dict3= {'host': 'venus', 'server': 'http'}
>>> dict2.update(dict3)
>>> dict2
{'server': 'http', 'port': 80, 'host': 'venus'}
>>> dict3.clear()
>>> dict3
{}
```

copy() 方法返回一个字典的副本。注意这只是浅复制。关于浅复制和深复制请阅读小节 6.19。最后要说明，get()方法和键查找（key-lookup）操作符（[ ]）相似，不同的是它允许你为不存在的键提供默认值。如果该键不存在，也未给出它的默认值，则返回 None。此方法比采用键查找（key-lookup）更灵活，因为你不必担心因键不存在而引发异常。

```
>>> dict4 = dict2.copy()
>>> dict4
```

```
{'server': 'http', 'port': 80, 'host': 'venus'}
>>> dict4.get('host')
'venus'
>>> dict4.get('xxx')
>>> type(dict4.get('xxx'))
<type 'None'>
>>> dict4.get('xxx', 'no such key')
'no such key'
```

setdefault()是自 2.0 才有的内建方法，使得代码更加简洁，它实现了常用的语法：检查字典中是否含有某键。如果字典中这个键存在，你可以取到它的值。如果所找的键在字典中不存在，你可以给这个键赋默认值并返回此值。这正是执行 setdefault()方法的目的。

```
>>> myDict = {'host': 'earth', 'port': 80}
>>> myDict.keys()
['host', 'port']
>>> myDict.items()
[('host', 'earth'), ('port', 80)]
>>> myDict.setdefault('port', 8080)
80
>>> myDict.setdefault('prot', 'tcp')
'tcp'
>>> myDict.items()
[('prot', 'tcp'), ('host', 'earth'), ('port', 80)]
```

前面，我们曾简要介绍过 fromkeys()方法，下面是更多的示例。

```
>>> {}.fromkeys('xyz')
{'y': None, 'x': None, 'z': None}
>>>
>>> {}.fromkeys(('love', 'honor'), True)
{'love': True, 'honor': True}
```

目前，keys()、items()和 values()方法的返回值都是列表。数据集如果很大会导致很难处理，这也正是 iteritems()、iterkeys()和 itervalues() 方法被添加到 Python 2.2 的主要原因。这些函数与返回列表的对应方法相似，只是它们返回惰性赋值的迭代器，所以节省内存。未来的 Python 版本中，甚至会更灵活，那时这些方法将会返回强大的对象，暂叫做视图（views）。视图是访问容器对象的接口集。举例来说，你可以从一个视图中删除某个字典的键，从而改变某个字典。

7.5 字典的键

字典中的值没有任何限制。他们可以是任意 Python 对象，即从标准对象到用户自定义对象皆可。但是字典中的键是有类型限制的。

7.5.1 不允许一个键对应多个值

你必须明确一条原则：每个键只能对应一个项。也就是说，一键对应多个值是不允许的 （像列表、元组和其他字典这样的容器对象是可以的）。当有键发生冲突（即字典键重复赋值），取最后（最近）的赋值。

```
>>> dict1 = {' foo': 789, 'foo': 'xyz'}
>>> dict1
```

```
{'foo': 'xyz'}
>>>
>>> dict1['foo'] = 123
>>> dict1
{'foo': 123}
```

Python并不会因字典中的键存在冲突而产生一个错误。它不会检查键的冲突是因为，如果真这样做的话，在每个键-值对赋值的时候都会做检查，这将会占用一定量的内存。在上面的例子里，键'foo'被列出两次，Python从左到右检查键-值对。首先值789被赋值（给键'foo'所对应的值），然后又很快被字符串'xyz'替代。当给字典中一个不存在的键赋值时，键和值会被创建和添加，但如果该键已经存在（键冲突），那此键所对应的值将被替换。上面例子中，键 'foo' 所对应的值被替换了两次；最后的赋值语句，值123代替了值'xyz'。

7.5.2 键必须是可哈希的

我们在小节7.1说过，大多数Python对象可以作为键；但它们必须是可哈希的对象。像列表和字典这样的可变类型，由于它们不是可哈希的，所以不能作为键。

所有不可变的类型都是可哈希的，因此它们都可以作为字典的键。一个要说明的是问题是数字：值相等的数字表示相同的键。换句话来说，整型数字 1 和 浮点型 1.0 的哈希值是相同的，即它们是相同的键。

同时，也有一些可变对象（很少）是可哈希的，它们可以做字典的键，但很少见。举一个例子，一个实现了__hash__() 特殊方法的类。因为__hash__()方法返回一个整型，所以仍然是用不可变的值（做字典的键）。

为什么键必须是可哈希的？解释器调用哈希函数，根据字典中键的值来计算存储你的数据的位置。如果键是可变对象，它的值可改变。如果键发生变化，哈希函数会映像到不同的地址来存储数据。如果这样的情况发生，哈希函数就不可能可靠地存储或获取相关的数据。选择可哈希的键的原因就是因为它们的值不能改变（此问题在Python FAQ中也能找到答案）。

我们知道数字和字符串可以被用做字典的键，但元组又怎么样呢？我们知道元组是不可变的，但在小节6.17.2, 我们提示过它们也可能不是一成不变的。用元组做有效的键，必须要加限制：元组中只包括像数字和字符串这样的不可变参数，才可以作为字典中有效的键。

我们用一个程序(userpw.py 例 7.1)，来为本章关于字典的讲述做个小结。这个程序是用于管理用户名和密码的模拟登录数据系统。脚本接受新用户的信息：

这个程序管理用于登录系统的用户信息：登录名字和密码。登录用户账号建立后，已存在用户可以用登录名字和密码重返系统。新用户不能用别人的登录名建立用户账号。

例 7.1

```
1   #!/usr/bin/env python
2
3   db = {}
4
5   def newuser():
6       prompt = 'login desired: '
7       while True:
8           name = raw_input(prompt)
9           if db.has_key(name):
10              prompt = 'name taken, try another: '
11              continue
12          else:
13              break
14      pwd = raw_input('passwd: ')
```

```
15      db[name] = pwd
16
17  def olduser():
18      name = raw_input('login: ')
19      pwd = raw_input('passwd: ')
20      passwd = db.get(name)
21      if passwd == pwd:
22          print 'welcome back', name
23      else:
24          print 'login incorrect'
25
26  def showmenu():
27      prompt = """
28  (N)ew User Login
29  (E)xisting User Login
30  (Q)uit
```

例 7.2 Dictionary Example (userpw.py) (continued)

```
31
32  Enter choice: """
33
34  done = False
35      while not done:
36
37          chosen = False
38          while not chosen:
39              try:
40                  choice = raw_input(prompt).strip()[0].lower()
41              except (EOFError, KeyboardInterrupt):
42                  choice = 'q'
43              print '\nYou picked: [%s]' % choice
44              if choice not in 'neq':
45                  print 'invalid option, try again'
46              else:
47                  chosen = True
48
49          if choice = = 'q':done = True
50          if choice = = 'n':newuser()
51          if choice = = 'e':olduser()
52
53  if __name__ == '__main__':
54  showmenu()
```

他们提供登录名和密码。账号建立后，已存在用户可用登录名和正确的密码重返系统。新用户不能用别人的登录名建立账号。

逐行解释

1～3 行

在 Unix 初始行后，我们用一个空用户数据库初始化程序。因为我们没有把数据存储在任何地方，每次程序执行时都会新建一个用户数据库。

5～15 行

newuser() 函数用来建立新用户。它检查名字是否已经存在，如果证实是一个新名字，将要求用户输入他或她的密码（我们这个简单的程序没有加密），用户的密码被存储在字典里，以他们的名字做字典中的键。

17～24 行

olduser()函数处理返回的用户。如果用户用正确的用户名和密码登录，打出欢迎信息。否则通知用户是无效登录并返回菜单。我们不会采用一个无限循环来提示用户输入正确的密码，因为用户可能会无意进入错误的菜单选项。

26～51 行

真正控制这个脚本的是 showmenu()函数，它显示给用户一个友好界面。提示信息被包括在三引号里（"""），这样做是因为提示信息跨多行，而且比单行包含'\n'符号的字符串更容易处理。菜单显示后，它等待用户的有效输入，然后根据菜单选项选择操作方式。try-expect 语句和第 6 章 stack.py queue.py 例子里的一样（见小节 6.14.1）。

53～54 行

如果这个脚本被直接执行（不是通过 import 方式），这行代码会调用 showmenu()函数运行程序。下面是我们的脚本运行结果。

```
$ userpw.py
(N)ew User Login
(E)xisting User Login
(Q)uit
Enter choice: n
You picked: [n]
login desired: king arthur
passwd: grail
(N)ew User Login
(E)xisting User Login
(Q)uit
Enter choice: e
You picked: [e]
login: sir knight
passwd: flesh wound
login incorrect
(N)ew User Login
(E)xisting User Login
(Q)uit
Enter choice: e
You picked: [e]
login: king arthur
passwd: grail
welcome back king arthur
(N)ew User Login
(E)xisting User Login
(Q)uit
Enter choice: ^D
You picked: [q]
```

7.6 集合类型

数学上，把 set 称做由不同的元素组成的集合，集合（set）的成员通常被称做集合元素（set elements）。Python 把这个概念引入到它的集合类型对象里。集合对象是一组无序排列的可哈希的值。是的，集合成员可以做字典中的键。数学集合转为 Python 的集合对象很有效，集合关系测试和 union、intersection 等操作符在 Python 里也同样如我们所预想地那样工作。

和其他容器类型一样，集合支持用 in 和 not in 操作符检查成员，由 len() 内建函数得到集合的基数（大小），用 for 循环迭代集合的成员。但是因为集合本身是无序的，你不可以为集合创建索引或执行切片（slice）操作，也没有键可用来获取集合中元素的值。

集合有两种不同的类型，可变集合（set）和不可变集合（frozenset）。如你所想，对可变集合，你可以添加和删除元素，对不可变集合则不允许这样做。请注意，可变集合不是可哈希的，因此既不能用做字典的键也不能做其他集合中的元素。不可变集合则正好相反，即，他们有哈希值，能被用做字典的键或是作为集合中的一个成员。

集合最早出现在 Python2.3 版本中，通过集合模块来创建，并通过 ImmutableSet 类和 Set 类进行访问。而后来，大家都认为把它们作为内建的数据类型是个更好的主意，因此这些类被用 C 重写改进后包含进 Python2.4。关于集合类型和这些类改进的更多内容，可阅读此文获得详情：PEP 218，链接地址：http：//python.org/peps/pep-0218.html。

虽然现在集合类型已经是 Python 的基本数据类型了，但它经常会以用户自定义类的形式出现在各种 Python 程序中，就像复数一样（复数从 Python1.4 版本起成为 python 的一个数据类型），这样重复的劳动已数不胜数了。在现在的 Python 版本之前，（即使集合类型对许多人的程序来说并不是最理想的数据结构，）许多人仍然试图给列表和字典这样的 Python 标准类型添加集合功能，这样可以把它们作为真正集合类型的代理来使用。因此现在的使用者有包括“真正”集合类型在内的多种选择。

在我们详细讲述 Python 的集合对象之前，我们必须理解 Python 中的一些数学符号 （见表 7.3），这样对术语和功能有一个清晰的了解。

表 7.3 集合操作符和关系符号

数 学 符号	Python 符号	说 明
∈	**in**	是...的成员
∉	**not in**	不是...的成员
=	==	等于
≠	!=	不等于
⊂	<	是...的(严格)子集
⊆	<=	是...的子集（包括非严格子集）
⊃	>	是...的（严格）超集
⊇	>=	是...的超集（包括非严格超集）
∩	&	交集
∪	|	合集
- 或 \	-	差补或相对补集
△	^	对称差分

7.6.1 如何创建集合类型和给集合赋值

集合与列表（[ ]）和字典（{ }）不同，没有特别的语法格式。列表和字典可以分别用他们自己的工厂方法 list() 和 dict() 创建，这也是集合被创建的唯一方法——用集合的工厂方法 set() 和 frozenset()：

```
>>> s = set('cheeseshop')
>>> s
set(['c', 'e', 'h', 'o', 'p', 's'])
>>> t = frozenset('bookshop')
>>> t
frozenset(['b', 'h', 'k', 'o', 'p', 's'])
>>> type(s)
<type 'set'>
>>> type(t)
<type 'frozenset'>
>>> len(s)
6
>>> len(s) == len(t)
True
>>> s == t
False
```

7.6.2 如何访问集合中的值

可以遍历查看集合成员或检查某项元素是否是一个集合中的成员。

```
>>> 'k' in s
False
>>> 'k' in t
True
>>> 'c' not in t
True
>>> for i in s:
...  print i
...
c
e
h
o
p
s
```

7.6.3 如何更新集合

用各种集合内建的方法和操作符添加和删除集合的成员。

```
>>> s.add('z')
>>> s .
```

```
set(['c', 'e', 'h', 'o', 'p', 's', 'z'])
>>> s.update('pypi')
>>> s
set(['c', 'e', 'i', 'h', 'o', 'p', 's', 'y', 'z'])
>>> s.remove('z')
>>> s
set(['c', 'e', 'i', 'h', 'o', 'p', 's', 'y'])
>>> s -= set('pypi')
>>> s
set(['c', 'e', 'h', 'o', 's'])
```

我们之前提到过，只有可变集合能被修改。试图修改不可变集合会引发异常。

```
>>> t.add('z')
Traceback (most recent call last):
  File "<stdin>", line 1, in ?
AttributeError: 'frozenset' object has no attribute 'add'
```

7.6.4 如何删除集合中的成员和集合

前面我们看到如何删除集合成员。如果如何删除集合本身，可以像删除任何 Python 对象一样，令集合超出它的作用范围，或调用 del 将他们直接清除出当前的名称空间。如果它的引用计数为零，也会被标记以便被垃圾回收。

```
>>> del s
>>>
```

7.7 集合类型操作符

7.7.1 标准类型操作符（所有的集合类型）

1．成员关系 （in, not in）

就序列而言，Python 中的 in 和 not in 操作符决定某个元素是否是一个集合中的成员。

```
>>> s = set('cheeseshop')
>>> t = frozenset('bookshop')
>>> 'k' in s
False
>>> 'k' in t
True
>>> 'c' not in t
True
```

2．集合等价/不等价

等价/不等价被用于在相同或不同的集合之间做比较。两个集合相等是指，对每个集合而言，当且仅当其中一个集合中的每个成员同时也是另一个集合中的成员。

你也可以说每个集合必须是另一个集合的一个子集，即 s<=t 和 s>=t 的值均为真（True）或（s<=t and s>=t）的值为真（True）。集合等价/不等价与集合的类型或集合成员的顺序无关，只与集合的元素有关。

```
>>> s == t
False
>>> s != t
True
>>> u = frozenset(s)
>>> s == u
True
>>> set('posh') == set('shop')
True
```

3．子集/超集

Set 用 Python 的比较操作符检查某集合是否是其他集合的超集或子集。“小于”符号（<，<＝）用来判断子集，“大于”符号（>，>＝）用来判断超集。

“小于”和“大于”意味着两个集合在比较时不能相等。等于号允许非严格定义的子集和超集。

Set 支持严格（<）子集和非严格（<＝）子集，也支持严格（>）超集和非严格（>＝）超集。只有当第 1 个集合是第 2 个集合的严格子集时，我们才称第 1 个集合“小于”第 2 个集合，同理，只有当第 1 个集合是第 2 个集合的严格超集时，我们才称第 1 个集合“大于”第 2 个集合。

```
>>> set('shop') < set('cheeseshop')
True
>>> set('bookshop') >= set('shop')
True
```

7.7.2 集合类型操作符（所有的集合类型）

1．联合（|）

联合（union）操作和集合的 OR（又称可兼析取，inclusive disjunction）其实是等价的，两个集合的联合是一个新集合，该集合中的每个元素都至少是其中一个集合的成员，即，属于两个集合其中之一的成员。联合符号有一个等价的方法，union()。

```
>>> s | t
set(['c', 'b', 'e', 'h', 'k', 'o', 'p', 's'])
```

2．交集（&）

你可以把交集操作比做集合的 AND（或合取）操作。两个集合的交集是一个新集合，该集合中的每个元素同时是两个集合中的成员，即属于两个集合的成员。交集符号有一个等价的方法，intersection()。

```
>>> s & t
set(['h', 's', 'o', 'p']
```

3．差补/相对补集（–）

两个集合（s 和 t）的差补或相对补集是指一个集合 C，该集合中的元素，只属于集合 s，而不属于集合 t。差符号有一个等价的方法，difference()。

```
>>> s - t
set(['c', 'e'])
```

4．对称差分（^）

和其他的布尔集合操作相似，对称差分是集合的 XOR（又称“异或”，exclusive disjunction）。两个集合（s 和 t）的对称差分是指另外一个集合 C，该集合中的元素，只能是属于集合 s 或者集合 t 的成员，不能同时属于两个集合。对称差分有一个等价的方法，symmetric_difference()。

```
>>> s ^ t
set(['k', 'b', 'e', 'c'])
```

5．混合集合类型操作

上面的示例中，左边的 s 是可变集合，而右边的 t 是一个不可变集合，注意上面使用集合操作符所产生的仍然是可变集合，但是如果左右操作数的顺序反过来，结果就不一样了：

```
>>> t | s
frozenset(['c', 'b', 'e', 'h', 'k', 'o', 'p', 's'])
>>> t ^ s
frozenset(['c', 'b', 'e', 'k'])
>>> t - s
frozenset(['k', 'b'])
```

如果左右两个操作数的类型相同，既都是可变集合或不可变集合，则所产生的结果类型是相同的，但如果左右两个操作数的类型不相同（左操作数是 set，右操作数是 frozenset，或相反情况），则所产生的结果类型与左操作数的类型相同，上例中可以证明这一点。还要注意，加号不是集合类型的操作符：

```
>>> v = s + t
Traceback (most recent call last):
File "<stdin>", line 1, in ?
TypeError: unsupported operand type(s) for +: 'set' and
'set'
>>> v = s | t
>>> v
set(['c', 'b', 'e', 'h', 'k', 'o', 'p', 's'])
>>> len(v)
8
>>> s < v
True
```

7.7.3　集合类型操作符（仅适用于可变集合）

(Union) Update (|=)
这个更新方法从已存在的集合中添加（可能多个）成员，此方法和 update()等价。

```
>>> s = set('cheeseshop')
>>> u = frozenset(s)
>>> s |= set('pypi')
>>> s
set(['c', 'e', 'i', 'h', 'o', 'p', 's', 'y'])
```

Retention/Intersection Update (&=)
保留（或交集更新）操作保留与其他集合的共有成员。此方法和 intersection_update()等价。

```
>>> s = set(u)
>>> s &= set('shop')
>>> s
set(['h', 's', 'o', 'p'])
```

Difference Update (– =)

对集合 s 和 t 进行差更新操作 s-=t，差更新操作会返回一个集合，该集合中的成员是集合 s 去除掉集合 t 中元素后剩余的元素。此方法和 difference_update()等价。

```
>>> s = set(u)
>>> s -= set('shop')
>>> s
set(['c', 'e'])
```

Symmetric Difference Update (^ =)

对集合 s 和 t 进行对称差分更新操作（s^=t）,对称差分更新操作会返回一个集合，该集合中的成员仅是原集合 s 或仅是另一集合 t 中的成员。此方法和 symmetric_difference_update()等价。

```
>>> s = set(u)
>>> t = frozenset('bookshop')
>>> s ^= t
>>> s
set(['c', 'b', 'e', 'k'])
```

7.8 内建函数

7.8.1 标准类型函数

len()

把集合作为参数传递给内建函数 len()，返回集合的基数（或元素的个数）。

```
>>> s = set(u)
>>> s
set(['p', 'c', 'e', 'h', 's', 'o'])
>>> len(s)
6
```

7.8.2 集合类型工厂函数

set()和 frozenset()

set()和 frozenset()工厂函数分别用来生成可变和不可变的集合。如果不提供任何参数，默认会生成空集合。如果提供一个参数，则该参数必须是可迭代的，即一个序列，或迭代器，或支持迭代的一个对象，例如一个文件或一个字典。

```
>>> set()
set([])
>>> set([])
set([])
>>> set(())
set([])
>>> set('shop')
set(['h', 's', 'o', 'p'])
>>>
```

```
>>> frozenset(['foo', 'bar'])
frozenset(['foo', 'bar'])
>>>
>>> f = open('numbers', 'w')
>>> for i in range(5):
...     f.write('%d\n' % i)
...
>>> f.close()
>>> f = open('numbers', 'r')
>>> set(f)
set(['0\n', '3\n', '1\n', '4\n', '2\n'])
>>> f.close()
```

7.9 集合类型内建方法

7.9.1 方法（所有的集合方法）

我们已看到很多和内建方法等价的操作符，表 7.4 做了小结：

内建方法 copy() 没有等价的操作符。和同名的字典方法一样，copy()方法比用像 set()、frozenset() 或 dict()这样的工厂方法复制对象的副本要快。

表 7.4

方法名称	操作
s.issubset(t)	如果 s 是 t 的子集，则返回 True，否则返回 False
s.issuperset(t)	如果 t 是 s 的超集，则返回 True，否则返回 False
s.union(t)	返回一个新集合，该集合是 s 和 t 的并集
s.intersection(t)	返回一个新集合，该集合是 s 和 t 的交集
s.difference(t)	返回一个新集合，该集合是 s 的成员，但不是 t 的成员
s.symmetric_difference(t)	返回一个新集合，该集合是 s 或 t 的成员，但不是 s 和 t 共有的成员
s.copy()	返回一个新集合，它是集合 s 的浅复制

7.9.2 方法（仅适用于可变集合）

表 7.5 总结了所有可变集合的内建方法，和上面的方法相似，我们已经看过许多和它们等价的操作符。

表 7.5

方法名	操作
s.update(t)	用 t 中的元素修改 s，即，s 现在包含 s 或 t 的成员
s.intersection_update(t)	s 中的成员是共同属于 s 和 t 的元素
s.difference_update(t)	s 中的成员是属于 s 但不包含在 t 中的元素
s.symmetric_difference_update(t)	s 中的成员更新为那些包含在 s 或 t 中，但不是 s 和 t 共有的元素
s.add(obj)	在集合 s 中添加对象 obj
s.remove(obj)	从集合 s 中删除对象 obj；如果 obj 不是集合 s 中的元素(obj not in s)，将引发 KeyError 错误

续表

方 法 名	操 作
s.discard(obj)	如果 obj 是集合 s 中的元素，从集合 s 中删除对象 obj
s.pop()	删除集合 s 中的任意一个对象，并返回它
s.clear()	删除集合 s 中的所有元素

新的方法有 add()、remove()、discard()、pop()、clear()。这些接受对象的方法，参数必须是可哈希的。

7.9.3 操作符和内建方法比较

像你看到的，很多内建的方法几乎和操作符等价。我们说“几乎等价”，意思是它们间是有一个重要区别：当用操作符时，操作符两边的操作数必须是集合。在使用内建方法时，对象也可以是迭代类型的。为什么要用这种方式来实现呢？Python 的文档里写明：采用易懂的 set('abc').intersection('cbs') 可以避免使用 set('abc') [and] 'cbs' 这样容易出错的构建方法。

7.10 集合类型总结表

表 7.6 中，我们总结了所有的集合类型的操作符、函数和方法。

表 7.6

函数/方法名	等价操作符	说 明
所有集合类型		
len(s)		集合基数：集合 s 中元素的个数
set([obj])		可变集合工厂函数；obj 必须是支持迭代的，由 obj 中的元素创建集合，否则创建一个空集合
frozenset([obj])		不可变集合工厂函数；执行方式和 set()方法相同，但它返回的是不可变集合
	obj **in** s	成员测试：obj 是 s 中的一个元素吗？
	obj **not in** s	非成员测试：obj 不是 s 中的一个元素吗？
	s == t	等价测试：测试 s 和 t 是否具有相同的元素？
	s != t	不等价测试：与==相反
	s < t	（严格意义上）子集测试；s != t 而且 s 中所有的元素都是 t 的成员
s.issubset(t)	s <= t	子集测试（允许不严格意义上的子集）：s 中所有的元素都是 t 的成员
	s > t	（严格意义上）超集测试：s != t 而且 t 中所有的元素都是 s 的成员
s.issuperset(t)	s >= t	超集测试（允许不严格意义上的超集）：t 中所有的元素都是 s 的成员
s.union(t)	s | t	合并操作：s 或 t 中的元素
s.intersec- tion(t)	s & t	交集操作：s 和 t 中的元素
s.difference(t)	s − t	差分操作：s 中的元素，而不是 t 中的元素
s.symmetric_difference(t)	s ^ t	对称差分操作：s 或 t 中的元素，但不是 s 和 t 共有的元素
s.copy()		复制操作：返回 s 的（浅复制）副本

续表

函数/方法名	等价操作符	说　明
仅用于可变集合		
s.update(t)	s |= t	（Union）修改操作：将 t 中的成员添加 s
s.intersection_update(t)	s &= t	交集修改操作：s 中仅包括 s 和 t 中共有的成员
s.difference_update(t)	s -= t	差修改操作：s 中包括仅属于 s 但不属于 t 的成员
s.symmetric_ difference_update(t)	s ^= t	对称差分修改操作：s 中包括仅属于 s 或仅属于 t 的成员
s.add(obj)		加操作：将 obj 添加到 s
s.remove(obj)		删除操作：将 obj 从 s 中删除；如果 s 中不存在 obj，将引发 KeyError
s.discard(obj)		丢弃操作：remove() 的友好版本——如果 s 中存在 obj，从 s 中删除它
s.pop()		Pop 操作：移除并返回 s 中的任意一个元素
s.clear()		清除操作：移除 s 中的所有元素

7.11 相关模块

集合（set）模块从 2.3 版本引进，可继承 Set 或 ImmuteablSet 来生成子类。虽然从 Python2.4 起使用集合类型，但是集合模块不会弃用。

以下是一些你可能认为有用的在线参考文章：

http: //en.wikipedia.org/wiki/Set

http: //www.geocities.com/basicmathsets/set.html

http: //www.math.uah.edu/stat/foundations/Sets.xhtml

7.12 练习

7-1. 字典方法。哪个字典方法可以用来把两个字典合并到一起？

7-2. 字典的键。我们知道字典的值可以是任意的 Python 对象，那字典的键又如何呢？请试着将除数字和字符串以外的其他不同类型的对象作为字典的键，看一看哪些类型可以，哪些不行？对那些不能作字典的键的对象类型，你认为是什么原因呢？

7-3. 字典和列表的方法。

（a）创建一个字典，并把这个字典中的键按照字母顺序显示出来。

（b）现在根据已按照字母顺序排序好的键，显示出这个字典中的键和值。

（c）同（b），但这次是根据已按照字母顺序排序好的字典的值，显示出这个字典中的键和值（注意：对字典和哈希表来说，这样做一般没有什么实际意义，因为大多数访问和排序（如果需要）都是基于字典的键，这里只把它作为一个练习）。

7-4. 建立字典。给定两个长度相同的列表，比如说，列表[1, 2, 3,...]和['abc', 'def', 'ghi',...]，用这两个列表里的所有数据组成一个字典，像这样：{1：'abc', 2：'def', 3：'ghi',...}

7-5. userpw2.py。下面的问题和例题 7.1 中管理名字-密码的键值对数据的程序有关。

（a）修改那个脚本，使它能记录用户上次的登录日期和时间（用 time 模块），并与用户密码一起保存起来。程序的界面有要求用户输入用户名和密码的提示。无论户名是否成功登录，都应有提示，在户名成功登录后，应更新相应用户的上次登录时间戳。如果本次登录与上次登录在时间上相差不超过 4 个小时，则通知该用户："You already logged in at: <last_ login_timestamp>。"

（b）添加一个"管理"菜单，其中有以下两项：（1）删除一个用户（2）显示系统中所有用户的名字和他们的密码的清单。

（c）口令目前没有加密。请添加一段对口令加密的代码（请参考 crypt、rotor, 或其他加密模块）。

（d）为程序添加图形界面，例如，用 Tkinter 写。

（e）要求用户名不区分大小写。

（f）加强对用户名的限制，不允许符号和空白符。

（g）合并"新用户"和"老用户"两个选项。如果一个新用户试图用一个不存在的用户名登录，询问该用户是否是新用户，如果回答是肯定的，就创建该账户。否则，按照老用户的方式登录。

7-6. 列表和字典。创建一个简单的股票证券投资数据系统。其中应至少包含 4 项数据：股市行情显示器符号、所持有的股票、购买价格及当前价位——你可以随意添加其他数据项，比如收益率，52 周最高指数、最低指数，等等。

用户每次输入各列的数据构成一个输出行。每行数据构成一个列表。还有一个总列表，包括了所有行的数据。数据输入完毕后，提示用户选择一列数据项进行排序。把该数据项抽取出来作为字典的键，字典的值就是该键对应行的值的列表。提醒读者：被选择用来排序的数据项必须是非重复的键，否则就会丢失数据，因为字典不允许一个键有多个值。

你还可以选择其他计算输出，比如盈亏比率、目前证券资产价值等。

7-7. 颠倒字典中的键和值。用一个字典做输入，输出另一个字典，用前者的键做值，前者的值做键。

7-8. 人力资源。创建一个简单的雇员姓名和编号的程序，让用户输入一组雇员姓名和编号。你的程序可以提供按照姓名排序输出的功能，雇员姓名显示在前面，后面是对应的雇员编号。附加题：添加一项功能，按照雇员编号的顺序输出数据。

7-9. 翻译。

（a）编写一个字符翻译程序（功能类似于 Unix 中的 tr 命令）。我们将这个函数叫做 tr()，它有三个字符串做参数：源字符串、目的字符串、基本字符串，语法定义如下：

```
def tr(srcstr, dststr, string)
```

srcstr 的内容是你打算"翻译"的字符集合，dsrstr 是翻译后得到的字符集合，而 string 是你打算进行翻译操作的字符串。举例来说，如果 srcstr == 'abc'，dststr == 'mno'，string == 'abcdef'，那么 tr()的输出将是'mnodef'。注意这里 len(srcstr) == len(dststr)。

在这个练习里，你可以使用内建函数 chr() 和 ord()，但它们并不一定是解决这个问题所必不可少的函数。

（b）在这个函数里增加一个标志参数，来处理不区分大小写的翻译问题。

（c）修改你的程序，使它能够处理删除字符的操作。字符串 srcstr 中不能够映射到字符串 dststr 中字符的多余字符都将被过滤掉。换句话说，这些字符没有映射到 dststr 字符串中的任何字符，因此就从函数返回的字符里被过滤掉了。举例来说：如果 srcstr == 'abcdef', dststr == 'mno', string == 'abcdefghi', 那么 tr()将输出'mnoghi'。注意这里 len(srcstr) >= len(dststr)。

7-10. 加密。

（a）用上一个练习的思路编写一个"rot13"翻译器。"rot13"是一个古老而又简单的加密方法，它把字母表中的每个字母用其后的第 13 个字母来代替。字母表中前半部分字母将被映像到后半部分，而后半部分字母将被映像到前半部分，大小写保持不变。举例来说，'a'将被替换为'n','X'将被替换为'K'；数字和符号不进行翻译。

（b）在你的解决方案的基础上加一个应用程序，让它提示用户输入准备加密的字符串（这个算法同时也可以对加密后的字符串进行解密），如下所示：

```
% rot13.py
Enter string to rot13: This is a short sentence.
Your string to en/decrypt was: [This is a short sentence.].
```

```
The rot13 string is: [Guvf vf n fubeg fragrapr.].
%
% rot13.py
Enter string to rot13: Guvf vf n fubeg fragrapr.
Your string to en/decrypt was: [Guvf vf n fubeg fragrapr.].
The rot13 string is: [This is a short sentence.].
```

7-11. 定义。什么组成字典中合法的键？举例说明字典中合法的键和非法的键。

7-12. 定义。（a）在数学上，什么是集合？

（b）在 Python 中，关于集合类型的定义是什么？

7-13. 随机数。修改练习 5-17 的代码，使用 random 模块中的 randint()或 randrange()方法生成一个随机数集合，从 0 到 9（包括 9）中随机选择，生成 1～10 个随机数。这些数字组成集合 A（A 可以是可变集合，也可以不是）。同理，按此方法生成集合 B。每次新生成集合 A 和 B 后，显示结果 A|B 和 A&B。

7-14. 用户验证。修改前面的练习，要求用户输入 A|B 和 A&B 的结果，并告诉用户他（或她）的答案是否正确，而不是将 A|B 和 A&B 的结果直接显示出来。如果用户回答错误，允许他（或她）修改解决方案，然后重新验证用户输入的答案。如果用户三次提交的答案均不正确，程序将显示正确结果。附加题：运用你关于集合的知识，创建某个集合的潜在子集，并询问用户此潜在子集是否真是该集合的子集，要求和主程序一样有显示更正和答案的功能。

7-15. 编写计算器。这个练习取材于 http://math.hws.edu/ 在线免费 Java 教材中的练习 12.2。编写一个程序允许用户选择两个集合：A 和 B，及运算操作符。例如，in、not in、&、|、^、<、<=、>、>=、==、!= 等。（你自己定义集合的输入语法，它们并不一定要像 Java 示例中那样用方括号括住。）解析输入的字符串，按照用户选择的运算进行操作。你写的程序代码应该比 Java 该程序的版本更简洁。

第8章 条件和循环

本章主题

- - if 语句
- - else 语句
- - elif 语句
- - 条件表达式
- - while 语句
- - for 语句
- - break 语句
- - continue 语句
- - pass 语句
- else 语句（两次述及）
- Iterators 迭代器
- - 列表解析
- - 生成器表达式

本章的主要内容是 Python 的条件和循环语句以及与它们相关的部分。我们会深入探讨 if、while、for 及与他们相搭配的 else、elif、break、continue 和 pass 语句。

8.1 if 语句

Python 中的 if 子句看起来十分熟悉。它由三部分组成：关键字本身，用于判断结果真假的条件表达式，以及当表达式为真或者非零时执行的代码块。

if 语句的语法如下：

```
if expression:
    expr_true_suite
```

if 语句的 expr_true_suite 代码块只有在条件表达式的结果的布尔值为真时才执行，否则将继续执行紧跟在该代码块后面的语句。

8.1.1 多重条件表达式

单个 if 语句可以通过使用布尔操作符 and、or 和 not 实现多重判断条件或是否定判断条件。

```
if not warn and (system_load >= 10):
    print "WARNING: losing resources"
    warn += 1
```

8.1.2 单一语句的代码块

如果一个复合语句（例如 if 子句，while 或 for 循环）的代码块仅仅包含一行代码，那么它可以和前面的语句写在同一行上：

```
if make_hard_copy: send_data_to_printer()
```

上边这样的单行语句是合法的，尽管它可能方便，但这样会使得代码更难阅读，所以我们推荐将这行代码移到下一行并合理地缩进。另外一个原因就是如果你需要添加新的代码，你还是得把它移到下一行。

8.2 else 语句

和其他语言一样，Python 提供了与 if 语句搭配使用的 else 语句。如果 if 语句的条件表达式的结果布尔值为假，那么程序将执行 else 语句后的代码。它的语法你甚至可以猜到：

```
if expression:
    expr_true_suite
else:
    expr_false_suite
```

这里是样例代码：

```
if passwd == user.passwd:
    ret_str = "password accepted"
    id = user.id
    valid = True
```

```
else:
    ret_str = "invalid password entered... try again!"
    valid = False
```

避免“悬挂 else”

Python 使用缩进而不是用大括号标记代码块边界的设计，不仅帮助强化了代码的正确性,而且还暗中帮助程序员避免了语法上正确的代码中存在潜在的问题。其中一个问题就是（臭名）昭著的“悬挂 else”（dangling else）问题，一种语义错觉。

我们在这里给出一段 C 代码来说明我们的例子（K&R 和其他的编程教材也给出过）（这里的 K&R 是指由 Brian W. Kernighan 和 Dennis M. Ritchie 合著的《C 程序设计语言》，译者注）：

```
/*C 语言中的悬挂 else*/
if (balance > 0.00)
    if (((balance - amt) > min_bal) && (atm_cashout() == 1))
        printf("Here's your cash; please take all bills.\n");
else
    printf("Your balance is zero or negative.\n");
```

问题是 else 属于哪个 if ？在 C 语言中,规则是 else 与最近的 if 搭配。所以我们上面的例子中，else 虽然是想和外层的 if 搭配，但是事实上 else 属于内部的 if，因为 C 编译器会忽略额外的空白。结果，如果你的 balance 是正数但小于最小值，你将得到错误的输出，程序会显示你的 balance 是零或者为负数。

由于这个例子很简单，所以解决这个问题并不难，但是如果是大块的代码嵌入到了类似这样的框架中，那么发现并改正程序中的错误需要耗费很多精力。Python 设置的护栏不仅阻止你掉下悬崖，而且会带你离开危险的境地。在 Python 中相同的例子对应如下的两种代码（只有一种是正确的）：

```
if balance > 0.00:
    if balance - amt > min_bal and atm_cashout():
        print "Here's your cash; please take all bills."
else:
    print 'Your balance is zero or negative.'
```

或者是：

```
if balance > 0.00:
    if balance - amt > min_bal and atm_cashout():
        print "Here's your cash; please take all bills."
    else:
        print 'Your balance is zero or negative.'
```

Python 的缩进使用强制使代码正确对齐，让程序员来决定 else 属于哪一个 if。限制你的选择从而减少了不确定性，Python 鼓励你第一次就写出正确的代码。在 Python 中制造出“悬挂 else”问题是不可能的。而且，由于不再使用大括号，Python 代码变得更易读懂。

8.3 elif（即 else-if）语句

elif 是 Python 的 else-if 语句，它检查多个表达式是否为真，并在为真时执行特定代码块中的代码。和 else 一样，elif 声明是可选的，然而不同的是，if 语句后最多只能有一个 else 语句，但可以有任意数量的 elif 语句。

```
if expression1:
    expr1_true_suite
```

```
elif expression2:
    expr2_true_suite
            :
elif expressionN:
    exprN_true_suite
else:
    none_of_the_above_suite
```

switch/case 语句的替代品么？

在将来的某天，Python 可能会支持 switch/case 语句，但是你完全可以用其他的 Python 结构来模拟它。在 Python 中，大量的 if-elif 语句并不难阅读：

```
if user.cmd == 'create':
    action = "create item"

elif user.cmd == 'delete':
    action = 'delete item'

elif user.cmd == 'update':
    action = 'update item'

else:
    action = 'invalid choice... try again!'
```

上面的语句完全可以满足我们的需要，不过我们还可以用序列和成员关系操作符来简化它：

```
if user.cmd in ('create', 'delete', 'update'):
    action = '%s item' % user.cmd
else:
    action = 'invalid choice... try again!'
```

另外我们可以用 Python 字典给出更加优雅的解决方案，我们将在第 7 章中介绍字典。

```
msgs = {'create': 'create item',
    'delete': 'delete item',
    'update': 'update item'}
default = 'invalid choice... try again!'
action = msgs.get(user.cmd, default)
```

众所周知，使用映射对象（比如字典）的一个最大好处就是它的搜索操作比类似 if-elif-else 语句或是 for 循环这样的序列查询要快很多。

8.4 条件表达式（即“三元操作符”）

如果你来自 C/C++ 或者是 Java 世界，那么你很难忽略的一个事实就是 Python 在很长的一段时间里没有条件表达式（C？X：Y），或称三元操作符。（C 是条件表达式；X 是 C 为 True 时的结果，Y 是 C 为 False 时的结果）Guido Van Rossum 一直拒绝加入这样的功能，因为他认为应该保持代码简单，让程序员不轻易出错。不过在十年多后，他放弃了，主要是因为人们试着用 and 和 or 来模拟它，但大多都是错误的。根据《FAQ》，正确的方法（并不唯一）是(C and [X]or[Y])[0]。唯一的问题是社区不同意这样的语法。（你可以看一看 PEP 308，其中有不同的方案）。对于 Python 的这一问题，人们表达了极大的诉求。

Guido Van Rossum 最终选择了一个最被看好（也是他最喜欢）的方案，然后把它运用于标准库中的一些模块。根据 PEP，“这个评审通过考察大量现实世界的案例，包含不同的应用，以及由不同程序员完成的代码。”最后 Python2.5 集成的语法确定为：X if C else Y。

有了三元操作符后你就只需要一行完成条件判断和赋值操作，而不需要像下面例子中的 min()那样，使用 if-else 语句实现对数字 x 和 y 的操作：

```
>>> x, y = 4, 3
>>> if x < y:
...     smaller = x
... else:
...     smaller = y
...
>>> smaller
3
```

在 2.5 以前的版本中，Python 程序员最多这样做（其实是一个 hack，译者注）：

```
>>> smaller = (x < y and [x] or [y])[0]
>>> smaller
3
```

在 2.5 和更新的版本中,你可以使用更简明的条件表达式：

```
>>> smaller = x if x < y else y
>>> smaller
3
```

8.5 while 语句

Python 的 while 是本章我们遇到的第一个循环语句。事实它上是一个条件循环语句。与 if 声明相比，如果 if 后的条件为真，就会执行一次相应的代码块。而 while 中的代码块会一直循环执行，直到循环条件不再为真。

8.5.1 一般语法

while 循环的语法如下：

```
while expression:
    suite_to_repeat
```

while 循环的 suite_to_repeat 子句会一直循环执行，直到 expression 值为布尔假。这种类型的循环机制常常用在计数循环中，请参见下节中例子。

8.5.2 计数循环

```
count = 0
while(count<9):
    print'the index is:',count
    count + = 1
```

这里的代码块里包含了 print 和自增语句，它们被重复执行，直到 count 不再小于 9。索引 count 在每次迭代时被打印出来然后自增1。如果在 Python 解释器中输入这些代码我们将得到这样的结果：

```
>>> count = 0
>>> while (count < 9):
...     print 'the index is: ', count
...     count += 1
...
the index is: 0
the index is: 1
the index is: 2
the index is: 3
the index is: 4
the index is: 5
the index is: 6
the index is: 7
the index is: 8
```

8.5.3 无限循环

你必须小心地使用 while 循环，因为有可能 condition 永远不会为布尔假。这样一来循环就永远不会结束。这些“无限”的循环不一定是坏事，许多通讯服务器的客户端/服务器系统就是通过它来工作的。这取决于循环是否需要一直执行下去，如果不是，那么这个循环是否会结束；也就是说，条件表达式会不会计算后得到布尔假？

```
while True:
    handle, indata = wait_for_client_connect()
    outdata = process_request(indata)
    ack_result_to_client(handle, outdata)
```

例如上边的代码就是故意被设置为无限循环的，因为 True 无论如何都不会变成 False。 这是因为服务器代码是用来等待客户端（可能通过网络）来连接的。这些客户端向服务器发送请求，服务器处理请求。

请求被处理后，服务器将向客户端返回数据，而此时客户端可能断开连接或是发送另一个请求。对于服务器而言它已经完成了对这个客户端的任务，它会返回最外层循环等待下一个连接。在第 16 章和第 17 章里你将了解关于如何处理客户端/服务器的更多信息。

8.6 for 语句

Python 提供给我们的另一个循环机制就是 for 语句。它提供了 Python 中最强大的循环结构。它可以遍历序列成员，可以用在列表解析和生成器表达式中，它会自动地调用迭代器的 next()方法，捕获 StopIteration 异常并结束循环（所有这一切都是在内部发生的）。如果你刚刚接触 Python 那么我们要告诉你，在以后你会经常用到它的。和传统语言（例如 C/C++，Fortran，或者 Java）中的 for 语句不同，Python 的 for 更像是 shell 或是脚本语言中的 foreach 循环。

8.6.1 一般语法

for 循环会访问一个可迭代对象（例如序列或是迭代器）中的所有元素，并在所有条目都处理过后结束循环，它的语法如下：

```
for iter_var in iterable:
    suite_to_repeat
```

每次循环，iter_var 迭代变量被设置为可迭代对象（序列、迭代器或其他支持迭代的对象）的当前元素，提供给 suite_to_repeat 语句块使用。

8.6.2 用于序列类型

本节中，我们将学习用 for 循环迭代不同的序列对象。样例将涵盖字符串、列表及元组。

```
>>> for eachLetter in 'Names':
...     print 'current letter: ', eachLetter
...
current letter: N
current letter: a
current letter: m
current letter: e
current letter: s
```

当迭代字符串时，迭代变量只会包含一个字符（长度为 1 的字符串）。但这并不常用。在字符串里中查找字符时，程序员往往使用 in 来测试成员关系，或者使用 string 模块中的函数以及字符串方法来检查子字符串。

看到单个的字符在一种情况下有用，即在通过 print 语句调试 for 循环中的序列时，如果你在应该看到字符串的地方发现的却是单个的字符，那么很有可能你接受到的是一个字符串，而不是对象的序列。

迭代序列有三种基本方法：

1. 通过序列项迭代

```
>>> nameList = ['Walter', "Nicole", 'Steven', 'Henry']
>>> for eachName in nameList:
...     print eachName, "Lim"
...
Walter Lim
Nicole Lim
Steven Lim
Henry Lim
```

在上面的例子中，我们迭代一个列表。每次迭代，eacgName 变量都被设置为列表中特定某个元素，然后我们在代码块中打印出这个变量。

2. 通过序列索引迭代

另一个方法就是通过序列的索引来迭代：

```
>>> nameList = ['Cathy', "Terry", 'Joe', 'Heather',
'Lucy']
>>> for nameIndex in range(len(nameList)):
...     print "Liu,", nameList[nameIndex]
...
Liu, Cathy
Liu, Terry
Liu, Joe
```

```
Liu, Heather
Liu, Lucy
```

我们没有迭代元素，而是通过列表的索引迭代。

这里我们使用了内建的 len()函数获得序列长度，使用 range()函数（我们将在下面详细讨论它）创建了要迭代的序列。

```
>>> len(nameList)
5
>>> range(len(nameList))
[0, 1, 2, 3, 4]
```

使用 range()我们可以得到用来迭代 nameList 的索引数列表；使用切片/下标操作符（[]），就可以访问对应的序列对象。

如果你对性能有所了解的话，那么毫无疑问你会意识到直接迭代序列要比通过索引迭代快。如果你不明白，那么你可以仔细想想。（参见练习 8-13）。

3．使用项和索引迭代

两全其美的办法是使用内建的 enumerate()函数，它是 Python 2.3 的新增内容。代码如下：

```
>>> nameList = ['Donn', 'Shirley', 'Ben', 'Janice',
...     'David', 'Yen', 'Wendy']
>>> for i, eachLee in enumerate(nameList):
...     print "%d %s Lee" % (i+1, eachLee)
...
1 Donn Lee
2 Shirley Lee
3 Ben Lee
4 Janice Lee
5 David Lee
6 Yen Lee
7 Wendy Lee
```

8.6.3 用于迭代器类型

用 for 循环访问迭代器和访问序列的方法差不多。唯一的区别就是 for 语句会为你做一些额外的事情。迭代器并不代表循环条目的集合。

迭代器对象有一个 next()方法，调用后返回下一个条目。所有条目迭代完后，迭代器引发一个 StopIteration 异常告诉程序循环结束。 for 语句在内部调用 next() 并捕获异常。

使用迭代器做 for 循环的代码与使用序列条目几乎完全相同。事实上在大多情况下，你无法分辨出你迭代的是一个序列还是迭代器，因此，这就是为什么我们在说要遍历一个迭代器时，实际上可能我们指的是要遍历一个序列，迭代器，或是一个支持迭代的对象（它有 next()方法）。

8.6.4 range()内建函数

我们前面介绍 Python 的 for 循环的时候提到过它是一种迭代的循环机制。Python 同样提供一个工具让我们在传统的伪条件设置下使用 for 声明，例如从一个数字开始计数到另一个数字，一旦到达最后的数字或者某个条件不再满足就立刻退出循环。

内建函数 range()可以把类似 foreach 的 for 循环变成你更加熟悉的语句。例如从 0 到 10 计数，或者从 10 到 100 一次递增 5。

range() 的完整语法

Python 提供了两种不同的方法来调用 range()。完整语法要求提供两个或三个整型参数：

```
range(start, end, step =1)
```

range()会返回一个包含所有 k 的列表，这里 start <= k < end，从 start 到 end，k 每次递增 step。step 不可以为零，否则将发生错误。

```
>>> range(2, 19, 3)
[2, 5, 8, 11, 14, 17]
```

如果只给定两个参数，而省略 step，step 就使用默认值 1。.

```
>>> range(3, 7)
[3, 4, 5, 6]
```

我们来看看解释器环境下的例子。

```
>>> for eachVal in range(2, 19, 3):
...     print "value is: ", eachVal
...
value is: 2
value is: 5
value is: 8
value is: 11
value is: 14
value is: 17
```

我们的循环从 2 “数” 到 19，每次递增 3。如果你熟悉 C 的话，就会发现，range()的参数与 C 的 for 循环变量有着直接的关系：

```
/* equivalent loop in C */
for (eachVal = 2; eachVal < 19; eachVal += 3) {
    printf("value is: %d\n", eachVal);
}
```

虽然看起来像是一个条件循环（检查 eachVal< 19），但实际上是 range()先用我们指定的条件生成一个列表，然后把列表用于这个 for 语句。

range()简略语法

range()还有两种简略的语法格式：

```
range(end)
range(start, end)
```

我们在第 2 章看到过最短的语法接受一个值，start 默认为 0，step 默认为 1，然后 range()返回从 0 到 end 的数列。

```
>>> range(5)
[0, 1, 2, 3, 4]
```

range()的中型版本和完整版本几乎完全一样，只是 step 使用默认值 1。现在我们在 Python 解释器中试下这条语句：

```
>>> for count in range(2, 5):
...     print count
```

```
...
2
3
4
```

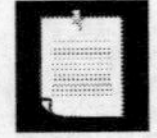

核心笔记：为什么 range() 不是只有一种语法？

你已经知道了 range() 的所有语法，有些人可能会问一个挑剔的问题，为什么不把这两种语法合并成一个下面这样的语法？

```
range(start=0, end, step =1) # invalid
```

这个语法不可以使用两个参数调用。因为step要求给定start。换句话说，你不能只传递end和step参数。因为它们会被解释器误认为是start和end 。

8.6.5 xrange() 内建函数

xrange()类似 range()，不过当你有一个很大的范围列表时，xrange()可能更为适合，因为它不会在内存里创建列表的完整拷贝。它只被用在 for 循环中，在 for 循环外使用它没有意义。同样地，你可以想到，它的性能远高出 range()，因为它不生成整个列表。在 Python 的未来版本中，range()可能会像 xrange()一样，返回一个可迭代对象（不是列表也不是一个迭代器）。

8.6.6 与序列相关的内建函数

sorted()、reversed()、enumerate()、zip()

下边是使用循环相关和序列相关函数的例子。为什么它们叫“序列相关”呢？ 是因为其中两个函数（sorted()和 zip()）返回一个序列(列表)，而另外两个函数（reversed()和 enumerate()）返回迭代器（类似序列）。

```
>>> albums = ('Poe', 'Gaudi', 'Freud', 'Poe2')
>>> years = (1976, 1987, 1990, 2003)
>>> for album in sorted(albums):
...     print album,
...
Freud Gaudi Poe Poe2
>>>
>>> for album in reversed(albums):
...     print album,
...
Poe2 Freud Gaudi Poe
>>>
>>> for i, album in enumerate(albums):
...     print i, album
...
0 Poe
1 Gaudi
2 Freud
3 Poe2
>>>
>>> for album, yr in zip(albums, years):
...     print yr, album
```

```
...
1976 Poe
1987 Gaudi
1990 Freud
2003 Poe2
```

我们已经涵盖了 Python 中的所有循环语句，下面我们看看循环相关的语句，包括用于放弃循环的 break 语句和立即开始下一次迭代的 continue 语句。

8.7 break 语句

Python 中的 break 语句可以结束当前循环然后跳转到下条语句，类似 C 中的传统 break。常用在当某个外部条件被触发（一般通过 if 语句检查），需要立即从循环中退出时 break 语句可以用在 while 和 for 循环中。

```
count = num / 2
while count > 0:
    if num % count == 0:
        print count, 'is the largest factor of', num
        break
    count -= 1
```

上边这段代码用于寻找给定数字 num 的最大约数。我们迭代所有可能的约数，count 变量依次递减，第一个能整除 num 的就是我们要找的最大约数，找到后就不再继续找了，使用 break 语句退出循环。

```
phone2remove = '555-1212'
for eachPhone in phoneList:
    if eachPhone == phone2remove:
        print "found", phone2remove, '... deleting'
        deleteFromPhoneDB(phone2remove)
        break
```

这里的 break 语句用于打断列表的迭代，目的是为了找到列表中的目标元素，如果找到，则把它从数据库里删除然后退出循环。

8.8 continue 语句

核心笔记：continue 语句

不管是对 Python、C、Java，还是其他任何支持 continue 语句的结构化语言，一些初学者有这样的一个误解：continue 语句"立即启动循环的下一次迭代"。实际上，当遇到 continue 语句时，程序会终止当前循环，并忽略剩余的语句，然后回到循环的顶端。在开始下一次迭代前，如果是条件循环，我们将验证条件表达式；如果是迭代循环，我们将验证是否还有元素可以迭代。只有在验证成功的情况下，我们才会开始下一次迭代。

Python 里的 continue 语句和其他高级语言中的传统 continue 并没有什么不同。它可以被用在 while 和 for 循环里。while 循环是条件性的，而 for 循环是迭代的，所以 continue 在开始下一次循环前要满足一些先决条件（前边的核心笔记中强调的），否则循环会正常结束。

```
valid = False
count = 3
while count > 0:
    input = raw_input("enter password")
    # check for valid passwd
    for eachPasswd in passwdList:
        if input == eachPasswd:
            valid = True
            break
    if not valid:     # (or valid == 0)
        print "invalid input"
        count -= 1
        continue
    else:
        break
```

这里例子结合使用了 while、for、if、break 和 continue，用来验证用户输入。用户有三次机会来输入正确的密码，如果失败，那么 valid 变量将仍为一个布尔假（0），然后我们可以采取必要的操作阻止用户猜测密码。

8.9 pass 语句

Python 还提供了 pass 语句（C 中没有提供对应的语句）。Python 没有使用传统的大括号来标记代码块，有时，有些地方在语法上要求要有代码，而 Python 中没有对应的空大括号或是分号(;)来表示 C 语言中的"不做任何事"，如果你在需要在有语句块的地方不写任何语句，解释器会提示你语法错误。因此，Python 提供了 pass 语句，它不做任何事情——即 NOP，（No OPeration，无操作）我们从汇编语言中借用这个概念。pass 同样也可作为开发中的小技巧，标记你后来要完成的代码，例如这样：

```
def foo_func():
    pass
```

或是

```
if user_choice == 'do_calc':
    pass
else:
    pass
```

这样的代码结构在开发和调试时很有用，因为编写代码的时候你可能要先把结构定下来，但你不希望它干扰其他已经完成的代码。在不需要它做任何事情地方，放一个 pass 将是一个很好的主意。

另外它在异常处理中也被经常用到，我们将在第 10 章中详细介绍；比如你跟踪到了一个非致命的错误，不想采取任何措施（只是想记录一下事件或是在内部进行处理罢了）。

8.10 再谈 else 语句

在 C（以及大多其他语言中），你不会在条件语句范围外发现 else 语句，但 Python 不同，你可以在

while 和 for 循环中使用 else 语句。它们是怎么工作的呢？在循环中使用时，else 子句只在循环完成后执行，也就是说 break 语句也会跳过 else 块。

展示 while 语句中 else 用法的一个例子就是寻找一个数的最大约数。我们已经实现了完成这个任务的函数，使用 while 循环和 else 语句。例 8.1(maxFact.py)利用这个语法完成了 showMaxFactor() 函数。

例 8.1 while-else 循环举例（maxFact.py）

```
1   #!/usr/bin/env python
2
3   def showMaxFactor(num):
4       count = num / 2
5       while count > 1:
6           if num % count == 0:
7               print 'largest factor of %d is %d' % \
8                   (num, count)
9               break
10          count -= 1
11      else:
12          print num, "is prime"
13
14  for eachNum in range(10, 21):
15      showMaxFactor(eachNum)
```

这个程序显示出 10～20 中的数字的最大约数。该脚本也会提示这个数是否为素数。

showMaxFactor() 函数中第 3 行的循环从 amount 的一半开始计数（这样就可以检查这个数是否可以被 2 整除，如果可以，那就找到了最大的约数）。然后循环每次递减 1（第 10 行），直到发现约数（第 6～9 行）。如果循环递减到 1 还没有找到约数，那么这个数一定是素数。11～12 行的 else 子句负责处理这样的情况。程序的主体（14～15 行）用数字参数调用 showMaxFactor()。执行该程序将得到这样的输出：

```
largest factor of 10 is 5
11 is prime
largest factor of 12 is 6
13 is prime
largest factor of 14 is 7
largest factor of 15 is 5
largest factor of 16 is 8
17 is prime
largest factor of 18 is 9
19 is prime
largest factor of 20 is 10
```

同样地，for 循环也可以有 else 用于循环后处理（post-processing）。它和 while 循环中的 else 处理方式相同。只要 for 循环是正常结束的（不是通过 break ），else 子句就会执行。我们在 8.5.3 已经见过这样的例子。

表 8.1　　条件及循环语句中的辅助语句总结

循环和条件语句	辅助语句		
	if	while	for
elif	•		
else	•	•	•
break		•	•
continue		•	•
pass[a]	•	•	•

a. pass 在任何需要语句块（一个或多个语句）的地方都可以使用（例如 elif、else、clasa、 def、try、except 和 finally ）。

8.11 迭代器和 iter()函数

8.11.1 什么是迭代器

迭代器是在版本 2.2 被加入 Python 的，它为类序列对象提供了一个类序列的接口。我们在前边的第 6 章已经正式地介绍过序列。它们是一组数据结构，你可以利用它们的索引从 0 开始一直“迭代”到序列的最后一个条目。用“计数”的方法迭代序列是很简单的。Python 的迭代无缝地支持序列对象，而且它还允许程序员迭代非序列类型，包括用户定义的对象。

迭代器用起来很灵巧，你可以迭代不是序列但表现出序列行为的对象，例如字典的键、一个文件的行，等等．当你使用循环迭代一个对象条目时，你几乎分辨不出它是迭代器还是序列。你不必去关注这些，因为 Python 让它像一个序列那样操作。

8.11.2 为什么要迭代器

引用 PEP（234）中对迭代器的定义：

- 提供了可扩展的迭代器接口；
- 对列表迭代带来了性能上的增强；
- 在字典迭代中性能提升；
- 创建真正的迭代接口，而不是原来的随机对象访问；
- 与所有已经存在的用户定义的类以及扩展的模拟序列和映射的对象向后兼容；
- 迭代非序列集合（例如映射和文件）时，可以创建更简洁可读的代码。

8.11.3 如何迭代

根本上说，迭代器就是有一个 next() 方法的对象，而不是通过索引来计数。当你或是一个循环机制（例如 for 语句）需要下一个项时，调用迭代器的 next() 方法就可以获得它。条目全部取出后，会引发一个 StopIteration 异常，这并不表示错误发生，只是告诉外部调用者，迭代完成。

不过，迭代器也有一些限制。例如你不能向后移动，不能回到开始，也不能复制一个迭代器。如果你要再次（或者是同时）迭代同个对象，你只能去创建另一个迭代器对象。不过，这并不糟糕，因为还有其他的工具来帮助你使用迭代器。

reversed() 内建函数将返回一个反序访问的迭代器。enumerate() 内建函数同样也返回迭代器。另外两个新的内建函数，any() 和 all() ，是在 Python 2.5 中新增的，如果迭代器中某个/所有条目的值都为布尔真时，则它们返回值为真。本章先前部分我们展示了如何在 for 循环中通过索引或是可迭代对象来遍历条目。同时 Python 还提供了一整个 itertools 模块，它包含各种有用的迭代器。

8.11.4 使用迭代器

1. 序列

正如先前提到的，迭代 Python 的序列对象和你想像的一样：

```
>>> myTuple = (123, 'xyz', 45.67)
>>> i = iter(myTuple)
>>> i.next()
123
>>> i.next()
'xyz'
>>> i.next()
45.67
>>> i.next()
Traceback (most recent call last):
 File "", line 1, in ?
StopIteration
```

如果这是一个实际应用程序，那么我们需要把代码放在一个 try-except 块中。序列现在会自动地产生它们自己的迭代器，所以一个 for 循环：

```
for i in seq:
    do_something_to(i)
```

under the covers now really behaves like this:
实际上是这样工作的：

```
fetch = iter(seq)
while True:
    try:
        i = fetch.next()
    except StopIteration:
        break
    do_something_to(i)
```

不过，你不需要改动你的代码，因为 for 循环会自动调用迭代器的 next() 方法（以及监视 StopIteration 异常）。

2. 字典

字典和文件是另外两个可迭代的 Python 数据类型。字典的迭代器会遍历它的键（key）。语句 for eachKey in myDict.keys() 可以缩写为 for eachKey in myDict，例如：

```
>>> legends = { ('Poe', 'author'): (1809, 1849, 1976),
...   ('Gaudi', 'architect'): (1852, 1906, 1987),
...   ('Freud', 'psychoanalyst'): (1856, 1939, 1990)
... }
...
>>> for eachLegend in legends:
...     print 'Name: %s\tOccupation: %s' % eachLegend
...     print '  Birth: %s\tDeath: %s\tAlbum: %s\n' \
...     % legends[eachLegend]
...
Name: Freud  Occupation: psychoanalyst
  Birth: 1856    Death: 1939   Album: 1990
```

```
Name: Poe    Occupation: author
  Birth: 1809    Death: 1849   Album: 1976

Name: Gaudi  Occupation: architect
  Birth: 1852    Death: 1906   Album: 1987
```

另外，Python 还引进了三个新的内建字典方法来定义迭代：myDict.iterkeys()（通过键迭代）、myDict.itervalues()（通过值迭代）及 myDicit.iteritems()（通过键-值对来迭代）。注意，in 操作符也可以用于检查字典的键是否存在，之前的布尔表达式 myDict.has_key（anyKey）可以被简写为 anyKey in myDict。

3．文件

文件对象生成的迭代器会自动调用 readline() 方法。这样，循环就可以访问文本文件的所有行。程序员可以使用更简单的 for eachLine in myFile 替换 for eachLine in myFile.readlines()：

```
>>> myFile = open('config-win.txt')
>>> for eachLine in myFile:
...     print eachLine,    # comma suppresses extra \n
...
[EditorWindow]
font-name: courier new
font-size: 10
>>> myFile.close()
```

8.11.5 可变对象和迭代器

记住，在迭代可变对象的时候修改它们并不是个好主意。这在迭代器出现之前就是一个问题。一个流行的例子就是循环列表的时候删除满足（或不满足）特定条件的项：

```
for eachURL in allURLs:
    if not eachURL.startswith('http: //'):
        allURLs.remove(eachURL)          # YIKES!!
```

除列表外的其他序列都是不可变的，所以危险就发生在这里。一个序列的迭代器只是记录你当前到达第多少个元素，所以如果你在迭代时改变了元素，更新会立即反映到你所迭代的条目上。在迭代字典的键时，你绝对不能改变这个字典。使用字典的 keys() 方法是可以的，因为 keys() 返回一个独立于字典的列表。而迭代器是与实际对象绑定在一起的，它将不会继续执行下去：

```
>>> myDict = {'a': 1, 'b': 2, 'c': 3, 'd': 4}
>>> for eachKey in myDict:
...     print eachKey, myDict[eachKey]
...     del myDict[eachKey]
...
a 1
Traceback (most recent call last):
 File "", line 1, in ?
RuntimeError: dictionary changed size during iteration
```

这样可以避免有缺陷的代码。更多有关迭代器的细节请参阅 PEP 234。

8.11.6 如何创建迭代器

对一个对象调用 iter() 就可以得到它的迭代器。它的语法如下：

```
iter(obj)
iter(func, sentinel )
```

如果你传递一个参数给 iter()，它会检查你传递的是不是一个序列，如果是，那么很简单：根据索引从 0 一直迭代到序列结束。另一个创建迭代器的方法是使用类，我们将在第 13 章详细介绍，一个实现了 __iter__() 和 next() 方法的类可以作为迭代器使用。

如果是传递两个参数给 iter()，它会重复地调用 func，直到迭代器的下个值等于 sentinel。

8.12 列表解析

列表解析（List comprehensions，或缩略为 list comps）来自函数式编程语言 Haskell。它是一个非常有用、简单而且灵活的工具，可以用来动态地创建列表。它在 Python 2.0 中被加入。

在第 11 章中，我们将讨论 Python 早就支持的函数式编程特性，例如 lambda、map()和 filter() 等，它们存在于 Python 中已经很长时间了，但通过列表解析，它们可以被简化为一个列表解析式子。map() 对所有的列表成员应用一个操作，filter() 基于一个条件表达式过滤列表成员。最后，lambda 允许你快速地创建只有一行的函数对象。你不需要现在就去掌握这些，在本节中你将看到它们出现在例子里，因为我们需要讨论列表解析的优势。首先让我们看看列表解析的语法：

```
[expr for iter_var in iterable]
```

这个语句的核心是 for 循环，它迭代 iterable 对象的所有条目。前边的 expr 应用于序列的每个成员，最后的结果值是该表达式产生的列表。迭代变量并不需要是表达式的一部分。这里用到了第 11 章的一些代码。它有一个计算序列成员的平方的 lambda 函数表达式：

```
>>> map(lambda x: x ** 2, range(6))
[0, 1, 4, 9, 16, 25]
```

我们可以使用下面这样的列表解析来替换它：

```
>>> [x ** 2 for x in range(6)]
[0, 1, 4, 9, 16, 25]
```

在新语句中，只有一次函数调用（range()），而先前的语句中有三次函数调用（range()、map()和 lambda）。你也可以用括号包住表达式，像 [(x ** 2) for x in range(6)] 这样，更便于阅读。列表解析的表达式可以取代内建的 map() 函数以及 lambda，而且效率更高。结合 if 语句，列表解析还提供了一个扩展版本的语法：

```
[expr for iter_var in iterable if cond_expr]
```

这个语法在迭代时会过滤或“捕获”满足条件表达式 cond_expr 的序列成员。

回想一下 odd() 函数，它用于判断一个数值对象是奇数还是偶数（奇数返回 1，偶数返回 0）：

```
def odd(n):
    return n % 2
```

我们可以借用这个函数的核心操作，使用 filter() 和 lambda 挑选出序列中的奇数：

```
>>> seq = [11, 10, 9, 9, 10, 10, 9, 8, 23, 9, 7, 18, 12, 11, 12]
>>> filter(lambda x: x % 2, seq)
[11, 9, 9, 9, 23, 9, 7, 11]
```

和先前的例子一样，即使不用 filter()和 lambda，我们同样可以使用列表解析来完成操作，获得想要的数字：

```
>>> [x for x in seq if x % 2]
[11, 9, 9, 9, 23, 9, 7, 11]
```

我们使用更多实用的例子结束这节。

1．矩阵样例

你需要迭代一个有3行5列的矩阵么？ 很简单：

```
>>> [(x+1,y+1) for x in range(3) for y in range(5)]
[(1, 1), (1, 2), (1, 3), (1, 4), (1, 5), (2, 1), (2, 2), (2,
3), (2, 4), (2, 5), (3, 1), (3, 2), (3, 3), (3, 4), (3, 5)]
```

2．磁盘文件样例

假设我们有如下这样一个数据文件 hhga.txt ，需要计算出所有非空白字符的数目：

```
And the Lord spake,saying,"First shalt thou take out the Holy Pin. Then shalt thou count
to three,no more,no less. Three shall be the number thou shalt count,and the number of
the counting shall be three. Four shalt thou not count,neither count thou two,excepting
that thou then proceed to three. Five is right out. Once the number three,being the third
number,be reached,then lobbest thou thy Holy Hand Grenade of Antioch towards thy
foe,who,being naughty in My sight,shall snuff it."
```

我们已经知道可以通过 for line in data 迭代文件内容。不过，除了这个，我们还可以把每行分割（split）为单词，然后我们可以像这样计算单词个数：

```
>>> f = open('hhga.txt', 'r')
>>> len([word for line in f for word in line.split()])
91
```

快速地计算文件大小

```
import os
>>> os.stat('hhga.txt').st_size
499L
```

假定文件中至少有一个空白字符，我们知道文件中有少于 499 个非空字符。我们可以把每个单词的长度加起来，得到和。

```
>>> f.seek(0)
>>> sum([len(word) for line in f for word in line.split()])
408
```

这里我们用 seek() 函数回到文件的开头，因为迭代器已经访问完了文件的所有行。一个清晰明了的列表解析完成了之前需要许多行代码才能完成的工作!如你所见，列表解析支持多重嵌套 for 循环以及多个 if 子句。完整的语法可以在官方文档中找到。你也可以在 PEP 202 中找到更多关于列表解析的资料。

8.13 生成器表达式

生成器表达式是列表解析的一个扩展。在Python 2.0 中我们加入了列表解析，使语言有了一次革命化的发展，提供给用户了一个强大的工具，只用一行代码就可以创建包含特定内容的列表。你可以去问一个有多年 Python 经验的程序员是什么改变了他们编写 Python 程序的方式，那么得到最多的答案一定会是列表解析。

另一个在 Python 版本 2.2 时被加入的重要特性是生成器。生成器是特定的函数，允许你返回一个值，然后“暂停”代码的执行，稍后恢复。我们将在第 11 章中讨论生成器。

列表解析的一个不足就是必要生成所有的数据，用以创建整个列表。这可能对有大量数据的迭代器有负面效应。生成器表达式通过结合列表解析和生成器解决了这个问题。

生成器表达式在 Python 2.4 被引入，它与列表解析非常相似，而且它们的基本语法基本相同；不过它并不真正创建数字列表，而是返回一个生成器，这个生成器在每次计算出一个条目后，把这个条目“产生”（yield）出来。生成器表达式使用了“延迟计算”（lazy evaluation），所以它在使用内存上更有效。

我们来看看它和列表解析到底有多相似：

列表解析：

```
[expr for iter_var in iterable if cond_expr]
```

生成器表达式：

```
(expr for iter_var in iterable if cond_expr)
```

生成器并不会让列表解析废弃，它只是一个内存使用更友好的结构，基于此，有很多使用生成器地方。下面我们提供了一些使用生成器表达式的例子，最后举一个冗长的样例，从它你可以感觉到 Python 代码在这些年来的变化。

1．磁盘文件样例

在前边列表解析一节，我们计算文本文件中非空字符总和。最后的代码中，我们展示了如何使用一行列表解析代码做所有的事。如果这个文件的大小变得很大，那么这行代码的内存性能会很低，因为我们要创建一个很长的列表用于存放单词的长度。

为了避免创建庞大的列表，我们可以使用生成器表达式来完成求和操作。它会计算每个单词的长度然后传递给 sum() 函数（它的参数不仅可以是列表，还可以是可迭代对象，比如生成器表达式）。这样，我们可以得到优化后的代码（代码长度，还有执行效率都很高效）：

```
>>> sum(len(word) for line in data for word in line.split())
408
```

我们所做的只是把方括号删除：少了两字节，而且更节省内存 ... 非常地环保！

2．交叉配对样例

生成器表达式就好像是懒惰的列表解析（这反而成了它主要的优势）。它还可以用来处理其他列表或生成器，例如这里的 rows 和 cols ：

```
rows = [1, 2, 3, 17]

def cols():              # example of simple generator
    yield 56
    yield 2
    yield 1
```

不需要创建新的列表，直接就可以创建配对。我们可以使用下面的生成器表达式：

```
x_product_pairs = ((i, j) for i in rows for j in cols())
```

现在我们可以循环 x_product_pairs，它会懒惰地循环 rows 和 cols ：

```
>>> for pair in x_product_pairs:
...     print pair
...
(1, 56)
(1, 2)
(1, 1)
(2, 56)
(2, 2)
(2, 1)
(3, 56)
(3, 2)
(3, 1)
(17, 56)
(17, 2)
(17, 1)
```

3. 重构样例

我们通过一个寻找文件最长的行的例子来看看如何改进代码。在以前，我们这样读取文件：

```
f = open('/etc/motd', 'r')
longest = 0
while True:
    linelen = len(f.readline().strip())
    if not linelen: break
    if linelen > longest:
        longest = linelen
f.close()
return longest
```

事实上，这还不够老。真正的旧版本 Python 代码中，布尔常量应该写是整型 1，而且我们应该使用 string 模块而不是字符串的 strip() 方法：

```
import string
        :
    len(string.strip(f.readline()))
```

从那时起，我们认识到如果读取了所有的行，那么应该尽早释放文件资源。如果这是一个很多进程都要用到的日志文件，那么理所当然我们不能一直拿着它的句柄不释放。是的，我们的例子是用来展示的，但是你应该得到这个理念。所以读取文件的行的首选方法应该是这样：

```
f = open('/etc/motd', 'r')
longest = 0
allLines = f.readlines()
f.close()
for line in allLines:
    linelen = len(line.strip())
    if linelen > longest:
        longest = linelen
return longest
```

列表解析允许我们稍微简化代码，而且我们可以在得到行的集合前做一定的处理。在下段代码中，除了读取文件中的行之外，我们还调用了字符串的 strip() 方法处理行内容。

```
f = open('/etc/motd', 'r')
longest = 0
allLines = [x.strip() for x in f.readlines()]
f.close()
for line in allLines:
    linelen = len(line)
    if linelen > longest:
        longest = linelen
return longest
```

然而，两个例子在处理大文件时候都有问题，因为 readlines() 会读取文件的所有行。后来我们有了迭代器，文件本身就成为了它自己的迭代器，不需要调用 readlines() 函数。我们已经做到了这一步，为什么不去直接获得行长度的集合呢（之前我们得到的是行的集合）？ 这样，我们就可以使用 max() 内建函数得到最长的字符串长度：

```
f = open('/etc/motd', 'r')
allLineLens = [len(x.strip()) for x in f]
f.close()
return max(allLineLens)
```

这里唯一的问题就是你一行一行迭代 f 的时候，列表解析需要文件的所有行读取到内存中，然后生成列表。我们可以进一步简化代码：使用生成器表达式替换列表解析，然后把它移到 max() 函数里，这样，所有的核心部分只有一行：

```
f = open('/etc/motd', 'r')
longest = max(len(x.strip()) for x in f)
f.close()
return longest
```

最后，我们可以去掉文件打开模式（默认为读取），然后让 Python 去处理打开的文件。当然，文件用于写入的时候不能这么做，但这里我们不需要考虑太多：

```
return max(len(x.strip()) for x in open('/etc/motd'))
```

我们走了好长一段路。注意，即便是这只有一行的 Python 程序也不是很晦涩。生成器表达式在 Python 2.4 中被加入，你可以在 PEP 289 中找到更多相关内容。

8.14 相关模块

Python 2.2 引进了迭代器，在下一个发行版 (2.3) 中，itertools 模块被加入，用来帮助那些发现迭代器威力但又需要一些辅助工具的开发者。有趣的是如果你阅读关于 itertools 中实用程序的文档，你会发现生成器。所以在迭代器和生成器间有一定的联系。你可以在第 11 章中了解更多。

8.15 练习

8-1. 条件语句。请看下边的代码：

```
# statement A
if x > 0:
    # statement B
    pass
elif x < 0:
    # statement C
    pass
else:
    # statement D
    pass
# statement E
```

（a）如果 x< 0 ，上面哪个语句（A，B，C，D，E）将被执行？

（b）如果 x== 0 ，上面哪个居于将被执行？

（c）如果 x> 0 ，上面哪个语句将被执行？

8-2. 循环。编写一个程序，让用户输入 3 个数字：(f)rom，(t)o 和 (i)ncrement 。以 i 为步长，从 f 计数到 t ，包括 f 和 t 。例如，如果输入的是 f == 2、t == 26、i == 4，程序将输出 2，6，10，14，18，22，26。

8-3. range() 。如果我们需要生成下面的这些列表，分别需要在 range() 内建函数中提供哪些参数？

(a) [0，1，2，3，4，5，6，7，8，9]

(b) [3, 6, 9, 12, 15, 18]

(c) [-20, 200, 420, 640, 860]

8-4. 素数。我们在本章已经给出了一些代码来确定一个数字的最大约数或者它是否是一个素数。请把相关代码转换为一个返回值为布尔值的函数，函数名为 isprime() 。如果输入的是一个素数，那么返回 True ，否则返回 False。

8-5. 约数。完成一个名为 getfactors() 的函数。它接受一个整型作为参数，返回它所有约数的列表，包括 1 和它本身。

8-6. 素因子分解。以刚才练习中的 isprime() 和 getfactors() 函数为基础编写一个函数，它接受一个整型作为参数，返回该整型所有素数因子的列表。这个过程叫做求素因子分解，它输出的所有因子之积应该是原来的数字。注意列表里可能有重复的元素。例如输入 20，返回结果应该是 [2，2，5]。

8-7. 完全数。完全数被定义为这样的数字：它的约数（不包括它自己）之和为它本身。例如：6 的约数是 1，2，3，因为 1+2+3=6 ，所以 6 被认为是一个完全数。编写一个名为 isperfect() 的函数，它接受一个整型作为参数，如果这个数字是完全数，返回 1；否则返回 0。

8-8. 阶乘。一个数的阶乘被定义为从 1 到该数字所有数字的乘积。N 的阶乘简写为 N! 。
N! == factorial(N) == 1 * 2 * 3 * ... * (N-2) * (N-1) * N. So 4! == 1 * 2 * 3 * 4
写一个函数，指定 N，返回 N! 的值。

8-9. 斐波那契数列。斐波那契数列形如 1，1，2，3，5，8，13，21，等等。也就是说，下一个值是序列中前两个值之和。写一个函数，给定 N ，返回第 N 个斐波那契数字。例如，第 1 个斐波那契数字是 1 ，第 6 个是 8。

8-10. 文本处理。统计一句话中的元音，辅音及单词（以空格分割）的个数。忽略元音和辅音的特殊情况，如“h”，“y”，“qu”等。附加题：编写处理这些特殊情况的代码。

8-11. 文本处理。要求输入一个姓名列表，输入格式是“Last Name，First Name”即姓 逗号 名。编写程序处理输入，如果用户输入错误，比如“First Name Last Name,”，请纠正这些错误，并通知用户。同时你还需要记录输入错误次数。当用户输入结束后，给列表排序，然后以“姓，名”的顺序显示。

输入输出示例（你不需要完全按照这里的例子完成）：

```
% nametrack.py
Enter total number of names: 5

Please enter name 0: Smith, Joe
Please enter name 1: Mary Wong
>> Wrong format... should be Last, First.
>> You have done this 1 time(s) already. Fixing input...
Please enter name 2: Hamilton, Gerald
Please enter name 3: Royce, Linda
Please enter name 4: Winston Salem
>> Wrong format... should be Last, First.
>> You have done this 2 time(s) already. Fixing input...

The sorted list (by last name) is:
    Hamilton, Gerald
    Royce, Linda
    Salem, Winston
    Smith, Joe
    Wong, Mary
```

8-12. （整型）位操作。编写一个程序，用户给出起始和结束数字后给出一个下面这样的表格，分别显示出两个数字间所有整型的十进制，二进制，八进制和十六进制表示。如果字符是可打印的ASCII 字符，也要把它打印出来，如果没有一个是可打印字符，就省略掉 ASCII 那一栏的表头。请参考下面的输入输出格式：

```
    输出示例 1
---------------
    输入起始值：9
    输入结束值：18
DEC    BIN     OCT     HEX
-------------------------------
9      01001   11      9
10     01010   12      a
11     01011   13      b
12     01100   14      c
13     01101   15      d
14     01110   16      e
15     01111   17      f
16     10000   20      10
17     10001   21      11
18     10010   22      12
    输出示例 2
---------------
    输入起始值：26
    输入结束值：41
十进制   二进制   八进制   十六进制   ASCII
----------------------------------------
26     011010   32     1a
27     011011   33     1b
28     011100   34     1c
29     011101   35     1d
30     011110   36     1e
31     011111   37     1f
32     100000   40     20
33     100001   41     21      !
34     100010   42     22      "
35     100011   43     23      #
36     100100   44     24      $
37     100101   45     25      %
38     100110   46     26      &
39     100111   47     27      '
40     101000   50     28      (
41     101001   51     29      )
```

8-13.程序执行性能。在 8.5.2 节里，我们介绍了两种基本的迭代序列方法：（1）通过序列项，以及（2）通过序列索引遍历。该小节的末尾我们指出后一种方法在序列很长的时候性能不佳（在我的系统下，性能差了将近两倍[83%]）你认为它的原因是什么？

第9章 文件和输入输出

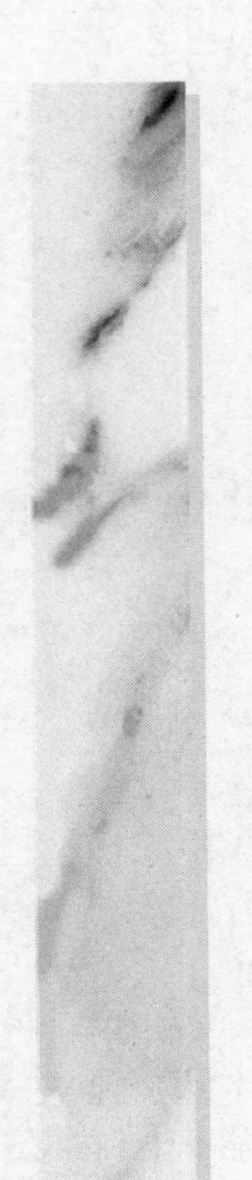

本章主题

- 文件对象
- 文件内建函数
- 文件内建方法
- 文件内建属性
- 标准文件
- 命令行参数
- 文件系统
- 文件执行
- 持久存储
- 相关模块

本章将深入介绍 Python 的文件处理和相关输入输出能力。我们将介绍文件对象（它的内建函数、内建方法和属性)、标准文件，同时讨论文件系统的访问方法、文件执行，最后简洁地介绍持久存储和标准库中与文件有关的模块。

9.1 文件对象

文件对象不仅可以用来访问普通的磁盘文件，也可以访问任何其他类型抽象层面上的“文件”。一旦设置了合适的“钩子”，你就可以访问具有文件类型接口的其他对象，就好像访问的是普通文件一样。

随着使用 Python 经验的增长，会遇到很多处理“类文件”对象的情况。有很多这样的例子，例如实时地“打开一个 URL”来读取 Web 页面，在另一个独立的进程中执行一个命令进行通信，就好像是两个同时打开的文件，一个用于读取，另一个用于写入。

内建函数 open() 返回一个文件对象（参见下一小节），对该文件进行后续相关的操作都要用到它。还有大量的函数也会返回文件对象或是类文件（file-like）对象。进行这种抽象处理的主要原因是许多的输入/输出数据结构更趋向于使用通用的接口。这样就可以在程序行为和实现上保持一致性。甚至像 Unix 这样的操作系统把文件作为通信的底层架构接口。请记住，文件只是连续的字节序列。数据的传输经常会用到字节流，无论字节流是由单个字节还是大块数据组成。

9.2 文件内建函数（open()和 file()）

作为打开文件之门的“钥匙”，内建函数 open() [以及 file()]提供了初始化输入/输出（I/O）操作的通用接口。open() 内建函数成功打开文件后时候会返回一个文件对象，否则引发一个错误。当操作失败，Python 会产生一个 IOError 异常——我们会在下一章讨论错误和异常的处理。内建函数 open() 的基本语法是：

```
file_object = open(file_name, access_mode='r', buffering=-1)
```

file_name 是包含要打开的文件名字的字符串，它可以是相对路径或者绝对路径。可选变量 access_mode 也是一个字符串，代表文件打开的模式。通常，文件使用模式 'r'，'w'，或是 'a' 模式来打开，分别代表读取，写入和追加。还有个 'U' 模式，代表通用换行符支持（见下）。

使用 'r' 或 'U' 模式打开的文件必须是已经存在的。使用 'w' 模式打开的文件若存在则首先清空，然后（重新）创建。以 'a' 模式打开的文件是为追加数据作准备的，所有写入的数据都将追加到文件的末尾。即使你 seek 到了其他的地方。如果文件不存在，将被自动创建，类似以 'w' 模式打开文件。如果你是一个 C 程序员，就会发现这些也是 C 库函数 fopen() 中使用的模式。

其他 fopen() 支持的模式也可以工作在 Python 的 open() 下。包括 '+' 代表可读可写，'b' 代表二进制模式访问。关于 'b' 有一点需要说明，对于所有 POSIX 兼容的 Unix 系统（包括 Linux）来说，'b' 是可有可无的，因为它们把所有的文件当作二进制文件，包括文本文件。下面是从 Linux 手册的 fopen() 函数使用中摘录的一段，Python 语言中的 open() 函数就是从它衍生出的。

指示文件打开模式的字符串中也可以包含字符 “b”，但它不能作为第一个字符出现。这样做的目的是为了严格地满足 ANSI C3.159-1989（即 ANSI C）中的规定；事实上它没有任何效果，所有 POSIX 兼容系统，包括 Linux，都会忽略“b”（其他系统可能会区分文本文件和二进制文件，如果你要处理一个二进制文件，并希望你的程序可以移植到其他非 Unix 的环境中，加上“b”会是不错的主意）。

你可以在表 9.1 中找到关于文件访问模式的详细列表，包括 'b' 的使用——如果你选择使用它的话。如果没有给定 access_mode，它将自动采用默认值 'r' 。

另外一个可选参数 buffering 用于指示访问文件所采用的缓冲方式。其中 0 表示不缓冲，1 表示只缓冲一行数据，任何其他大于 1 的值代表使用给定值作为缓冲区大小。不提供该参数或者给定负值代表使用系统默认缓冲机制，既对任何类电报机（tty）设备使用行缓冲，其他设备使用正常缓冲。一般情况下使用系统默认方式即可。

表 9.1 文件对象的访问模式

文件模式	操作
r	以读方式打开
rU 或 U[a]	以读方式打开，同时提供通用换行符支持（PEP 278）
w	以写方式打开（必要时清空）
a	以追加模式打开（从 EOF 开始，必要时创建新文件）
r+	以读写模式打开
w+	以读写模式打开（参见 w ）
a+	以读写模式打开（参见 a ）
rb	以二进制读模式打开
wb	以二进制写模式打开（参见 w ）
ab	以二进制追加模式打开（参见 a ）
rb+	以二进制读写模式打开（参见 r+ ）
wb+	以二进制读写模式打开（参见 w+ ）
ab+	以二进制读写模式打开（参见 a+ ）

a. Python 2.5 中新增。

这里是一些打开文件的例子：

```
fp = open('/etc/motd')            # 以读方式打开
fp = open('test', 'w')            # 以写方式打开
fp = open('data', 'r+')           # 以读写方式打开
fp = open(r'c: \io.sys', 'rb')    # 以二进制读模式打开
```

9.2.1 工厂函数 file()

在 Python 2.2 中，类型和类被统一了起来，这时加入了内建函数 file()。当时，很多内建类型没有对应的内建函数来创建对象的实例，例如 dict()、bool()、file()等。然而，另一些却有对应的内建函数，例如 list()、str()等。

open() 和 file() 函数具有相同的功能，可以任意替换。您所看到任何使用 open() 的地方，都可以使用 file() 替换它。

可以预见，在 将来的 Python 版本中，open() 和 file() 函数会同时存在，完成相同的功能。一般说来，我们建议使用 open() 来读写文件，在您想说明您在处理文件对象时使用 file()，例如 if instance(f, file) 。

9.2.2 通用换行符支持(UNS）

在下一个核心笔记中，我们将介绍如何使用 os 模块的一些属性来帮助你在不同平台下访问文件，不同平台用来表示行结束的符号是不同的，例如 \n，\r，或者 \r\n 。所以，Python 的解释器也要处理这样的任务，特别是在导入模块时分外重要。你难道不希望 Python 用相同的方式处理所有文件吗?

这就是 UNS（Universal NEWLINE Support，通用换行符支持） 的关键所在，作为 PEP 278 的结

果，Python 2.3 引入了 UNS。当你使用 'U' 标志打开文件的时候，所有的行分隔符（或行结束符，无论它原来是什么）通过 Python 的输入方法（例如 read*()）返回时都会被替换为换行符 NEWLINE(\n)。('rU' 模式也支持 'rb' 选项)。这个特性还支持包含不同类型行结束符的文件。文件对象的 newlines 属性会记录它曾“看到的”文件的行结束符。

如果文件刚被打开，程序还没有遇到行结束符，那么文件的 newlines 为 None。在第一行被读取后，它被设置为第一行的结束符。如果遇到其他类型的行结束符，文件的 newlines 会成为一个包含每种格式的元组。注意 UNS 只用于读取文本文件。没有对应的处理文件输出的方法。

在编译 Python 的时候，UNS 默认是打开的。如果你不需要这个特性，在运行 configure 脚本时，你可以使用 --without-universal-newlines 开关关闭它。如果你非要自己处理行结束符，请查阅核心笔记，使用 os 模块的相关属性。

9.3 文件内建方法

open() 成功执行并返回一个文件对象之后，所有对该文件的后续操作都将通过这个“句柄”进行。文件方法可以分为四类：输入、输出、文件内移动及杂项操作。所有文件对象的总结被列在了表 9.3 中。我们现在来讨论每个类的方法。

9.3.1 输入

read() 方法用来直接读取字节到字符串中，最多读取给定数目个字节。如果没有给定 size 参数（默认值为 -1)或者 size 值为负，文件将被读取直至末尾。未来的某个版本可能会删除此方法。

readline() 方法读取打开文件的一行（读取下个行结束符之前的所有字节）。然后整行，包括行结束符，作为字符串返回。和 read() 相同，它也有一个可选的 size 参数，默认为 -1，代表读至行结束符。如果提供了该参数，那么在超过 size 个字节后会返回不完整的行。

readlines() 方法并不像其他两个输入方法一样返回一个字符串。它会读取所有（剩余的）行然后把它们作为一个字符串列表返回。它的可选参数 sizhint 代表返回的最大字节大小。如果它大于 0，那么返回的所有行应该大约有 sizhint 字节（可能稍微大于这个数字，因为需要凑齐缓冲区大小）。

Python 2.1 中加入了一个新的对象类型用来高效地迭代文件的行： xreadlines 对象（可以在 xreadlines 模块中找到）。调用 file.xreadlines() 等价于 xreadlines.xreadlines(file)。xreadlines() 不是一次性读取所有的行，而是每次读取一块，所以用在 for 循环时可以减少对内存的占用。不过，随着 Python 2.3 中迭代器和文件迭代的引入，没有必要再使用 xreadlines() 方法，因为它和使用 iter(file) 的效果是一样的，或者在 for 循环中，使用 for eachLine in file 代替它。它来得容易，去得也快。

另一个废弃的方法是 readinto()，它读取给定数目的字节到一个可写的缓冲器对象，和废弃的 buffer() 内建函数返回的对象是同个类型 （由于 buffer() 已经不再支持，所以 readinto() 被废弃）。

9.3.2 输出

write() 内建方法的功能与 read() 和 readline() 相反。它把含有文本数据或二进制数据块的字符串写入到文件中去。

和 readlines() 一样，writelines() 方法是针对列表的操作，它接受一个字符串列表作为参数，将它们写入文件。行结束符并不会被自动加入，所以如果需要的话，你必须在调用 writelines()前给每行结尾加上行结束符。

注意这里并没有“writeline()”方法，因为它等价于使用以行结束符结尾的单行字符串调用 write() 方法。

核心笔记：保留行分隔符

当使用输入方法如 read() 或者 readlines() 从文件中读取行时，Python 并不会删除行结束符，这个操作被留给了程序员。例如这样的代码在 Python 程序中很常见：

```
f = open('myFile', 'r')
data = [line.strip() for line in f.readlines()]
f.close()
```

类似地，输出方法 write() 或 writelines() 也不会自动加入行结束符。你应该在向文件写入数据前自己完成。

9.3.3 文件内移动

seek() 方法（类似 C 中的 fseek() 函数）可以在文件中移动文件指针到不同的位置。offset 字节代表相对于某个位置偏移量。位置的默认值为 0，代表从文件开头算起（即绝对偏移量），1 代表从当前位置算起，2 代表从文件末尾算起。如果你是一个 C 程序员，并且使用过了 fseek()，那么，0、1、2 分别对应着常量 SEEK_SET、SEEK_CUR 和 SEEK_END。当人们打开文件进行读写操作的时候就会接触到 seek()方法。

text() 方法是对 seek() 的补充；它告诉你当前文件指针在文件中的位置——从文件起始算起，单位为字节。

9.3.4 文件迭代

一行一行访问文件很简单：

```
for eachLine in f:
    :
```

在这个循环里，eachLine 代表文本文件的一行（包括末尾的行结束符），你可以使用它做任何想做的事情。

在 Python 2.2 之前，从文件中读取行的最好办法是使用 file.readlines() 来读取所有数据，这样程序员可以尽快释放文件资源。如果不需要这样做，那么程序员可以调用 file.readline() 一次读取一行。曾有一段很短的时间，file.xreadlines() 是读取文件最高效的方法。

在 Python 2.2 中，我们引进了迭代器和文件迭代，这使得一切变得完全不同，文件对象成为了它们自己的迭代器，这意味着用户不必调用 read*() 方法就可以在 for 循环中迭代文件的每一行。另外我们也可以使用迭代器的 next 方法，file.next() 可以用来读取文件的下一行。和其他迭代器一样，Python 也会在所有行迭代完成后引发 StopIteration 异常。

所以请记住，如果你见到这样的代码，这是“完成事情的老方法”，你可以安全地删除对 readline() 的调用。

```
for eachLine in f.readline():
    :
```

文件迭代更为高效，而且写（和读）这样的 Python 代码更容易。如果你是 Python 新手，那么请使用这些新特性，不必担心它们过去是如何。

9.3.5 其他

close() 通过关闭文件来结束对它的访问。Python 垃圾收集机制也会在文件对象的引用计数降至零的时候自动关闭文件。这在文件只有一个引用时发生，例如 fp = open(...)，然后 fp 在原文件显式地关闭前被赋了另一个文件对象。良好的编程习惯要求在重新赋另一个文件对象前关闭这个文件。如果你不显式地关闭文件，那么你可能丢失输出缓冲区的数据。

fileno() 方法返回打开文件的描述符。这是一个整型，可以用在如 os 模块（os.read()）的一些底层操作上。

调用 flush() 方法会直接把内部缓冲区中的数据立刻写入文件，而不是被动地等待输出缓冲区被写入。isatty() 是一个布尔内建函数，当文件是一个类 tty 设备时返回 True，否则返回 False 。truncate() 方法将文件截取到当前文件指针位置或者到给定 size，以字节为单位。

9.3.6 文件方法杂项

我们现在重新实现第 2 章中的第一个文件例子：

```
filename = raw_input('Enter file name: ')
f = open(filename, 'r')
allLines = f.readlines()
f.close()
for eachLine in allLines:
    print eachLine, #支持输出换行符
```

我们曾经介绍过这个程序。与大多数标准的文件访问方法相比，它的不同在于它读完所有的行才开始向屏幕输出数据。很明显如果文件很大，这个方法并不好。这时最好还是回到最可靠的方法：使用文件迭代器，每次只读取和显示一行：

```
filename = raw_input('Enter file name: ')
f = open(filename, 'r')
for eachLine in f:
    print eachLine,
f.close()
```

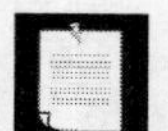

核心笔记：行分隔符和其他文件系统的差异

操作系统间的差异之一是它们所支持的行分隔符不同。在 POSIX （Unix 系列或 Mac OS X）系统上，行分隔符是换行符 NEWLINE （ \n）字符。在旧的 MacOS 下是 RETURN （ \r），而 DOS 和 Wind32 系统下结合使用了两者 （ \r\n）。检查一下你所使用的操作系统用什么行分隔符。

另一个不同是路径分隔符（POSIX 使用“/”；DOS 和 Windows 使用“\”；旧版本的 MacOS 使用“:”）；它用来分隔文件路径名；标记当前目录和父目录。

当我们创建要跨这 3 个平台的应用的时候；这些差异会让我们感觉非常麻烦（而且支持的平台越多越麻烦）。幸运的是 Python 的 os 模块设计者已经帮我们想到了这些问题。os 模块有 5 个很有用的属性。它们被列在了表 9.2 中。

表 9.2 有助于跨平台开发的 os 模块属性

os 模块属性	描　述
linesep	用于在文件中分隔行的字符串
sep	用来分隔文件路径名的字符串
pathsep	用于分隔文件路径的字符串
curdir	当前工作目录的字符串名称
pardir	（当前工作目录的）父目录字符串名称

不管你使用的是什么平台，只要你导入了 os 模块，这些变量自动会被设置为正确的值，减少了你的麻烦。

还要提醒大家的是：print 语句默认在输出内容末尾后加一个换行符，而在语句后加一个逗号就可以避免这个行为。readline() 和 readlines() 函数不对行里的空白字符做任何处理（参见本章练习），所以你有必要加上逗号。如果你省略逗号，那么显示出的文本每行后会有两个换行符，其中一个是输入是附带的，另一个是 print 语句自动添加的。

文件对象还有一个 truncate() 方法，它接受一个可选的 size 作为参数。如果给定，那么文件将被截取到最多 size 字节处。如果没有传递 size 参数，那么默认将截取到文件的当前位置。例如：你刚打开了一个文件，然后立即调用 truncate() 方法，那么你的文件（内容）实际上被删除，这时候你其实是从 0 字节开始截取的（ tell() 将会返回这个数值）。

在学习下一小节之前，我们再来看两个例子，第一个展示了如何输出到文件，第二个展示了文件的输出和输入，以及用于文件定位的 seek() 和 tell() 方法的使用。

```
filename = raw_input('Enter file name:  ')
fobj = open(filename, 'w')
while True:
    aLine = raw_input("Enter a line ('.' to quit): ")
    if aLine != ".":
        fobj.write('%s%s' % (aLine, os.linesep)
    else:
        break
fobj.close()
```

这里我们每次从用户接收一行输入，然后将文本保存到文件中。由于 raw_input()不会保留用户输入的换行符，调用 write() 方法时必须加上换行符。而且，在键盘上很难输入一个 EOF（end-of-file）字符，所以，程序使用句点(.)作为文件结束的标志，当用户输入句点后会自动结束输入并关闭文件。

第二个例子以可读可写模式创建一个新的文件(可能是清空了一个现有的文件). 在向文件写入数据后，我们使用 seek() 方法在文件内部移动，使用 tell() 方法展示我们的移动过程。

```
>>> f = open('/tmp/x', 'w+')
>>> f.tell()
0
>>> f.write('test line 1\n')          # 加入一个长为 12 的字符串 [0-11]
>>> f.tell()
12
>>> f.write('test line 2\n')          # 加入一个长为 12 的字符串 [12-23]
>>> f.tell()                          # 告诉我们当前的位置
24
>>> f.seek(-12, 1)                    # 向后移 12 个字节
>>> f.tell()                          # 到了第二行的开头
12
>>> f.readline()
'test line 2\012'
>>> f.seek(0, 0)                      # 回到最开始
>>> f.readline()
'test line 1\012'
>>> f.tell()                          # 又回到了第二行
12
>>> f.readline()
'test line 2\012'
>>> f.tell()                          # 又到了结尾
```

```
24
>>> f.close()                                    # 关闭文件
```

表 9.3 文件对象的内建方法列表。

表 9.3　　文件对象方法

文件对象方法	操　作
file.close()	关闭文件
file.fileno()	返回文件的描述符（file descriptor，FD，整型值）
file.flush()	刷新文件的内部缓冲区
file.isatty()	判断 file 是否是一个类 tty 设备
file.next[a]()	返回文件的下一行（类似于 file.readline()），或在没有其他行时引发 StopIteration 异常
file.read(size=-1)	从文件读取 size 个字节，当未给定 size 或给定负值的时候，读取剩余的所有字节，然后作为字符串返回
file.readinto[b](buf，size)	从文件读取 size 个字节到 buf 缓冲器（已不支持）
file.readline(size=-1)	从文件中读取并返回一行（包括行结束符），或返回最大 size 个字符
file.readlines(sizhint=0)	读取文件的所有行并作为一个列表返回（包含所有的行结束符）；如果给定 sizhint 且大于 0，那么将返回总和大约为 sizhint 字节的行（大小由缓冲器容量的下一个值决定）（比如说缓冲器的大小只能为 4K 的倍数，如果 sizhint 为 15K，则最后返回的可能是 16K——译者注）
file.xreadlines[c]()	用于迭代，可以替换 readlines() 的一个更高效的方法
file.seek(off，whence=0)	在文件中移动文件指针，从 whence（0 代表文件其始，1 代表当前位置，2 代表文件末尾）偏移 off 字节
file.tell()	返回当前在文件中的位置
file.truncate(size=file.tell())	截取文件到最大 size 字节，默认为当前文件位置
file.write(str)	向文件写入字符串
file.writelines(seq)	向文件写入字符串序列 seq；seq 应该是一个返回字符串的可迭代对象；在 2.2 前，它只是字符串的列表

a．Python 2.2 中新增。

b．Python 1.5.2 中新增，不再支持。

c．Python 2.1 中新增，在 Python 2.3 中废弃。

9.4 文件内建属性

文件对象除了方法之外，还有一些数据属性。这些属性保存了文件对象相关的附加数据，例如文件名（file.name），文件的打开模式（file.mode），文件是否已被关闭（file.closed），以及一个标志变量，它可以决定使用 print 语句打印下一行前是否要加入一个空白字符（file.softspace）。表 9.4 列出了这些属性并做了简短说明。

表 9.4　　文件对象的属性

文件对象的属性	描　述
file.closed	表示文件已经被关闭，否则为 False
file.encoding[a]	文件所使用的编码——当 Unicode 字符串被写入数据时，它们将自动使用 file.encoding 转换为字节字符串；若 file.encoding 为 None 时使用系统默认编码

续表

文件对象的属性	描　述
file.mode	Access 文件打开时使用的访问模式
file.name	文件名
file.newlines[a]	未读取到行分隔符时为 None，只有一种行分隔符时为一个字符串，当文件有多种类型的行结束符时，则为一个包含所有当前所遇到的行结束符的列表
file.softspace	为 0 表示在输出一数据后，要加上一个空格符，1 表示不加。这个属性一般程序员用不着，由程序内部使用

a．2.3 版本中新增。

9.5 标准文件

一般说来，只要你的程序一执行，你就可以访问 3 个标准文件。它们分别是标准输入（一般是键盘）、标准输出（到显示器的缓冲输出）和标准错误（到屏幕的非缓冲输出）（这里所说的“缓冲”和“非缓冲”是指 open() 函数的第 3 个参数）。这些文件沿用的是 C 语言中的命名，分别为 stdin，stdout 和 stderr 。我们说“只要你的程序一执行就可以访问这 3 个标准文件”，意思是这些文件已经被预先打开了，只要知道它们的文件句柄就可以随时访问这些文件。

Python 中可以通过 sys 模块来访问这些文件的句柄。导入 sys 模块以后，就可以使用 sys.stdin、sys.stdout 和 sys.stderr 访问。print 语句通常是输出到 sys.stdout ；而内建 raw_input() 则通常从 sys.stdin 接收输入。

记得 sys.* 是文件，所以你必须自己处理好换行符。而 print 语句会自动在要输出的字符串后加上换行符。

9.6 命令行参数

sys 模块通过 sys.argv 属性提供了对命令行参数的访问。命令行参数是调用某个程序时除程序名以外的其他参数。这样命名是有历史原因的，在一个基于文本的环境里（比如 UNIX 操作系统的 shell 环境或者 DOS-shell)，这些参数和程序的文件名一同被输入的。但在 IDE 或者 GUI 环境中可能就不会是这样了，大多 IDE 环境都提供一个用来输入“命令行参数”的窗口；这些参数最后会像命令行上执行那样被传递给程序。

熟悉 C 语言的读者可能会问了，“argc 哪去了？”argc 和 argv 分别代表参数个数（argument count）和参数向量（argument vector）。argv 变量代表一个从命令行上输入的各个参数组成的字符串数组；argc 变量代表输入的参数个数。在 Python 中，argc 其实就是 sys.argv 列表的长度，而该列表的第一项 sys.argv[0] 永远是程序的名称。

总结如下：

- sys.argv 是命令行参数的列表；
- len（sys.argv）是命令行参数的个数（也就是 argc)。

我们来创建这个名为 argv.py 的测试程序：

```
import sys

print 'you entered', len(sys.argv), 'arguments...'
print 'they were: ', str(sys.argv)
```

下面是该脚本程序运行的输出：

```
$ argv.py 76 tales 85 hawk
you entered 5 arguments...
they were:  ['argv.py', '76', 'tales', '85', 'hawk']
```

命令行参数有用吗？Unix 操作系统中的命令通常会接受输入，执行一些功能，然后把结果作为流输出出来。这些输出的结果还可能被作为下一个程序的输入数据，在完成了一些其他处理后，再把新的输出送到下一个程序。如此延伸下去。各个程序的输出一般是不保存的，这样可以节省大量的磁盘空间，各个程序的输出通常使用“管道”实现到下个程序输入的转换。

这是通过向命令行提供数据或是通过标准输入实现的。当一个程序显示或是发送它的输出到标准输出文件时，内容就会出现在屏幕上——除非该程序被管道连接到下一个程序，那么此时程序的标准输出就成为下个程序的标准输入。你现在明白了吧？

命令行参数使程序员可以在启动一个程序的时候对程序行为做出选择。在大多情况下，这些执行操作都不需要人为干预，通过批处理执行。命令行参数配合程序选项可以实现这样的处理功能。让计算机在夜里有空闲时完成一些需要大量处理的工作。

Python 还提供了两个模块用来辅助处理命令行参数。其中一个（最原始的）是 getopt 模块，它更简单些，但是不是很精细。而 Python 2.3 引入的 optparse 模块提供了一个更强大的工具，而且它更面向对象。如果你只是用到一些简单的选项，我们推荐 getopt，但如果你需要提供复杂的选项，那么请参阅 optparse 。

9.7 文件系统

对文件系统的访问大多通过 Python 的 os 模块实现。该模块是 Python 访问操作系统功能的主要接口。os 模块实际上只是真正加载的模块的前端，而真正的那个“模块”明显要依赖与具体的操作系统。这个“真正”的模块可能是以下几种之一：posix（适用于 Unix 操作系统），nt （Win32），mac（旧版本的 MacOS），dos （DOS），os2 （OS/2），等等。你不需要直接导入这些模块。只要导入 os 模块，Python 会为你选择正确的模块，你不需要考虑底层的工作。根据你系统支持的特性，你可能无法访问到一些在其他系统上可用的属性。

除了对进程和进程运行环境进行管理外，os 模块还负责处理大部分的文件系统操作，应用程序开发人员可能要经常用到这些。这些功能包括删除/重命名文件，遍历目录树，以及管理文件访问权限等。表 9.5 列出 os 模块提供的一些常见文件或目录操作函数。

另一个模块 os.path 可以完成一些针对路径名的操作。它提供的函数可以完成管理和操作文件路径名中的各个部分，获取文件或子目录信息，文件路径查询等操作。表 9.6 列出了 os.path 中的几个比较常用的函数。

这两个模块提供了与平台和操作系统无关的统一的文件系统访问方法。例 9.1（ospathex.py）展示了 os 和 os.path 模块中部分函数的使用。

表 9.5 os 模块的文件/目录访问函数

函数	描述
文件处理	
mkfifo()/mknod()[a]	创建命名管道/创建文件系统节点
remove()/unlink()	删除文件
rename()/renames()[b]	重命名文件
*stat[c] ()	返回文件信息

续表

函数	描述
symlink()	创建符号链接
utime()	更新时间戳
tmpfile()	创建并打开（'w+b'）一个新的临时文件
walk()[a]	生成一个目录树下的所有文件名
目录/文件夹	
chdir()/fchdir()[a]	改变当前工作目录/通过一个文件描述符改变当前工作目录
chroot()[d]	改变当前进程的根目录
listdir()	列出指定目录的文件
getcwd()/getcwdu()[a]	返回当前工作目录/功能相同，但返回一个 Unicode 对象
mkdir()/makedirs()	创建目录/创建多层目录
rmdir()/removedirs()	删除目录/删除多层目录
访问/权限	
access()	检验权限模式
chmod()	改变权限模式
chown()/lchown()[a]	改变 owner 和 group ID/功能相同，但不会跟踪链接
umask()	设置默认权限模式
文件描述符操作	
open()	底层的操作系统 open （对于文件，使用标准的内建 open() 函数）
read()/write()	根据文件描述符读取/写入数据
dup()/dup2()	复制文件描述符号/功能相同，但是是复制到另一个文件描述符
设备号	
makedev()[a]	从 major 和 minor 设备号创建一个原始设备号
major()[a] /minor()[a]	从原始设备号获得 major/minor 设备号

a．Python 2.3 版新增。

b．Python 1.5.2 版新增。

c．包括 stat()，lstat()，xstat()。

d．Python 2.2 版新增。

表 9.6 os.path 模块中的路径名访问函数

函数	描述
分隔	
basename()	去掉目录路径，返回文件名
dirname()	去掉文件名，返回目录路径
join()	将分离的各部分组合成一个路径名
split()	返回 （dirname()，basename()）元组
splitdrive()	返回 （drivename，pathname）元组
splitext()	返回 （filename，extension）元组

续表

函 数	描 述
信息	
getatime()	返回最近访问时间
getctime()	返回文件创建时间
getmtime()	返回最近文件修改时间
getsize()	返回文件大小（以字节为单位）
查询	
exists()	指定路径（文件或目录）是否存在
isabs()	指定路径是否为绝对路径
isdir()	指定路径是否存在且为一个目录
isfile()	指定路径是否存在且为一个文件
islink()	指定路径是否存在且为一个符号链接
ismount()	指定路径是否存在且为一个挂载点
samefile()	两个路径名是否指向同一个文件

例 9.1 os 和 os.path 模块例子（ospathex.py）

这段代码练习使用一些 os 和 os.path 模块中的功能。它创建一个文本文件，写入少量数据，然后重命名，输出文件内容。同时还进行了一些辅助性的文件操作，比如遍历目录树和文件路径名处理。

```
1 #!/usr/bin/env python
2
3 import os
4 for tmpdir in ('/tmp', r'c:\temp'):
5     if os.path.isdir(tmpdir):
6         break
7 else:
8     print 'no temp directory available'
9     tmpdir = ''
10
11 if tmpdir:
12     os.chdir(tmpdir)
13     cwd = os.getcwd()
14     print '*** current temporary directory'
15     print cwd
16
17     print '*** creating example directory...'
18     os.mkdir('example')
19     os.chdir('example')
20     cwd = os.getcwd()
21     print '*** new working directory: '
22     print cwd
23     print '*** original directory listing: '
24     print os.listdir(cwd)
25
```

```
26    print '*** creating test file...'
27    fobj = open('test', 'w')
28    fobj.write('foo\n')
29    fobj.write('bar\n')
30    fobj.close()
31    print '*** updated directory listing: '
32    print os.listdir(cwd)
33
34    print "*** renaming 'test' to 'filetest.txt'"
35    os.rename('test', 'filetest.txt')
36    print '*** updated directory listing: '
37    print os.listdir(cwd)
38
39    path = os.path.join(cwd, os.listdir (cwd)[0])
40    print '*** full file pathname'
41    print path
42    print '*** (pathname, basename) =='
43    print os.path.split(path)
44    print '*** (filename, extension) =='
45    print os.path.splitext(os.path.basename(path))
46
47    print '*** displaying file contents: '
48    fobj = open(path)
49    for eachLine in fobj:
50        print eachLine,
51    fobj.close()
52
53    print '*** deleting test file'
54    os.remove(path)
55    print '*** updated directory listing: '
56    print os.listdir(cwd)
57    os.chdir(os.pardir)
58    print '*** deleting test directory'
59    os.rmdir('example')
60    print '*** DONE'
```

os 的子模块 os.path 更多用于文件路径名处理。比较常用的属性列于表 9.6 中。在 Unix 平台下执行该程序，我们会得到如下输出：

```
$ ospathex.py
*** current temporary directory
/tmp
*** creating example directory...
*** new working directory:
/tmp/example
*** original directory listing:
[]
*** creating test file...
*** updated directory listing:
['test']
```

```
*** renaming 'test' to 'filetest.txt'
*** updated directory listing:
['filetest.txt']
*** full file pathname:
/tmp/example/filetest.txt
*** (pathname, basename) ==
('/tmp/example', 'filetest.txt')
*** (filename, extension) ==
('filetest', '.txt')
*** displaying file contents:
foo
bar
*** deleting test file
*** updated directory listing:
[]
*** deleting test directory
*** DONE
```

在 DOS 窗口下执行这个例子我们会得到非常相似的输出：

```
C: \>python ospathex.py
*** current temporary directory
c: \windows\temp
*** creating example directory...
*** new working directory:
c: \windows\temp\example
*** original directory listing:
[]
*** creating test file...
*** updated directory listing:
['test']
*** renaming 'test' to 'filetest.txt'
*** updated directory listing:
['filetest.txt']
*** full file pathname:
c: \windows\temp\example\filetest.txt
*** (pathname, basename) ==
('c: \\windows\\temp\\example', 'filetest.txt')
*** (filename, extension) ==
('filetest', '.txt')
*** displaying file contents:
foo
bar
*** deleting test file
*** updated directory listing:
[]
*** deleting test directory
*** DONE
```

这里就不逐行解释这个例子了，我们把这个留给读者做练习。下面我们来看看一个类似的交互式例子（包括错误），我们会把代码分成几个小段，然后依次进行讲解。

```
>>> import os
>>> os.path.isdir('/tmp')
True
```

```
>>> os.chdir('/tmp')
>>> cwd = os.getcwd()
>>> cwd
'/tmp'
```

代码的第一部分导入了 os 模块（同时也包含 os.path 模块）。然后检查并确认 '/tmp' 是一个合法的目录，并切换到这个临时目录开始我们的工作。之后我们用 getcwd() 方法确认我们当前位置。

```
>>> os.mkdir('example')
>>> os.chdir('example')
>>> cwd = os.getcwd()
>>> cwd
'/tmp/example'
>>>
>>> os.listdir() # oops, forgot name
Traceback (innermost last):
  File "<stdin>", line 1, in ?
TypeError:  function requires at least one argument
>>>
>>> os.listdir(cwd) # that's better : )
[]
```

接下来，我们在临时目录里创建了一个子目录，然后用 listdir() 方法确认目录为空（因为我们刚创建它）。第一次调用 listdir() 调用时出现的问题是因为我们没有传递要列目录的路径名。我们马上在第二次调用时修正了这个失误。

```
>>> fobj = open('test', 'w')
>>> fobj.write('foo\n')
>>> fobj.write('bar\n')
>>> fobj.close()
>>> os.listdir(cwd)
['test']
```

这里我们创建了一个有两行内容的 test 文件，之后列目录确认文件被成功创建。

```
>>> os.rename('test', 'filetest.txt')
>>> os.listdir(cwd)
['filetest.txt']
>>>
>>> path = os.path.join(cwd, os.listdir(cwd)[0])
>>> path
'/tmp/example/filetest.txt'
>>>
>>> os.path.isfile(path)
True
>>> os.path.isdir(path)
False
>>>
>>> os.path.split(path)
('/tmp/example', 'filetest.txt')
>>>
>>> os.path.splitext(os.path.basename(path))
('filetest', '.ext')
```

这一段代码使用了 os.path 的一些功能，包括我们之前看到过的 join()、isfile()、isdir()、split()、 basename()和 splitext()，我们还调用了 os 下的 rename() 函数。接下来，我们显示文件的内容，之后，删除之前创建的文件和目录。

```
>>> fobj = open(path)
>>> for eachLine in fobj:
...     print eachLine,
...
foo
bar
>>> fobj.close()
>>> os.remove(path)
>>> os.listdir(cwd)
[]
>>> os.chdir(os.pardir)
>>> os.rmdir('example')
```

核心模块：os (和 os.path)

从上面这些长篇讨论可以看出，os 和 os.path 模块提供了访问计算机文件系统的不同方法。我们在本章学习的只是文件访问方面，事实上 os 模块可以完成更多工作。我们可以通过它管理进程环境，甚至可以让一个 Python 程序直接与另外一个执行中的程序“对话”。你很快就会发现自己离不开这个模块了。更多关于 os 模块的内容请参阅第 14 章。

9.8 文件执行

无论你只是想简单地运行一个操作系统命令，调用一个二进制可执行文件，或者其他类型的脚本（可能是 shell 脚本，Perl，或是 Tcl/Tk），都需要涉及运行系统其他位置的其他文件。尽管不经常出现，但是有时甚至会需要启动另外一个 Python 解释器。我们将把这部分内容留到第 14 章去讨论。如果读者有兴趣了解如何启动其他程序，以及如何与它们进行通讯，或者是 Python 执行环境的一般信息，都可以在第 14 章找到答案。

9.9 永久存储模块

在本书的很多练习里，都需要用户输入数据。这可能需要用户多次输入重复的数据，尤其是如果你要输入大批数据供以后使用时，你肯定会厌烦。这就是永久储存大显身手的地方了，它可以把用户的数据归档保存起来供以后使用，这样你就可以避免每次输入同样的信息。在简单的磁盘文件已经不能满足你的需要，而使用完整的关系数据库管理系统（relational database management systems，RDBMS）又有些大材小用时，简单的永久性储存就可以发挥它的作用。大部分永久性储存模块是用来储存字符串数据的，但是也有方法来归档 Python 对象。

9.9.1 pickle 和 marshal 模块

Python 提供了许多可以实现最小化永久性储存的模块。其中的一组（marshal 和 pickle）可以用来转换并储存 Python 对象。该过程将比基本类型复杂的对象转换为一个二进制数据集合，这样就可以把数据集合保存起来或通过网络发送，然后再重新把数据集合恢复原来的对象格式。这个过程也被称为数据的扁平化、数据的序列化或者数据的顺序化。另外一些模块（dbhash/bsddb，dbm，gdbm，dumbdbm 等）及它们的“管理器”（anydbm）只提供了 Python 字符串的永久性储存。而最后一个模块（shelve）则两种功能都具备。

我们已经提到 marshal 和 pickle 模块都可以对 Python 对象进行储存转换。这些模块本身并没有提供“永久性储存”的功能，因为它们没有为对象提供名称空间，也没有提供对永久性储存对象的并发写入访问（concurrent write access）。它们只能储存转换 Python 对象，为保存和传输提供方便。数据储存是有次序的（对象的储存和传输是一个接一个进行的）。marshal 和 pickle 模块的区别在于 marshal 只能处理简单的 Python 对象（数字、序列、映射以及代码对象），而 pickle 还可以处理递归对象，被不同地方多次引用的对象，以及用户定义的类和实例。pickle 模块还有一个增强的版本叫 cPickle，使用 C 实现了相关的功能。

9.9.2 DBM 风格的模块

db 系列的模块使用传统的 DBM 格式写入数据，Python 提供了 DBM 的多种实现：dbhash/bsddb、dbm、gdbm 和 dumbdbm 等。你可以随便按照你的爱好使用，如果你不确定的话，那么最好使用 anydbm 模块，它会自动检测系统上已安装的 DBM 兼容模块，并选择“最好”的一个。dumbdbm 模块是功能最少的一个，在没有其他模块可用时，anydbm 才会选择。这些模块为用户的对象提供了一个命名空间，这些对象同时具备字典对象和文件对象的特点。不过不足之处在于它们只能储存字符串，不能对 Python 对象进行序列化。

9.9.3 shelve 模块

最后，我们来看一个更为完整的解决方案，shelve 模块。shelve 模块使用 anydbm 模块寻找合适的 DBM 模块，然后使用 cPickle 来完成对储存转换过程。shelve 模块允许对数据库文件进行并发的读访问，但不允许共享读/写访问。这也许是我们在 Python 标准库里找到的最接近于永久性储存的东西了。可能有一些第三方模块实现了“真正”的永久性储存。图 9-1 展示了储存转换模块与永久性储存模块之间的关系，以及为何 shelve 对象能成为两者的最好的选择的。

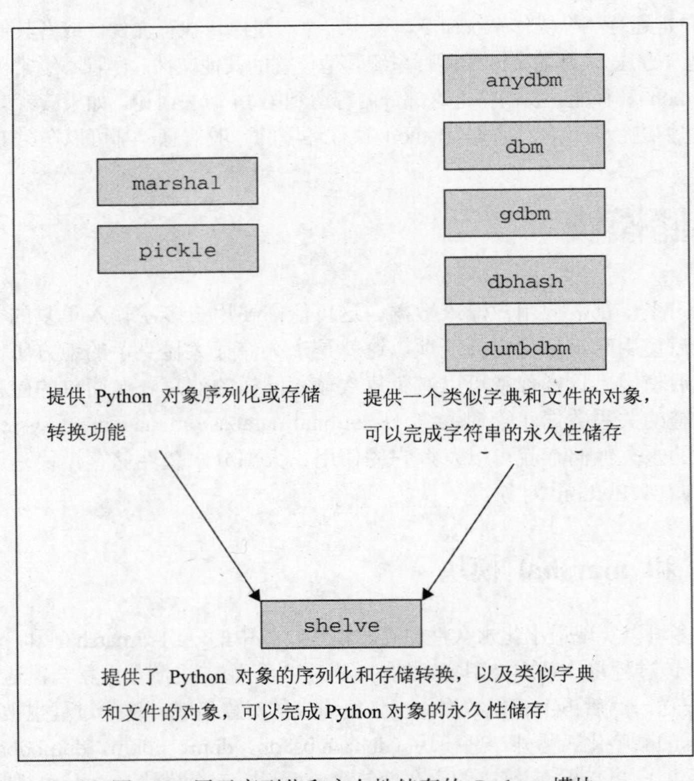

图 9-1 用于序列化和永久性储存的 Python 模块

核心模块： pickle 和 cPickle

你可以使用 pickle 模块把 Python 对象直接保存到文件里，而不需要把它们转化为字符串，也不用底层的文件访问操作把它们写入到一个二进制文件里。pickle 模块会创建一个 Python 语言专用的二进制格式，你不需要考虑任何文件细节，它会帮你干净利索地完成读写对象操作，唯一需要的只是一个合法的文件句柄。

pickle 模块中的两个主要函数是 dump() 和 load() 。dump() 函数接受一个文件句柄和一个数据对象作为参数，把数据对象以特定格式保存到给定文件里。当我们使用 load() 函数从文件中取出已保存的对象时，pickle 知道如何恢复这些对象到它们本来的格式。

我们建议你看一看 pickle 和更“聪明”的 shelve 模块，后者提供了字典式的文件对象访问功能，进一步减少了程序员的工作。

cPickle 是 pickle 的一个更快的 C 语言编译版本。

9.10 相关模块

还有大量的其他模块与文件和输入/输出有关，它们中的大多数都可以在主流平台上工作。表 9.7 列出了一些文件相关的模块。

表 9.7 文件相关模块

模 块	内 容
base64	提供二进制字符串和文本字符串间的编码/解码操作
binascii	提供二进制和 ASCII 编码的二进制字符串间的编码/解码操作
bz2[a]	访问 BZ2 格式的压缩文件
csv[a]	访问 csv 文件（逗号分隔文件）
filecmp[b]	用于比较目录和文件
fileinput	提供多个文本文件的行迭代器
getopt/optparse[a]	提供了命令行参数的解析/处理
glob/fnmatch	提供 Unix 样式的通配符匹配的功能
gzip/zlib	读写 GNU zip（gzip）文件（压缩需要 zlib 模块）
shutil	提供高级文件访问功能
c/StringIO	对字符串对象提供类文件接口
tarfile[a]	读写 TAR 归档文件，支持压缩文件
tempfile	创建一个临时文件（名）
uu	uu 格式的编码和解码
zipfile[c]	用于读取 ZIP 归档文件的工具

a．Python 2.3 中新增。

b．Python 2.0 中新增。

c．Python 1.6 中新增。

fileinput 模块遍历一组输入文件，每次读取它们内容的一行，类似 Perl 语言中的不带参数的“<>”操作符。如果没有明确给定文件名，则默认从命令行读取文件名。

glob 和 fnmatch 模块提供了老式 Unix shell 样式文件名的模式匹配，例如使用星号（*）通配符代表任意字符串，用问号（?）匹配任意单个字符。

核心提示：使用 os.path.expanduser() 的波浪号（~）进行扩展

虽然 glob 和 fnmatch 提供了 Unix 样式的模式匹配，但它们没有提供对波浪号（用户目录）字符，~的支持。你可以使用 os.path.expanduser() 函数来完成这个功能，传递一个带波浪号的目录，然后它会返回对应的绝对路径。这里是两个例子，分别运行在 Unix 和 Win32 环境下：

```
>>> os.path.expanduser('~/py')
'/home/wesley/py'

>>> os.path.expanduser('~/py')
'C: \\Documents and Settings\\wesley/py'
```

另外 Unix 衍生系统还支持“~user”这样的用法，表示指定用户的目录，还要注意 Win32 版本函数没有使用反斜杠来分隔目录路径。

gzip 和 zlib 模块提供了对 zlib 压缩库直接访问的接口。gzip 模块是在 zlib 模块上编写的，不但实现了标准的文件访问，还提供了自动的 gzip 压缩/解压缩 bz2 类似于 gzip，用于操作 bzip 压缩的文件。

程序员可以通过 1.6 中新增的 zipfile 模块创建，修改和读取 zip 归档文件。（tarfile 文件实现了针对 tar 归档文件的相同功能）。在 2.3 版本中，Python 加入了导入归档 zip 文件中模块的功能。更多细节请参阅 12.5.7 小节。

shutil 模块提供高级的文件访问功能，包括复制文件、复制文件的访问权限、递归地目录树复制等。

tempfile 模块用于生成临时文件（名）。

在关于字符串一章中，我们介绍了 StringIO 模块（和它的 C 语言版本 cStringIO），并且介绍了它是如何在字符串对象顶层加入文件操作接口的。这个接口包括文件对象的所有标准方法。

我们在前面永久性储存一节（9.9 节）中介绍的模块还有文件和字典对象混合样式的例子。

其他的 Python 类文件对象还有网络和文件 socket 对象（ socket 模块），用于管道连接的 popen*() 文件对象（os 和 popen2 模块），用于底层文件访问的 fdopen() 文件对象（os 模块），通过 URL（Uniform Resource Locator，统一资源定位符）建立的到指定 Web 服务器的网络连接（urllib 模块）等。需要注意的是并非所有的标准文件方法都能在这些对象上实现，同样的，这些对象也提供了一些普通文件没有的功能。

具体内容请参考这些模块的相关文档，你可以在下边这些地址中找到关于 file()/open()，文件，文件对象的更多信息，（这里我们还建议读者参考 Python 标准库，译者注）

http: //docs.python.org/lib/built-in-funcs.html

http: //docs.python.org/lib/bltin-file-objects.html

http: //www.python.org/doc/2.3/whatsnew/node7.html

http: //www.python.org/doc/peps/pep-0278/

9.11 练习

9-1.文件过滤。显示一个文件的所有行，忽略以井号（#）开头的行。这个字符被用做 Python，Perl，Tcl，等大多脚本文件的注释符号。

附加题：处理不是第一个字符开头的注释。

9-2.文件访问，提示输入数字 N 和文件 F，然后显示文件 F 的前 N 行。

9-3.文件信息，提示输入一个文件名，然后显示这个文本文件的总行数。

9-4.文件访问，写一个逐页显示文本文件的程序。提示输入一个文件名，每次显示文本文件的 25 行，暂停并向用户提示“按任意键继续”，按键后继续执行。

9-5.考试成绩，改进你的考试成绩问题（练习 5-3 和练习 6-4），要求能从多个文件中读入考试成绩。文件的数据格式由你自己决定。

9-6.文件比较，写一个比较两个文本文件的程序，如果不同，给出第一个不同处的行号和列号。

9-7.解析文件。Win32 用户，创建一个用来解析 Windows .ini 文件的程序。POSIX 用户，创建一个解析 /etc/serves 文件的程序。其他平台用户，写一个解析特定结构的系统配置文件的程序。

9-8.模块研究。提取模块的属性资料。提示用户输入一个模块名（或者从命令行接受输入）。然后使用 dir() 和其他内建函数提取模块的属性，显示它们的名字、类型、值。

9-9. Python 文档字符串。进入 Python 标准库所在的目录。检查每个 .py 文件看是否有 _doc_ 字符串，如果有，对其格式进行适当的整理归类。你的程序执行完毕后，应该会生成一个漂亮的清单。里边列出哪些模块有文档字符串，以及文档字符串的内容，清单最后附上那些没有文档字符串模块的名字。

附加题：提取标准库中各模块内全部类（class）和函数的文档。

9-10.家庭理财。创建一个家庭理财程序。你的程序需要处理储蓄、支票、金融市场，定期存款等多种账户。为每种账户提供一个菜单操作界面，要有存款、取款、借、贷等操作。另外还要提供一个取消操作选项。用户退出这个程序时相关数据应该保存到文件里去（出于备份的目的，程序执行过程中也要备份）。

9-11. Web 站点地址。

a）编写一个 URL 书签管理程序。使用基于文本的菜单，用户可以添加、修改或者删除书签数据项、书签数据项中包含站点的名称、URL 地址和一行简单说明（可选）。另外提供检索功能，可以根据检索关键字在站点名称和 URL 两部分查找可能的匹配。程序退出时把数据保存到一个磁盘文件中去；再次执行的时候加载保存的数据。

b）改进 a）的解决方案，把书签输出到一个合法且语法正确的 HTML 文件（.html 或 htm）中，这样用户就可以使用浏览器查看自己的书签清单。另外提供创建“文件夹”功能，对相关的书签进行分组管理。

附加题：请阅读 Python 的 re 模块了解有关正则表达式的资料，使用正则表达式对用户输入的 URL 进行验证。

9-12.用户名和密码。

回顾练习 7-5，修改代码使之可以支持“上次登录时间”。请参阅 time 模块中的文档了解如何记录用户上次登录的时间。另外提供一个“系统管理员”，它可以导出所有用户的用户名，密码（如果想要的话，你可以把密码加密），以及“上次登录时间”。

a）数据应该保存在磁盘中，使用冒号（：）分割，一次写入一行，例如“joe：boohoo：953176591.145”，文件中数据的行数应该等于你系统上的用户数。

b）进一步改进你的程序，不再一次写入一行，而使用 pickle 模块保存整个数据对象。请参阅 pickle 模块的文档了解如何序列化/扁平化对象，以及如何读写保存的对象。一般来说，这个解决方案的代码行数要比 a）的少。

c）使用 shelve 模块替换 pickle 模块，由于可以省去一些维护代码，这个解决方案的代码比 b）的更少。

9-13.命令行参数

a）什么是命令行参数，它们有什么用?

b）写一个程序，打印出所有的命令行参数。

9-14.记录结果，修改你的计算器程序（练习 5-6）使之接受命令行参数。例如：

```
$ calc.py 1 + 2
```

只输出计算结果。另外，把每个表达式和它的结果写入到一个磁盘文件中，当使用下面的命令时。

```
$ calc.py print
```

会把记录的内容显示到屏幕上，然后重置文件。这里是样例展示：

```
$ calc.py 1 + 2
3
$ calc.py 3 ^ 3
27
$ calc.py print
1 + 2
3
3 ^ 3
27
$ calc.py print
$
```

附加题：处理输入时候的注释。

9-15. 复制文件。提示输入两个文件名（或者使用命令行参数）。把第一个文件的内容复制到第二个文件中去。

9-16. 文本处理。人们输入的文字常常超过屏幕的最大宽度。编写一个程序，在一个文本文件中查找长度大于 80 个字符的文本行。从最接近 80 个字符的单词断行，把剩余文件插入到下一行处。程序执行完毕后，应该没有超过 80 个字符的文本行了。

9-17. 文本处理。创建一个原始的文本文件编辑器。你的程序应该是菜单驱动的，有如下这些选项：

1）创建文件（提示输入文件名和任意行的文本输入）；

2）显示文件（把文件的内容显示到屏幕）；

3）编辑文件（提示输入要修改的行，然后让用户进行修改）；

4）保存文件；

5）退出。

9-18. 搜索文件。提示输入一个字节值（0～255）和一个文件名。显示该字符在文件中出现的次数。

9-19. 创建文件。创建前一个问题的辅助程序。创建一个随机字节的二进制数据文件，但某一特定字节会在文件中出现指定的次数。该程序接受 3 个参数：

1）一个字节值（0～255）；

2）该字符在数据文件中出现的次数；

3）数据文件的总字节长度。

你的工作就是生成这个文件，把给定的字节随机散布在文件里，并且要求保证给定字符在文件中只出现指定的次数，文件应精确地达到要求的长度。

9-20. 压缩文件。写一小段代码，压缩/解压缩 gzip 或 bzip 格式的文件。可以使用命令行下的 gzip 或 bzip2 和 GUI 程序 PowerArchiver、StuffIt、或 WinZip 来确认你的 Python 支持这两个库。

9-21. ZIP 归档文件。创建一个程序，可以往 ZIP 归档文件加入文件，或从中提取文件，有可能的话，加入创建 ZIP 归档文件的功能。

9-22. ZIP 归档文件。unzip -l 命令显示出的 ZIP 归档文件很无趣。创建一个 Python 脚本 lszip.py，使它可以显示额外信息：压缩文件大小，每个文件的压缩比率（通过比较压缩前后文件大小），以及完成的 time.ctime() 时间戳，而不是只有日期和 HH：MM。

提示：归档文件的 date_time 属性并不完整，无法提供给 time.mktime() 使用....这由你自己决定！

9-23. TAR 归档文件。为 TAR 归档文件建立类似上个问题的程序。这两种文件的不同之处在于 ZIP 文件通常是压缩的，而 TAR 文件不是，只是在 gzip 和 bzip2 的支持下才能完成压缩工作。

加入任意一种压缩格式支持。

附加题：同时支持 gzip 和 bzip2。

9-24.归档文件转换。参考前两个问题的解决方案，写一个程序，在 ZIP（.zip）和 TAR/gzip（.tgz/.tar.gz）或 TAR/bzip2（.tbz/.tar.bz2）归档文件间移动文件。文件可能是已经存在的，必要时请创建文件。

9-25.通用解压程序。创建一个程序，接受任意数目的归档文件以及一个目标目录作为参数。归档文件格式可以是.zip、.tgz、.tar.gz、.gz、.bz2、.tar.bz2、.tbz 中的一种或几种。程序会把第一个归档文件解压后放入目标目录，把其他归档文件解压后放入以对应文件名命名的目录下（不包括扩展名）。例如输入的文件名为 header.txt.gz 和 data.tgz，目录为 incoming，header.txt 会被解压到 incoming 而 data.tgz 中的文件会被放入 incoming/data 。

第 10 章　错误和异常

本章主题

- ✦ 什么是异常
- ✦ Python 中的异常
- ✦ 探测和处理异常
- ✦ 上下文管理
- ✦ 引发异常
- ✦ 断言
- ✦ 标准异常
- ✦ 创建异常
- ✦ 相关模块

程序员的一生中，错误几乎每天都在发生。在过去的一个时期，错误要么对程序（可能还有机器）是致命的，要么产生一大堆无意义的输出，无法被其他计算机或程序识别，连程序员自己也可能搞不懂它的意义。一旦出现错误，程序就会终止执行，直到错误被修正，程序重新执行。所以，人们需要一个“柔和”的处理错误的方法，而不是终止程序。同时，程序本身也在不断发展，并不是每个错误都是致命的，即使错误发生，编译器或是在执行中的程序也可以提供更多更有用的诊断信息，帮助程序员尽快解决问题。然而，错误毕竟是错误，一般都是停止编译或执行后才能去解决它。一小段代码只能让程序终止执行，也许还能打印出一些模糊的提示。当然，这一切都是在异常和异常处理出现之前的事了。

虽然目前还没有讨论到 Python 中的类和面向对象编程（OOP），但我们这里要介绍的许多概念已经涉及了类和类实例[1]。我们提供了一小节介绍如何创建自定义的异常类。

本章将介绍什么是异常、异常处理和 Python 对异常的支持。我们还会介绍如何在代码里生成异常。最后，我们会涉及如何创建自定义的异常类。

10.1 什么是异常

10.1.1 错误

在深入介绍异常之前，我们来看看什么是错误。从软件方面来说，错误是语法或是逻辑上的。语法错误指示软件的结构上有错误，导致不能被解释器解释或编译器无法编译。这些错误必须在程序执行前纠正。

当程序的语法正确后，剩下的就是逻辑错误了。逻辑错误可能是由于不完整或是不合法的输入所致；在其他情况下，还可能是逻辑无法生成、计算、或是输出结果需要的过程无法执行。这些错误通常分别被称为域错误和范围错误。

当 Python 检测到一个错误时，解释器就会指出当前流已经无法继续执行下去。这时候就出现了异常。

10.1.2 异常

对异常的最好描述是：它是因为程序出现了错误而在正常控制流以外采取的行为。这个行为又分为两个阶段：首先是引起异常发生的错误，然后是检测（和采取可能的措施）阶段。

第一个阶段是在发生了一个异常条件（有时候也叫做例外的条件）后发生的。只要检测到错误并且意识到异常条件，解释器会引发一个异常。引发也可以叫做触发，抛出或者生成。解释器通过它通知当前控制流有错误发生。Python 也允许程序员自己引发异常。无论是 Python 解释器还是程序员引发的，异常就是错误发生的信号。当前流将被打断，用来处理这个错误并采取相应的操作。这就是第二阶段。

对异常的处理发生在第二阶段，异常引发后，可以调用很多不同的操作。可以是忽略错误（记录错误但不采取任何措施，采取补救措施后终止程序），或是减轻问题的影响后设法继续执行程序。所有的这些操作都代表一种继续，或是控制的分支。关键是程序员在错误发生时可以指示程序如何执行。

你可能已经得出这样一个结论：程序运行时发生的错误主要是由于外部原因引起的，例如非法输入或是其他操作失败等。这些因素并不在程序员的直接控制下，而程序员只能预见一部分错误，编写常见的补救措施代码。

类似 Python 这样支持引发和处理异常（这更重要）的语言，可以让开发人员可以在错误发生时更直接地控制它们。程序员不仅仅有了检测错误的能力，还可以在它们发生时采取更可靠的补救措施。由于有了运行时管理错误的能力，应用程序的健壮性有了很大的提高。

---

1. 从 Python 1.5 开始，所有的标准异常都使用类来实现。如果你对类、实例和其他面向对象相关术语不太了解，请参阅第 13 章。

异常和异常处理并不是什么新概念。它们同样存在于Ada、Modula-3、C++、Eiffel和Java中。异常的起源可以追溯到处理系统错误和硬件中断这类异常的操作系统代码。在1965年左右，PL/1作为第一个支持异常的主要语言出现，而异常处理是作为一个它提供的软件工具。和其他支持异常处理的语言类似，Python采用了“尝试（try）”块和“捕获（catching）”块的概念，而且它在异常处理方面更有”纪律性”。我们可以为不同的异常创建不同的处理器，而不是盲目地创建一个“捕获所有（catch-all）”的代码。

10.2　Python中的异常

在先前的一些章节里你已经执行了一些代码，你一定遇到了程序“崩溃”或因未解决的错误而终止的情况。你会看到“跟踪记录（traceback）”消息以及随后解释器向你提供的信息，包括错误的名称、原因和发生错误的行号。不管你是通过Python解释器执行还是标准的脚本执行，所有的错误都符合相似的格式，这提供了一个一致的错误接口。所有错误，无论是语意上的还是逻辑上的，都是由于和Python解释器不相容导致的，其后果就是引发异常。

我们来看几个异常的例子。

1．NameError：尝试访问一个未申明的变量

```
>>> foo
Traceback (innermost last):
  File "<stdin>", line 1, in ?
NameError: name 'foo' is not defined
```

NameError表示我们访问了一个没有初始化的变量。在Python解释器的符号表没有找到那个另人讨厌的变量，我们将在后面的两章讨论名称空间，现在大家可以认为它们是连接名字和对象的“地址簿”就可以了。任何可访问的变量必须在名称空间里列出，访问变量需要由解释器进行搜索，如果请求的名字没有在任何名称空间里找到，那么将会生成一个NameError异常。

2．ZeroDivisionError：除数为零

```
>>> 1/0
Traceback (innermost last):
  File "<stdin>", line 1, in ?
ZeroDivisionError: integer division or modulo by zero
```

我们边的例子使用的是整型，但事实上，任何数值被零除都会导致一个ZeroDivisionError异常。

3．SyntaxError：Python解释器语法错误

```
>>> for
  File "<string>", line 1
    for
      ^
SyntaxError: invalid syntax
```

SyntaxError异常是唯一不是在运行时发生的异常。它代表Python代码中有一个不正确的结构，在它改正之前程序无法执行。这些错误一般都是在编译时发生，Python解释器无法把你的脚本转化为Python字节代码。当然这也可能是你导入一个有缺陷的模块的时候。

4．IndexError：请求的索引超出序列范围

```
>>> aList = []
>>> aList[0]
```

```
Traceback (innermost last):
  File "<stdin>", line 1, in ?
IndexError: list index out of range
```

IndexError 在你尝试使用一个超出范围的值索引序列时引发。

5．KeyError：请求一个不存在的字典关键字

```
>>> aDict = {'host': 'earth', 'port': 80}
>>> print aDict['server']
 Traceback (innermost last):
   File "<stdin>", line 1, in ?
KeyError: server
```

映射对象，例如字典，是依靠关键字（key）访问数据值的。如果使用错误的或是不存在的键请求字典就会引发一个 KeyError 异常。

6．IOError：输入/输出错误

```
>>> f = open("blah")
 Traceback (innermost last):
   File "<stdin>", line 1, in ?
IOError: [Errno 2] No such file or directory: 'blah'
```

类似尝试打开一个不存在的磁盘文件一类的操作会引发一个操作系统输入/输出（I/O）错误。任何类型的 I/O 错误都会引发 IOError 异常。

7．AttributeError：尝试访问未知的对象属性

```
>>> class myClass(object):
...     pass
...
>>> myInst = myClass()
>>> myInst.bar = 'spam'
>>> myInst.bar
'spam'
>>> myInst.foo
Traceback (innermost last):
  File "<stdin>", line 1, in ?
AttributeError: foo
```

在我们的例子中，我们在 myInst.bar 储存了一个值，也就是实例 myInst 的 bar 属性。属性被定义后，我们可以使用熟悉的点/属性操作符访问它，但如果是没有定义属性，例如我们访问 foo 属性，将导致一个 AttributeError 异常。

10.3 检测和处理异常

异常可以通过 try 语句来检测。任何在 try 语句块里的代码都会被监测，检查有无异常发生。

try 语句有两种主要形式：try-except 和 try-finally。这两个语句是互斥的，也就是说你只能使用其中的一种。一个 try 语句可以对应一个或多个 except 子句，但只能对应一个 finally 子句，或是一个 try-except-finally 复合语句。

你可以使用 try-except 语句检测和处理异常。你也可以添加一个可选的 else 子句处理没有探测到异常的执行的代码。而 try-finally 只允许检测异常并做一些必要的清除工作（无论发生错误与否），没有任何异常处理设施。正如你想像的,复合语句两者都可以做到。

10.3.1 try-except 语句

try-except 语句（以及其更复杂的形式）定义了进行异常监控的一段代码，并且提供了处理异常的机制。

最常见的 try-except 语句语法如下所示。它由 try 块和 except 块（try_suite 和 except_suite ）组成，也可以有一个可选的错误原因。

```
try:
    try_suite    #监控这里的异常
except Exception[, reason]:
    except_suite    #异常处理代码
```

我们用一个例子说明这一切是如何工作的。 我们将使用上边的 IOError 例子，把我们的代码封装在 try-except 里，让代码更健壮:

```
>>> try:
...     f = open('blah', 'r')
... except IOError, e:
...     print 'could not open file:', e
...
could not open file: [Errno 2] No such file or directory
```

如你所见，我们的代码运行时似乎没有遇到任何错误。事实上我们在尝试打开一个不存在的文件时仍然发生了 IOError。有什么区别么？我们加入了探测和错误错误的代码。当引发 IOError 异常时，我们告诉解释器让它打印出一条诊断信息。程序继续执行，而不像以前的例子那样被“轰出来”——异常处理小小地显了下身手。那么在代码方面发生了什么呢?

在程序运行时，解释器尝试执行 try 块里的所有代码，如果代码块完成后没有异常发生，执行流就会忽略 except 语句继续执行。而当 except 语句所指定的异常发生后，我们保存了错误的原因，控制流立即跳转到对应的处理器（ try 子句的剩余语句将被忽略），本例中我们显示出一个包含错误原因的错误信息。

在我们上边的例子中，我们只捕获 IOError 异常。任何其他异常不会被我们指定的处理器捕获。举例说，如果你要捕获一个 OSError ，你必须加入一个特定的异常处理器。我们将在本章后面详细地介绍 try-except 语法。

核心笔记：忽略代码，继续执行，和向上移交

try 语句块中异常发生点后的剩余语句永远不会到达（所以也永远不会执行）。一旦一个异常被引发，就必须决定控制流下一步到达的位置。剩余代码将被忽略，解释器将搜索处理器，一旦找到，就开始执行处理器中的代码。

如果没有找到合适的处理器，那么异常就向上移交给调用者去处理，这意味着堆栈框架立即回到之前的那个。如果在上层调用者也没找到对应处理器，该异常会继续被向上移交，直到找到合适处理器。如果到达最顶层仍然没有找到对应处理器，那么就认为这个异常是未处理的，Python 解释器会显示出跟踪记录，然后退出。

10.3.2 包装内建函数

我们现在给出一个交互操作的例子——从最基本的错误检测开始，然后逐步改进它，增强代码的健壮性。这里的问题是把一个用字符串表示的数值转换为正确的数值表示形式，而且在过程中要检测并处理可能的错误。

float() 内建函数的基本作用是把任意一个数值类型转换为一个浮点型。从 Python 1.5 开始，float() 增加了把字符串表示的数值转换为浮点型的功能，没必要使用 string 模块中的 atof() 函数。如果你使用的老版本的 Python，请使用 string.atof() 替换这里的 float()。

```
>>> float(12345)
12345.0
>>> float('12345')
12345.0
>>> float('123.45e67')
1.2345e+069
```

不幸的是，float() 对输入很挑剔：

```
>>> float('foo')
Traceback (innermost last):
  File "<stdin>", line 1, in ?
    float('foo')
ValueError: invalid literal for float(): foo
>>>
>>> float(['this is', 1, 'list'])
Traceback (innermost last):
  File "<stdin>", line 1, in ?
    float(['this is', 1, 'list'])
TypeError: float() argument must be a string or a number
```

从上面的错误我们可以看出，float() 对不合法的参数很不客气。例如，如果参数的类型正确（字符串），但值不可转换为浮点型，那么将引发 ValueError 异常，因为这是值的错误。列表也是不合法的参数，因为他的类型不正确，所以引发一个 TypeError 异常。

我们的目标是"安全地"调用 float() 函数，或是使用一个"安全的方式"忽略掉错误，因为它们与我们转换数值类型的目标没有任何联系，而且这些错误也没有严重到要让解释器终止执行。为了实现我们的目的，这里我们创建了一个"封装"函数，在 try-except 的协助下创建我们预想的环境，我们把他叫做 safe_float()。在第一次改进中我们搜索并忽略 ValueError，因为这是最常发生的。而 TypeError 并不常见，我们一般不会把非字符串数据传递给 float()。

```
def safe_float(obj):
    try:
        return float(obj)
    except ValueError:
        pass
```

我们采取的第一步只是"止血"。在上面的例子中，我们把错误"吞了下去"。换句话说，错误会被探测到，而我们在 except 从句里没有放任何东西（除了一个 pass，这是为了语法上的需要），不进行任何处理，忽略这个错误。

这个解决方法有一个明显的不足，它在出现错误的时候没有明确地返回任何信息。虽然返回了 None（当函数没有显式地返回一个值时，例如没有执行到 return object 语句函数就结束了，它就返回 None），我们并没有得到任何关于出错信息的提示。我们至少应该显式地返回 None，来使代码更容易理解：

```
def safe_float(obj):
    try:
        retval = float(obj)
    except ValueError:
```

```
        retval = None
    return retval
```

注意我们刚才做的修改，我们只是添加了一个局部变量。在有设计良好的应用程序接口（Application Programmer Interface，API）时，返回值可以更灵活。你可以在文档中这样写，如果传递给 safe_float() 合适的参数，它将返回一个浮点型；如果出现错误，将返回一个字符串说明输入数据有什么问题。我们按照这个方案再修改一次代码，如下所示:

```
def safe_float(obj):
    try:
        retval = float(obj)
    except ValueError:
        retval = 'could not convert non-number to float'
    return retval
```

这里我们只是把 None 替换为一个错误字符串。下面我们试试这个函数看看它表现如何:

```
>>> safe_float('12.34')
12.34
>>> safe_float('bad input')
'could not convert non-number to float'
```

我们有了一个好的开始——现在我们已经可以探测到非法的字符串输入了，可如果传递的是一个非法的对象，还是会“受伤”:

```
>>> safe_float({'a': 'Dict'})
Traceback (innermost last):
  File "<stdin>", line 3, in ?
    retval = float(obj)
TypeError: float() argument must be a string or a number
```

我们暂时只是指出这个缺点，在进一步改进程序之前，首先来看看 try-except 的其他灵活的语法，特别是 except 语句，它有好几种变化形式。

10.3.3 带有多个 except 的 try 语句

在本章的前边，我们已经介绍了 except 的基本语法:

```
except Exception[, reason]:
    suite_for_exception_Exception
```

这种格式的 except 语句指定检测名为 Exception 的异常。你可以把多个 except 语句连接在一起，处理一个 try 块中可能发生的多种异常，如下所示:

```
except Exception1[, reason1]:
   suite_for_exception_Exception1
except Exception2[, reason2]:
   suite_for_exception_Exception2
                 :
```

同样，首先尝试执行 try 子句，如果没有错误，忽略所有的 except 从句继续执行。如果发生异常，解释器将在这一串处理器（except 子句）中查找匹配的异常 如果找到对应的处理器，执行流将跳转到这里。

我们的 safe_float() 函数已经可以检测到指定的异常了。更聪明的代码能够处理好每一种异常。这就需要多个 except 语句，每个 except 语句对应一种异常类型。Python 支持把 except 语句串连使用我们将分别为每个异常类型分别创建对应的错误信息，用户可以得到更详细的关于错误的信息：

```
def safe_float(obj):
    try:
        retval = float(obj)
    except ValueError:
        retval = 'could not convert non-number to float'
    except TypeError:
        retval = 'object type cannot be converted to float'
    return retval
```

使用错误的参数调用这个函数，我们得到下面的输出结果：

```
>>> safe_float('xyz')
'could not convert non-number to float'
>>> safe_float(())
'argument must be a string'
>>> safe_float(200L)
200.0
>>> safe_float(45.67000)
45.67
```

10.3.4 处理多个异常的 except 语句

我们还可以在一个 except 子句里处理多个异常。except 语句在处理多个异常时要求异常被放在一个元组里：

```
except (Exception1, Exception2)[, reason]:
    suite_for_Exception1_and_Exception2
```

上边的语法展示了如何处理同时处理两个异常。事实上 except 语句可以处理任意多个异常，前提只是它们被放入一个元组里 ，如下所示：

```
except (Exc1[, Exc2[, ... ExcN]])[, reason]:
    suite_for_exceptions_Exc1_to_ExcN
```

如果由于其他原因，也许是内存规定或是设计方面的因素，要求 safe_float() 函数中的所有异常必须使用同样的代码处理，那么我们可以这样满足需求：

```
def safe_float(obj):
    try:
        retval = float(obj)
    except (ValueError, TypeError):
        retval = 'argument must be a number or numeric string'
    return retval
```

现在，错误的输入会返回相同的字符串：

```
>>> safe_float('Spanish Inquisition')
'argument must be a number or numeric string'
>>> safe_float([])
```

```
'argument must be a number or numeric string'
>>> safe_float('1.6')
1.6
>>> safe_float(1.6)
1.6
>>> safe_float(932)
932.0
```

10.3.5 捕获所有异常

使用前一节的代码，我们可以捕获任意数目的指定异常，然后处理它们。如果我们想要捕获所有的异常呢？当然可以!自版本 1.5 后，异常成为类，实现这个功能的代码有了很大的改进。也因为这点（异常成为类），我们现在有一个异常继承结构可以遵循。

如果查询异常继承的树结构，我们会发现 Exception 是在最顶层的，所以我们的代码可能看起来会是这样:

```
try:
    :
except Exception, e:
    # error occurred, log 'e', etc.
```

另一个我们不太推荐的方法是使用空 except 子句:

```
try:
    :
except:
    # error occurred, etc.
```

这个语法不如前个“Pythonic”。虽然这样的代码捕获大多异常，但它不是好的 Python 编程样式。一个主要原因是它不会考虑潜在的会导致异常的主要原因。我们的 catch-all 语句可能不会如你所想的那样工作，它不会调查发生了什么样的错误，如何避免它们。

我们没有指定任何要捕获的异常——这不会给我们任何关于可能发生的错误的信息。另外它会捕获所有异常，你可能会忽略掉重要的错误，正常情况下这些错误应该让调用者知道并做一定处理。最后，我们没有机会保存异常发生的原因。当然，你可以通过 sys.exc_info() 获得它，但这样你就不得不去导入 sys 模块，然后执行函数——这样的操作本来是可以避免的，尤其当我们需要立即告诉用户为什么发生异常的时候。在 Python 的未来版本中很可能不再支持空 except 子句（参见“核心风格”）。

关于捕获所有异常，你应当知道有些异常不是由于错误条件引起的。它们是 SystemExit 和 KeyboardInterupt。SystemExit 是由于当前 Python 应用程序需要退出，KeyboardInterupt 代表用户按下了 CTRL-C (^C) ，想要关闭 Python。在真正需要的时候，这些异常却会被异常处理捕获。一个典型的迂回工作法代码框架可能会是这样:

```
try:
    :
except (KeyboardInterupt, SystemExit):
    # user wants to quit
    raise                    # reraise back to caller
except Exception:
    # handle real errors
```

关于异常的一部分内容在 Python 2.5 有了一些变化。异常被迁移到了新式类（new-style class）上，启用了一个新的“所有异常之母”，这个类叫做 BaseException，异常的继承结构有了少许调整，为了让人们摆脱不得不除创建两个处理器的惯用法。KeyboardInterrupt 和 SystemExit 被从 Exception 里移出和 Exception 平级：

```
- BaseException
    |- KeyboardInterrupt
    |- SystemExit
    |- Exception
      |- (all other current built-in exceptions) 所有当前内建异常
```

你可以在表 10.2 找到整个异常继承结构（变化前后）。

这样，当你已经有了一个 Exception 处理器后，你不必为这两个异常创建额外的处理器。代码将会是这样：

```
try:
    :
except Exception, e:
    # handle real errors
```

如果你确实需要捕获所有异常，那么你就得使用新的 BaseException：

```
try:
    :
except BaseException, e:
    # handle all errors
```

当然，也可以使用不被推荐的空 except 子句。

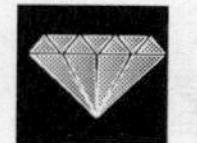

核心风格：不要处理并忽略所有错误

Python 提供给程序员的 try-except 语句是为了更好地跟踪潜在的错误并在代码里准备好处理异常的逻辑。这样的机制在其他语言（例如 C）是很难实现的。它的目的是减少程序出错的次数并在出错后仍能保证程序正常执行。作为一种工具而言，只有正确得当地使用它，才能使其发挥作用。

一个不正确的使用方法就是把它作为一个大绷带“绑定”到一大片代码上。也就是说把一大段程序（如果还不是整个程序源代码的话）放入一个 try 块中，再用一个通用的 except 语句“过滤”掉任何致命的错误，忽略它们。

```
# this is really bad code
try:
    large_block_of_code            # 大段代码的“绷带”
except Exception:                  # 与 except：相同
    pass                           # 忽略所有错误
```

很明显，错误无法避免，try-except 的作用是提供一个可以提示错误或处理错误的机制，而不是一个错误过滤器。上边这样的结构会忽略许多错误，这样的用法是缺乏工程实践的表现，我们不赞同这样做。

底线：避免把大片的代码装入 try-except 中然后使用 pass 忽略掉错误。你可以捕获特定的异常并忽略它们，或是捕获所有异常并采取特定的动作。不要捕获所有异常,然后忽略掉它们。

10.3.6 “异常参数”

异常也可以有参数，异常引发后它会被传递给异常处理器。当异常被引发后参数是作为附加帮助信息传递给异常处理器的。虽然异常原因是可选的，但标准内建异常提供至少一个参数，指示异常原因的一个字符串。

异常的参数可以在处理器里忽略，但 Python 提供了保存这个值的语法。我们已经在上边接触到相关内容：要想访问提供的异常原因，你必须保留一个变量来保存这个参数。把这个参数放在 except 语句后，接在要处理的异常后面。except 语句的这个语法可以被扩展为：

```
# single exception
except Exception[, reason]:
    suite_for_Exception_with_Argument


# multiple exceptions
except (Exception1, Exception2, ..., ExceptionN)[, reason]:
    suite_for_Exception1_to_ExceptionN_with_Argument
```

reason 将会是一个包含来自导致异常的代码的诊断信息的类实例。异常参数自身会组成一个元组，并存储为类实例（异常类的实例）的属性。上边的第一种用法中，reason 将会是一个 Exception 类的实例。

对于大多内建异常，也就是从 StandardError 派生的异常，这个元组只包含一个指示错误原因的字符串。一般说来，异常的名字已经是一个满意的线索了，但这个错误字符串会提供更多的信息。操作系统或其他环境类型的错误，例如 IOError ，元组中会把操作系统的错误编号放在错误字符串前。

无论 reason 只包含一个字符串或是由错误编号和字符串组成的元组，调用 str（reason）总会返回一个良好可读的错误原因。不要忘记 reason 是一个类实例——这样做你其实是调用类的特殊方法__str__()。我们将在第 13 章探索面向对象编程中的这些特殊方法。

唯一的问题就是某些第三方或是其他外部库并不遵循这个标准协议。我们推荐你在引发你自己的异常时遵循这个标准（参见核心风格）。

核心风格：遵循异常参数规范

当你在自己的代码中引发内建(built-in)的异常时，尽量遵循规范，用和已有 Python 代码一致错误信息作为传给异常的参数元组的一部分。简单地说，如果你引发一个 ValueError，那么最好提供和解释器引发 ValueError 时一致的参数信息，以此类推。这样可以在保证代码一致性，同时也能避免其他应用程序在使用你的模块时发生错误。

如下边的例子，它传参给内建 float 函数一个无效的对象，引发 TypeError 异常：

```
>>> try:
...     float(['float() does not', 'like lists', 2])
... except TypeError, diag:# capture diagnostic info
...     pass
...
>>> type(diag)
<class 'exceptions.TypeError'>
>>>
>>> print diag
float() argument must be a string or a number
```

我们首先在一个 try 语句块中引发一个异常，随后简单的忽略了这个异常，但保留了错误的信息。

调用内置的 type()函数，我们可以确认我们的异常对象的确是 TypeError 异常类的实例。最后我们对异常诊断参数调用 print 以显示错误。

为了获得更多的关于异常的信息,我们可以调用该实例的__class__属性,它标示了实例是从什么类实例化而来。类对象也有属性，比如文档字符串（documentation string）和进一步阐明错误类型的名称字符串：

```
>>> diag                        # exception instance object
<exceptions.TypeError instance at 8121378>
>>> diag.__class__              # exception class object
<class exceptions.TypeError at 80f6d50>
>>> diag.__class__.__doc__      # exception class documentation string
'Inappropriate argument type.'
>>> diag.__class__.__name__     # exception class name
'TypeError'
```

我们会在第 13 章中发现，__class__属性存在于所有的类实例中，而__doc__类属性存在于所有的定义了文档字符串的类中。

我们现在再次来改进我们的 saft_float()以包含异常参数，当 float()发生异常时传给解释器。在前一次改进中，我们在一句话中同时捕获了 ValueError 和 TypeError 异常以满足某些需求。但还是有瑕疵，那个解决方案中没有线索表明是哪一种异常引发了错误。它仅仅是返回了一个错误字符串指出有无效的参数。现在，通过异常参数可以改善这种状况。

因为每一个异常都将生成自己的异常参数，如果我们选择用这个字符串来而不是我们自定义的信息，可以提供一个更好的线索来指出问题。下面的代码片段中，我们用字符串化（string representation）的异常参数来替换单一的错误信息。

```
def safe_float(object):
    try:
        retval = float(object)
    except (ValueError, TypeError), diag:
        retval = str(diag)
    return retval
```

在此基础上运行我们的新代码，当我们提供 sofe_float()的参数给不恰当时，虽然还是只有一条捕获语句，但是可以获得如下（不同的）信息。

```
>>> safe_float('xyz')
'invalid literal for float(): xyz'
>>> safe_float({})
'object can't be converted to float'
```

10.3.7 在应用使用我们封装的函数

我们将在一个迷你应用中特地的使用这个函数。它将打开信用卡交易的数据文件（carddata.txt），加载所有的交易，包括解释的字符串。下面是一个示例的 carddate.txt 文件：

```
% cat carddata.txt
# carddata.txt
previous balance
25
debits
```

```
21.64
541.24
25
credits
-25
-541.24
finance charge/late fees
7.30
5
```

我们的程序 cardrun.py 见例 10.1。

例 10.1 信用卡交易系统（cardrun.py）

我们用 safe_float()来处理信用卡交易文件，将其作为字符串读入。并用一个日志文件跟踪处理进程。

```
1   #!/usr/bin/env python
2
3   def safe_float(obj):
4       'safe version of float()'
5       try:
6           retval = float(obj)
7       except (ValueError, TypeError), diag:
8           retval = str(diag)
9       return retval
10
11 def main():
12     'handles all the data processing'
13     log = open('cardlog.txt', 'w')
14     try:
15         ccfile = open('carddata.txt', 'r')
16     except IOError, e:
17         log.write('no txns this month\n')
18         log.close()
19         return
20
21     txns = ccfile.readlines()
22     ccfile.close()
23     total = 0.00
24     log.write('account log:\n')
25
26     for eachTxn in txns:
27         result = safe_float(eachTxn)
28         if isinstance(result, float):
29             total += result
30             log.write('data... processed\n')
31         else:
32             log.write('ignored: %s' % result)
33     print '$%.2f (new balance)' % (total)
34     log.close()
35
36 if __name__ == '__main__':
37     main()
```

逐行解释

3 ~ 9 行

这段代码是 safe_float()函数的主体。

11 ~ 34 行

我们应用的核心部分有 3 个主要任务：

（1）读入信用卡的数据文件；

（2）处理输入；

（3）显示结果。

14 ~ 22 行

从文件中提取数据。你可以看到这里的文件打开被置于 try-except 语句段中。

同时还有一个处理的日志文件。在我们的例子中，我们假设这个日志文件可以不出错的打开。你可以看到我们的处理进程伴随着这个日志文件。如果信用卡的数据文件不能够被访问，我们可以假设该月没有信用卡交易（行 16～19）。

数据被读入 txns（transactions 交易）列表，随后在 26～32 行遍历它。每次调用 safe_float()后，我们用内建的 isinstance 函数检查结果类型。在我们例子中，我们检查 safe_float 是返回字符串还是浮点型。任何字符串都意味着错误，表明该行不能转换为数字，同时所有的其他数字可以作为浮点型累加入 total。在 main()函数的尾行会显示最终生成的余额。

36 ~ 37 行

这两行通常表明“仅在非导入时启动”的功能。运行我们程序，可以得到如下的输出。

```
$ cardrun.py
$ 58.94 (new balance)
```

我们再看看 log 文件（cardlog.txt），我们可以看到在处理完 carddata.txt 中的交易后有其有如下的记录条目：

```
$ cat cardl og.txt
account log:
ignored: invalid literal for float(): # carddata.txt
ignored: invalid literal for float(): previous balance
data... processed
ignored: invalid literal for float(): debits
data... processed
data... processed
data... processed
ignored: invalid literal for float(): credits
data... processed
data... processed
ignored: invalid literal for float(): finance charge/late fees
data... processed
data... processed
```

10.3.8 else 子句

我们已经看过 else 语句段配合其他的 Python 语句，比如条件和循环。至于 try-except 语句段，它的功能和你所见过的其他 else 没有太多的不同：在 try 范围中没有异常被检测到时，执行 else 子句。

在 else 范围中的任何代码运行前，try 范围中的所有代码必须完全成功（也就是，结束前没有引发异常）。下面是用 Python 伪代码写的简短例子。

```
import 3rd_party_module

log = open('logfile.txt', 'w')

try:
```

```
    3rd_party_module.function()
except:
    log.write("*** caught exception in module\n")
else:
    log.write("*** no exceptions caught\n")

log.close()
```

在前面的例子中，我们导入了一个外部的模块然后测试是否有错误。用一个日志文件来确定这个第三方模块是有无缺陷。根据运行时是否引发异常，我们将在日志中写入不同的消息。

10.3.9 finally 子句

finally 子句是无论异常是否发生，是否捕捉都会执行的一段代码。你可以将 finally 仅仅配合 try 一起使用，也可以和 try-except（else 也是可选的）一起使用。独立的 try-finally 将会在下一章介绍，我们稍后再来研究。

从 Python 2.5 开始，你可以用 finally 子句（再一次）与 try-except 或 try-except-else 一起使用。之所以说是“再一次”是因为无论你相信与否，这并不是一个新的特性。回顾 Python 初期，这个特性早已存在，但是在 Python 0.9.6（1992 4 月）中被移除。那时，这样可以简化字节码的生成，并方便解析，另外 van Rossum 认为一个标准化的 try-except(-else)-finally 无论如何不会太流行。然而，十年时间改变了一切!

下面是 try-except-else-finally 语法的示例：

```
try:
    A
except MyException:
    B
else:
    C
finally:
    D
```

等价于 Python 0.9.6 至 2.4.x 中如下的写法：

```
try:
    try:
        A
    except MyException:
        B
    else:
        C
finally:
    D
```

当然，无论如何，你都可以有不止一个的 except 子句，但最少有一个 except 语句，而 else 和 finally 都是可选的。A、B、C 和 D 是程序（代码块）。程序会按预期的顺序执行。（注意：可能的顺序是 A-C-D[正常]或 A-B-D[异常]）。无论异常发生在 A、B 和/或 C 都将执行 finally 块。旧式写法依然有效，所以没有向后兼容的问题。

10.3.10 try-finally 语句

另一种使用 finally 的方式是 finally 单独和 try 连用。这个 try-finally 语句和 try-except 区别在于它不是用来捕捉异常的。作为替代，它常常用来维持一致的行为而无论异常是否发生。我们得知无论 try 中是否有异常触发，finally 代码段都会被执行。

```
try:
    try_suite
finally:
    finally_suite    #无论如何都执行
```

当在 try 范围中产生一个异常时，（这里）会立即跳转到 finally 语句段。当 finally 中的所有代码都执行完毕后，会继续向上一层引发异常。

因而常常看到嵌套在 try-except 中的 try-finally 语句。当在读取 carddata.txt 中文本时可能引发异常，我们可以在 cardrun.py 的这一处添加 try-finally 语句段来改进代码。在当前示例 10.1 的代码中，我们在读取阶段没有探测到错误（通过 readlines()）。

```
try:
    ccfile = open('carddata.txt')
except IOError:
    log.write('no txns this month\n')

txns = ccfile.readlines()
ccfile.close()
```

但有很多原因会导致 readlines()失败，其中一种就是 carddata.txt 存在于网络（或软盘）上，但是变得不能读取。无论怎样，我们可以把这一小段读取数据的代码整个放入 try 子句的范围中：

```
try:
    ccfile = open('carddata.txt', 'r')
    txns = ccfile.readlines()
    ccfile.close()
except IOError:
    log.write('no txns this month\n')
```

我们所做的一切不过是将 readline()和 close()方法调用都移入了 try 语句段。尽管我们代码变得更加的健壮了，但还有改进的空间。注意如果按照这样的顺序发生错误：打开成功，但是出于一些原因 readlines()调用失败，异常处理会去继续执行 except 中的子句，而不去尝试关闭文件。难道没有一种好的方式来关闭文件而无论错误是否发生?我们可以通过 try-finally 来实现：

```
try:
    try:
        ccfile = open('carddata.txt', 'r')
        txns = ccfile.readlines()
    except IOError:
        log.write('no txns this month\n')
finally:
    ccfile.close()
```

代码片段会尝试打开文件并且读取数据。如果在其中的某步发生一个错误，会写入日志，随后文件被正确的关闭。如果没有错误发生，文件也会被关闭（同样的功能可以通过上面标准化的 try-except-finally 语句段实现）。另一种可选的实现切换了 try-except 和 try-finally 包含的方式，如：

```
try:
    try:
```

```
        ccfile = open('carddata.txt', 'r')
        txns = ccfile.readlines()
    finally:
        ccfile.close()
except IOError:
    log.write('no txns this month\n')
```

代码本质上干的是同一种工作，除了一些小小的不同。最显著的是关闭文件发生在异常处理器将错误写入日志之前。这是因为 finally 会自动的重新引发异常。

这样写的一个理由是如果在 finally 的语句块内发生了一个异常，你可以创建一个同现有的异常处理器在同一个（外）层次的异常处理器来处理它。这样，从本质上来说，就可以同时处理在原始的 try 语句块和 finally 语句块中发生的错误。这种方法唯一的问题是，当 finally 语句块中的确发生异常时，你会丢失原来异常的上下文信息，除非你在某个地方保存了它。

反对这种写法的一个理由是：在很多情况下，异常处理器需要做一些扫尾工作，而如果你在异常处理之前，用 finally 语句块中释放了某些资源，你就不能再去做这项工作了。简单地说，finally 语句块并不是如你所想的是“最终的（final）”了。

一个最终的注意点：如果 finally 中的代码引发了另一个异常或由于 return、break、continue 语法而终止，原来的异常将丢失而且无法重新引发。

10.3.11 try-except-else-finally：厨房一锅端

我们综合了这一章目前我们所见过的所有不同的可以处理异常的语法样式：

```
try:
    try_suite

except Exception1:
    suite_for_Exception1

except (Exception2, Exception3, Exception4):
    suite_for_Exceptions_2_3_and_4

except Exception5, Argument5:
    suite_for_Exception5_plus_argument

except (Exception6, Exception7), Argument67:
    suite_for_Exceptions6_and_7_plus_argument

except:
    suite_for_all_other_exceptions

else:
    no_exceptions_detected_suite

finally:
    always_execute_suite
```

回顾上面，finally 子句和 try-except 或 try-except-else 联合使用是 Python 2.5 的“新”有的。这一节最重要的是无论你选择什么语法，你至少要有一个 except 子句，而 else 和 finally 都是可选的。

10.4 上下文管理

10.4.1 with 语句

如上所述的标准化的 try-except 和 try-finally 可以使得程序更加“Pythonic”，其含义是，在许多的其他特性之外，写得更加轻松，读得自在。Python 对隐藏细节已经做了大量的工作，因此需要你操心的仅是如何解决你所遇到的问题（你能假想移植一个复杂的 Python 应用到 C++或 Java 吗？）。

另一个隐藏低层次的抽象的例子是 with 语句，它在 Python 2.6 中正式启用 （Python2.5 尝试性的引入了 with，并对使用 with 作为标识符的应用程序发出这样的警告——在 Python 2.6 中，with 将会成为关键字。如果你想在 Python 2.5 使用 with 语句，你必须用 from __future__ import with_statement 来导入它）。

类似于 try-except-finally ，with 语句也是用来简化代码的，这与用 try-except 和 try-finally 所想达到的目的前后呼应。try-except 和 try-finally 的一种特定的配合用法是保证共享的资源的唯一分配，并在任务结束的时候释放它。比如文件（数据、日志、数据库等等）、线程资源、简单同步、数据库连接，等等。with 语句的目标就是应用在这种场景。

然而，with 语句的目的在于从流程图中把 try、except 和 finally 关键字和资源分配释放相关代码统统去掉，而不是像 try-except-finally 那样仅仅简化代码使之易用。with 语法的基本用法如下：

```
with context_expr [as var]:
    with_suite
```

看起来如此简单，但是其背后还有一些工作要做。这并不如看上去的那么容易，因为你不能对 Python 的任意符号使用 with 语句。它仅能工作于支持上下文管理协议（context management protocol）的对象。这显然意味着只有内建了“上下文管理”的对象可以和 with 一起工作。我们过一会再来阐明它的含义。

现在，正如一个新的游戏硬件，每当有一个新的特性推出时，第一时间总有人开发出相应的新游戏，从而你打开盒子就可以开始玩了。类似，目前已经有了一些支持该协议的对象。下面是第一批成员的简短列表：

- file
- decimal.Context
- thread.LockType
- threading.Lock
- threading.RLock
- threading.Condition
- threading.Semaphore
- threading.BoundedSemaphore

既然 file 是上面的列表上的第一个也是最易于演示的，下面就给出一段和 with 一起使用的代码片段。

```
with open('/etc/passwd', 'r') as f:
    for eachLine in f:
        # ...do stuff with eachLine or f...
```

这个代码片段干了什么呢，这是 Python，因而你很可能已经猜到了。它会完成准备工作，比如试图打开一个文件，如果一切正常，把文件对象赋值给 f.然后用迭代器遍历文件中的每一行，当完成时，关闭文件。无论的在这一段代码的开始，中间，还是结束时发生异常，会执行清理的代码，此外文件仍会被自动的关闭。

因为已经从你手边拿走了一堆细节，所以实际上只是进行了两层处理：

第一，发生用户层——和 in 类似，你所需要关心的只是被使用的对象；

第二，在对象层。既然这个对象支持上下文管理协议，它干的也就是“上下文管理”。

10.4.2 *上下文管理协议

除非你打算自定义可以和 with 一起工作的类，比如：别的程序员会在他们的设计的应用中使用你的对象。绝大多数 Python 程序员仅仅需要使用 with 语句，可以跳过这一节。

我们不打算在这里对上下文管理做深入且详细的探讨，但会介绍兼容协议所必须的对象类型与功能，使其能和 with 一起工作。

前面，我们在例子中描述了一些关于协议如何和文件对象协同工作。让我们在此进一步地研究。

1. 上下文表达式（context_expr），上下文管理器

当 with 语句执行时，便执行上下文符号（译者注：就是 with 与 as 间内容）来获得一个上下文管理器。上下文管理器的职责是提供一个上下文对象。这是通过调用__context__()方法来实现的。该方法返回一个上下文对象，用于在 with 语句块中处理细节。有点需要注意的是上下文对象本身就可以是上下文管理器。所以 context_expr 既可以为一个真正的上下文管理器，也可以是一个可以自我管理的上下文对象。在后一种情况时，上下文对象仍然有__context__()方法，返回其自身，如你所想。

2. 上下文对象，with 语句块

一旦我们获得了上下文对象，就会调用它的__enter()__方法。它将完成 with 语句块执行前的所有准备工作。你可以注意到在上面的 with 行的语法中有一个可选的 as 声明变量跟随在 context_expr 之后。如果提供提供了变量，以__enter()__返回的内容来赋值；否则，丢弃返回值。在我们的文件对象例子中，上下文对象的__enter()__返回文件对象并赋值给 f。

现在，执行了 with 语句块。当 with 语句块执行结束，无论是“和谐地”还是由于异常，都会调用上下文对象的__exit()__方法。__exit__()有三个参数。如果 with 语句块正常结束，三个参数全部是 None。如果发生异常，三个参数的值的分别等于调用 sys.exc_info()函数（见 10.12)返回的三个值：类型（异常类）、值（异常实例）和跟踪记录（traceback），相应的跟踪记录对象。

你可以自己决定如何在__exit__()里面处理异常。惯例是当你处理完异常时不返回任何值，或返回 None，或返回其他布尔值为 False 对象。这样可以使异常抛给你的用户来处理。如果你明确地想屏蔽这个异常，返回一个布尔为 True 的值。如果没有发生异常或你在处理异常后返回 True，程序会继续执行 with 子句后的下一段代码。

因为上下文管理器主要作用于共享资源，你可以想象到__enter()__和__exit()__方法基本是干的需要分配和释放资源的低层次工作，比如：数据库连接、锁分配、信号量加减、状态管理、打开/关闭文件、异常处理等。

为了帮助你编写对象的上下文管理器，有一个 contextlib 模块，包含了实用的 functions/decorators，你可以用在你的函数/对象上而不用去操心关于类或__context__()、__enter()__、__enter()__和__exit()__这些方法的实现。

想了解更多关于上下文管理器的信息，请查看官方的 Python 文档的 with 语法和 contextlib 模块、类的指定方法（与 with 和 contexts 相关的）、PEP 343 和《What’s New in Python 2.5（Python 2.5 的更新）》的文档。

10.5 *字符串作为异常

早在 Python 1.5 前，标准的异常是基于字符串实现的。然而，这样就限制了异常之间不能有相互关

系。这种情况随着异常类的来临而不复存在。到 1.5 为止，所有的标准异常都是类了。程序员还是可以用字符串作为自己的异常的，但是我们建议从现在起使用异常类。

为了向后兼容性，还是可以启用基于字符串的异常。从命令行以-X 为参数启动 Python 可以提供你字符串方式的标准异常。从 Python1.6 起这个特性被视为废弃的。

Python 2.5 开始处理向来不赞成使用的字符串异常。在 2.5 中，触发字符串异常会导致一个警告。在 2.6，捕获字符串异常会导致一个警告。由于它很少被使用而且已经被废弃，我们将不再在本书范围内考虑字符串异常并且已经去除相关文字。（在本书的早期版本中你会找到这些）。唯一也是最后的中肯警告是：你可能用到仍然使用着字符串异常的外部或第三方的模块。字符串异常总而言之是一个糟糕的想法，读者可以回想，有着拼写错误的 Linux RPM 异常如在眼前。

10.6 触发异常

到目前为止，我们所见到的异常都是由解释器引发的。由于执行期间的错误而引发。程序员在编写 API 时也希望在遇到错误的输入时触发异常，为此，Python 提供了一种机制让程序员明确的触发异常，这就是 raise 语句。

raise 语句

1．语法与惯用法

raise 语句对所支持是参数十分灵活，对应到语法上就是支持许多不同的格式。rasie 一般的用法是：

```
raise [SomeException [, args [, traceback]]]
```

第一个参数，SomeExcpetion，是触发异常的名字。如果有，它必须是一个字符串，类或实例（详见下文）。如果有其他参数（arg 或 traceback），就必须提供 SomeExcpetion.Python 所有的标准异常见表 10.2。

第二个符号为可选的 args（比如参数，值），来传给异常。这可以是一个单独的对象也可以是一个对象的元组。当异常发生时，异常的参数总是作为一个元组传入。如果 args 原本就是元组，那么就将其传给异常去处理；如果 args 是一个单独的对象，就生成只有一个元素的元组（就是单元素元组）。大多数情况下，单一的字符串用来指示错误的原因。如果传的是元组，通常的组成是一个错误字符串、一个错误编号，可能还有一个错误的地址，比如文件，等等。

最后一项参数，traceback，同样是可选的（实际上很少用它）。如果有的话，则是当异常触发时新生成的一个用于异常-正常化（exception—normally）的跟踪记录（traceback）对象。当你想重新引发异常时，第三个参数很有用（可以用来区分先前和当前的位置）。如果没有这个参数，就填写 None。

最常见的用法为 SomeException 是一个类。不需要其他的参数，但如果有的话，可以是一个单一对象参数，一个参数的元组，或一个异常类的实例。如果参数是一个实例，可以由给出的类及其派生类实例化（已存在异常类的子集）。若参数为实例，则不能有更多的其他参数。

2．更多的特殊/少见的惯用法

当参数是一个实例的时候会发生什么呢？该实例若是给定异常类的实例当然不会有问题。然而，如果该实例并非这个异常类或其子类的实例时，那么解释器将使用该实例的异常参数创建一个给定异常类的新实例。如果该实例是给定异常类子类的实例，那么新实例将作为异常类的子类出现，而不是原来的给定异常类。

如果 raise 语句的额外参数不是一个实例——作为替代，是一个单件（singleton）或元组——那么，将用这些作为此异常类的初始化的参数列表。如果不存在第二个参数或是 None，则参数列表为空。

如果 SomeException 是一个实例，我们就无需对什么进行实例化了。这种情况下，不能有额外的参数或只能是 None。异常的类型就是实例的类；也就是说，等价于触发此类异常，并用该实例为参数，比如 raise instance.__class__，instance。

我们建议用异常类，不赞成用字符串异常。但如果用字符串作为 SomeException，那么会触发一个用字符串标识的异常，还有一个可选的参量（args）作参数。

最后，这种不含任何参数的 raise 语句结构是在 Python1.5 中新引进的，会引发当前代码块（code block）最近触发的一个异常。如果之前没有异常触发，会因为没可以有重新触发的异常而生成一个 TypeError 异常。

由于 raise 有许多不同格式有效语法（比如：SomeException 可以是类，实例或一个字符串），我们提供表 10.1 来阐明 rasie 的不同用法。

表 10.1 raise 语句的用法

rasie 语法	描 述
raise *exclass*	触发一个异常，从 exclass 生成一个实例（不含任何异常参数）
raise *exclass*()	同上，但现在不是类；通过函数调用操作符（function calloperator：“()”）作用于类名生成一个新的 exclass 实例，同样也没有异常参数
raise *exclass*，*args*	同上，但同时提供的异常参数 args，可以是一个参数也可以是元组
raise *exclass*(*args*)	同上
raise *exclass*，*args*，*tb*	同上，但提供一个跟踪记录（traceback）对象 tb 供使用
raise *exclass*，*instance*	通过实例触发异常（通常是 exclass 的实例）；如果实例是 exclass 的子类实例，那么这个新异常的类型会是子类的类型（而不是 exclass）；如果实例既不是 exclass 的实例也不是 exclass 子类的实例，那么会复制此实例为异常参数去生成一个新的 exclass 实例
raise *instance*	通过实例触发异常：异常类型是实例的类型；等价于 raise instance.__class__，instance（同上）
raise *string*	（过时的）触发字符串异常
raise *string*，*args*	同上，但触发伴随着 args
raise *string*，*args*，*tb*	同上，但提供了一个跟踪记录（traceback）对象 tb 供使用
raise	（1.5 新增）重新触发前一个异常，如果之前没有异常，触发 TypeError

10.7 断言

断言是一句必须等价于布尔真的判定；此外，发生异常也意味着表达式为假。这些工作类似于 C 语言预处理器中 assert 宏，但在 Python 中它们在运行时构建（与之相对的是编译期判别）。

如果你刚刚接触断言这个概念也没有关系。断言可以简简单单的想象为 raise-if 语句（更准确的说是 raise-if-not 语句）。测试一个表达式，如果返回值是假，触发异常。

断言通过 assert 语句实现，在 1.5 版中引入。

断言语句

断言语句等价于这样的 Python 表达式，如果断言成功不采取任何措施（类似语句），否则触发 AssertionError（断言错误）的异常.assert 的语法如下：

```
assert expression[, arguments]
```

下面有一些演示 assert 用法的语句：

```
assert 1 == 1
assert 2 + 2 == 2 * 2
assert len(['my list', 12]) < 10
assert range(3) == [0, 1, 2]
```

AssertionError 异常和其他的异常一样可以用 try-except 语句块捕捉，但是如果没有捕捉，它将终止程序运行而且提供一个如下的跟踪记录：

```
>>> assert 1 == 0
Traceback (innermost last):
  File "<stdin>", line 1, in ?
AssertionError
```

如同先前章节我们研究的 raise 语句，我们可以提供一个异常参数给我们的 assert 命令：

```
>>> assert 1 == 0, 'One does not equal zero silly!'
Traceback (innermost last):
  File "<stdin>", line 1, in ?
AssertionError: One does not equal zero silly!
```

下面是我们如何用 try-except 语句捕获 AssertionError 异常：

```
try:
    assert 1 == 0, 'One does not equal zero silly!'
except AssertionError, args:
    print '%s: %s' % (args.__class__.__name__, args)
```

从命令行执行上面的代码会导致如下的输出：

```
AssertionError: One does not equal zero silly!
```

为了让你更加了解 assert 如何运作，想象一下断言语句在 Python 中如何用函数实现。可以像下面这样：

```
def assert(expr, args=None):
    if __debug__ and not expr:
        raise AssertionError, args
```

此处的 if 语句检查 assert 的语法是否合适，也就是 expr 必须是一个表达式。我们比较 expr 的类型和真正的表达式来确认。函数的第二部分对表达式求值然后根据结果选择性的引发异常。内建的变量__debug__在通常情况下为 True，如果开启优化后为 False（命令行选项-O）(Python 2.2 后为布尔值 True 和 False)。

10.8 标准异常

表 10.2 列出了所有的 Python 当前的标准异常集，所有的异常都是内建的。所以它们在脚本启动前或在互交命令行提示符出现时已经是可用的了。

表 10.2 Python 内建异常

异常名称	描述
BaseException[a]	所有异常的基类
SystemExit[b]	python 解释器请求退出
KeyboardInterrupt[c]	用户中断执行（通常是输入^C）

续表

异常名称	描述
Exception[d]	常规错误的基类
StopIteration[e]	迭代器没有更多的值
GeneratorExit[a]	生成器（generator）发生异常来通知退出
SystemExit[h]	Python 解释器请求退出
StandardError[g]	所有的内建标准异常的基类
ArithmeticError[d]	所有数值计算错误的基类
FloatingPointError[d]	浮点计算错误
OverflowError	数值运算超出最大限制
ZeroDivisionError	除（或取模）零（所有数据类型）
AssertionError[d]	断言语句失败
AttributeError	对象没有这个属性
EOFError	没有内建输入，到达 EOF 标记
EnvironmentError[d]	操作系统错误的基类
IOError	输入/输出操作失败
OSError[d]	操作系统错误
WindowsError[h]	Windows 系统调用失败
ImportError	导入模块/对象失败
KeyboardInterrupt[f]	用户中断执行（通常是输入^C）
LookupError[d]	无效数据查询的基类
IndexError	序列中没有没有此索引（index）
KeyError	映射中没有这个键
MemoryError	内存溢出错误（对于 Python 解释器不是致命的）
NameError	未声明/初始化对象（没有属性）
UnboundLocalError[h]	访问未初始化的本地变量
ReferenceError[e]	弱引用（Weak reference）试图访问已经垃圾回收了的对象
RuntimeError	一般的运行时错误
NotImplementedError[d]	尚未实现的方法
SyntaxError	Python 语法错误
IndentationError[g]	缩进错误
TabError[g]	Tab 和空格混用
SystemError	一般的解释器系统错误
TypeError	对类型无效的操作
ValueError	传入无效的参数
UnicodeError[h]	Unicode 相关的错误
UnicodeDecodeError[i]	Unicode 解码时的错误
UnicodeEncodeError[i]	Unicode 编码时错误
UnicodeTranslateError[f]	Unicode 转换时错误

续表

异常名称	描述
Warning[j]	警告的基类
DeprecationWarning[j]	关于被弃用的特征的警告
FutureWarning[i]	关于构造将来语义会有改变的警告
OverflowWarning[k]	旧的关于自动提升为长整型（long）的警告
PendingDeprecationWarning[i]	关于特性将会被废弃的警告
RuntimeWarning[j]	可疑的运行时行为（runtime behavior）的警告
SyntaxWarning[j]	可疑的语法的警告
UserWarning[j]	用户代码生成的警告

a．Python2.5 新增。

b．在 Python2.5 前，Exception 的子类 SystemExit。

c．在 Python2.5 前，StandardError 的子类 KeyboardInterrupt。

d．Python1.5 新增，用基于类的异常来替代字符串。

e．Python2.2 新增。

f．Python1.6 新增。

g．Python2.0 新增。

h．Python1.6 新增。

i．Python2.3 新增。

j．Python2.1 新增。

k．Python2.2 新增，但在 Python2.4 时移除。

所有的标准/内建异常都是从根异常派生的。目前，有 3 个直接从 BaseException 派生的异常子类：SystemExit，KeyboardInterrupt 和 Exception。其他的所有的内建异常都是 Exception 的子类。表 10.2 中的每一层缩进都代表一次异常类的派生。

到了 Python2.5，所有的异常的都是新式类，并且最终都是 BaseException 的子类。在这一版中，SystemExit 和 KeyboardInterrupt 从 Exception 的继承中移到 BaseException 的继承中，这样可以允许如 except Exception 的语句捕获所有非控制程序退出的异常。

从 Python1.5 到 Python2.4.x，异常是标准的类，在这之前，他们是字符串。从 Python2.5 开始，不再支持构建基于字符串的异常并且被正式的弃用，也就是说你不能再触发一个字符串异常了。在 2.6，你将不能捕获他们。还有一个要求就是所有新的异常最终都是 BaseException 的子类，以便于他们有一个统一的接口。这将从 Python2.7 开始，并在余下的 Python2.x 发布版中延续。

10.9 *创建异常

尽管标准异常集包含的内容已经相当广泛，你还是可以创建自己的异常。一种情况是你想在特定的标准异常和模块异常中添加额外的信息。我们将介绍两个例子，都与 IOError 有关。IOError 是一个用于输入/输出地通用异常，可能在无效的文件访问或其他形式的通信中触发。假如我们想要更加明确地标明问题的来源，比如：对于文件错误，我们希望有行为类似 IOError 的一个 FileError 异常，但是名字表明是在执行文件操作。

我们将查看的另一个异常与套接字（socket）网络编程有关。socket 模块生成的异常叫 socket.error，不是内建的异常。它从通用 Exception 类派生。然而 socket.error 这个异常的宗旨和 IOError 很类似，所以我们打算定义一个新的从 IOError 派生的 NetworkError 的异常，但是其包含了 socket.error 提供的信息。

如同类和面向对象编程，我们暂时不会正式介绍网络编程，如果你需要的话可以跳到 16 章。

我们现在给出一个叫做 myexc.py 的模块和我们自定义的新异常 FileError 与 NetworkError.代码如例 10.2。

例 10.2 创建异常（myexc.py）

此模块定义了两个新的异常，FileError 和 NetworkError，也重新实现了一个诊断版的 open()[myopen()] 和 socket.connect()[myconnect()]。同时包含了一个测试函数[test()]，当直接运行文件时执行。

```
1   #!/usr/bin/env python
2
3   import os, socket, errno, types, tempfile
4
5   class NetworkError(IOError):
6       pass
7
8   class FileError(IOError):
9       pass
10
11   def updArgs(args, newarg=None):
12      if isinstance(args, IOError):
13          myargs = []
14          myargs.extend([arg for arg in args])
15      else:
16          myargs = list(args)
17
18      if newarg:
19          myargs.append(newarg)
20
21      return tuple(myargs)
22
23   def fileArgs(file, mode, args):
24      if args[0] == errno.EACCES and \
25              'access' in dir(os):
26          perms = ''
27          permd = { 'r': os.R_OK, 'w': os.W_OK,
28              'x': os.X_OK}
29          pkeys = permd.keys()
30          pkeys.sort()
31          pkeys.reverse()
32
33          for eachPerm in 'rwx':
34              if os.access(file, permd[eachPerm]):
35                  perms += eachPerm
36              else:
37                  perms += '-'
38
39          if isinstance(args, IOError):
40              myargs = []
41              myargs.extend([arg for arg in args])
```

```
42              else:
43                  myargs = list(args)
44
45              myargs[1] = "'%s' %s (perms: '%s')"% \
46                  (mode, myargs[1], perms)
47
48              myargs.append(args.filename)
49
50          else:
51              myargs = args
52
53      return tuple(myargs)
54
55  def myconnect(sock, host, port):
56      try:
57          sock.connect((host, port))
58
59      except socket.error, args:
60          myargs = updArgs(args)    # conv inst2tuple
61          if len(myargs) == 1:   # no #s on some errs
62              myargs = (errno.ENXIO, myargs[0])
63
64          raise NetworkError, \
65              updArgs(myargs, host + ': ' + str(port))
66
67  def myopen(file, mode='r'):
68      try:
69          fo = open(file, mode)
70      except IOError, args:
71          raise FileError, fileArgs(file, mode, args)
72
73      return fo
74
75  def testfile():
76
77      file = mktemp()
78      f = open(file, 'w')
79      f.close()
80
81      for eachTest in ((0, 'r'), (0100, 'r'),
82              (0400, 'w'), (0500, 'w')):
83          try:
84              os.chmod(file, eachTest[0])
85              f = myopen(file, eachTest[1])
86
87          except FileError, args:
88              print "%s: %s"% \
89                  (args.__class__.__name__, args)
90      else:
```

```
91          print file, "opened ok... perm ignored"
92          f.close()
93
94    os.chmod(file, 0777)# enable all perms
95    os.unlink(file)
96
97  def testnet():
98      s = socket.socket(socket.AF_INET,
99          socket.SOCK_STREAM)
100
101     for eachHost in ('deli', 'www'):
102         try:
103             myconnect(s, 'deli', 8080)
104         except NetworkError, args:
105             print "%s: %s"% \
106                 (args.__class__.__name__, args)
107
108 if __name__ == '__main__':
109     testfile()
110     testnet()
```

1 ~ 3 行

模块的开始部分是 Unix 启动脚本和 socket、os、errno、types 和 tempfile 模块的导入。

5 ~ 9 行

无论你是否相信，这 5 行代码定义了我们的新异常。不是仅仅一个，而是两个。除了将要介绍的一个新功能，创建一个新的异常仅需要从一个已经存在的异常类派生一个出子类。本例中，这个基类是 IOError。我们也可以从 IOError 的基类 EnvironmentError 派生，但我们想明确表明我们的异常是 I/O 相关的。

我们选择 IOError 是因为它提供了两个参数，一个错误编号和一个错误字符串。文件相关[用 open()]的 IOError 异常甚至支持大部分异常没有的第三个参数，那个可以是文件名。我们将对这个在主要元组之外的，名字叫"filename"的参数执行一些特定的操作。

11 ~ 21 行

updArgs()函数的全部意图就是"更新"异常的参数。我们这里的意思是原来的异常提供给我们一个参数集。我们希望获取这些参数并让其成为我们新的异常的一部分，可能是嵌入或添加第三个参数（如果没有传入，什么也不添加——None 是其默认值，我们下一章将会学习）。我们的目标是提供更多的细节信息给用户，这样当问题发生时能够尽快的捕捉到。

23 ~ 53 行

函数 fileArgs()仅在 myopen()中使用（如下）。实际上，我们寻找表示"没有权限（permission denied.）"的错误 EACCES。其他所有的 IOError 异常我们将不加修改（54～55 行）的传递。如果你对 ENXIO、EACCES 和其他的系统错误号感到好奇，你可以从 Unix 系统下/usr/include/sys/errno.h 或 Windows 系统下 Visula C++的 C：\Msdev\include\Errno.h 文件来对它们刨根究底。

在第 27 行，我们也确认了我们当前使用的机器支持 os.access()函数，它用来检查对任意一个特定文件你所拥有的权限。除非我们收到权限错误同时也能够检查我们拥有的权限，否则我们什么不做。当一切完毕，我们设置一个字典来帮助构建表示我们对文件所拥有的权限的字符串。

Unix 文件系统清晰标明用户（user）、组（group，可以有多个用户属于一个组）和其他（other，不是所有者，也不和所有者同组的用户）对文件的读、写、执行（'r'，'w'，'x'）的权限。

Windows 支持这些权限中的一部分。现在可以来构建权限字符串了。如果对文件有某种权限，字符串中就有相应的字母，否则用'-'替代。比如，字符串'rw-'标明你可以对其进行读/写访问。如果字符串是'r-x'，你仅可以对其进行读和执行操作；'---'标示没有任何权限。

当权限字符串构建完成后，我们创建了一个临时的参数列表。我们随后更改了错误字符串使之包含权限字符串。(标准的IOError异常并没有提供权限字符串相关信息)。“Permission denied（没有权限）”这个错误似乎很愚蠢，而且系统并没有提供纠正它的方法。当然这是出于安全的考虑。当入侵者没有权限访问某个东西时，最好不要让他们看到文件的权限。不过，我们的例子仅仅是一个练习，所以我们可以暂时地”违背安全”。问题的关键在于确认调用 os.chmod() 函数修改后的文件权限是不是你的本意。

最后一件事情我们把文件名加入参数列表，并以元组形式返回参数。

55～65 行

我们新的 myconnect()函数仅仅是简单的对套接字的函数 conect()进行包装当网络连接失败时提供一个 IOError 类型的异常。和一般的 socket.error 不一样，我们还提供给程序员主机名和端口号。

对于刚刚接触网络编程的，主机名和端口号可以想象为当你联系某人时的区号和电话号。在这个例子中，我们试着去连接一个在远程主机上运行的程序，可能是某种服务。因此我们需要知道主机名和服务器监听的端口。

当失败发生时，错误号和错误字符很有帮助，但是如果结合更精确的主机-端口会更有帮助，因为这一对可能是由某个数据库或名称服务动态生成或重新获得。这些值由我们版本的 connect()加入。另一种情形是无法找到主机，socket.error 异常没有直接提供的错误号，我们为了遵循 IOError 协议，提供了一个错误号-错误字符串对，我们查找最接近的错误号。我们选用 ENXIO。

67～73 行

类似同类 myconnect()，myopen()也封装了已经存在的一些代码。这里，我们用的是 open()函数。我们仅仅捕捉 IOError 异常。所有的其他都忽略并传给下一层（因为没有与他们相关的处理器）。一旦捕捉到 IOError 我们引发我们自己的异常并通过 fileArgs()返回值来定制参数。

75～95 行

我们首先测试文件，这里使用 testfile()函数。开始之前，我们需要新建一个测试文件，以便我们可以手工修改其权限来造成权限错误。这个 tempfile 模块包含了创建临时文件文件名和临时文件的代码。当前我们仅仅需要文件名，然后用 myopen()函数来创建一个空的文件。注意，如果此次产生了错误，我们不会捕获，我们的程序将致命的终止——测试程序当我们连文件都无法创建时不会继续。

我们的测试用了 4 种不同的权限配置。零表示没有任何权限，0100 表示仅能执行，0400 表示只读，0500 表示只可读或执行(0400+0100)。在所有的情况下，我们试图用一种无效的方式打开文件。os.chmod()被用来改变文件的权限（注意：这些权限有前导的零，表明他们是八进制[基数 8]数）。

如果发生错误，我们希望可以显示诊断的信息，类似 Python 解释器捕获异常时所做的那样。这就是给出异常名和紧跟其后的异常的参数。__class__属性表示实例化该实例的类对象。比在此显示完整的类名（myexc.FileError）更好的做法是通过类对象的__name__属性来显示类名（FileError），这也是异常未被捕获时你在解释器所见到的。随后是我们在封装函数中辛辛苦苦聚到一起的参数。

如果文件被打开成功，也就是权限由于某种原因被忽略。我们通过诊断信息指明并关闭文件。当所有的测试都完成时，我们对文件开启所有的权限然后用 os.unlink()移除(os.remove()等价于 os.unlink())。

97～106 行

下一段代码（testnet()）测试了我们的网络异常。套接字是一个用来与其他主机建立连接的通信端点。我们创建一个套接字，然后用它连接一个没有接受我们连接的服务器的主机和一个不存在于我们网络的主机。

108～110 行

我们希望仅在直接调用我们脚本时执行 test*()函数，此处的代码完成了该功能。大多数脚本用同样的格式给出了这段文本。

在 Unix 系的机器上运行这段脚本，我们得到了如下的输出：

```
$myexc.py
FileError: [Errno 13] 'r' Permission denied (perms: '---'):
```

```
  '/usr/tmp/@18908.1'
FileError: [Errno 13] 'r' Permission denied (perms: '--x'):
  '/usr/tmp/@18908.1'
FileError: [Errno 13] 'w' Permission denied (perms: 'r--'):
  '/usr/tmp/@18908.1'
FileError: [Errno 13] 'w' Permission denied (perms: 'r-x'):
  '/usr/tmp/@18908.1'
NetworkError: [Errno 146] Connection refused: 'deli: 8080'
NetworkError: [Errno 6] host not found: 'www: 8080'
```

在Win32的机器上有些不同：

```
D: \python> python myexc.py
C: \WINDOWS\TEMP\~-195619-1 opened ok... perms ignored
C: \WINDOWS\TEMP\~-195619-1 opened ok... perms ignored
FileError: [Errno 13] 'w' Permission denied (perms: 'r-x'):
  'C: \\WINDOWS\\TEMP\\~-195619-1'
FileError: [Errno 13] 'w' Permission denied (perms: 'r-x'):
  'C: \\WINDOWS\\TEMP\\~-195619-1'
NetworkError: [Errno 10061] winsock error: 'deli: 8080'
NetworkError: [Errno 6] host not found: 'www: 8080'
```

你可以看到Windows不支持文件的读权限，这就是前两次尝试文件打开成功的原因。在你的机器和操作系统上的结果可能会大相径庭。

10.10 （现在）为什么用异常

毫无疑问，错误的存在会伴随着软件的存在。区别在于当今快节奏的计算世界，我们的执行环境已经改变，所以我们需要改变错误处理，以准确反映我们软件的开发环境。就现今应用来说，普遍的是自备（self-contained）的图形用户界面（GUI）或是客户机/服务器体系，例如Web。

在应用层处理错误的能力近来变得更为重要，用户已不再是应用程序的的唯一的直接运行者。随着互联网和网上电子商业应用越来越普及，web服务器将成为应用软件的主要客户。这意味着应用程序再也不能只是直接的失败或崩溃，因为如果这样，系统错误导致浏览器的错误，这反过来又会让用户沮丧。失去眼球意味着失去广告收入和和潜在的大量无可挽回的生意。

如果错误的确发生了，它们一般都归因于用户输入的数据无效。运行环境必须足够强健，来处理应用级别的错误，并提供用户级别的错误信息。就服务器而言，这必须转化为一个“非错误”因为应用必须要成功完成，即使所做的不过是返回一个错误的信息，向用户是提供一个有效的超文本标记语言（HTML）的网页指明错误。

如果你不清楚我在说什么，那么一个简单的网页浏览器窗口，用大而黑的字体写到“内部服务器错误”是否更耳熟？用一个弹出式窗口宣告“文件中没有数据”的致命错误如何？作为一个用户，这些词语对你有意义吗？没有，当然没有（除非你是一个互联网软件工程师），至于对普通用户来说，这些是无休止的混乱和挫折感的来源。这些错误导致在执行的程序时的失败。应用不论是返回无效的超文本传输协议（http）数据还是致命地终止，都会导致Web服务器举手投降，说：“我放弃 ！”

这种类型的执行错误不应该被允许，无论情况如何。随着系统变得更加复杂，又牵涉到更多的新手用户，要采取额外的措施，确保用户平滑地学到应用经验。即使面对一个错误，应用应该成功的中止，不至于灾难性的影响其执行环境。Python异常处理促使成熟和正确的编程。

10.11 到底为什么要异常

如果上文的动机不够充分，试想 Python 编程没有程序级的异常处理。第一件事需要担心的是客户端程序员在自己的代码中遗忘控制。举例来说，如果你创造了一个交互的应用程序分配并使用了大量的资源，如果一个用户击中 Ctrl+C 或其他键盘中断，应用程序将不会有机会执行清理工作，可能导致数据丢失或数据损坏。此外，也没有机制来给出可选的行为，诸如提示用户，以确认他们真的是想退出或是他们意外的按下了 Ctrl 键。

另一个缺点就是函数必须重写来为错误的情形返回一个“特殊”的值，如：None。程序员要负责检查每一个函数调用的返回值。这可能是个麻烦，因为你可能不得不检查返回值，这和没有发生错误时你期待结果也许不是同一类型的对象。什么，你的函数要把 None 作为一个有效的数值返回？那么，你将不得不拿出另一个返回值，也许是负数。我们也许并不需要提醒你，在 Python 的环境下负数下可能是有效的，比如作为一个序列的索引。作为一个写应用程序接口（API）的程序员，你不得不为每个一个用户输入可能遇到的返回错误写文档。同时，我们难以（而且乏味）在多层次的代码中以传播错误（和原因）。

没有一个简单的传播方法像异常一样做到这一点。因为错误的数据需要在调用层次中向上转发，但在前进的道路上可能被曲解。一个不相干的错误可能会被宣布为起因，而实际上它与原始问题完全无关。在一层一层的传递中，我们失去了对原始错误封装和保管的能力，更不用说完全地失去我们原本关心的数据的踪影!异常不仅简化代码，而且简化整个错误管理体系——它不该在应用开发中如此重要角色；而有了 Python 的异常处理能力，也的确没有必要了。

10.12 异常和 sys 模块

另一种获取异常信息的途径是通过 sys 模块中 exc_info()函数。此功能提供了一个 3 元组（3-tuple）的信息，多于我们单纯用异常参数所能获得。让我们看看如何用 sys.exc_info() ：

```
>>> try:
...     float('abc123')
... except:
...     import sys
...     exc_tuple = sys.exc_info()
...
>>> print exc_tuple
(<class exceptions.ValueError at f9838>, <exceptions.
ValueError instance at 122fa8>,
<traceback object at 10de18>)
>>>

>>> for eachItem in exc_tuple:
...    print eachItem
...
exceptions.ValueError
invalid literal for float(): abc123
<traceback object at 10de18>
```

我们从 sys.exc_info()得到的元组中是：

exc_type：异常类；

exc_value：异常类的实例；

exc_traceback：跟踪记录对象。

我们所熟悉的前两项：实际的异常类，和这个异常类的实例（和在上一节我们讨论的异常参数是一样的）。第三项，是一个新增的跟踪记录对象。这一对象提供了的发生异常的上下文。它包含诸如代码的执行帧，异常发生时的行号等信息。

在旧版本中的 Python 中，这三个值分别存在于 sys 模块，为 sys.exc_type、sys.exc_value 、sys.exc_traceback。不幸的是，这三者是全局变量而不是线程安全的。我们建议亡羊补牢，用 sys.exc_info() 来代替。在未来版本 Python 中，所有这三个变量都将被逐步停用，并最终移除。

10.13　相关模块

表 10.3 是本章的相关模块。

表 10.3　异常相关的标准库

模　块	描　述
exceptions	内建异常(永远不用导入这个模块)
contextlib[a]	为使用 with 语句的上下文对象工具
sys	包含各种异常相关的对象和函数（见 sys.ex*）

a. Python2.5 新增。

10.14　练习

10-1. 引发异常。以下的哪个因素会在程序执行时引发异常？注意这里我们问的并不是异常的原因。

a）用户；

b）解释器；

c）程序；

d）以上所有；

e）只有 b）和 c)；

f）只有 a）和 c)。

10-2. 引发异常。参考上边问题的列表，哪些因素会在执行交互解释器时引发异常？

10-3. 关键字。用来引发异常的关键字有哪些？

10-4. 关键字。try-except 和 try-finally 有什么不同？

10-5. 异常。下面这些交互解释器下的 Python 代码段分别会引发什么异常（参阅表 10.2 给出的内建异常清单）：

```
(a)    >>> if 3 < 4 then: print '3 IS less than 4!'
(b)    >>> aList = ['Hello', 'World!', 'Anyone',
'Home? ']
       >>> print 'the last string in aList is: ', aList
       [len(aList)]
(c)    >>> x
(d)    >>> x = 4 % 0
(e)    >>> import math
       >>> i = math.sqrt(-1)
```

10-6. 改进的 open()。为内建的 open() 函数创建一个封装。使得成功打开文件后，返回文件句柄；

若打开失败则返回给调用者 None，而不是生成一个异常。这样你打开文件时就不需要额外的异常处理语句。

10-7. 异常。下面两段 Python 伪代码 a）和 b）有什么区别？考虑语句 A 和 B 的上下文环境。（这么细致的区别要感谢 Guido！）

```
(a)    try:
          statement_A
       except  ...:
              ...
       else:
          statement_B

(b)    try:
          statement_A
          statement_B
       except...:
              ...
```

10-8. 改进的 raw_input()。本章的开头，我们给出了一个“安全”的 float() 函数，它建立在内建函数 float()上，可以检测并处理 float()可能会引发的两种不同异常。同样，raw_input() 函数也可能会生成两种异常，EOFError（文件末尾 EOF，在 Unix 下是由于按下了 Ctrl+D 在 Dos 下是因为 Ctrl+Z）或是 KeyboardInterrupt（取消输入，一般是由于按下了 Ctrl+C）。请创建一个封装函数 safe_input()，在发生异常时返回 None。

10-9. 改进的 math.sqrt()。math 模块包含大量用于处理数值相关运算的函数和常量。不幸的是，它不能识别复数，所以我们创建了 cmath 模块来支持复数相关运算。请创建一个 safe_sqrt() 函数，它封装 math.sqrt() 并能处理负值，返回一个对应的复数。

第 11 章 函数和函数式编程

本章主题

- ✦ 什么是函数
- ✦ 调用函数
- ✦ 创建函数
- ✦ 条件表达式
- ✦ 传入函数
- ✦ 形参
- ✦ 变长参数
- ✦ 函数式编程
- ✦ 变量的作用域
- ✦ 递归
- ✦ 生成器

在第 2 章，我们引入了函数，并介绍了函数的创建和调用。这一章，我们将在前面内容的基础上，详细的讲解函数的方方面面。除了预期特性之外，Python 中的函数还支持多种调用方式以及参数类型并实现了一些函数式编程接口。最后我们将以对 Python 变量的作用域和递归函数的讨论来结束本章的学习。

11.1 什么是函数?

函数是对程序逻辑进行结构化或过程化的一种编程方法。能将整块代码巧妙地隔离成易于管理的小块，把重复代码放到函数中而不是进行大量的拷贝——这样既能节省空间，也有助于保持一致性，因为你只需改变单个的拷贝而无须去寻找再修改大量复制代码的拷贝。Python 中函数的基础部分与你熟悉的其他的语言没有什么不同。本章开始，我们先回顾一下函数基础，然后将着重介绍 Python 函数的其他特性。

函数可以以不同的形式出现。下面简单展示了一些创建、使用，或者引用函数的方法。

```
declaration/definition     def foo(): print 'bar'
function object/reference   foo
function call/invocation   foo()
```

11.1.1 函数 vs 过程

我们经常拿函数和过程比较。两者都是可以被调用的实体，但是传统意义上的函数或者“黑盒”，可能不带任何输入参数，经过一定的处理，最后向调用者传回返回值。其中一些函数则是布尔类型的，返回一个“是”或者“否”的回答，更确切地说，一个非零或者零值。而过程是简单、特殊、没有返回值的函数。从后面内容你会看到，python 的过程就是函数，因为解释器会隐式地返回默认值 None。

11.1.2 返回值与函数类型

函数会向调用者返回一个值，而实际编程中大部分偏函数更接近过程，不显示地返回任何东西。把过程看待成函数的语言通常对于“什么都不返回”的函数设定了特殊的类型或者值的名字。这些函数在 c 中默认为“void”的返回类型，意思是没有值返回。在 python 中，对应的返回对象类型是 none。

下面 hello()函数的行为就像一个过程，没有返回值。如果保存了返回值，该值为 None：

```
>>> def hello():
...     print 'hello world'
>>>
>>> res = hello()
hello world
>>> res
>>> print res
None
>>> type(res)
<type 'None'>
```

另外，与其他大多数的语言一样，Python 里的函数可以返回一个值或者对象。只是在返回一个容器对象的时候有点不同，看起来像是能返回多个对象。好比说，你不能拿着大量零散的商品离开百货店，但是你可以将它们放在一个购物袋里，然后带着这个袋子从商店走出去，合理合法。

```
def foo():
    return ['xyz', 1000000, -98.6]
def bar():
    return 'abc', [42, 'python'], "Guido"
```

foo()函数返回一个列表，bar()函数返回一个元组。由于元组语法上不需要一定带上圆括号，所以让人真的以为可以返回多个对象。如果我们要恰当地给这个元组加上括号，bar()的定义看起来会是这样：

```
def bar():
    return ('abc', [4-2j, 'python'], "Guido")
```

从返回值的角度来考虑，可以通过很多方式来存储元组。接下来的 3 种保存返回值的方式是等价的：

```
>>> aTuple = bar()
>>> x, y, z = bar()
>>> (a, b, c) = bar()
>>>
>>> aTuple
('abc', [(4-2j), 'python'], 'Guido')
>>> x, y, z
('abc', [(4-2j), 'python'], 'Guido')
>>> (a, b, c)
('abc', [(4-2j), 'python'], 'Guido')
```

在对 x、y、z 和 a、b、c 的赋值中，根据值返回的顺序，每个变量会接收到与之对应的返回值。而 aTuple 直接获得函数隐式返回的整个元组。回想一下，元组既可以被分解成为单独的变量，也可以直接用单一变量对其进行引用（参见 6.18.3 小节）。

简而言之，当没有显式地返回元素或者如果返回 None 时，Python 会返回一个 None。那么调用者接收的就是 Python 返回的那个对象，且对象的类型仍然相同。如果函数返回多个对象，Python 把他们聚集起来并以一个元组返回。是的，尽管我们声称 Python 比诸如 C 那样只允许一个返回值的语言灵活得多，但是老实说，Python 也遵循了相同的传统，只是让程序员误以为可以返回多个对象。

表 11.1

返回的对象的数目	Python 实际返回的对象
0	None
1	*object*
>1	tuple

表 11.1 总结了从一个函数中返回的对象的数目，以及 Python 实际返回的对象。

许多静态类型的语言主张一个函数的类型就是其返回值的类型。在 Python 中，由于 Python 是动态地确定类型而且函数能返回不同类型的值，所以没有进行直接的类型关联。因为重载并不是语言特性，程序员需要使用 type()这个内建函数作为代理，来处理有着不同参数类型的函数的多重声明以模拟类 C 语言的函数重载(以参数不同选择函数的多个原型）。

11.2 调用函数

11.2.1 函数操作符

同大多数语言相同，我们用一对圆括号调用函数。实际上，有些人认为（()）是一个双字符操作符。正如你可能意识到的，任何输入的参数都必须放置在括号中。作为函数声明的一部分，括号也会用来定义那些参数。虽然我们没有正式地学习类和面向对象编程，但你将会发现在 Python 中，函数的操作符同样用于类的实例化。

11.2.2 关键字参数

关键字参数的概念仅仅针对函数的调用。这种理念是让调用者通过函数调用中的参数名字来区分参数。这样规范允许参数缺失或者不按顺序，因为解释器能通过给出的关键字来匹配参数的值。

举个简单的例子，比如有一个函数 foo()，伪代码如下：

```
def foo(x):
    foo_suite # presumably does some processing with 'x'
标准调用 foo():   foo(42)  foo('bar')    foo(y)
关键字调用 foo():  foo(x=42)     foo(x='bar') foo(x=y)
```

再举个更实际的例子， 假设你有一个函数叫做 net_conn()，需要两个参数 host 和 port：

```
def net_conn(host, port):
        net_conn_suite
```

只要按照函数声明中参数定义的顺序，输入恰当的参数，自然就可以调用这个函数：

```
net_conn('kappa', 8080)
```

host 参数得到字符串'kappa', port 参数得到整型 8080.当然也可以不按照函数声明中的参数顺序输入，但是要输入相应的参数名，如下例：

```
net_conn(port=8080, host='chino')
```

当参数允许“缺失”的时候，也可以使用关键字参数。这取决于函数的默认参数，我们将在下一小节对它进行介绍。

11.2.3 默认参数

默认参数就是声明了默认值的参数。因为给参数赋予了默认值，所以，在函数调用时，不向该参数传入值也是允许的。我们将在 11.5.2 小节对默认参数进行更全面的介绍。

11.2.4 参数组

Python 同样允许程序员执行一个没有显式定义参数的函数，相应的方法是通过一个把元组（非关键字参数）或字典（关键字参数）作为参数组传递给函数。我们将在本章中讨论这两种形式。基本上，你可以将所有参数放进一个元组或者字典中，仅仅用这些装有参数的容器来调用一个函数，而不必显式地将它们放在函数调用中：

```
func(*tuple_grp_nonkw_args, **dict_grp_kw_args)
```

其中的 tuple_grp_nonkw_args 是以元组形式体现的非关键字参数组，dict_grp_kw_args 是装有关键字参数的字典。正如我们已经提到的，我们将在这章对这两者进行全面介绍，现在你只需知道，存在这样的特性允许你把变量放在元组和/或者字典里，并在没有显式地对参数进行逐个声明的情况下，调用函数。

实际上，你也可以给出形参！这些参数包括标准的位置参数和关键字参数，所以在 Python 中允许的函数调用的完整语法为：

```
func(positional_args, keyword_args,
*tuple_grp_nonkw_args, **dict_grp_kw_args)
```

该语法中的所有的参数都是可选的——从参数传递到函数的过程来看，在单独的函数调用时，每个参数都是独立的。这可以有效地取代 apply()内建函数。（在 Python 1.6 版本之前，这样的参数对象只能通过 apply()函数来调用）。

1．例子

在子 11.1 里的数学游戏中，我们用函数调用转换来生成一个有两个子项的参数列表，并把这个列表发送给合的适算术函数（我们也会指出在原来版本中哪些地方会用到 apply()）。

easyMath.py 程序是一个儿童算术游戏，可以随机选择算术加减法。我们通过函数 add()，sub()等价+－操作符，这两者都可以在 operator 模块中找到。接着我们生成一个参数列表（该列表只有 2 个参数，因为这些是二元操作符/运算）。接着选择任意的数字作为算子。因为我们没打算在这个程序的基础版本中支持负数，所以我们将两个数字的列表按从大到小的顺序排序，然后用这个参数列表和随机选择的算术操作符去调用相对应的函数，最后获得问题的正确解答。

随机选择数字以及一个算术函数，显示问题，以及验证结果。在 3 次错误的尝试以后给出结果，等到用户输入一个正确的答案后便会继续运行。

例 11.1 算术游戏（easyMath.py）

```
1   #!/usr/bin/env python
2
3   from operator import add, sub
4   from random import randint, choice
5
6   ops = {'+': add, '-': sub}
7   MAXTRIES = 2
8
9   def doprob():
10      op = choice('+-')
11      nums = [randint(1,10) for i in range(2)]
12      nums.sort(reverse=True)
13      ans=ops[op](*nums)
14      pr='%d %s %d='%(nums[0],op,nums[1])
15      oops=0
16      while True:
17          try:
18              if int(raw_input(pr)) == ans:
19                  print 'correct'
20                  break
21              if  oops==MAXTRIES:
22                  print 'answer\n%s%d'%(pr, ans)
23              else:
24                  print 'incorrect... try again'
25                  oops += 1
26          except (KeyboardInterrupt, \
27                   EOFError, ValueError) :
28              print 'invalid input... try again'
29
30  def main ():
31      while True:
32          doprob()
```

```
33          try:
34              opt = raw_input('Again? [y]').lower()
35              if opt and opt[0] == 'n':
36                  break
37          except (KeyboardInterrupt, EOFError):
38              break
39
40  if __name__ == '__main__':
41      main()
```

2．逐行解释

1～4 行

我们的代码从通常的 unix 启动行开始，接着从 operator 和 random 模块中，导入我们会用到的函数。

6～7 行

在这个应用程序中我们用的全局变量有：一个包含了操作符和与其相关联的函数的集合（字典），一个决定在给出正解之前，用户有多少次机会尝试给出答案的整型变量。函数字典的键值是操作符的符号，程序通过查字典找到合适的算术函数。

9～28 行

doprob()函数是应用程序的核心引擎。该函数随机选择一个操作并生成两个操作数，同时为了避免减法问题中的负数问题，将这两个算子按大到下进行排序。然后用这些值调用一个数学函数，计算出正确的解。接着用一个等式来提示用户输入并给用户 3 次机会来输入一个正确的答案。

第 10 行用了 random.choice()函数。它用于获取一个序列——我们案例中操作符号的字符串——并随机返回其中的元素。

第 11 行用了一个列表解析来随机地给我们的练习选择两个数。这个例子非常的简单以至于我们可以仅仅用两次 randint()来获得我们的操作数，比如，nums = [randint(1，10)，randint(1，10）]，但是为了让你能看看列表解析的又一个例子，我们没有这样做，而且使用列表解析更易于扩展和升级，比如获得更多的数，这与我们使用循环来代替剪切和粘贴的原因相似。

第 12 行只能在 Python2.4 以及更新的版本中运行，因为 list.sort()方法原本不支持倒转的标志位。如果你使用的是更早一点的 Python 版本，你可以：

- 增加一个反序的比较函数来获得倒转的排序，如

```
lambda x, y: cmp(y, x), or
```

- 或者在 nums.sort()后调用 nums.reverse()

如果你之前没有看见过 lambda，不用害怕。我们会在这章对 lambda 进行详述，而现在，你可以认为它是一个单行的匿名函数。

如果你正使用 1.6 以前的 python，那第 13 行是可能会用到 apply()。对合适运算函数的调用要这样写 apply(ops[op]，nums)，而不是 ops[op](*nums)。

16～28 行描述了用来处理有效和无效输入的控制循环。while 循环是无限循环，直到有正确答案输入或者允许尝试的次数（我们的程序中设定为 3 次）被耗尽才终止运行。这允许程序接受不合法的输入，比如非数字或者各种键盘的控制字符。一旦用户超过了尝试最大的次数，程序就会给出答案并“强制”用户给出正确的答案，只有给出答案，程序才会向下进行。

30～41 行

程序的主入口是 main()，如果直接运行脚本，程序将自顶向下的运行。如果被作为模块导入，导入者要么调用 doprob()函数来开始执行，要么调用 main()来进入程序控制。main()简单地调用 doprob()使用户与脚本的主要功能进行交互，并负责提示用户退出或者尝试下一个问题。

因为数值和操作符都是随机选择的，每次运行 easyMath.py 的结果应该都是不一样的。这是我们今

天的得到的（噢，你的答案也可能不一样）：

```
$ easyMath.py
7 - 2 = 5
correct
Again? [y]
7 * 6 = 42
correct
Again? [y]
7 * 3 = 20
incorrect... try again
7 * 3 = 22
incorrect... try again
7 * 3 = 23
sorry... the answer is
7 * 3 = 21
7 * 3 = 21
correct
Again? [y]
7 - 5 = 2
correct
Again? [y] n
```

11.3 创建函数

11.3.1 def 语句

函数是用 def 语句来创建的，语法如下：

```
def function_name(arguments):
    "function_documentation_string"
    function_body_suite
```

标题行由 def 关键字，函数的名字，以及参数的集合（如果有的话）组成。def 子句的剩余部分包括了一个虽然可选但是强烈推荐的文档字串和必需的函数体。在本书中我们已经看到很多函数的声明，这又是一个：

```
def helloSomeone(who):
  'returns a salutory string customized with the input'
  return "Hello " + str(who)
```

11.3.2 声明与定义比较

在某些编程语言里，函数声明和函数定义区分开的。一个函数声明包括提供对函数名，参数的名字（传统上还有参数的类型），但不必给出函数的任何代码，具体的代码通常属于函数定义的范畴。

在声明和定义有区别的语言中，往往是因为函数的定义可能和其声明放在不同的文件中。Python 将这两者视为一体，函数的子句由声明的标题行以及随后的定义体组成的。

11.3.3 前向引用

和其他高级语言类似，Python 也不允许在函数未声明之前，对其进行引用或者调用。我们下面给出几个例子来看一下：

```
def foo():
    print 'in foo()'
    bar()
```

如果我们调用函数 foo()，肯定会失败，因为函数 bar()还没有声明：

```
>>> foo()
in foo()
Traceback (innermost last):
  File "<stdin>", line 1, in ?
  File "<stdin>", line 3, in foo
NameError: bar
```

我们现在定义函数 bar()，在函数 foo()前给出 bar()的声明：

```
def bar():
    print 'in bar()'

def foo():
    print 'in foo()'
    bar()
```

现在我们可以安全的调用 foo()，而不会出现任何问题：

```
>>> foo()
in foo()
in bar()
```

事实上，我们甚至可以在函数 bar()前定义函数 foo()：

```
def foo():
    print 'in foo()'
    bar()
def bar():
    print 'in bar()'
```

太神奇了，这段代码可以非常好的运行，不会有前向引用的问题：

```
>>> foo()
in foo()
in bar()
```

这段代码是正确的，因为即使（在 foo()中）对 bar()进行的调用出现在 bar()的定义之前，但 foo()本身不是在 bar()声明之前被调用的。换句话说，我们声明 foo()，然后再声明 bar()，接着调用 foo()，但是到那时，bar()已经存在了，所以调用成功。

注意 foo()在没有错误的情况下成功输出了 foo()。名字错误是当访问没有初始化的标识符时才产生的异常。

11.3.4 函数属性

在这一章中，我们稍后将对命名空间进行简短的讨论，尤其是它们与变量作用域的关系。在下一章中会有对命名空间的更深入的探讨，然而，这里我们只是想要指出 Python 名称空间的基本特征。

你可以获得每个 Pyhon 模块、类和函数中任意的名称空间。你可以在模块 foo 和 bar 里都有名为 x 的一个变量，但是在将这两个模块导入你的程序后，仍然可以使用这两个变量。所以，即使在两个模块中使用了相同的变量名字，这也是安全的，因为句点属性标识对于两个模块意味了不同的命名空间，比如说，在这段代码中没有名字冲突：

```
import foo, bar
print foo.x + bar.x
```

函数属性是 Python 另外一个使用了句点属性标识并拥有名称空间的领域（更多关于名称空间将在本章的稍后部分以及第十二章关于 Python 的模块中进行讨论）。

```
def foo():
    'foo() -- properly created doc string'
def bar():
    pass
bar.__doc__ = 'Oops, forgot the doc str above'
bar.version = 0.1
```

上面的 foo()中，我们以常规的方式创建了我们的文档字串，比如，在函数声明后第一个没有赋值的字串。当声明 bar()时，我们什么都没做，仅用了句点属性标识来增加文档字串以及其他属性。我们可以接着任意地访问属性。下面是一个使用了交互解释器的例子（你可能已经发现，用内建函数 help()显示会比用__doc__属性更漂亮，但是你可以选择你喜欢的方式）。

```
>>> help(foo)
Help on function foo in module __main__:
foo()
    foo() -- properly created doc string
>>> print bar.version
0.1
>>> print foo.__doc__
foo() -- properly created doc string
>>> print bar.__doc__
Oops, forgot the doc str above
```

注意我们是如何在函数声明外定义一个文档字串。然而我们仍然可以就像平常一样，在运行时刻访问它。然而你不能在函数的声明中访问属性。换句话说，在函数声明中没有“self”这样的东西让你可以进行诸如__dict__['version'] = 0.1 的赋值。这是因为函数体还没有被创建，但之后你有了函数对象，就可以按我们在上面描述的那样方法来访问它的字典。另外一个自由的名称空间！

函数属性是在 2.1 中添加到 Python 中的，你可以在 PEP232 中阅读到更多相关信息。

11.3.5 内部/内嵌函数

在函数体内创建另外一个函数（对象）是完全合法的。这种函数叫做内部/内嵌函数。因为现在 Python 支持静态地嵌套域（在 2.1 中引入但是到 2.2 时才是标准），内部函数实际上很有用的。内嵌函数对于较老的 python 版本没有什么意义，那些版本中只支持全局和一个局部域。那么如何去创造一个内嵌函数呢？

最明显的创造内部函数的方法是在外部函数的定义体内定义函数（用 def 关键字），如：

```
def foo():
    def bar():
        print 'bar() called'
    print 'foo() called'
    bar()
foo()
bar()
```

我们将以上代码置入一个模块中，如 inner.py，然后运行，会得到如下输出：

```
foo() called
bar() called
Traceback (most recent call last):
  File "inner.py", line 11, in ?
    bar()
NameError: name 'bar' is not defined
```

内部函数一个有趣的方面在于整个函数体都在外部函数的作用域(即是你可以访问一个对象的区域；稍后会有更多关于作用域的介绍）之内。如果没有任何对 bar()的外部引用，那么除了在函数体内，任何地方都不能对其进行调用，这就是在上述代码执行到最后你看到异常的原因。

另外一个函数体内创建函数对象的方式是使用 lambda 语句。我们会在稍后的 11.7.1 小节进行讲述。如果内部函数的定义包含了在外部函数里定义的对象的引用（这个对象甚至可以是在外部函数之外)，内部函数会变成被称为闭包（closure）的特别之物。在接下来的 11.8.4 小节，我们将对闭包进行更多的学习。稍后我们将介绍装饰器，但是例子程序也包含了闭包的预览。

11.3.6 *函数（与方法）装饰器

装饰器背后的主要动机源自 Python 面向对象编程。装饰器是在函数调用之上的修饰。这些修饰仅是当声明一个函数或者方法的时候，才会应用的额外调用。

装饰器的语法以@开头，接着是装饰器函数的名字和可选的参数。紧跟着装饰器声明的是被修饰的函数和装饰函数的可选参数。装饰器看起来会是这样：

```
@decorator(dec_opt_args)
def func2Bdecorated(func_opt_args):
    :
```

那么装饰器语法如何（以及为什么）产生的呢？装饰器背后的灵感是什么？唔，当静态方法和类方法在 2.2 时被加入到 Python 中的时候，实现方法很笨拙：

```
class MyClass(object):
    def staticFoo():
        :
    staticFoo = staticmethod(staticFoo)
        :
```

（要澄清的是对于那个发行版本，这不是最终的语法）在这个类的声明中，我们定义了叫 staticFoo()的方法。现在因为打算让它成为静态方法，我们省去它的 self 参数，而你会在 12 章中看到，self 参数在标准的类方法中是必需的。接着用 staticmethod()内建函数来将这个函数“转化”为静态方法，但是在 def staticFoo()后跟着 staticFoo = staticmethod （sta- ticFoo）显得有多么的臃肿。使用装饰器，你现在可以用如下代码替换掉上面的：

```
class MyClass (object) :
    @staticmethod
    def staticFoo():
        :
```

此外，装饰器可以如函数调用一样“堆叠”起来，这里有一个更加普遍的例子，使用了多个装饰器：

```
@deco2
@deco1
```

```
def func (arg1, arg2, ...) : pass
```

这和创建一个组合函数是等价的。

```
def func (arg1, arg2, ...) : pass
func = deco2 (deco1 (func) )
```

函数组合用数学来定义就像这样： （g·f）（x） =g（f（x））。对于在Python中的一致性：

```
@g
@f
def foo():
    :
```

...与foo=g（f（foo））相同

1．有参数和无参数的装饰器

是的，装饰器语法一开始有点让你犯迷糊，但是一旦你适应了，唯一会困扰你的就是什么时候使用带参数的装饰器。没有参数的情况，一个装饰器如：

```
@deco
def foo(): pass
```

...非常地直接

```
foo = deco (foo)
```

跟着是无参函数（如上面所见）组成。然而，带参数的装饰器decomaker():

```
@decomaker (deco_args)
def foo(): pass
```

需要自己返回以函数作为参数的装饰器。换句话说，decomaker()用 deco_args 做了些事并返回函数对象，而该函数对象正是以foo作为其参数的装饰器。简单地说：

```
foo = decomaker (deco_args) (foo)
```

这里有一个含有多个装饰器的例子，其中的一个装饰器带有一个参数：

```
@deco1 (deco_arg)
@deco2
def func(): pass
```

这等价于：

```
func = deco1 (deco_arg) (deco2 (func) )
```

我们希望如果你明白这里的这些例子，那么事情就变得更加清楚了。下面我们会给出简单实用的脚本，该脚本中装饰器不带任何参数。例子11.8就是含有无参装饰器的中间脚本。

2．什么是装饰器

现在我们知道装饰器实际就是函数。我们也知道他们接受函数对象。但它们是怎样处理那些函数的呢？一般说来，当你包装一个函数的时候，你最终会调用它。最棒的是我们能在包装的环境下在合适的时机调用它。我们在执行函数之前，可以运行些预备代码，如 post-morrem 分析，也可以在执行代码之后做些清理工作。所以当你看见一个装饰器函数的时候，很可能在里面找到这样一些代码，它定义了某个函数并在定义内的某处嵌入了对目标函数的调用或者至少一些引用。从本质上看，这些特征引入了Java开发者称呼之为AOP（Aspect Oriented Programming，面向方面编程）的概念。你可以考虑在装饰器中置入通用功能的代码来降低程序复杂度。例如，可以用装饰器来：

- 引入日志；
- 增加计时逻辑来检测性能；
- 给函数加入事务的能力。

对于用 Python 创建企业级应用，支持装饰器的特性是非常重要的。你将会看到上面的条例与我们下面的例子有非常紧密地联系，这在例 11.2 中也得到了很好地体现。

3．修饰符举例

下面我们有个极其简单的例子，但是它应该能让你开始真正地了解装饰器是如何工作的。这个例子通过显示函数执行的时间“装饰”了一个（没有用的）函数。这是一个“时戳装饰”，与我们在 16 章讨论的时戳服务器非常相似。

这个装饰器（以及闭包）示范表明装饰器仅仅是用来“装饰”（或者修饰）函数的包装，返回一个修改后的函数对象，将其重新赋值原来的标识符，并永久失去对原始函数对象的访问。

例 11.2 使用函数装饰器的例子（deco.py）

```
1   #!/usr/bin/env python
2
3   from time import ctime, sleep
4
5   def tsfunc(func):
6       def wrappedFunc():
7           print '[%s] %s() called' % (
8               ctime(), func.__name__)
9           return func()
10      return wrappedFunc
11
12  @tsfunc
13  def foo():
14      pass
15
16  foo()
17  sleep(4)
18
19  for i in range(2):
20      sleep(1)
21      foo()
```

运行脚本，得到如下输出：

```
[Sun Mar 19 22:50:28 2006] foo() called
[Sun Mar 19 22:50:33 2006] foo() called
[Sun Mar 19 22:50:34 2006] foo() called
```

4．逐行解释

5～10 行

在启动和模块导入代码之后，tsfunc()函数是一个显示何时调用函数的时戳的装饰器。它定义了一个内部的函数 wrappedFunc()，该函数增加了时戳以及调用了目标函数。装饰器的返回值是一个“包装了”的函数。

12～21 行

我们用空函数体（什么都不做）来定义了 foo()函数并用 tsfunc()来装饰。为证明我们的设想，立刻调用它，然后等待 4 秒，然后再调用两次，并在每次调用前暂停 1 秒。

结果，函数立刻被调用，第 1 次调用后，调用函数的第 2 个时间点应该为 5（4+1），第 3 次的时间应该大约为之后的 1 秒。这与上面看见的函数输出十分吻合。

你可以在《Python langugae reference》、Python2.4 中“What's New in Python 2.4”的文档和 PEP 318 中来阅读更多关于装饰器的内容。

11.4　传递函数

当学习一门 C 这样的语言时，函数指针的概念是一个高级话题，但是对于函数就像其他对象的 Python 来说就不是那么回事了。函数是可以被引用的（访问或者以其他变量作为其别名），也作为参数传入函数，以及作为列表和字典等容器对象的元素函数有一个独一无二的特征使它同其他对象区分开来，那就是函数是可调用的。举例来说，可以通过函数操作来调用他们（在 Python 中有其他的可调用对象。更多信息，参见 14 章）。

在以上的描述中，我们注意到可以用其他的变量来作为函数的别名。

因为所有的对象都是通过引用来传递的，函数也不例外。当对一个变量赋值时，实际是将相同对象的引用赋值给这个变量。如果对象是函数的话，这个对象所有的别名都是可调用的。

```
>>> def foo():
...     print 'in foo()'
...
>>> bar = foo
>>> bar()
in foo()
```

当我们把 foo 赋值给 bar 时，bar 和 foo 引用了同一个函数对象，所以能以和调用 foo()相同的方式来调用 bar()。确定你明白“foo”（函数对象的引用）和“foo()”（函数对象的调用）的区别。

稍微深入下我们引用的例子，我们甚至可以把函数作为参数传入其他函数来进行调用。

```
>>> def bar(argfunc):
...     argfunc()
...
>>> bar(foo)
in foo()
```

注意到函数对象 foo 被传入到 bar()中。bar()调用了 foo()（用局部变量 argfunc 来作为其别名就如同在前面的例子中我们把 foo 赋给 bar 一样）。现在我们来研究下一个更加实际的例子，numconv.py，代码在例子 11.3 中给出。

一个将函数作为参数传递，并在函数体内调用这些函数，更加实际的例子。这个脚本用传入的转换函数简单将一个序列的数转化为相同的类型。特别地，test()函数传入一个内建函数 int()、long()或 float()来执行转换。

例 11.3　传递和调用（内建）函数（numConv.py）

```
1   #!/usr/bin/env python
2
3   def convert(func, seq):
4       'conv. sequence of numbers to same type'
5       return [func(eachNum) for eachNum in seq]
6
7   myseq = (123, 45.67, -6.2e8, 999999999L)
8   print convert(int, myseq)
```

```
9   print convert(long, myseq)
10  print convert(float, myseq)
```

如果我们运行这个程序，我们将会得到如下输出：

```
$ numconv.py
[123, 45, -620000000, 999999999]
[123L, 45L, -620000000L, 999999999L]
[123.0, 45.67, -620000000.0, 999999999.0]
```

11.5 Formal Arguments

Python 函数的形参集合由在调用时要传入函数的所有参数组成，这参数与函数声明中的参数列表精确地配对。这些参数包括了所有必要参数（以正确的定位顺序来传入函数的）、关键字参数（以顺序或者不按顺序传入，但是带有参数列表中曾定义过的关键字）和所有含有默认值，函数调用时不必要指定的参数。（声明函数时创建的）局部命名空间为各个参数值，创建了一个名字。一旦函数开始执行，就能访问这个名字。

11.5.1 位置参数

这些我们都是熟悉的标准化参数。位置参数必须以在被调用函数中定义的准确顺序来传递。另外，没有任何默认参数（见下一个部分）的话，传入函数（调用）的参数的精确的数目必须和声明的数字一致。

```
>>> def foo(who):            # defined for only 1 argument
...     print 'Hello', who
...
>>> foo()                    # 0 arguments... BAD
Traceback (innermost last):
  File "<stdin>", line 1, in ?
TypeError: not enough arguments; expected 1, got 0
>>>
>>> foo('World!')            # 1 argument... WORKS
Hello World!
>>>
>>> foo('Mr.', 'World!')     # 2 arguments... BAD
Traceback (innermost last):
  File "<stdin>", line 1, in ?
TypeError: too many arguments; expected 1, got 2
```

foo()函数有一个位置参数。那意味着任何对 foo()的调用必须有唯一的一个参数，不多，不少。否则你会频频看到 TypeError。看看，Python 的错误是多么具有信息性的。作为一个普遍的规则，无论何时调用函数，都必须提供函数的所有位置参数。可以不按位置地将关键字参数传入函数，给出关键字来匹配其在参数列表中的合适的位置是被准予的（可以回顾 11.2.2 小节）。

由于默认参数的特质，他们是函数调用的可选部分。

11.5.2 默认参数

对于默认参数如果在函数调用时没有为参数提供值则使用预先定义的默认值。这些定义在函数声明的标题行中给出。C++也支持默认参数，和 Python 有同样的语法：参数名等号默认值。这个从语法上来表明如果没有值传递给那个参数，那么这个参数将取默认值。

Python 中用默认值声明变量的语法是所有的位置参数必须出现在任何一个默认参数之前。

```
def func(posargs, defarg1=dval1, defarg2=dval2,...):
    "function_documentation_string"
    function_body_suite
```

每个默认参数都紧跟着一个用默认值的赋值语句。如果在函数调用时没有给出值，那么这个赋值就会实现。

1. 为什么用默认参数

默认参数让程序的健壮性上升到极高的级别，因为它们补充了标准位置参数没有提供的一些灵活性。这种简洁极大的帮助了程序员。当少几个需要操心的参数时候，生活不再那么复杂。这在一个程序员刚接触到一个 API 接口时，没有足够的知识来给参数提供更对口的值时显得尤为有帮助。

使用默认参数的概念与在你的电脑上安装软件的过程类似。一个人会有多少次选择默认安装而不是自定义安装？我可以说可能几乎都是默认安装。这既方便、易于操作，又能节省时间。总是选择自定义安装的只是少数人。

另外一个让开发者受益的地方在于，开发者能更好地控制为顾客开发的软件。当提供了默认值的时候，他们可以精心选择“最佳”的默认值，所以用户不需要马上面对繁琐的选项。随着时间流逝，当用户对系统或者 API 越来越熟悉的时候，他们最终能自行给出参数值，便不再需要使用“学步车”了。

下面这个例子中默认参数派得上用场，并在日益增长的电子商务中多少有些用处。

```
>>> def taxMe(cost, rate=0.0825):
...     return cost + (cost * rate)
...
>>> taxMe(100)
108.25
>>>
>>> taxMe(100, 0.05)
105.0
```

在上面个例子中，taxMe()函数以一个项目的成本输入参数，计算出附加了销售税的销售价格。成本是一个必需的参数，但税率是一个默认参数（在我们的例子中为 8.25%）。或许你是一个在线零售商，生意上的大部分客户来自相同的州或者国家。不同地方税率的顾客期望看见他们与当地销售税率相对应的购买价格总量。为了覆盖默认的税率，你所要做的就是提供一个参数值，比如在上面的例子中的 taxMe（100，0.05）。通过指定 5%税率，你提供了一个参数作为税率参数，所以覆盖或者说绕过了 0.0825 的默认值。

所有必需的参数都要在默认参数之前。为什么？简单说来就是因为它们是强制性的，但默认参数不是。从语法构成上看，对于解释器来说，如果允许混合模式，确定什么值来匹配什么参数是不可能的。如果没有按正确的顺序给出参数，就会产生一个语法错误。

```
>>> def taxMe2(rate=0.0825, cost):
...     return cost * (1.0 + rate)
...
SyntaxError: non-default argument follows default argument
```

让我们再看下关键字参数，用我们的老朋友 net_conn()。

```
def net_conn(host, port):
    net_conn_suite
```

读者应该还记得，如果命名了参数，这里可以不按顺序给出参数。由于有了上述声明，我们可以做出如下（规则的）位置或者关键字参数调用：

- `net_conn('kappa', 8000)`
- `net_conn(port=8080, host='chino')`

然而，如果我们将默认参数引入这个等式，情况就会不同，虽然上面的调用仍然有效。让我们修改下net_conn()的声明以使端口参数有默认值80，再增加另外的名为stype（服务器的类型）默认值为'tcp'的参数：

```
def net_conn (host, port=80, stype='tcp') :
    net_conn_suite
```

我们已经扩展了调用net_conn()的方式。以下就是所有对net_conn()有效的调用：

- `net_conn('phaze', 8000, 'udp')            # no def args used`
- `net_conn ('kappa')                        # both def args used`
- `net_conn ('chino', stype='icmp')          # use port def arg`
- `net_conn (stype='udp', host='solo')       # use port def arg`
- `net_conn ('deli', 8080)                   # use stype def arg`
- `net_conn (port=81, host='chino')          # use stype def arg`

在上面所有的例子中，我们发现什么是一直不变的？唯一的必须参数，host。host 没有默认值，所以他必须出现在所有对net_conn()的调用中。关键字参数已经被证明能给不按顺序的位置参数提供参数，结合默认参数，它们同样也能被用于跳过缺失参数，上面例子就是极好的证据。

2．默认函数对象参数举例

我们现在将给出另外一个证明默认参数会让人受益的例子。grabWeb.py 脚本，在例子11.4中给出，是一个主要目的是从互联网上抓取一个Web页面并暂时储存到一个本地文件中用于分析的简单脚本。这类程序能用来测试Web站点页面的完整性或者能监测一个服务器的负载（通过测量可链接性或者下载速度）。process()函数可以做我们想要的任何事，表现出了无限种的用途。我们为这个练习选择的用法是显示从Web页面上获得的第一和最后的非空格行。虽然在现实中这个特别的例子或许没有多少用处，但是你可以以这段代码为基础，举一反三。

这段脚本下载了一个Web页面（默认为本地的万维网服务器）并显示了HTML文件的第一个以及最后一个非空格行。由于download()函数的双默认参数允许用不同的urls或者指定不同的处理函数来进行覆盖，灵活性得倒了提高。

例 11.4　抓取 Web 页面（grabWeb.py）

```
1   #!/usr/bin/env python
2
3   from urllib import urlretrieve
4
5   def firstNonBlank (lines) :
6       for eachLine in lines:
7           if not eachLine.strip():
8               continue
9       else:
10          return eachLine
11
12  def firstLast (webpage) :
13      f=open (webpage)
14      lines=f.readlines()
15      f.close()
16      print firstNonBlank (lines) ,
17      lines.reverse()
18      print firstNonBlank (lines) ,
19
20  def download (url= 'http://www',
21          process=firstLast) :
22      try:
23          retval = urlretrieve (url) [0]
```

```
24     except IOError:
25         retval = None
26     if retval:    # do some processing
27         process (retval)
28
29 if __name__ == '__main__':
30     download()
```

在我们的环境下运行这个脚本会得到如下的输出，虽然你的内容是绝对不同的，因为你将浏览一个完全不同的网页。

```
$ grabWeb.py
<!DOCTYPE HTML PUBLIC "-//W3C//DTD HTML 3.2 Final//EN">
</HTML>
```

11.6 可变长度的参数

可能会有需要用函数处理可变数量参数的情况。这时可使用可变长度的参数列表。变长的参数在函数声明中不是显式命名的，因为参数的数目在运行时之前是未知的（甚至在运行的期间，每次函数调用的参数的数目也可能是不同的），这和常规参数（位置和默认）明显不同，常规参数都是在函数声明中命名的。由于函数调用提供了关键字以及非关键字两种参数类型，Python 用两种方法来支持变长参数。

在 11.2.4 小节中，我们了解了在函数调用中使用*和**符号来指定元组和字典的元素作为非关键字以及关键字参数的方法。在这个部分中，我们将再次使用相同的符号，但是这次在函数的声明中，表示在函数调用时接收这样的参数。这语法允许函数接收在函数声明中定义的形参之外的参数。

11.6.1 非关键字可变长参数（元组）

当函数被调用的时候，所有的形参（必须的和默认的）都将值赋给了在函数声明中相对应的局部变量。剩下的非关键字参数按顺序插入到一个元组中便于访问。可能你对 C 中的“varargs”（比如、va_list、va_arg 和省略号[....]）很熟悉。Python 提供了与之相等的支持——迭代过所有的元组元素和在 C 中用 va_arg 是相同的。对于那些不熟悉 C 或者“varargs”的人，这仅仅代表了在函数调用时，接受一个不定（非固定）数目的参数。

可变长的参数元组必须在位置和默认参数之后，带元组（或者非关键字可变长参数）的函数普遍的语法如下：

```
def function_name([formal_args,] *vargs_tuple):
    "function_documentation_string"
    function_body_suite
```

星号操作符之后的形参将作为元组传递给函数，元组保存了所有传递给函数的“额外”的参数（匹配了所有位置和具名参数后剩余的）。如果没有给出额外的参数，元组为空。

正如我们先前看见的，只要在函数调用时给出不正确的函数参数数目，就会产生一个 TypeError 异常。通过末尾增加一个可变的参数列表变量，我们就能处理当超出数目的参数被传入函数的情形，因为所有的额外（非关键字）参数会被添加到变量参数元组（额外的关键字参数需要关键字变量参数[参见下一小节]）。正如预料的那样，由于和位置参数必须放在关键字参数之前一样的原因，所有的形式参数必须先于非正式的参数之前出现。

```
def tupleVarArgs(arg1, arg2='defaultB', *theRest):
    'display regular args and non-keyword variable args'
    print 'formal arg 1:', arg1
    print 'formal arg 2:', arg1
```

```
        for eachXtrArg in theRest:
            print 'another arg:', eachXtrArg
```

我们现在调用这个函数来说明可变参数元组是如何工作的。

```
>>> tupleVarArgs('abc')
formal arg 1 :abc
formal arg 2:defaultB
>>>
>>> tupleVarArgs(23, 4.56)
formal arg 1:23
formal arg 2: 4.56
>>>
>>> tupleVarArgs('abc', 123, 'xyz', 456.789)
formal arg 1: abc
formal arg 2: 123
another arg: xyz
another arg: 456.789
```

11.6.2 关键字变量参数（字典）

在我们有不定数目的或者额外集合的关键字的情况中，参数被放入一个字典中，字典中键为参数名，值为相应的参数值。为什么一定要是字典呢？因为每个参数——参数的名字和参数值——都是成对给出，用字典来保存这些参数自然就最适合不过了。

这给出使用了变量参数字典来应对额外关键字参数的函数定义的语法：

```
def function_name([formal_args,][*vargst,] **vargsd):
    function_documentation_string
    function_body_suite
```

为了区分关键字参数和非关键字非正式参数，使用了双星号（**）。**是被重载了的以便不与幂运算发生混淆。关键字变量参数应该为函数定义的最后一个参数，带**。我们现在展示一个如何使用字典的例子：

```
def dictVarArgs(arg1, arg2='defaultB', **theRest):
    'display 2 regular args and keyword variable args'
    print 'formal arg1:', arg1
    print 'formal arg2:', arg2
    for eachXtrArg in theRest.keys():
        print 'Xtra arg %s: %s' % \
          (eachXtrArg, str(theRest[eachXtrArg]))
```

在解释器中执行这个代码，我们得到以下输出。

```
>>> dictVarArgs(1220, 740.0, c='grail')
formal arg1: 1220
formal arg2: 740.0
Xtra arg c: grail
>>>
>>> dictVarArgs(arg2='tales', c=123, d='poe', arg1='mystery')
formal arg1: mystery
formal arg2: tales
Xtra arg c:123
Xtra arg d: poe
>>>
>>> dictVarArgs('one', d=10, e='zoo', men=('freud', 'gaudi'))
formal arg1: one
formal arg2: defaultB
Xtra arg men: ('freud', 'gaudi')
Xtra arg d: 10
Xtra arg e: zoo
```

关键字和非关键字可变长参数都有可能用在同一个函数中，只要关键字字典是最后一个参数并且非关键字元组先于它之前出现，正如在如下例子中的一样：

```
def newfoo(arg1,arg2,*nkw,**kw):
    display regular args and all variable args'
    print 'arg1 is:', arg1
    print 'arg2 is:', arg2
    for eachNKW in nkw:
        print 'additional non-keyword arg:', eachNKW
    for eachKW in kw.keys():
        print "additional keyword arg '%s': %s" % \
            (eachKW, kw[eachKW])
```

在解释器中调用我们的函数，我们得到如下的输出：

```
>>> newfoo('wolf', 3, 'projects', freud=90, gamble=96)
arg1 is: wolf
arg2 is: 3
additional non-keyword arg: projects
additional keyword arg 'freud': 90
additional keyword arg 'gamble': 96
```

11.6.3 调用带有可变长参数对象函数

在上面的11.2.4部分中，我们介绍了在函数调用中使用*和**来指定参数集合。接下来带着对函数接受变长参数的些许偏见，我们会向你展示更多那种语法的例子。

我们现在将用在前面部分定义的，我们的老朋友 newfoo()，来测试新的调用语法。我们第一个对newfoo()的调用将会使用旧风格的方式来分别列出所有的参数，甚至跟在所有形式参数之后的变长参数：

```
>>> newfoo(10, 20, 30, 40, foo=50, bar=60)
arg1 is: 10
arg2 is: 20
additional non-keyword arg: 30
additional non-keyword arg: 40
additional keyword arg 'foo': 50
additional keyword arg 'bar': 60
```

我们现在进行相似的调用；然而，我们将非关键字参数放在元组中将关键字参数放在字典中，而不是逐个列出变量参数：

```
>>> newfoo(2, 4, *(6, 8), **{'foo': 10, 'bar': 12})
arg1 is: 2
arg2 is: 4
additional non-keyword arg: 6
additional non-keyword arg: 8
additional keyword arg 'foo': 10
additional keyword arg 'bar': 12
```

最终，我们将再另外进行一次调用，但是是在函数调用之外来创建我们的元组和字典。

```
>>> aTuple = (6, 7, 8)
>>> aDict = {'z': 9}
>>> newfoo(1, 2, 3, x=4, y=5, *aTuple, **aDict)
arg1 is: 1
arg2 is: 2
additional non-keyword arg: 3
additional non-keyword arg: 6
additional non-keyword arg: 7
```

```
additional non-keyword arg: 8
additional keyword arg 'z': 9
additional keyword arg 'x': 4
additional keyword arg 'y': 5
```

注意我们的元组和字典参数仅仅是被调函数中最终接收的元组和字典的子集。额外的非关键字值'3'以及'x'和'y'关键字对也被包含在最终的参数列表中，而它们不是'*'和'**'的可变参数中的元素。

之前的 1.6，过去变长对象只能通过 apply()函数传递给被调用函数，现在的调用语法已经可以有效取代 apply()的使用。下面演示了如何使用了这些符号来把任意类型任意个数的参数传递给任意函数对象。

函数式编程举例

函数式编程的另外一个有用的应用出现在调试和性能测量方面上。你正在使用需要每晚都被完全测试或通过回归，或需要给对潜在改善进行多次迭代计时的函数来工作。你所要做的就是创建一个设置测试环境的诊断函数，然后对有疑问的地方，调用函数。因为系统应该是灵活的，所以想 testee 函数作为参数传入。那么这样的函数对，timeit()和 testit()，可能会对如今的软件开发者有帮助。

我们现在将展示这样的一个 testit()函数的例子的源代码（见例 11.5）。我们将留下 timeit()函数作为读者的练习（见习题 11.12）。

该模块给函数提供了一个执行测试的环境。testit()函数使用了一个函数和一些参数，然后在异常处理的监控下，用给定的参数调用了那个函数。如果函数成功的完成，会返回 True 和函数的返回值给调用者。任何的失败都会导致 False 和异常的原因一同被返回。

（Exception 是所有运行时刻异常的根类：复习第 10 章以获得更详细的资料。）

例 11.5 测试函数（testit.py）

testit()用其参数地调用了一个给定的函数，成功的话，返回一个和那函数返回值打包的 True 的返回值，或者 False 和失败的原因。

```
1   #!/usr/bin/env python
2
3   def testit(func,*nkwargs,**kwargs):
4
5       try:
6           retval = func(*nkwargs, **kwargs)
7           result = (True, retval)
8       except Exception, diag:
9           result = (False, str(diag))
10      return result
11
12  def test():
13      funcs = (int,long,float)
14      vals= (1234,12.34,'1234','12.34')
15
16      for eachFunc in funcs:
17          print '_'* 20
18          for eachVal in vals:
19              retval = testit(eachFunc,
20                                  eachVal)
21              if retval[0]:
22                  print '%S(%S)= '%\
23      (eachFunc.__name__,'eachVal'),retval[1]
24              else:
25                  print '%S(%S)= FAILED:'%\
26      (eachFunc.__name__,'eachVal'),retval[1]
27
```

```
28 if __name__=='__main__':
29     test()
```

单元测试函数 test()在一个为 4 个数字的输入集合运行了一个数字转换函数的集合。为了确定这样的功能性，在测试中有两个失败的案例。这里是运行脚本的输出：

```
$ testit.py
-------------------------------------------------------------------
int (1234)  = 1234
int (12.34)  = 12
int ('1234')  = 1234
int ('12.34')  = FAILED: invalid literal for int(): 12.34
-------------------------------------------------------------------
long (1234)  = 1234L
long (12.34) = 12L
long ('1234')  = 1234L
long ('12.34')  = FAILED: invalid literal for long(): 12.34
-------------------------------------------------------------------
float (1234)  = 1234.0
float (12.34)  = 12.34
float ('1234')  = 1234.0
float ('12.34')  = 12.34
```

11.7 函数式编程

Python 不是也不大可能会成为一种函数式编程语言，但是它支持许多有价值的函数式编程语言构建。也有些表现得像函数式编程机制但是从传统上也不能被认为是函数式编程语言的构建。Python 提供的以四种内建函数和 lambda 表达式的形式出现。

11.7.1 匿名函数与 lambda

```
lambda [arg1[, arg2, ... argN]]: expression
```

python 允许用 lambda 关键字创造匿名函数。匿名是因为不需要以标准的方式来声明，比如说，使用 def 语句（除非赋值给一个局部变量，这样的对象也不会在任何的名称空间内创建名字）。然而，作为函数，它们也能有参数。一个完整的 lambda“语句”代表了一个表达式，这个表达式的定义体必须和声明放在同一行。我们现在来演示下匿名函数的语法：

参数是可选的，如果使用的参数话，参数通常也是表达式的一部分。

核心笔记：lambda 表达式返回可调用的函数对象。

用合适的表达式调用一个 lambda 生成一个可以像其他函数一样使用的函数对象。它们可被传给其他函数，用额外的引用别名化，作为容器对象以及作为可调用的对象被调用（如果需要的话，可以带参数）。当被调用的时候，如果给定相同的参数的话，这些对象会生成一个和相同表达式等价的结果。它们和那些返回等价表达式计算值相同的函数是不能区分的。

在我们看任何一个使用 lambda 的例子之前，我们意欲复习下单行语句，然后展示下 lambda 表达式的相似之处。

```
def true():
    return True
```

上面的函数没有带任何的参数并且总是返回 True。Python 中单行函数可以和标题写在同一行。如果那样的话，我们重写下我们的 true()函数以使其看其来像如下的东西：

```
def true(): return True
```

在整这个章节，我们将以这样的方式呈现命名函数，因为这有助于形象化与它们等价的 lamdba 表达式。至于我们的 true()函数，使用 lambda 的等价表达式（没有参数，返回一个 True）为：

```
lambda :True
```

命名的 true()函数的用法相当的明显，但 lambda 就不是这样。我们仅仅是这样用，或者我们需要在某些地方用它进行赋值吗？一个 lambda 函数自己就是无目地服务，正如在这里看到的：

```
>>> lambda :True
<function <lambda> at f09ba0>
```

在上面的例子中，我们简单地用 lambda 创建了一个函数（对象），但是既没有在任何地方保存它，也没有调用它。这个函数对象的引用计数在函数创建时被设置为 True，但是因为没有引用保存下来，计数又回到零，然后被垃圾回收掉。为了保留住这个对象，我们将它保存到一个变量中，以后可以随时调用。现在可能就是一个好机会。

```
>>> true = lambda :True
>>> true()
True
```

这里用它赋值看起来非常有用。相似地，我们可以把 lambda 表达式赋值给一个如列表和元组的数据结构，其中，基于一些输入标准，我们可以选择哪些函数可以执行，以及参数应该是什么（在下一部分中，我们将展示如何去使用带函数式编程构建的 lambda 表达式）。

```
def add(x, y): return x + y ⇔ lambda x, y: x + y
```

我们现在来设计一个带两个数字或者字符串参数，返回数字之和或者已拼接的字符串的函数。我们先将展示一个标准的函数，然后再是其未命名的等价物。

默认以及可变的参数也是允许的，如下例所示：

```
def usuallyAdd2(x, y=2): return x+y   ⇔   lambda x, y=2: x+y
def showAllAsTuple(*z): return z   ⇔      lambda *z: z
```

看上去是一回事，所以我们现在将通过演示如何能在解释器中尝试这种做法，来努力让你相信：

```
>>> a = lambda x, y=2: x + y
>>> a(3)
5
>>> a(3,5)
8
>>> a(0)
2
>>> a(0,9)
9
>>>
>>> b = lambda *z: z
>>> b(23, 'zyx')
(23, 'zyx')
>>> b(42)
```

```
(42,)
```

关于 lambda 最后补充一点：虽然看起来 lambdda 是一个函数的单行版本，但是它不等同于 C++的内联语句，这种语句的目的是由于性能的原因，在调用时绕过函数的栈分配。lambda 表达式运作起来就像一个函数，当被调用时，创建一个框架对象。

11.7.2 内建函数 apply()、filter()、map()、reduce()

在这个部分中，我们将看看 apply()、filter()、map()及 reduce()内建函数并给出一些如何使用它们的例子。这些函数提供了在 python 中可以找到的函数式编程的特征。正如你想像的一样，lambda 函数可以很好地和使用了这些函数的应用程序结合起来，因为它们都带了一个可执行的函数对象，lambda 表达式提供了迅速创造这些函数的机制。

表 11.2　　函数式编程的内建函数

内 建 函 数	描　述
apply（*func*[, *nkw*][, *kw*]）[a]	用可选的参数来调用 func，nkw 为非关键字参数，kw 为关键字参数；返回值是函数调用的返回值
filter（*func*, *seq*）[b]	调用一个布尔函数 func 来迭代遍历每个 seq 中的元素；返回一个使 func 返回值为 ture 的元素的序列
map（*func*, *seq1*[,*seq2*...]）[b]	将函数 func 作用于给定序列（s）的每个元素，并用一个列表来提供返回值；如果 func 为 None，func 表现为一个身份函数，返回一个含有每个序列中元素集合的 n 个元组的列表
reduce（*func*, *seq*[, *init*]）	将二元函数作用于 seq 序列的元素，每次携带一对（先前的结果以及下一个序列元素），连续地将现有的结果和下一个值作用在获得的随后的结果上，最后减少我们的序列为一个单一的返回值；如果初始值 init 给定，第一个比较会是 init 和第一个序列元素而不是序列的头两个元素

a．可以有效地取代 1.6，在其后的 Python 版本中逐渐淘汰。

b．由于在 Python2.0 中，列表的综合使用的引入，部分被摈弃。

1．*apply()

正如前面提到的，函数调用地语法，现在允许变量参数的元组以及关键字可变参数的字典，在 Python1.6 中有效地摈弃了 apply()。这个函数将来会逐步淘汰，在未来版本中最终会消失。我们在这里提及这个函数既是为了介绍下历史，也是出于维护具有 applay()函数的代码的目的。

2．filter()

在本章中我们研究的第二个内建函数是 filter()。想像下，去一个果园，走的时候带着一包你从树上采下的苹果。如果你能通过一个过滤器，将包裹中好的苹果留下，不是一件很令人开心的事吗？这就是 filter()函数的主要前提。给定一个对象的序列和一个“过滤”函数，每个序列元素都通过这个过滤器进行筛选，保留函数返回为真的对象。filter 函数为已知的序列的每个元素调用给定布尔函数。每个 filter 返回的非零（true）值元素添加到一个列表中。返回的对象是一个从原始队列中“过滤后”的队列。

如果我们想要用纯 Python 编写 filter()，它或许就像这样：

```
def filter(bool_func, seq):
    filtered_seq = []
    for eachItem in seq:
      if bool_func(eachItem):
          filtered_seq.append(eachItem)
    return filtered_seq
```

一种更好地理解 filter()的方法就是形象化其行为。图 11-1 试着那样做。

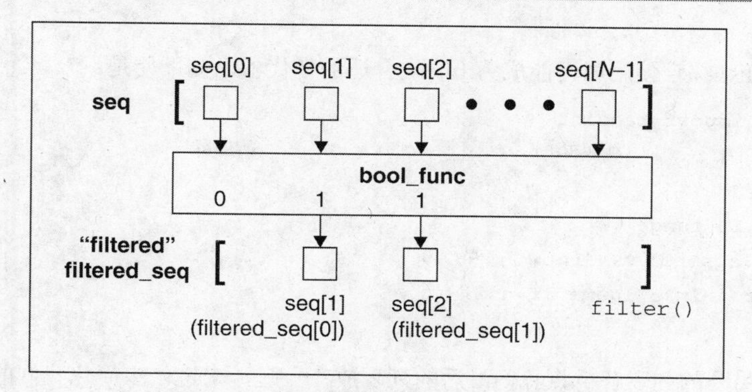

图 11-1 内建函数 **filter()**是如何工作的

在图 11-1 中，我们观察到我们原始队列在顶端，一个大小为 n 的队列，元素从 eq[0]， seq[1]，... seq[N-1]。每一次对 bool_func()的调用，举例来说，bool_func（seq[1]）、bool_func（seq[0]）等，每个为 True 或 False 的返回值都会回现。（因为 Boolean 函数的每个定义——确保你的函数确实返回一个真或假）。如果 bool_func()给每个序列的元返回一个真，那个元素将会被插入到返回的序列中。当迭代整个序列已经完成，filter()返回一个新创建的序列。我们下面展示在一个使用了 filer()来获得任意奇数的简短列表的脚本。该脚本产生一个较大的随机数集合，然后过滤出所有的的偶数，留给我们一个需要的数据集。当一开始编写这个例子的时候，oddnogen.py 如下所示：

```
from random import randint

def odd (n) :
    return n % 2

allNums = []
for eachNum in range (9) :
   allNums.append (randint (1, 99) )
print filter (odd, allNums)
```

代码包括两个函数：odd()，确定一个整型是奇数（真）或者偶数（假）Boolean 函数，以及 main()，主要的驱动部件。main()的目的是来产生 10 个在 1～100 的随机数：然后调用 filter()来移除掉所有的偶数。最后，先显示出我们过滤列表的大小，然后是奇数的集合。

导入和运行这个模块几次后，我们能得到如下输出：

```
$ python oddnogen.py
[9, 33, 55, 65]
$ python oddnogen.py
[39, 77, 39, 71, 1]
$ python oddnogen.py
[23, 39, 9, 1, 63, 91]
$ python oddnogen.py
[41, 85, 93, 53, 3]
```

第一次重构

在第二次浏览时，我们注意到 odd()是非常的简单的以致能用一个 lambda 表达式替换：

```
from random import randint
allNums = []
for eachNum in range (9) :
    allNums.append (randint (1, 99) )
print filter (lambda n: n%2, allNums)
```

第二次重构

我们已经提到 list 综合使用如何能成为 filter()合适的替代者，如下便是：

```
from random import randint

allNums = []
for eachNum in range(9):
    allNums.append(randint(1, 99))
print [n for n in allNums if n%2]
```

第三次重构

我们通过整合另外的列表解析将我们最后的列表放在一起，来进一步简化我们的代码。正如你如下看到的一样，由于列表解析灵活的语法，就不再需要一个暂时的变量了（为了简单，我们用一个较短的名字将 randint()倒入到我们的代码中）。

```
from random import randint as ri
print [n for n in [ri(1,99) for i in range(9)] if n%2]
```

虽然比原来的长些，但是这行扮演了该例子中核心部分的代码不再如其他人想的那么模糊不清。

3．map()

map()内建函数与 filter()相似，因为它也能通过函数来处理序列。然而，不像 filter()、map()将函数调用"映射"到每个序列的元素上，并返回一个含有所有返回值的列表。

在最简单的形式中，map()带一个函数和队列， 将函数作用在序列的每个元素上，然后创建由每次函数应用组成的返回值列表。所以如果你的映射函数是给每个进入的数字加 2，并且你将这个函数和一个数字的列表传给 map()，返回的结果列表是和原始集合相同的数字集合，但是每个数字都加了 2。

如果我们要用 Python 编写这个简单形式的 map()如何运作的，它可能像在图 11-2 中阐释的如下代码：

```
def map(func, seq):
    mapped_seq = []
    for eachItem in seq:
        mapped_seq.append(func(eachItem))
    return mapped_seq
```

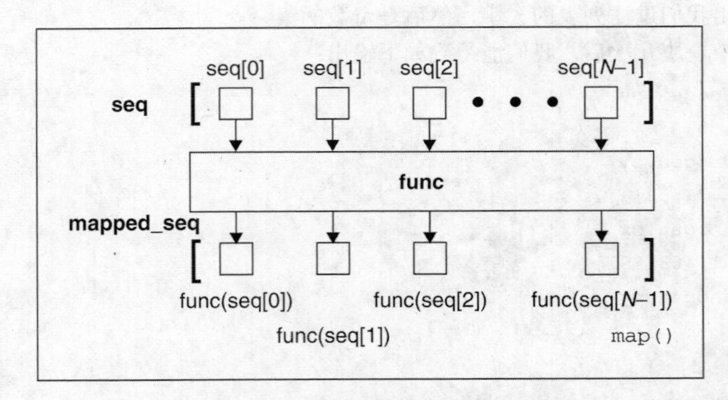

图 11-2 内建函数 **map()**是如何工作的

我们可以列举一些简短的 lambda 函数来展示如何用 map()处理实际数据：

```
>>> map((lambda x: x+2), [0, 1, 2, 3, 4, 5])
[2, 3, 4, 5, 6, 7]
>>>
```

```
>>> map (lambda x: x**2, range (6) )
[0, 1, 4, 9, 16, 25]
>>> [x+2 for x in range (6) ]
[2, 3, 4, 5, 6, 7]
>>>
>>>[x**2 for x in range (6) ]
[0, 1, 4, 9, 16, 25]
```

我们已经讨论了有时 map()如何被列表解析取代，所以这里我们再分析下上面的两个例子。形式更一般的 map()能以多个序列作为其输入。如果是这种情况，那么 map()会并行地迭代每个序列。在第一次调用时，map()会将每个序列的第一个元素捆绑到一个元组中，将 func 函数作用到 map()上，当 map()已经完成执行的时候，并将元组的结果返回到 mapped_seq 映射的，最终以整体返回的序列上。图 11-2 阐述了一个 map()如何和单一的序列一起运行。如果我们用带有每个序列有 N 个对象的 M 个序列来的 map()，我们前面的图表会转变成如图 11-3 中展示的图表那样。

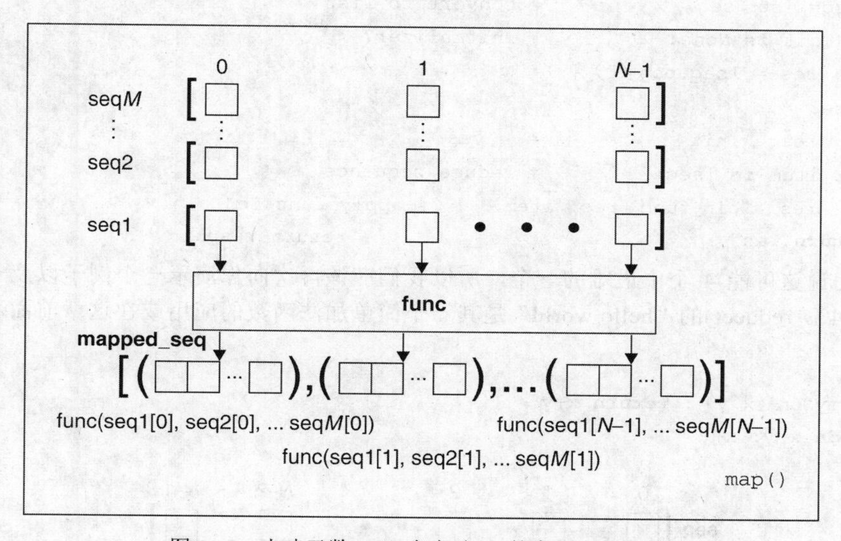

图 11-3 内建函数 map()如何和>1 的序列一起运作

这里有些使用带多个序列的 map()的例子。

```
>>> map (lambda x, y: x + y, [1,3,5], [2,4,6])
[3, 7, 11]
>>>
>>> map (lambda x, y: (x+y, x-y) , [1,3,5], [2,4,6])
[ (3, -1) , (7, -1) , (11, -1) ]
>>>
>>> map (None, [1,3,5], [2,4,6])
[ (1, 2) , (3, 4) , (5, 6) ]
```

上面最后的例子使用了 map()和一个为 None 的函数对象来将不相关的序列归并在一起。这种思想在一个新的内建函数，zip，被加进来之前的 python2.0 是很普遍的。而 zip 是这样做的：

```
>>> zip ([1,3,5], [2,4,6])
[ (1, 2) , (3, 4) , (5, 6) ]
```

4. reduce()

函数式编程的最后的一部分是 reduce()，reduce 使用了一个二元函数（一个接收带两个值作为输入，进行了一些计算然后返回一个值作为输出），一个序列，和一个可选的初始化器，卓有成效地将那个列表的内容“减少”为一个单一的值，如同它的名字一样。在其他的语言中，这种概念也被称作为折叠。

它通过取出序列的头两个元素，将他们传入二元函数来获得一个单一的值来实现。然后又用这个值和序列的下一个元素来获得又一个值，然后继续直到整个序列的内容都遍历完毕以及最后的值会被计算出来为止。

你可以尝试去形象化 reduce 如下面的等同的例子：

```
reduce (func, [1, 2, 3])   ≡   func (func (1, 2), 3)
```

有些人认为 reduce()合适的函数式使用每次只需要仅需要一个元素。在上面一开始的迭代中，我们拿了两个元素因为我们没有从先前的值（因为我们没有任何先前的值）中获得的一个“结果”。这就是可选初始化器出现的地方（参见下面的 init 变量）。如果给定初始化器，那么一开始的迭代会用初始化器和一个序列的元素来进行，接着和正常的一样进行。

如果我们想要试着用纯 Python 实现 reduce()， 它可能会是这样：

```
def reduce (bin_func,seq,init=None) :
    Iseq=list (seq)             # convert to list
    if init is None:            # initializer?
        res = lseq.pop (0)      #   no
    else:
        res = init              #   yes
    for item in lseq:           # reduce sequence
        res = bin_func (res, item)     # apply function
    return res                         # return result
```

从概念上说这可能 4 个中最难的一个，所以我们应该再次向你演示一个例子以及一个函数式图表（见图 11-4）。reduce()的“hello world”是其一个简单加法函数的应用或在这章前面看到的与之等价的 lamda：

- `def mySum (x,y) : return x+y`
- `lambda x,y: x+y`

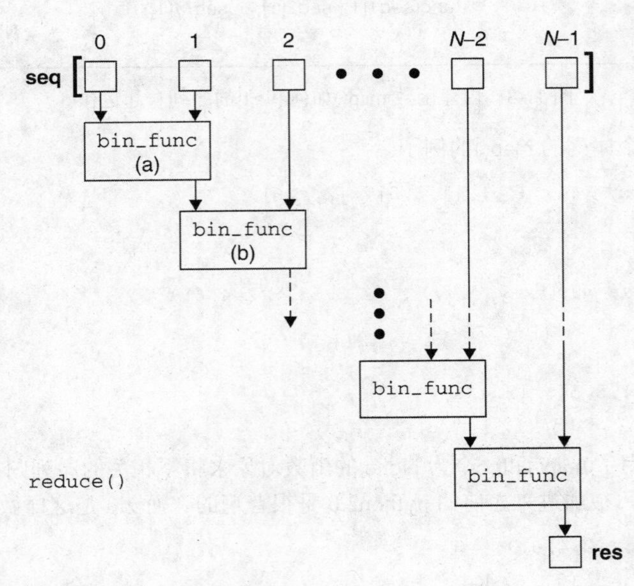

（a）结果的值为 bin-func (seq[0], seq[1])

（b）结果的值为 bin-func (bin_func (seq[0], seq[1]) , seq[2]) , etc.

图 11-4 reduce()内建函数是如何工作的

给定一个列表，我们可以简单地创建一个循环，迭代地遍历这个列表，再将现在元素加到前面元素的累加和上，最后当循环结束就能获得所有值的总和。

```
>>> def mySum (x,y) : return x+y
>>> allNums = range (5)   # [0, 1, 2, 3, 4]
>>> total = 0

>>> for eachNum in allNums:
...     total = mySum (total, eachNum)
...
>>> print 'the total is:', total
the total is: 10
```

使用 lambda 和 reduce()，可以以一行代码做出相同的事情。

```
>>> print 'the total is:', reduce ( (lambda x,y: x+y) , range (5) )
the total is: 10
```

给出了上面的输入，reduce()函数运行了如下的算术操作。

```
( ( ( (0 + 1) + 2) + 3) + 4)  ⇒   10
```

用 list 的头两个元素（0，1），调用 mySum()来得到 1，然后用现在的结果和下一个元素 2 来再次调用 mySum()，再从这次调用中获得结果，与下面的元素 3 配对然后调用 mySum()，最终拿整个前面的求和，4 来调用 mySum()得到 10，10 即为最终的返回值。

11.7.3 偏函数应用

currying 的概念将函数式编程的概念和默认参数以及可变参数结合在一起。一个带 n 个参数，curried 的函数固化第一个参数为固定参数，并返回另一个带 n-1 个参数函数对象，分别类似于 LISP 的原始函数 car 和 cdr 的行为。Currying 能泛化成为偏函数应用（partial function application，PFA），这种函数将任意数量（顺序）的参数的函数转化成另一个带剩余参数的函数对象。

在某种程度上，这似乎和不提供参数，就会使用默认参数情形相似。在 PFA 的例子中，参数不需要调用函数的默认值，只需明确的调用集合。你可以有很多的偏函数调用，每个都能用不同的参数传给函数，这便是不能使用默认参数的原因。

这个特征是在 Python2.5 的时候被引入的，通过 functools 模块能很好地被用户调用。

1．简单的函数式例子

如何创建一个简单小巧的例子呢？我们来使用下两个简单的函数 add()和 mul()，两者都来自 operator 模块。这两个函数仅仅是我们熟悉的+和*操作符的函数式接口，举例来说，add（x，y）与 x+y 一样。在我们的程序中，我们经常想要给和数字加一或者乘以 100。

除了大量的，如 add(1,foo)，add(1,bar)，mul（100,foo），mul（100,bar）般的调用，拥有已存在的并使函数调用简化的函数不是一件很美妙的事吗？举例来说，add1(foo)、add1(bar)、mul100，但是却不用去实现函数 add1()和 mul100()？哦，现在用 PFA 你就可以这样做。你可以通过使用 functional 模块中的 partial()函数来创建 PFA：

```
>>> from operator import add, mul
>>> from functools import partial
>>> add1 = partial (add, 1)          # add1 (x)  == add (1, x)
>>> mul100 = partial (mul, 100)      # mul100 (x)  == mul (100, x)
>>>
>>> add1 (10)
```

```
11
>>> add1 (1)
2
>>> mul100 (10)
1000
>>> mul100 (500)
50000
```

这个例子或许不能让你看到 PFA 的威力，但是我们不得不从从某个地方开始。当调用带许多参数的函数的时候，PFA 是最好的方法。使用带关键字参数的 PFA 也是较简单的，因为能显示给出特定的参数，要么作为 curried 参数，要么作为那些更多在运行时刻传入的变量，并且我们不需担心顺序。下面的一个例子来自 Python 文档中关于在应用程序中使用，在这些程序中需要经常将二进制（作为字符串）转换成为整型。

```
>>> baseTwo = partial (int, base=2)
>>> baseTwo.__doc__ = 'Convert base 2 string to an int.'
>>> baseTwo ('10010')
18
```

这个例子使用了 int()内建函数并将 base 固定为 2 来指定二进制字符串转化。现在我们没有多次用相同的第二参数（2）来调用 int()，比如（'10010'，2），相反，可以只用带一个参数的新 baseTwo()函数。接着给新的（部分）函数加入了新的文档并又一次很好地使用了“函数属性”（见上面的 11.3.4 部分），这是很好的风格。要注意的是这里需要关键字参数 base。

2．警惕关键字

如果你创建了不带 base 关键字的偏函数，比如， baseTwo- BAD = partial（int， 2），这可能会让参数以错误的顺序传入 int()，因为固定参数的总是放在运行时刻参数的左边，比如 baseTwoBAD（x） == int（2，x）。如果你调用它， 它会将 2 作为需要转化的数字，base 作为'10010'来传入，接着产生一个异常：

```
>>> baseTwoBAD = partial (int, 2)
>>> baseTwoBAD ('10010')
Traceback (most recent call last):
  File "<stdin>", line 1, in <module>
TypeError: an integer is required
```

由于关键字放置在恰当的位置， 顺序就得固定下来，因为，如你所知，关键字参数总是出现在形参之后，所以 baseTwo（x） == int（x, base=2)。

3．简单 GUI 类的例子

PFA 也扩展到所有可调用的东西，如类和方法。一个使用 PFA 的优秀的例子是提供了“部分 gui 模范化”。GUI 小部件通常有很多的参数，如文本、长度、最大尺寸、背景和前景色、活动或者非活动，等等。如果想要固定其中的一些参数，如让所有的文本标签为蓝底白字，你可以准确地以 PFA 的方式，自定义为相似对象的伪模板。

这是较有用的偏函数应用的例子，或者更准确的说，“部分类实例化” ……为什么呢？

```
1  #!/usr/bin/env python
2
3  from functools import partial
4  import Tkinter
5
6  root= Tkinter.Tk()
```

```
7   MyButton = partial(Tkinter.Button, root,
8       fg='white', bg='blue')
9   b1 = MyButton(text='Button 1')
10  b2 = MyButton(text='Button 2')
11  qb = MyButton(text='QUIT', bg='red',
12      command=root.quit)
13  b1.pack()
14  b2.pack()
15  qb.pack(fill=Tkinter.X, expand=True)
16  root.title('PFAs!')
17  root.mainloop()
```

在7～8行，我们给Tkinter.Button创建了“部分类实例化器”（因为那便是它的名字，而不是偏函数），固定好父类的窗口参数然后是前景色和背景色。我们创建了两个按钮b1和b2来与模板匹配，只让文本标签唯一。quit按钮（11～12行）是稍微自定义过的，带有不同的背景色（红色，覆盖了默认的蓝色）并配置了一个回调的函数，当按钮被按下的时候，关闭窗口（另外的两个按钮没有函数，当他们被按下的时候）。

没有MyButton“模板”的话，你每次会不得不使用“完全”的语法（因为你仍然没有给全参数，由于有大量你不传入的，含有默认值的参数）：

```
b1 = Tkinter.Button(root, fg='white', bg='blue', text='Button 1')
b2 = Tkinter.Button(root, fg='white', bg='blue', text='Button 2')
qb = Tkinter.Button(root, fg='white', text='QUIT', bg='red',
        command=root.quit)
```

这就一个简单的GUI的截图：

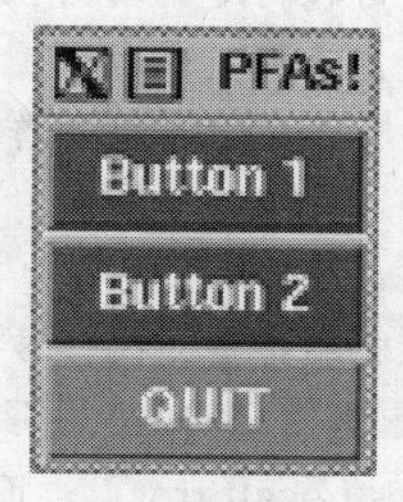

当你的代码可以变得更紧凑和易读的时候，为什么要还有重复的做令人心烦的事？你能在第18章找到更多关于GUI编程的资料，在那我们着重描写了一个使用PFA的例子。从你迄今为止看到的内容中，可以发现，在以更函数化编程环境提供默认值方面，PFA 带有模板以及“style-sheeting”的感觉。你可以在《Python Library Reference》（Python库参考），《What's New in Python 2.5》文档和指定的PEP309里，关于functools模块的文档中阅读到更多关于pfa的资料。

11.8　变量作用域

标识符的作用域是定义为其声明在程序里的可应用范围，或者即是我们所说的变量可见性。换句话说，就好像在问你自己，你可以在程序里的哪些部分去访问一个制定的标识符。变量可以是局部域或者全局域。

11.8.1　全局变量与局部变量

定义在函数内的变量有局部作用域，在一个模块中最高级别的变量有全局作用域。在编译器理论里著名的“龙书”中，阿霍、塞西和乌尔曼作了如下总结：

“声明适用的程序的范围被称为了声明的作用域。在一个过程中，如果名字在过程的声明之内，它的出现即为过程的局部变量；否则的话，出现即为非局部。”

全局变量的一个特征是除非被删除掉，否则它们的存活到脚本运行结束，且对于所有的函数，他们的值都是可以被访问的，然而局部变量，就像它们存放的栈，暂时地存在，仅仅只依赖于定义它们的函数现阶段是否处于活动。当一个函数调用出现时，其局部变量就进入声明它们的作用域。在那一刻，一个新的局部变量名为那个对象创建了，一旦函数完成，框架被释放，变量将会离开作用域。

```
global_str = 'foo'
def foo():
    local_str = 'bar'
    return global_str + local_str
```

上面的例子中，global_str 是全局变量，而 local_str 是局部变量。foo()函数可以对全局和局部变量进行访问，而代码的主体部分只能访问全局变量。

核心笔记：搜索标识符（也称变量，名字，等等）

当搜索一个标识符的时候，Python 先从局部作用域开始搜索。如果在局部作用域内没有找到那个名字，那么就一定会在全局域找到这个变量否则就会被抛出 NameError 异常。

一个变量的作用域和它寄住的名称空间相关。我们会在第 12 章正式介绍名称空间；对于现在只能说子空间仅仅是将名字映射到对象的命名领域，现在使用的变量名字虚拟集合。作用域的概念和用于找到变量的名称空间搜索顺序相关。当一个函数执行的时候，所有在局部命名空间的名字都在局部作用域内。那就是当查找一个变量的时候，第一个被搜索的名称空间。如果没有在那找到变量的话，那么就可能找到同名的全局变量。这些变量存储（搜索）在一个全局及内建的名称空间。

仅仅通过创建一个局部变量来“隐藏”或者覆盖一个全局变量是有可能的。回想一下，局部名称空间是首先被搜索的，存在于其局部作用域。如果找到一个名字，搜索就不会继续去寻找一个全局域的变量，所以在全局或者内建的名称空间内，可以覆盖任何匹配的名字。

同样，当使用全局变量同名的局部变量的时候要小心。如果在赋予局部变量值之前，你在函数中（为了访问这个全局变量）使用了这样的名字，你将会得到一个异常（NAMEERROR 或者 Unbound- LocalError），而这取决于你使用的 Python 版本。

11.8.2 globa 语句

如果将全局变量的名字声明在一个函数体内的时候，全局变量的名字能被局部变量给覆盖掉。这里有另外的例子，与第一个相似，但是该变量的全局和局部的特性就不是那么清晰了。

```
def foo():
    print "\ncalling foo()..."
    bar = 200
    print "in foo(), bar is", bar
bar = 100
print "in __main__, bar is", bar
foo()
print "\nin __main__, bar is (still)", bar
```

得到如下输出：

```
in __main__, bar is 100
calling foo()...
in foo(), bar is 200
in __main__, bar is (still) 100
```

我们局部的 bar 将全局的 bar 推出了局部作用域。为了明确地引用一个已命名的全局变量，必须使用 global 语句。global 的语法如下：

```
global var1[, var2[, ... varN]]]
```

修改上面的例子，可以更新我们代码，这样我们便可以用全局版本的 is_this_global 而无须创建一个新的局部变量。

```
>>> is_this_global = 'xyz'
>>> def foo():
...     global is_this_global
...     this_is_local = 'abc'
...     is_this_global = 'def'
...     print this_is_local + is_this_global
...
>>> foo()
abcdef
>>> print is_this_global
def
```

11.8.3 作用域的数字

Python 从语法上支持多个函数嵌套级别，就如在 Python 2.1 中的，匹配静态嵌套的作用域。然而，在 2.1 之前的版本中，最多为两个作用域：一个函数的局部作用域和全局作用域。虽然存在多个函数的嵌套，但你不能访问超过两个作用域。

```
def foo():
    m = 3
    def bar():
        n = 4
        print m + n
print m
bar()
```

虽然这代码在今天能完美地运行……

```
>>> foo()
3
7
```

在 Python 2.1 之前执行它将会产生错误。

```
>>> foo()
Traceback (innermost last):
File "<stdin>", line 1, in ?
File "<stdin>", line 7, in foo
File "<stdin>", line 5, in bar
NameError: m
```

在函数 bar()内访问 foo()的局部变量 m 是非法的，因为 m 是声明为 foo()的局部变量。从 bar()中可访问唯一的作用域为局部作用域和全局作用域。foo()的局部作用域没有包含在上面两个作用域的列表中。注意'print m'语句的输出成功了，而对 bar()的函数调用却失败了。幸运的是，由于 Python 的现有嵌套作用语规则，今天就不存在这个问题了。

11.8.4 闭包

由于 Python 的静态嵌套域，如我们早先看到的，定义内部函数变得很有用处。在下面的部分中，我们将着重讨论作用域和 lambda，但是在 Python 2.1 之前，当作用域规改则变为今天这样之前，内部函数也会遭受到相同的问题。如果在一个内部函数里，对在外部作用域（但不是在全局作用域）的变量进行引用，那么内部函数就被认为是闭包（closure）。定义在外部函数内的但由内部函数引用或者使用的变量被称为自由变量。闭包在函数式编程中是一个重要的概念，Scheme 和 Haskell 便是函数式编程中两种。闭包从语法上看很简单（和内部函数一样简单）但是仍然很有威力。

闭包将内部函数自己的代码和作用域以及外部函数的作用结合起来。闭包的词法变量不属于全局名称空间域或者局部的——而属于其他的名称空间，带着“流浪”的作用域。（注意这不同于对象因为那些变量是存活在一个对象的名称空间但是闭包变量存活在一个函数的名称空间和作用域）那么为什么你会想要用闭包?

闭包对于安装计算、隐藏状态和在函数对象和作用域中随意地切换是很有用的。闭包在 GUI 或者在很多 API 支持回调函数的事件驱动编程中是很有些用处的。以绝对相同的方式，应用于获取数据库行和处理数据。回调就是函数。闭包也是函数，但是他们能携带一些额外的作用域。它们仅仅是带了额外特征的函数……另外的作用域。

你可能会觉得闭包的使用和这章先前介绍的偏函数应用非常的相似，但是与闭包的使用相比，PFA 更像是 currying，因为闭包和函数调用没多少相关，而是关于使用定义在其他作用域的变量。

1. 简单的闭包的例子

下面是使用闭包简单的例子。我们会模拟一个计数器，同样也通过将整型包裹为一个列表的单一元素来模拟使整型易变。

```
def counter(start_at=0):
    count = [start_at]
    def incr():
        count[0] += 1
        return count[0]
    return incr
```

counter()做的唯一一件事就是接受一个初始化的值来开始计数，并将该值赋给列表 count 唯一一个成员。然后定义一个 incr()的内部函数。通过在内部使用变量 count，我们创建了一个闭包，因为它现在携带了整个 counter()作用域。incr()增加了正在运行的 count 然后返回它。然后最后的魔法就是 counter()返回一个 incr，一个（可调用的）函数对象。如我们交互地运行这个函数，将得到如下的输出——注意这看起来和实例化一个 counter 对象并执行这个实例有多么相似：

```
>>> count = counter(5)
>>> print count()
6
>>> print count()
7
>>> count2 = counter(100)
>>> print count2()
```

```
101
>>> print count()
8
```

有点不同的是我们能够做些原来需要我们写一个类做的事，并且不仅仅是要写，还必需覆盖掉这个类的__call__()特别方法来使他的实例可调用。这里我们能够使用一对函数来做这件事。

现在，在很多情况下，类是最适合使用的。闭包更适合需要一个必需有自己的作用域的回调函数情况，尤其是回调函数是很小巧而且简单的，通常也很聪明。跟平常一样，如果你使用了闭包，对你的代码进行注释或者用文档字符串来解释你正做的事是很不错的主意。

2．追踪闭包词法的变量

下面两个部分包含了给高级读者的材料……如果你愿意的话，你可以跳过去。我们将讨论如何能使用函数的 func_closure 属性来追踪自由变量。这里有个显示追踪的代码片段。

如果我们运行这段代码，将得到如下输入：

```
no f1 closure vars
f2 closure vars: ['<cell at 0x5ee30: int object at
    0x200377c>']
f3 closure vars: ['<cell at 0x5ee90: int object at
    0x2003770>', '<cell at 0x5ee30: int object at
    0x200377c>']
<int 'w' id=0x2003788 val=1>
<int 'x' id=0x200377c val=2>
<int 'y' id=0x2003770 val=3>
<int 'z' id=0x2003764 val=4>
```

这个例子说明了如何能通过使用函数的 func_closure 属性来追踪闭包变量。

```
1   #!/usr/bin/env python
2
3   output = '<int %r id=%#0x val=%d>'
4   w = x = y = z = 1
5
6   def f1():
7     x = y = z = 2
8
9   def f2():
10     y = z = 3
11
12     def f3 ():
13         z=4
14         print output% ('w',id (w) ,w)
15         print output% ('x',id (x) ,x)
16         print output% ('y',id (y) ,y)
17         print output% ('z',id (z) ,z)
18
19     clo = f3.func_closure
20     if clo:
21         print "f3 closure vars:", [str (c)  for c in clo]
22     else:
23         print "no f3 closure vars"
```

```
24        f3()
25
26        clo = f2.func_closure
27        if clo:
28            print "f2 closure vars:", [str(c) for c in clo]
29        else:
30            print "no f2 closure vars"
31        f2()
32
33    clo = f1.func_closure
34    if clo:
35        print "f1 closure vars:", [str(c) for c in clo]
36    else:
37        print "no f1 closure vars"
38    f1()
```

3．逐行解释

1～4行

这段脚本由创建模板来输出一个变量开始：它的名字、ID和值，然后设置变量w、x、y和z。我们定义了模板，这样便不需要多次拷贝相同输出格式的字符串。

6～9、26～31行

f1()函数的定义包括创建一个局部变量x、y和z，以及一个内部函数f2()的定义。（注意所有的局部变量遮蔽或者隐藏了对他们同名的全局变量的访问）。如果f2()使用了任何的定义在f1()作用域的变量，比如说，非全局的和非f2()的局部域的，那么它们便是自由变量，将会被f1.func_closure追踪到。

9～10、19～24行

这几行实际上是对f1()的拷贝，对f2()做相同的事，定义了局部变量y和z，以及对一个内部函数f3()。此外，这里的局部变量会遮蔽全局以及那些在中间局部化作用域的变量，如f1()。如果对于f3()有任何的自由变量，他们会在这里显示出来。

毫无疑问，你会注意到对自由变量的引用是存储在单元对象里，或者简单地说，单元。这些东西是什么呢？单元是在作用域结束后使自由变量的引用存活的一种基础方法。

举例来说，我们假设函数f3()已经被传入到其他一些函数，这样便可在稍后，甚至是f2()完成之后调用它。你不想要让f2()的栈出现，因为即使我们仅仅在乎f3()使用的自由变量，栈也会让所有的f2()'s的变量保持存活。单元维持住自由变量以便f2()的剩余部分能被释放掉。

12～17行

这个部分描绘了f3()的定义，创建一个局部的变量z。接着显示w、x、y、z，这4个变量从最内部作用域逐步向外的追踪到的。在f3()、f2()或f1()中都是找不到变量w的，所以这是个全局变量。在f3()或者f2()中，找不到变量x，所以来自f1()的闭包变量。相似地，y是一个来自f2()的闭包变量。最后，z是f3()的局部变量。

33～38行

main()中剩余的部分尝试去显示f1()的闭包变量，但是什么都不会发生因为在全局域和f1()的作用域之间没有任何的作用域——没有f1()可以借用的作用域，因此不会创建闭包——所以第34行的条件表达式永远不会求得True。这里的这段代码仅仅是有修饰的目的。

4．*高级闭包和装饰器的例子

回到11.3.6部分，我们看到了一个使用闭包和装饰器的简单例子，deco.py。接下来就是稍微高级点的例子，来给你演示闭包的真正的威力。应用程序“logs”函数调用。用户选择是要在函数调用之前或者之后，把函数调用写入日志。如果选择贴日志，执行时间也会显示出来。

这个例子演示了带参数的装饰器，该参数最终决定哪一个闭包会被用的。这也是闭包的威力的特征。

```
1   #!/usr/bin/env python
2
3   from time import time
4
5   def logged(when):
6       def log(f,*args,**kargs);
7           print '''Called:
8   function: %s
9   args: %r
10  kargs: %r''' % (f, args, kargs)
11
12      def pre_logged(f):
13          def wrapper(*args, **kargs):
14              log(f, *args, **kargs)
15              return f(*args, **kargs)
16          return wrapper
17
18      def post_logged(f):
19          def wrapped(*args, **kargs)
20              now=time()
21              try:
22                  return f(*args, **kargs)
23              finally:
24                  log(f, *args, **kargs)
25                  print "time delta: %s" % (time()-now)
26          return wrapper
27
28      try:
29          return {"pre": pre_logged,
30              "post": post_logged}[when]
31      except KeyError, e:
32          raise ValueError(e), 'must be "pre" or "post"'
33
34  @logged("post")
35  def hello(name):
36      print "Hello,", name
37
38  hello("World!")
```

如果执行这个脚本，你将会得到和下面相似的输出：

```
$ funcLog.py
Hello, World!
Called:
    function: <function hello at 0x555f0>
    args: ('World!',)
    kargs: {}
    time delta: 0.000471115112305
```

5. 逐行解释

5～10、28～32行

这段代码描绘了 logged()函数的核心部分，其职责就是获得关于何时函数调用应该被写入日志的用户请求。它应该在目标函数被调用前还是之后呢？logged()有 3 个在它的定义体之内的助手内部函数：log()，pre_logged()和 post_logged()。log()是实际上做日志写入的函数。它仅仅是显示标准输出函数的名字和参数。如果你愿意在“真实的世界中”使用该函数的话，你很有可能会把输出写到一个文件、数据库或者标准错误（sys.stderr）。logged()在 28～32 行的最后的部分实际上是函数中非函数声明的最开始的代码。读取用户的选择然后返回*logged()函数中的一个便能用目标函调用并包裹它。

12～26行

pre_logged()和 post_logged()都会包装目标函数然后根据它的名字写入日志，比如，当目标函数已经执行之后，post_loggeed()会将函数调用写入日志，而 pre_logged()则是在执行之前。

根据用户的选择，pre_logged()和 post_logged()其中之一会被返回。当这个装饰器被调用的时候，首先对装饰器和其参数进行求值，比如 logged(时间)。然后返回的函数对象作为目标的函数的参数进行调用，比如，pre_logged（f）或者 post_logged（f）。

两个*logged()函数都包括了一个名为 wrapper()的闭包。当合适将其写入日志的时候，它便会调用目标函数。这个函数返回了包裹好的函数对象，该对象随后将被重新赋值给原始的目标函数标识符。

34～38行

这段脚本的主要部分简单地装饰了 hello()函数并将用修改过的函数对象一起执行它。当你在 38 行调用 hello()的时候，它和你在 35 行创建的函数对象已经不是一回事了。34 行的装饰器用特殊的装饰将原始函数对象进行了包裹并返回这个包裹后的 hello()版本。

11.8.5 作用域和 lambda

Python 的 lambda 匿名函数遵循和标准函数一样的作用域规则。一个 lambda 表达式定义了新的作用域，就像函数定义，所以这个作用域除了局部 lambda 函数，对于程序其他部分，该作用域都是不能对进行访问的。

那些声明为函数局部变量的 lambda 表达式在这个函数体内是可以访问的；然而，在 lambda 语句中的表达式有和函数相同的作用域。你也可以认为函数和一个 lambda 表达式是同胞。

```
x = 10
def foo():
    y = 5
    bar = lambda :x+y
    print bar()
```

我们现在知道这段代码能很好的运行。

```
>>> foo()
15
```

……然而，我们必须在回顾下过去，去看下原来的 python 版本中让代码运行必需的，一种极其普遍的做法。在 2.1 之前，我们将会得到一个错误，如同你在下面看到的一样，因为函数和 lambda 都可访问全局变量，但两者都不能访问彼此的局部作用域。

```
>>> foo()
Traceback (innermost last):
  File "<stdin>", line 1, in ?
  File "<stdin>", line 4, in foo
  File "<stdin>", line 3, in <lambda>
NameError: y
```

在上面的例子中，虽然 lambda 表达式在 foo()的局部作用域中创建，但他仅仅只能访问两个作用域：它自己的局部作用域和全局的作用域（同样见 11.8.3 小节）。解决的方法是加入一个变量作为默认参数，这样我们便能从外面的局部作用域传递一个变量到内部。在我们上面的例子中，我们将 lambda 的那一行修改成这样：

```
bar = lambda y=y: x+y
```

由于这个改变，程序能运行了。外部 y 的值会作为一个参数传入，成为局部的 y（lambda 函数的局部变量）。你可以在所有你遇到的 Python 代码中看到这种普遍的做法；然而，这不表明存在改变外部 y 值的可能性，比如：

```
x = 10
def foo():
    y = 5
    bar = lambda y=y: x+y
    print bar()
    y = 8
    print bar()
```

输出“完全错误”：

```
>>> foo()
15
15
```

原因是外部 y 的值被传入并在 lambda 中“设置”，所以虽然其值在稍后改变了，但是 lambda 的定义没有变。那时唯一替代的方案就是在 lambda 表达式中加入对函数局部变量 y 进行引用的局部变量 z。

```
x = 10
def foo():
    y = 5
    bar = lambda z:x+z
    print bar (y)
    y = 8
    print bar (y)
```

为了获得正确的输出所有的一切都是必需的：

```
>>> foo()
15
18
```

这同样也不可取因为现在所有调用 bar()的地方都必需改为传入一个变量。从 Python2.1 开始，在没有任何修改的情况下整个程序都完美的运行。

```
x = 10
def foo():
    y = 5
    bar = lambda :x+y
    print bar (y)
    y = 8
    print bar (y)
>>> foo()
15
18
```

正确的静态嵌套域（最后）被加入到 Python 中，你会不高兴吗？许多老前辈一定不会。你可以在 PEP 227 中阅读到更多关于这个重要改变的信息。

11.8.6 变量作用域和名称空间

从我们在这章的学习中，我们可以看见任何时候，总有一个或者两个活动的作用域——不多也不少。我们要么在只能访问全局作用域的模块的最高级，要么在一个我们能访问函数局部作用域和全局作用域的函数体内执行。名称空间是怎么和作用域关联的呢？

从 11.8.1 小节的核心笔记中，我们也可以发现，在任何给定的时间，存在两个或者三个的活动的名称空间。从函数内部，局部作用域包围了局部名称空间，第一个搜寻名字的地方。如果名字存在的话，那么将跳过检查全局作用域（全局和内建的名称空间）。

我们现在将给出例子 11.9，一个到处混合了作用域的脚本。我们将确定此程序输出作为练习留给读者。

局部变量隐藏了全局变量，正如在这个变量作用程序中显示的。程序的输出会是什么（以及为什么）呢？

```
1   #!/usr/bin/env python
2   j, k = 1, 2
3
4   def proc1():
5
6       j, k = 3, 4
7       print "j == %d and k == %d" % (j, k)
8       k = 5
9
10  def proc2():
11
12      j = 6
13      proc1()
14      print "j == %d and k == %d" % (j, k)
15
16
17  k = 7
18  proc1()
19  print "j == %d and k == %d" % (j, k)
20
21  j = 8
22  proc2()
23  print "j == %d and k == %d" % (j, k)
```

12.3.1 小节有更多关于名称空间和变量作用域的信息。

11.9 *递归

如果函数包含了对其自身的调用，该函数就是递归的。根据 Aho、Sethi 和 Ullman，“[a] 如果一个新的调用能在相同过程中较早的调用结束之前开始，那么该过程就是递归”。

递归广泛地应用于语言识别和使用递归函数的数学应用中。在本文的早先部分，我们第一次看到了我们定义的阶乘函数：

```
N! ≡  factorial(N)  ≡  1 * 2 * 3 ... * N
```

我们可以用这种方式来看阶乘：

```
factorial(N)  = N!
              = N * (N-1)!
              = N * (N-1) * (N-2)!
                     :
              = N * (N-1) * (N-2) ... * 3 * 2 * 1
```

我们现在可以看到阶乘是递归的，因为 factorial(N) = N* factorial(N-1).换句话说，为了获得 factorial (N) 的值，需要计算 factorial (N-1)。而且，为了找到 factorial (N-1)，需要计算 factorial (N-2) 等。我们现在给出阶乘函数的递归版本。

```
def factorial(n):
    if n == 0 or n == 1: # 0! = 1! = 1
        return 1
    else:
        return (n * factorial(n-1))
```

11.10 生成器

早先在第 8 章，我们讨论了迭代器背后的有效性以及它们如何给非序列对象一个像序列的迭代器接口。这很容易明白因为他们仅仅只有一个方法，用于调用获得下个元素的 next()。

然而，除非你实现了一个迭代器的类，迭代器真正的并没有那么“聪明”。难道调用函数还没有强大到在迭代中以某种方式生成下一个值并且返回和 next()调用一样简单的东西？那就是生成器的动机之一。生成器的另外一个方面甚至更加强力——协同程序的概念。协同程序是可以运行的独立函数调用，可以暂停或者挂起，并从程序离开的地方继续或者重新开始。在有调用者和（被调用的）协同程序也有通信。举例来说，当协同程序暂停的时候，我们能从其中获得一个中间的返回值，当调用回到程序中时，能够传入额外或者改变了的参数，但仍能够从我们上次离开的地方继续，并且所有状态完整。挂起返回出中间值并多次继续的协同程序被称为生成器，那就是 Python 的生成器真正在做的事。在 2.2 的时候，生成器被加入到 Python 中接着在 2.3 中成为标准（见 PEP 255），虽然之前足够强大，但是在 Python2.5 的时候，得到了显著的提高（见 PEP 342）。这些提升让生成器更加接近一个完全的协同程序，因为允许值（和异常）能传回到一个继续的函数中。同样地，当等待一个生成器的时候，生成器现在能返回控制。在调用的生成器能挂起（返回一个结果）之前，调用生成器返回一个结果而不是阻塞等待那个结果返回。让我们更进一步观察生成器自顶向下的启动。

什么是 Python 式的生成器？从语法上讲，生成器是一个带 yield 语句的函数。一个函数或者子程序只返回一次，但一个生成器能暂停执行并返回一个中间的结果——那就是 yield 语句的功能，返回一个值给调用者并暂停执行。当生成器的 next()方法被调用的时候，它会准确地从离开地方继续（当它返回[一个值以及]控制给调用者时）。

当在 2.2 生成器被加入的时候，因为它引入了一个新的关键字，yield，为了向下兼容，你需要从_future_模块中导入 generators 来使用生成器。从 2.3 开始，当生成器成为标准的时候，这就不再是必需的了。

11.10.1 简单的生成器特性

与迭代器相似，生成器以另外的方式来运作：当到达一个真正的返回或者函数结束没有更多的值返回（当调用next()），一个StopIteration异常就会抛出。这里有个例子，简单的生成器：

```
def simpleGen():
    yield 1
    yield '2 --> punch!'
```

现在我们有自己的生成器函数，让我们调用他来获得和保存一个生成器对象（以便我们能调用它的next()方法从这个对象中获得连续的中间值）：

```
>>> myG = simpleGen()
>>> myG.next()
1
>>> myG.next()
'2 --> punch!'
>>> myG.next()
Traceback (most recent call last):
  File "", line 1, in ?
    myG.next()
StopIteration
```

由于Python的for循环有next()调用和对StopIteration的处理，使用一个for循环而不是手动迭代穿过一个生成器（或者那种事物的迭代器）总是要简洁漂亮得多。

```
>>> for eachItem in simpleGen():
...     print eachItem
...
1
'2 --> punch!'
```

当然这是个有点笨拙的例子：为什么不对这使用真正的迭代器呢？许多动机源自能够迭代穿越序列，而这需要函数威力而不是已经在某个序列中静态对象。

在接下来的例子中，我们将要创建一个带序列并从那个序列中返回一个随机元素的随机迭代器：

```
from random import randint
def randGen(aList):
    while len(aList) > 0:
        yield aList.pop(randint(0, len(aList)))
```

不同点在于每个返回的元素将从那个队列中消失，像一个list.pop()和random.choice()的结合的归类。

```
>>> for item in randGen(['rock', 'paper', 'scissors']):
...     print item
...
scissors
rock
paper
```

在接下来的几章中，当我们谈到面向对象编程的时候，将看见这个生成器较简单（和无限）的版本作为类的迭代器。在之前的8.12小节中，我们讨论了生成器表达式的语法。使用这个语法返回的对象是个生成器，但只以一个简单的形式，并允许使用过分简单化的列表解析的语法。

这些简单的例子应该让你有点明白生成器是如何工作的，但你或许会问，“在我的应用中，我可以在哪使用生成器？”或许，你会问“最适合使用这些个强大的构建的地方在哪？”

使用生成器最好的地方就是当你正迭代穿越一个巨大的数据集合，而重复迭代这个数据集合是一个很麻烦的事，比如一个巨大的磁盘文件，或者一个复杂的数据库查询。对于每行的数据，你希望执行非元素的操作以及处理，但当正指向和迭代过它的时候，你“不想失去你的地盘”。

你想要抓取一块数据，比如，将它返回给调用者来处理以及可能的对（另外一个）数据库的插入，接着你想要运行一次 next()来获得下一块的数据，等等。状态在挂起和再继续的过程中是保留了的，所以你会觉得很舒服有一个安全的处理数据的环境。没有生成器的话，你的程序代码很有可能会有很长的函数，里面有一个很长的循环。当然，这仅仅是因为一个语言这样的特征不意味着你需要用它。如果在你程序里没有明显适合的话，那就别增加多余的复杂性！当你遇到合适的情况时，你便会知道什么时候生成器正是要使用的东西。

11.10.2 加强的生成器特性

在 Python2.5 中，一些加强特性加入到生成器中，所以除了 next()来获得下个生成的值，用户可以将值回送给生成器[send()]，在生成器中抛出异常，以及要求生成器退出[close()]。

由于双向的动作涉及叫做 send()的代码来向生成器发送值（以及生成器返回的值发送回来），现在 yield 语句必须是一个表达式，因为当回到生成器中继续执行的时候，你或许正在接收一个进入的对象。下面是一个展示了这些特性的，简单的例子。我们用简单的闭包例子，counter：

```
def counter (start_at=0) :
    count = start_at
    while True:
        val = (yield count)
        if val is not None:
            count = val
        else:
            count += 1
```

生成器带有一个初始化的值，对每次对生成器[next()]调用以 1 累加计数。用户已可以选择重置这个值，如果他们非常想要用新的值来调用 send()不是调用 next()。这个生成器是永远运行的，所以如果你想要终结它，调用 close()方法。如果我们交互的运行这段代码，会得到如下输出：

```
>>> count = counter (5)
>>> count.next()
5
>>> count.next()
6
>>> count.send(9)
9
>>> count.next()
10
>>> count.close()
>>> count.next()
Traceback (most recent call last):
  File "<stdin>", line 1, in <module>
StopIteration
```

你可以在 PEP 255 和 PEP 342 中，以及为读者介绍 Python2.2 中新特性的文章中阅读到更多关于生成器的资料：

http://www.linuxjournal.com/article/5597

11.11 练习

11-1. 参数。比较下面 3 个函数：

```
def countToFour1():
    for eachNum in range(5):
        print eachNum,
def countToFour2(n):
    for eachNum in range(n, 5):
        print eachNum,
def countToFour3(n=1):
    for eachNum in range(n, 5):
        print eachNum,
```

给定如下的输入直到程序输出，你认为会发生什么？向下表 11.2 填入输出。如果你认为给定的输入会发生错误的话填入“ERROR”或者如果没有输出的话填入“NONE”。

11-2. 函数。结合你对练习 5-2 的解，以便你创建一个带相同对数字并同时返回一它们之和以及产物的结合函数。

Input	countToFour1	countToFour2	countToFour3
2			
4			
5			
(*nothing*)			

11-3. 函数。在这个练习中，我们将实现 max()和 min()内建函数。

（a）写分别带两个元素返回一个较大和较小元素，简单的 max2()核 min2()函数。他们应该可以用任意的 python 对象运作。举例来说，max2（4,8）和 min2（4，8）会各自每次返回 8 和 4。

（b）创建使用了在 a 部分中的解来重构 max()和 min()的新函数 my_max()和 my_min().这些函数分别返回非空队列中一个最大和最小值。它们也能带一个参数集合作为输入。用数字和字符串来测试你的解。

11-4. 返回值。给你在 5-13 的解创建一个补充函数。创建一个以分为单位的总时间，以及返回一个以小时和分为单位的等价的总时间。

11-5. 默认参数。更新你在练习 5-7 中创建的销售税脚本以便让销售税率不再是函数输入的必要之物。创建使用你地方税率的默认参数如果在调用的时候没有值传入。

11-6. 变长参数。下一个称为 printf()的函数。有一个值参数，格式字符串。剩下的就是根据格式化字符串上的值，要显示在标准输出上的可变参数，格式化字符串中的值允许特别的字符串格式操作指示符，如%d， %f， etc。提示：解是很琐碎的——无需实现字符串操作符功能性，但你需要显示用字符串格式化操作（%）。

11-7. 用 map()进行函数式编程。给定一对同一大小的列表，如[1，2，3]和['abc'，'def'，'ghi'，....]，将两个标归并为一个由每个列表元素组成的元组的单一的表，以使我们的结果看起来像这样：{[（1，'abc'），（2，'def'），（3，'ghi'），...].（虽然这问题在本质上和第 6 章的一个问题相似，那时两个解没有直接的联系）然后创建用 zip 内建函数创建另一个解。

11-8.用 filer()进行函数式编程。使用练习 5-4 你给出的代码来决定闰年。更新你的代码一边他成为一个函数如果你还没有那么做的话。然后写一段代码来给出一个年份的列表并返回一个只有闰年的列表。然后将它转化为用列表解析。

11-9.用 reduce()进行函数式编程。复习 11.7.2 部分，阐述如何用 reduce()数字集合的累加的代码。修改它，创建一个叫 average()的函数来计算每个数字集合的简单的平均值。

11-10.用 filter()进行函数式编程。在 unix 文件系统中，在每个文件夹或者目录中都有两个特别的文件：'.'表示现在的目录，'..'表示父目录。给出上面的知识，看一下 os.listdir()函数的文档并描述这段代码做了什么：

```
files = filter(lambda x: x and x[0] != '.', os. listdir(folder))
```

11-11.用 map()进行函数式编程。写一个使用文件名以及通过除去每行中所有排头和最尾的空白来“清洁”文件。在原始文件中读取然后写入一个新的文件，创建一个新的或者覆盖掉已存在的。给你的用户一个选择来决定执行哪一个。将你的解转换成使用列表解析。

11-12.传递函数。给在这章中描述的 testit()函数写一个姊妹函数。timeit()会带一个函数对象（和参数一起）并计算出用了多少时间来执行这个函数，而不是测试执行时的错误。返回下面的状态：函数返回值、消耗的时间。你可以用 time.clock()或者 time.time()，无论哪一个给你提供了较高的精度（一般的共识是在 POSIX 上用 time.time()，在 win32 系统上用 time.clock()）注意：timeit()函数与 timeit 模块不相关（在 python2.3 中引入）。

11-13.使用 reduce()进行函数式编程以及递归。在第 8 张中，我们看到 N 的阶乘或者 N 作为从 1 到 N 所有数字的乘积。

（a）用一分钟写一个带 x，y 并返回他们乘积的名为 mult（x，y）的简单小巧的函数。

（b）用你在 a 中创建 mult()函数以及 reduce 来计算阶乘。

（c）彻底抛弃掉 mult()的使用，用 lamda 表达式替代。

（d）在这章中，我们描绘了一个递归解决方案来找到 N!用你在上面问题中完成的 timeit()函数，并给三个版本阶乘函数计时（迭代的、reduce()和递归）。

11-14.*递归。我们也来看下在第 8 章中的斐波纳契数字。重写你先前计算斐波纳契数字的解（练习 8-9）以便你可以使用递归。

11-15.*递归。从写练习 6-5 的解，用递归向后打印一个字符串。用递归向前以及向后打印一个字符串。

11-16.更新 easyMath.py。这个脚本，如例子 11.1 描绘的那样，以入门程序来帮助年轻人强化他们的数学技能。通过加入乘法作为可支持的操作来更进一步提升这个程序。额外的加分：也加入除法；这比较难做些因为你要找到有效的整型除数。幸运的是，已经有代码来确定分子比分母大，所以不需要支持分数。

11-17.定义

（a）描述偏函数应用和 currying 之间的区别。

（b）偏函数应用和闭包之间有什么区别？

（c）最后，迭代器和生成器是怎么区别开的？

11-18.*同步化函数调用。复习下第 6 章中当引入浅拷贝和深拷贝的时候，提到的丈夫和妻子情形（6.20 小结）。他们共用了一个普通账户，同时对他们银行账户访问时会发生不利影响。

创建一个程序，让调用改变账户收支的函数必需同步。换句话说，在任意给定时刻只能有个一进程或者线程来执行函数。一开始你试着用文件，但是一个真正的解决方法是用装饰器和在 threading 或者 mutex 模块中的同步指令。你看看第 17 章来获得更多的灵感。

第 12 章 模块

本章主题

- ✦ 什么是模块
- ✦ 模块和文件
- ✦ 命名空间
- ✦ 导入模块
- ✦ 导入模块属性
- ✦ 模块内建函数包模块的其他特性

本章将集中介绍 Python 模块和如何把数据从模块中导入到编程环境中。同时也会涉及包的相关概念。模块是用来组织 Python 代码的方法，而包则是用来组织模块的。本章最后还会讨论一些与模块有关的其他方面的问题。

12.1 什么是模块

模块支持从逻辑上组织 Python 代码。当代码量变得相当大的时候，我们最好把代码分成一些有组织的代码段，前提是保证它们的彼此交互。这些代码片段相互间有一定的联系，可能是一个包含数据成员和方法的类，也可能是一组相关但彼此独立的操作函数。这些代码段是共享的，所以 Python 允许“调入”一个模块，允许使用其他模块的属性来利用之前的工作成果，实现代码重用。这个把其他模块中属性附加到你的模块中的操作叫做导入（import）。那些自我包含并且有组织的代码片段就是模块（module）。

12.2 模块和文件

如果说模块是按照逻辑来组织 Python 代码的方法，那么文件便是物理层上组织模块的方法。因此，一个文件被看作是一个独立模块，一个模块也可以被看作是一个文件。模块的文件名就是模块的名字加上扩展名.py。这里我们需要讨论一些关于模块文件结构的问题。与其他可以导入类（class）的语言不同，在 Python 中你导入的是模块或模块属性。

12.2.1 模块名称空间

本章的后面会详细的讨论名称空间，但从基本概念来说，一个名称空间就是一个从名称到对象的关系映射集合。我们已经明确地知道，模块名称是它们的属性名称中的一个重要部分。例如 string 模块中的 atoi()函数就是 string.atoi()。给定一个模块名之后，只可能有一个模块被导入到 Python 解释器中，所以在不同模块间不会出现名称交叉现象，所以每个模块都定义了它自己的唯一的名称空间。如果我在我自己的模块 mymodule 里创建了一个 atoi()函数，那么它的名字应该是 mymodule.atoi()。所以即使属性之间有名称冲突，但它们的完整授权名称（fully qualified name）——通过句点属性标识指定了各自的名称空间——防止了名称冲突的发生。

12.2.2 搜索路径和路径搜索

模块的导入需要一个叫做“路径搜索”的过程。即在文件系统“预定义区域”中查找 mymodule.py 文件（如果你导入 mymodule 的话）。这些预定义区域只不过是你的 Python 搜索路径的集合。路径搜索和搜索路径是两个不同的概念，前者是指查找某个文件的操作，后者是去查找一组目录。有时候导入模块操作会失败：

```
>>> import xxx
Traceback (innermost last):
 File "<interactive input>", line 1, in ?
ImportError: No module named xxx
```

发生这样的错误时，解释器会告诉你它无法访问请求的模块，可能的原因是模块不在搜索路径里，从而导致了路径搜索的失败。

默认搜索路径是在编译或是安装时指定的。它可以在一个或两个地方修改。

一个是启动 Python 的 shell 或命令行的 PYTHONPATH 环境变量。该变量的内容是一组用冒号分割的目录路径。如果你想让解释器使用这个变量，那么请确保在启动解释器或执行 Python 脚本前设置或修改了该变量。

解释器启动之后，也可以访问这个搜索路径，它会被保存在 sys 模块的 sys.path 变量里。不过它已经不是冒号分割的字符串，而是包含每个独立路径的列表。下面是一个 Unix 机器搜索路径的样例。切记，搜索路径在不同系统下一般是不同的。

```
>>> sys.path
['', '/usr/local/lib/python2.x/', '/usr/local/lib/ python2.x/plat-sunos5', '/usr/local/
lib/python2.x/  lib-tk',  '/usr/local/lib/python2.x/lib-dynload',  '/ usr/local/lib/
Python2.x/site-packages',]
```

这只是个列表，所以我们可以随时随地对它进行修改。如果你知道你需要导入的模块是什么，而它的路径不在搜索路径里，那么只需要调用列表的 append()方法即可，就像这样：

```
sys.path.append('/home/wesc/py/lib')
```

修改完成后，你就可以加载自己的模块了。只要这个列表中的某个目录包含这个文件，它就会被正确导入。当然，这个方法是把目录追加在搜索路径的尾部。如果你有特殊需要，那么应该使用列表的 insert()方法操作。上面的例子里，我们是在交互模式下修改 sys.path 的，在脚本程序中也完全可以达到同样的目的。这里是使用交互模式执行时遇到的错误：

```
>>> import sys
>>> import mymodule
Traceback (innermost last):
  File "<stdin>", line 1, in ?
ImportError: No module named mymodule
>>>
>>> sys.path.append('/home/wesc/py/lib')
>>> sys.path
['', '/usr/local/lib/python2.x/', '/usr/local/lib/
python2.x/plat-sunos5', '/usr/local/lib/python2.x/
lib-tk', '/usr/local/lib/python2.x/lib-dynload', '/usr/
local/lib/python2.x/site-packages','/home/wesc/py/lib']
>>>
>>> import mymodule
>>>
```

从另一方面看，你可能有一个模块的很多拷贝。这时，解释器会使用沿搜索路径顺序找到的第一个模块。

使用 sys.modules 可以找到当前导入了哪些模块和它们来自什么地方。和 sys.path 不同，sys.modules 是一个字典，使用模块名作为键（key），对应物理地址作为值（value）。

12.3 名称空间

名称空间是名称（标识符）到对象的映射。向名称空间添加名称的操作过程涉及绑定标识符到指定对象的操作（以及给该对象的引用计数加 1）。《Python 语言参考手册》（Python Language Reference）有如下的定义：改变一个名字的绑定叫做重新绑定，删除一个名字叫做解除绑定。

我们在第 11 章已经介绍过在执行期间有两个或三个活动的名称空间。这三个名称空间分别是局部名称空间，全局名称空间和内建名称空间，但局部名称空间在执行期间是不断变化的，所以我们说“两个或三个”。从名称空间中访问这些名字依赖于它们的加载顺序，或是系统加载这些名称空间的顺序。

Python 解释器首先加载内建名称空间。它由__builtins__模块中的名字构成。随后加载执行模块的全局名称空间，它会在模块开始执行后变为活动名称空间。这样我们就有了两个活动的名称空间。

核心笔记：__builtins__和__builtin__

__builtins__模块和__builtin__模块不能混淆。虽然它们的名字相似——尤其对于新手来说。__builtins__模块包含内建名称空间中内建名字的集合。其中大多数（如果不是全部的话）来自__builtin__模块，该模块包含内建函数，异常以及其他属性。在标准 Python 执行环境下，__builtins__包含__builtin__的所有名字。Python 曾经有一个限制执行模式，允许你修改__builtins__，只保留来自__builtin__的一部分，创建一个沙盒（sandbox）环境。但是，因为它有一定的安全缺陷，而且修复它很困难，Python 已经不再支持限制执行模式。（如版本 2.3）

如果在执行期间调用了一个函数，那么将创建出第三个名称空间，即局部名称空间。我们可以通过 globals()和 locals()内建函数判断出某一名字属于哪个名称空间。我们将在本章后面详细介绍这两个函数。

12.3.1 名称空间与变量作用域比较

好了，我们已经知道了什么是名称空间，那么它与变量作用域有什么关系呢？它们看起来极其相似，事实上也确实如此。

名称空间是纯粹意义上的名字和对象间的映射关系，而作用域还指出了从用户代码的哪些物理位置可以访问到这些名字。图 12-1 展示了名称空间和变量作用域的关系。

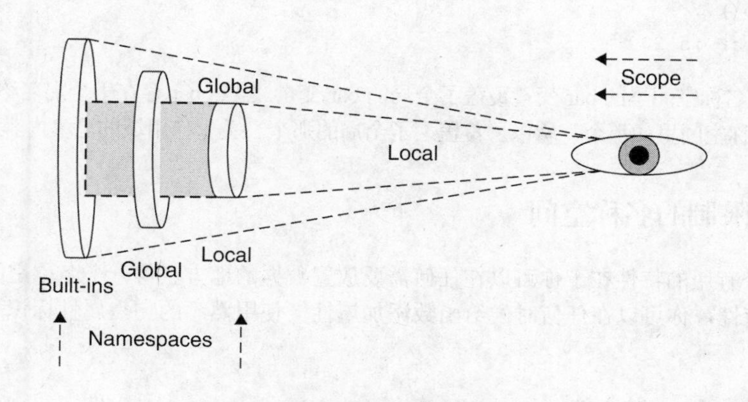

图 12-1 名称空间和变量作用域

注意每个名称空间是一个自我包含的单元。但从作用域的观点来看，事情是不同的。所有局部名称空间的名称都在局部作用范围内。局部作用范围以外的所有名称都在全局作用范围内。

还要记得在程序执行过程中，局部名称空间和作用域会随函数调用而不断变化，而全局名称空间是不变的。

学完这一节后，我们建议读者在遇到名称空间的时候想想“它存在吗？”，遇到变量作用域的时候想想“我能看见它吗？”

12.3.2 名称查找、确定作用域、覆盖

那么确定作用域的规则是如何联系到名称空间的呢？它所要做的就是名称查询。访问一个属性时，解释器必须在三个名称空间中的一个找到它。首先从局部名称空间开始，如果没有找到，解释器将继续查找全局名称空间。如果这也失败了，它将在内建名称空间里查找。如果最后的尝试也失败了，你会得到这样的错误：

```
>>> foo
Traceback (innermost last):
  File "<stdin>", line 1, in ?
NameError: foo
```

这个错误信息体现了先查找的名称空间是如何“遮蔽”其他后搜索的名称空间的。这体现了名称覆盖的影响。图 12-1 的灰盒子展示了遮蔽效应。例如，局部名称空间中找到的名字会隐藏全局或内建名称空间的对应对象。这就相当于“覆盖”了那个全局变量。请参阅前面章节引入的这几行代码：

```
def foo():
    print "\ncalling foo()..."
    bar = 200
    print "in foo(), bar is", bar
bar = 100
print "in __main__, bar is", bar
foo()
```

执行代码，我们将得到这样的输出：

```
in __main__, bar is 100
calling foo()...
in foo(), bar is 200
```

foo()函数局部名称空间里的 bar 变量覆盖了全局的 bar 变量。虽然 bar 存在于全局名称空间里，但程序首先找到的是局部名称空间里的那个，所以“覆盖”了全局的那个。关于作用域的更多内容请参阅第 11.8 节。

12.3.3 无限制的名称空间

Python 的一个有用的特性在于你可以在任何需要放置数据的地方获得一个名称空间。我们已经在前一章见到了这一特性，你可以在任何时候给函数添加属性（使用熟悉的句点属性标识）。

```
def foo():
    pass
foo.__doc__ = 'Oops, forgot to add doc str above!'
foo.version = 0.2
```

在本章，我们展示了模块是如何创建名称空间的，你也可以使用相同的方法访问它们：

```
mymodule.foo()
mymodule.version
```

虽然我们还没介绍面向对象编程（OOP，将在第 13 章介绍），但我们可以看看一个简单的“Hello World!”例子：

```
class MyUltimatePythonStorageDevice(object):
    pass
bag = MyUltimatePythonStorageDevice()
bag.x = 100
bag.y = 200
bag.version = 0.1
bag.completed = False
```

你可以把任何想要的东西放入一个名称空间里。像这样使用一个类（实例）是很好的，你甚至不需要知道一些关于 OOP 的知识（注：类似这样的变量叫做实例属性）。不管名字如何，这个实例只是被用做一个名称空间。

随着学习的深入，你会发现 OOP 是多么地有用，比如在运行时临时（而且重要）变量的时候！正如在《Zen of Python》中陈述的最后一条，“名称空间是一个响亮的杰出创意——那就让我们多用用它们吧！”（在交互模式解释器下导入 this 模块就可以看到完整的《Zen》）。

12.4 导入模块

12.4.1 import 语句

使用 import 语句导入模块，它的语法如下所示：

```
import module1
import module2[
    :
import moduleN
```

也可以在一行内导入多个模块，像这样...

```
import module1[, module2[,... moduleN]]
```

但是这样的代码可读性不如多行的导入语句。而且在性能上和生成 Python 字节代码时这两种做法没有什么不同。所以一般情况下，我们使用第一种格式。

核心风格：import 语句的模块顺序

我们推荐所有的模块在 Python 模块的开头部分导入。而且最好按照这样的顺序：

- Python 标准库模块
- Python 第三方模块
- 应用程序自定义模块

然后使用一个空行分割这三类模块的导入语句。这将确保模块使用固定的习惯导入，有助于减少每个模块需要的 import 语句数目。其他的提示请参考“Python’s Style Guide”，PEP8。

解释器执行到这条语句，如果在搜索路径中找到了指定的模块，就会加载它。该过程遵循作用域原则，如果在一个模块的顶层导入，那么它的作用域就是全局的；如果在函数中导入，那么它的作用域是局部的。

如果模块是被第一次导入，它将被加载并执行。

12.4.2 from-import 语句

你可以在你的模块里导入指定的模块属性。也就是把指定名称导入到当前作用域。使用 from-import 语句可以实现我们的目的，它的语法是：

```
from module import name1[, name2[,... nameN]]
```

12.4.3 多行导入

多行导入特性是 Python 2.4 为较长的 from-import 提供的。从一个模块导入许多属性时，import 行会越来越长，直到自动换行，而且需要一个\。下面是 PEP 328 提供的样例代码：

```
from Tkinter import Tk, Frame, Button, Entry, Canvas, \
            Text, LEFT, DISABLED, NORMAL, RIDGE, END
```

你可以选择使用多行的 from-import 语句：

```
from Tkinter import Tk, Frame, Button, Entry, Canvas, Text
from Tkinter import LEFT, DISABLED, NORMAL, RIDGE, END
```

我们不提倡使用不再流行的 from Tkinter import*语句（参考 12.5.3 小节的“核心风格”）。真正的 Python 程序员应该使用 Python 的标准分组机制（圆括号）来创建更合理的多行导入语句：

```
from Tkinter import (Tk, Frame, Button, Entry, Canvas, Text, LEFT, DISABLED, NORMAL, RIDGE, END)
```

你可以在 PEP 328 找到更多关于多行导入的内容。

12.4.4 扩展的 import 语句（as）

有时候你导入的模块或是模块属性名称已经在你的程序中使用了，或者你不想使用导入的名字。可能是它太长不便输入什么的，总之你不喜欢它。这已经成为 Python 程序员的一个普遍需求：使用自己想要的名字替换模块的原始名称。一个普遍的解决方案是把模块赋值给一个变量：

```
>>> import longmodulename
>>> short = longmodulename
>>> del longmodulename
```

上边的例子中，我们没有使用 longmodulename.attribute，而是使用 short.attribute 来访问相同的对象（from-imoort 语句也可以解决类似的问题，参见下面的例子）。不过在程序里一遍又一遍做这样的操作是很无聊的。使用扩展的 import，你就可以在导入的同时指定局部绑定名称。如下所示。

```
    import Tkinter
    from cgi import FieldStorage
. . . 可以替换为 . . .
    import Tkinter as tk
    from cgi import FieldStorage as form
```

Python 2.0 加入了这个特性。不过那时“as”还不是一个关键字；Python 2.6 正式把它列为一个关键字。更多关于扩展导入语句的内容请参阅《Python 语言参考手册》和 PEP 221。

12.5 模块导入的特性

12.5.1 载入时执行模块

加载模块会导致这个模块被“执行”。也就是被导入模块的顶层代码将直接被执行。这通常包括设定全局变量以及类和函数的声明。如果有检查__name__的操作，那么它也会被执行。

当然，这样的执行可能不是我们想要的结果。你应该把尽可能多的代码封装到函数。明确地说，只把函数和模块定义放入模块的顶层是良好的模块编程习惯。

更多信息请参阅第 14.1.1 节以及相应的“核心笔记”。

Python 加入的一个新特性允许你把一个已经安装的模块作为脚本执行。（当然，执行你自己的脚本很简单[$ foo.py]，但执行一个标准库或是第三方包中的模块需要一定的技巧。）你可以在第 14.4.3 一节中了解更多。

12.5.2 导入（import）和加载（load）

一个模块只被加载一次，无论它被导入多少次。这可以阻止多重导入时代码被多次执行。例如你的模块导入了 sys 模块，而你要导入的其他 5 个模块也导入了它，那么每次都加载 sys（或是其他模块）不是明智之举！所以，加载只在第一次导入时发生。

12.5.3 导入到当前名称空间的名称

调用 from-import 可以把名字导入当前的名称空间里去，这意味着你不需要使用属性/句点属性标识来访问模块的标识符。例如，你需要访问模块 module 中的 var 名字是这样被导入的：

```
from module import var
```

我们使用单个的 var 就可以访问它自身。把 var 导入到名称空间后就再没必要引用模块了。当然，你也可以把指定模块的所有名称导入到当前名称空间里：

```
from module import *
```

核心风格：限制使用“from module import*”

在实践中，我们认为“from module import*”不是良好的编程风格，因为它“污染”当前名称空间，而且很可能覆盖当前名称空间中现有的名字；但如果某个模块有很多要经常访问的变量或者模块的名字很长，这也不失为一个方便的好办法。

我们只在两种场合下建议使用这样的方法，一个场合是：目标模块中的属性非常多，反复键入模块名很不方便，例如 Tkinter (Python/Tk)和 NumPy (Numeric Python)模块，可能还有 socket 模块。另一个场合是在交互解释器下，因为这样可以减少输入次数。

12.5.4 被导入到导入者作用域的名字

只从模块导入名字的另一个副作用是那些名字会成为局部名称空间的一部分。这可能导致覆盖一个已经存在的具有相同名字的对象。而且对这些变量的改变只影响它的局部拷贝而不是所导入模块的原始名称空间。也就是说，绑定只是局部的而不是整个名称空间。

这里我们提供了两个模块的代码：一个导入者，impter.py 和一个被导入者，impteе.py。impter.py 使用 from-import 语句只创建了局部绑定。

```
#############
# imptee.py #
#############
foo = 'abc'
def show():
```

```
    print 'foo from imptee:', foo
##############
# impter.py #
##############
from imptee import foo, show
show()
foo = 123
print 'foo from impter:', foo
show()
```

运行这个导入者程序，我们发现从被导入者的观点看，它的 foo 变量没有改变，即使我们在 importer.py 里修改了它。

```
foo from imptee: abc
foo from impter: 123
foo from imptee: abc
```

唯一的解决办法是使用 import 和完整的标识符名称（句点属性标识）。

```
##############
# impter.py #
##############
import imptee
imptee.show()
imptee.foo = 123
print 'foo from impter:', imptee.foo
imptee.show()
```

完成相应修改后，结果如我们所料：

```
foo from imptee: abc
foo from impter: 123
foo from imptee: 123
```

12.5.5 关于__future__

回首 Python 2.0，我们认识到了由于改进、新特性和当前特性增强，某些变化会影响到当前功能。所以为了让 Python 程序员为新事物做好准备，Python 实现了__future__指令。

使用 from-import 语句“导入”新特性，用户可以尝试一下新特性或特性变化，以便在特性固定下来的时候修改程序。它的语法是：

```
from __future__ import new_feature
```

只 import__future__不会有任何变化，所以这是被禁止的（事实上这是允许的，但它不会如你所想的那样启用所有特性）。你必须显示地导入指定特性。你可以在 PEP 236 找到更多关于__future__的资料。

12.5.6 警告框架

和__future__指令类似，有必要去警告用户不要使用一个即将改变或不支持的操作，这样他们会在新功能正式发布前采取必要措施。这个特性是很值得讨论的，我们这里分步讲解一下。

首先是应用程序（员）接口（Application programmers' interface，API）。程序员应该有从 Python 程序（通过调用 warnings 模块）或是 C 中（通过 PyErr_Warn()调用）发布警告的能力。

这个框架的另个部分是一些警告异常类的集合。Warning 直接从 Exception 继承，作为所有警告的基类，这些警告包括 UserWarning，DeprecationWarning，SyntaxWarning 和 RuntimeWarning，都在第 10 章中有详细介绍。

另一个组件是警告过滤器，由于过滤有多种级别和严重性，所以警告的数量和类型应该是可控制的。警告过滤器不仅仅收集关于警告的信息（例如行号、警告原因等），而且还控制是否忽略警告，是否显示——可以是自定义的格式——或者转换为错误（生成一个异常）。

警告会有一个默认的输出显示到 sys.stderr，不过有钩子可以改变这个行为，例如，当运行会引发警告的 Python 脚本时，可以记录它的输出记录到日志文件中，而不是直接显示给终端用户。Python 还提供了一个可以操作警告过滤器的 API。

最后，命令行也可以控制警告过滤器。你可以在启动 Python 解释器的时候使用-W 选项。请参阅 PEP 230 的文档获得你的 Python 版本的对应开关选项。Python 2.1 第一次引入警告框架。

12.5.7 从 ZIP 文件中导入模块

在 2.3 版中，Python 加入了从 ZIP 归档文件导入模块的功能。如果你的搜索路径中存在一个包含 Python 模块（.py、.pyc 或.pyo 文件）的.zip 文件，导入时会把 ZIP 文件当作目录处理，在文件中搜索模块。

如果要导入的一个 ZIP 文件只包含.py 文件，那么 Python 不会为其添加对应的.pyc 文件，这意味着如果一个 ZIP 归档没有匹配的.pyc 文件时，导入速度会相对慢一点。

同时你也可以为.zip 文件加入特定的（子）目录，例如/tmp/yolk.zip/lib 只会从 yolk 归档的 lib/子目录下导入。虽然 PEP 273 指定了这个特性，但事实上使用了 PEP 302 提供的导入钩子来实现它。

12.5.8 “新的”导入钩子

导入 ZIP 归档文件这一特性其实新导入钩子（import hook ，PEP 302）的“第一个顾客”。我们使用了“新”这个字，因为在这之前实现自定义导入器只能是使用一些很古老的模块，它们并不会简化创建导入器。另一个解决方法是覆盖__import__()，但这并不简单，你需要（重新）实现整个导入机制。

Python 2.3 引入的新导入钩子，从而简化了这个操作。你只需要编写可调用的 import 类，然后通过 sys 模块“注册”（或者叫“安装”）它。

你需要两个类：一个查找器和一个载入器。这些类的实例接受一个参数：模块或包的全名称。查找器实例负责查找你的模块，如果它找到，那么它将返回一个载入器对象。查找器可以接受一个路径用以查找子包（subpackages）。载入器会把模块载入到内存。它负责完成创建一个 Python 模块所需要的一切操作，然后返回模块。

这些实例被加入到 sys.path_hooks。sys.path_importer_cache 只是用来保存这些实例，这样就只需要访问 path_hooks 一次。最后，sys.meta_path 用来保存一列需要在查询 sys.path 之前访问的实例，这些是为那些已经知道位置而不需要查找的模块准备的。meta-path 已经有了指定模块或包的载入器对象的读取器。

12.6 模块内建函数

系统还为模块提供了一些功能上的支持，现在我们将详细讨论他们。

12.6.1 __import__()

Python 1.5 加入了__import__()函数，它作为实际上导入模块的函数，这意味着 import 语句调用__import__()

函数完成它的工作。提供这个函数是为了让有特殊需要的用户覆盖它，实现自定义的导入算法。

__import__()的语法是：

```
__import__(module_name[, globals[, locals[, fromlist]]])
```

module_name 变量是要导入模块的名称，globals 是包含当前全局符号表的名字的字典，locals 是包含局部符号表的名字的字典，fromlist 是一个使用 from-import 语句所导入符号的列表。

globals、locals 和 fromlist 参数都是可选的，默认分别为 globals()、locals()和[]。

调用 import sys 语句可以使用下边的语句完成：

```
sys = __import__('sys')
```

12.6.2 globals()和 locals()

globals()和 locals()内建函数分别返回调用者全局和局部名称空间的字典。在一个函数内部，局部名称空间代表在函数执行时候定义的所有名字，locals()函数返回的就是包含这些名字的字典。globals()会返回函数可访问的全局名字。

在全局名称空间下，globals()和 locals()返回相同的字典，因为这时的局部名称空间就是全局空间。下边这段代码演示这两个函数的了使用：

```
def foo():
    print '\ncalling foo()...'
    aString = 'bar'
    anInt = 42
    print "foo()'s globals:", globals().keys()
    print "foo()'s locals:", locals().keys()
print "__main__'s globals:", globals().keys()
print "__main__'s locals:", locals().keys()
foo()
```

我们只在这里访问了字典的键，因为它的值在这里没有影响（而且他们会让行变得更长更难懂）。执行这个脚本，我们得到如下的输出：

```
$ namespaces.py
__main__'s globals: ['__doc__', 'foo', '__name__', '__builtins__']
__main__'s locals: ['__doc__', 'foo', '__name__', '__builtins__']
calling foo()...
foo()'s globals: ['__doc__', 'foo', '__name__', '__builtins__']
foo()'s locals: ['anInt', 'aString']
```

12.6.3 reload()

reload()内建函数可以重新导入一个已经导入的模块。它的语法如下：

```
reload(module)
```

module 是你想要重新导入的模块。使用 reload()的时候有一些标准。首先模块必须是全部导入（不是使用 from-import），而且它必须被成功导入。另外 reload()函数的参数必须是模块自身而不是包含模块名的字符串。也就是说必须类似 reload(sys)而不是 reload('sys')。

模块中的代码在导入时被执行，但只执行一次。以后执行 import 语句不会再次执行这些代码，只是绑定模块名称。而 reload()函数不同。

12.7 包

包是一个有层次的文件目录结构，它定义了一个由模块和子包组成的 Python 应用程序执行环境。Python 1.5 加入了包，用来帮助解决如下问题：

- 为平坦的名称空间加入有层次的组织结构；
- 允许程序员把有联系的模块组合到一起；
- 允许分发者使用目录结构而不是一大堆混乱的文件；
- 帮助解决有冲突的模块名称。

与类和模块相同，包也使用句点属性标识来访问他们的元素。使用标准的 import 和 from-import 语句导入包中的模块。

12.7.1 目录结构

假定我们的包的例子有如下的目录结构：

```
Phone/
    __init__.py
    common_util.py
    Voicedta/
        __init__.py
        Pots.py
        Isdn.py
    Fax/
        __init__.py
        G3.py
    Mobile/
        __init__.py
        Analog.py
        Digital.py
    Pager/
        __init__.py
        Numeric.py
```

Phone 是最顶层的包，Voicedta 等是它的子包。我们可以这样导入子包：

```
import Phone.Mobile.Analog
Phone.Mobile.Analog.dial()
```

你也可使用 from-import 实现不同需求的导入。

第一种方法是只导入顶层的子包，然后使用属性/点操作符向下引用子包树：

```
from Phone import Mobile
Mobile.Analog.dial('555-1212')
```

此外，我们可以还引用更多的子包：

```
from Phone.Mobile import Analog
Analog.dial('555-1212')
```

事实上，你可以一直沿子包的树状结构导入：

```
from Phone.Mobile.Analog import dial
dial('555-1212')
```

在我们上边的目录结构中，我们可以发现很多的__init__.py 文件。这些是初始化模块，from-import 语句导入子包时需要用到它。如果没有用到，他们可以是空文件。程序员经常忘记为它们的包目录加入__init__.py 文件，所以从 Python 2.5 开始，这将会导致一个 ImportWarning 信息。

不过，除非给解释器传递了-Wd 选项，否则它会被简单地忽略。

12.7.2 使用 from-import 导入包

包同样支持 from-import all 语句：

```
from package.module import *
```

然而，这样的语句会导入哪些文件取决于操作系统的文件系统。所以我们在__init__.py 中加入__all__变量。该变量包含执行这样的语句时应该导入的模块的名字，它由一个模块名字符串列表组成。

12.7.2.1 绝对导入

包的使用越来越广泛，很多情况下导入子包会导致和真正的标准库模块发生（事实上是它们的名字）冲突。包模块会把名字相同的标准库模块隐藏掉，因为它首先在包内执行相对导入，隐藏掉标准库模块。

为此，所有的导入现在都被认为是绝对的，也就是说这些名字必须通过 Python 路径（sys.path 或是 PYTHONPATH）来访问。

这个决定的基本原理是子包也可以通过 sys.path 访问，例如 import Phone.Mobile.Analog。在这个变化之前，从 Mobile 子包内模块中导入 Analog 是合理的。作为一个折中方案，Python 允许通过在模块或包名称前置句点实现相对导入。更多信息请参阅第 12.7.4 节。

从 Python 2.7 开始，绝对导入特性将成为默认功能（从 Python 2.5 开始，你可以从__future__导入 absolute_import，体验这个功能）。你可以参阅 PEP 328 了解更多相关内容。

12.7.2.2 相对导入

如前所述，绝对导入特性限制了模块作者的一些特权。失去了 import 语句的自由，必须有新的特性来满足程序员的需求。这时候，我们有了相对导入。相对导入特性稍微地改变了 import 语法，让程序员告诉导入者在子包的哪里查找某个模块。因为 import 语句总是绝对导入的，所以相对导入只应用于 from-import 语句。

语法的第一部分是一个句点，指示一个相对的导入操作。之后的其他附加句点代表当前 from 起始查找位置后的一个级别。

我们再来看看上边的例子。在 Analog.Mobile.Digital，也就是 Digital.py 模块中，我们不能简单地使用这样的语法。下边的代码只能工作在旧版本的 Python 下，在新的版本中它会导致一个警告，或者干脆不能工作：

```
import Analog
from Analog import dial
```

这是绝对导入的限制造成的。你需要在使用绝对导入或是相对导入中做出选择。下边是一些可行的导入方法：

```
from Phone.Mobile.Analog import dial
from .Analog import dial
```

```
from ..common_util import setup
from ..Fax import G3.dial.
```

从 2.5 版开始，相对导入被加入到了 Python 中。在 Python 2.6 中，在模块内部的导入如果没有使用相对导入，那么会显示一个警告信息。你可以在 PEP 328 的文档中获得更多相关信息。

12.8 模块的其他特性

12.8.1 自动载入的模块

当 Python 解释器在标准模式下启动时，一些模块会被解释器自动导入，用于系统相关操作。唯一一个影响你的是__builtin__模块，它会正常地被载入，这和__builtins__模块相同。

sys.modules 变量包含一个由当前载入（完整且成功导入）到解释器的模块组成的字典，模块名作为键，它们的位置作为值。

例如在 Windows 下，sys.modules 变量包含大量载入的模块，我们这里截短它，只提供他们的模块名，通过调用字典的 keys()方法：

```
>>> import sys
>>> sys.modules.keys()
['os.path', 'os', 'exceptions', '__main__', 'ntpath',
'strop', 'nt', 'sys', '__builtin__', 'site',
'signal', 'UserDict', 'string', 'stat']
```

Unix 下载入的模块很类似：

```
>>> import sys
>>> sys.modules.keys()
['os.path', 'os', 'readline', 'exceptions',
'__main__', 'posix', 'sys', '__builtin__', 'site',
'signal', 'UserDict', 'posixpath', 'stat']
```

12.8.2 阻止属性导入

如果你不想让某个模块属性被“from module import*”导入，那么你可以给你不想导入的属性名称加上一个下划线（_）。不过如果你导入了整个模块或是你显式地导入某个属性（例如 import foo._bar），这个隐藏数据的方法就不起作用了。

12.8.3 不区分大小的导入

有一些操作系统的文件系统是不区分大小写的。Python 2.1 前，Python 尝试在不同平台下导入模块时候“做正确的事情”，但随着 MacOSX 和 Cygwin 平台的流行，这样的不足已经不能再被忽视，而需要被清除。

在 Unix（区分大小写）和 Win32（不区分大小写）下，一切都很明了，但那些新的不区分大小写的系统不会被加入区分大小写的特性。PEP 235 指定了这个特性，尝试解决这个问题，并避免那些其他系统上“hack”式的解决方法。底线就是为了让不区分大小写的导入正常工作，必须指定一个叫做 PYTHONCASEOK 的环境变量。Python 会导入第一个匹配模块名（使用不区分大小写的习惯）。否则 Python 会执行它的原生区分大小写的模块名称匹配，导入第一个匹配的模块。

12.8.4 源代码编码

从 Python 2.3 开始，Python 的模块文件开始支持除 7 位 ASCII 之外的其他编码。当然 ASCII 是默认的，你只要在你的 Python 模块头部加入一个额外的编码指示说明就可以让导入者使用指定的编码解析你的模块，编码对应的 Unicode 字符串。所以你使用纯 ASCII 文本编辑器的时候不需要担心了（不需要把你的字符串放入“Unicode 标签”里）。

一个 UTF-8 编码的文件可以这样指示：

```
#!/usr/bin/env python
# -*- coding: UTF-8 -*-
```

如果你执行或导入了包含非 ASCII 的 Unicode 字符串而没有在文件头部说明，那么你会在 Python 2.3 得到一个 DeprecationWarning，而在 2.5 中这样做会导致语法错误。你可以在 PEP 263 中得到更多关于源文件编码的相关内容。

12.8.5 导入循环

实际上，在使用 Python 时，你会发现是能够导入循环的。如果你开发了大型的 Python 工程，那么你很可能会陷入这样的境地。

我们来看一个例子。假定我们的产品有一个很复杂的命令行接口（command-line interface，CLI）。其中将会有超过一百万的命令，结果你就有了一个“超冗余处理器”（overly massive handler，OMH）子集。每加入一个新特性，将有 1～3 条的新命令加入，用于支持新的特性。下边是我们的 omh4cli.py 脚本：

```
from cli4vof import cli4vof
# command line interface utility function
def cli_util():
    pass
# overly massive handlers for the command line interface
def omh4cli():
          :
    cli4vof()
          :
    omh4cli()
```

假定大多控制器都要用到这里的（其实是空的）工具函数。命令行接口的 OMH 都被封装在 omh4cli() 函数里。如果我们要添加一个新的命令，那么它会被调用。

现在这个模块不断地增长，一些聪明的工程师会决定把新命令放入到隔离的模块里，在原始模块中只提供访问新东西的钩子。这样，管理代码会变得更简单，如果在新加入内容中发现了 bug，那么你就不必在一个几兆的 Python 文件里搜索。

在我们的例子中，有一个兴奋的经理要我们加入一个“非常好的特性”。我们将创建一个新的 cli4vof.py 脚本，而不是把新内容集成到 omh4cli.py 里：

```
import omh4cli
# command-line interface for a very outstanding feature
def cli4vof():
    omh4cli.cli_util()
```

前边已经提到，工具函数是每个命令必须的，而且由于不能把代码从主控制器复制出来，所以我们导入了主模块，在我们的控制器中添加对 omh，omh4cli()的调用。

问题在于主控制器 omh4cli 会导入我们的 cli4vof 模块（获得新命令的函数），而 cli4vof 也会导入 omh4cli（用于获得工具函数）。模块导入会失败，这是因为 Python 尝试导入一个先前没有完全导入的模块：

```
$ python omh4cli.py
Traceback (most recent call last):
  File "omh4cli.py", line 3, in ?
  from cli4vof import cli4vof
  File "/usr/prod/cli4vof.py", line 3, in ?
    import omh4cli
  File "/usr/prod/omh4cli.py", line 3, in ?
    from cli4vof import cli4vof
ImportError: cannot import name cli4vof
```

注意跟踪记录中显示的对 cli4vof 的循环导入。问题在于要想调用工具函数，cli4vof 必须导入 omh4cli。如果它不需要这样做，那么 omh4cli 将会成功导入 cli4vof，程序正常执行。但在这里，omh4cli 尝试导入 cli4vof，而 cli4vof 也试着导入 omh4cli。最后谁也不会完成导入工作，引发错误。这只是一个导入循环的例子。事实上实际应用中会出现更复杂的情况。

解决这个问题几乎总是移除其中一个导入语句。你经常会在模块的最后看到 import 语句。作为一个初学者，你只需要试着习惯它们，如果你以前遇到在模块底部的 import 语句，现在你知道是为什么了。在我们的例子中，我们不能把 import omh4cli 移到最后，因为调用 cli4vof()的时候 omh4cli()名字还没有被载入。

```
$ python omh4cli.py
Traceback (most recent call last):
  File "omh4cli.py", line 3, in ?
    from cli4vof import cli4vof
  File "/usr/prod/cli4vof.py", line 7, in ?
    import omh4cli
  File "/usr/prod/omh4cli.py", line 13, in ?
    omh4cli()
  File "/usr/prod/omh4cli.py", line 11, in omh4cli
    cli4vof()
  File "/usr/prod/cli4vof.py", line 5, in cli4vof
    omh4cli.cli_util()
NameError: global name 'omh4cli' is not defined
```

我们的解决方法只是把 import 语句移到 cli4vof()函数内部：

```
def cli4vof():
    import omh4cli
    omh4cli.cli_util()
```

这样，从 omh4cli()导入 cli4vof()模块会顺利完成，在 omh4cli()被调用之前它会被正确导入。只有在执行到 cli4vof.cli4vof()时候才会导入 omh4cli 模块。

12.8.6 模块执行

有很多方法可以执行一个 Python 模块：通过命令行或 shell、execfile()、模块导入、解释器的-m 选项等。这已经超出了本章的范围。你可以参考第 14 章，里边全面地介绍了这些特性。

12.9 相关模块

下边这些模块可能是你在处理 Python 模块导入时会用到的辅助模块。在这之中，modulefinder、pkgutil

和 zipimport 是 Python 2.3 新增内容，distutils 包在 Python 2.0 被引入。

- imp—这个模块提供了一些底层的导入者功能。
- modulefinder—该模块允许你查找 Python 脚本所使用的所有模块。你可以使用其中的 Module Finder 类或是把它作为一个脚本执行，提供你要分析的（另个）Python 模块的文件名。
- pkgutil—该模块提供了多种把 Python 包打包为一个“包”文件分发的方法。类似 site 模块，它使用*.pkg 文件帮助定义包的路径，类似 site 模块使用的*.pth 文件。
- site—和*.pth 文件配合使用，指定包加入 Python 路径的顺序，例如 sys.path，PYTHONPATH。你不需要显式地导入它，因为 Python 导入时默认已经使用该模块。你可能需要使用-S 开关在 Python 启动时关闭它。你也可以完成一些 site 相关的自定义操作，例如在路径导入完成后在另个地方尝试。
- 你可以使用该模块导入 ZIP 归档文件中的模块。需要注意的是该功能已经“自动”开启，所以你不需要在任何应用中使用它。在这里我们提出它只是作为参考。
- 该模块提供了对建立、安装、分发 Python 模块和包的支持。它还可以帮助建立使用 C/C++完成的 Python 扩展。更多关于 distutils 的信息可以在 Python 文档里找到，参阅：

```
http://docs.python.org/dist/dist.html
http://docs.python.org/inst/inst.html
```

12.10 练习

12-1. 路径搜索和搜索路径。路径搜索和搜索路径之间有什么不同？

12-2. 导入属性。假设你的模块 mymodule 里有一个 foo()函数。

（a）把这个函数导入到你的名称空间有哪两种方法？

（b）这两种方法导入后的名称空间有什么不同？

12-3. 导入“import module”和“fromn module import *”有什么不同？

12-4. 名称空间和变量作用域。名称空间和变量作用域有什么不同？

12-5. 使用__import__()。

（a）使用__import__把一个模块导入到你的名称空间。你最后使用了什么样的语法？

（b）和上边相同，使用__import__()从指定模块导入特定的名字。

12-6. 扩展导入。创建一个 importAs()函数。这个函数可以把一个模块导入到你的名称空间，但使用你指定的名字，而不是原始名字。例如，调用 newname=importAs('mymodule')会导入 mymodule，但模块和它的所有元素都通过新名称 newname 或 newname.attr 访问。这是 Python 2.0 引入的扩展导入实现的功能。

12-7. 导入钩子。研究 PEP 302 的导入钩子机制。实现你自己的导入机制，允许编码你的模块（encryption、bzip2、rot13 等），这样解释器会自动解码它们并正确导入。你可以参看 zip 文件导入的实现（参阅第 12.5.7 节）。

第 13 章　面向对象编程

本章主题

- ✦ 引言
- ✦ 面向对象编程
- ✦ 类
- ✦ 实例
- ✦ 绑定与方法调用
- ✦ 子类，派生和继承
- ✦ 内建函数
- ✦ 定制类
- ✦ 私有性
- ✦ 授权与包装
- ✦ 相关模块
- ✦ 新式类的高级特性

在我们的描绘中，类最终解释了面向对象编程（OOP，object-oriented programming）思想。本章中，我们首先将给出一个总体上的概述，涵盖了 Python 中使用类和 OOP 的所有主要方面。其余部分针对类，类实例和方法进行详细探讨。我们还将描述 Python 中有关派生或子类化及继承机理。最后，Python 可以在特定功能方面定制类，例如重载操作符，模拟 Python 类型等。我们将展示如何实现这些特殊的方法来自定义你的类，以让它们表现得更像 Python 的内建类型。

然而，除了这些外，Python 的面向对象编程（OOP）还有一些令人兴奋的变动。在版本 2.2 中，Python 社区最终统一了类型（type）和类（classe），新式类具备更多高级的 OOP 特性，扮演了一个经典类（或者说旧式类）超集的角色，后者是 Python 诞生时所创造的类对象。

下面，我们首先介绍在两种风格的类（译者注：新式类和旧式类）中都存在的核心特性，然后讲解那些只有新式类才拥有的的高级特性。

13.1　引言

在摸清 OOP 和类的本质之前，我们首先讲一些高级主题，然后通过几个简单的例子热一热身。如果你刚学习面向对象编程，你可以先跳过这部分内容，直接进入第 13.2 节。如果你对有关面向对象编程已经熟悉了，并且想了解它在 Python 中是怎样表现的，那么先看一下这部分内容，然后再进入第 13.3 节，一探究竟！

在 Python 中，面向对象编程主要有两个主题，就是类和类实例（见图 13-1）。

图 13-1

1. 类与实例

类与实例相互关联着：类是对象的定义，而实例是“真正的实物”，它存放了类中所定义的对象的具体信息。

下面的示例展示了如何创建一个类：

```
class MyNewObjectType(bases):
    'define MyNewObjectType class'
    class_suite
```

关键字是class，紧接着是一个类名。随后是定义类的类体代码。这里通常由各种各样的定义和声明组成。新式类和经典类声明的最大不同在于，所有新式类必须继承至少一个父类，参数 bases 可以是一个（单继承）或多个（多重继承）用于继承的父类。

object 是“所有类之母”。如果你的类没有继承任何其他父类，object 将作为默认的父类。它位于所有类继承结构的最上层。如果你没有直接或间接的子类化一个对象，那么你就定义了一个经典类：

```
class MyNewObjectType:
    'define MyNewObjectType classic class'
    class_suite
```

如果你没有指定一个父类，或者如果所子类化的基本类没有父类，你这样就是创建了一个经典类。很多 Python 类都还是经典类。即使经典类已经过时了，在以后的 Python 版本中，仍然可以使用它们。不过我们强烈推荐你尽可能使用新式类，尽管对于学习来说，两者都行。

左边的工厂制造机器相当于类，而生产出来的玩具就是它们各个类的实例。尽管每个实例都有一个基本的结构，但各自的属性像颜色或尺寸可以改变——这就好比实例的属性。

创建一个实例的过程称作实例化，过程如下（注意：没有使用 new 关键字）：

```
myFirstObject = MyNewObjectType()
```

类名使用我们所熟悉的函数操作符（()），以“函数调用”的形式出现。然后你通常会把这个新建的实例赋给一个变量。赋值在语法上不是必须的，但如果你没有把这个实例保存到一个变量中，它就没用了，会被自动垃圾收集器回收，因为任何引用指向这个实例。这样，你刚刚所做的一切，就是为那个实例分配了一块内存，随即又释放了它。

类既可以很简单，也可以很复杂，这全凭你的需要。最简单的情况，类仅用作名称空间（namespace）（参见第 11 章）。这意味着你把数据保存在变量中，对他们按名称空间进行分组，使得他们处于同样的关系空间中——所谓的关系是使用标准 Python 句点属性标识。例如，你有一个本身没有任何属性的类，使用它仅对数据提供一个名字空间，让你的类拥有像 Pascal 中的记录集（record）和 C 语言中的结构体（structure）一样的特性，或者换句话说，这样的类仅作为容器对象来共享名字空间。

示例如下：

```
class MyData(object):
    pass
```

注意有的地方在语法构成上需要有一行语句，但实际上不需要做任何操作，这时候可以使用 pass 语句。这种情况，必要的代码就是类体，但我们暂不想提供这些。上面定义的类没有任何方法或属性。下面我们创建一个实例，它只使用类作为名称空间容器。

```
>>> mathObj = MyData()
>>> mathObj.x = 4
>>> mathObj.y = 5
>>> mathObj.x + mathObj.y
```

```
9
>>> mathObj.x * mathObj.y
20
```

我们当然也可以使用变量“x”，“y”来完成同样的事情，但本例中，实例名字 mathObj 将 mathObj.x 和 mathObj.y 关联起来。这就是我们所说的使用类作为名字空间容器。mathObj.x 和 mathObj.y 是实例属性，因为它们不是类 MyData 的属性，而是实例对象（mathObj）的独有属性。本章后面，我们将看到这些属性实质上是动态的：你不需要在构造器中，或其他任何地方为它们预先声明或者赋值。

2．方法

我们改进类的方式之一就是给类添加功能。类的功能有一个更通俗的名字叫方法。在 Python 中，方法定义在类定义中，但只能被实例所调用。也就是说，调用一个方法的最终途径必须是这样的：（1）定义类（和方法）；（2）创建一个实例；（3）最后一步，用这个实例调用方法。例如：

```
class MyDataWithMethod(object):          # 定义类
    def printFoo(self):                  # 定义方法
        print 'You invoked printFoo()!'
```

你可能注意到了 self 参数，它在所有的方法声明中都存在。这个参数代表实例对象本身，当你用实例调用方法时，由解释器悄悄地传递给方法的，所以，你不需要自己传递 self 进来，因为它是自动传入的。

举例说明一下，假如你有一个带两参数的方法，所有你的调用只需要传递第二个参数，Python 把 self 作为第一个参数传递进来，如果你犯错的话，也不要紧。Python 将告诉你传入的参数个数有误。总之，你只会犯一次错，下一次……你当然就记得了！

这种需要在每个方法中给出实例（self）的要求对于那些使用 C++或 Java 的人可能是一种新的体验，所以请意识到这点。

Python 的哲学本质上就是要明白清晰。在其他语言中，self 称为“this”。可以在 13.7 一节的“核心笔记”中找到有关 self 更多内容。一般的方法会需要这个实例（self），而静态方法或类方法不会，其中类方法需要类而不是实例。在第 13.8 节中可以看到有关静态方法和类方法的更多内容。

现在我们来实例化这个类，然后调用那个方法：

```
>>> myObj = MyDataWithMethod()          # 创建实例
>>> myObj.printFoo()                    # 现在调用方法
You invoked printFoo()!
```

在本节结束时，我们用一个稍复杂的例子来总结一下这部分内容，这个例子给出如何处理类（和实例），还介绍了一个特殊的方法__init__()，子类化及继承。

对于已熟悉面向对象编程的人来说，__init__()类似于类构造器。如果你初涉 OOP 世界，可以认为一个构造器仅是一个特殊的方法，它在创建一个新的对象时被调用。在 Python 中，__init__()实际上不是一个构造器。你没有调用“new”来创建一个新对象。（Python 根本就没有“new”关键字）。取而代之，Python 创建实例后，在实例化过程中，调用__init__()方法，当一个类被实例化时，就可以定义额外的行为，比如，设定初始值或者运行一些初步诊断代码——主要是在实例被创建后，实例化调用返回这个实例之前，去执行某些特定的任务或设置。

我们将把 print 语句添加到方法中，这样我们就清楚什么时候方法被调用了。通常，我们不把输入或输出语句放入函数中，除非预期代码体具有输出的特性。

3．创建一个类（类定义）

```
class AddrBookEntry(object):                # 类定义
    'address book entry class'
```

```
    def __init__(self, nm, ph):          # 定义构造器
        self.name = nm                    # 设置 name
        self.phone = ph                   # 设置 phone
        print 'Created instance for:', self.name
    def updatePhone(self, newph):         # 定义方法
        self.phone = newph
        print 'Updated phone# for:', self.name
```

在 AddrBookEntry 类的定义中，定义了两个方法：__init__()和 updatePhone()。__init__()在实例化时被调用，即，在 AddrBookEntry()被调用时。你可以认为实例化是对__init__()的一种隐式的调用，因为传给 AddrBookEntry()的参数完全与__init__()接收到的参数是一样的（除了 self，它是自动传递的）。

回忆一下，当方法在实例中被调用时，self(实例对象)参数自动由解释器传递，所以在上面的__init__()中，需要的参数是 nm 和 ph，它们分别表示名字和电话号码。__init__()在实例化时，设置这两个属性，以便在实例从实例化调用中返回时，这两个属性对程序员是可见的。你可能已猜到，updatePhone()方法的目的是替换地址本条目的电话号码属性。

4．创建实例（实例化）

```
>>> john = AddrBookEntry('John Doe', '408-555-1212') #为 John Doe 创建实例
>>> jane = AddrBookEntry('Jane Doe', '650-555-1212') #为 Jane Doe 创建实例
```

这就是实例化调用，它会自动调用__init__()。self 把实例对象自动传入__init__()。你可以在脑子里把方法中的 self 用实例名替换掉。在上面第一个例子中，当对象 john 被实例化后，它的 john.name 就被设置了，你可在下面得到证实。

另外，如果不存在默认的参数，那么传给__init__()的两个参数在实例化时是必须的。

5．访问实例属性

```
>>> john
<__main__.AddrBookEntry instance at 80ee610>
>>> john.name
'John Doe'
>>> john.phone
'408-555-1212'
>>> jane.name
'Jane Doe'
>>> jane.phone
'650-555-1212'
```

一旦实例被创建后，就可以证实一下，在实例化过程中，我们的实例属性是否确实被__init__()设置了。我们可以通过解释器“转储”实例来查看它是什么类型的对象。(以后我们将学到如何定制类来获得想要的 Python 对象字符串的输出形式，而不是现在看到的默认的 Python 对象字符串（<...>))

6．方法调用（通过实例）

```
>>> john.updatePhone('415-555-1212') #更新 John Doe 的电话
>>> john.phone
'415-555-1212'
```

updatePhone()方法需要一个参数（不计 self 在内）：新的电话号码。在 updatePhone()之后，立即检查

实例属性，可以证实已生效。

7. 创建子类

靠继承来进行子类化是创建和定制新类类型的一种方式，新的类将保持已存在类所有的特性，而不会改动原来类的定义（指对新类的改动不会影响到原来的类——译者注）。对于新类类型而言，这个新的子类可以定制只属于它的特定功能。除了与父类或基类的关系外，子类与通常的类没有什么区别，也像一般类一样进行实例化。注意下面，子类声明中提到了父类：

```
class EmplAddrBookEntry(AddrBookEntry):
    'Employee Address Book Entry class'#员工地址簿类
    def __init__(self, nm, ph, id, em):
        AddrBookEntry.__init__(self, nm, ph)
        self.empid = id
        self.email = em

    def updateEmail(self, newem):
        self.email = newem
        print 'Updated e-mail address for:', self.name
```

现在我们创建了第一个子类，EmplAddrBookEntry。Python 中，当一个类被派生出来，子类就继承了基类的属性，所以，在上面的类中，我们不仅定义了__init__()，updatEmail()方法，而且 EmplAddrBookEntry 还从 AddrBookEntry 中继承了 updatePhone()方法。

如果需要，每个子类最好定义它自己的构造器，不然，基类的构造器会被调用。然而，如果子类重写基类的构造器，基类的构造器就不会被自动调用了——这样，基类的构造器就必须显式写出才会被执行，像我们上面那样，用 AddrBookEntry.__init__()设置名字和电话号码。我们的子类在构造器后面几行还设置了另外两个实例属性：员工 ID 和电子邮件地址。

注意，这里我们要显式传递 self 实例对象给基类构造器，因为我们不是在该实例中而是在一个子类实例中调用那个方法。因为我们不是通过实例来调用它，这种未绑定的方法调用需要传递一个适当的实例（self）给方法。

本小节后面的例子，告诉我们如何创建子类的实例，访问它们的属性及调用它的方法，包括从父类继承而来的方法。

8. 使用子类

```
>>> john = EmplAddrBookEntry('John Doe', '408-555-1212',42, 'john@spam.doe')
Created instance for: John Doe #给 John Doe 创建实例
>>> john
<__main__.EmplAddrBookEntry object at 0x62030>
>>> john.name
'John Doe'
>>> john.phone
'408-555-1212'
>>> john.email
'john@spam.doe'
>>> john.updatePhone('415-555-1212')
Updated phone# for: John Doe
>>> john.phone
'415-555-1212'
>>> john.updateEmail('john@doe.spam')
Updated e-mail address for: John Doe
```

```
>>> john.email
'john@doe.spam'
```

核心笔记：命名类、属性和方法

类名通常由大写字母打头。这是标准惯例，可以帮助你识别类，特别是在实例化过程中（有时看起来像函数调用）。还有，数据属性听起来应当是数据值的名字，方法名应当指出对应对象或值的行为。另一种表达方式是：数据值应该使用名词作为名字，方法使用谓词（动词加对象）。数据项是操作的对象、方法应当表明程序员想要在对象进行什么操作。在上面我们定义的类中，遵循了这样的方针，数据值像“name”、“phone”和“email”，行为如“updatePhone”，“updateEmail”。这就是常说的“混合记法（mixedCase）”或“骆驼记法（camelCase）”（因为单词之间没有空格但首字母都大写，这样看上去类似驼峰，故而得名。译者注）。“Python Style Guide”推荐使用骆驼记法的下划线方式，比如，“update_phone”，“update_email”。类也要细致命名，像“AddrBookEntry”、“RepairShop”等就是很好的名字。

我希望你已初步理解如何在 Python 中进行面向对象编程了。本章其他小节将带你深入到面向对象编程，Python 类及实例的方方面面。

13.2 面向对象编程

编程的发展已经从简单控制流中按步的指令序列进入到更有组织的方式中，依靠代码块可以形成命名子程序和完成既定的功能。结构化的或过程性编程可以让我们把程序组织成逻辑块，以便重复或重用。创建程序的过程变得更具逻辑性；选出的行为要符合规范，才可以约束创建的数据。Deitel 父子（这里指 DEITEL 系列书籍作者 Harvey M.Deitel 和 Paul James Deitel 父子，译者注）认为结构化编程是“面向行为”的，因为事实上，即使没有任何行为的数据也必须“规定”逻辑性。

然而，如果我们能对数据加上动作呢？如果我们所创建和编写的数据片段，是真实生活中实体的模型，内嵌数据体和动作呢？如果我们能通过一系列已定义的接口（又称存取函数集合）访问数据属性，像自动取款机（ATM）卡或能访问你的银行账号的个人支票，我们就有了一个“对象”系统，从大的方面来看，每一个对象既可以与自身进行交互，也可以与其他对象进行交互。

面向对象编程踏上了进化的阶梯，增强了结构化编程，实现了数据与动作的融合：数据层和逻辑层现在由一个可用以创建这些对象的简单抽象层来描述。现实世界中的问题和实体完全暴露了本质，从中提供的一种抽象，可以用来进行相似编码，或者编入能与系统中对象进行交互的对象中。类提供了这样一些对象的定义，实例即是这些定义的实现。二者对面向对象设计（object-oriented design，OOD）来说都是重要的，OOD 仅意味来创建你采用面向对象方式架构来创建系统。

13.2.1 面向对象设计与面向对象编程的关系

面向对象设计（OOD）不会特别要求面向对象编程语言。事实上，OOD 可以由纯结构化语言来实现，比如 C，但如果想要构造具备对象性质和特点的数据类型，就需要在程序上作更多的努力。当一门语言内建 OO 特性，OO 编程开发就会更加方便高效。

另一方面，一门面向对象的语言不一定会强制你写 OO 方面的程序。例如 C++可以被认为“更好的 C”；而 Java，则要求万物皆类，此外还规定，一个源文件对应一个类定义。然而，在 Python 中，类和 OOP 都不是日常编程所必需的。尽管它从一开始设计就是面向对象的，并且结构上支持 OOP，但 Python 没有限定或要求你在你的应用中写 OO 的代码。OOP 是一门强大的工具，不管你是准备入门、学习、过渡或是转向 OOP，都可以“窥一斑而知全豹”。

13.2.2 现实中的问题

考虑用 OOD 来工作的一个最重要的原因，在于它直接提供建模和解决现实世界问题和情形的途径。比如，让你来试着模拟一台汽车维修店，可以让你停车进行维修。我们需要建两个一般实体：处在一个“系统”中并与其交互的人类，和一个修理店，它定义了物理位置，用于人类活动。因为前者有更多不同的类型，我将首先对它进行描述，然后描述后者。在此类活动中，一个名为 Person 的类被创建以用来表示所有的人。Person 的实例可以包括消费者（Customer），技工（Mechanic），还可能是出纳员（Cashier）。这些实例具有相似的行为，也有独一无二的行为。比如，他们能用声音进行交流，都有 talk()方法，还有 drive_car()方法。不同的是，技工有 repair_car()方法，而出纳有 ring_sale()方法。技工有一个 repair_certification 属性，而所有人都有一个 drivers_license 属性。

最后，所有这些实例都是一个检查（overseeing）类 RepairShop 的参与者，后者具有一个叫 operating_hours 的数据属性，它通过时间函数来确定何时顾客来修车，何时职员技工和出纳员来上班。RepairShop 可能还有一个 AutoBay 类，拥有 SmogZone，TireBrakeZone 等实例，也许还有一个叫 General Repair 的实例。

我们所编的RepairShop的一个关键点是要展示类和实例加上它们的行为是如何用来对现实生活场景建模的。同样，你可以把诸如机场、餐厅、芯片工厂、医院其至一个音乐公司想像为类，它们完全具备各自的参与者和功能性。

13.2.3 *常用术语

对于已熟悉有关 OOP 术语的朋友来说，看 Python 中是怎么称呼的：

1．抽象/实现

抽象指对现实世界问题和实体的本质表现、行为和特征建模，建立一个相关的子集，可以用于描绘程序结构，从而实现这种模型。抽象不仅包括这种模型的数据属性，还定义了这些数据的接口。对某种抽象的实现就是对此数据及与之相关接口的现实化（realization）。现实化这个过程对于客户程序应当是透明而且无关的。

2．封装/接口

封装描述了对数据/信息进行隐藏的观念，它对数据属性提供接口和访问函数。通过任何客户端直接对数据的访问，无视接口与封装性都是背道而驰的，除非程序员允许这些操作。作为实现的一部分，客户端根本就不需要知道在封装之后，数据属性是如何组织的。在 Python 中，所有的类属性都是公开的，但名字可能被“混淆”了，以阻止未经授权的访问，但仅此而已，再没有其他预防措施了。这就需要在设计时，对数据提供相应的接口，以免客户程序通过不规范的操作来存取封装的数据属性。

3．合成

合成扩充了对类的描述，使得多个不同的类合成为一个大的类，来解决现实问题。合成描述了一个异常复杂的系统，比如一个类由其他类组成，更小的组件也可能是其他的类，数据属性及行为，所有这些合在一起，彼此是“有一个”的关系。比如，RepairShop“有一个”技工（应该至少有一个吧），还“有一个”顾客（至少一个）。

这些组件要么通过联合关系组在一块，意思是说，对子组件的访问是允许的（对 RepairShop 来说，顾客可能请求一个 SmogCheck，客户程序这时就是与 RepairShop 的组件进行交互），要么是聚合在一起，封装的组件仅能通过定义好的接口来访问，对于客户程序来说是透明的。继续我的例子，客户程序可能会建立一个 SmogCheck 请求来代表顾客，但不能够同 RepairShop 的 SmogZone 部分进行交互，因为 SmogZone

是由 RepairShop 内部控制的，只能通过 smogCheckCar()方法调用。Python 支持上述两种形式的合成。

4．派生/继承/继承结构

派生描述了子类的创建，新类保留已存类类型中所有需要的数据和行为，但允许修改或者其他的自定义操作，都不会修改原类的定义。继承描述了子类属性从祖先类继承这样一种方式。从前面的例子中，技工可能比顾客多个汽车技能属性，但单独的来看，每个都"是一个"人，所以，不管对谁而言调用 talk()都是合法得，因为它是人的所有实例共有的。继承结构表示多"代"派生，可以描述成一个"族谱"，连续的子类，与祖先类都有关系。

5．泛化/特化

泛化表示所有子类与其父类及祖先类有一样的特点，所以子类可以认为同祖先类是"是一个"(is-a)的关系，因为一个派生对象（实例）是祖先类的一个"例子"。比如，技工"是一个"人，车"是一个"交通工具等。在上面我们间接提到的族谱图中，我们可以从子类到祖先类画一条线，表示"是一个"的关系。特化描述所有子类的自定义，也就是，什么属性让它与其祖先类不同。

6．多态

多态的概念指出了对象如何通过他们共同的属性和动作来操作及访问，而不需考虑他们具体的类。多态表明了动态（后来又称运行时）绑定的存在，允计重载及运行时类型确定和验证。

7．自省/反射

自省表示给予你，程序员，某种能力来进行像"手工类型检查"的工作，它也被称为反射。这个性质展示了某对象是如何在运行期取得自身信息的。如果传一个对象给你，你可以查出它有什么能力，这样的功能不是很好吗？这是一项强大的特性，在本章中，你会时常遇到。如果 Python 不支持某种形式的自省功能，dir()和 type()内建函数，将很难正常工作。请密切关注这些调用，还有那些特殊属性，像__dict__，__name__及__doc__。可能你对其中一些已经很熟悉了！

13.3 类

回想一下，类是一种数据结构，我们可以用它来定义对象，后者把数据值和行为特性融合在一起。类是现实世界的抽象的实体以编程形式出现。实例是这些对象的具体化。可以类比一下，类是蓝图或者模型，用来产生真实的物体（实例）。因此为什么是术语"class"？这个术语很可能起源于使用类来识别和归类特定生物所属的生物种族，类还可以派生出相似但有差异的子类。编程中类的概念就应用了很多这样的特征。

在 Python 中，类声明与函数声明很相似，头一行用一个相应的关键字，接下来是一个作为它的定义的代码体，如下所示：

```
def functionName(args):
    'function documentation string'    #函数文档字符串
    function_suite                     #函数体

class ClassName(object):
    'class documentation string'       #类文档字符串
    class_suite                        #类体
```

二者都允许你在他们的声明中创建函数，闭包或者内部函数（即函数内的函数），还有在类中定义的方法。最大的不同在于你运行函数，而类会创建一个对象。类就像一个 Python 容器类型。在这部分，我们将特别留意类及它们有什么类型的属性。这只要记住，尽管类是对象（在 Python 中，一切皆对象），但正被定义时，它们还不是对象的实现。在下节中会讲到实例，所以拭目以待吧。不过现在，我们集中讲解类对象。

当你创建一个类，实际你也就创建了一个自己的数据类型。所以这个类的实例都是相似的，但类彼此之间是有区别的（因此，不同类的实例自然也不可能相同了）。与其玩那些从玩具商那买来的玩具礼物，为什么不设计并创造你自己的玩具来玩呢？

类还允许派生。你可以创建一个子类，它也是类，而且继续了父类所有的特征和属性。从 Python 2.2 开始，你也可以从内建类型中派生子类，而不是仅仅从其他类。

13.3.1 创建类

Python 类使用 class 关键字来创建。简单的类的声明可以是关键字后紧跟类名：

```
class ClassName(bases):
    'class documentation string' #'类文档字符串'
    class_suite #类体
```

本章前面的概述中提到，基类是一个或多个用于继承的父类的集合；类体由所有声明语句，类成员定义，数据属性和函数组成。类通常在一个模块的顶层进行定义，以便类实例能够在类所定义的源代码文件中的任何地方被创建。

13.3.2 声明与定义

对于 Python 函数来说，声明与定义类没什么区别，因为他们是同时进行的，定义（类体）紧跟在声明（含 class 关键字的头行[header line]）和可选（但总是推荐使用）的文档字符串后面。同时，所有的方法也必须同时被定义。如果对 OOP 很熟悉，请注意 Python 并不支持纯虚函数（像 C++）或者抽象方法（如在 Java 中），这些都强制程序员在子类中定义方法。作为替代方法，你可以简单地在基类方法中引发 NotImplementedError 异常，这样可以获得类似的效果。

13.4 类属性

什么是属性呢？属性就是属于另一个对象的数据或者函数元素，可以通过我们熟悉的句点属性标识法来访问。一些 Python 类型比如复数有数据属性（实部和虚部），而另外一些，像列表和字典，拥有方法（函数属性）。

有关属性的一个有趣的地方是，当你正访问一个属性时，它同时也是一个对象，拥有它自己的属性，可以访问，这导致了一个属性链，比如，myThing、subThing、subSubThing.等。常见例子如下：

- `sys.stdout.write('foo')`
- `print myModule.myClass.__doc__`
- `myList.extend(map(upper, open('x').readlines()))`

类属性仅与其被定义的类相绑定，并且因为实例对象在日常 OOP 中用得最多，实例数据属性是你将会一直用到的主要数据属性。类数据属性仅当需要有更加“静态”数据类型时才变得有用，它和任何实例都无关，因此，这也是为什么下一节被标为高级主题，你可以选读（如果你对静态不熟，它表示一个值，不会因为函数调用完毕而消失，它在每两个函数调用的间隙都存在。或者说，一个类中的一些数据对所有的实例来说，都是固定的。有关静态数据详细内容，见下一小节）。

接下来的一小节中，我们将简要描述，在 Python 中，方法是如何实现及调用的。通常，Python 中的所有方法都有一个限制：在调用前，需要创建一个实例。

13.4.1 类的数据属性

数据属性仅仅是所定义的类的变量。它们可以像任何其他变量一样在类创建后被使用，并且，要么是由类中的方法来更新，要么是在主程序其他什么地方被更新。

这种属性已为 OO 程序员所熟悉，即静态变量，或者是静态数据。它们表示这些数据是与它们所属的类对象绑定的，不依赖于任何类实例。如果你是一位 Java 或 C++程序员，这种类型的数据相当于在一个变量声明前加上 static 关键字。

静态成员通常仅用来跟踪与类相关的值。大多数情况下，你会考虑用实例属性，而不是类属性。在后面，我们正式介绍实例时，将会对类属性及实例属性进行比较。

看下面的例子，使用类数据属性（foo）：

```
>>> class C(object):
...     foo = 100

>>> print C.foo
100
>>> C.foo = C.foo + 1
>>> print C.foo
101
```

注意，上面的代码中，看不到任何类实例的引用。

13.4.2 Methods

1. 方法

方法，比如下面，类 MyClass 中的 myNoActionMethod 方法，仅仅是一个作为类定义一部分定义的函数（这使得方法成为类属性）。这表示 myNoActionMethod 仅应用在 MyClass 类型的对象（实例）上。这里，myNoActionMethod 是通过句点属性标识法与它的实例绑定的。

```
>>> class MyClass(object):
        def myNoActionMethod(self):
            pass

>>> mc = MyClass()
>>> mc.myNoActionMethod()
```

任何像函数一样对 myNoActionMethod 自身的调用都将失败：

```
>>> myNoActionMethod()
Traceback (innermost last):
  File "<stdin>", line 1, in ?
    myNoActionMethod()
NameError: myNoActionMethod
```

引发了 NameError 异常，因为在全局名字空间中，没有这样的函数存在。这就告诉你 myNoAction Method 是一个方法，表示它属于一个类，而不是全局空间中的名字。如果 myNoActionMethod 是在顶层作为函数被定义的，那么我们的调用则会成功。

下面展示的是，甚至由类对象调用此方法也失败了。

```
>>> MyClass.myNoActionMethod()
Traceback (innermost last):
```

```
  File "<stdin>", line 1, in ?
    MyClass.myNoActionMethod()
TypeError: unbound method must be called with class instance 1st argument
```

TypeError 异常看起来很让人困惑，因为你知道这种方法是类的一个属性，因此，一定很想知道为何为失败吧？接下来将会解释这个问题。

2．绑定（绑定及非绑定方法）

为与 OOP 惯例保持一致，Python 严格要求，没有实例，方法是不能被调用的。这种限制即 Python 所描述的绑定概念（binding），在此，方法必须绑定（到一个实例）才能直接被调用。非绑定的方法可能可以被调用，但实例对象一定要明确给出，才能确保调用成功。然而，不管是否绑定，方法都是它所在的类的固有属性，即使它们几乎总是通过实例来调用的。在 13.7 节中，我们会更深入地探索本主题。

13.4.3 决定类的属性

要知道一个类有哪些属性，有两种方法。最简单的是使用 dir()内建函数。另外是通过访问类的字典属性__dict__，这是所有类都具备的特殊属性之一。看一下下面的例子：

```
>>> class MyClass(object):
...     'MyClass class definition'          # 类定义
...     myVersion = '1.1'                   # 静态数据
...     def showMyVersion(self):            # 方法
...         print MyClass.myVersion
...
```

根据上面定义的类，让我们使用 dir()和特殊类属性__dict__来查看一下类的属性：

```
>>> dir(MyClass)
['__class__', '__delattr__', '__dict__', '__doc__',
'__getattribute__', '__hash__', '__init__', '__module__',
'__new__', '__reduce__', '__reduce_ex__', '__repr__',
'__setattr__', '__str__', '__weakref__', 'myVersion',
'showMyVersion']
>>> MyClass. __dict__
<dictproxy object at 0x62090>
>>> print MyClass. __dict__
{'showMyVersion': <function showMyVersion at 0x59370>,
'__dict__': <attribute '__dict__' of 'MyClass' objects>,
'myVersion': '1.1', '__weakref__': <attribute
'__weakref__' of 'MyClass' objects>, '__doc__':
'MyClass class definition'}
```

在新式类中，还新增加了一些属性，dir()也变得更健壮。作为比较，可以看下经典类是什么样的：

```
>>> dir(MyClass)
['__doc__', '__module__', 'showMyVersion', 'myVersion']
>>>
>>> MyClass. __dict__
{'__doc__': None, 'myVersion': 1, 'showMyVersion':
<function showMyVersion at 950ed0>, '__module__':
'__main__'}
```

从上面可以看到，dir()返回的仅是对象的属性的一个名字列表，而__dict__返回的是一个字典，它的键（key）是属性名，键值（value）是相应的属性对象的数据值。

结果还显示了 MyClass 类中两个熟悉的属性，showMyVersion 和 myVersion，以及一些新的属性。这些属性，__doc__及__module__，是所有类都具备的特殊类属性（另外还有__dict__）。内建的 vars()函数接受类对象作为参数，返回类的__dict__属性的内容。

13.4.4 特殊的类属性

对任何类 C，表 13.1 显示了类 C 的所有特殊属性：

表 13.1 特殊类属性

C.__name__	类C的名字（字符串）
C.__doc__	类C的文档字符串
C.__bases__	类C的所有父类构成的元组
C.__dict__	类C的属性
C.__module__	类C定义所在的模块（1.5 版本新增）
C.__class__	实例C对应的类（仅新式类中）

根据上面定义的类 MyClass，有如下结果：

```
>>> MyClass. __name__
'MyClass'
>>> MyClass. __doc__
'MyClass class definition'
>>> MyClass. __bases__
(<type 'object'>,)
>>> print MyClass. __dict__
{'__doc__': None, 'myVersion': 1, 'showMyVersion':
<function showMyVersion at 950ed0>, '__module__': '__main__'}
>>> MyClass. __module__
'__main__'
>>> MyClass. __class__
<type 'type'>
```

__name__是给定类的字符名字。它适用于那种只需要字符串（类对象的名字），而非类对象本身的情况。甚至一些内建的类型也有这个属性，我们将会用到其中之一来展示__name__字符串的益处。

类型对象是一个内建类型的例子，它有__name__的属性。回忆一下，type()返回被调用对象的类型。这可能就是那种我们所说的仅需要一个字符串指明类型，而不需要一个对象的情况。我们能可以使用类型对象的__name__属性来取得相应的字符串名。如下例示：

```
>>> stype = type('What is your quest?')
>>> stype                              # stype 是一个类型对象
<type 'string'>
>>> stype. __name__                    # 得到类型名(字符串表示)
'string'
>>>
>>> type(3.14159265)                   # 又一个类型对象
```

```
<type 'float'>
>>> type(3.14159265).__name__        # 得到类型名(字符串表示)
'float'
```

__doc__是类的文档字符串，与函数及模块的文档字符串相似，必须紧随头行（header line）后的字符串。文档字符串不能被派生类继承，也就是说派生类必须含有它们自己的文档字符串。

本章后面会讲到，__bases__用来处理继承，它包含了一个由所有父类组成的元组。

前述的__dict__属性包含一个字典，由类的数据属性组成。访问一个类属性的时候，Python 解释器将会搜索字典以得到需要的属性。如果在__dict__中没有找到，将会在基类的字典中进行搜索，采用“深度优先搜索”顺序。基类集的搜索是按顺序的，从左到右，按其在类定义时，定义父类参数时的顺序。对类的修改会仅影响到此类的字典；基类的__dict__属性不会被改动的。

Python 支持模块间的类继承。为更清晰地对类进行描述，1.5 版本中引入了__module__，这样类名就完全由模块名所限定。看一下下面的例子：

```
>>> class C(object):
...     pass
...
>>> C
<class __main__.C at 0x53f90>
>>> C.__module__
'__main__'
```

类 C 的全名是“__main__.C”，比如，source_module.class_name。如果类 C 位于一个导入的模块中，如 mymod，像下面的：

```
>>> from mymod import C
>>> C
<class mymod.C at 0x53ea0>
>>> C.__module__
'mymod'
```

在以前的版本中，没有特殊属性__module__，很难简单定位类的位置，因为类没有使用它们的全名。

最后，由于类型和类的统一性，当访问任何类的__class__属性时，你将发现它就是一个类型对象的实例。换句话说，一个类已是一种类型了。因为经典类并不认同这种等价性（一个经典类是一个类对象，一个类型是一个类型对象），对这些对象来说，这个属性并未定义。

13.5 实例

如果说类是一种数据结构定义类型，那么实例则声明了一个这种类型的变量。换言之，实例是有生命的类。就像设计完一张蓝图后，就是设法让它成为现实。实例是那些主要用在运行期时的对象，类被实例化得到实例，该实例的类型就是这个被实例化的类。在 Python 2.2 版本之前，实例是“实例类型”，而不考虑它从哪个类而来。

13.5.1 初始化：通过调用类对象来创建实例

很多其他的 OO 语言都提供 new 关键字，通过 new 可以创建类的实例。Python 的方式更加简单。一旦定义了一个类，创建实例比调用一个函数还容易——不费吹灰之力。实例化的实现，可以使用函数操作符，如下示：

```
>>> class MyClass(object):     # 定义类
...     pass
>>> mc = MyClass()             # 初始化类
```

可以看到，仅调用“calling”类：MyClass()，就创建了类 MyClass 的实例 mc。返回的对象是你所调用类的一个实例。当使用函数记法来调用“call”一个类时，解释器就会实例化该对象，并且调用 Python 所拥有与构造函数最相近的东西（如果你定义了的话）来执行最终的定制工作，比如设置实例属性，最后将这个实例返回给你。

核心笔记：Python2.2 前后的类和实例

类和类型在 2.2 版本中就统一了，这使得 Python 的行为更像其他面向对象编程语言。任何类或者类型的实例都是这种类型的对象。比如，如果你让 Python 告诉你，类 MyClass 的实例 mc 是否是类 MyClass 的一个实例。回答是肯定的，Python 不会说谎。同样，它会告诉你零是 integer 类型的一个实例：

```
>>> mc = MyClass()
>>> type(mc)
<class '__main__.MyClass'>
>>> type(0)
<type 'int'>
```

但如果你仔细看，比较 MyClass 和 int，你将会发现二者都是类型（type）：

```
>>> type(MyClass)
<type 'type'>
>>> type(int)
<type 'type'>
```

对比一下，如果在 Python 早于 2.2 版本时，使用经典类，此时类是类对象，实例是实例对象。在这两个对象类型之间没有任何关系，除了实例的__class__属性引用了被实例化以得到该实例的类。把 MyClass 在 Python2.1 版本中作为经典类重新定义，并运行相同的调用（注意：int()那时还不具备工厂功能……它还仅是一个通常的内建函数）：

```
>>> type(mc)
<type 'instance'>
>>> type(0)
<type 'int'>
>>>
>>> type(MyClass)
<type 'class'>
>>> type(int)
<type 'builtin_function_or_method'>
```

为了避免任何混淆，你只要记住当你定义一个类时，你并没有创建一个新的类型，而是仅仅一个类对象；而对 2.2 版本及后续版本，当你定义一个（新式的）类后，你已创建了一个新的类型。

13.5.2 __init__()“构造器”方法

当类被调用，实例化的第一步是创建实例对象。一旦对象创建了，Python 检查是否实现了__init__()方法。默认情况下，如果没有定义（或覆盖）特殊方法__init__()，对实例不会施加任何特别的操作。任何所需的特定操作，都需要程序员实现__init__()，覆盖它的默认行为。如果__init__()没有实现，则返回它的对象，实例化过程完毕。

然而，如果__init__()已经被实现，那么它将被调用，实例对象作为第一个参数（self）被传递进去，像标准方法调用一样。调用类时，传进的任何参数都交给了__init__()。实际中，你可以想像成这样：把创建实例的调用当成是对构造器的调用。

总之，(a) 你没有通过调用 new 来创建实例，你也没有定义一个构造器。是 Python 为你创建了对象；(b) __init__()，是在解释器为你创建一个实例后调用的第一个方法，在你开始使用它之前，这一步可以让你做些准备工作。

__init__()是很多为类定义的特殊方法之一。其中一些特殊方法是预定义的，缺省情况下，不进行任何操作，比如__init__()，要定制，就必须对它进行重载，还有些方法，可能要按需要去实现。本章中，我们会讲到很多这样的特殊方法。你将会经常看到__init__()的使用，在此，就不举例说明了。

13.5.3 __new__() “构造器”方法

与__init__()相比，__new__()方法更像一个真正的构造器。类型和类在版本 2.2 就统一了，Python 用户可以对内建类型进行派生，因此，需要一种途径来实例化不可变对象，比如派生字符串、数字等。

在这种情况下，解释器则调用类的__new__()方法，一个静态方法，并且传入的参数是在类实例化操作时生成的。__new__()会调用父类的__new__()来创建对象（向上代理）。

为何我们认为__new__()比__init__()更像构造器呢？这是因为__new__()必须返回一个合法的实例，这样解释器在调用__init__()时，就可以把这个实例作为 self 传给它。调用父类的__new__()来创建对象，正像其他语言中使用 new 关键字一样。

__new__()和__init__()在类创建时，都传入了（相同）参数。13.11.3 节中有个例子使用了__new__()。

13.5.4 __del__() “解构器”方法

同样，有一个相应的特殊解构器（destructor）方法名为__del__()。然而，由于 Python 具有垃圾对象回收机制（靠引用计数），这个函数要直到该实例对象所有的引用都被清除掉后才会执行。Python 中的解构器是在实例释放前提供特殊处理功能的方法，它们通常没有被实现，因为实例很少被显式释放。

在下面的例子中，我们分别创建（并覆盖）__init__()和__del__()构造及解构函数，然后，初始化类并给同样的对象分配很多别名。id()内建函数可用来确定引用同一对象的三个别名。最后一步是使用 del 语句清除所有的别名，显示何时调用了多少次解构器。

```
class C(P):                        # 类声明
    def __init__ (self):           # 构造器
        print 'initialized'
    def __del__ (self):            # 解构器
        P. __del__ (self)          # 调用父类解构器来打印
        print 'deleted'
>>> c1 = C()                       # 实例初始化
initialized
>>> c2 = c1                        # 创建另外一个别名
>>> c3 = c1                        # 创建第三个别名
>>> id(c1), id(c2), id(c3)         # 同一对象所有引用
(11938912, 11938912, 11938912)
>>> del c1                         # 清除一个引用
>>> del c2                         # 清除另一个引用
>>> del c3                         # 清除最终引用
deleted                            # 解构器最后调用
```

注意，在上面的例子中，解构器是在类 C 实例所有的引用都被清除掉后，才被调用的，比如，当引

用计数已减少到 0。如果你预期你的__del__()方法会被调用，却实际上没有被调用，这意味着，你的实例对象由于某些原因，其引用计数不为 0，这可能有别的对它的引用，而你并不知道这些让你的对象还活着的引用所在。

另外，要注意，解构器只能被调用一次，一旦引用计数为 0，则对象就被清除了。这非常合理，因为系统中任何对象都只被分配及解构一次。

总结：

- 不要忘记首先调用父类的__del__()。
- 调用 del x 不表示调用了 x.__del__()——前面也看到，它仅仅是减少 x 的引用计数。
- 如果你有一个循环引用或其他的原因，让一个实例的引用逗留不去，该对象的__del__()可能永远不会被执行。
- __del__()未捕获的异常会被忽略掉（因为一些在__del__()用到的变量或许已经被删除了）。不要在__del__()中干与实例没任何关系的事情。
- 除非你知道你正在干什么，否则不要去实现__del__()。
- 如果你定义了__del__，并且实例是某个循环的一部分，垃圾回收器将不会终止这个循环——你需要自已显式调用 del。

核心笔记：跟踪实例

Python 没有提供任何内部机制来跟踪一个类有多少个实例被创建了，或者记录这些实例是些什么东西。如果需要这些功能，你可以显式加入一些代码到类定义或者__init__()和__del__()中去。最好的方式是使用一个静态成员来记录实例的个数。靠保存它们的引用来跟踪实例对象是很危险的，因为你必须合理管理这些引用，不然你的引用可能没办法释放（因为还有其他的引用）！看下面一个例子：

```
class InstCt(object):
    count = 0  #    count 是一个类属性

    def __init__ (self): # 增加 count
        InstCt.count += 1

    def __del__ (self):   # 减少 count
        InstCt.count -= 1

    def howMany(self):    # 返回 count
        return InstCt.count

>>> a = InstTrack()
>>> b = InstTrack()
>>> b.howMany()
2
>>> a.howMany()
2
>>> del b
>>> a.howMany()
1
>>> del a
>>> InstTrack.count
0
```

13.6 实例属性

实例仅拥有数据属性（方法严格来说是类属性），后者只是与某个类的实例相关联的数据值，并且可以通过句点属性标识法来访问。这些值独立于其他实例或类。当一个实例被释放后，它的属性同时也被清除了。

13.6.1 “实例化”实例属性（或创建一个更好的构造器）

设置实例的属性可以在实例创建后任意时间进行，也可以在能够访问实例的代码中进行。构造器__init()__是设置这些属性的关键点之一。

核心笔记：实例属性

能够在“运行时”创建实例属性，是 Python 类的优秀特性之一，从 C++或 Java 转过来的人会被小小地震惊一下，因为 C++或 Java 中所有属性在使用前都必须明确定义/声明。Python 不仅是动态类型，而且在运行时，允许这些对象属性的动态创建。这种特性让人爱不释手。当然，我们必须提醒读者，创建这样的属性时，必须谨慎。

一个缺陷是，属性在条件语句中创建，如果该条件语句块并未被执行，属性也就不存在，而你在后面的代码中试着去访问这些属性，就会有错误发生。故事的精髓是告诉我们，Python 让你体验从未用过的特性，但如果你使用它了，你还是要小心为好。

1. 在构造器中首先设置实例属性

构造器是最早可以设置实例属性的地方，因为__init__()是实例创建后第一个被调用的方法。再没有比这更早的可以设置实例属性的机会了。一旦__init__()执行完毕，返回实例对象，即完成了实例化过程。

2. 默认参数提供默认的实例安装

在实际应用中，带默认参数的__init__()提供一个有效的方式来初始化实例。在很多情况下，默认值表示设置实例属性的最常见的情况，如果提供了默认值，我们就没必要显式给构造器传值了。我们在 11.5.2 节中也提到默认参数的常见好处。需要明白一点，默认参数应当是不变的对象；像列表（list）和字典（dictionary）这样的可变对象可以扮演静态数据，然后在每个方法调用中来维护它们的内容。

例 13.1 描述了如何使用默认构造器行为来帮助我们计算在美国一些大都市中的旅馆中寄宿时，租房总费用。

代码的主要目的是来帮助某人计算出每日旅馆租房费用，包括所有州销售税和房税。缺省为旧金山附近的普通区域，它有 8.5%销售税及 10%的房间税。每日租房费用没有缺省值，因此在任何实例被创建时，都需要这个参数。

例 13.1 使用缺省参数进行实例化

(hotel.py)

定义一个类来计算这个假想旅馆租房费用。__init__()构造器对一些实例属性进行初始化。calcTotal()方法用来决定是计算每日总的租房费用还是计算全部的租房费。

```
1  class HotelRoomCalc(object):
2      'Hotel room rate calculator'
3
```

```
4       def __init__ (self, rt, sales=0.085, rm=0.1):
5            '''HotelRoomCalc default arguments:
6            sales tax == 8.5% and room tax == 10%'''
7            self.salesTax = sales
8            self.roomTax = rm
9           self.roomRate = rt
10
11      def calcTotal(self, days=1):
12          'Calculate total; default to daily rate'
13          daily = round((self.roomRate*
14              (1 + self.roomTax + self.salesTax)), 2)
15          return float(days) * daily
```

设置工作是由__init__()在实例化之后完成的，如上面的第4～8行，其余部分的核心代码是calcTotal()方法，从第10～14行。__init__()的工作即是设置一些参数值来决定旅馆总的基本租房费用（不包括住房服务，电话费，或其他偶发事情）。calcTotal()可以计算每日所有费用，如果提供了天数，那么将计算整个旅程全部的住宿费用。内建的round()函数可以大约计算出最接近的费用（两个小数位）。下面是这个类的用法：

```
>>> sfo = HotelRoomCalc(299)                          # 新的实例
>>> sfo.calcTotal()                                   # 日租金
354.32
>>> sfo.calcTotal(2)                                  # 2天的租金
708.64
>>> sea = HotelRoomCalc(189, 0.086, 0.058)            # 新的实例
>>> sea.calcTotal()
216.22
>>> sea.calcTotal(4)
864.88
>>> wasWkDay = HotelRoomCalc(169, 0.045, 0.02)        # 新实例
>>> wasWkEnd = HotelRoomCalc(119, 0.045, 0.02)        # 新实例
>>> wasWkDay.calcTotal(5) + wasWkEnd.calcTotal()      # 7天的租金
1026.69
```

最开始的两个假想例子都是在旧金山，使用了默认值，然后是在西雅图，这里我们提供了不同的销售税和房间税率。最后一个例子在华盛顿特区。经过计算更长的假想时间，来扩展通常的用法：停留5个工作日，外加一个周六，此时有特价，假定是星期天出发回家。

不要忘记，函数所有的灵活性，比如默认参数，也可以应用到方法中去。在实例化时，可变长度参数也是一个好的特性（当然，这要根据应用的需要）。

3．__init__()应当返回None

你也知道，采用函数操作符调用类对象会创建一个类实例，也就是说这样一种调用过程返回的对象就是实例，下面示例可以看出：

```
>>> class MyClass(object):
...         pass
>>> mc = MyClass()
>>> mc
<__main__.MyClass instance at 95d390>
```

如果定义了构造器，它不应当返回任何对象，因为实例对象是自动在实例化调用后返回的。相应地，

__init__()就不应当返回任何对象（应当为 None）；否则，就可能出现冲突，因为只能返回实例。试着返回非 None 的任何其他对象都会导致 TypeError 异常：

```
>>> class MyClass:
...     def __init__(self):
...         print 'initialized'
...         return 1
...
>>> mc = MyClass()
initialized
Traceback (innermost last):
 File "<stdin>", line 1, in ?
   mc = MyClass()
TypeError: __init__() should return None
```

13.6.2 查看实例属性

内建函数 dir()可以显示类属性，同样还可以打印所有实例属性：

```
>>> class C(object):
...     pass
>>> c = C()
>>> c.foo = 'roger'
>>> c.bar = 'shrubber'
>>> dir(c)
['__class__', '__delattr__', '__dict__', '__doc__',
'__getattribute__', '__hash__', '__init__', '__module__',
'__new__', '__reduce__', '__reduce_ex__', '__repr__',
'__setattr__', '__str__', '__weakref__', 'bar', 'foo']
```

与类相似，实例也有一个__dict__特殊属性（可以调用 vars()并传入一个实例来获取），它是实例属性构成的一个字典：

```
>>> c.__dict__
{'foo': 'roger', 'bar': 'shrubber'}
```

13.6.3 特殊的实例属性

实例仅有两个特殊属性（见表 13.2）。对于任意对象 I：

表 13.2 特殊实例属性

I.__class__	实例化 I 的类
I.__dict__	I 的属性

现在使用类 C 及其实例 C 来看看这些特殊实例属性：

```
>>> class C(object):          # 定义类
...     pass
...
>>> c = C()                   # 创建实例
>>> dir(c)                    # 实例还没有属性
```

```
[]
>>> c. __dict__              #  也没有属性
{}
>>> c. __class__             #  实例化 c 的类
<class '__main__.C'>
```

你可以看到，c 现在还没有数据属性，但我们可以添加一些再来检查__dict__属性，看是否添加成功了：

```
>>> c.foo = 1
>>> c.bar = 'SPAM'
>>> '%d can of %s please' % (c.foo, c.bar)
'1 can of SPAM please'
>>> c. __dict__
{'foo': 1, 'bar': 'SPAM'}
```

__dict__属性由一个字典组成，包含一个实例的所有属性。键是属性名，值是属性相应的数据值。字典中仅有实例属性，没有类属性或特殊属性。

核心风格：修改__dict__

对类和实例来说，尽管__dict__属性是可修改的，但还是建议你不要修改这些字典，除非你知道你在干什么。这些修改可能会破坏你的 OOP，造成不可预料的副作用。使用熟悉的句点属性标识来访问及操作属性会更易于接受。需要你直接修改__dict__属性的情况很少，其中之一是你要重载__setattr__特殊方法。实现__setattr__()本身是一个冒险的经历，满是圈套和陷阱，例如无穷递归和破坏实例对象。这个故事还是留到下次说吧。

13.6.4 建类型属性

内建类型也是类，它们有没有像类一样的属性呢？那实例有没有呢？对内建类型也可以使用 dir()，与任何其他对象一样，可以得到一个包含它属性名字的列表：

```
>>> x = 3+0.14j
>>> x. __class__
<type 'complex'>
>>> dir(x)
['__abs__', '__add__', '__class__', '__coerce__',
'__delattr__', '__div__', '__divmod__', '__doc__', '__eq__',
'__float__', '__floordiv__', '__ge__', '__getattribute__',
'__getnewargs__', '__gt__', '__hash__', '__init__',
'__int__', '__le__', '__long__', '__lt__', '__mod__',
'__mul__', '__ne__', '__neg__', '__new__', '__nonzero__',
'__pos__', '__pow__', '__radd__', '__rdiv__', '__rdivmod__',
'__reduce__', '__reduce_ex__', '__repr__', '__rfloordiv__',
'__rmod__', '__rmul__', '__rpow__', '__rsub__',
'__rtruediv__', '__setattr__', '__str__', '__sub__',
'__truediv__', 'conjugate', 'imag', 'real']
>>>
>>> [type(getattr(x, i)) for i in ('conjugate', 'imag',
'real')]
[<type 'builtin_function_or_method'>, <type 'float'>,
<type 'float'>]
```

既然我们知道了一个复数有什么样的属性，我们就可以访问它的数据属性，调用它的方法了：

```
>>> x.imag
2.0
>>> x.real
1.0
>>> x.conjugate()
(1-2j)
```

试着访问__dict__会失败，因为在内建类型中，不存在这个属性：

```
>>> x. __dict__
Traceback (innermost last):
 File "<stdin>", line 1, in ?
AttributeError: __dict__
```

13.6.5 实例属性 vs 类属性

我们已在 13.4.1 节中描述了类数据属性。这里简要提一下，类属性仅是与类相关的数据值，和实例属性不同，类属性和实例无关。这些值像静态成员那样被引用，即使在多次实例化中调用类，它们的值都保持不变。不管如何，静态成员不会因为实例而改变它们的值，除非实例中显式改变它们的值（实例属性与类属性的比较，类似于自动变量和静态变量，但这只是笼统的类推。在你对自动变量和静态变量还不是很熟的情况下，不要深究这些）。

类和实例都是名字空间。类是类属性的名字空间，实例则是实例属性的。

关于类属性和实例属性，还有一些方面需要指出。你可采用类来访问类属性，如果实例没有同名的属性的话，你也可以用实例来访问。

1. 访问类属性

类属性可通过类或实例来访问。下面的示例中，类 C 在创建时，带一个 version 属性，这样通过类对象来访问它是很自然的了，比如 C.version。当实例 c 被创建后，对实例 c 而言，访问 c.version 会失败，不过 Python 首先会在实例中搜索名字 version，然后是类，再就是继承树中的基类。本例中，version 在类中被找到了：

```
>>> class C(object):          # 定义类
...     version = 1.2         # 静态成员
...
>>> c = C()                   # 实例化
>>> C.version                 # 通过类来访问
1.2
>>> c.version                 # 通过实例来访问
1.2
>>> C.version += 0.1          # 通过类（只能这样）来更新
>>> C.version                 # 类访问
1.3
>>> c.version                 # 实例访问它，其值已被改变
1.3
```

然而，我们只有当使用类引用 version 时，才能更新它的值，像上面的 C.version 递增语句。如果尝试在实例中设定或更新类属性会创建一个实例属性 c.version，后者会阻止对类属性 C.versioin 的访问，因为第一个访问的就是 c.version，这样可以对实例有效地“遮蔽”类属性 C.version，直到 c.version 被清

除掉。

2．从实例中访问类属性须谨慎

与通常 Python 变量一样，任何对实例属性的赋值都会创建一个实例属性（如果不存在的话）并且对其赋值。如果类属性中存在同名的属性，有趣的副作用即产生（经典类和新式类都存在）。

```
>>> class Foo(object):
...     x = 1.5
...
>>> foo = Foo()
>>> foo.x
1.5
>>> foo.x = 1.7          #  试着更新类属性
>>> foo.x                #  现在看起来还不错
1.7
>>> Foo.x                #  呵呵，没有变，只是创建了一个新的实例属性
1.5
```

在上面的代码片段中，创建了一个名为 version 的新实例属性，它覆盖了对类属性的引用。然而，类属性本身并没有受到伤害，仍然存在于类域中，还可以通过类属性来访问它，如上例可以看到的。好了，那么如果把这个新的 version 删除掉，会怎么样呢？为了找到结论，我们将使用 del 语句删除 c.version。

```
>>> del foo.x            #  删除实例属性
>>> foo.x                #  又可以访问到类属性
1.5
```

所以，给一个与类属性同名的实例属性赋值，我们会有效地“隐藏”类属性，但一旦我们删除了这个实例属性，类属性又重见天日。现在再来试着更新类属性，但这次，我们只尝试一下“无辜”的增量动作：

```
>>> foo.x += .2          #  试着增加类属性
>>> foo.x
1.7
>>> Foo.x                #  呵呵，照旧
1.5
```

还是没变。我们同样创建了一个新的实例属性，类属性原封不动（深入理解 Python 相关知识：属性已存于类字典[__dict__]中。通过赋值，其被加入到实例的__dict__中了）。赋值语句右边的表达式计算出原类的变量，增加 0.2，并且把这个值赋给新创建的实例属性。注意下面是一个等价的赋值方式，但它可能更加清楚些：

```
foo.x = Foo.x + 0.2
```

但……在类属性可变的情况下，一切都不同了：

```
>>> class Foo(object):
...     x = {2003: 'poe2'}
...
>>> foo = Foo()
>>> foo.x
{2003: 'poe2'}
>>> foo.x[2004] = 'valid path'
```

```
>>> foo.x
{2003: 'poe2', 2004: 'valid path'}
>>> Foo.x                    # 生效了！
{2003: 'poe2', 2004: 'valid path'}
>>> del foo.x                # 没有遮蔽所以不能删除掉
Traceback (most recent call last):
  File "<stdin>", line 1, in ?
    del foo.x
AttributeError: x
>>>
```

3．类属性持久性

静态成员，顾名思义，任凭整个实例（及其属性）的如何进展，它都不理不睬（因此独立于实例）。同时，当一个实例在类属性被修改后才创建，那么更新的值就将生效。类属性的修改会影响到所有的实例：

```
>>> class C(object):
...     spam = 100              # 类属性
...
>>> c1 = C()                    # 创建一个实例
>>> c1.spam                     # 通过实例访问类属性
100
>>> C.spam += 100               # 更新类属性
>>> C.spam                      # 查看属性值改变
200
>>> c1.spam                     # 在实例中验证属性值改变
200
>>> c2 = C()                    # 创建另一个实例
>>> c2.spam                     # 验证类属性
200
>>> del c1                      # 删除一个实例
>>> C.spam += 200               # 再次更新类属性
>>> c2.spam                     # 验证那个属性值改变
400
```

核心提示：使用类属性来修改自身（不是实例属性）

正如上面所看到的那样，使用实例属性来试着修改类属性是很危险的。原因在于实例拥有它们自己的属性集，在 Python 中没有明确的方法来指示你想要修改同名的类属性，比如，没有 global 关键字可以用来在一个函数中设置一个全局变量（来代替同名的局部变量）。修改类属性需要使用类名，而不是实例名。

13.7 绑定和方法调用

现在我们需要再次阐述 Python 中绑定（binding）的概念，它主要与方法调用相关连。我们先来回顾一下与方法相关的知识。首先，方法仅仅是类内部定义的函数（这意味着方法是类属性而不是实例属性）。

其次，方法只有在其所属的类拥有实例时，才能被调用。当存在一个实例时，方法才被认为是绑定到那个实例了。没有实例时方法就是未绑定的。

最后，任何一个方法定义中的第一个参数都是变量self，它表示调用此方法的实例对象。

核心笔记：self是什么？

self变量用于在类实例方法中引用方法所绑定的实例。因为方法的实例在任何方法调用中总是作为第一个参数传递的，self被选中用来代表实例。你必须在方法声明中放上self（你可能已经注意到了这点），但可以在方法中不使用实例（self）。如果你的方法中没有用到self，那么请考虑创建一个常规函数，除非你有特别的原因。毕竟，你的方法代码没有使用实例，没有与类关联其功能，这使得它看起来更像一个常规函数。在其他面向对象语言中，self可能被称为this。

13.7.1 调用绑定方法

方法，不管绑定与否，都是由相同的代码组成的。唯一的不同在于是否存在一个实例可以调用此方法。在很多情况下，程序员调用的都是一个绑定的方法。假定现在有一个MyClass类和此类的一个实例mc，而你想调用MyClass.foo()方法。因为已经有一个实例，你只需要调用mc.foo()就可以。记得self在每一个方法声明中都是作为第一个参数传递的。当你在实例中调用一个绑定的方法时，self不需要明确地传入了。这算是“必须声明self作为第一个参数”对你的报酬。当你还没有一个实例并且需要调用一个非绑定方法的时候你必须传递self参数。

13.7.2 调用非绑定方法

调用非绑定方法并不经常用到。需要调用一个还没有任何实例的类中的方法的一个主要的场景是：你在派生一个子类，而且你要覆盖父类的方法，这时你需要调用那个父类中想要覆盖掉的构造方法。这里是一个本章前面介绍过的例子：

```
class EmplAddrBookEntry(AddrBookEntry):
    'Employee Address Book Entry class' # 员工地址记录条目
    def __init__ (self, nm, ph, em):
        AddrBookEntry. __init__ (self, nm, ph)
        self.empid = id
        self.email = em
```

EmplAddrBookEntry是AddrBookEntry的子类，我们重载了构造器__init__()。我们想尽可能多地重用代码，而不是去从父类构造器中剪切，粘贴代码。这样做还可以避免bug传播，因为任何修复都可以传递给子类。这正是我们想要的——没有必要一行一行地复制代码。只需要能够调用父类的构造器即可，但该怎么做呢？

我们在运行时没有AddrBookEntry的实例。那么我们有什么呢？我们有一个EmplAddrBookEntry的实例，它与AddrBookEntry是那样地相似，我们难道不能用它代替呢？当然可以！

当一个EmplAddrBookEntry被实例化，并且调用__init__()时，其与AddrBookEntry的实例只有很少的差别，主要是因为我们还没有机会来自定义我们的EmplAddrBookEntry实例，以使它与AddrBookEntry不同。

这是调用非绑定方法的最佳地方了。我们将在子类构造器中调用父类的构造器并且明确地传递（父类）构造器所需要的 self 参数（因为我们没有一个父类的实例）。子类中__init__()的第一行就是对父类__init__()的调用。我们通过父类名来调用它，并且传递给它self和其他所需要的参数。一旦调用返回，我们就能定义那些与父类不同的仅存在我们的（子）类中的（实例）定制。

13.8 静态方法和类方法

静态方法和类方法在 Python 2.2 中被引入。经典类及新式（new-style）类中都可以使用它。一对内建函数被引入，用于将作为类定义的一部分的某一方法声明“标记”（tag），“强制类型转换”（cast）或者“转换”（convert）为这两种类型的方法之一。

如果你有一定的 C++或者 Java 经验，静态方法和这些语言中的是一样的。它们仅是类中的函数（不需要实例）。事实上，在静态方法加入到 Python 之前，用户只能在全局名字空间中创建函数，作为这种特性的替代实现——有时在这样的函数中使用类对象来操作类（或者是类属性）。使用模块函数比使用静态类方法更加常见。

回忆一下，通常的方法需要一个实例（self）作为第一个参数，并且对于（绑定的）方法调用来说，self 是自动传递给这个方法的。而对于类方法而言，需要类而不是实例作为第一个参数，它是由解释器传给方法。类不需要特别地命名，类似 self，不过很多人使用 cls 作为变量名字。

13.8.1 staticmethod()和 classmethod()内建函数

现在让我们看一下在经典类中创建静态方法和类方法的一些例子（你也可以把它们用在新式类中）：

```
class TestStaticMethod:
    def foo():
        print 'calling static method foo()'

        foo = staticmethod(foo)

class TestClassMethod:
    def foo(cls):
        print 'calling class method foo()'
        print 'foo() is part of class:', cls. __name__

    foo = classmethod(foo)
```

对应的内建函数被转换成它们相应的类型，并且重新赋值给了相同的变量名。如果没有调用这两个函数，二者都会在 Python 编译器中产生错误，显示需要带 self 的常规方法声明。现在，我们可以通过类或者实例调用这些函数，这没什么不同：

```
>>> tsm = TestStaticMethod()
>>> TestStaticMethod.foo()
calling static method foo()
>>> tsm.foo()
calling static method foo()
>>>
>>> tcm = TestClassMethod()
>>> TestClassMethod.foo()
calling class method foo()
foo() is part of class: TestClassMethod
>>> tcm.foo()
calling class method foo()
foo() is part of class: TestClassMethod
```

13.8.2 使用函数修饰符

现在，看到像 foo=staticmethod(foo)这样的代码会刺激一些程序员。很多人对这样一个没意义的语法感到心烦，即使 van Rossum 曾指出过，它只是临时的，有待社区对些语义进行处理。在第 11 章的 11.3.6 节中，我们了解了函数修饰符，一种在 Python2.4 中加入的新特征。你可以用它把一个函数应用到另个函数对象上，而且新函数对象依然绑定在原来的变量。我们正是需要它来整理语法。通过使用解构器，我们可以避免像上面那样的重新赋值：

```
class TestStaticMethod:
    @staticmethod
    def foo():
        print 'calling static method foo()'

class TestClassMethod:
    @classmethod
    def foo(cls):
        print 'calling class method foo()'
        print 'foo() is part of class:', cls.__name__
```

13.9 组合

一个类被定义后，目标就是要把它当成一个模块来使用，并把这些对象嵌入到你的代码中去，同其他数据类型及逻辑执行流混合使用。有两种方法可以在你的代码中利用类。第一种是组合（composition）。就是让不同的类混合并加入到其他类中，来增加功能和代码重用性。你可以在一个大点的类中创建你自已的类的实例，实现一些其他属性和方法来增强对原来的类对象。另一种方法是通过派生，我们将在下一节中讨论它。

举例来说，让我们想象一个对本章一开始创建的地址本类的加强性设计。如果在设计的过程中，为 names、addresses 等创建了单独的类，那么最后我们可能想把这些工作集成到 AddrBookEntry 类中去，而不是重新设计每一个需要的类。这样就节省了时间和精力，而且最后的结果是容易维护的代码——一块代码中的 bug 被修正，将反映到整个应用中。

这样的类可能包含一个 Name 实例，以及其他如 StreetAddress、Phone（home、work、telefacsimile、pager、mobile 等）、Email (home、work 等)，还可能需要一些 Date 实例（birthday、wedding、anniversary 等）。下面是一个简单的例子：

```
class NewAddrBookEntry(object):    # 类定义
    'new address book entry class'
    def __init__ (self, nm, ph):   # 定义构造器
        self.name = Name(nm)       # 创建 Name 实例
        self.phone = Phone(ph)     # 创建 Phone 实例
        print 'Created instance for:', self.name
```

NewAddrBookEntry 类由它自身和其他类组合而成。这就在一个类和其他组成类之间定义了一种“有一个”（has-a）的关系。比如，我们的 NewAddrBookEntry 类“有一个”Name 类实例和一个 Phone 实例。

创建复合对象就可以实现这些附加的功能，并且很有意义，因为这些类都不相同。每一个类管理它

们自己的名字空间和行为。不过当对象之间有更接近的关系时，派生的概念可能对你的应用程序来说更有意义，特别是当你需要一些相似的对象，但却有少许不同功能的时候。

13.10 子类和派生

当类之间有显著的不同，并且（较小的类）是较大的类所需要的组件时，组合表现得很好，但当你设计“相同的类但有一些不同的功能”时，派生就是一个更加合理的选择了。

OOP 的更强大功能之一是能够使用一个已经定义好的类，扩展它或者对其进行修改，而不会影响系统中使用现存类的其他代码片段。OOD 允许类特征在子孙类或子类中进行继承。这些子类从基类（或称祖先类、超类）继承它们的核心属性。而且，这些派生可能会扩展到多代。在一个层次的派生关系中的相关类（或者是在类树图中垂直相邻）是父类和子类关系。从同一个父类派生出来的这些类（或者是在类树图中水平相邻）是同胞关系。父类和所有高层类都被认为是祖先。

使用前一节中的例子，如果我们必须创建不同类型的地址本，即不仅仅是创建地址本的多个实例，在这种情况下，所有对象几乎是相同的。如果我们希望 EmplAddrBookEntry 类中包含更多与工作有关的属性，如员工 ID 和电子邮件地址呢？这跟 PersonalAddrBookEntry 类不同，它包含更多基于家庭的信息，比如家庭地址、关系、生日等。

两种情况下，我们都不想到从头开始设计这些类，因为这样做会重复创建通用的 AddressBook 类时的操作。包含 AddressBook 类所有的特征和特性并加入需要的定制特性不是很好吗？这就是类派生的动机和要求。

创建子类

创建子类的语法看起来与普通（新式）类没有区别，一个类名，后跟一个或多个需要从其中派生的父类：

```
class SubClassName (ParentClass1[, ParentClass2, ...]):
    'optional class documentation string'
    class_suite
```

如果你的类没有从任何祖先类派生，可以使用 object 作为父类的名字。经典类的声明唯一不同之处在于其没有从祖先类派生——此时，没有圆括号：

```
class ClassicClassWithoutSuperclasses:
    pass
```

至此，我们已经看到了一些类和子类的例子，下面还有一个简单的例子：

```
class Parent(object):              # 定义父类
    def parentMethod(self):
        print 'calling parent method'

class Child(Parent):               # 定义子类
    def childMethod(self):
        print 'calling child method'
>>> p = Parent()                   # 父类的实例
>>> p.parentMethod()
calling parent method
>>>
```

```
>>> c = Child()                 # 子类的实例
>>> c.childMethod()             # 子类调用它的方法
calling child method
>>> c.parentMethod()            # 调用父类的方法
calling parent method
```

13.11 继承

继承描述了基类的属性如何“遗传”给派生类。一个子类可以继承它的基类的任何属性，不管是数据属性还是方法。

举个例子如下。P 是一个没有属性的简单类。C 从 P 继承而来（因此是它的子类），也没有属性：

```
class P(object):        # 父类
    pass
class C(P):             # 子类
    pass

>>> c = C()             # 实例化子类
>>> c. __class__        # 子类“是一个”父类
<class '__main__.C'>
>>> C. __bases__        # 子类的父类
(<class '__main__.P'>,)
```

因为 P 没有属性，C 没有继承到什么。下面我们给 P 添加一些属性：

```
class P:            # 父类
    'P class'
    def __init__ (self):
        print 'created an instance of', \
            self. __class__.__name__

class C(P):         # 子类
    pass
```

现在所创建的 P 有文档字符串（__doc__）和构造器，当我们实例化 P 时它被执行，如下面的交互会话所示：

```
>>> p = P()             # 父类实例
created an instance of P
>>> p. __class__        # 显示p所属的类名
<class '__main__.P'>
>>> P. __bases__        # 父类的父类
(<type 'object'>,)
>>> P. __doc__          # 父类的文档字符串
'P class'
```

“created an instance”是由__init__()直接输出的。我们也可显示更多关于父类的信息。我们现在来实例化 C，展示__init__()（构造）方法在执行过程中是如何继承的：

```
>>> c = C()             # 子类实例
created an instance of C
```

```
>>> c. __class__                # 显示c所属的类名
<class '__main__.C'>
>>> C. __bases__                # 子类的父类
(<class '__main__.P'>,)
>>> C. __doc__                  # 子类的文档字符串
>>>
```

C没有声明__init__()方法，然而在类C的实例c被创建时，还是会有输出信息。原因在于C继承了P的__init__()。__bases__元组列出了其父类P。需要注意的是文档字符串对类，函数/方法，还有模块来说都是唯一的，所以特殊属性__doc__不会从基类中继承过来。

13.11.1 __bases__类属性

在第13.4.4节中，我们概要地介绍了__bases__类属性，对任何（子）类，它是一个包含其父类（parent）的集合的元组。注意，我们明确指出“父类”是相对所有基类（它包括了所有祖先类）而言的。那些没有父类的类，它们的__bases__属性为空。下面我们看一下如何使用__bases__的。

```
>>> class A(object): pass      # 定义类A
...
>>> class B(A): pass           # A的子类
...
>>> class C(B): pass           # B的子类（A的间接子类）
...
>>> class D(A, B): pass        # B的子类
...
>>> A. __bases__
(<type 'object'>,)
>>> C. __bases__
(<class __main__.B at 8120c90>,)
>>> D. __bases__
(<class __main__.A at 811fc90>, <class __main__.B at 8120c90>)
```

在上面的例子中，尽管C是A和B的子类（通过B传递继承关系），但C的父类是B，这从它的声明中可以看出，所以，只有B会在C.__bases__中显示出来。另一方面，D是从两个类A和B中继承而来的（多重继承参见13.11.4节）。

13.11.2 通过继承覆盖方法

我们在P中再写一个函数，然后在其子类中对它进行覆盖。

```
class P(object):
    def foo(self):
        print 'Hi, I am P-foo()'


>>> p = P()
>>> p.foo()
Hi, I am P-foo()
```

现在来创建子类C，从父类P派生：

```
class C(P):
    def foo(self):
        print 'Hi, I am C-foo()'

>>> c = C()
>>> c.foo()
Hi, I am C-foo()
```

尽管C继承了P的foo()方法，但因为C定义了它自已的foo()方法，所以P中的foo()方法被覆盖（Overrid）。覆盖方法的原因之一是，你的子类可能需要这个方法具有特定或不同的功能。所以，你接下来的问题肯定是："我还能否调用那个被我覆盖的基类方法呢？"

答案是肯定的，但是这时就需要你去调用一个未绑定的基类方法，明确给出子类的实例，例如下边：

```
>>> P.foo(c)
Hi, I am P-foo()
```

注意，我们上面已经有了一个P的实例p，但上面的这个例子并没有用它。我们不需要P的实例调用P的方法，因为已经有一个P的子类的实例c可用。典型情况下，你不会以这种方式调用父类方法，你会在子类的重写方法里显式地调用基类方法。

```
class C(P):
    def foo(self):
        P.foo(self)
        print 'Hi, I am C-foo()'
```

注意，在这个（未绑定）方法调用中我们显式地传递了 self。一个更好的办法是使用 super()内建方法：

```
class C(P):
    def foo(self):
        super(C, self).foo()
        print 'Hi, I am C-foo()'
```

super()不但能找到基类方法，而且还为我们传进 self，这样我们就不需要做这些事了。现在我们只要调用子类的方法，它会帮你完成一切：

```
>>> c = C()
>>> c.foo()
Hi, I am P-foo()
Hi, I am C-foo()
```

核心笔记：重写__init__不会自动调用基类的__init__

类似于上面的覆盖非特殊方法，当从一个带构造器__init()__的类派生，如果你不去覆盖__init__()，它将会被继承并自动调用。但如果你在子类中覆盖了__init__()，子类被实例化时，基类的__init__()就不会被自动调用。这可能会让了解Java的朋友感到吃惊。

```
class P(object):
    def __init__ (self):
        print "calling P's constructor"
class C(P):
    def __init__ (self):
        print "calling C's constructor"
```

```
>>> c = C()
calling C's constructor
```

如果你还想调用基类的__init__()，你需要像上边我们刚说的那样，明确指出，使用一个子类的实例去调用基类（未绑定）方法。相应地更新类 C，会出现下面预期的执行结果：

```
class C(P):
    def __init__(self):
        P.__init__(self)
        print "calling C's constructor"

>>> c = C()
calling P's constructor
calling C's constructor
```

上边的例子中，子类的__init__()方法首先调用了基类的__init__()方法。这是相当普遍（不是强制）的做法，用来设置初始化基类，然后可以执行子类内部的设置。这个规则之所以有意义的原因是，你希望被继承的类的对象在子类构造器运行前能够很好地被初始化或作好准备工作，因为它（子类）可能需要或设置继承属性。

对 C++熟悉的朋友，可能会在派生类构造器声明时，通过在声明后面加上冒号和所要调用的所有基类构造器这种形式来调用基类构造器。而在 Java 中，不管程序员如何处理，子类构造器都会去调用基类的构造器。

Python 使用基类名来调用类方法，对应在 Java 中，是用关键字 super 来实现的，这就是 super()内建函数引入到 Python 中的原因，这样你就可以“依葫芦画瓢”了：

```
class C(P):
        def __init__(self):
            super(C, self).__init__()
        print "calling C's constructor"
```

使用 super()的漂亮之处在于，你不需要明确给出任何基类名字……“跑腿儿”的事，它帮你干了！使用 super()的重点，使你不需要明确提供父类。这意味着如果你改变了类继承关系，你只需要改一行代码（class 语句本身）而不必在大量代码中去查找所有被修改的那个类的名字。

13.11.3 从标准类型派生

经典类中，一个最大的问题是，不能对标准类型进行子类化。幸运的是，在 2.2 以后的版本中，随着类型（types）和类（class）的统一和新式类的引入，这一点已经被修正。下面，介绍两个子类化 Python 类型的相关例子，其中一个是可变类型，另一个是不可变类型。

1. 不可变类型的例子

假定你想在金融应用中，应用一个处理浮点型的子类。每次你得到一个贷币值（浮点型给出的），你都需要通过四舍五入，变为带两位小数位的数值。（当然，Decimal 类比起标准浮点类型来说是个用来精确保存浮点值的更佳方案，但你还是需要［有时候］对其进行舍入操作！）你的类开始可以这样写：

```
class RoundFloat(float):
    def __new__ (cls, val):
        return float. __new__ (cls, round(val, 2))
```

我们覆盖了__new__()特殊方法来定制我们的对象，使之和标准 Python 浮点型（float）有一些区别：我们使用 round()内建函数对原浮点型进行舍入操作，然后实例化我们的 float，RoundFloat。我们是通过调用父类的构造器来创建真实的对象的，float.__new__()。注意，所有的__new()__方法都是类方法，我们要显式地传入类作为第一个参数，这类似于常见的方法如__init__()中需要的 self。

现在的例子还非常简单，比如，我们知道有一个 float，我们仅仅是从一种类型中派生而来等。通常情况下，最好是使用 super()内建函数去捕获对应的父类以调用它的__new()__方法，下面，对它进行这方面的修改：

```
class RoundFloat(float):
    def __new__ (cls, val):
        return super(RoundFloat, cls). __new__ (cls, round(val, 2))
```

这个例子还远不够完整，所以，请留意本章我们将使它有更好的表现。下面是一些样例输出：

```
>>> RoundFloat(1.5955)
1.6
>>> RoundFloat(1.5945)
1.59
>>> RoundFloat(-1.9955)
-2.0
```

2．可变类型的例子

子类化一个可变类型与此类似，你可能不需要使用__new__()（或甚至__init__()），因为通常设置不多。一般情况下，你所继承到的类型的默认行为就是你想要的。下例中，我们简单地创建一个新的字典类型，它的 keys()方法会自动排序结果：

```
class SortedKeyDict(dict):
    def keys(self):
        return sorted(super( SortedKeyDict, self).keys())
```

回忆一下，字典（dictionary）可以由 dict()、dict(mapping)、dict(sequence_of_2_tuples)或 dict(**kwargs)来创建，看看下面使用新类的例子：

```
d = SortedKeyDict((('zheng-cai', 67), ('hui-jun', 68),('xin-yi', 2)))
print 'By iterator:'.ljust(12), [key for key in d]
print 'By keys():'.ljust(12), d.keys()
```

把上面的代码全部加到一个脚本中，然后运行，可以得到下面的输出：

```
By iterator: ['zheng-cai', 'xin-yi', 'hui-jun']
By keys():   ['xin-yi', 'hui-jun', 'zheng-cai']
```

在上例中，通过 keys 迭代过程是以散列顺序的形式，而使用我们（重写的）keys()方法则将 keys 变为字母排序方式了。

一定要谨慎，而且要意识到你正在干什么。如果你说“你的方法调用 super()过于复杂”，取而代之的是，你更喜欢 keys()简简单单（也容易理解），如下所示：

```
def keys(self):
    return sorted(self.keys())
```

这是本章后面的练习 13-19。

13.11.4 多重继承

同 C++一样，Python 允许子类继承多个基类。这种特性就是通常所说的多重继承。概念容易，但最难的工作是，如何正确找到没有在当前（子）类定义的属性。当使用多重继承时，有两个不同的方面要记住。首先，还是要找到合适的属性。另一个就是当你重写方法时，如何调用对应父类方法以“发挥他们的作用”，同时，在子类中处理好自己的义务。我们将讨论两个方面，但侧重后者，讨论方法解析顺序。

1．方法解释顺序（MRO）

在 Python 2.2 以前的版本中，算法非常简单：深度优先，从左至右进行搜索，取得在子类中使用的属性。其他 Python 算法只是覆盖被找到的名字，多重继承则取找到的第一个名字。

由于类，类型和内建类型的子类，都经过全新改造，有了新的结构，这种算法不再可行。这样一种新的 MRO（Method Resolution Order）算法被开发出来，在 2.2 版本中初次登场，是一个好的尝试，但有一个缺陷（看下面的核心笔记）。这在 2.3 版本中立即被修改，也就是今天还在使用的版本。

精确顺序解释很复杂，超出了本文的范畴，但你可以去阅读本节后面的参考书目提到的有关内容。这里提一下，新的查询方法是采用广度优先，而不是深度优先。

核心笔记：Python 2.2 使用一种唯一但不完善的 MRO

Python 2.2 是首个使用新式 MRO 的版本，它必须取代经典类中的算法，原因在上面已谈到过。在 2.2 版本中，算法基本思想是根据每个祖先类的继承结构，编译出一张列表，包括搜索到的类，按策略删除重复的。然而，在 Python 核心开发人员邮件列表中，有人指出，在维护单调性方面失败过（顺序保存），必须使用新的 C3 算法替换，也就是从 2.3 版开始使用的新算法。

下面的示例，展示经典类和新式类中，方法解释顺序有什么不同。

2．简单属性查找示例

下面这个例子将对两种类的方案不同处做一展示。脚本由一组父类，一组子类，还有一个子孙类组成。

```
class P1: #(object):             #  父类 1
    def foo(self):
        print 'called P1-foo()'

class P2: #(object):             #  父类 2
    def foo(self):
        print 'called P2-foo()'

    def bar(self):
        print 'called P2-bar()'

class C1(P1, P2):                #  子类 1，从 P1，P2 派生
    pass

class C2(P1, P2):                #  子类 2，从 P1，P2 派生
    def bar(self):
        print 'called C2-bar()'
```

```
class GC(C1, C2):                # 定义子孙类
    pass                         # 从 C1，C2 派生
```

在图 13-2 中，我们看到父类、子类及子孙类的关系。P1 中定义了 foo()，P2 定义了 foo()和 bar()，C2 定义了 bar()。下面举例说明一下经典类和新式类的行为。

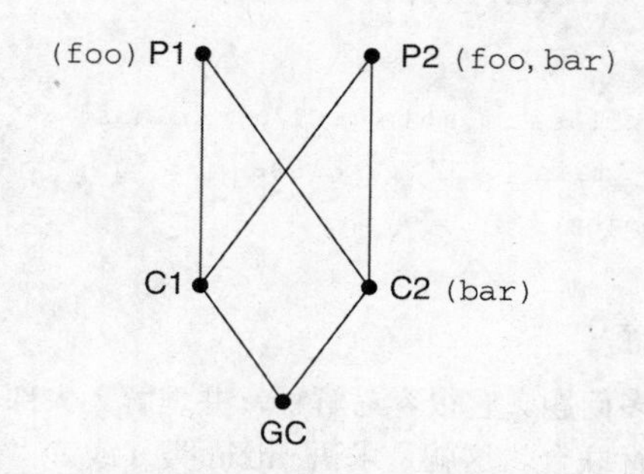

图 13-2 父类，子类及子孙类的关系图，还有它们各自定义的方法

（1）经典类

首先来使用经典类。通过在交互式解释器中执行上面的声明，我们可以验证经典类使用的解释顺序，深度优先，从左至右：

```
>>> gc = GC()
>>> gc.foo()              # GC ⇒ C1 ⇒ P1
called P1-foo()
>>> gc.bar()              # GC ⇒ C1 ⇒ P1 ⇒ P2
called P2-bar()
```

当调用 foo()时，它首先在当前类（GC）中查找。如果没找到，就向上查找最亲的父类，C1。查找未遂，就继续沿树上访到父类 P1，foo()被找到。

同样，对 bar()来说，它通过搜索 GC，C1，P1 然后在 P2 中找到。因为使用这种解释顺序的缘故，C2.bar()根本就不会被搜索了。

现在，你可能在想，“我更愿意调用 C2 的 bar()方法，因为它在继承树上和我更亲近些，这样才会更合适”。在这种情况下，你当然还可以使用它，但你必须调用它的合法的全名，采用典型的非绑定方式去调用，并且提供一个合法的实例：

```
>>> C2.bar(gc)
called C2-bar()
```

（2）新式类

取消类 P1 和类 P2 声明中的对（object）的注释，重新执行一下。新式方法的查询有一些不同：

```
>>> gc = GC()
>>> gc.foo()              # GC ⇒ C1 ⇒ C2 ⇒ P1
called P1-foo()
>>> gc.bar()              # GC ⇒ C1 ⇒ C2
called C2-bar()
```

与沿着继承树一步一步上溯不同，它首先查找同胞兄弟，采用一种广度优先的方式。当查找 foo()，它检查 GC，然后是 C1 和 C2，然后在 P1 中找到。如果 P1 中没有，查找将会到达 P2。foo()的底线是，包括经典类和新式类都会在 P1 中找到它，然而它们虽然是同归，但殊途！

然而，bar()的结果是不同的。它搜索 GC 和 C1，紧接着在 C2 中找到了。这样，就不会再继续搜索到祖父 P1 和 P2。这种情况下，新的解释方式更适合那种要求查找 GC 更亲近的 bar()的方案。当然，如果你还需要调用上一级，只要按前述方法，使用非绑定的方式去做，即可。

```
>>> P2.bar(gc)
called P2-bar()
```

新式类也有一个__mro__属性，告诉你查找顺序是怎样的：

```
>>> GC. __mro__
(<class '__main__.GC'>, <class '__main__.C1'>, <class
'__main__.C2'>, <class '__main__.P1'>, <class
'__main__.P2'>, <type 'object'>)
```

3. *菱形效应引起 MRO 问题

经典类方法解释不会带来很多问题。它很容易解释，并理解。大部分类都是单继承的，多重继承只限用在对两个完全不相关的类进行联合。这就是术语 mixin 类（或者“mix-ins”）的由来。

为什么经典类 MRO 会失败

在版本 2.2 中，类型与类的统一，带来了一个新的“问题”，波及所有从 object（所有类型的祖先类）派生出来的（根）类，一个简单的继承结构变成了一个菱形。从 Guido van Rossum 的文章中得到下面的灵感，打个比方，你有经典类 B 和 C，C 覆盖了构造器，B 没有，D 从 B 和 C 继承而来：

```
class B:
    pass

class C:
    def __init__ (self):
        print "the default constructor"

class D(B, C):
    pass
```

当我们实例化 D，得到：

```
>>> d = D()
the default constructor
```

图 13-3 为 B，C 和 D 的类继承结构，现在把代码改为采用新式类的方式，问题也就产生了：

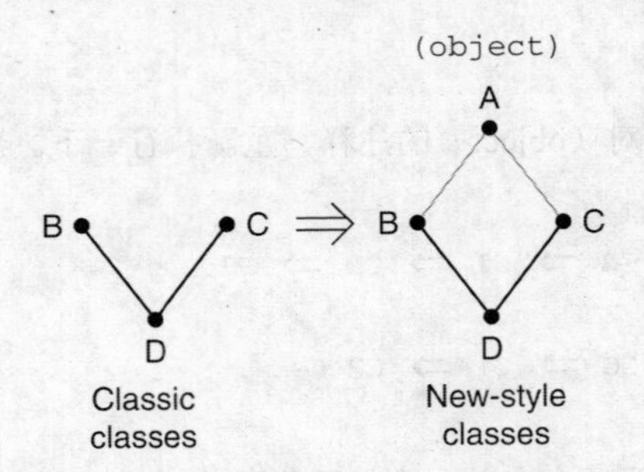

图 13-3 继承的问题是由于在新式类中，需要出现基类，这样就在继承结构中，形成了一个菱形。D 的实例上溯时，不应当错过 C，但不能两次上溯到 A（因为 B 和 C 都从 A 派生）。去读读贵铎·范·罗萨姆的文章中有关“协作方法”的部分，可以得到更深地理解。

```
class B(object):
    pass

class C(object):
    def __init__(self):
        print "the default constructor"
```

代码中仅仅是在两个类声明中加入了（object），对吗？没错，但从图中，你可以看出，继承结构已变成了一个菱形；真正的问题就存在于 MRO 了。如果我们使用经典类的 MRO，当实例化 D 时，不再得到 C.__init__()之结果.....而是得到 object.__init__()！这就是为什么 MRO 需要修改的真正原因。

尽管我们看到了，在上面的例子中，类 GC 的属性查找路径被改变了，但你不需要担心会有大量的代码崩溃。经典类将沿用老式 MRO，而新式类将使用它自己的 MRO。还有，如果你不需要用到新式类中的所有特性，可以继续使用经典类进行开发，不会有问题的。

4．总结

经典类，使用深度优先算法。因为新式类继承自 object，新的菱形类继承结构出现，问题也就接着而来了，所以必须新建一个 MRO。

你可以在下面的链接中读在更多有关新式类、MRO 的文章。

Guido van Rossum 有关类型和类统一的文章：

http://www.python.org/download/releases/2.2.3/descrintro

PEP 252：使类型看起来更像类

http://www.python.org/doc/peps/pep-0252

“Python 2.2 新亮点”文档

http://www.python.org/doc/2.2.3/whatsnew

论文：Python 2.3 方法解释顺序

http://python.org/download/releases/2.3/mro/

13.12 类、实例和其他对象的内建函数

13.12.1 issubclass()

issubclass() 布尔函数判断一个类是另一个类的子类或子孙类。它有如下语法：

```
issubclass(sub, sup)
```

issubclass()返回 True 的情况：给出的子类 sub 确实是父类 sup 的一个子类（反之，则为 False）。这个函数也允许“不严格”的子类，意味着，一个类可视为其自身的子类，所以，这个函数如果当 sub 就是 sup，或者从 sup 派生而来，则返回 True（一个“严格的”子类是严格意义上的从一个类派生而来的子类）。

从 Python 2.3 开始，issubclass()的第二个参数可以是可能的父类组成的元组（tuple），这时，只要第一个参数是给定元组中任何一个候选类的子类时，就会返回 True。

13.12.2 isinstance()

isinstance()布尔函数在判定一个对象是否是另一个给定类的实例时，非常有用。它有如下语法：

```
isinstance(obj1, obj2)
```

isinstance()在 obj1 是类 obj2 的一个实例，或者是 obj2 的子类的一个实例时，返回 True（反之，则为 False），看下面的例子：

```
>>> class C1(object): pass
...
>>> class C2(object): pass
...
>>> c1 = C1()
>>> c2 = C2()
>>> isinstance(c1, C1)
True
>>> isinstance(c2, C1)
False
>>> isinstance(c1, C2)
False
>>> isinstance(c2, C2)
True
>>> isinstance(C2, c2)
Traceback (innermost last):
  File "<stdin>", line 1, in ?
    isinstance(C2, c2)
TypeError: second argument must be a class
```

注意：第二个参数应当是类；不然，你会得到一个 TypeError。但如果第二个参数是一个类型对象，则不会出现异常。这是允许的，因为你也可以使用 isinstance()来检查一个对象 obj1 是否是 obj2 的类型，比如：

```
>>> isinstance(4, int)
True
>>> isinstance(4, str)
False
>>> isinstance('4', str)
True
```

如果你对 Java 有一定的了解，那么你可能知道 Java 中有个等价函数叫 instanceof()，但由于性能上的原因，instanceof()并不推荐使用。调用 Python 的 isinstance()不会有性能上的问题，主要是因为它只用来快速搜索类族集成结构，以确定调用者是哪个类的实例，还有更重要的是，它是用 C 写的！

同 issubclass()一样，isinstance()也可以使用一个元组作为第二个参数。这个特性是从 Python 2.2 版本中引进的。如果第一个参数是第二个参数中给定元组的任何一个候选类型或类的实例时，就会返回 True。你还可以在第 13.16.1 节中了解到更多有 isinstance()的内容。

13.12.3 hasattr()、getattr()、setattr()、delattr()

*attr()系列函数可以在各种对象下工作，不限于类（class）和实例（instances）。然而，因为在类和实例中使用极其频繁，就在这里列出来了。需要说明的是，当使用这些函数时，你传入你正在处理的对象作为第一个参数，但属性名，也就是这些函数的第二个参数，是这些属性的字符串名字。换句话说，在操作 obj.attr 时，就相当于调用*attr(obj,'attr'...)系列函数——下面的例子讲得很清楚。

hasattr()函数是布朗型的，它的目的就是为了决定一个对象是否有一个特定的属性，一般用于访问某属性前先作一下检查。getattr()和 setattr()函数相应地取得和赋值给对象的属性，getattr()会在你试图读取一个不存在的属性时，引发 AttributeError 异常，除非给出那个可选的默认参数。setattr()将要么加入一个新的属性，要么取代一个已存在的属性。而 delattr()函数会从一个对象中删除属性。

下面一些例子使用到了*attr()系列内建函数：

```
>>> class myClass(object):
```

```
...     def __init__ (self):
...         self.foo = 100
...
>>> myInst = myClass()
>>> hasattr(myInst, 'foo')
True
>>> getattr(myInst, 'foo')
100
>>> hasattr(myInst, 'bar')
False
>>> getattr(myInst, 'bar')
Traceback (most recent call last):
  File "<stdin>", line 1, in ?
    getattr(myInst, 'bar')
AttributeError: myClass instance has no attribute 'bar'
>>> getattr(c, 'bar', 'oops!')
'oops!'
>>> setattr(myInst, 'bar', 'my attr')
>>> dir(myInst)
['__doc__', '__module__', 'bar', 'foo']
>>> getattr(myInst, 'bar')          #等同于 myInst.bar
'my attr'
>>> delattr(myInst, 'foo')
>>> dir(myInst)
['__doc__', '__module__', 'bar']
>>> hasattr(myInst, 'foo')
False
```

13.12.4 dir()

前面用到 dir()是在练习 2-12、练习 2-13 和练习 4-7。在这些练习中，我们用 dir()列出一个模块所有属性的信息。现在你应该知道 dir()还可以用在对象上。

在 Python 2.2 中，dir()得到了重要的更新。因为这些改变，那些__members__和__methods__数据属性已经被宣告即将不支持。dir()提供的信息比以前更加详尽。根据文档，“除了实例变量名和常用方法外，它还显示那些通过特殊标记来调用的方法，像__iadd__（+=），__len__（len()），__ne__（!=）”。在 Python 文档中有详细说明。

- dir()作用在实例上（经典类或新式类）时，显示实例变量，还有在实例所在的类及所有它的基类中定义的方法和类属性。
- dir()作用在类上（经典类或新式类）时，则显示类以及它的所有基类的__dict__中的内容。但它不会显示定义在元类（metaclass）中的类属性。
- dir()作用在模块上时，则显示模块的__dict__的内容。（这没改动）。
- dir()不带参数时，则显示调用者的局部变量。（也没改动）。关于更多细节：对于那些覆盖了__dict__或__class__属性的对象，就使用它们；出于向后兼容的考虑，如果已定义了__members__和__methods__，则使用它们。

13.12.5 super()

super()函数在 Python2.2 版本新式类中引入。这个函数的目的就是帮助程序员找出相应的父类，然后方便调用相关的属性。一般情况下，程序员可能仅仅采用非绑定方式调用祖先类方法。使用 super()可以简化搜索一个合适祖先的任务，并且在调用它时，替你传入实例或类型对象。

在第 13.11.4 节中，我们描述了方法解释顺序（MRO），用于在祖先类中查找属性。对于每个定义的类，都有一个名为__mro__的属性，它是一个元组，按照他们被搜索时的顺序，列出了备搜索的类。语法如下：

```
super(type[, obj])
```

给出 type,super()“返回此 type 的父类”。如果你希望父类被绑定，你可以传入 obj 参数（obj 必须是 type 类型的）。否则父类不会被绑定。obj 参数也可以是一个类型，但它应当是 type 的一个子类。通常，当给出 obj 时：

- 如果 obj 是一个实例，isinstance (obj,type)就必须返回 True
- 如果 obj 是一个类或类型，issubclass (obj,type)就必须返回 True

事实上，super()是一个工厂函数，它创造了一个 super object，为一个给定的类使用__mro__去查找相应的父类。很明显，它从当前所找到的类开始搜索 MRO。更多详情，请再看一下贵铎・范・罗萨姆有关统一类型和类的文章，他甚至给出了一个 super()的纯 Python 实现，这样，你可以加深其印象，知道它是如何工作的！

最后想到...super()的主要用途，是来查找父类的属性，比如 super (MyClass,self).__init__()。如果你没有执行这样的查找，你可能不需要使用 super()。

有很多如何使用 super()的例子分散在本章中。记得阅读一下第 13.11.2 节中有关 super()的重要提示，尤其是核心笔记。

13.12.6 vars()

vars()内建函数与 dir()相似，只是给定的对象参数都必须有一个__dict__属性。vars()返回一个字典，它包含了对象存储于其__dict__中的属性（键）和值。如果提供的对象没有这样一个属性，则会引发一个 TypeError 异常。如果没有提供对象作为 vars()的一个参数，它将显示一个包含本地名字空间的属性（键）及其值的字典，也就是，locals()。我们来看一下例子，使用类实例调用 vars()：

```
class C(object):
    pass
>>> c = C()
>>> c.foo = 100
>>> c.bar = 'Python'
>>> c.__dict__
{'foo': 100, 'bar': 'Python'}
>>> vars(c)
{'foo': 100, 'bar': 'Python'}
```

表 13.3 概括了类和类实例的内建函数。

表 13.3 类，实例及其他对象的内建函数

内 建 函 数	描 述
issubclass(*sub*, *sup*)	如果类 sub 是类 sup 的子类，则返回 True，反之为 False
isinstance(*obj1*, *obj2*)	如果实例 obj1 是类 obj2 或者 obj2 子类的一个实例；或者如果 obj1 是 obj2 的类型，则返回 True；反之，为 False
hasattr(*obj*, *attr*)	如果 obj 有属性 attr（用字符串给出），返回 True，反之，返回 False
getattr(*obj*, *attr*[, *default*])	获取 obj 的 attr 属性；与返回 obj.attr 类似；如果 attr 不是 obj 的属性，如果提供了默认值，则返回默认值；不然，就会引发一个 AttributeError 异常
setattr(*obj*, *attr*, *val*)	设置 obj 的 attr 属性值为 val，替换任何已存在的属性值；不然，就创建属性；类似于 obj.attr=val
delattr(*obj*, *attr*)	从 obj 中删除属性 attr（以字符串给出）；类似于 del obj.attr

续表

内建函数	描述
dir(*obj*=None)	返回 obj 的属性的一个列表；如果没有给定 obj，dir()则显示局部名字空间中的属性，也就是 locals().keys()
super(*type*, *obj*=None) [a]	返回一个表示父类类型的代理对象；如果没有传入 obj，则返回的 super 对象是非绑定的；反之，如果 obj 是一个 type，issubclass(obj,type)必为 True；否则，isinstance(obj,type)就必为 True
vars(*obj*=None)	返回 obj 的属性及其值的一个字典；如果没有给出 obj，vars()显示局部名字空间字典（属性及其值），也就是 locals()

a．Python2.2 中新增；仅对新式类有效。

13.13 用特殊方法定制类

我们已在本章前面部分讲解了方法的两个重要方面：首先，方法必须在调用前被绑定（到它们相应类的某个实例中）；其次，有两个特殊方法可以分别作为构造器和解构器的功能，分别名为__init__()和__del__()。

事实上，__init__()和__del__()只是可自定义特殊方法集中的一部分。它们中的一些有预定义的默认行为，而其他一些则没有，留到需要的时候去实现。这些特殊方法是 Python 中用来扩充类的强有力的方式。它们可以实现：

- 模拟标准类型
- 重载操作符

特殊方法允许类通过重载标准操作符+，*，甚至包括分段下标及映射操作操作[]来模拟标准类型。如同其他很多保留标识符，这些方法都是以双下划线（__）开始及结尾的。表 13.4 列出了所有特殊方法及其他的描述。

表 13.4 用来定制类的特殊方法

特殊方法	描述
基本定制型	
C.__init__(*self*[, *arg1*, ...])	构造器（带一些可选的参数）
C.__new__(*self*[, *arg1*, ...]) [a]	构造器（带一些可选的参数）；通常用在设置不变数据类型的子类
C.__del__(*self*)	解构器
C.__str__(*self*)	可打印的字符输出；内建 str()及 print 语句
C.__repr__(*self*)	运行时的字符串输出；内建 repr() 和‘ ‘ 操作符
C.__unicode__(*self*) [b]	Unicode 字符串输出；内建 unicode()
C.__call__(*self*, **args*)	表示可调用的实例
C.__nonzero__(*self*)	为 object 定义 False 值；内建 bool()（从 2.2 版开始）
C.__len__(*self*)	“长度”（可用于类）；内建 len()
对象（值）比较 [c]	
C.__cmp__(*self*, *obj*)	对象比较；内建 cmp()
C.__lt__(*self*, *obj*) and C.__le__(*self*, *obj*)	小于/小于或等于；对应<及<=操作符
C.__gt__(*self*, *obj*) and C.__ge__(*self*, *obj*)	大于/大于或等于；对应>及>=操作符
C.__eq__(*self*, *obj*) and C.__ne__(*self*, *obj*)	等于/不等于；对应==,!=及<>操作符

续表

特殊方法	描述
属性	
C.__getattr__(*self*, *attr*)	获取属性；内建 getattr()；仅当属性没有找到时调用
C.__setattr__(*self*, *attr*, *val*)	设置属性
C.__delattr__(*self*, *attr*)	删除属性
C.__getattribute__(*self*, *attr*)[a]	获取属性；内建 getattr()；总是被调用
C.__get__(*self*, *attr*)[a]	（描述符）获取属性
C.__set__(*self*, *attr*, *val*)[a]	（描述符）设置属性
C.__delete__(*self*, *attr*)[a]	（描述符）删除属性
定制类/模拟类型	
数值类型：二进制操作符	
C.__*add__(*self*, *obj*)	加；+操作符
C.__*sub__(*self*, *obj*)	减；−操作符
C.__*mul__(*self*, *obj*)	乘；*操作符
C.__*div__(*self*, *obj*)	除；/操作符
C.__*truediv__(*self*, *obj*)[e]	True 除；/操作符
C.__*floordiv__(*self*, *obj*)[e]	Floor 除；//操作符
C.__*mod__(*self*, *obj*)	取模/取余；%操作符
C.__*divmod__(*self*, *obj*)	除和取模；内建 divmod()
C.__*pow__(*self*, *obj* [, *mod*])	乘幂；内建 pow()；**操作符
C.__*lshift__(*self*, *obj*)	左移位；<<操作符
定制类/模拟类型	
数值类型：二进制操作符	
C.__*rshift__(*self*, *obj*)	右移；>>操作符
C.__*and__(*self*, *obj*)	按位与；&操作符
C.__*or__(*self*, *obj*)	按位或；|操作符
C.__*xor__(*self*, *obj*)	按位与或；^操作符
数值类型：一元操作符	
C.__neg__(*self*)	一元负
C.__pos__(*self*)	一元正
C.__abs__(*self*)	绝对值；内建 abs()
C.__invert__(*self*)	按位求反；～操作符
数值类型：数值转换	
C.__complex__(*self*, *com*)	转为 complex(复数)；内建 complex()
C.__int__(*self*)	转为 int；内建 int()
C.__long__(*self*)	转为 long；内建 long()
C.__float__(*self*)	转为 float；内建 float()

续表

特殊方法	描述
数值类型：基本表示法（*String*）	
C.__oct__(*self*)	八进制表示；内建 oct()
C.__hex__(*self*)	十六进制表示；内建 hex()
数值类型：数值压缩	
C.__coerce__(*self, num*)	压缩成同样的数值类型；内建 coerce()
C.__index__(*self*)[g]	在有必要时，压缩可选的数值类型为整型（比如：用于切片索引等）
序列类型	
C.__len__(*self*)	序列中项的数目
C.__getitem__(*self, ind*)	得到单个序列元素
C.__setitem__(*self, ind,val*)	设置单个序列元素
C.__delitem__(*self, ind*)	删除单个序列元素
序列类型	
C.__getslice__(*self, ind*1,*ind*2)	得到序列片段
C.__setslice__(*self, i*1, *i*2,*val*)	设置序列片段
C.__delslice__(*self, ind*1,*ind*2)	删除序列片段
C.__contains__(*self, val*)[f]	测试序列成员；内建 in 关键字
C.__*add__(*self,obj*)	串连；+操作符
C.__*mul__(*self,obj*)	重复；*操作符
C.__iter__(*self*)[e]	创建迭代类；内建 iter()
映射类型	
C.__len__(*self*)	mapping 中的项的数目
C.__hash__(*self*)	散列（hash）函数值
C.__getitem__(*self,key*)	得到给定键（key）的值
C.__setitem__(*self,key,val*)	设置给定键（key）的值
C.__delitem__(*self,key*)	删除给定键（key）的值
C.__missing__(*self,key*)	给定键如果不存在字典中，则提供一个默认值

a. Python 2.2 中新引入；仅用于新式类中。

b. Python 2.3 中新引入。

c. 除了 cmp()外，其余全是在 Python 新引入的。

d. "*" 代表"(selp OP obj)、'r'(obj OP self)或'i'(原位(in-place)操作，Python 2.0 新增)，例如__add__、__radd__或__iadd__。

e. Python 2.2 中新引入。

f. "*" 代表"(selp OP obj), 'r'(obj OP self)，或'i'(原位(in-place)操作，Python 1.6 新增)，例如__add__、__radd__或__iadd__。

g. Python 2.5 中新引入。

基本的定制和对象（值）比较特殊方法在大多数类中都可以被实现，且没有同任何特定的类型模型绑定。延后设置，也就是所谓的富比较（Rich Comparison），在 Python2.1 中加入。属性组帮助管理你的类的实例属性。这同样独立于模型。还有一个，__getattribute__()，它仅用在新式类中，我们将在后面的章节中对它进行描述。

特殊方法中数值类型部分可以用来模拟很多数值操作，包括那些标准（一元和二进制）操作符、类型转换、基本表示法及压缩。还有用来模拟序列和映射类型的特殊方法。实现这些类型的特殊方法将会重载操作符，以使它们可以处理你的 class 类型的实例。

另外，除操作符__*truediv__()和__*floordiv__()在 Python 2.2 中加入，用来支持 Python 除操作符中待定的更改——可查看 5.5.3 节。基本上，如果解释器启用新的除法，不管是通过一个开关来启动 Python，还是通过“from__future__import division”，单斜线除操作（/）表示的将是“真”除法，意思是它将总是返回一个浮点值，不管操作数是否为浮点型或者整型（复数除法保持不变）。双斜线除操作（//）将提供大家熟悉的浮点除法，从标准编译型语言像 C/C++及 Java 过来的工程师一定对此非常熟悉。同样，这些方法只能处理实现了这些方法并且启用了新的除操作的类的那些符号。

表格中，在它们的名字中，用星号通配符标注的数值二进制操作符则表示这些方法有多个版本，在名字上有些许不同。星号可代表在字符串中没有额外的字符，或者一个简单的“r”指明是一个右结合操作。没有“r”，操作则发生在对于 self OP obj 的格式；“r”的出现表明格式 obj OP self。比如，__add__(self,obj)是针对 self+obj 的调用，而__radd__(self,obj)则针对 obj+self 来调用。

增量赋值，起于 Python 2.0，介绍了“原位”操作符。一个“i”代替星号的位置，表示左结合操作与赋值的结合，相当是在 self=self OP obj。举例，__iadd__(self, obj)相当于 self=self+obj 的调用。

随着 Python 2.2 中新式类的引入，有一些更多的方法增加了重载功能。然而，在本章开始部分提到过，我们仅关注经典类和新式类都适应的核心部分，本章的后续部分，我们介绍新式类的高级特性。

13.13.1 简单定制（RoundFloat2）

我们的第一个例子很普通。在某种程度上，它基于我们前面所看到的从 Python 类型中派生出的派生类 RoundFloat。这个例子很简单。事实上，我们甚至不想去派生任何东西（当然，除 object 外）……我们也不想采用与 floats 有关的所有“好东西”。不，这次，我们想创建一个苗条的例子，这样你可以对类定制的工作方式有一个更好的理解。这种类的前提与其他类是一样的：我们只要一个类来保存浮点型，四舍五入，保留两位小数位。

```
class RoundFloatManual(object):
    def __init__(self, val):
        assert isinstance(val, float), \
            "Value must be a float!"
        self.value = round(val, 2)
```

这个类仅接收一个浮点值——它断言了传递给构造器的参数类型必须为一个浮点型——并且将其保存为实例属性值。让我们来试试，创建这个类的一个实例：

```
>>> rfm = RoundFloatManual(42)
Traceback (most recent call last):
  File "<stdin>", line 1, in ?
  File "roundFloat2.py", line 5, in __init__
    assert isinstance(val, float), \
AssertionError: Value must be a float!
>>> rfm = RoundFloatManual(4.2)
>>> rfm
<roundFloat2.RoundFloatManual object at 0x63030>
>>> print rfm
<roundFloat2.RoundFloatManual object at 0x63030>
```

你已看到，它因输入非法，而“噎住”，但如果输入正确时，就没有任何输出了。可是，当把这个对象转存在交互式解释器中时，看一下发生了什么。我们得到一些信息，却不是我们要找的。（我们想看到数值，对吧？）调用 print 语句同样没有明显的帮助。

不幸的是，print（使用 str()）和真正的字符串对象表示（使用 repr()）都没能显示更多有关我们对象的信息。一个好的办法是，去实现__str__()和__repr__()二者之一，或者两者都实现，这样我们就能“看到”我们的对象是个什么样子了。换句话说，当你想显示你的对象，实际上是想看到有意义的东西，而不仅仅是通常的 Python 对象字符串（<object object at id>）。让我们来添加一个__str()__方法，以覆盖默认的行为：

```
def __str__ (self):
    return str(self.value)
```

现在我们得到下面的：

```
>>> rfm = RoundFloatManual(5.590464)
>>> rfm
<roundFloat2.RoundFloatManual object at 0x5eff0>
>>> print rfm
5.59
>>> rfm = RoundFloatManual(5.5964)
>>> print rfm
5.6
```

我们还有一些问题……一个问题是仅仅在解释器中转储（dump）对象时，仍然显示的是默认对象符号，但这样做也算不错。如果我们想修复它，只需要覆盖__repr__()。因为字符串表示法也是 Python 对象，我们可以让__repr__()和__str__()的输出一致。

为了完成这些，只要把__str__()的代码复制给__repr__()。这是一个简单的例子，所以它没有真正对我们造成负面影响，但作为程序员，你知道那不是最好的办法。如果__str__()中存在 bug，那么我们会将 bug 也复制给__repr__()了。

最好的方案，在__str__()中的代码也是一个对象，同所有对象一样，引用可以指向它们，所以，我们可以仅仅让__repr__()作为__str__()的一个别名：

```
__repr__ = __str__
```

在带参数 5.5964 的第二个例子中，我们看到它舍入值刚好为 5.6，但我们还是想显示带两位小数的数。来一个更妙的方法吧，看下面：

```
def __str__ (self):
    return '%.2f' % self.value
```

这里就同时具备 str()和 repr()的输出了：

```
>>> rfm = RoundFloatManual(5.5964)
>>> rfm
5.60
>>> print rfm
5.60
```

例 13.2 基本定制（roundFloat2.py）

```
1   #!/usr/bin/env python
2
```

```
3   class RoundFloatManual(object):
4       def __init__ (self, val):
5           assert isinstance(val, float), \
6           "Value must be a float!"
7           self.value = round(val, 2)
8
9       def __str__ (self):
10          return '%.2f' % self.value
11
12      __repr__ = __str__
```

在本章开始部分，最初的 RoundFloat 例子，我们没有担心所有细致对象的显示问题；原因是__str__()和__repr__()作为 float 类的一部分已经为我们定义好了。我们所要做的就是去继承它们。增强版本“手册”中需要另外的工作。你发现派生是多么的有益了吗？我们甚至不需要知道解释器在继承树上要执行多少步才能找到一个已声明的你正在使用却没有考虑过的方法。我们将在例 13.2 中列出这个类的全部代码。

现在开始一个稍复杂的例子。

13.13.2 数值定制（Time60）

作为第一个实际的例子，我们可以想象需要创建一个简单的应用，用来操作时间，精确到小时和分。我们将要创建的这个类可用来跟踪职员工作时间，ISP 用户在线时间，数据库总的运行时间（不包括备份及升级时的停机时间），在扑克比赛中玩家总时间，等等。

在 Time60 类中，我们将整型的小时和分钟作为输入传给构造器。

```
class Time60(object):                    # 顺序对
    def __init__ (self, hr, min):        # 构造器
        self.hr = hr                     # 给小时赋值
        self.min = min                   # 给分赋值
```

1．显示

同样，如前面的例子所示，在显示我们的实例的时候，我们需要一个有意义的输出，那么就要覆盖__str__()（如果有必要的话，__repr__()也要覆盖）。我们都习惯看小时和分，用冒号分隔开的格式，比如，“4:30”，表示 4 个小时，加半个小时（4 个小时又 30 分钟）：

```
def __str__ (self):
    return '%d:%d' % (self.hr, self.min)
```

用此类，可以实例化一些对象。在下面的例子中，我们启动一个工时表来跟踪对应构造器的计费小时数：

```
>>> mon = Time60(10, 30)
>>> tue = Time60(11, 15)
>>>
>>> print mon, tue
10:30 11:15
```

输出不错，正是我们想看到的。下一步干什么呢？可考虑与我们的对象进行交互。比如在时间片的应用中，有必要把 Time60 的实例放到一起让我们的对象执行所有有意义的操作。我们更喜欢像这样的：

```
>>> mon + tue
21:45
```

2．加法

Python 的重载操作符很简单。像加号（+），我们只需要重载__add__()方法，如果合适，还可以用__radd__()及__iadd__()。稍后有更多有关这方面的描述。实现__add__()听起来不难——只要把分和小时加在一块。大多数复杂性源于我们怎么处理这个新的总数。如果我们想看到“21:45”，就必须认识到这是另一个 Time60 对象，我们没有修改 mon 或 tue，所以，我们的方法就应当创建另一个对象并填入计算出来的总数。

实现__add__()特殊方法时，首先计算出个别的总数，然后调用类构造器返回一个新的对象：

```
def __add__ (self, other):
    return self. __class__ (self.hr + other.hr,
       self.min + other.min)
```

和正常情况下一样，新的对象通过调用类来创建。唯一的不同点在于，在类中，你一般不直接调用类名，而是使用 self 的__class__属性，即实例化 self 的那个类，并调用它。由于 self.__class__与 Time60 相同，所以调用 self.__class__()与调用 Time60()是一回事。

不管怎样，这是一个更面向对象的方式。另一个原因是，如果我们在创建一个新对象时，处处使用真实的类名，然后，决定将其改为别的名字，这时，我们就不得不非常小心地执行全局搜索并替换。如果靠使用 self.__class__，就不需要做任何事情，只需要直接改为你想要的类名。

好了，我们现在来使用加号重载，“增加” Time60 对象：

```
>>> mon = Time60(10, 30)
>>> tue = Time60(11, 15)
>>> mon + tue
<time60.Time60 object at 0x62190>
>>> print mon + tue
21:45
```

哎哟，我们忘记添加一个别名__repr__给__str__了，这很容易修复。你可能会问，“当我们试着在重载情况下使用一个操作符，却没有定义相对应的特殊方法时还有很多需要优化和重要改良的地方，会发生什么事呢？”答案是一个 TypeError 异常：

```
>>> mon - tue
Traceback (most recent call last):
  File "<stdin>", line 1, in ?
TypeError: unsupported operand type(s) for -: 'Time60'
and 'Time60'
```

3．原位加法

有了增量赋值（在 Python 2.0 中引入），我们也许还有希望覆盖“原位”操作，比如，__iadd__()。这是用来支持像 mon += tue 这样的操作符，并把正确的结果赋给 mon。重载一个__i*__()方法的唯一秘密是它必须返回 self。把下面的片段加到我们例子中，以修复上面的 repr()问题，并支持增量赋值：

```
__repr__ = __str__

def __iadd__ (self, other):
    self.hr += other.hr
    self.min += other.min
    return self
```

下面是结果输出：

```
>>> mon =Time60(10,30)
>>> tue =Time60(11,15)
```

```
>>> mon
10:30
>>> id(mon)
401872
>>> mon += tue
>>> id(mon)
401872
>>> mon
21:45
```

注意，使用 id()内建函数是用来确定一下，在原位加的前后，我们确实是修改了原来的对象，而没有创建一个新的对象。对一个具有巨大潜能的类来说，这是很好的开始。在例 13.3 中给出了 Time60 的类的完全定义。

例 13.3 中级定制（time60.py）

```
1   #!/usr/bin/env python
2
3   class Time60(object):
4       'Time60 - track hours and minutes'
5
6       def __init__ (self, hr, min):
7       'Time60 constructor - takes hours and minutes'
8           self.hr = hr
9           self.min = min
10
11      def __str__ (self):
12          'Time60 - string representation'
13          return '%d:%d' % (self.hr, self.min)
14
15      __repr__ = __str__
16
17      def __add__ (self, other):
18          'Time60 - overloading the addition operator'
19          return self. __class__ (self.hr + other.hr,
21          self.min + other.min)
22      def __iadd__ (self, other):
23          'Time60 - overloading in-place addition'
24          self.hr += other.hr
25          self.min += other.min
26          return self
```

例 13.4 随机序列迭代器（randSeq.py）

```
1   #!/usr/bin/env python
2
3   from random import choice
4
5   class RandSeq(object):
6       def __init__ (self, seq):
```

```
7             self.data = seq
8
9         def __iter__ (self):
10            return self
11
12        def next(self):
13            return choice(self.data)
```

4．进一步优化

现在暂时告一段落，但在这个类中，还有很多需要优化和改良的地方。比如，如果我们不传入两个分离的参数，而传入一个 2 元组给构造器作为参数，是不是更好些呢？如果是像"10:30"这样的字符串的话，结果会怎样？

答案是肯定的，你可以这样做，在 Python 中很容易做到，但不是像很多其他面向对象语言一样通过重载构造器来实现。Python 不允许用多个签名重载可调用对象。所以实现这个功能的唯一的方式是使用单一的构造器，并由 isinstance()和（可能的）type()内建函数执行自省功能。

能支持多种形式的输入，能够执行其他操作像减法等，可以让我们的应用更健壮、灵活。当然这些是可选的，就像"如虎添翼"，但我们首先应该担心的是两个中等程度的缺点：首先当比十分钟还少时，这种格式并不是我们所希望的。其次不支持 60 进制（sexagesimal[1]）（基数 60，以 60 为分母）的操作：

```
>>> wed = Time60(12, 5)
>>> wed
12:5
>>> thu = Time60(10, 30)
>>> fri = Time60(8, 45)
>>> thu + fri
18:75
```

显示 wed 结果是"12:05"，把 thu 和 fri 加起来结果会是"19:15"。修改这些缺陷，实现上面的改进建议可以实际性地提高你编写定制类技能。这方面的更新，更详细的描述在本章的练习 13-20 中。

我们希望你现在对于操作符重载、为什么要使用操作符重载及如何使用特殊方法来实现它已有了一个更好的理解了。接下来为选看章节内容，让我们来了解更多复杂的类定制的情况。

13.13.3 迭代器（RandSeq 和 AnyIter）

1．RandSeq

我们正式介绍迭代器是在第 8 章，但在全书中都在用它。它可以一次一个的遍历序列（或者是类似序列对象）中的项。在第 8 章中，我们描述了如何利用一个类中的__iter__()和 next()方法，来创建一个迭代器。我们在此展示两个例子。

第一个例子是 RandSeq（RANDom SEQuence 的缩写）。我们给我们的类传入一个初始序列，然后让用户通过 next()去迭代（无穷）。

__init__()方法执行前述的赋值操作。__iter__()仅返回 self，这就是如何将一个对象声明为迭代器的方式，最后，调用 next()来得到迭代器中连续的值。这个迭代器唯一的亮点是它没有终点。

这个例子展示了一些我们可以用定制类迭代器来做的与众不同的事情。一个是无穷迭代。因为我们

1．"sexagesimal"是源自拉丁语的名字；有时我们也说"hexagesimal"，这是一个希腊词根"hexe"和拉丁语"gesmal"的混合。

无损地读取一个序列，所以它是不会越界的。每次用户调用 next()时，它会得到下一个迭代值，但我们的对象永远不会引发 StopIteration 异常。我们来运行它，将会看到下面的输出：

```
>>> from randseq import RandSeq
>>> for eachItem in RandSeq(
...         ('rock', 'paper', 'scissors')):
...     print eachItem
...
scissors
scissors
rock
paper
paper
scissors
  :
```

例 13.5 任意项的迭代器（anyIter.py）

```
1   #!/usr/bin/env python
2
3   class AnyIter(object):
4       def __init__(self, data, safe=False):
5           self.safe = safe
6           self.iter = iter(data)
7
8       def __iter__(self):
9           return self
10
11      def next(self, howmany=1):
12          retval = []
13          for eachItem in range(howmany):
14              try:
15                  retval.append(self.iter.next())
16              except StopIteration:
17                  if self.safe:
18                      break
19                  else:
20                      raise
21          return retval
```

2．AnyIter

在第二个例子中，我们的确创建了一个迭代器对象，我们传给 next()方法一个参数，控制返回条目的数目，而不是去一次一个地迭代每个项。下面是我们的代码（ANY number of items ITERator）（笔者这里的注释是告诉读者类“AnyIter”是如何命名的，译者注）：

和 RandSeq 类的代码一样，类 AnyIter 很容易领会。我们在上面描述了基本的操作...它同其他迭代器一样工作，只是用户可以请求一次返回 N 个迭代的项，而不仅是一个项。

我们给出一个迭代器和一个安全标识符（safe）来创建这个对象。如果这个标识符（safe）为真（True），我们将在遍历完这个迭代器前，返回所获取的任意条目，但如果这个标识符为假（False），则在用户请求过多条目时，将会引发一个异常。错综复杂的核心在于 next()，特别是它如何退出的（14～21 行）。

在 next()的最后一部分中，我们创建用于返回的一个列表项，并且调用对象的 next()方法来获得每一项条目。如果我们遍历完列表，得到一个 StopIteration 异常，这时则检查安全标识符（safe）。如果不安全（即，self.safe=False），则将异常抛还给调用者（raise）；否则，退出（break）并返回（return）已经保存过的所有项。

```
>>> a = AnyIter(range(10))
>>> i = iter(a)
>>> for j in range(1,5):
>>>     print j, ':', i.next(j)
1 : [0]
2 : [1, 2]
3 : [3, 4, 5]
4 : [6, 7, 8, 9]
```

上面程序的运行没有问题，因为迭代器正好符合项的个数。当情况出现偏差，会发生什么呢？让我们首先试试“不安全（unsafe）”的模式，这也就是紧随其后创建我们的迭代器：

```
>>> i = iter(a)
>>> i.next(14)
Traceback (most recent call last):
  File "<stdin>", line 1, in ?
  File "anyIter.py", line 15, in next
    retval.append(self.iter.next())
StopIteration
```

因为超出了项的支持量，所以出现了 StopIteration 异常，并且这个异常还被重新引发回调用者（第 20 行）。如果我们使用“安全（safe）”模式重建迭代器，再次运行一次同一个例子的话，我们就可以在项失控出现前得到迭代器所得到的元素：

```
>>> a = AnyIter(range(10), True)
>>> i = iter(a)
>>> i.next(14)
[0, 1, 2, 3, 4, 5, 6, 7, 8, 9]
```

13.13.4 *多类型定制（NumStr）

现在创建另一个新类，NumStr，由一个数字-字符对组成，相应地，记为 n 和 s，数值类型使用整型（integer）。尽管这组顺序对的“合适的”记号是（n，s），但我们选用[n::s]来表示它，有点不同。暂不管记号，这两个数据元素只要我们模型考虑好了，就是一个整体。可以创建我们的新类了，叫做 NumStr，有下面的特征：

1．初始化

类应当对数字和字符串进行初始化；如果其中一个（或两）没有初始化，则使用 0 和空字符串，也就是，n=0 且 s='',作为默认。

2．加法

我们定义加法操作符，功能是把数字加起来，把字符连在一起；要点部分是字符串要按顺序相连。比如，NumStr1=[n1::s1]且 NumStr2＝[n2::s2]。则 NumStr1+NumStr2 表示［n1+n2::s1+s2］，其中，＋代表数字相加及字符相连接。

3. 乘法

类似的，定义乘法操作符的功能为数字相乘、字符累积相连，也就是 NumStr1 *NumStr 2=[n1*n::s1*n]。

4. False 值

当数字的数值为 0 且字符串为空时，也就是当 NumStr=[0::'']时，这个实体即有一个 false 值。

5. 比较

比较一对 NumStr 对象，比如，[n1::s1] vs. [n2::s2]，我们可以发现九种不同的组合（即 n1>n2 和 s1＜s2、n1= =n2 和 s1＞s2 等）。对数字和字符串，我们一般按照标准的数值和字典顺序的进行比较，即，如果 obj1<obj2，普通比较 cmp(obj1,obj2)的返回值是一个小于 0 的整型，当 obj1>obj2 时，比较的返回值大于 0，当两个对象有相同的值时，比较的返回值等于 0。

我们的类的解决方案是把这些值相加，然后返回结果。有趣的是 cmp()不会总是返回-1、0 或 1。上面提到过，它是一个小于、等于或大于 0 的整数。

为了能够正确的比较对象，我们需要让__cmp__()在（n1>n2）且（s1>s2）时返回 1，在（n1<n2）且（s1<s2）时返回-1，而当数值和字符串都一样时，或是两个比较的结果正相反时（即(n1<n2)且（s1>s2)，或相反）返回 0，反之亦然。

例 13.6 多类型类定制（numstr.py）

```
1   #!/usr/bin/env python
2
3   class NumStr(object):
4
5       def __init__ (self, num=0, string=''):
6           self. __num = num
7           self. __string = string
8
9       def __str__ (self):            # define for str()
10          return '[%d :: %r]' % \
11              self. __num, self. __string)
12      __repr__= __str__
13
14      def __add__ (self, other): # define for s+o
15          if isinstance(other, NumStr):
16              return self. __class__ (self. __num + \
17                  other. __num, \
18                  self. __string + other. __string)
19          else:
20              raise TypeError, \
21      'Illegal argument type for built-in operation'
22
23      def __mul__ (self, num):    # define for o*n
24          if isinstance(num, int):
25              return self. __class__ (self. __num * num
26                  self. __string * num)
27          else:
```

```
28                raise TypeError, \
29        'Illegal argument type for built-in operation'
30
31        def __nonzero__ (self):          # False if both are
32            return self. __num or len(self. __string)
33
34        def __norm_cval(self, cmpres):  # normalize cmp()
35            return cmp(cmpres, 0)
36
37        def __cmp__ (self, other):       # define for cmp()
38            return self. __norm_cval(
39                    cmp(self. __num, other. __num)) + \
40                self. __norm_cval(
41                    cmp(self. __string, other. __string))
```

根据上面的特征，我们列出 numstr.py 的代码，执行一些例子：

```
>>> a = NumStr(3, 'foo')
>>> b = NumStr(3, 'goo')
>>> c = NumStr(2, 'foo')
>>> d = NumStr()
>>> e = NumStr(string='boo')
>>> f = NumStr(1)
>>> a
[3 :: 'foo']
>>> b
[3 :: 'goo']
>>> c
[2 :: 'foo']
>>> d
[0 :: '']
>>> e
[0 :: 'boo']
>>> f
[1 :: '']
>>> a < b
True
>>> b < c
False
>>> a == a
True
>>> b * 2
[6 :: 'googoo']
>>> a * 3
[9 :: 'foofoofoo']
>>> b + e
[3 :: 'gooboo']
>>> e + b
[3 :: 'boogoo']
```

```
>>> if d: 'not false'     # also bool(d)
...
>>> if e: 'not false'     # also bool(e)
...
'not false'
>>> cmp(a,b)
-1
>>> cmp(a,c)
1
>>> cmp(a,a)
0
```

6．逐行解释

1～7 行

脚本的开始部分为构造器__init__()，通过调用 NumStr()时传入的值来设置实例，完成自身初始化。如果有参数缺失，属性则使用 false 值，即默认的 0 或空字符，这取决于参数情况。

一个值得注意的偏好是命名属性时，使用双下划线。我们在下一节中会看到，这是在信息隐藏时强加一个级别——尽管不够成熟。程序员导入一个模块时，就不能直接访问到这些数据元素。我们正试着执行一种 OO 设计中的封装特性，只有通过存取函数才能访问。如果这种语法让你感觉有点怪异，不舒服的话，你可以从实例属性中删除所有双下划线，程序同样可以良好地运行。

所有的由双下划线（__）开始的属性都被“混淆”（mangled）了，导致这些名字在程序运行时很难被访问到。但是它们并没有用一种难于被逆向工程的方法来“混淆”。事实上，“混淆”属性的方式已众所周知，很容易被发现。这里主要是为了防止这些属性在被外部模块导入时，由于被意外使用而造成的名字冲突。我们将名字改成含有类名的新标识符，这样做，可以确保这些属性不会被无意“访问”。更多信息，请参见 13.14 节中关于私有成员的内容。

9～12 行

我们把顺序对的字符串表示形式确定为“[num::'str']”，这样不论我们的实例用 str()还是包含在 print 语句中时候，我们都可以用__str__()来提供这种表示方式。我们想强调一点，第二个元素是一个字符串，如果用户看到由引号标记的字符串时，会更加直观。要做到这点，我们使用“repr()”表示法对代码进行转换，把“%s”替换成“%r”。这相当于调用 repr()或者使用单反引号来给出字符串的可求值版本——可求值版本的确要有引号：

```
>>> print a
[3 :: 'foo']
```

如果在 self.__string 中没有调用 repr()（去掉单反引号或使用“%s”）将导致字符串引号丢失：

```
return '[%d :: %s]' % (self. __num, self. __string)
```

现在对实例再次调用 print，结果：

```
>>> print a
[3 :: foo]
```

没有引号，看起来会如何呢？不能信服“foo”是一个字符串，对吧？它看起来更像一个变量。连作者可能也不能确定（我们快点悄悄回到这一变化之前，假装从来没看到这个内容）。

代码中__str__()函数后的第一行是把这个函数赋给另一个特殊方法名，__repr__。我们决定我们的实例的一个可求值的字符串表示应当与可打印字符串表示是一样的，而不是去定义一个完整的新函数，成为__str__()的副本，我们仅去创建一个别名，复制其引用。当你实现__str__()后，一旦使用那个对象作为参数来应用内建 str()函数，解释器就会调用这段代码，对__repr__()及 repr()也一样。

如果不去实现__repr__()，我们的结果会有什么不同呢？如果赋值被取消，只有调用 str()的 print 语句才会显示对象的内容。而可求值字符串表示恢复成默认的 Python 标准形式<...some_object_ information...>

```
>>> print a         # calls str(a)
[3 :: 'foo']
>>> a               # calls repr(a)
<NumStr.NumStr instance at 122640>
```

14～21 行

我们想加到我们的类中的一个特征就是加法操作，前面已提到过。Python 用于定制类的特征之一是，我们可以重载操作符，以使定制的这些类型更“实用”。调用一个函数，像“add(obj1,obj2)”是为“add”对象 obj1 和 ojb2，这看起来好像加法，但如果能使用加号（+）来调用相同的操作是不是更有说服力呢？像这样，obj1+obj2。

重载加号，需要去为 self(SELF)和其他操作数实现（OTHER）__add__()。__add__()函数考虑 Self+Other 的情况，但我们不需要定义__radd__()来处理 Other+Self，因为这可以由 Other 的__add__()去考虑。数值加法不像字符串那样结果受到（操作数）顺序的影响。

加法操作把两个部分中的每一部分加起来，并用这个结果对形成一个新的对象——通过将结果作为参数调用 self.__class__()来实例化（同样，在前面已解释过）。碰到任何类型不正确的对象时，我们会引发一个 TypeError 异常。

23～29 行

我们也可以重载星号[靠实现__mul__()]，执行数值乘法和字符串重复，并同样通过实例化来创建一个新的对象。因为重复只允许整型在操作数的右边，因此也必执行此规则。基于同样的原因，我们在此也没有实现__rmul__()。

31～32 行

Python 对象任何时候都有一个布朗值。对标准类型而言，对象有一个 false 值的情况为：它是一个类似于 0 的数值，或是一个空序列，或者映射。就我们的类而言，我们选择的数值必须为 0，字符串要为空作为一个实例有一个 false 值的条件。覆盖__nonzero__()方法，就是为此目的。其他对象，像严格模拟序列或映射类型的对象，使用一个长度为 0 作为 false 值。这些情况，你需要实现__len__()方法，以实现那个功能。

34～41 行

__norm_cval() (“normalize cmp() value 的缩写”)不是一个特殊方法。它是一个帮助我们重载__cmp__()的助手函数：唯一的目的就是把 cmp()返回的正值转为 1，负值转为-1。cmp()基于比较的结果，通常返回任意的正数或负数（或 0），但为了我们的目的，需要严格规定返回值为-1、0 和 1。对整型调用 cmp()及与 0 比较，结果即是我们所需要的，相当于如下代码片段：

```
def __norm_cval(self, cmpres):
    if cmpres < 0:
        return -1
    elif cmpres > 0:
        return 1
    else:
        return 0
```

两个相似对象的实际比较是比较数字，比较字符串，然后返回这两个比较结果的和。

13.14 私有化

默认情况下，属性在 Python 中都是“公开的”，类所在模块和导入了类所在模块的其他模块的代码都可以访问到。很多OO语言给数据加上一些可见性，只提供访问函数来访问其值。这就是熟知的实现隐藏，是对象封装中的一个关键部分。

大多数面向对象语言提供“访问控制符”来限定成员函数的访问。

1．双下划线（__）

Python为类元素（属性和方法）的私有性提供初步的形式。由双下划线开始的属性在运行时被“混淆”，所以直接访问是不允许的。实际上，会在名字前面加上下划线和类名。比如，以例13.6（numstr.py）中的self.__num属性为例，被“混淆”后，用于访问这个数据值的标识就变成了self._NumStr__num。把类名加上后形成的新的“混淆”结果将可以防止在祖先类或子孙类中的同名冲突。

尽管这样做提供了某种层次上的私有化，但算法处于公共域中并且很容易被“击败”。这更多的是一种对导入源代码无法获得的模块或对同一模块中的其他代码的保护机制。

这种名字混淆的另一个目的，是为了保护__XXX变量不与父类名字空间相冲突。如果在类中有一个__XXX属性，它将不会被其子类中的__XXX属性覆盖。（回忆一下，如果父类仅有一个XXX属性，子类也定义了这个，这时，子类的XXX就是覆盖了父类的XXX，这就是为什么你必须使用PARENT.XXX来调用父类的同名方法。）使用__XXX，子类的代码就可以安全地使用__XXX，而不必担心它会影响到父类中的__XXX。

2．单下划线（_）

与我们在第 12 章发现的那样，简单的模块级私有化只需要在属性名前使用一个单下划线字符。这就防止模块的属性用“from mymodule import *”来加载。这是严格基于作用域的，所以这同样适合于函数。

在Python 2.2中引进的新式类，增加了一套全新的特征，让程序员在类及实例属性提供保护的多少上拥有大量重要的控制权。尽管Python没有在语法上把private，protected、friend或protected friend等特征内建于语言中，但是可以按你的需要严格地定制访问权。我们不可能涵盖所有的内容，但会在本章后面给你一些有关新式类属性访问的建议。

13.15 *授权

13.15.1 包装

“包装”在Python编程世界中经常会被提到的一个术语。它是一个通用的名字，意思是对一个已存在的对象进行包装，不管它是数据类型还是一段代码，可以是对一个已存在的对象增加新的、删除不要的或修改其他已存在的功能。

在Python 2.2版本前，从Python标准类型子类化或派生类都是不允许的。即使你现在可以对新式类这样做，这一观念仍然很流行。你可以包装任何类型作为一个类的核心成员，以使新对象的行为模仿你想要的数据类型中已存在的行为，并且去掉你不希望存在的行为；它可能会要做一些额外的事情。这就是“包装类型”。在附录中，我们还将讨论如何扩充Python，包装的另一种形式。

包装包括定义一个类，它的实例拥有标准类型的核心行为。换句话说，它现在不仅能唱能跳，还能够像原类型一样步行，说话。图13-4举例说明了在类中包装的类型看起像个什么样子。在图的中心为标准类型的核心行为，但它也通过新的或最新的功能，甚至可能通过访问实际数据的不同方法得到提高。

类对象（其表现像类型）

你还可以包装类，但这不会有太多的用途，因为已经有用于操作对象的机制，并且在上面已描述过，对标准类型有对其进行包装的方式。你如何操作一个已存的类，模拟你需要的行为，删除你不喜欢的，并且可能让类表现出与原类不同的行为呢？我们前面已讨论过，就是采用派生。

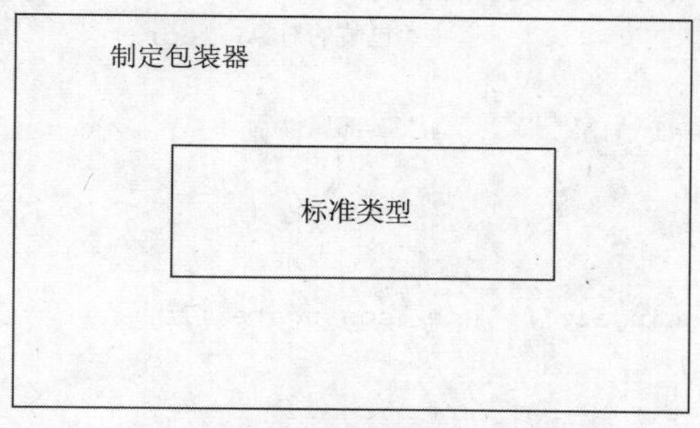

图 13-4 包装类型

13.15.2 实现授权

授权是包装的一个特性，可用于简化处理相关命令性功能，采用已存在的功能以达到最大限度的代码重用。

包装一个类型通常是对已存在的类型的一些定制。我们在前面提到过，这种做法可以新建、修改或删除原有产品的功能。其他的则保持原样，或者保留已存功能和行为。授权的过程，即是所有更新的功能都是由新类的某部分来处理，但已存在的功能就授权给对象的默认属性。

实现授权的关键点就是覆盖__getattr__()方法，在代码中包含一个对 getattr()内建函数的调用。特别地，调用 getattr()以得到默认对象属性（数据属性或者方法）并返回它以便访问或调用。特殊方法__getattr__()的工作方式是，当搜索一个属性时，任何局部对象首先被找到（定制的对象）。如果搜索失败了，则__getattr__()会被调用，然后调用 getattr()得到一个对象的默认行为。

换言之，当引用一个属性时，Python 解释器将试着在局部名称空间中查找那个名字，比如一个自定义的方法或局部实例属性。如果没有在局部字典中找到，则搜索类名称空间，以防一个类属性被访问。最后，如果两类搜索都失败了，搜索则对原对象开始授权请求，此时，__getattr__()会被调用。

1. 包装对象的简例

看一个例子。这个类已乎可以包装任何对象，提供基本功能，比如使用 repr()和 str()来处理字符串表示法。另外定制由 get()方法处理，它删除包装并且返回原始对象。所以保留的功能都授权给对象的本地属性，在必要时，可由__getattr__()获得。

下面是包装类的例子：

```
class WrapMe(object):
    def __init__ (self, obj):
        self. __data = obj
    def get(self):
        return self. __data
    def __repr__ (self):
        return 'self. __data'
    def __str__ (self):
        return str(self. __data)
    def __getattr__ (self, attr):
        return getattr(self. __data, attr)
```

在第一个例子中，我们将用到复数，因为所有 Python 数值类型，只有复数拥有属性：数据属性和 conjugate()内建方法（求共轭复数，译者注）。记住，属性可以是数据属性，还可以是函数或方法：

```
>>> wrappedComplex = WrapMe(3.5+4.2j)
>>> wrappedComplex                    # 包装的对象：repr()
(3.5+4.2j)
>>> wrappedComplex.real               # 实部属性
3.5
>>> wrappedComplex.imag               # 虚部属性
42.2
>>> wrappedComplex.conjugate()        # conjugate()方法
(3.5-4.2j)
>>> wrappedComplex.get()              # 实际对象
(3.5+4.2j)
```

一旦我们创建了包装的对象类型，只要由交互解释器调用 repr()，就可以得到一个字符串表示。然后我们继续访问了复数的三种属性，我们的类中一种都没有定义。在例子中，寻找实部，虚部及共轭复数的定义……杳无踪影！

对这些属性的访问，是通过 getattr()方法，授权给对象。最终调用 get()方法没有授权，因为它是为我们的对象定义的——它返回包装的真实的数据对象。

下一个使用我们的包装类的例子用到一个列表。我们将会创建对象，然后执行多种操作，每次授权给列表方法。

```
>>> wrappedList = WrapMe([123, 'foo', 45.67])
>>> wrappedList.append('bar')
>>> wrappedList.append(123)
>>> wrappedList
[123, 'foo', 45.67, 'bar', 123]
>>> wrappedList.index(45.67)
2
>>> wrappedList.count(123)
2
>>> wrappedList.pop()
123
>>> wrappedList
[123, 'foo', 45.67, 'bar']
```

注意，尽管我们正在我们的例子中使用实例，它们展示的行为与它们包装的数据类型非常相似。然后，需要明白，只有已存在的属性是在此代码中授权的。

特殊行为没有在类型的方法列表中，不能被访问，因为它们不是属性。一个例子是，对列表的切片操作，它是内建于类型中的，而不是像 append()方法那样作为属性存在的。从另一个角度来说，切片操作符是序列类型的一部分，并不是通过__getitem__()特殊方法来实现的。

```
>>> wrappedList[3]
Traceback (innermost last):
  File "<stdin>", line 1, in ?
  File "wrapme.py", line 21, in __getattr__
    return getattr(self.data, attr)
AttributeError: __getitem__
```

AttributeError 异常出现的原因是切片操作调用了__getitem__()方法，且__getitme__()没有作为一个类实例方法进行定义，也不是列表对象的方法。回忆一下，什么时候调用 getattr()呢？当在实例或类字典中的完整搜索失败后，就调用它来查找一个成功的匹配。你在上面可以看到，对 getattr()的调用就是失败的那个，触发了异常。

然而，我们还有一种“作弊”的方法，访问实际对象［通过我们的 get()方法］和它的切片能力。

```
>>> realList = wrappedList.get()
>>> realList[3]
'bar'
```

你现在可能知道为什么我们实现 get()方法了——仅仅是为了我们需要取得对原对象进行访问这种情况，我们可以从访问调用中直接访问对象的属性，而忽略局部变量（realList）：

```
>>> wrappedList.get()[3]
'bar'
```

get()方法返回一个对象，随后被索引以得到切片片段。

```
>>> f = WrapMe(open('/etc/motd'))
>>> f
<wrapMe.WrapMe object at 0x40215dac>
>>> f.get()
<open file '/etc/motd', mode 'r' at 0x40204ca0>
>>> f.readline()



'Have a lot of fun...\012'
>>> f.tell()
21
>>> f.seek(0)
>>> print f.readline(),
Have a lot of fun...
>>> f.close()
>>> f.get()
<closed file '/etc/motd', mode 'r' at 0x40204ca0>
```

一旦你熟悉了对象的属性，你就能够开始理解一些信息片段从何而来，能够利用新得到的知识来重复功能：

```
>>> print "<%s file %s, mode %s at %x>" % \
... (f.closed and 'closed' or 'open', 'f.name',
'f.mode', id(f.get()))
<closed file '/etc/motd', mode 'r' at 80e95e0>
```

这总结了我们的简单包装类的例子。我们还刚开始接触使用类型模拟来进行类自定义。你将会发现你可以进行无限多的改进，来进一步增加你的代码的用途。一种改进方法是为对象添加时间戳。在下一小节中，我们将对我们的包装类增加另一个维度（dimension）：

2．更新简单的包裹类

创建时间、修改时间和访问时间是文件的几个常见属性，但并不是说你不能为对象加上这类信息，毕竟一些应用能因有这些额外信息而受益。

如果你对使用这三类时间顺序（chronological）数据还不熟，我们将会对它们进行解释。创建时间（或'ctime'）是实例化的时间，修改时间（或'mtime'）指的是核心数据升级的时间［通常会调用新的 set()方法］，而访问时间（或'atime'）是最后一次对象的数据值被获取或者属性被访问时的时间戳。

更新我们前面定义的类，可以创建一个模块 twrapme.py，看例 13.7。

如何更新这些代码呢？好，首先，你将会发现增加了三个新方法：gettimeval()、gettimestr()和 set()。

我们还增加数行代码，根据所执行的访问类型，更新相应的时间戳。

例 13.7 包装标准类型（twrapme.py）

类定义包装了任何内建类型，增加时间属性；get()，set()，还有字符串表示的方法；授权所有保留的属性，访问这些标准类型。

```
1   #!/usr/bin/env python
2
3   from time import time, ctime
4
5   class TimedWrapMe(object):
6
7       def __init__ (self, obj):
8           self. __data = obj
9           self. __ctime = self. __mtime = \
10              self. __atime = time()
11
12      def get(self):
13          self. __atime = time()
14          return self. __data
15
16      def gettimeval(self, t_type):
17          if not isinstance(t_type, str) or \
18                  t_type[0] not in 'cma':
19              raise TypeError, \
20              "argument of 'c', 'm', or 'a' req'd"
21          return getattr(self, '_%s__%stime' % \
22              (self. __class__.__name__, t_type[0]))
23
24      def gettimestr(self, t_type):
25          return ctime(self.gettimeval(t_type))
26
27      def set(self, obj):
28          self. __data = obj
29          self. __mtime = self. __atime = time()
30
31      def __repr__ (self):              # repr()
32          self. __atime = time()
33          return 'self. __data'
34
35      def __str__ (self):               # str()
36          self. __atime = time()
37          return str(self. __data)
38
39      def __getattr__ (self, attr):     # delegate
40          self. __atime = time()
41          return getattr(self. __data, attr)
```

gettimeval()方法带一个简单的字符参数，“c”、“m”或“a”，相应地，对应于创建、修改或访问时间，并返回相应的时间，以一个浮点值保存。gettimestr()仅仅返回一个经 time.ctime()函数格式化的打印良好的字符串形式的时间。

为新的模块作一个测试驱动。我们已看到授权是如何工作的，所以，我们将包装没有属性的对象，来突出刚加入的新的功能。在例子中，我们包装了一个整型，然后将其改为字符串。

```
>>> timeWrappedObj = TimedWrapMe(932)
>>> timeWrappedObj.gettimestr('c')
'Wed Apr 26 20:47:41 2006'
>>> timeWrappedObj.gettimestr('m')
'Wed Apr 26 20:47:41 2006'
>>> timeWrappedObj.gettimestr('a')
'Wed Apr 26 20:47:41 2006'
>>> timeWrappedObj
932
>>> timeWrappedObj.gettimestr('c')
'Wed Apr 26 20:47:41 2006'
>>> timeWrappedObj.gettimestr('m')
'Wed Apr 26 20:47:41 2006'
>>> timeWrappedObj.gettimestr('a')
'Wed Apr 26 20:48:05 2006'
```

你将注意到，一个对象在第一次被包装时，创建、修改及最后一次访问时间都是一样的。一旦对象被访问，访问时间即被更新，但其他的没有动。如果使用 set()来置换对象，则修改和最后一次访问时间会被更新。例子中，最后是对对象的读访问操作。

```
>>> timeWrappedObj.set('time is up!')
>>> timeWrappedObj.gettimestr('m')
'Wed Apr 26 20:48:35 2006'
>>> timeWrappedObj
'time is up!'
>>> timeWrappedObj.gettimestr('c')
'Wed Apr 26 20:47:41 2006'
>>> timeWrappedObj.gettimestr('m')
'Wed Apr 26 20:48:35 2006'
>>> timeWrappedObj.gettimestr('a')
'Wed Apr 26 20:48:46 2006'
```

改进包装一个特殊对象

下一个例子，描述了一个包装文件对象的类。我们的类与一般带一个异常的文件对象行为完全一样：在写模式中，字符串只有全部为大写时才写入文件。

这里我们要解决的问题是，当你正在写一个文本文件，其数据可能会被一台大型机读取。很多老式机器在处理时严格要求大写字母，所以我们要实现一个文件对象，其中所有写入文件的文本会自动转化为大写，程序员就不必担心了。

事实上，唯一值得注意的不同点是并不使用 open()内建函数，而是调用 CapOpen 类时行初始化，尽管参数同 open()完全一样。

例 13.8 展示那段代码，文件名是 capOpen.py。下面看一下例子中是如何使用这个类的：

```
>>> f = CapOpen('/tmp/xxx', 'w')
>>> f.write('delegation example\n')
>>> f.write('faye is good\n')
```

```
>>> f.write('at delegating\n')
>>> f.close()
>>> f
<closed file '/tmp/xxx', mode 'w' at 12c230>
```

例 13.8 包装文件对象（capOpen.py）

这个类扩充了《Python FAQ》中的一个例子，提供一个文件类对象，定制write()方法，同时，给文件对象授权其他的功能。

```
1  #!/usr/bin/env python
2
3  class CapOpen(object):
4      def __init__(self, fn, mode='r', buf=-1):
5          self.file = open(fn, mode, buf)
6
7      def __str__(self):
8          return str(self.file)
9
10     def __repr__(self):
11         return 'self.file'
12
13     def write(self, line):
14         self.file.write(line.upper())
15
16     def __getattr__(self, attr):
17         return getattr(self.file, attr)
```

可以看到，唯一不同的是第一次对 CapOpen()的调用，而不是 open()。如果你正与一个实际文件对象，而非行为像文件对象的类实例进行交互，那么其他所有代码与你本该做的是一样的。除了 write()，所有属性都已授权给文件对象。为了确定代码是否正确，我们加载文件，并显示其内容（注：可以使用open()或 CapOpen()，这里因在本例中用到，所以选用 CapOpen()）。

```
>>> f = CapOpen('/tmp/xxx', 'r')
>>> for eachLine in f:
...     print eachLine,
...
DELEGATION EXAMPLE
FAYE IS GOOD
AT DELEGATING
```

13.16 新式类的高级特性（Python 2.2+）

13.16.1 新式类的通用特性

我们已提讨论过有关新式类的一些特性。由于类型和类的统一，这些特性中最重要的是能够子类化Python 数据类型。其中一个副作用是，所有的 Python 内建的“casting”或转换函数现在都是工厂函数。当这些函数被调用时，你实际上是对相应的类型进行实例化。

下面的内建函数，追随 Python 多日，都已“悄悄地（也许不是）”转化为工厂函数：

- `int(), long(), float(), complex()`
- `str(), unicode()`
- `list(), tuple()`
- `type()`

还有，加入了一些新的函数来管理这些“散兵游勇”：

- `basestring()`[1]
- `dict()`
- `bool()`
- `set()`,[2] `frozenset()`[2]
- `object()`
- `classmethod()`
- `staticmethod()`
- `super()`
- `property()`
- `file()`

这些类名及工厂函数使用起来，很灵活。不仅能够创建这些类型的新对象，它们还可以用来作为基类，去子类化类型，现在还可以用于 isinstance()内建函数。使用 isinstance()能够用于替换用烦了的旧风格，而使用只需少量函数调用就可以得到清晰代码的新风格。比如，为测试一个对象是否是一个整型，旧风格中，我们必须调用 type()两次或者 import 相关的模块并使用其属性；但现在只需要使用 isinstance()，甚至在性能上也有所超越：

OLD (not as good):

- `if type(obj) == type(0)…`
- `if type(obj) == types.IntType…`

BETTER:

- `if type(obj) is type(0)…`

EVEN BETTER:

- `if isinstance(obj, int)…`
- `if isinstance(obj, (int, long))…`
- `if type(obj) is int…`

记住：尽管 isinstance()很灵活，但它没有执行“严格匹配”比较——如果 obj 是一个给定类型的实例或其子类的实例，也会返回 True。但如果想进行严格匹配，你仍然需要使用 is 操作符。

请复习 13.12.2.节中有关 isinstance()的深入解释，还有在第 4 章中介绍这些调用是如何随同 Python 的变化而变化的。

13.16.2 __slots__类属性

字典位于实例的“心脏”。__dict__属性跟踪所有实例属性。举例来说，你有一个实例 inst，它有一个属性 foo，那使用 inst.foo 来访问它与使用 inst.__dict__['foo']来访问是一致的。

字典会占据大量内存，如果你有一个属性数量很少的类，但有很多实例，那么正好是这种情况。为

1. Python 2.3 中新增。
2. Python 2.4 中新增。

内存上的考虑，用户现在可以使用__slots__属性来替代__dict__。

基本上，__slots__是一个类变量，由一序列型对象组成，由所有合法标识构成的实例属性的集合来表示。它可以是一个列表，元组或可迭代对象。也可以是标识实例能拥有的唯一的属性的简单字符串。任何试图创建一个其名不在__slots__中的名字的实例属性都将导致 AttributeError 异常：

```
class SlottedClass(object):
    __slots__ = ('foo', 'bar')
>>> c = SlottedClass()
>>>
>>> c.foo = 42
>>> c.xxx = "don't think so"
Traceback (most recent call last):
  File "<stdin>", line 1, in ?
AttributeError: 'SlottedClass' object has no attribute
'xxx'
```

这种特性的主要目的是节约内存。其副作用是某种类型的"安全"，它能防止用户随心所欲的动态增加实例属性。带__slots__属性的类定义不会存在__dict__了（除非你在__slots__中增加'__dict__'元素）。更多有关__slots__的信息，请参见《Python（语言）参考手册》（Python (Language)Reference Manual）中有关数据模型章节。

13.16.3 __getattribute__()特殊方法

Python 类有一个名为__getattr__()的特殊方法，它仅当属性不能在实例的__dict__或它的类（类的__dict__），或者祖先类（其__dict__）中找到时，才被调用。我们曾在实现授权中看到过使用__getattr__()。

很多用户碰到的问题是，他们想要一个适当的函数来执行每一个属性访问，不光是当属性不能找到的情况。这就是__getattribute__()用武之处了。它使用起来，类似__getattr__()，不同之处在于，当属性被访问时，它就一直都可以被调用，而不局限于不能找到的情况。

如果类同时定义了__getattribute__()及__getattr__()方法，除非明确从__get-attribute__()调用，或__getattribute__()引发了 AttributeError 异常，否则后者不会被调用。

如果你将要在此（译者注：__getattribute__()中）访问这个类或其祖先类的属性，请务必小心。如果你在__getattribute__()中不知何故再次调用了__getattribute__()，你将会进入无穷递归。为避免在使用此方法时引起无穷递归，为了安全地访问任何它所需要的属性，你总是应该调用祖先类的同名方法；比如，super(obj,self).__getattribute__(attr)。此特殊方法只在新式类中有效。同__slots__一样，你可以参考《Python（语言）参考手册》中数据模型章节，以得到更多有关__getattribute__()的信息。

13.16.4 描述符

描述符是 Python 新式类中的关键点之一。它为对象属性提供强大的 API。你可以认为描述符是表示对象属性的一个代理。当需要属性时，可根据你遇到的情况，通过描述符（如果有）或者采用常规方式（句点属性标识法）来访问它。

如你的对象有代理，并且这个代理有一个"get"属性（实际写法为__get__），当这个代理被调用时，你就可以访问这个对象了。当你试图使用描述符（set）给一个对象赋值或删除一个属性（delete）时，这同样适用。

1. __get__()、__set__()和__delete__()特殊方法

严格来说，描述符实际上可以是任何（新式）类，这种类至少实现了三个特殊方法__get__()、__set__()和__delete__()中的一个，这三个特殊方法充当描述符协议的作用。刚才提到过，__get__()可用于得到一

个属性的值，__set__()是为一个属性进行赋值的，在采用 del 语句（或其他，其引用计数递减）明确删除掉某个属性时会调用__delete__()方法。在三者中，后者很少被实现。

还有，也不是所有的描述符都实现了__set__()方法。它们被当作方法描述符，或者更准确地说，是非数据描述符来被引用。那些同时覆盖__get__()和__set__()的类被称作数据描述符，它比非数据描述符要强大些。

__get__()__set__()及__delete__()的原型如下所示：

- `def __get__ (self, obj, typ=None) ⇒ value`
- `def __set__ (self, obj, val) ⇒ None`
- `def __delete__ (self, obj) ⇒ None`

如果你想要为一个属性写个代理，必须把它作为一个类的属性，让这个代理来为我们做所有的工作。当你用这个代理来处理对一个属性的操作时，你会得到一个描述符来代理所有的函数功能。我们在前面的一节中已经讲过封装的概念。这里我们会进一步来探讨封装的问题。现在让我们来处理更加复杂的属性访问问题，而不是将所有任务都交给你所写的类中的对象们。

2．__getattribute__()特殊方法（2）

使用描述符的顺序很重要，有一些描述符的级别要高于其他的。整个描述符系统的心脏是__getattribute__()，因为对每个属性的实例都会调用到这个特殊的方法。这个方法被用来查找类的属性，同时也是你的一个代理，调用它可以进行属性的访问等操作。

回顾一下上面的原型，如果一个实例调用了__get__()方法，这就可能传入了一个类型或类的对象。举例来说，给定类 X 和实例 x，x.foo 由__getattribute__()转化成：

```
type(x). __dict__ ['foo']. __get__ (x, type(x))
```

如果类调用了__get__()方法，那么 None 将作为对象被传入（对于实例，传入的是 self）：

```
X. __dict__ ['foo']. __get__ (None, X)
```

最后，如果 super()被调用了，比如，给定 Y 为 X 的子类，然后用 super(Y,obj).foo 在 obj.__class__.__mro__中紧接类 Y 沿着继承树来查找类 X，然后调用：

```
X. __dict__ ['foo']. __get__ (obj, X)
```

然后，描述符会负责返回需要的对象。

3．优先级别

由于__getattribute__()的实现方式很特别，我们在此对__getattribute__()方法的执行方式做一个介绍。因此了解以下优先级别的排序就非常重要了：

- 类属性
- 数据描述符
- 实例属性
- 非数据描述符
- 默认为__getattr__()

描述符是一个类属性，因此所有的类属性皆具有最高的优先级。你其实可以通过把一个描述符的引用赋给其他对象来替换这个描述符。比它们优先级别低一等的是实现了__get__()和__set__()方法的描述符。如果你实现了这个描述符，它会像一个代理那样帮助你完成所有的工作！

否则，它就默认为局部对象的__dict__的值，也就是说，它可以是一个实例属性。接下来是非数据描述符。可能第一次听起来会吃惊，有人可能认为在这条“食物链”上非数据描述符应该比实例属性的优先级更高，但事实并非如此。非数据描述符的目的只是当实例属性值不存在时，提供一个值而已。这与以下情况类似：当在一个实例的__dict__中找不到某个属性时，才去调用__getattr__()。

关于__getattr__()的说明，如果没有找到非数据描述符，那么__getattribute__()将会抛出一个AttributeError异常，接着会调用__getattr__()作为最后一步操作，否则AttributeError会返回给用户。

4．描述符举例

让我们来看一个简单的例子……用一个描述符禁止对属性进行访问或赋值的请求。事实上，以下所有示例都忽略了全部请求，但它们的功能逐步增多，我们希望你通过每个示例逐步掌握描述符的使用：

```
class DevNull1(object):
    def __get__(self, obj, typ=None):
        pass
    def __set__(self, obj, val):
        pass
```

我们建立一个类，这个类使用了这个描述符，给它赋值并显示其值：

```
>>> class C1(object):
...     foo = DevNull1()
...
>>> c1 = C1()
>>> c1.foo = 'bar'
>>> print 'c1.foo contains:', c1.foo
c1.foo contains: None
```

这并没有什么有趣的……让我们来看看在这个描述符中写一些输出语句会怎么样？

```
class DevNull2(object):
    def __get__(self, obj, typ=None):
        print 'Accessing attribute... ignoring'
    def __set__(self, obj, val):
        print 'Attempt to assign %r... ignoring' % (val)
```

现在我们来看看修改后的结果：

```
>>> class C2(object):
...   foo = DevNull2()
...
>>> c2 = C2()
>>> c2.foo = 'bar'
Attempt to assign 'bar'... ignoring
>>> x = c2.foo
Accessing attribute... ignoring
>>> print 'c2.foo contains:', x
c2.foo contains: None
```

最后，我们在描述符所在的类中添加一个占位符，占位符包含有关于这个描述符的有用信息：

```
class DevNull3(object):
    def __init__(self, name=None):
        self.name = name
    def __get__(self, obj, typ=None):
        print 'Accessing [%s]... ignoring' %
```

```
            self.name)
    def __set__ (self, obj, val):
        print 'Assigning %r to [%s]... ignoring' %
            val, self.name)
```

下面的输出结果表明我们前面提到的优先级层次结构的重要性，尤其是我们说过，一个完整的数据描述符比实例的属性具有更高的优先级：

```
>>> class C3(object):
...     foo = DevNull3('foo')
...
>>> c3 = C3()
>>> c3.foo = 'bar'
Assigning 'bar' to [foo]... ignoring
>>> x = c3.foo
Accessing [foo]... ignoring
>>> print 'c3.foo contains:', x
c3.foo contains: None
>>> print 'Let us try to sneak it into c3 instance...'
Let us try to sneak it into c3 instance...
>>> c3. __dict__ ['foo'] = 'bar'
>>> x = c3.foo
Accessing [foo]... ignoring
>>> print 'c3.foo contains:', x
c3.foo contains: None
>>> print "c3. __dict__ ['foo'] contains: %r" % \
        c3. __dict__ ['foo'], "... why?!?"
c3. __dict__ ['foo'] contains: 'bar' ... why?!?
```

请注意我们是如何给实例的属性赋值的。给实例属性 c3.foo 赋值为一个字符串“bar”。但由于数据描述符比实例属性的优先级高，所赋的值“bar”被隐藏或覆盖了。

同样地，由于实例属性比非数据描述符的优先级高，你也可以将非数据描述符隐藏。这就和你给一个实例属性赋值，将对应类的同名属性隐藏起来是同一个道理：

```
>>> class FooFoo(object):
...     def foo(self):
...         print 'Very important foo() method.'
...
>>>
>>> bar = FooFoo()
>>> bar.foo()
Very important foo() method.
>>>
>>> bar.foo = 'It is no longer here.'
>>> bar.foo
'It is no longer here.'
>>>
>>> del bar.foo
>>> bar.foo()
Very important foo() method.
```

这是一个直白的示例。我们将 foo 作为一个函数调用，然后又将它作为一个字符串访问，但我们也可以使用另一个函数，而且保持相同的调用机制：

```
>>> def barBar():
...     print 'foo() hidden by barBar()'
...
>>> bar.foo = barBar
>>> bar.foo()
foo() hidden by barBar()
>>>
>>> del bar.foo
>>> bar.foo()
Very important foo() method.
```

要强调的是：函数是非数据描述符，实例属性有更高的优先级，我们可以遮蔽任一个非数据描述符，只需简单的把一个对象赋给实例（使用相同的名字）就可以了。

我们最后这个示例完成的功能更多一些，它尝试用文件系统保存一个属性的内容，这是个雏形版本。

1～10 行

在引入相关模块后，我们编写一个描述符类，类中有一个类属性（saved），它用来记录描述符访问的所有属性。描述符创建后，它将注册并且记录所有从用户处接收的属性名。

12～26 行

在获取描述符的属性之前，我们必须确保用户给它们赋值后才能使用。如果上述条件成立，接着我们将尝试打开 pickle 文件以读取其中所保存的值。如果文件打开失败，将引发一个异常。文件打开失败的原因可能有以下几种：文件已被删除了（或从未创建过），或是文件已损坏，或是由于某种原因，不能被 pickle 模块反串行化。

18～38 行

将属性保存到文件中需要经过以下几个步骤：打开用于写入的 pickle 文件（可能是首次创建一个新的文件，也可能是删掉旧的文件），将对象串行化到磁盘，注册属性名，使用户可以读取这些属性值。如果对象不能被 pickle，将引发一个异常。注意，如果你使用的是 Python2.5 以前的版本，你就不能合并 try-except 和 try-finally 语句（第30～38行）。

例 13.9　使用文件来存储属性（descr.py）

这个类是一个雏形，但它展示了描述符的一个有趣的应用——可以在一个文件系统上保存属性的内容。

```
1   #!/usr/bin/env python
2
3   import os
4   import pickle
5
6   class FileDescr(object):
7       saved = []
8
9       def __init__ (self, name=None):
10          self.name = name
11
12      def __get__ (self, obj, typ=None):
13          if self.name not in FileDescr.saved:
14              raise AttributeError, \
```

```
15                "%r used before assignment" % self.name
16
17            try:
18                f = open(self.name, 'r')
19                val = pickle.load(f)
20                f.close()
21                return val
22            except(pickle.UnpicklingError, IOError,
23                    EOFError, AttributeError,
24                    ImportError, IndexError), e:
25                raise AttributeError, \
26                    "could not read %r: %s" % self.name
27
28        def __set__ (self, obj, val):
29            f = open(self.name, 'w')
30            try:
31                try:
32                    pickle.dump(val, f)
33                    FileDescr.saved.append(self.name)
34            except (TypeError, pickle.PicklingError), e:
35                    raise AttributeError, \
36                        "could not pickle %r" % self.name
37            finally:
38                f.close()
39
40        def __delete__ (self, obj):
41            try:
42                os.unlink(self.name)
43                FileDescr.saved.remove(self.name)
44            except (OSError, ValueError), e:
45                pass
```

40～45 行

最后，如果属性被删除了，文件会被删除，属性名字也会被注销。以下是这个类的用法示例：

```
>>> class MyFileVarClass(object):
...     foo = FileDescr('foo')
...     bar = FileDescr('bar')
...
>>> fvc = MyFileVarClass()
>>> print fvc.foo
Traceback (most recent call last):
  File "<stdin>", line 1, in ?
  File "descr.py", line 14, in __get__
    raise AttributeError, \
AttributeError: 'foo' used before assignment
>>>
>>> fvc.foo = 42
>>> fvc.bar = 'leanna'
>>>
```

```
>>> print fvc.foo, fvc.bar
42 leanna
>>>
>>> del fvc.foo
>>> print fvc.foo, fvc.bar
Traceback (most recent call last):
  File "<stdin>", line 1, in ?
  File "descr.py", line 14, in __get__
    raise AttributeError, \
AttributeError: 'foo' used before assignment
>>>
>>> fvc.foo = __builtins__
Traceback (most recent call last):
  File "<stdin>", line 1, in ?
  File "descr.py", line 35, in __set__
    raise AttributeError, \
AttributeError: could not pickle 'foo'
```

属性访问没有什么特别的，程序员并不能准确判断一个对象是否能被打包后存储到文件系统中（除非如最后示例所示，将模块pickle，我们不该这样做）。我们也编写了异常处理的语句来处理文件损坏的情况。在本例中，我们第一次在描述符中实现__delete__()方法。

请注意，在示例中，我们并没有用到obj的实例。别把obj和self搞混淆，这个self是指描述符的实例，而不是类的实例。

5．描述符总结

你已经看到描述符是怎么工作的。静态方法、类方法、属性（见下面一节），甚至所有的函数都是描述符。想一想：函数是Python中常见的对象。有内置的函数、用户自定义的函数、类中定义的方法、静态方法、类方法。这些都是函数的例子。它们之间唯一的区别在于调用方式的不同。通常，函数是非绑定的。虽然静态方法是在类中被定义的，它也是非绑定的。但方法必须绑定到一个实例上，类方法必须绑定到一个类上。一个函数对象的描述符可以处理这些问题，描述符会根据函数的类型确定如何"封装"这个函数和函数被绑定的对象，然后返回调用对象。它的工作方式是这样的：函数本身就是一个描述符，函数的__get__()方法用来处理调用对象，并将调用对象返回给你。描述符具有非常棒的适用性，因此从来不会对Python自己的工作方式产生影响。

6．属性和property()内建函数

属性是一种有用的特殊类型的描述符。它们是用来处理所有对实例属性的访问，其工作方式和我们前面说过的描述符相似。"一般"情况下，当你使用点属性符号来处理一个实例属性时，其实你是在修改这个实例的__dict__属性。

表面上来看，你使用property()访问和一般的属性访问方法没有什么不同，但实际上这种访问的实现是不同的——它使用了函数（或方法）。在本章的前面，你已看到在Python的早期版本中，我们一般用__getattr__()和__setattr__()来处理和属性相关的问题。属性的访问会涉及以上特殊的方法（和__getattribute__()），但是如果我们用property()来处理这些问题，你就可以写一个和属性有关的函数来处理实例属性的获取（getting）、赋值（setting）和删除（deleting）操作，而不必再使用那些特殊的方法了（如果你要处理大量的实例属性，使用那些特殊的方法将使代码变得很臃肿）。

property()内建函数有四个参数，它们是：

```
property(fget=None, fset=None, fdel=None, doc=None)
```

请注意property()的一般用法是，将它写在一个类定义中，property()接受一些传进来的函数（其实是方法）作为参数。实际上，property()是在它所在的类被创建时被调用的，这些传进来的（作为参数的）方法是非绑定的，所以这些方法其实就是函数！

下面的例子在类中建立一个只读的整型属性，用逐位异或操作符将它隐藏起来：

```
class ProtectAndHideX(object):
    def __init__ (self, x):
        assert isinstance(x, int), \
            '"x" must be an integer!'
        self. __x = ~x

    def get_x(self):
        return ~self. __x

    x = property(get_x)
```

我们来运行这个例子，会发现它只保存我们第一次给出的值，而不允许我们对它做第二次修改：

```
>>> inst = ProtectAndHideX('foo')
Traceback (most recent call last):
  File "<stdin>", line 1, in ?
  File "prop.py", line 5, in __init__
    assert isinstance(x, int), \
AssertionError: "x" must be an integer!
>>> inst = ProtectAndHideX(10)
>>> print 'inst.x =', inst.x
inst.x = 10
>>> inst.x = 20
Traceback (most recent call last):
  File "<stdin>", line 1, in ?
AttributeError: can't set attribute
```

下面是另一个关于 setter 的例子：

```
class HideX(object):
    def __init__ (self, x):
        self.x = x

    def get_x(self):
        return ~self. __x

    def set_x(self, x):
        assert isinstance(x, int), \
            '"x" must be an integer!'
        self. __x = ~x

    x = property(get_x, set_x)
```

本示例的输出结果：

```
>>> inst = HideX(20)
>>> print inst.x
20
```

```
>>> inst.x = 30
>>> print inst.x
30
```

属性成功保存到 x 中并显示出来，是因为在调用构造器给 x 赋初始值前，在 getter 中已经将~x 赋给了 self.__x。

你还可以给自己写的属性添加一个文档字符串，参见下面这个例子：

```
from math import pi

def get_pi(dummy):
    return pi

class PI(object):
    pi = property(get_pi, doc='Constant "pi"')
```

为了说明这是可行的实现方法，我们在 property 中使用的是一个函数而不是方法。注意在调用函数时 self 作为第一个（也是唯一的）参数被传入，所以我们必须加一个伪变量把 self 丢弃。下面是本例的输出：

```
>>> inst = PI()
>>> inst.pi
3.1415926535897931
>>> print PI.pi. __doc__
Constant "pi"
```

你明白 properties 是如何把你写的函数（fget、fset 和 fdel）影射为描述符的__get__()、__set__()和__delete__()方法的吗？你不必写一个描述符类，并在其中定义你要调用的这些方法。只要把你写的函数（或方法）全部传递给 property()就可以了。

在你写的类定义中创建描述符方法的一个弊端是它会搞乱类的名字空间。不仅如此，这种做法也不会像 property()那样很好地控制属性访问。如果不用 property()这种控制属性访问的目的就不可能实现。我们的第二个例子没有强制使用 property()，因为它允许对属性方法的访问（由于在类定义中包含属性方法）：

```
>>> inst.set_x(40)          # can we require inst.x = 40?
>>> print inst.x
40
```

APNPC(ActiveState Programmer Network Python Cookbook，http:// aspn.activestate.com/ ASPN/Cookbook/ Python/Recipe/205183)上的一个聪明的办法解决了以下问题：

- “借用”一个函数的名字空间；
- 编写一个用作内部函数的方法作为 property()的（关键字）参数；
- （用 locals()）返回一个包含所有的（函数/方法）名和对应对象的字典；
- 把字典传入 property()；
- 然后，去掉临时的名字空间。

这样，方法就不会再把类的名字空间搞乱了，因为定义在内部函数中的这些方法属于其他的名字空间。由于这些方法所属的名字空间已超出作用范围，用户是不能够访问这些方法的，所以通过使用属性 property()来访问属性就成为了唯一可行的办法。根据 APNPC 上的方法，我们来修改这个类：

```
class HideX(object):
    def __init__ (self, x):
        self.x = x
```

```
    @property
    def x():
        def fget(self):
            return ~self.__x

        def fset(self, x):
            assert isinstance(x, int), \
                '"x" must be an integer!'
            self.__x = ~x

        return locals()
```

我们的代码工作如初，但有两点明显不同：（1）类的名字空间更加简洁，只有['__doc__', '__init__', '__module__', 'x']；（2）用户不能再通过inst.set_x(40)给属性赋值，必须使用init.x = 40。我们还使用函数修饰符（@property）将函数中的x赋值到一个属性对象。由于修饰符是从Python 2.4版本开始引入的，如果你使用的是Python的早期版本2.2.x或2.3.x，请将修饰符@property去掉，在x()的函数声明后添加x = property(**x())。

13.16.5 元类和__metaclass__

1．元类（Metaclasses）是什么

元类可能是添加到新风格类中最难以理解的功能了。元类让你来定义某些类是如何被创建的，从根本上说，赋予你如何创建类的控制权（你甚至不用去想类实例层面的东西）。早在Python 1.5的时代，人们就在谈论这些功能（当时很多人都认为不可能实现），但现在终于实现了。

从根本上说，你可以把元类想成是一个类中类，或是一个类，它的实例是其他的类。实际上，当你创建一个新类时，你就是在使用默认的元类，它是一个类型对象（对传统的类来说，它们的元类是types.ClassType）。当某个类调用type()函数时，你就会看到它到底是谁的实例：

```
class C(object):
    pass

class CC:
    pass

>>> type(C)
<type 'type'>
>>>
>>> type(CC)
<type 'classobj'>
>>>
>>> import types
>>> type(CC) is types.ClassType
True
```

2．什么时候使用元类

元类一般用于创建类。在执行类定义时，解释器必须要知道这个类的正确的元类。解释器会先寻找类属性__metaclass__，如果此属性存在，就将这个属性赋值给此类作为它的元类。如果此属性没有定义，它会向上查找父类中的__metaclass__。所有新风格的类如果没有任何父类，会从对象或类型中继承（type (object)当然是类型）。

如果还没有发现__metaclass__属性，解释器会检查名字为__metaclass__的全局变量；如果它存在，就使用它作为元类。否则，这个类就是一个传统类，并用 types.ClassType 作为此类的元类。（注意：在这里你可以运用一些技巧……如果你定义了一个传统类，并且设置它的__metaclass__ = type，其实你是在将它升级为一个新风格的类！）

在执行类定义的时候，将检查此类正确的（一般是默认的）元类，元类（通常）传递三个参数（到构造器）：类名、从基类继承数据的元组和（类的）属性字典。

3．谁在用元类

元类这样的话题对大多数人来说属于理论化或纯面向对象思想的范畴，认为它在实际编程中没有什么实际意义。从某种意义上讲这种想法是正确的；但最重要的请铭记在心的是，元类的最终使用者不是用户，正是程序员自己。你通过定义一个元类来“迫使”程序员按照某种方式实现目标类，这将既可以简化他们的工作，也可以使所编写的程序更符合特定标准。

4．元类何时被创建

前面我们已提到创建的元类用于改变类的默认行为和创建方式。大多数 Python 用户都无须创建或明确地使用元类。创建一个新风格的类或传统类的通用做法是使用系统自己所提供的元类的默认方式。

用户一般都不会觉察到元类所提供的创建类（或元类实例化）的默认模板方式。虽然一般我们并不创建元类，还是让我们来看下面一个简单的例子（关于更多这方面的示例请参见本节末尾的文档列表）。

元类示例 1

我们第一个关于元类的示例非常简单（希望如此）。它只是在用元类创建一个类时，显示时间标签（你现在该知道，这发生在类被创建的时候）。

看下面这个脚本。它包含的 print 语句散落在代码各个地方，便于我们了解所发生的事情：

```
#!/usr/bin/env python

from time import ctime

print '*** Welcome to Metaclasses!'
print '\tMetaclass declaration first.'

class MetaC(type):
    def __init__ (cls, name, bases, attrd):
        super(MetaC, cls). __init__ (name, bases, attrd)
        print '*** Created class %r at: %s' % (name, ctime())

print '\tClass "Foo" declaration next.'

class Foo(object):
    __metaclass__ = MetaC
    def __init__ (self):
        print '*** Instantiated class %r at: %s' % (
                self. __class__.__name__, ctime())

print '\tClass "Foo" instantiation next.'
f = Foo()
print '\tDONE'
```

当我们执行此脚本时，将得到以下输出：

```
*** Welcome to Metaclasses!
    Metaclass declaration first.
    Class "Foo" declaration next.
*** Created class 'Foo' at: Tue May 16 14:25:53 2006
    Class "Foo" instantiation next.
*** Instantiated class 'Foo' at: Tue May 16 14:25:53 2006
DONE
```

当你明白了一个类的定义其实是在完成某些工作的事实以后，你就容易理解这是怎么一回事情了。

元类示例 2

在第二个示例中，我们将创建一个元类，要求程序员在他们写的类中提供一个__str__()方法的实现，这样用户就可以看到比我们在本章前面所见到的一般 Python 对象字符串（<object object at id>）更有用的信息。

如果你还没有在类中覆盖__repr__()方法，元类会（强烈）提示你这么做，但这只是个警告。如果未实现__str__()方法，将引发一个 TypeError 的异常，要求用户编写一个同名方法。以下是关于元类的代码：

```
from warnings import warn

class ReqStrSugRepr(type):

    def __init__ (cls, name, bases, attrd):
        super(ReqStrSugRepr, cls). __init__ (
            name, bases, attrd)

        if '__str__' not in attrd:
            raise TypeError(
"Class requires overriding of __str__ ()")

        if '__repr__' not in attrd:
            warn(
'Class suggests overriding of __repr__ ()\n', stacklevel=3)
```

我们编写了三个关于元类的示例，其中一个（Foo）重载了特殊方法__str__()和__repr__()，另一个（Bar）只实现了特殊方法__str__()，还有一个（FooBar）没有实现__str__()和__repr__()，这种情况是错误的。完整的程序见示例 13.10。

执行此脚本，我们得到如下输出：

```
$ python meta.py
*** Defined ReqStrSugRepr (meta)class

*** Defined Foo class

sys:1: UserWarning: Class suggests overriding of
__repr__ ()

*** Defined Bar class

Traceback (most recent call last):
  File "meta.py", line 43, in ?
```

```
    class FooBar(object):
  File "meta.py", line 12, in __init__
    raise TypeError(
TypeError: Class requires overriding of __str__ ()
```

例 13.10 元类示例（meta.py）

这个模块有一个元类和三个受此元类限定的类。每创建一个类，将打印一条输出语句。

```
1  #!/usr/bin/env python
2
3  from warnings import warn
4
5  class ReqStrSugRepr(type):
6
7      def __init__ (cls, name, bases, attrd):
8          super(ReqStrSugRepr, cls). __init__ (
9              name, bases, attrd)
10
11         if '__str__' not in attrd:
12             raise TypeError(
13             "Class requires overriding of __str__ ()")
14
15         if '__repr__' not in attrd:
16             warn(
17             'Class suggests overriding of __repr__ ()\n',
18                 stacklevel=3)
19
20 print '*** Defined ReqStrSugRepr (meta)class\n'
21
22 class Foo(object):
23     __metaclass__ = ReqStrSugRepr
24
25     def __str__ (self):
26         return 'Instance of class:', \
27             self. __class__.__name__
28
29     def __repr__ (self):
30         return self. __class__.__name__
31
32 print '*** Defined Foo class\n'
33
34 class Bar(object):
35     __metaclass__ = ReqStrSugRepr
36
37     def __str__ (self):
38         return 'Instance of class:', \
39             self. __class__.__name__
40
41 print '*** Defined Bar class\n'
```

```
42
43  class FooBar(object):
44      __metaclass__ = ReqStrSugRepr
45
46  print '*** Defined FooBar class\n'
```

注意我们是如何成功声明 Foo 定义的；定义 Bar 时，提示警告__repr__()未实现；FooBar 的创建没有通过安全检查，以致程序最后没有打印出关于 FooBar 的语句。另外要注意的是我们并没有创建任何测试类的实例……这些甚至根本不包括在我们的设计中。但别忘了这些类本身就是我们自己的元类的实例。这个示例只显示了元类强大功能的一方面。

关于元类的在线文档众多，包括 Python 文档 PEPs 252 和 PEPs 253，"What's New in Python 2.2"文档，名为"Unifying Types and Classes in Python 2.2"的文章。在 Python 2.2.3 发布的主页上你也可以找到相关文档的链接地址。

13.17 相关模块和文档

我们在本章已经对核心语言做了讲述，而 Python 语言中有几个扩展了核心语言功能的经典类。这些类为 Python 数据类型的子类化提供了方便。

User*模块好比速食品，方便即食。我们曾提到类可以有特殊的方法，如果实现了这些特殊方法，就可以对类进行定制，这样当对一个标准类型封装时，可以给实例带来和类型一样的使用效果。

UserList 和 UserDict，还有新的 UserString（从 Python 1.6 版本开始引入）分别代表对列表、字典、字符串对象进行封装的类定义模块。这些模块的主要用处是提供给用户所需要的功能，这样你就不必自己动手去实现它们了，同时还可以作为基类，提供子类化和进一步定制的功能。Python 语言已经为我们提供了大量有用的内建类型，但这种"由你自己定制"类型的附加功能使得 Python 语言更加强大。

在第 4 章里，我们介绍了 Python 语言的标准类型和其他内建类型。types 模块是进一步学习 Python 类型方面知识的好地方，其中的一些内容已超出了本书的讨论范围。types 模块还定义了一些可以用于进行比较操作的类型对象（这种比较操作在 Python 中很常见，因为它不支持方法的重载——这简化的语言本身，同时又提供了一些工具，为看似欠缺的地方添加功能）。

下面的代码检查传递到 foo 函数的数据对象是否是一个整型或一个字符串，不允许其他类型出现（否则会引发一个异常）：

```
def foo(data):
    if isinstance(data, int):
        print 'you entered an integer'
    elif isinstance(data, str):
        print 'you entered a string'
    else:
        raise TypeError, 'only integers or strings!'
```

最后一个相关模块是 operator 模块。这个模块提供了 Python 中大多数标准操作符的函数版本。在某些情况下，这种接口类型比标准操作符的硬编码方式更通用。

请看下边的示例。在你阅读代码时，请设想一下如果此实现中使用的是一个个操作符的话，那会多写多少行代码啊？

```
>>> from operator import *          # import all operators
>>> vec1 = [12, 24]
>>> vec2 = [2, 3, 4]
```

```
>>> opvec = (add, sub, mul, div)   # using +, -, *, /
>>> for eachOp in opvec:           # loop thru operators
...     for i in vec1:
...         for j in vec2:
...             print '%s(%d, %d) = %d' % \
...                 (eachOp.__name__, i, j, eachOp(i, j))
...
add(12, 2) = 14
add(12, 3) = 15
add(12, 4) = 16
add(24, 2) = 26
add(24, 3) = 27
add(24, 4) = 28
sub(12, 2) = 10
sub(12, 3) = 9
sub(12, 4) = 8
sub(24, 2) = 22
sub(24, 3) = 21
sub(24, 4) = 20
mul(12, 2) = 24
mul(12, 3) = 36
mul(12, 4) = 48
mul(24, 2) = 48
mul(24, 3) = 72
mul(24, 4) = 96
div(12, 2) = 6
div(12, 3) = 4
div(12, 4) = 3
div(24, 2) = 12
div(24, 3) = 8
div(24, 4) = 6
```

上面这段代码定义了三个向量，前两个包含着操作数，最后一个代表程序员打算对两个操作数进行的一系列操作。最外层循环遍历每个操作运算，而最内层的两个循环用每个操作数向量中的元素组成各种可能的有序数据对。最后，print 语句打印出将当前操作符应用在给定参数上所得的运算结果。

我们前面介绍过的模块都列在表 13.5 中。

表 13.5 与类相关的模块

模 块	说 明
UserList	提供一个列表对象的封装类
UserDict	提供一个字典对象的封装类
UserString[a]	提供一个字符串对象的封装类；它又包括一个 MutableString 子类，如果有需要，可以提供有关功能
types	定义所有 Python 对象的类型在标准 Python 解释器中的名字
operator	标准操作符的函数接口

a. 新出现于 Python 1.6 版本

在《Python FAQ》中，有许多与类和面向对象编程有关的问题。它对 Python 类库以及《Python 语言参考手册》都是很好的补充材料。关于新风格的类，请参考 PEP 252、PEP 253 和 Python2.2 以后的相关文档。

13.18 练习

13-1.程序设计。请列举一些面向对象编程与传统旧的程序设计形式相比的先进之处。

13-2.函数和方法的比较。函数和方法之间的区别是什么？

13-3.对类进行定制。写一个类，用来将浮点型值转换为金额。在本练习里，我们使用美国货币，但读者也可以自选任意货币。

基本任务：编写一个 dollarize()函数，它以一个浮点型值作为输入，返回一个字符串形式的金额数。比如说：

```
dollarize(1234567.8901) ⇒ '$1,234,567.89.
```

dollarize()返回的金额数里应该允许有逗号（比如 1,000,000）和美元的货币符号。如果有负号，它必须出现在美元符号的左边。完成这项工作后，你就可以把它转换成一个有用的类，名为 MoneyFmt。

MoneyFmt 类里只有一个数据值（即金额），和 5 个方法（你可以随意编写其他方法）。__init__()构造器对数据进行初始化，update()方法把数据值替换成一个新值，__nonzero__()是布尔型的，当数据值非零时返回 True，__repr__()方法以浮点型的形式返回金额；而__str__()方法采用和 dollarize()一样的字符格式显示该值。

（a）编写 update()方法，以实现数据值的修改功能。

（b）以你已经编写的 dollarize()的代码为基础，编写__str__()方法的代码。

（c）纠正__nonzero__()方法中的错误，这个错误认为所有小于 1 的数值，例如，50 美分（$0.50），返回假值（False）。

（d）附加题：允许用户通过一个可选参数指定是把负数数值显示在一对尖括号里还是显示一个负号。默认参数是使用标准的负号。

13-4.用户注册。建立一个用户数据库（包括登录名、密码和上次登录时间戳）类（参考练习 7-5 和练习 9-12），来管理一个系统，该系统要求用户在登录后才能访问某些资源。这个数据库类对用户进行管理，并在实例化操作时加载之前保存的用户信息，提供访问函数来添加或更新数据库的信息。在数据修改后，数据库会在垃圾回收时将新信息保存到磁盘（参见__del__()）。

13-5.几何。创建一个由有序数值对（x, y）组成的 Point 类，它代表某个点的 X 坐标和 Y 坐标。X 坐标和 Y 坐标在实例化时被传递给构造器，如果没有给出它们的值，则默认为坐标的原点。

13-6.几何。创建一个直线/直线段类。除主要的数据属性：一对坐标值（参见上一个练习）外，它还具有长度和斜线属性。你需要覆盖__repr__()方法（如果需要的话，还有__str__()方法），使得代表那条直线（或直线段）的字符串表示形式是由一对元组构成的元组，即（(x1, y1)、(x2, y2))。总结：

`__repr__`	将直线的两个端点（始点和止点）显示成一对元组
`length`	返回直线段的长度 - 不要使用"len"，因为这样使人误解它是整型。
`slope`	返回此直线段的斜率（或在适当的时候返回 None）

例 13.11 金额转换程序（moneyfmt.py）

字符串格式类用来对浮点型值进行“打包”，使这个数值显示为带有正确符号的金额。

```
1   #!/usr/bin/env python
2
3   class MoneyFmt(object):
```

```
4       def __init__ (self, value=0.0):#构造器
5           self.value = float(value)
6
7       def update(self, value=None):  #允许修改
8           ###
9           ### (a) complete this function
10          ###
11
12      def __repr__ (self):            #显示为浮点型
13          return 'self.value'
14
15      def __str__ (self):             #格式化显示
16          val = ''
17
18          ###
19          ### (b) complete this function... do NOT
20          ###     forget about negative numbers!!
21          ###
22
23          return val
24
25      def __nonzero__ (self):         # boolean test
26          ###
27          ### (c) find and fix the bug
28          ###
29
30          return int(self.value)
```

金额转换程序（moneyfmt.py）的主要代码如例 13.11 所示。网站上有带有充分文件证明（尚不完善）的版本 moneyfmt.py。如果我们引入解释程序中的完整类，执行过程将和下面类似：

```
>>> import moneyfmt
>>>
>>> cash = moneyfmt.MoneyFmt(123.45)
>>> cash
123.45
>>> print cash
$123.45
>>>
>>> cash.update(100000.4567)
>>> cash
100000.4567
>>> print cash
$100,000.46
>>>
>>> cash.update(-0.3)
>>> cash
-0.3
>>> print cash
```

```
-$0.30
>>> repr(cash)
'-0.3'
>>> 'cash'
'-0.3'
>>> str(cash)
'-$0.30'
```

13-7. 数据类。提供一个 time 模块的接口，允许用户按照自己给定时间的格式，比如："MM/DD/YY"、"MM/DD/YYYY"、"DD/MM/YY"、"DD/MM/ YYYY"、"Mon DD, YYYY"，或是标准的 Unix 日期格式"Day Mon DD, HH:MM:SS YYYY"来查看日期。你的类应该维护一个日期值，并用给定的时间创建一个实例。如果没有给出时间值，程序执行时会默认采用当前的系统时间。还包括另外一些方法。

update()　按给定时间或是默认的当前系统时间修改数据值。

display()　以代表时间格式的字符串做参数，并按照给定时间的格式显示：

'MDY' ⇒ MM/DD/YY
'MDYY' ⇒ MM/DD/YYYY
'DMY' ⇒ DD/MM/YY
'DMYY' ⇒ DD/MM/YYYY
'MODYY' ⇒ Mon DD, YYYY

如果没有提供任何时间格式，默认使用系统时间或 ctime()的格式。附加题：把这个类和练习 6-15 结合起来。

13-8. 堆栈类。一个堆栈（Stack）是一种具有后进先出（last-in-first-out，LIFO）特性的数据结构。我们可以把它想象成一个餐盘架。最先放上去的盘子将是最后一个取下来的，而最后一个放上去的盘子是最先被取下来的。你的类中应该有 push()方法（向堆栈中压入一个数据项）和 pop()方法（从堆栈中移出一个数据项）。还有一个叫 isempty()的布尔方法，如果堆栈是空的，返回布尔值 1，否则返回 0；一个名叫 peek()的方法，取出堆栈顶部的数据项，但并不移除它。

注意，如果你使用一个列表来实现堆栈，那么 pop()方法从 Python1.5.2 版本起已经存在了。那就在你编写的新类里，加上一段代码检查 pop()方法是否已经存在。如果经检查 pop()方法存在，就调用这个内建的方法；否则就执行你自己编写的 pop()方法。你很可能要用到列表对象；如果用到它时，不需要担心实现列表的功能（例如切片）。只要确保你写的堆栈类能够正确实现上面的两项功能就可以了。你可以用列表对象的子类或自己写个类似列表的对象，请参考例 6.2。

13-9. 队列类。一个队列（queue）是一种具有先进先出（first-in-first-out，FIFO）特性的数据结构。一个队列就像是一行队伍，数据从前端被移除，从后端被加入。这个类必须支持下面几种方法：

enqueue() 在列表的尾部加入一个新的元素。

dequeue() 在列表的头部取出一个元素，返回它并且把它从列表中删除。

请参见上面的练习和示例 6.3。

13-10. 堆栈和队列。编写一个类，定义一个能够同时具有堆栈（FIFO）和队列（LIFO）操作行为的数据结构。这个类和 Perl 语言中数组相像。需要实现四个方法：

shift()　返回并删除列表中的第一个元素，类似于前面的 dequeue()函数。

unshift()　在列表的头部"压入"一个新元素。

push()　在列表的尾部加上一个新元素，类似于前面的 enqueue()和 push()方法。

pop()　返回并删除列表中的最后一个元素，与前面的 pop()方法完全一样。

请参见练习 13-8 和练习 13-9。

13-11. 电子商务。

你需要为一家 B2C（企业到消费者）零售商编写一个基础的电子商务引擎。你需要写一个针对顾客的类 User，一个对应存货清单的类 Item， 还有一个对应购物车的类叫 Cart。货物放到购物车里，顾客可以有多个购物车。同时购物车里可以有多个货物，包括多个同样的货物。

13-12.聊天室。你对目前的聊天室程序感到非常失望，并决心要自己写一个，创建一家新的因特网公司，获得风险投资，把广告集成到你的聊天室程序中，争取在六个月的时间里让收入翻五倍，股票上市，然后退休。但是，如果你没有一个非常酷的聊天软件，这一切都不会发生。你需要三个类：一个 Message 类，它包含一个消息字符串以及诸如广播、单方收件人等其他信息，一个 User 类，包含了进入你聊天室的某个人的所有信息。为了从风险投资者那里拿到启动资金，你加了一个 Room 类，它体现了一个更加复杂的聊天系统，用户可以在聊天时创建单独的“房间”，并邀请其他人加入。附加题：请为用户开发一个图形化用户界面应用程序。

13-13.股票投资组合类。你的数据库中记录了每个公司的名字、股票代号、购买日期、购买价格和持股数量。需要编写的方法包括：添加新代号（新买的股票）、删除代号（所有卖出股票），根据当前价格（及日期）计算出的 YTD 或年回报率。请参见练习 7-6。

13-14.DOS。为 DOS 机器编写一个 Unix 操作界面的 shell。你向用户提供一个命令行，使得用户可以在那里输入 Unix 命令，你可以对这些命令进行解释，并返回相应的输出，例如：“ls”命令调用“dir”来显示一个目录中的文件列表，“more”调用同名命令（分页显示一个文件），“cat”调用“type”，“cp”调用“copy”，“mv”调用“ren”，“rm”调用“del”，等。

13-15.授权。示例 13.8 的执行结果表明我们的类 CapOpen 能成功完成数据的写入操作。在我们的最后评论中，提到可以使用 CapOpen() 或 open()来读取文件中的文本。为什么呢？这两者使用起来有什么差异吗？

13-16.授权和函数编程。

（a）请为示例 13.8 中的 CapOpen 类编写一个 writelines()方法。这个新函数将可以一次读入多行文本，然后将文本数据转换成大写的形式，它与 write()方法的区别和通常意思上的 writelines()与 write()方法之间的区别相似。注意：编写完这个方法后，writelines()将不再由文件对象“代理”。

（b）在 writelines()方法中添加一个参数，用这个参数来指明是否需要为每行文本加上一个换行符。此参数的默认值是 False，表示不加换行符。

13-17.数值类型子类化。在示例 13.3 中所看到的 moneyfmt.py 脚本基础上修改它，使得它可以扩展 Python 的浮点类型。请确保它支持所有操作，而且是不可变的。

13-18.序列类型子类化。模仿前面练习 13-4 中的用户注册类的解决方案，编写一个子类。要求允许用户修改密码，但密码的有效期限是 12 个月，过期后不能重复使用。附加题：支持“相似密码”检测的功能（任何算法皆可），不允许用户使用与之前 12 个月期间所使用的密码相似的任何密码。

13-19.映射类型子类化。假设在 13.11.3 节中字典的子类，若将 keys()方法重写为：

```
def keys(self):
    return sorted(self.keys())
```

（a）当方法 keys()被调用，结果如何？

（b）为什么会有这样的结果？如何使我们的原解决方案顺利工作？

13-20.类的定制。改进脚本 time60.py，见 13.13.2 节示例 13.3。

（a）允许“空”实例化：如果小时和分钟的值没有给出，默认为零小时、零分钟。

（b）用零占位组成两位数的表示形式，因为当前的时间格式不符合要求。如下面的示例，wed 应该输出为“12:05”。

```
>>> wed = Time60(12, 5)
>>> wed
12:5
```

（c）除了用 hours (hr)和 minutes (min)进行初始化外，还支持以下时间输入格式：

- 一个由小时和分钟组成的元组（10, 30）；
- 一个由小时和分钟组成的字典（{'hr': 10, 'min': 30}）；
- 一个代表小时和分钟的字符串（"10:30"）。

附加题：允许不恰当的时间字符串表示形式，如“12:5”。

（d）我们是否需要实现__radd__()方法？为什么？如果不必实现此方法，那我们什么时候可以或应该覆盖它？

（e）__repr__()函数的实现是有缺陷而且被误导的。我们只是重载了此函数，这样我们可以省去使用 print 语句的麻烦，使它在解释器中很好的显示出来。但是，这个违背了一个原则：对于可估值的 Python 表达式，repr()总是应该给出一个（有效的）字符串表示形式。12:05 本身不是一个合法的 Python 表达式，但 Time60（'12:05'）是合法的。请实现它。

（f）添加六十进制（基数是 60）的运算功能。下面示例中的输出应该是 19:15，而不是 18:75:

```
>>> thu = Time60(10, 30)
>>> fri = Time60(8, 45)
>>> thu + fri
18:75
```

13-21.装饰符和函数调用语法。第 13.16.4 节末尾，我们使用过一个装饰函数符把 x 转化成一个属性对象，但由于装饰符是 Python 2.4 才有的新功能，我们给出了另一个适用于旧版本的语法：

```
X = property (**x()).
```

执行这个赋值语句时到底发生了什么呢？为什么它和使用装饰符语句是等价的？

第 14 章　执行环境

本章主题

- ✦ 可调用对象
- ✦ 代码对象
- ✦ 语句和内置函数
- ✦ 执行其他程序
- ✦ 终止执行
- ✦ 各类操作系统接口
- ✦ 相关模块

在Python中有多种运行外部程序的方法，比如，运行操作系统命令或另外的Python脚本，或执行一个磁盘上的文件，或通过网络来运行文件。这完全取决于你想要干什么。有些特定的执行场景包括：

- 在当前脚本继续运行；
- 创建和管理子进程；
- 执行外部命令或程序；
- 执行需要输入的命令；
- 通过网络来调用命令；
- 执行命令来创建需要处理的输出；
- 执行其他的Python脚本；
- 执行一系列动态生成的Python语句；
- 导入Python模块（和执行它顶层的代码）。

Python中，内建和外部模块都可以提供上述各种功能。程序员得根据实现的需要，从这些模块中选择合适的处理方法。本章将对Python执行环境进行全面的描述，但不会涉及如何启动Python解释器和不同的命令行选项。读者可以从第2章中查阅到相关信息。

我们的Python执行环境之旅从可调用对象开始，接着是代码对象，然后去看看什么样的Python语句和内建函数适合支持我们需要的功能。执行其他程序的能力不仅大大增强了Python脚本的威力，也节约了资源，因为重复实现这些代码肯定是不合逻辑的，更浪费时间和人力。Python给当前脚本环境提供了许多执行程序或者外部命令的机制，我们将介绍最普遍的几个命令。接下来，我们对Python的受限执行环境作一个简短的概况，最后，介绍下各种终止执行的方法（而不是让程序正常完成）。就从可调用对象开始我们的旅程吧。

14.1 可调用对象

许多的Python对象都是我们所说的可调用的，即是任何能通过函数操作符“()”来调用的对象。要调用可调用对象，函数操作符得紧跟在可调用对象之后。比方说，用“foo()”来调用函数“foo”。可调用对象可以通过函数式编程接口来进行调用，如apply()、filter()、map()和reduce()，这4个接口我们都在11章讨论过了。Python有4种可调用对象：函数、方法、类、以及一些类的实例。记住这些对象的任何引用或者别名都是可调用的。

14.1.1 函数

我们介绍的第一种可调用的对象是函数。Python有三种不同类型函数对象。第一种是内建函数。

1．内建函数（BIF）

内建函数（Built-in Function，BIF）是用C/C++写的，编译过后放入Python解释器，然后把它们作为第一（内建）名称空间的一部分加载进系统。如前面章节所提到的，这些函数在_bulitin_模块里，并作为__builtins__模块导入到解释器中。

表14.1 内建函数属性

属　性	描　述
bif.__doc__	文档字符串（或None）
bif.__name__	字符串类型的文档名字
bif.__self__	设置为None（保留给内建方法）
bif.__module__	存放bif定义的模块名字(或None)

BIF 有基础类型属性，其中一些独特的属性已列在表 14.1 中。

你可以用 dir()列出函数的所有属性：

```
>>> dir(type)
['__call__', '__class__', '__cmp__', '__delattr__', '__doc__',
'__getattribute__', '__hash__', '__init__', '__module__',
'__name__', '__new__', '__reduce__', '__reduce_ex__',
'__repr__', '__self__', '__setattr__', '__str__']
```

从内部机制来看，因为 BIF 和内建方法(BIM)属于相同的类型，所以对 BIF 或者 BIM 调用 type()的结果是：

```
>>> type(dir)
<type 'builtin_function_or_method'>
```

注意这不能应用于工厂函数，因为 type()正好会返回产生对象的类型：

```
>>> type(int)
<type 'type'>
>>> type(type)
<type 'type'>
```

2．用户定义的函数（UDF）

用户定义的函数（User-Defined Function，UDF）通常是用 Python 写的，定义在模块的最高级，因此会作为全局名称空间的一部分（一旦创建好内建名称空间）装载到系统中。函数也可在其他的函数体内定义，并且由于在 2.2 中嵌套作用域的改进，我们现在可以对多重嵌套作用域中的属性进行访问。可以用 func_closure 属性来钩住在其他地方定义的属性。

如同上面的 BIF，UDF 也有许多的属性。UDF 最让人感兴趣和最特殊的属性都列在下面的表 14.2 中。

表 14.2　用户自定义函数属性

属　性	描　述
udf.__doc__	文档字符串（也可以用 *udf*.func_doc）
udf.__name__	字符串类型的函数名字（也可以用 *udf*.func_name）
udf.func_code	字节编译的代码对象
udf.func_defaults	默认的参数元组
udf.func_globals	全局名称空间字典；和从函数内部调用 globals(x)一样
udf.func_dict	函数属性的名称空间
udf.func_doc	（见上面的 *udf*.__doc__）
udf.func_name	（见上面的 *udf*.__name__）
udf.func_closure	包含了自由变量的引用的单元对象元组（自用变量在 UDF 中使用，但在别处定义；参见《Python[语言]参考手册》）

从内部机制来看，用户自定义的函数是“函数”类型的，如在下面的例子中用 type()表明的一样：

```
>>> def foo(): pass
>>> type(foo)
<type 'function'>
```

3．lambda 表达式（名为“<lambda>”的函数）

lambda 表达式和用户自定义对函数相比，略有不同。虽然它们也是返回一个函数对象，但是 lambda

表达式不是用 def 语句创建的，而是用 lambda 关键字：

因为 lambda 表达式没有给命名绑定的代码提供基础结构，所以要通过函数式编程接口来调用，或把它们的引用赋值给一个变量，然后就可以直接调用或者再通过函数来调用。变量仅是个别名，并不是函数对象的名字。

通过 lambda 来创建函数的对象除了没有命名之外，享有和用户自定义函数相同的属性；__name__或者 func_name 属性给定为字符串“<lambda>”。使用 type()工厂函数，我们来演示下 lambda 表达式返回和用户自定义函数相同的函数对象。

```
>>> lambdaFunc = lambda x: x * 2
>>> lambdaFunc(100)
200
>>> type(lambdaFunc)
<type 'function'>
```

在上面的例子中，我们将表达式赋值给一个别名。我们也可以直接在一个 lambda 表达式上调用 type()：

```
>>> type(lambda:1)
<type 'function'>
```

我们快速的来看看 UDF 名字，使用上面的 lambda Func 和先前小节中的 foo()：

```
>>> foo.__name__
'foo'
>>> lambdaFunc.__name__
'<lambda>'
```

从 11.9 小节中我们可以看到，一旦函数声明以后（且函数对象可用），程序员也可以自定义函数属性。所有的新属性变成 udf.__dict__对象的一部分。在本章的稍后内容中，我们将讨论获取含有 Python 代码的字符串并执行该代码。到了本章最后，会有一个组合例子，着重描写函数属性和 Python 代码（字符串）的动态求值和执行语句。

14.1.2 方法

在第 13 章中，我们研究了方法。用户自定义方法是被定义为类的一部分函数。许多 Python 数据类型，比如列表和字典，也有方法，这些被称为内建方法。为了进一步说明“所有权”的类型，方法通过对象的名字和句点属性标识进行命名。

表 14.3 内建方法属性

属　性	描　述
*bim.*__doc__	文档字串
*bim.*__name__	字符串类型的函数名字
*bim.*__self__	绑定的对象

1. 内建方法(BIM)

在前面的小节中，我们讨论了内建方法与内建函数的类似之处。只有内建类型(built-in type，BIT)有内建方法（built-in Method，BIM）。正如你在下面看到的，对于内建方法，type()工厂函数给出了和 BIF 相同的输出——注意，我们是如何提供一个内建对象来访问 BIM:

```
>>> type([].append)
<type 'builtin_function_or_method'>
```

此外，BIM 和 BIF 两者也都享有相同属性。不同之处在于 BIM 的__self__属性指向一个 Python 对象，而 BIF 指向 None。

对于类和实例，都能以该对象为参数，通过内建函数 dir()来获得他们的数据和方法属性。这也可以用在 BIM 上：

```
>>> dir([].append)
['__call__', '__class__', '__cmp__', '__delattr__', '__doc__',
'__getattribute__', '__hash__', '__init__', '__module__',
'__name__', '__new__', '__reduce__', '__reduce_ex__',
'__repr__', '__self__', '__setattr__', '__str__']
```

然而，不用多久就会发现，从功能上看，用实际的对象去访问其方法并不是非常有用，如最后的例子。由于没有引用来保存这个对象，所以它立即被垃圾回收了。你处理这种访问的类型唯一的用处就是显示 BIT 有什么方法。

2．用户定义的方法（UDM）

UDM（User-defined method，用户定义的方法）包含在类定义之中，只是拥有标准函数的包装，仅有定义它们的类可以使用。如果没有在子类定义中被覆盖掉，也可以通过子类实例来调用它们。正如在 13 章解释的那样， UDM 与类对象是关联的（非绑定方法），但是只能通过类的实例来调用（绑定方法）。无论 UDM 是否绑定，所有的 UMD 都是相同的类型——“实例方法”，如在下面例子看到的 type()调用：

```
>>> class C(object):                    # 定义类
...         def foo(self): pass         # 定义 UDM
...
>>> c = C()                             # 实例化
>>> type(C)                             # 类的类别
<type 'type'>
>>> type(c)                             # 实例的类别
<class '__main__.C'>
>>> type(C.foo)                         # 非绑定方法的类别
<type 'instancemethod'>
>>> type(c.foo)                         # 绑定方法的类别
<type 'instancemethod'>
```

表 11.4 中展示了 UDM 的属性。访问对象本身将会揭示你正在引用一个绑定方法还是非绑定方法。正如你从下面看到的，绑定的方法揭示了方法绑定到哪一个实例。

```
>>> C.foo                               # 非绑定方法对象
<unbound method C.foo>
>>>
>>> c.foo                               # 绑定方法对象
<bound method C.foo of <__main__.C object at 0x00B42DD0>
>>> c                         # foo()实例被绑定到......
<__main__.C object at 0x00B42DD0>
```

表 14.4

属　性	描　述
udm.__doc__	文档字符串（与 udm.im_fuc.__doc__相同）
udm.__name__	字符串类型的方法名字（与 umd.im_func.__name__相同）

续表

属　性	描　述
udm.__module__	定义 udm 的模块的名字(或 none)
udm.im_class	方法相关联的类（对于绑定的方法；如果是非绑定，那么为要求 udm 的类）
udm.im_func	方法的函数对象（见 UDF）
udm.im_self	如果绑定的话为相关联的实例，如果非绑定位为 none

14.1.3 类

我们可以利用类的可调用性来创建实例。“调用”类的结果便是创建了实例，即大家所知道的实例化。类有默认构造器，该函数什么都不做，基本上只有一个 pass 语句。程序员可以通过实现__int__()方法，来自定义实例化过程。实例化调用的任何参数都会传入到构造器里。

```
>>> class C(object):
   def __init__(self, *args):
   print 'Instantiated with these arguments:\n', args

>>> c1 = C() # invoking class to instantiate c1
Instantiated with these arguments:
()
>>> c2 = C('The number of the counting shall be', 3)
Instantiated with these arguments:
('The number of the counting shall be', 3)
```

我们已经很熟悉实例化过程以及它是如何完成的，在这里将不再赘述。不过，一个新的问题是如何让实例能够被调用。

14.1.4 类的实例

Python 给类提供了名为__call__的特别方法，该方法允许程序员创建可调用的对象（实例）。默认情况下，__call__()方法是没有实现的，这意味着大多数实例都是不可调用的。然而，如果在类定义中覆盖了这个方法，那么这个类的实例就成为可调用的了。调用这样的实例对象等同于调用__call__()方法。自然地，任何在实例调用中给出的参数都会被传入到__call()__中。那么 foo()就和 foo.__call__(foo)的效果相同，这里 foo 也作为参数出现，因为是对自己的引用，实例将自动成为每次方法调用的第一个参数。如果 ___call___()有参数，比如（self, arg)，那么 foo(arg)就和调用 foo.__call__(foo, arg)一样。这里我们给出一个可调用实例的例子，和前面小节的例子相似：

```
>>> class C(object):
...     def __call__(self, *args):
...         print "I'm callable!  Called with args:\n", args
...
>>> c =C()                          # 实例化
>>> c                               # 我们的实例
<__main__.C instance at 0x00B42DD0>
>>> callable(c)                     #实例是可调用的
True
>>> c()                             # 调用实例
```

```
I'm callable!    Called with arguments:
()
>>> c(3)                          # 呼叫的时候给出一个参数
I'm callable!    Called with arguments:
(3,)
>>> c(3, 'no more, no less')  # 呼叫的时候给出两个参数
I'm callable!    Called with arguments:
(3, 'no more, no less')
```

记住只有定义类的时候实现了__call__方法，类的实例才能成为可调用的。

14.2 代码对象

可调用的对象是 Python 执行环境里最重要的部分，然而他们只是冰山一角。Python 语句、赋值、表达式，甚至还有模块构成了更宏大的场面。这些可执行对象无法像可调用物那样被调用。更确切地说，这些对象只是构成可执行代码块的拼图的很小一部分，而这些代码块被称为代码对象。

每个可调用物的核心都是代码对象，由语句、赋值、表达式和其他可调用物组成。查看一个模块意味着观察一个较大的、包含了模块中所有代码的对象。然后代码可以分成语句、赋值、表达式，以及可调用物。可调用物又可以递归分解到下一层，那儿有自己的代码对象。

一般说来，代码对象可以作为函数或者方法调用的一部分来执行，也可用 exec 语句或内建函数 eval()来执行。从整体上看，一个 Python 模块的代码对象是构成该模块的全部代码。

如果要执行 Python 代码，那么该代码必须先要转换成字节编译的代码（又称字节码）。这才是真正的代码对象。然而，它们不包含任何关于它们执行环境的信息，这便是可调用物存在的原因，它被用来包装一个代码对象并提供额外的信息。

还记得前面的小节中 UDF 的 udf.func_code 属性吗？呃，想不到吧？那就是代码对象。UDM 的 udm.im_func 函数对象又是怎么一回事呢？因为那也是一个函数对象，所以他同样有它自己的 udm.im_func.func_code 代码对象。这样的话，你会发现，函数对象仅是代码对象的包装，方法则是给函数对象的包装。你可以到处看看。当研究到最底层，你会发现便是一个代码对象。

14.3 可执行的对象声明和内建函数

Python 提供了大量的 BIF 来支持可调用/可执行对象，其中包括 exec 语句。这些函数帮助程序员执行代码对象，也可以用内建函数 complie()来生成代码对象。

表 14.5 可执行的对象声明和内建函数

内建函数和语句	描 述
callable(*obj*)	如果 obj 可调用，返回 True，否则返回 FALSE
compile(*string,file, type*)	从 type 类型中创建代码对象；file 是代码存放的地方（通常设为"")
eval(*obj*, *globals*= globals(), *locals*= locals())	对 obj 进行求值，obj 是已编译为代码对象的表达式，或是一个字符串表达式；可以给出全局或者/和局部的名称空间
exec *obj*	执行 obj、单一的 Python 语句或者语句的集合，也就是说格式是代码对象或者字符串；obj 也可以是一个文件对象（已经打开的有效 Python 脚本中）
input(*prompt*='')	等同于 eval（raw_input(prompt='')）

14.3.1 callable()

callable()是一个布尔函数，确定一个对象是否可以通过函数操作符（()）来调用。如果函数可调用便返回True，否则便是False（对与2.2和较早的版本而言，分别是1和0）。这里有些对象及其对应的callable返回值：

```
>>> callable(dir)                # 内建函数
True
>>> callable(1)                  # 整型
False
>>> def foo(): pass
...
>>> callable(foo)                # 用户自定义函数
True
>>> callable('bar')              # 字符串
False
>>> class C(object): pass
...
>>> callable(C)                  # 类
True
```

14.3.2 compile()

compile()函数允许程序员在运行时刻迅速生成代码对象，然后就可以用exec语句或者内建函数eval()来执行这些对象或者对它们进行求值。一个很重要的观点是：exec 和 eval()都可以执行字符串格式的Python代码。当执行字符串形式的代码时，每次都必须对这些代码进行字节编译处理。compile()函数提供了一次性字节代码预编译，以后每次调用的时候，都不用编译了。

compile的三个参数都是必需的，第一参数代表了要编译的Python代码。第二个字符串，虽然是必需的，但通常被置为空串。该参数代表了存放代码对象的文件的名字（字符串类型）。compile的通常用法是动态生成字符串形式的Python代码， 然后生成一个代码对象——代码显然没有存放在任何文件。

最后的参数是个字符串，它用来表明代码对象的类型。有三个可能值：

```
'eval'   可求值的表达式[和eval()一起使用]
'single' 单一可执行语句[和exec一起使用]
'exec'   可执行语句组[和exec一起使用]
```

1. 可求值表达式

```
>>> eval_code = compile('100 + 200', '', 'eval')
>>> eval(eval_code)
300
```

2. 单一可执行语句

```
>>> single_code = compile('print "Hello world!"', '', 'single')
>>> single_code
<code object ? at 120998, file "", line 0>
>>> exec single_code
Hello world!
```

3．可执行语句组

```
>>> exec_code = compile("""
... req = input('Count how many numbers? ')
... for eachNum in range(req):
...     print eachNum
... """, '', 'exec')
>>> exec exec_code
Count how many numbers? 6
0
1
2
3
4
5
```

在最后的例子中，我们第一次看到 input()。一直以来，我们都是从 raw_input()中读取输入的。内建函数 input()是我们将在本章稍后讨论的一个快捷函数。

14.3.3 eval()

eval()对表达式求值，后者可以为字符串或内建函数 complie()创建的预编译代码对象。这是 eval()第一个也是最重要的参数……这便是你想要执行的对象。第二个和第三个参数，都为可选的，分别代表了全局和局部名称空间中的对象。如果给出这两个参数，globals 必须是个字典，locals 可以是任意的映射对象，比如，一个实现了__getitem__()方法的对象。（在 2.4 之前，local 必须是一个字典）如果都没给出这两个参数，分别默认为 globals()和 locals()返回的对象，如果只传入了一个全局字典，那么该字典也作为 locals 传入。好了，我们一起来看看 eval()：

```
>>> eval('932')
932
>>> int('932')
932
```

在这种情况下，eval()和 int()都返回相同的结果：整型 932。然而，它们采用的方式却不尽相同。内建函数 eval()接收引号内的字符串并把它作为 Python 表达式进行求值。内建函数 int()接收代表整型的字符串并把它转换为整型。这只有在该字符串只由字符串 932 组成的时候才会成功，而该字符串作为表达式返回值 932，932 也是字符串“932”所代表的整型。当我们用纯字符串表达式的时候，两者便不再相同了：

```
>>> eval('100 + 200')
300
>>> int('100 + 200')
Traceback (innermost last):
File "<stdin>", line 1, in ?
ValueError: invalid literal for int(): 100 + 200
```

在这种情况下，eval()接收一个字符串并把“100+200”作为表达式求值，当进行整型加法后，给出返回值 300。而对 int()的调用失败了，因为字符串参数不是能代表整型的字符串， 因为在字符串中有非法的文字，即，空格以及“+”字符。可以这样理解 eval()函数的工作方式：对表达式两端的引号视而不见，接着假设“如果我是 Python 解释器，我会怎样去观察表达式呢？”，换句话说，如果以交互方式输入相同的表达式，解释器会做出怎么样的反应呢？按下回车后的结果应该和 eval()返回的结果相同。

14.3.4 exec

和 eval()相似，exec 语句执行代码对象或字符串形式的 Python 代码。类似地，用 compile()预编译重复代码有助于改善性能，因为在调用时不必经过字节编译处理。exec 语句只接受一个参数，下面便是它的通用语法：

```
exec obj
```

被执行的对象(obj)可以只是原始的字符串，比如单一语句或是语句组，它们也可以预编译成一个代码对象（分别用“single”和“exec”参数）。下面的例子中，多个语句作为一个字符串发送给 exec：

```
>>> exec """
... x = 0
... print 'x is currently:', x
... while x < 5:
...     x += 1
...     print 'incrementing x to:', x
... """
x is currently: 0
incrementing x to: 1
incrementing x to: 2
incrementing x to: 3
incrementing x to: 4
incrementing x to: 5
```

最后，exec 还可以接受有效的 Python 文件对象。如果我们用上面的多行代码创建一个叫 xcount.py 的文件，那么也可以用下面的方法执行相同的代码：

```
>>> f = open('xcount.py')                    # 打开文件
>>> exec f                                   # 执行文件
x is currently: 0
incrementing x to: 1
incrementing x to: 2
incrementing x to: 3
incrementing x to: 4
incrementing x to: 5
>>> exec f                                   # 尝试再一次执行
>>>                                          # 哦，失败了...为什么？
```

注意一旦执行完毕，继续对 exec 的调用就会失败。呃，并不是真正的失败……只是不再做任何事，这或许让你感到吃惊。事实上，exec 已从文件中读取了全部的数据且停留在文件末尾（end-of-file，EOF）。当用相同文件对象对 exec 进行调用的时候，便没有可以执行的代码了，所以 exec 什么都不做，如同上面看见的行为。我们如何知道它在 EOF 呢？

我们用文件对象的 tell()方法来告诉我们处于文件的何处，然后用 os.path.getsize()来告诉我们 xcount.py 脚本有多大。这样你就会发现，两个数字完全一样：

```
>>> f.tell()                                 # 我们在文件的什么地方？
116
>>> f.close()                                # 关闭文件
>>> from os.path import getsize
```

```
>>> getsize('xcount.py')          # 文件有多大?
116
```

如果想在不关闭和重新打开文件的情况下再次运行它，可以用 seek()到文件最开头并再次调用 exec 了。比如，假定我们还没有调用 f.close()，那么我们可以这样做：

```
>>> f.seek(0)                 # 倒回文件开头
>>> exec f
x is currently: 0
incrementing x to: 1
incrementing x to: 2
incrementing x to: 3
incrementing x to: 4
incrementing x to: 5
>>> f.close()
```

14.3.5 input()

内建函数 input()是 eval()和 raw_input()的组合，等价于 eval(raw_input())。类似于 raw_input()，input()有一个可选的参数，该参数代表了给用户的字符串提示。如果不给定参数的话，该字符串默认为空串。

从功能上看，input 不同于 raw_input()，因为 raw_input()总是以字符串的形式，逐字地返回用户的输入。input()履行相同的的任务；而且，它还把输入作为 Python 表达式进行求值。这意味着 input()返回的数据是对输入表达式求值的结果：一个 Python 对象。

下面的例子会让人更加清楚：当用户输入一个列表时，raw_input()返回一个列表的字符串描绘，而 input()返回实际的列表：

```
>>> aString = raw_input('Enter a list: ')
Enter a list: [ 123, 'xyz', 45.67 ]
>>> aString
"[ 123, 'xyz', 45.67 ]"
>>> type(aString)
<type 'str'>
```

上面用 raw_input()运行。正如你看见的，每样东西都是字符串。现在来看看当用 input()的时候会发生什么：

```
>>> aList = input('Enter a list: ')
Enter a list: [ 123, 'xyz', 45.67 ]
>>> aList
[123, 'xyz', 45.67]
>>> type(aList)
<type 'list'>
```

虽然用户输入字符串，但是 input()把输入作为 Python 对象来求值并返回表达式的结果。

14.3.6 使用 Python 在运行时生成和执行 Python 代码

本小节我们将看到两个 Python 脚本的例子，这两个例子在运行时刻把 Python 代码作为字符串并执行。第一个例子更加动态，但第二个突出了函数属性。

1．在运行时生成和执行 Python 代码

第一个例子是 loopmake.py 脚本，一个简单的、迅速生成的和执行循环的计算机辅助软件工程

(computer-aided software engineering ，CASE)。它提示用户给出各种参数（比如，循环类型（while 或 for），迭代的数据类型（数字或序列）），生成代码字串，并执行它。

例 14.1 动态生成和执行 Python 代码（loopmake.py）

```
1   #!/usr/bin/env Python
2
3   dashes = '\n' + '-' * 50 #     #破折号行
4   exec_dict = {
5
6   'f': """                         #for 循环
7   for %s in %s:
8       print %s
9   """,
10
11   's': """                        # while 循环序列
12   %s = 0
13   %s = %s
14   while %s < len(%s):
15       print %s[%s]
16       %s = %s + 1
17   """,
18
19   'n': """                        #点数 while 循环
20   %s = %d
21   while %s < %d:
22       print %s
23       %s = %s + %d
24   """
25   }
26
27   def main():
28
29       ltype=raw_input( 'Loop type?(For/While) ')
30       dtype= raw_input('Data type?(Number/seq) ')
31
32       if dtype == 'n':
33           start = input('Starting value? ')
34           stop= input('Ending value (non-inclusive)? ')
35           step=input('Stepping value? ')
36           seq= str(range(start, stop, step))
37
38   else:
39       seq = raw_input('Enter sequence: ')
40
41       var = raw_input('Iterative variable name? ')
42
43       if ltype == 'f':
```

```
44          exec_str = exec_dict['f'] % (var, seq, var)
45
46      elif ltype == 'w':
47          if dtype == 's':
48              svar = raw_input('Enter sequence name? ')
49              exec_str = exec_dict['s'] % \
50      (var, svar, seq, var, svar, svar, var, var, var)
51
52          elif dtype == 'n':
53              exec_str = exec_dict['n'] % \
54      (var, start, var, stop, var, var, var, step)
55
56      print dashes
57      print 'Your custom-generated code:' + dashes
58      print exec_str + dashes
59      print 'Test execution of the code:' + dashes
60      exec exec_str
61      print dashes
62
63  if_name_=='_main_':
64      main()
```

以下是一些脚本执行的例子。

```
    % loopmake.py
Loop type? (For/While) f
Data type? (Number/Sequence) n
Starting value? 0
Ending value (non-inclusive)? 4
Stepping value? 1
Iterative variable name? counter
--------------------------------------------------
The custom-generated code for you is:
--------------------------------------------------
for counter in [0, 1, 2, 3]:
    print counter
--------------------------------------------------
Test execution of the code:
--------------------------------------------------
0
1
2
3
--------------------------------------------------
% loopmake.py
Loop type? (For/While) w
Data type? (Number/Sequence) n
Starting value? 0
Ending value (non-inclusive)? 4
Stepping value? 1
```

```
Iterative variable name? counter
--------------------------------------------------
Your custom-generated code:
--------------------------------------------------
counter = 0
while counter < 4:
    print counter
    counter = counter + 1
--------------------------------------------------
Test execution of the code:
--------------------------------------------------
0
1
2
3
--------------------------------------------------
% loopmake.py
Loop type? (For/While) f
Data type? (Number/Sequence) s
Enter sequence: [932, 'grail', 3.0, 'arrrghhh']
Iterative variable name? eachItem
--------------------------------------------------
Your custom-generated code:
--------------------------------------------------
for eachItem in [932, 'grail', 3.0, 'arrrghhh']:
    print eachItem
--------------------------------------------------
Test execution of the code:
--------------------------------------------------
932
grail
3.0
arrrghhh
--------------------------------------------------
% loopmake.py
Loop type? (For/While) w
Data type? (Number/Sequence) s
Enter sequence: [932, 'grail', 3.0, 'arrrghhh']
Iterative variable name? eachIndex
Enter sequence name? myList
--------------------------------------------------
Your custom-generated code:
--------------------------------------------------
eachIndex = 0
myList = [932, 'grail', 3.0, 'arrrghhh']
while eachIndex < len(myList):
    print myList[eachIndex]
    eachIndex = eachIndex + 1
```

```
--------------------------------------------------
Test execution of the code:
--------------------------------------------------
932
grail
3.0
arrrghhh
--------------------------------------------------
```

2．逐行解释

1～25行

在脚本的第一部分，我们设置了两个全局变量。第一个是由一行破折号（即是名字）组成的静态字符串，第二个则是由用于生成循环的骨架代码组成的字典。for循环的健值是“f”，用于迭代序列的while循环的则是“s”，而记数while循环的是“n”。

27～30行

这里我们提示用户输入他想要的循环类型和数据类型。

32～36行

选定数字；给出开始、停止和增量值。在这个部分的代码中，第一次引入了内建函数input()。我们将在 14.3.5 小节中看到，input()和 raw_input()相似，因为它提示用户给出字符串输入，但是不同于raw_input()，input()会把输入当成 Python 表达式来求值，即使用户以字符串的形式输入，也会返回一个Python对象。

38～39行

选定序列；这里以字符串的形式输入一个序列。

41行

给出用户想要使用的迭代循环变量的名字。

43～44行

生成添加自定义内容的for循环。

46～50行

生成迭代序列的while循环。

52～54行

生成计数的while循环。

56～61行

输出生成的源代码及其执行后的结果。

63～64行

当直接调用该模块的时候，执行main()。

为了很好地控制脚本的大小，我们从原来的脚本中剔除了所有的注释和错误检测。在本书的Web站点上，都可以找到原来的和修改后的版本。

扩展的版本包括了额外的特性，比如用于字符串输入的不必要的引号，输入数据的默认值，以及检测无效的返回和标识符；也不允许以关键字和内建名字作为变量名字。

3．有条件地执行代码

第二个例子着重描写了在第11章引入的函数属性，它是从Python增强提议232（PEP 232）中的例子得到的灵感。假设你是一位负责质量控制的软件开发者，你鼓励你的工程师将回归测试或回归指令代码放到主代码中，但又不想让测试代码混合到产品代码中。你可以让工程师创建字符串形式的测试代码。当你的测试框架执行的时候，它会检测函数是否定义了测试体，如果是的话，（求值并）执行它。如果不是，便跳过，像通常一样执行。

例 14.2 函数属性（funcAttrs.py）

调用 sys.exit()使 Python 解释器退出。exit()的任何整型参数作为退出状态会返回给调用者，该值默认为 0。

```
1  #!/usr/bin/env python
2
3  def foo():
4      return True
5
6  def bar():
7      'bar() does not do much'
8      return True
9
10 foo.__doc__ = 'foo() does not do much'
11 foo.tester='''
12 if foo():
13     print 'PASSED'
14 else:
15     print 'FAILED'
16 '''
17
18 for eachAttr in dir():
19     obj = eval(eachAttr)
20     if isinstance(obj, type(foo)):
21         if hasattr(obj, '__doc__'):
22             print '\nFunction "%s" has a doc
               string:\n\t%s' % (eachAttr, obj.__doc__)
23         if hasattr(obj, 'tester'):
24             print 'Function "%s" has a tester... execut-
               ing' % eachAttr
25             exec obj.tester
26         else:
27             print 'Function "%s" has no tester... skip-
               ping' % eachAttr
28     else:
29         print '"%s" is not a function' % eachAttr
```

1 ~ 8 行

我们在脚本的开始部分定义了 foo()和 bar()。两个函数都只是返回 True。不同点在于 foo()没有属性而 bar()有文档字串。

10 ~ 16 行

使用函数属性，我们给 foo()加入了文档字串以及退化或单元测试字符串。注意检测字符串实际上由 Python 代码组成。

18 ~ 29 行

好了，真正的工作在这里开始。我们从用内建函数 dir()迭代现在（即全局）名称空间开始。它返回的列表包含了所有对象的名字。因为这些都是字符串，我们需要在第 19 行将它们转化为真正的 Python 对象。

除了预期的系统变量，比如，__builtins__，我们还期望显示函数。我们只对函数有兴趣；第 20 行的代码让我们跳过了所有遇到的非函数对象。一旦我们知道我们有某个函数，就可以检查它是否有文档字串，如果有的话，把它显示出来。23～27 行表演了魔法。如果函数有检测属性，那么就执行它，否则告诉用户没有可用的单元测试。最后的几行显示出遇到的非函数对象的名字。执行代码后，我们得到如下的输出：

```
$ python funcAttr.py
"__builtins__" is not a function
"__doc__" is not a function
"__file__" is not a function
"__name__" is not a function
Function "bar" has a doc string:
        bar() does not do much
Function "bar" has no tester... skipping
Function "foo" has a doc string:
        foo() does not do much
Function "foo" has a tester... executing
PASSED
```

14.4 执行其他（Python）程序

当讨论执行其他程序时，我们把它们分类为 Python 程序和其他所有的非 Python 程序，后者包括了二进制可执行文件或其他脚本语言的源代码。我们先讨论如何运行其他的 Python 程序，然后是如何用 os 模块调用外部程序。

14.4.1 导入

在运行时刻，有很多执行另外 Python 脚本的方法。正如我们先前讨论的，第一次导入模块会执行模块最高级的代码。不管你是否需要，这就是 Python 导入的行为。提醒，只有属于模块最高级的代码才是全局变量、全局类和全局函数声明。

核心笔记：当模块导入后，就执行所有的模块

这只是一个善意的提醒：在先前的第 3 章和第 12 章已经谈过了，现在再说一次，当导入 Python 模块后，就会执行所有的模块!当你导入 foo 模块时候，它运行所有最高级别的（即没有缩进的）Python 代码，比如，“main()”。如果 foo 含有 bar 函数的声明，那么便执行 def foo(...)。再问一次为什么会这样做呢？由于某些原因，bar 必须被识别为 foo 模块中一个有效的名字，也就是说 bar 在 foo 的名称空间中。其次，解释器要知道它是一个已声明的函数，就像本地模块中的任何一个函数。现在我们知道要做什么了，那么如何处理那些不想每次导入都执行的代码呢？缩进它，并放入 if __name__ == '__main__' 的内部。

跟着应该是一个 if 语句，它通过检测__name__来确定是否要调用脚本，比如，“if__name__=='__main__'”。如果相等的话，你的脚本会执行 main 内代码；否则只是打算导入这个脚本，那么可以在这个模块内对代码进行测试。

当导入 Python 模块后，会执行该模块!当你导入 foo 模块时候，它运行所有最高级别的（即没有缩进的）Python 代码，再问一次为什么会这样做呢？由于某些原因，bar 必须被识别为 foo 模块中一个有效的名字，也就是说 bar 在 foo 的名称空间中，其次，解释器要知道它是一个已声明的函数，就像本地模块中的任何一个函数。现在我们知道要做什么了，那么如何处理那些不想每次导入都执行的代码呢？缩进它，并放入 if __name__ == '__main__' 的内部。

```
# import1.py
print 'loaded import1'
import import2
```

这里是 import2.py 的内容：

```
# import2.py
print 'loaded import2'
```

这是当我们导入 import1 时的输出：

```
>>> import import1
loaded import1
loaded import2
>>>
```

根据建议检测__name__值的迂回工作法，我们改变了 import1.py 和 import2.py 里的代码，这样的情况就不会发生了。

这里是修改后的 import.py 版本：

```
# import1.py
import import2
if __name__ == '__main__':
    print 'loaded import1'
```

接着是 import2.py 的代码，以相同的方式修改：

```
# import2.py
if __name__ == '__main__'
    print 'loaded import2'
```

当从 Python 中导入 import1 的时候，我们不再会得到任何输出：

```
>>> import import1
>>>
```

这不意味着在任何的情况下，都应该这样编写代码。在某些情况中，你可能想要显示输出来确定输入模块。这取决于你自身的情况。我们的目标是提供实效的编程例子来屏蔽副作用。

14.4.2　execfile()

显然，导入模块不是从另外的 Python 脚本中执行 Python 脚本最可取的方法。那也就不是导入过程。导入模块的副作用是导致最高级代码运行。

这章一开始，我们描述了如何通过文件对象，使用 exec 语句来读取 Python 脚本的内容并执行。下面的代码给出了例子：

```
f = open(filename, 'r')
exec f
f.close()
```

这 3 行可以调用 execfile()来换掉：

```
execfile(filename)
```

虽然上述代码执行了一个模块，但是仅可以在现有的执行环境下运行（比如，它自己的全局和局部的名称空间）。在某些情况下，可能需要用不同全局和局部的名称空间集合，而不是默认的集合来执行模块。execfile() 函数的语法非常类似于 eval()函数的。

```
execfile(filename, globals=globals(), locals=locals())
```

类似 eval()、globals 和 locals 都是可选的，如果不提供参数值的话，默认为执行环境的名称空间。如果只给定 globals，那么 locals 默认和 globals 相同。如果提供 locals 值的话，它可以是任何映射对象（一个定义/覆盖了__getitem__()的对象）。在 2.4 之前，locals 必须是一个字典。注意：（在修改的时候）小心局部名称空间。比较安全的做法是传入一个虚假的“locals”字典并检查是否有副作用。execfile()不保证不会修改局部名称空间。见《Python 库参考手册》（Python Library Reference Manual）对 execfile()的解释。

14.4.3 将模块作为脚本执行

Python2.4 里加入了一个新的命令行选项（或开关），允许从 shell 或 DOS 提示符，直接把模块作为脚本来执行。当以脚本的方式来书写模块的时候，执行它们是很容易的。可以使用命令行从你的工作目录调用你的脚本。

```
$ myScript.py # or $ python myScript.py
```

如果模块是标准库的一部分，安装在 site-packages 里，或者仅仅是包里面的模块，处理这样的模块就不是那么容易了，尤其是它们共享了已存在的同名 Python 模块。举例来说，你想运行免费的 Python web 服务器，以便创建和测试你自己的 Web 页面和 CGI 脚本。

你将必须在命令行敲入如下的字符：

```
$ python /usr/local/lib/python2x/CGIHTTPServer.py
Serving HTTP on 0.0.0.0 port 8000 ...
```

这是段很长的命令，如果它是第三方的，你不得不深入到 site-packages 去找到它真正定位的地方。如果没给出完全的路径名，可以从命令行运行一个模块，并让 Python 的导入机制为我们做这种跑腿工作吗？答案是肯定的。我们可以用 Python -c 命令行开关：

```
$ python -c "import CGIHTTPServer; CGIHTTPServer.test()"
```

该选项允许你指定你想要运行的 Python 语句。虽然它可以这样工作，但问题是__name__模块不是'__main__'…而是你正在使用的模块 (需要的话，你可以参阅前面的 3.4.1 小节复习__name__)。在最后一行，解释器通过 import 装载了你的模块，并不是它当作脚本。因为如此，所有在 if __name__ == '__main__' 之下的代码是不会执行的，所以你不得不手动地调用模块的 test()函数，就如同前面我们所做的一样。所以我们想同时要两者的优点——能够在类库中执行作为脚本的模块而不是作为导入的模块。这就是-m 参数的动机。现在可以像这样运行脚本：

```
$ python -m CGIHTTPServer
```

这是不小的改进。尽管如此，还没有完全如预想那样实现特性。所以在 Python2.5 中，-m 开关有了更多的兼容性。从 2.5 开始，你可以用相同的参数来运行包内或需要特别加载的模块，比如 zip 文件里的模块，这是在 2.3 加入的特性（12.5.7 小节，396 页）。Python2.4 只让你执行标准的库模块。所以初始版本的-m 选项是不能运行特殊的模块如 PyCHecker（Python 的 lint），或其他的性能测试器（注意这些是装载和运行其他模块的模块）。但是 2.5 版本解决了这个问题。

14.5 执行其他（非 Python）程序

在 Python 程序里我们也可以执行非 Python 程序。这些程序包括了二进制可执行文件，其他的 shell 脚本等。所有的要求只是一个有效的执行环境，比如，允许文件访问和执行，脚本文件必须能访问它们的解释器（perl、bash 等），二进制必须是可访问的（和本地机器的构架兼容）。

最终，程序员必须考虑 Python 脚本是否必须和其他将要执行的程序通信。有些程序需要输入，而有的程序返回输出以及执行完成时的错误代码，也许有的两者都做。针对不同的环境，Python 提供了各种执行非 Python 程序的方法。在本节讨论的所有函数都可以在 os 模块中找到。在表 14.6 中，我们做了总结（我们会对那些只适合特定平台的函数进行标注），作为对本节剩余部分的介绍。

表 14.6 为外部程序执行提供的 os 模块（U代表 Unix 下，W代表 Windows 下）

模块函数	描述
system(*cmd*)	执行程序 cmd（字符串），等待程序结束，返回退出代码（windows 下，始终为 0）
fork()	创建一个和父进程并行的子进程（通常来说和 exec*()一起使用）；返回两次....一次给父进程一次给子进程 U
execl(*file, arg0, arg1,...*)	用参数列表 arg0、arg1 等执行文件
execv(*file, arglist*)	除了使用参数向量列表，其他的和 execl()相同
execle(*file, arg0, arg1,... env*)	和 execl 相同，但提供了环境变量字典 env
execve(*file, arglist, env*)	除了带有参数向量列表，其他的和 execle()相同
execlp(*cmd, arg0, rarg1,...*)	与 execl()相同，但是在用户的搜索路径下搜索完全的文件路径名
execvp(*cmd, arglist*)	除了带有参数向量列表，与 execlp()相同
execlpe(*cmd, arg0, arg1,... env*)	和 execlp 相同，但提供了环境变量字典 env
execvpe(*cmd, arglist, env*)	和 execvp 相同，但提供了环境变量字典 env
spawn*[a](mode, file, args[, env])	spawn*()家族在一个新的进程中执行路径，args 作为参数，也许还有环境变量的字典 env；模式（mode）是个显示不同操作模式的魔术
wait()	等待子进程完成(通常和 fock 和 exec*()一起使用)U
waitpid(*pid, options*)	等待指定的子进程完成[通常和 fock 和 exec*()一起使用]U
popen(*cmd, mode*='r', *buffering*=-1)	执行字符串 cmd，返回一个类文件对象作为运行程序通信句柄，默认为读取模式和默认系统缓冲 startfileb(path)
startfile[b](path)	用关联的应用程序执行路径W

a. spawn*()函数命名与 exec*()相似（两个家族都有 8 个成员）；spawnv()和 spawnve()在 Python 1.5.2 加入，其他的 6 个 spawn*()函数在 Python 1.6 加入；spawnlp()、spawnlpe()、spawnvp() 和 spawnvpe()只适用于 Unix 平台。

b. Python2.0 新加入的。

随着越来越接近软件的操作系统层面，你会发现执行跨平台程序（甚至是 Python 脚本）的一致性开始有些不确定了。上面我们提到在这个小节中描述的程序是在 os 模块中的。事实上，有多个 os 模块。比如说，基于 Unix 衍生系统（例如 Linux、MacOS X、 Solaris、BSD 等）的模块是 posix 模块，windows 的是 nt（无论你现在用的是哪个版本的 windows；dos 用户有 dos 模块），旧的 macOS 为 mac 模块。不用担心，当你调用 import os 的时候，Python 会装载正确的模块。你不需要直接导入特定的操作系统模块。

在我们看看每个模块函数之前，对于 Python2.4 或者更新版本的用户，这里有个 subprocess 模块，可以作为上面所有函数很好的替代品。我们本章稍后部分演示如何使用这些函数，然后在最后给出 subprocess.Popen 类和 subprocess.call()函数的等价使用方法。

14.5.1 os.system()

我们列表中的第一个函数是 system()，一个非常简单的函数，接收字符串形式的系统命令并执行它。当执行命令的时候，Python 的运行是挂起的。当我们的执行完成之后，将会以 system()的返回值形式给出退出状态，Python 的执行也会继续。

system()保留了现有的标准文件，包括标准的输出，意味着执行任何命令和程序显示输出都会传到标准输出上。这里要当心，因为特定应用程序比如公共网关接口（common gateway interface，CGI），如果将除了有效的超文本标记语言（HTML）字符串之外的输出，经过标准输出发送回客户端，会引起 Web 浏览器错误。system()通常和不会产生输出的命令一起使用，其中的一些命令包括了压缩或转换文件的程序，挂载磁盘到系统的程序，或其他执行特定任务的命令——通过退出状态显示成功或失败而不是通过输入和/或输出通信。通常的约定是利用退出状态，0 表示成功，非 0 表示其他类型的错误。

作为例子，我们执行了两个从交互解释器中获取程序输入的命令，这样你便可以观察 system()是如何工作的。

```
>>> import os
>>> result = os.system('cat /etc/motd')
Have a lot of fun...
>>> result
0
>>> result = os.system('uname -a')
Linux solo 2.2.13 #1 Mon Nov 8 15:08:22 CET 1999 i586 unknown
>>> result
0
```

可以看到两个命令的输出和它们执行的退出状态，我们将其保存到 result 变量中。下面是一个执行 dos 命令的例子：

```
>>> import os
>>> result = os.system('dir')
Volume in drive C has no label
Volume Serial Number is 43D1-6C8A
Directory of C:\WINDOWS\TEMP
.              <DIR>  01-08-98  8:39a .
..             <DIR>  01-08-98  8:39a ..
          0 file(s)          0 bytes
          2 dir(s)    572,588,032 bytes free
>>> result
0
```

14.5.2 os.popen()

popen()函数是文件对象和 system()函数的结合。它工作方式和 system()相同，但它可以建立一个指向那个程序的单向连接，然后像访问文件一样访问这个程序。如果程序要求输入，那么你要用'w'模式写入那个命令来调用 popen()。你发送给程序的数据会通过标准输入接收到。同样，'r'模式允许 spawn 命令，那么当它写入标准输出的时候，你就可以通过类文件句柄使用熟悉的 file 对象的 read*()方法来读取输入。就像对于文件，当使用完毕以后，你应当 close()连接。在上面其中一个使用 system()的例子中，我们调用了 unix 程序 uname 来给我们提供机器和使用的操作系统的相关信息。该命令产生了一行输出，并直接写到屏幕上。如果想要把该字符串读入变量中并执行内部操作或者把它存储到日志文件中，我们可以使用 popen()。实际上，代码如下所示：

```
>>> import os
>>> f = os.popen('uname -a')
>>> data = f.readline()
>>> f.close()
>>> print data,
Linux solo 2.2.13 #1 Mon Nov 8 15:08:22 CET 1999 i586 unknown
```

如你所见，popen()返回一个类文件对象；注意 readline()，往往保留输入文本行尾的 newline 字符。

14.5.3 os.fork()、os.exec*()、os.wait*()

本小节我们不会对操作系统理论做详尽的介绍，只是稍稍地介绍一下进程（process）。fork()采用称为进程的单一执行流程控制，如果你喜欢的话，可称之为创建"岔路口"。有趣的事情发生了：用户系统同时接管了两个岔路口——也就是说让用户拥有了两个连续且并行的程序（不用说，它们运行的是同一个程序，因为两个进程都是紧跟在 fork()调用后的下一行代码开始执行的）。调用 fork()的原始进程称为父进程，而作为该调用结果新创建的进程则称为子进程。当子进程返回的时候，其返回值永远是 0；当父进程返回时，其返回值永远是子进程的进程标识符（又称进程 ID，或 PID）（这样父进程就可以监控所有的子进程了）PID（process ID）也是唯一可以区分他们的方式！我们提到了两个进程会在调用 fork()后立刻运行。因为代码是相同的，如果没有其他的动作，我们将会看到同样的执行结果。而这通常不是我们想要的结果。创建另外一个进程的主要目的是为了运行其他程序，所以我们必须在父进程和子进程返回时采取分流措施。正如上面我们所说，它们的 PID 是不同的，而这正是我们区分它们的方法。

对于那些有进程管理经验的人来说，接下来的这段代码是再熟悉不过了。但是，如果你是新手的话，一开始就弄懂它是如何工作的可能就有点困难了，但是一旦你懂了，就会体会到其中的奥妙。

```
ret=os.fork()              #产生两个进程，都返回
if ret==0:                 #子进程返回的 PID 是 0
    child_suite            #子进程的代码
else:                      #父进程返回是子进程的 PID
    parent_suite           #父进程的代码
```

在代码第一行便调用了 fork()。现在子进程和父进程同时在运行。子进程本身有虚拟内存地址空间的拷贝，以及一份父进程地址空间的原样拷贝——是的，两者几乎都是相同的。fork()返回两次，意味着父进程和子进程都返回了。你或许会问，如果它们两个同时返回，如何区分两者呢？当父亲返回的时候，会带有进程的 PID。而当子进程返回的时候，其返回值为 0。这就是区分两个进程的方法。

利用 if-else 语句，我们能给子进程（比如，if 子句）和父进程（else 子句）指定各自的执行代码。在子进程的代码中，我们可以调用任何 exec*()函数来运行完全不同的程序，或者同一个程序中的其他的函数（只要子进程和父进程用不同的路径执行）。普遍做法是让子进程做所有的脏活，而父进程耐心等来子进程完成任务，或继续执行，稍后再来检查子进程是否正常结束。

所有的 exec*()函数装载文件或者命令，并用参数列表（分别给出或作为参数列表的一部分）来执行它。如果适用的话，也可以给命令提供环境变量字典。这些变量普遍用于给程序提供对当前执行环境的精确描述。其中一些著名的变量包括用户的名字、搜索路径、现在的 shell、终端类型、本地化语言、机器类型、操作系统名字等。

所有版本的 exec*()都会用给定文件作为现在要执行的程序取代当前（子）进程的 Python 解释器。和 system()不一样，对于 Python 来说没有返回值（因为 Python 已经被替代了）。如果因为某种原因，程序不能执行，那么 exec*()就会失败，进而导致引发异常。

接下来的代码在子进程中开始了一个称为"xbill"的可爱小巧的游戏，而父进程继续运行 Python 解释器。因为子进程从不返回，所以无需去顾虑调用 exec*()后的子进程代码。注意该命令也是参数列表中的必须的第一个参数。

```
ret = os.fork()
if ret==0:                             #子进程代码
    execvp('xbill', ['xbill'])
else:                                  #父进程代码
    os.wait()
```

在这段代码中，还可以看到对 wait（）的调用。当子进程执行完毕，需要它们的父进程进行扫尾工作。

这个任务，称为“收获孩子”（reaping a child），可以用 wati*()函数完成。紧跟在 fork()之后，父进程可以等待子进程完成并在那进行扫尾。父进程也可以继续运行，稍后再扫尾，同样也是用 wait*()函数中的一个。

不管父进程选择了那个方法，该工作都必须进行。当子进程完成执行，还没有被收获的时候，它进入了闲置状态，变成了著名的僵尸进程。在系统中，应该尽量把僵尸进程的数目降到最少，因为在这种状态下的子进程仍保留着在存活时期分配给它们的系统资源，而这些资源只能在父进程收获它们之后才能释放掉。

调用 wait()会挂起执行（比如，waits），直到子进程（其他的子进程）正常执行完毕或通过信号终止。wait()将会收获子进程，释放所有的资源。如果子进程已经完成，那么 wait()只是进行些收获的过程。waitpid()具有和 wait()相同的的功能，但是多了一个参数 PID（指定要等待子进程的进程标识符），以及选项（通常是零或用“OR”组成的可选标志集合）。

14.5.4 os.spawn*()

函数 spawn*()家族和 fork，exec*()相似，因为它们在新进程中执行命令；然而，你不需要分别调用两个函数来创建进程，并让这个进程执行命令。你只需调用一次 spawn*()家族。由于其简单性，你放弃了“跟踪”父进程和子进程执行的能力；该模型类似于在线程中启动函数。还有点不同的是你必须知道传入 spawn*()的魔法模式参数。在其他的操作系统中（尤其是嵌入式实时操作系统（RTOS）），spawn*()比 fork（）快很多。不是这种情况的操作系统通常使用写实拷贝（copy-on-write）技术。参阅 Python 库参考手册来获得更多 spanw*()的资料。各种 spanw*()家族成员是在 1.5 和 1.6（含 1.6）之间加入的。

14.5.5 subprocess 模块

在 Python 2.3 出来之后，一些关于 popen5 模块的工作开始展开。一开始该命名继承了先前 popen*()函数的传统，但是并没有延续下来，该模块最终被命名为 subproess，其中一个类叫 Popen，集中了我们在这章讨论的大部分面向进程的函数。同样也有名为 call()的便捷函数，可以轻易地取代了 os.system()。在 Python 2.4 中，subprocess 初次登场。下面就是演示该模块的例子：

替换 os.system()

Linux 上的例子:

```
>>> from subprocess import call
>>> import os
>>> res = call(('cat', '/etc/motd'))
Linux starship 2.4.18-1-686 #4 Sat Nov 29 10:18:26 EST 2003 i686
GNU/Linux
>>> res
0
```

Win32 例子:

```
>>> res = call(('dir', r'c:\windows\temp'), shell=True)
Volume in drive C has no label.
Volume Serial Number is F4C9-1C38
Directory of c:\windows\temp
03/11/2006  02:08 AM  <DIR>          .
03/11/2006  02:08 AM  <DIR>          ..
02/21/2006  08:45 PM           851  install.log
02/21/2006  07:02 PM           444  tmp.txt
```

```
        2 File(s)          1,295 bytes
        3 Dir(s)   55,001,104,384 bytes free
```

取代os.popen()

创建Popen()实例的语法只比调用os.popen()函数复杂了一点

```
>>> from subprocess import Popen, PIPE
>>> f = Popen(('uname', '-a'), stdout=PIPE).stdout
>>> data = f.readline()
>>> f.close()
>>> print data,
Linux starship 2.4.18-1-686 #4 Sat Nov 29 10:18:26 EST 2003 i686
GNU/Linux
>>> f = Popen('who', stdout=PIPE).stdout
>>> data = [ eachLine.strip() for eachLine in f ]
>>> f.close()
>>> for eachLine in data:
... print eachLine
...
Wesc  console  Mar  11  12:44
Wesc  ttyp1    Mar  11  16:29
Wesc  ttyp2    Mar  11  16:40  (192.168.1.37)
Wesc  ttyp3    Mar  11  16:49  (192.168.1.37)
Wesc  ttyp4    Mar  11  17:51  (192.168.1.34)
```

14.5.6 相关函数

表 14.7 列出了可以执行上述任务的函数（及其模块）。

表 14.7 各种文件执行函数

文件对象属性	描　述
os/popen2.popen2[a]()	执行文件、打开文件、从新创建的运行程序读取（stdout），或者向该程序写（stdin）
os/popen2.popen3[a]()	执行文件、打开文件、从新创建的运行程序读取（stdout 和 stderr），或者向该程序写（stdin）
os/popen2.popen4[b]()	执行文件、打开文件、从新创建的运行程序读取（结合 stdout，stderr），或者向该程序写（stdin）
commands.getoutput()	在子进程中执行文件，以字符串返回所有的输出 U
subprocess.call[c]()	创建 subprocess 的便捷函数。Popen 等待命令完成，然后返回状态代码;与 os.system()类似，但是是较灵活的替代方案

a. Python2.0 版新加入。

b. Python2.0 时加入到 os 和 popen2 模块中。

c. Python2.4 时加入。

14.6 受限执行

在 Python 历史某个时期内，存在着使用了 rexec 和 bastion 模块的限制执行的概念。第一个模块允许沙盒（sandbox）中的执行代码修改内建对象。第二个模块用来过滤属性和包装你的类。然而，由于一个显著的缺点和弥补安全漏洞的困难，这些模块便被废弃了。那些维护使用了这些模块的老代码的人员可能会用到这两个模块的文档。

14.7 结束执行

当程序运行完成，所有模块最高级的语句执行完毕后退出，我们便称这是干净的执行。可能有很多情况，需要从 Python 提前退出，比如某种致命错误，或是不满足继续执行的条件的时候。

在 Python 中，有各种应对错误的方法。其中之一便是通过异常和异常处理。另外一个方法便是建造一个“清扫器”方法，这样便可以把代码的主要部分放在 if 语句里，在没有错误的情况下执行，因而可以让错误的情况“正常地”终结。然而，有时也需要在退出调用程序的时候，返回错误代码以表明发生何种事件。

14.7.1 sys.exit() and SystemExit

立即退出程序并返回调用程序的主要方式是 sys 模块中的 exit()函数。sys.exit()的语法为：当调用 sys.exit()时，就会引发 systemExit()异常。除非对异常进行监控（在一个 try 语句和合适的 except 子句中），异常通常是不会被捕捉到或处理的，解释器会用给定的状态参数退出，如果没有给出的话，该参数默认为 0。System Exit 是唯一不看作错误的异常。它仅仅表示要退出 Python 的愿望。

```
sys.exit(status=0)
```

sys.exit()经常用在命令调用的中途发现错误之后，比如，如果参数不正确，无效，或者参数数目不正确。下面的例子 14.4（args.py）仅仅是一个测试脚本，在正确执行之前需要给出确定数目的参数。

执行这个脚本我们得到如下输出：

```
$ args.py
At least 2 arguments required (incl. cmd name).
usage:  args.py arg1 arg2 [arg3... ]
$ args.py XXX
At least 2 arguments required (incl. cmd name).
usage:  args.py arg1 arg2 [arg3... ]
$ args.py 123 abc
number of args entered: 3
args (incl. cmd name) were: ['args.py', '123', 'abc']
$ args.py -x -2 foo
number of args entered: 4
args (incl. cmd name) were: ['args.py', '-x', '-2',
'foo']
```

调用 sys.exit()使 Python 解释器退出。exit()的任何整型参数都会以退出状态返回给调用者，该值默认为 0；

```
1   #!/usr/bin/env python
2
3   import sys
4
5   def usage():
6       print 'At least 2 arguments (incl. cmd name).'
7       print 'usage: args.py arg1 arg2 [arg3... ]'
8       sys.exit(1)
9
10  argc = len(sys.argv)
11  if argc < 3:
```

```
12    usage()
13  print "number of args entered:", argc
14  print "args (incl. cmd name) were:", sys.argv
```

许多命令行驱动的程序在进行之前，用脚本的核心功能测试了输入的有效性。如果验证失败，那么便调用 usage()函数去告知用户什么样的问题会导致这个错误，并“提示”用户如何才能正确地调用脚本。

14.7.2 sys.exitfunc()

sys.exitfunc()默认是不可用的，但你可以改写它以提供额外的功能。当调用了 sys.exit()并在解释器退出之前，就会用到这个函数了。这个函数不带任何参数的，所以你创建的函数也应该是无参的。

如果 sys.exitfunc 已经被先前定义的 exit 函数覆盖了，最好的方法是把这段代码作为你 exit()函数的一部分来执行。一般说来，exit 函数用于执行某些类型的关闭活动，比如关闭文件和网络连接，最好用于完成维护任务，比如释放先前保留的系统资源。

下面的例子介绍了如何设置 exit()函数，如果已经被设置了，则确保执行该函数：

```
import sys
prev_exit_func = getattr(sys, 'exitfunc', None)

def my_exit_func(old_exit = prev_exit_func):
#    :
#进行清理
#    :
if old_exit is not None and callable(old_exit):
    old_exit()

sys.exitfunc = my_exit_func
```

在清理执行以后，我们执行了老的 exit()函数。getattr()调用只是检查了先前的 exitfunc()是否已经定义。如果没有，那么 prev_exit_func 赋值为 None，否则，prev_exit_func 变成 exit 函数新的别名，然后作为参数传入我们的新 exit 函数，my_exit_func。

对 getattr()的调用可以这样写：

```
if hasattr(sys, 'exitfunc'):
    prev_exit_func = sys.exitfunc # getattr(sys, 'exitfunc')
else:
    prev_exit_func = None
```

14.7.3 os._exit() 函数

os 模块的_exit()函数不应该在一般应用中使用（平台相关，只适用特定的平台，比如基于 Unix 的平台，以及 Win32 平台）。其语法为：

```
os._exit(status)
```

这个函数提供的功能与 sys.exit()和 sys.exitfunc()相反，根本不执行任何清理便立即退出 Python。与 sys.exit()不同，状态参数是必需的。通过 sys.exit()退出是退出解释器的首选方法。

14.7.4 os.kill() Function

os 模块的 kill()函数模拟传统的 unix 函数来发送信号给进程。kill()参数是进程标识数（PID）和你想要发送到进程的信号。发送的典型信号为 SIGINT、SIGQUIT，或更彻底地，SIGKILL，来使进程终结。

14.8 各种操作系统接口

本章我们已看到各种通过 os 模块和操作系统进行交互的方法。我们看到的大多数函数都是处理文件或外部进程执行。这里有些方法允许对现在的用户和进程有较特殊的动作，我们将简要地看看。表 14.8 中描述的大部分函数只在 POSIX 系统上工作，除非标明了适用于 Windows 环境。

表 14.8 各种 OS 模块属性（W也适用于 win32）

模块属性	描述
uname()	获得系统信息（主机名、操作系统版本、补丁级别、系统构架等）
getuid()/setuid(*uid*)	获取/设置现在进程的真正的用户 ID
getpid()/getppid()	获取真正的现在/父进程 ID（PID）W
getgid()/setgid(*gid*)	获取/设置现在进程的群组 ID
getsid()/setsid()	获取会话 ID（SID）或创建和返回新的 SID
umask(mask)	设置现在的数字 unmask，同时返回先前的那个（mask 用于文件许可）W
getenv(*ev*)/ putenv(*ev*, *value*), environ	获取和设置 环境变量 ev 的值；os.envion 属性是描述当前所有环境变量的字典W
geteuid()/setegid()	获取/设置当前进程的有效用户 ID（GID）
getegid()/setegid()	获取/设置当前进程的有效组 ID（GID）
getpgid(*pid*)/ setpgid(*pid*, *pgrp*)	获取和设置进程 GID 进程 PID；对于 get，如果 pid 为 0，便返回现在进程的进程 GID
getlogin()	返回运行现在进程的用户登录
times()	返回各种进程时期的元组W
strerror(*code*)	返回和错误代码对应的错误信息W
getloadavg()[a]	返回代表在过去 1，5，15 分钟内的系统平均负载值的元组

a. Python2.3 时加入。

14.9 相关模块

在表 14.9 中，除了 os 和 sys 模块，你还可以找到与这章执行环境主题相关的模块列表。

表 14.9 执行环境相关模块

模块	描述
atexit[a]	注册当 Python 解释器退出时的执行句柄
popen2	提供额外的在 os.popen 之上的功能：提供通过标准文件和其他的进程交互的能力；对于 Python2.4 和更新的版本，使用 subpross()
commands	提供额外的在 os.system 之上的功能：把所有的程序输出保存在返回的字符串中（与输出到屏幕的相反）；对于 Python2.4 和更新的版本，使用 subpross
getopt	在这样的应用程序中的处理选项和命令行参数
site	处理 site-specific 模块或包
platform[b]	底层平台和架构的属性
subprocess[c]	管理（计划替代旧的函数和模块，比如 os.system()、os.spawn*()、os.popen*()、 popen2.*和 command.*）

a. Python2.0 时加入。
b. Python2.3 时加入。
c. Python2.4 时加入。

14.10 练习

14-1.可调用对象。 说出 Python 中的可调用对象。exec 语句和内建函数 eval()有什么不同？

14-2.input()和 raw.input()。内建函数 raw_input()和 input()有什么不同？

14-3.执行环境。创建运行其他 Python 脚本的 Python 脚本。

14-4.os.system()。选择熟悉的系统命令，该命令执行任务时不需要输入，也不输出到屏幕或根本不输出任何东西。调用 os.system()运行程序 附加题：你的解决方案移植到 subprocess.call()。

14-5.commands.getoutput()。用 commands.getoutput()解决前面的问题。

14-6.popen()家族。选择熟悉的系统命令，该命令从标准输入获得文本，操作或输出数据。使用 os.popen()与程序进行通信。输出到哪儿呢？使用 popen2.popen2()代替。

14-7.subprocess 模块。把先前问题的解决方案移植到 subprocess 模块。

14-8.exit 函数。设计一个在程序退出时的函数。安装到 sys.exitfunc()，运行程序，演示你 exit 函数确实被调用了。

14-9.shells。创建 shell（操作系统接口）程序。给出接受操作系统命令的命令行接口（任意平台）。

附加题 1：支持管道（见 os 模块中的 dup()、dub2()和 pipe()函数）。管道过程允许进程的标准输入连接到另一个进程的标准输入。

附加题 2：用括号支持逆序的管道，给 shell 一个函数式编程接口。换句话说，支持更加函数式风格如. . .sort(grep(ps -ef, root), -n, +1)，而不是 ps -ef | grep root | sort -n +1. . .这样的命令。

14-10.fork()/exec*()和 spawn*()的比较。使用 fork()-exec*()对和 spawn*()家族函数有什么不同？哪一组的功能更强？

14-11.生成和执行 Python 代码。用 funcAttrs.py 脚本（例 14.4）加入测试代码到已有程序的函数中。创建一个测试框架，每次遇到你特殊的函数属性，它都会运行你的测试代码。

Part II

第2部分　高 级 主 题

第 15 章 正则表达式

本章主题

- 引言/动机
- 特别的字符和符号
- 正则表达式与 Python
- re 模块

15.1　引言/动机

处理文本和数据是件大事。如果你不相信我说的话，请仔细看看现如今的计算机主要都在做些什么工作：文字处理、网页填表、来自数据库的信息流、股票报价信息、新闻列表，这个清单还会不断地增长。因为我们可能不知道这些需要计算机编程处理文本或数据的具体内容，所以能把这些文本或数据以某种可被计算机识别和处理的模式表达出来是非常有用的。

假设我在运营一个电子邮件档案公司，而你是我的一位顾客，比如说，你想获得自己去年二月份收发的所有邮件，如果我能设计一个计算机程序来整理信息然后将它转发给你，而不是通过人工方法通读你的邮件后再手动地处理你的请求，那会非常不错。因为如果有人看了你的邮件信息，哪怕只是用眼睛瞄一下邮件上的时间，你可能都会对此感到担心（甚至愤怒）。又比如，你可能会认为凡是带有“ILOVEYOU”这样主题的邮件都是已感染病毒的信息，并要求从你的个人邮箱中删除它们。这就引出一个问题，我们如何通过编程使计算机具有在文本中检索某种模式的能力。

正则表达式（RE）为高级文本模式匹配，以及搜索-替代等功能提供了基础。正则表达式（RE）是一些由字符和特殊符号组成的字符串，它们描述了这些字符和字符的某种重复方式，因此能按某种模式匹配一个有相似特征的字符串的集合，因此能按某模式匹配一系列有相似特征的字符串，见图 15-1。换句话说，它们能匹配多个字符串——一个只能匹配一个字符串的 RE 模式是乏味且毫无作用的，你说是不是?

正则表达式引擎

图 15-1 你可以用这个正则表达式匹配有效的 Python 标识符。"[A-Za-z]\w+ " 的含义是：第一个字符是字母，即，由大写字母 A～Z 或是小写字母 a～z 组成，它后面至少跟有一个（或更多）由字母或数字组成的字符（\w）。如图，你看到有很多字符串被过滤，只有那些符合我们要求的 RE 模式的字符串被筛选出来。比如，“4xZ”，因为它是以数字开头的，所以被过滤了。

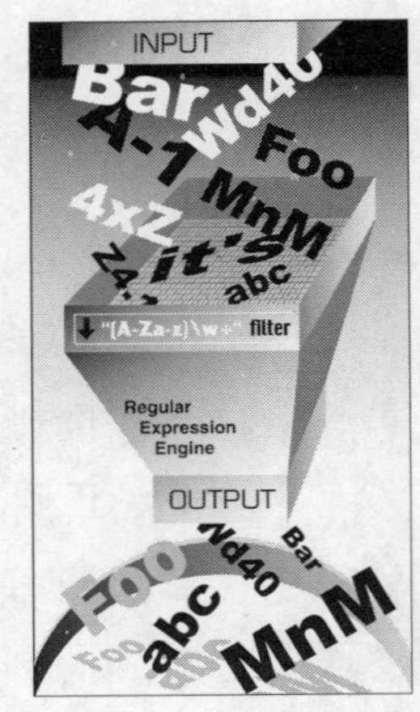

图 15-1

Python 通过标准库的 re 模块支持正则表达式（RE），本节我们将简要地介绍一下。限于篇幅，内容将仅涉及 Python 编程中正则表达式（RE）方面最常见的内容。你们（对正则）的经验（熟悉程度）肯定不同。我们强烈建议你阅读一些官方帮助文档和与此主题有关的文本。那么你对字符串的理解方式就会有所改变。

核心笔记：搜索与匹配的比较

本章通篇涉及到对搜索和匹配用法的讲述。当我们完全讨论与字符串中模式有关的正则表达式时，我们会用术语 “匹配”（matching），指的是术语“模式匹配”（pattern-matching）。在 Python 专门术语中，有两种主要方法完成模式匹配：搜索（searching）和匹配（matching）。搜索，即在字符串任意部分中搜索匹配的模式，而匹配是指，判断一个字符串能否从起始处全部或部分的匹配某个模式。搜索通过 search()函数或方法来实现，而匹配是以调用 match()函数或方法实现的。总之，当我们说模式的时候，我们全部使用术语“匹配”（matching）；我们按照 Python 如何完成模式匹配的方式来区分“搜索”和“匹配”。

你的第一个正则表达式

我们上面已经提到，正则表达式是含有文本和特别字符的字符串，这些文本和特别字符描述的模式可以识别各种字符串。我们还简单阐述了正则表达式字母表，以及用于匹配通用文本的正则表达式字母表——所有大小写字母及数字的集合。也存在特别的字母表，比如，只含有字符“0”和“1”的字母表。该字母表可以表示所有二进制整型的集合，即，“0，”“1，”“00，”“01，”“10，”“11，”“100，”等。

让我们看看正则表达式的基本情况，虽然正则表达式常被视为是“高级主题”，但是有时候它们也是非常简单的。我们列出一些用一般文本的标准字母组成简单的正则表达式及它们所描述的字符串。以下的正则表达式是最基本、最普通的。它们仅由一个字符串定义了一个模式，该模式仅匹配这个字符串本身，该字符串由正则表达式定义。以下是正则表达式（RE）和匹配它们的字符串。

正则表达式模式　匹配的字符串

```
foo         foo
Python      Python
abc123      abc123
```

上表中第一个正则表达式模式是“foo”。这个模式不包含任何特殊符号去匹配其他符号，它仅匹配自身所描述的，所以只有字符串“foo”匹配此模式。同理，“Python”和“abc123”也一样。正则表达式的强大之处在于特殊符号的应用，特殊符号定义了字符集合、子组匹配、模式重复次数。正是这些特殊符号使得一个正则表达式可以匹配字符串集合而不只是一个字符串。

15.2　正则表达式使用的特殊符号和字符

现在，我们来介绍最常用的元字符（metacharacter）——特殊字符和符号，正是它们赋予了正则表达式强大的功能和灵活性。正则表达式中最常见的符号和字符见表 15.1。

表 15.1　　正则表达式中最常见的符号和字符

记　号	说　明	正则表达式样例
literal	匹配字符串的值	foo
re1|*re2*	匹配正则表达式 re1 或 re2	foo|bar
.	匹配任何字符（换行符除外）	b.b
^	匹配字符串的开始	^Dear
$	匹配字符串的结尾	/bin/*sh$
*	匹配前面出现的正则表达式零次或多次	[A-Za-z0-9]*
+	匹配前面出现的正则表达式一次或多次	[a-z]+\.com
?	匹配前面出现的正则表达式零次或一次	goo?
{*N*}	匹配前面出现的正则表达式 N	[0-9]{3}
{*M,N*}	匹配重复出现 M 次到 N 次的的正则表达式	[0-9]{5,9}
[...]	匹配字符组里出现的任意一个字符	[aeiou]
[..*x-y*..]	匹配从字符 x 到 y 中的任意一个字符	[0-9], [A- Za-z]
[^...]	不匹配此字符集中出现的任何一个字符，包括某一范围的字符（如果在此字符集中出现）	[^aeiou],[^A-Za-z0-9_]
(*|+|?|{})?	用于上面出现的任何“非贪婪”。版本重复匹配次数符号	.*?[a-z]
(...)	匹配封闭括号中正则表达式（RE），并保存为子组	([0-9]{3})?, f（oo|u)bar
特殊字符		
\d	匹配任何数字，和[0-9]一样（\D 是\d 的反义：任何非数符字）	data\d+.txt

续表

记 号	说 明	正则表达式样例
\w	匹配任何数字字母字符，和[A- Za-z0-9_]相同（\W 是\w 的反义）	[A-Za-z_]\w+
\s	匹配任何空白符，和 [\n\t\r\v\f] 相同，（\S 是\s 的反义）	of\sthe
\b	匹配单词边界（\B 是\b 的反义）	\bThe\b
\nn	匹配已保存的子组（请参考上面的正则表达式符号：(...)）	price: \16
\c	逐一匹配特殊字符 c（即，取消它的特殊含义，按字面匹配）	\.，\\，*
\A (\Z)	匹配字符串的起始（结束）	\ADear

15.2.1 用管道符号（|）匹配多个正则表达式模式

管道符号（|），就是你键盘上的竖杠，表示一个或操作，它的意思是选择被管道符号分隔的多个不同的正则表达式中的一个。例如，下面的一些使用或操作的模式，和它们所匹配的字符串：

正则表达式模式	匹配的字符串
at|home	at, home
r2d2|c3po	r2d2, c3po
bat|bet|bit	bat, bet, bit

有了这个符号，正则表达式的灵活性增强了，使得它可以匹配不止一个字符串，“或”（操作）有时候也被叫做“联合”（union）或者逻辑或（OR）。

15.2.2 匹配任意一个单个的字符（.）

点字符或句点（.）符号匹配除换行符（NEWLINE）外的任意一个单个字符（Python 的正则表达式有一个编译标识 [S or DOTALL]，该标识能去掉这一限制，使（.）在匹配时包括换行符（NEWLINE））。无论是字母、数字、不包括“\n”的空白符、可打印的字符、还是非打印字符，或是一个符号、点（.）都可以匹配他们。

正表达式模式	匹配的字符串
f.o	在“f”和“o”中间的任何字符，如 fao，f9o，f#o 等
..	任意两个字符
.end	匹配在字符串 end 前面的任意一个字符

问：我怎样才能匹配句点（dot）或句号（period）？

答：为了明确地匹配一个句点（dot）本身，你必须（在前面）使用反斜线“\”对它进行转义。

15.2.3 从字符串的开头或结尾或单词边界开始匹配（^/$ /\b /\B ）

还有些符号和特殊字符是用来从字符串的开头或结尾开始搜索正则表达式模式的。如果想从字符串的开头开始匹配一个模式，你必须用脱字符号（^，即，Caret）或特殊字符\A（大写字母 A 前面加上一个反斜线）。后者主要是为那些没有 caret 符号的键盘使用的，比如说国际键盘。类似，美元符号（$）或\Z 是用来（零宽度）匹配字符串的结尾的。

用这些符号的模式与我们将在本章讲述的其他大多数符号是不同的，因为这些符号指定了（匹配字符）的位置。在上面的核心笔记里，我们曾说过“匹配”和“搜索”之间的区别，“匹配”是试图从整个字符串的开头进行匹配，而“搜索”则可从一个字符串的任意位置开始匹配。正因为这几个字符和搜索的位置有关，所以需要和搜索模式一起使用。下面是几个"擦边球"的正则表达式搜索模式：

正则表达式模式	匹配的字符串
^From	匹配任何以 From 开始的字符串
/bin/tcsh$	匹配任何以 /bin/tcsh 结束的字符串
^Subject: hi$	匹配仅由 Subject: hi 组成的字符串

特别说明，如果你想匹配这两个字符中的任何一个（或全部），就必须用反斜线进行转义。例如，如果你想匹配任何以美元符号（$）结尾的字符串，一个可行的解决办法是用正则表达式模式".*\$$"。

特殊字符\b and \B 用来匹配单词边界。两者之间的区别是，\b 匹配的模式是一个单词边界，就是说，与之对应的模式一定在一个单词的开头，不论这个单词的前面是有字符（该词在一个字符串的中间），还是没有字符（该单词在一行的起始处）。同样地，\B 只匹配出现在一个单词中间的模式（即，不在单词边界上的字符）。看下面几个例子：

正则表达式模式	匹配字的字符串
the	任何包含有"the"的字符串
\bthe	任何以"the"开始的字符串
\bthe\b	仅匹配单词"the"
\Bthe	任意包含"the"但不以"the"开头的单词

15.2.4 创建字符类（[]）

尽管句点可用来匹配任意字符，但有时候你需要匹配某些个特殊的字符。正因为如此，方括号（[]）被发明出来。使用方括号的正则表达式会匹配方括号里的任何一个字符。几个例子如下：

正则表达式模式	配的字符串
b[aeiu]t	bat, bet, bit, but
[cr][23][dp][o2]	一个包含 4 个字符的字符串：第一个字符是"r"或"c"，后面是"2"或"3"，再接下来是"d"或"p"，最后是"o"或"2"，例如：c2do、r3p2、r2d2、c3po 等。

关于正则表达式"[cr][23][dp][o2]"的一点要说明：如果只让"r2d2 或"c3po"成为有效的字符串，就需要限定更为严格的正则表达式。但因为方括号只有"逻辑或"（"logical OR"）的功能，所以用方括号不能实现这一限定要求。唯一的解决办法是用管道符号（pipe），例如："r2d2|c3po"。

对仅有单个字符的正则表达式，使用管道符号和方括号的效果是等价的。举例来说，正则表达式"ab"，只匹配以"a"开头后面再跟一个"b"的字符串。如果我们只想要一个字母的字符串，即，"a"或者"b"中的一个，就可以使用正则表达式"[ab]"。因为"a"和"b"是单个的字符串，我们也可以用正则表达式"a|b"。但是，如果我们想用模式匹配"ab"，后面接着是"cd"的字符串，就不能用方括号了，因为方括号只适用于单个字符的情况。这样，唯一的办法是用"ab|cd"，这和我们刚才提到的"r2d2|c3po"的道理是相同的。

15.2.5 指定范围（-）和否定（^）

方括号除匹配单个字符外，还可以支持所指定的字符范围。方括号里一对符号中间的连字符（-）用来表示一个字符的范围，例如 A–Z、a–z 或 0–9 分别代表大写字母、小写字母和十进制数字。这是一个按字母顺序排序的范围，所以它不限于只用在字母和十进制数字上。另外，如果在左方括号后第一个字符是上箭头符号（^），就表示不匹配指定字符集里的任意字符。

正则表达式模式	匹配的字符
z.[0-9]	字符"z"，后面跟任意一个字符，然后是一个十进制数字
[r-u][env-y][us]	"r"、"s"、"t"或"u"中的任意一个字符，后面跟的是"e"、"n"、"v"、"w"、"x"或"y"中的任意一个字符，再后面是字符"u"或"s"。

[^aeiou]	一个非元音字符（练习：为什么我们说“非元音”，而不说“辅音字母”？）
[^\t\n]	除TAB制表符和换行符以外的任意一个字符
["-a]	在使用ASCII字符集的系统中，顺序值在“"”和“a”之间的任意一个字符，即，顺序号在34 和97之间的某一个字符。

15.2.6 使用闭包操作符（*，+，?，{}）实现多次出现/重复匹配

现在我们来介绍最常用的正则表达式符号，即，特殊符号“*”、“+”和“?”，它们可以用于匹配字符串模式出现一次、多次或未出现的情况。星号或称星号操作符匹配它左边那个正则表达式出现零次或零次以上的情况（在计算机语言和编译器原理里，此操作符被叫做Kleene闭包操作符）。加号（+）操作符匹配它左边那个正则表达式模式至少出现一次的情况（它也被称为正闭包操作符），而问号操作符（?）匹配它左边那个正则表达式模式出现零次或一次的情况。

还有花括号操作符（{}），花括号里可以是单个的值，也可以是由逗号分开的一对值。如果是一个值，如，{N}，则表示匹配N次出现；如果是一对值，即，{M，N}，就表示匹配M次到N次出现。可以在这些符号前用反斜线进行转义，使它们失去特殊作用，即，“*”将匹配星号本身等。

在上表中，我们注意到问号出现了不只一次（被重载），问号有两种含义:1.单独使用时表示匹配出现零次或一次的情况，2.紧跟在表示重复的元字符后面时，表示要求搜索引擎匹配的字符串越短越好，例如（+?）。

前面提到“越短越好”是什么意思呢？当使用了表示重复的元字符（*+？{m,n}）时，正则表达式引擎在匹配模式时会尽量“吸收”更多的字符。这就叫做“贪心”。问号告诉正则表达式引擎尽可能地偷懒，要求当前匹配消耗的字符越少越好，留下尽可能多的字符给后面的模式（如果存在）。在本章末尾，我们举一个有代表性的例子来说明必须使用非贪心模式的情况。

现在，让我们接着来看一些使用闭包操作符的例子。

正则表达式模式	匹配的字符
[dn]ot?	字符"d"或"o"，后面是一个"o"，最后是最多一个字符"t"，即do、no、dot、not
0?[1-9]	1～9中的任意一位数字，前面可能还有一个"0"。例如，可以把它看成一月九月的数字表示形式，不管是一位数字还是两位数字的表示形式。
[0-9]{15,16}	15或16位数字表示，例如：信用卡号码
</?[^>]+>	匹配所有合法（和无效的）HTML标签的字符串
[KQRBNP][a-h][1-8]-[a-h][1-8]	在“长代数”记谱法中，表示的国际象棋合法的棋盘移动（仅移动，不包括吃子和将军）。即，"K"、"Q"、"R"、"B"、"N"或"P"等字母后面加上两个用连字符连在一起的"a1"到"h8"之间的棋盘坐标。前面的编号表示从哪里开始走棋，后面的编号代表走到哪个位置（棋格）上。

15.2.7 特殊字符表示、字符集

我们还提到有一些特殊字符可以用来代表字符集合。例如，你可以不使用“0–9”这个范围表示十进制数字，而改用简写“\d”表示。另一个特殊的字符“\w”可用来表示整个字符数字的字符集，即相当于“A-Za-z0-9_”的简写形式，特殊字符“\s”代表空白字符。这些特殊字符的大写形式表示不匹配，比如，“\D”表示非十进制数字的字符（等价于“[^0-9]”），等等。我们来看几个运用这些简写形式的稍复杂的例子。

正则表达式模式	匹配的字符串
\w+-\d+	一个由字母或数字组成的字符串和至少一个数字，两部分中间由连字符连接
[A-Za-z]\w*	第一个字符是字母，其余字符（如果存在的话），是字母或数字（它几乎等价于Python语言中合法的标识符（见参考练习））
\d{3}-\d{3}-\d{4}	（美国）电话号码，前面带区号前缀，例如800-555-1212
\w+@\w+\.com	简单的XXX@YYY.com格式的电子邮件地址

15.2.8 用圆括号（()）组建组

现在，或许我们可以匹配一个字符串和丢弃那些不匹配的字符串了，但有时候，我们也许对匹配的数据本身更有兴趣。我们不仅想知道是否整个字符串匹配我们的条件（正则表达式），还想在匹配成功时取出某个特定的字符串或子字符串。要达到这个目的，只需要给正则表达式的两边加上一对圆括号。

一对圆括号（()）和正则表达式一起使用时可以实现以下任意一个（或两个）功能：

- 对正则表达式进行分组
- 匹配子组

有时你需要对正则表达式进行分组，其中一个很好的例子就是，你要用两个不同的正则表达式去比较一个字符串。另一个理由是为整个正则表达式添加一个重复操作符（即不是仅重复单个字符或单一字符集）。

使用圆括号的一个额外好处就是匹配的子串会被保存到一个子组，便于今后使用。这些子组可以在同一次匹配或搜索中被重复调用，或被提取出来做进一步处理。在 15.3.9 小节的结尾你会读到一些提取子组的例子。

为什么需要使用子组匹配呢？主要是有时除了进行匹配操作外，你还想要提取匹配模式的内容。如果想知道在成功的匹配中，是哪些字符串匹配了我们的正则表达式模式。例如，我们想用正则表达式"\w+-\d+"匹配一些内容，但又想把第一部分的字符和第二部分的数字分别保存，该怎么做呢？

如果我们给两个子模式都加上圆括号，即，将它写成"(\w+)-（\d+)"，那我们就可以对这两个匹配的子组分别进行访问了。当然你也可以使用其他方法达到同样目的，比如，先写一段代码判断是否找到匹配的对象，然后再执行另一个程式（也必须再写一段代码）来解析整个匹配的部分，从中提取出两个部分来。然而相比之下把正则表达式划分为子组是更好的实现办法，因为 Python 已经在 re 模块里支持此功能，那为什么不让 Python 来做这项工作，而非要重复发明一个轮子呢？

正则表达式模式	匹配的字符串
`\d+(\.\d*)?`	表示简单的浮点型，即， 任意个十进制数字，后面跟一个可选的小数点，然后再接零或多个十进制数字。例如 "0.004"、"2"、"75"等。
`(Mr?s?\. )?[A-Z][a-z]* [ A-Za-z-]+`	名字和姓氏，对名字的限制（首字母大写，其他字母（如果存在）小写）， 全名前有可选的称谓（"Mr"、"Mrs"、"Ms"、或"M"），姓氏没有什么限制，允许有多个单词、横线、大写字母。

15.3 正则表达式和 Python 语言

既然我们已知道了有关正则表达式本身的所有知识，那让我们来详细研究当前 Python 的默认正则表达式模块 re 模块吧。re 模块在 Python1.5 版本被引入。如果你正在使用 Python 的早期版本，你将只能使用已过时的 regex、regsub 模块。这些模块具有 Emacs 风格，功能不丰富，而且与现在的 re 模块也不兼容。regex 和 regsub 这两个模块已在 Python 2.5 版本时被移除了，在 Python2.5 及其后续版本，引入这两个模块中的任何一个将会引发 Import Error 异常。

但正则表达式本身是不变的，所以本小节中的大多数基本概念仍然适用于旧版的 regex 和 reg-sub 模块。与旧模块形成鲜明对比的是，新的 re 模块支持功能更强大、更通用的 Perl 风格（具体说是 Perl5 的风格）的正则表达式，允许多线程共享同一经过编译的正则表达式对象，同时它还支持对正则表达式分组进行命名和按名字调用。另外， 有一个名叫 reconvert 的转换模块是帮助开发者从 regex/regsub 模块迁移到 re 模块的。但请注意，正则表达式有不同的风格，我们主要研究当今 Python 语言中使用的正则表达式。

re 引擎已在 Python1.6 版本中被重写，改进了它的性能并添加了对 Unicode 的支持。接口并没有改变，因此模块的名字也保持不变。新的 re 引擎，内部被叫做 sre，替代了 1.5 版本中内部名为 pcre 的 re 引擎。

15.3.1 re 模块：核心函数和方法

表 15.2 列出了 re 模块最常用的函数和方法。其中有很多函数也与已编译的正则表达式对象（regex objects）和正则“匹配对象”（match objects）的方法同名并且具有相同功能。

在本小节，我们来看两个主要的函数/方法 match()和 search()，以及 compile()函数。在下一节我们还会再介绍更多，但如果想进一步了解我们涉及或没有涉及的更多相关信息，我们建议你参阅 Python 的文档。

表 15.2 常用的函数和方法

函数/方法	描 述
模块的函数	
compile(*pattern*,*flags*=0)	对正则表达式模式 pattern 进行编译，flags 是可选标识符，并返回一个 regex 对象
re 模块的函数和 regex 对象的方法	
match(*pattern*,*string*, *flags*=0)	尝试用正则表达式模式 pattern 匹配字符串 string，flags 是可选标识符，如果匹配成功，则返回一个匹配对象；否则返回 None
search(*pattern*,*string*, *flags*=0)	在字符串 string 中搜索正则表达式模式 pattern 的第一次出现，flags 是可选标识符，如果匹配成功，则返回一个匹配对象；否则返回 None
findall(*pattern*,*string*[, *flags*])[a]	在字符串 string 中搜索正则表达式模式 pattern 的所有（非重复）出现；返回一个匹配对象的列表
finditer(*pattern*,*string*[, *flags*])[b]	和 findall()相同，但返回的不是列表而是迭代器；对于每个匹配，该迭代器返回一个匹配对象
split(*pattern*,*string*, *max*=0)	根据正则表达式 pattern 中的分隔符把字符 string 分割为一个列表，返回成功匹配的列表，最多分割 max 次（默认是分割所有匹配的地方）
sub(*pattern*, *repl*, *string*, *max*=0)	把字符串 string 中所有匹配正则表达式 pattern 的地方替换成字符串 repl，如果 max 的值没有给出，则对所有匹配的地方进行替换（另外，请参考 subn()，它还会返回一个表示替换次数的数值）
匹配对象的方法	
group(*num*=0)	返回全部匹配对象（或指定编号是 num 的子组）
groups()	返回一个包含全部匹配的子组的元组（如果没有成功匹配，就返回一个空元组）

a. Python 1.5.2 中新增； 2.4 中增加标识参数

b. Python 2.2 新增；2.4 中增加标识参数

核心笔记: RE 编译（何时应该使用 compile 函数?）

在第 14 章，我们曾说过 Python 的代码最终会被编译为字节码，然后才被解释器执行。我们特别提到用调用 eval()或 exec()调用一个代码对象而不是一个字符串，在性能上会有明显的提升，这是因为对前者来说，编译过程不必执行。换句话说，使用预编译代码对象要比使用字符串快，因为解释器在执行字符串形式的代码前必须先把它编译成代码对象。

这个概念也适用于正则表达式，在模式匹配之前，正则表达式模式必须先被编译成 regex 对象。由于正则表达式在执行过程中被多次用于比较，我们强烈建议先对它做预编译，而且，既然正则表达式的编译是必须的，那使用么预先编译来提升执行性能无疑是明智之举。re.compile()就是用来提供此功能的。

其实模块函数会对已编译对象进行缓存，所以不是所有使用相同正则表达式模式的 search()和 match()都需要编译。即使这样，你仍然节省了查询缓存，和用相同的字符串反复调用函数的性能开销。在 Python1.5.2 版本里，缓存区可以容纳 20 个已编译的正则表达式对象，而在 1.6 版本里，由于另外添加了对 Unicode 的支持，编译引擎的速度变慢了一些，所以缓存区被扩展到可以容纳 100 个已编译的 regex 对象。

15.3.2 使用compile()编译正则表达式

我们稍后要讲到的大多数re模块函数都可以作为regex对象的方法。注意，尽管我们建议预编译，但它并不是必需的。如果你需要编译，就用方法，如果不需要，可以使用函数。幸运的是无论你用哪种方式-函数还是方法，名字都是相同的。（也许你曾对此好奇，这正是模块函数和方法完全一样的原因，例如search()、match()等)在后面的例子里，我们将用字符串，这样可以省去一个小步骤。我们仍会用到几个预编译代码对象，这样你可以知道它的过程是怎么回事。

编译rex对象时给出一些可选标识符，可以得到特殊的编译对象。这些对象将允许不区别大小写的匹配，或使用系统的本地设置定义的字母表进行匹配等。详情请参阅有关文档。这些标识符也可以作为参数传给模块（改字）版本的match()和search()进行特定模式的匹配，其中一些标识符已在前面做过简短介绍（例如，DOTALL，LOCALE）-这些标识符多数用于编译，也正因如此它们可以被传给模块版本的match()和search()，而match()和search()肯定要对正则表达式模式编译一次。如果你想在regex对象的方法中使用这些标识符，则必须在编译对象时传递这些参数。

除下面的方法外，regex对象还有一些数据属性，其中两个是创建时给定的编译标识符和正则表达式模式。

15.3.3 匹配对象和 group()、groups()方法

在处理正则表达式时，除regex对象外，还有另一种对象类型-匹配对象。这些对象是在match()或search()被成功调用之后所返回的结果。匹配对象有两个主要方法：group()和groups()。

group()方法或者返回所有匹配对象或是根据要求返回某个特定子组。groups()则很简单，它返回一个包含唯一或所有子组的元组。如果正则表达式中没有子组的话，groups()将返回一个空元组，而group()仍会返回全部匹配对象。

Python语言中的正则表达式支持对匹配对象进行命名的功能，这部分内容超出了本介绍性小节对正则表达式的讨论范围。我们建议你阅读re模块的文档，里面有我们省略掉的关于这些高级主题的详细内容。

15.3.4 用match()匹配字符串

我们先来研究re模块的函数、正则表达式对象（regex object)的方法：match()。match()函数尝试从字符串的开头开始对模式进行匹配。如果匹配成功，就返回一个匹配对象，而如果匹配失败了，就返回None。匹配对象的group()方法可以用来显示那个成功的匹配。下面是如何运用match()（及group()）的一个例子：

```
>>> m = re.match('foo', 'foo')       #模式匹配字符串
>>> if m is not None:                #如果成功，显示匹配
...     m.group()
...
'foo'
```

模式“foo”完全匹配字符串“foo”。在交互解析器中，我们能确定m就是一个匹配对象的实例。

```
>>> m                                #确定返回匹配对象
<re.MatchObject instance at 80ebf48>
```

这是当匹配失败时的例子，它返回None:

```
>>> m = re.match('foo', 'bar')            #模式不匹配字符串
>>> if m is not None: m.group()           #1行的if子句
```

```
...
>>>
```

上面的匹配失败，所以m被赋值为None，因为我们写的if语句中没有什么行动，所以也没有什么指令动作被执行。在以后的例子中，为了简洁，在可能的情况下，我们会省去if检查语句，但在实际编程中，最好写上它，以防止出现AttributeError异常（失败后返回None，此时它是没有group()属性（方法）的）。

即使字符串比模式要长，匹配也可能成功；只要模式是从字符串的开始进行匹配的。例如，模式“foo”在字符串“food on the table”中找到一个匹配，因为它是从该字符串开头进行匹配的：

```
>>> m = re.match('foo', 'food on the table')    # 匹配成功
>>> m.group()
'foo'
```

如你看到的，尽管字符串比模式要长，但从字符串开头有一个成功的匹配。子串“foo”是从那个较长的字符串中抽取出来的匹配部分。

我们甚至可以充分利用Python语言面向对象的特性，间接省略中间结果，将最终结果保存到一起：

```
    >>> re.match('foo', 'food on the table').group()
'foo'
```

注意，上面的例子中，如果匹配失败，会引发一个AttributeError异常。

15.3.5 search()在一个字符串中查找一个模式（搜索与匹配的比较）

其实，你要搜索的模式出现在一个字符串中间的机率要比出现在字符串开头的机率更大一些。这正是search()派上用场的时候。search和match的工作方式一样，不同之处在于search会检查参数字符串任意位置的地方给定正则表达式模式的匹配情况。如果搜索到成功的匹配，会返回一个匹配对象，否则返回None。

现在我们来举例说明match()和search()之间的区别。让我们举一个对长字符串进行匹配的例子。这次，我们用字符串“foo”去匹配“seafood”：

```
>>> m = re.match('foo', 'seafood')                  #匹配失败
>>> if m is not None: m.group()
...
>>>
```

如你所见，这里没有匹配成功。match()尝试从字符串起始处进行匹配模式，即，模式中的“f”试匹配到字符串中首字母“s”上，这样匹配肯定是失败的。但字符串“foo”确实出现在“seafood”中，那我们如何才能让Python得出肯定的结果呢？答案是用search()函数。search()搜索字符串中模式首次出现的位置，而不是尝试（在起始处）匹配。严格地说，search()是从左到右进行搜索。

```
>>> m = re.search('foo', 'seafood')     #改用 search()
>>> if m is not None: m.group()
...
'foo'                          #用search成功匹配，用match 匹配失败
>>>
```

在本小节以后的内容里，将通过大量的例子展示如何在Python语言中运用正则表达式，我们会用到regex对象的方法match()和search()，匹配对象的方法group()、groups()和正则表达式语法中的绝大多数特殊字符和符号。

15.3.6　匹配多个字符串（|）

在 15.2 小节里，我们在正则表达式"bat|bet|bit"中使用了管道符号。下面，我们把这个正则表达式用到 Python 的代码里：

```
>>> bt = 'bat|bet|bit'                       #正则表达式模式： bat, bet, bit
>>> m = re.match(bt, 'bat')                  #'bat' 是匹配的
>>> if m is not None: m.group()
...
'bat'
>>> m = re.match(bt, 'blt')                  #没有匹配'blt'的模式
>>> if m is not None: m.group()
...
>>> m = re.match(bt, 'He bit me!')           #不匹配字符串
>>> if m is not None: m.group()
...
>>> m = re.search(bt, 'He bit me!')          #搜索到'bit'
>>> if m is not None: m.group()
...
'bit'
```

15.3.7　匹配任意单个字符（.）

以下的例子中，我们将说明句点是不能匹配换行符或非字符（即空字符串）的：

```
>>> anyend = '.end'
>>> m = re.match(anyend, 'bend')             #句点匹配'b'
>>> if m is not None: m.group()
...
'bend'
>>> m = re.match(anyend, 'end')              #没有字符匹配
>>> if m is not None: m.group()
...
>>> m = re.match(anyend, '\nend')            #匹配字符（\n 除外）
>>> if m is not None: m.group()
...
>>> m = re.search('.end', 'The end.')        #匹配' '
>>> if m is not None: m.group()
...
' end'
```

下面的例子是来搜索一个真正句点（小数点）的正则表达式，在正则表达式中，用反斜线对它进行转义，使句点失去它的特殊意义：

```
>>> patt314 = '3.14'                         #正则表达式句点
>>> pi_patt = '3\.14'                        #浮点（小数点）
>>> m = re.match(pi_patt, '3.14')            #完全匹配
>>> if m is not None: m.group()
```

```
...
'3.14'
>>> m = re.match(patt314, '3014')        #句点匹配 '0'
>>> if m is not None: m.group()
...
'3014'
>>> m = re.match(patt314, '3.14')        #句点匹配 '.'
>>> if m is not None: m.group()
...
'3.14'
```

15.3.8 创建字符集合（[ ]）

前面，我们曾讨论过"[cr][23][dp][o2]"和"r2d2|c3po"是不同的。从下面的例子中，可以看出"r2d2|c3po"与"[cr][23][dp][o2]"相比有更加严格的限制：

```
>>> m = re.match('[cr][23][dp][o2]', 'c3po')     #匹配'c3po'
>>> if m is not None: m.group()
...
'c3po'
>>> m = re.match('[cr][23][dp][o2]', 'c2do')     #匹配'c2do'
>>> if m is not None: m.group()
...
'c2do'
>>> m = re.match('r2d2|c3po', 'c2do')            #不匹配'c2do'
>>> if m is not None: m.group()
...
>>> m = re.match('r2d2|c3po', 'r2d2')            #匹配'r2d2'
>>> if m is not None: m.group()
...
'r2d2'
```

15.3.9 重复、特殊字符和子组

正则表达式中最常见的情况包括特殊字符的使用，正则表达式模式的重复出现，以及使用圆括号对匹配模式的各部分进行分组和提取操作。我们曾看到过一个关于简单电子邮件地址的正则表达式（"\w+@\w+\.com"）或许我们想要匹配的邮件地址比这个正则表达式的允许的要多。比如，为了在域名前添加主机名称支持，即，支持"www.xxx.com"，而不只是允许"xxx.com"做整个域名，我们就必须修改现有的正则表达式。为了表示主机名是可选的，我们要写一个模式匹配主机名（后面跟一个句点），然后用问号"？"表示此模式可出现0次或1次，表示此部分是可选的，再把这个可选的正则表达式插入到我们前面的那个正则表达式中去："\w+@(\w+\.)?\w+\.com"。从下面的例子中可以看出，这个表达式容许".com"前面有一个或两个名字：

```
>>> patt = '\w+@(\w+\.)?\w+\.com'
>>> re.match(patt, 'nobody@xxx.com').group()
'nobody@xxx.com'
>>> re.match(patt, 'nobody@www.xxx.com').group()
'nobody@www.xxx.com'
```

接下来，我们用以下模式进一步扩展我们的例子，允许任意数量的子域名存在。请特别注意细节的变化，将？改为*："\w+@(\w+\.)*\w+\.com"：

```
>>> patt = '\w+@(\w+\.)*\w+\.com'
>>> re.match(patt, 'nobody@www.xxx.yyy.zzz.com').group()
'nobody@www.xxx.yyy.zzz.com'
```

但我们必须要说明的是仅用字母或数字组成的字符不能满足邮件地址中可能出现的各种字符。上述正则表达式不匹配如"xxx-yyy.com"这样的域名或其他带有非单词字符（如"\W"等）的域名。

前面，我们曾讨论过用括号匹配并保存子组做进一步处理的好处，这样做比在确定正则表达式匹配后，再单写一个子程序来解析一个字符串要好。我们还特别提到用来匹配以"-"分隔的字母或数字组成的字符串和数字串的正则表达式"\w+-\d+"，以及如何通过对此正则表达式划分子组以构建一个新的正则表达式，"(\w+)-(\d+)"来完成任务，下面是旧版正则表达式的执行情况：

```
>>> m = re.match('\w\w\w-\d\d\d', 'abc-123')
>>> if m is not None: m.group()
...
'abc-123'
>>> m = re.match('\w\w\w-\d\d\d', 'abc-xyz')
>>> if m is not None: m.group()
...
>>>
```

上面的代码中，一个正则表达式被用来匹配由三个字母或数字组成的字符串，再接着三个数字的字符串。这个正则表达式匹配"abc-123"，但不匹配"abc-xyz"。我们现在来修改正则表达式，使它能分别提取包含字母或数字的部分和仅含数字的部分。请注意我们是如何用 group()方法访问每个子组以及用groups()方法获取一个包含所有匹配子组的元组的：

```
>>> m = re.match('(\w\w\w)-(\d\d\d)', 'abc-123')
>>> m.group()                    #所有匹配部分
'abc-123'
>>> m.group(1)                   #匹配的子组 1
'abc'
>>> m.group(2)                   #匹配的子组 2
'123'
>>> m.groups()                   #所有匹配子组
('abc', '123')
```

如你所见，group()通常用来显示所有匹配部分，也可用来获取个别匹配的子组。我们可用 groups()方法获得一个包含所有匹配子组的元组。

下面这个简单的例子通过子组的不同排列组合，帮助我们理解得更透彻：

```
>>> m = re.match('ab', 'ab')          #无子组
>>> m.group()                         # 完全匹配
'ab'
>>> m.groups()                        #所有匹配的子组
()
>>>
>>> m = re.match('(ab)', 'ab')        #一个子组
>>> m.group()                         #所有匹配'ab'
'ab'
>>> m.group(1)                        #匹配的子组 1
```

```
'ab'
>>> m.groups()                          #所有匹配子组
('ab')
>>>
>>> m = re.match('(a)(b)', 'ab')        #两个子组
>>> m.group()                           # 完全匹配
'ab'
>>> m.group(1)                          #匹配的子组 1
'a'
>>> m.group(2)                          #匹配的子组 2
'b'
>>> m.groups()                          #所有匹配子组的元组
('a', 'b')
>>>
>>> m = re.match('(a(b))', 'ab')        #两个子组
>>> m.group()                           #所有匹配部分
'ab'
>>> m.group(1)                          #匹配的子组 1
'ab'
>>> m.group(2)                          #匹配的子组 2
'b'
>>> m.groups()                          #所有匹配的子组的元组
('ab', 'b')
```

15.3.10 从字符串的开头或结尾匹配及在单词边界上的匹配

下面的例子强调了锚点性正则表达式操作符。这些锚点性正则表达式操作符主要被用于搜索而不是匹配，因为match()总是从字符串的开头进行匹配的。

```
>>> m = re.search('^The', 'The end.')              #匹配
>>> if m is not None: m.group()
...
'The'
>>> m = re.search('^The', 'end. The')              #不在开头
>>> if m is not None: m.group()
...
>>> m = re.search(r'\bthe', 'bite the dog')        #在词边界
>>> if m is not None: m.group()
...
'the'
>>> m = re.search(r'\bthe', 'bitethe dog')         #无边界
>>> if m is not None: m.group()
...
>>> m = re.search(r'\Bthe', 'bitethe dog')         #无边界
>>> if m is not None: m.group()
...
'the'
```

你可能在这里注意到了原始字符串（raw strings）的出现。在本章末尾的核心笔记中，有关于它的说明。通常，在正则表达式中使用原始字符串是个好主意。

你还应该了解另外四个 re 模块函数和 regex 对象方法：findall()、sub()、subn()和 split()。

15.3.11 用findall()找到每个出现的匹配部分

findall()自 Python1.5.2 版本被引入。它用于非重叠地搜索某字符串中一个正则表达式模式出现的情况。findall()和 search()相似之处在于二者都执行字符串搜索，但 findall()和 match()与 search()不同之处是，findall()总返回一个列表。如果 findall()没有找到匹配的部分，会返回空列表；如果成功找到匹配部分，则返回所有匹配部分的列表(按从左到右出现的顺序排列)。

```
>>> re.findall('car', 'car')
['car']
>>> re.findall('car', 'scary')
['car']
>>> re.findall('car', 'carry the barcardi to the car')
['car', 'car', 'car']
```

包含子组的搜索会返回更复杂的一个列表，这样做是有意义的，因为子组是允许你从单个正则表达式中抽取特定模式的一种机制，比如，匹配一个完整电话号码中的一部分（例如区号），或完整电子邮件地址的一部分（例如登录名）。

正则表达式仅有一个子组时，findall()返回子组匹配的字符串组成的列表；如果表达式有多个子组，返回的结果是一个元组的列表，元组中每个元素都是一个子组的匹配内容，像这样的元组（每一个成功的匹配对应一个元组）构成了返回列表中的元素。这些内容初次听到可能令人费解，但如果你看看各种例子，就会明白了。

15.3.12 用sub()（和subn()）进行搜索和替换

有两种函数/方法用于完成搜索和代替的功能: sub()和 subn()。二者几乎是一样的，都是将某字符串中所有匹配正则表达式模式的部分进行替换。用来替换的部分通常是一个字符串，但也可能是一个函数，该函数返回一个用来替换的字符串。subn()和 sub()一样，但它还返回一个表示替换次数的数字，替换后的字符串和表示替换次数的数字作为一个元组的元素返回。

```
>>> re.sub('X', 'Mr. Smith', 'attn: X\n\nDear X,\n')
'attn: Mr. Smith\012\012Dear Mr. Smith,\012'
>>>
>>> re.subn('X', 'Mr. Smith', 'attn: X\n\nDear X,\n')
('attn: Mr. Smith\012\012Dear Mr. Smith,\012', 2)
>>>
>>> print re.sub('X', 'Mr. Smith', 'attn: X\n\nDear X,\n')
attn: Mr. Smith

Dear Mr. Smith,

>>> re.sub('[ae]', 'X', 'abcdef')
'XbcdXf'
>>> re.subn('[ae]', 'X', 'abcdef')
('XbcdXf', 2)
```

15.3.13 用split()分割（分隔模式）

re 模块和正则表达式对象的方法 split()与字符串的 split()方法相似，前者是根据正则表达式模式分隔字符串，后者是根据固定的字符串分割，因此与后者相比，显著提升了字符分割的能力。如果你不想在每个模式匹配的地方都分割字符串，你可以通过设定一个值参数（非零）来指定分割的最大次数。

如果分隔符没有使用由特殊符号表示的正则表达式来匹配多个模式，那 re.split()和 string.split()的执行过程是一样的，见以下的例子（在每一个冒号处分隔）：

```
>>> re.split(':', 'str1:str2:str3')
['str1', 'str2', 'str3']
```

但运用正则表达式后，我们会发现 re.split()成了一个功能更强大的工具。比如，Unix 系统下 who 命令输出所有已登录系统的用户的信息：

```
% who
wesc          console      Jun 20 20:33
wesc          pts/9        Jun 22 01:38     (192.168.0.6)
wesc          pts/1        Jun 20 20:33     (:0.0)
wesc          pts/2        Jun 20 20:33     (:0.0)
wesc          pts/4        Jun 20 20:33     (:0.0)
wesc          pts/3        Jun 20 20:33     (:0.0)
wesc          pts/5        Jun 20 20:33     (:0.0)
wesc          pts/6        Jun 20 20:33     (:0.0)
wesc          pts/7        Jun 20 20:33     (:0.0)
wesc          pts/8        Jun 20 20:33     (:0.0)
```

假如我们想要保存用户的登录信息，比如说，登录名，用户登录时的电传，他们的登录的时间以及登录地址。用上面的 string.split()很难有效果，因为分隔这些数据的空白符号是毫无规律且不确定的。还有一个问题，就是在登录时间的数据中，月、日、时之间有一个空格。而我们一般想把这些有关时间的数据排在一起。

你需要用某种方式来描述这样一种模式："在两个或更多个空格符处进行分隔"。正则表达式很容易做到这一点。我们能很快写出这个正则表达式模式："\s\s+"，含义是至少 2 个空白字符。我们来写一个名为 rewho.py 的程序，它读入 who 命令的输出-假设已保存到名为 whodata.txt 的文件中。起初，我们写的 rewho.py 脚本看起来像这样：

```
import re
f = open('whodata.txt', 'r')
for eachLine in f.readlines():
    print re.split('\s\s+', eachLine)
f.close()
```

我们现在执行 who 命令，将输出结果保存到文件 whodata.txt，然后调用 rewho.py 来看看结果：

```
% who > whodata.txt
% rewho.py
['wesc', 'console', 'Jun 20 20:33\012']
['wesc', 'pts/9', 'Jun 22 01:38\011(192.168.0.6)\012']
['wesc', 'pts/1', 'Jun 20 20:33\011(:0.0)\012']
['wesc', 'pts/2', 'Jun 20 20:33\011(:0.0)\012']
['wesc', 'pts/4', 'Jun 20 20:33\011(:0.0)\012']
['wesc', 'pts/3', 'Jun 20 20:33\011(:0.0)\012']
['wesc', 'pts/5', 'Jun 20 20:33\011(:0.0)\012']
['wesc', 'pts/6', 'Jun 20 20:33\011(:0.0)\012']
['wesc', 'pts/7', 'Jun 20 20:33\011(:0.0)\012']
['wesc', 'pts/8', 'Jun 20 20:33\011(:0.0)\012']
```

这是不错的尝试，但还不完全正确。首先，我们原先没有预料到输出中会包含一个 TAB 符号（ASCII\011）（它看上去像是至少两个空格，对吗?）。而且，我们可能对保存用来结束每行的换行符 NEWLINE

（ASCII \012）也没什么兴趣。我们现在就做些改动来修正这些问题，同时提升程序的整体质量。

首先，我们改从脚本里执行 who 命令，而不是从外部调用它后将命令的输出结果保存到文件whodata.txt——这样重复的步骤很快会令人厌烦的。要从我们写的脚本里调用另一个程序，可以用os.popen()命令，这个命令在 14.5.2 小节已介绍过。尽管 os.popen()只能在 Unix 系统中使用，但本例子意在阐明 re.split()的用法，它可是跨系统平台的。

我们去掉每行行尾的换行符(NEWLINE)，并添加检查单个 TAB 符号的模式，把 TAB 作为 re.split()的可选分隔符。例 15.1 是脚本 rewho.py 的最终版本。

例 15.1 Unix 下 who 命令输出结果进行分隔（rewho.py）

此脚本调用 who 命令，解析命令的输出结果，根据不同的空白符号分隔数据。

```
1   #!/usr/bin/env python
2
3   from os import popen
4   from re import split
5
6   f = popen('who', 'r')
7   for eachLine in f.readlines():
8    print split('\s\s+|\t', eachLine.strip())
9   f.close()
```

运行脚本，我们得到如下(正确)结果:

```
% rewho.py
['wesc', 'console', 'Jun 20 20:33']
['wesc', 'pts/9', 'Jun 22 01:38', '(192.168.0.6)']
['wesc', 'pts/1', 'Jun 20 20:33', '(:0.0)']
['wesc', 'pts/2', 'Jun 20 20:33', '(:0.0)']
['wesc', 'pts/4', 'Jun 20 20:33', '(:0.0)']
['wesc', 'pts/3', 'Jun 20 20:33', '(:0.0)']
['wesc', 'pts/5', 'Jun 20 20:33', '(:0.0)']
['wesc', 'pts/6', 'Jun 20 20:33', '(:0.0)']
['wesc', 'pts/7', 'Jun 20 20:33', '(:0.0)']
['wesc', 'pts/8', 'Jun 20 20:33', '(:0.0)']
```

在 DOS/Windows 环境下，用 dir 命令代替 who 命令，也可完成此练习。

趁我们还熟悉 ASCII 字符，我们要提醒注意的是正则表达式的特殊字符和特殊 ASCII 字符是容易混淆的。我们可能用\n 来表示一个 ASCII 换行字符，但也可以用\d 表示匹配一个数字的正则表达式。如果同一个符号在 ASCII 和正则表达式中都可以用，就容易出问题了，所以在下页的核心笔记中，我们推荐使用 Python 语言中的“原始字符串”来避免混淆。还要注意：“\w”和“\W”这两个表示字母或数字的字符受 L 或 LOCALE 编译标识符的影响，在 Python 1.6 至 Python 2.0 以后的版本中受（U 或 UNICODE 的）Unicode 标识符号影响。

核心笔记：Python 原始字符串（raw strings）的用法

你可能已经看到前面关于原始字符串用法的一些例子了。原始字符串的产生正是由于有正则表达式的存在。原因是 ASCII 字符和正则表达式特殊字符间所产生的冲突。比如，特殊符号“\b”在 ASCII 字符中代表退格键，但同时“\b”也是一个正则表达式的特殊符号，代表“匹配一个单词边界”。为了让 RE 编译器把两个字符“\b”当成你想要表达的字符串，而不是一个退格键，你需要用另一个反斜线对它进行转义，即可以这样写：“\\b”。

但这样做会把问题复杂化，特别是当你的正则表达式字符串里有很多特殊字符时，就更容易令人困惑了。在第6章，我们曾介绍过原始字符串，它经常被用于简化正则表达式的复杂程度。事实上，很多Python程序员在定义正则表达式时都只使用原始字符串。下面的例子用来说明退格键“\b”和正则表达式“\b”（包含或不包含原始字符串）之间的区别：

```
>>> m = re.match('\bblow', 'blow')           #退格键,没有匹配
>>> if m is not None: m.group()
...
>>> m = re.match('\\bblow', 'blow')          #用\转义后，现在匹配了
>>> if m is not None: m.group()
...
'blow'
>>> m = re.match(r'\bblow', 'blow')          #改用原始字符串
>>> if m is not None: m.group()
...
'blow'
```

你可能注意到我们在正则表达式里使用“\d”，没用原始字符串，也没出现什么问题。那是因为ASCII里没有对应的特殊字符，所以正则表达式编译器能够知道你指的是一个十进制数字。

15.4 正则表达式示例

现在我们来通读一个详细完整的例子，它展示了用正则表达式处理字符串的不同办法。第一步：拿出一段代码用来生成随机数据，生成的数据用于以后操作。例15.2中，脚本gendata.py生成一个数据集。虽然程序只是将生成的字符串显示到标准输出，但此输出结果也可以重定向到一个测试文件中。

例15.2 正则表达式练习的数据生成代码（gendata.py）

为练习使用正则表达式生成随机数据，并将产生的数据输出到屏幕。

```
1   #!/usr/bin/env python
2
3   from random import randint, choice
4   from string import lowercase
5   from sys import maxint
6   from time import ctime
7
8   doms = ( 'com', 'edu', 'net', 'org', 'gov' )
9
10  for i in range(randint(5, 10)):
11      dtint = randint(0, maxint-1)       # pick date
12      dtstr = ctime(dtint)               # date string
```

```
13
14      shorter = randint(4, 7)        # login shorter
15      em = ''
16      for j in range(shorter):       # generate login
17          em += choice(lowercase)
18
19      longer = randint(shorter, 12) # domain longer
20      dn = ''
21      for j in range(longer):        # create domain
22          dn += choice(lowercase)
23
24      print '%s::%s@%s.%s::%d-%d-%d' % (dtstr, em,
25          dn, choice(doms), dtint, shorter, longer)
```

这个脚本生成3个字段，字段由一对冒号，或双冒号分隔。第一个字段是一个随机（32位）整型，被转换为一个日期（见“核心笔记”）。第二个字段是一个随机产生的电子邮件（E-mail）地址，最后一个字段是由单个横线（-）分隔的一个整型集合。

执行这段代码，我们得到以下输出（你得到的输出肯定和本书中的不同），并把数据保存到本地文件redata.txt中：

```
Thu Jul 22 19:21:19 2004::izsp@dicqdhytvhv.edu::1090549279-4-11
Sun Jul 13 22:42:11 2008::zqeu@dxaibjgkniy.com::1216014131-4-11
Sat May 5 16:36:23 1990::fclihw@alwdbzpsdg.edu::641950583-6-10
Thu Feb 15 17:46:04 2007::uzifzf@dpyivihw.gov::1171590364-6-8
Thu Jun 26 19:08:59 2036::ugxfugt@jkhuqhs.net::2098145339-7-7
Tue Apr 10 01:04:45 2012::zkwaq@rpxwmtikse.com::1334045085-5-10
```

你或许能看出来，这个程序的输出数据适合用正则表达式来处理。在我们逐行解释后，会用几个正则表达式对这些数据的进行操作，也为本章后面的练习做好准备。

逐行解释

1～6行

在这个示例脚本里，我们要使用多个模块。但因为我们只需要用到这些模块中的一两个函数，所以不必引入整个模块，只须引入模块中某些属性即可。我们用from-import而不是import正是基于这个原因。代码第一行是Unix起始提示符，后面是from-import这几行。

8行

domes是一组简单的包含顶级域名的集合，我们将从中随机挑选一个来随机生成电子邮件地址。

10～12行

每次gendata.py执行都会产生5～10行的输出。（这个脚本用函数random.randint()生成我们需要的所有随机整型。） 在每个输出行中，我们从整个可能的范围（0～2^{31} -1即[sys.maxint]）里，随机选一个整型，然后把这个整型用time.ctime()转换成一个日期。大多数安装Python的基于Unix系统的计算机上，系统时间是根据1970年1月1日零点——即纪元（epoch）至今的秒数来计算的。如果我们选择32位整型，那系统日期就代表从纪元（epoch）到纪元后2^{32}秒之间的某个时刻。

14～22行

我们规定随机生成的邮箱地址中登录名的长度必须在4～7个字符。我们随机选择4～7个小写字母，依次将它们连结到一个字符串中。函数random.choice()的用处就是根据指定序列，随机返回该序列中的一个元素。在这里我们指定序列是26个小写字母，string.lowercase。我们规定虚拟邮箱地址的域名长度在4～12个字符，但不能短于登录名的长度。最后，我们随机选择一些小写字母，依次将它们连接起来组成域名。

24 ~ 25 行

这是本脚本的关键步骤：把随机数据组合到一起显示到输出行。以日期字符串开头，后面是分隔符，然后是随机生成的电子邮件地址。这个任意的电子邮件地址是我们把登录名，“@”符号，域名和一个随机选择的顶级域名连接到一起组成的。在最后一个双冒号后面，我们还加了一个随机整型字符串，它的前部分是与所选随机日期对应是整型，后面的部分分别是登录名和域名的长度，这几个整型之间由连字符分隔。

15.4.1 匹配一个字符串

在下面的练习里，写出你的正则表达式，包括宽松和限制性强的两个版本。我们建议你用前面的例子 redata.txt（或你自己运行 gendata.py 生成的随机数据）来测试小程序里的这些正则表达式。在做练习的时候，你还会再次用到这些数据。

在把正则表达式写入到我们的小程序之前，我们先要对它进行测试。我们先引入 re 模块，将 redata.txt 中的一行数据赋值到一个字符串变量中。下面的语句在以下的两个示例中都是这样，没有变化。

```
>>> import re
>>> data = 'Thu Feb 15 17:46:04 2007::uzifzf@dpyivihw.gov::1171590364-6-8'
```

在第一个例子中，我们将写一个正则表达式，用它从文件 redata.txt 的每一行中（仅）提取时间戳中的有关星期的数据字段。我们将用到以下这个正则表达式：

```
"^Mon|^Tue|^Wed|^Thu|^Fri|^Sat|^Sun"
```

上例要求字符串是以所列出的 7 个字符串之一作为开头（“^”正则表达式操作符）。如果我们想把上面的正则表达式“翻译”过来，它的意思大概是：“字符串必须以“Mon,”“Tue,”. . . ,“Sat,”或“Sun”之一打头”。

或者，我们可以只用一个"^"符号，将日期字符串归为一组：

```
"^(Mon|Tue|Wed|Thu|Fri|Sat|Sun)"
```

在这组字符串集合两边的圆括号表示是只有满足这些字符串之一匹配才能成功。这是比我们前面看到的那个没有圆括号的正则表达式“更友好”。而且，使用这个修改后的正则表达式还有一个好处，能使我们方便地访问被匹配字符串的那个子组：

```
>>> patt = '^(Mon|Tue|Wed|Thu|Fri|Sat|Sun)'
>>> m = re.match(patt, data)
>>> m.group()                          # entire match
'Thu'
>>> m.group(1)                         # subgroup 1
'Thu'
>>> m.groups()                         # all subgroups
('Thu',)
```

我们在这个例子里所看到的功能似乎没有那么新鲜或与众不同，但它对于下面的例子或是通过在正则表达式中添加额外数据来处理字符串匹配时就很有帮助了，即使这些字符并不是你感兴趣的字符串中的某部分。上面的两个正则表达式都是限制性很强的，特别要求只含有某些字符串。但在国际语言的系统环境中，使用各地区本地化时间和缩写的情况下，可能就行不通了。限制性更宽松的正则表达式是：“^\w{3}”。

这个正则表达式只要求字符串以三个由字符或数字组成的字符作开头。要是把它翻译成白话，就是，上箭头（^carat）表示以...开始，“\w”指任意一个由字符或数字组成的字符，“{3}”表示它左边描述的正则表达式模式必须连续出现三次。注意，如果你要对这个正则表达式分组，请用圆括号（），即，“^(\w{3})”：

```
>>> patt = '^(\w{3})'
>>> m = re.match(patt, data)
>>> if m is not None: m.group()
...
'Thu'
>>> m.group(1)
'Thu'
```

注意，要是把正则表达式写成“^ (\w){3}”是不正确的。如果把“{3}”写在圆括号里（(\w{3})），表示匹配三个连续的由字符或数字组成的字符，再把这三个字符视为一个组。但如果把“{3}”挪到圆括号的外边（(\w){3}），那现在它的含义就变成三个连续的单个由字符或数字组成的字符：

```
>>> patt = '^(\w){3}'
>>> m = re.match(patt, data)
>>> if m is not None: m.group()
...
'Thu'
>>> m.group(1)
'u'
```

访问子组 1 的数据时，只看到“u”是因为子组 1 中的数据被不断地替换成下一个字符。也就是说，m.group(1）开始的结果是“T”，然后是“h”，最后又被替换成“u”。它们是三个独立（而且重复）的组，每个组是由字符或数字所组成的字符，而不是由连续的三个字符或数字组成的字符所形成的单个组。

在下一个（也是最后的）例子中，我们将写一个正则表达式来提取文件 redata.txt 中每行末尾的数值字段。

15.4.2 搜索与匹配的比较，“贪婪”匹配

在我们写正则表达式前，先明确这些整型数据项是在字符串数据的末尾。这意味着我们有两种选择：搜索（search）或匹配（match）。使用搜索更合适，因为我们确切地知道要搜索的数据是什么（三个整型的集合），它不在字符串的开头，也不是字符串的全部内容。如果我们用匹配（match）的方法，就不得不写一个正则表达式来匹配整行内容，并用子组保存我们感兴趣的那部分数据。为说明它们之间的区别，我们先用搜索搜索，再尝试用匹配来做，向你证明搜索搜索更适合。

因为我们要搜索的是三个由连字符号（-）分隔的整型集，所以我们写出如下正则表达式：“\d+-\d+-\d+”。这个正则表达式描述的是，“任意数字（至少有一个），后面有连字符号（-），然后是任意个数的数字（至少有一个），接着是另一个连字符号（-），最后还是任意数字（至少有一个）的集合。”，我们用 search()来测试这个正则表达式：

```
>>> patt = '\d+-\d+-\d+'
>>> re.search(patt, data).group()                    #全部匹配部分
'1171590364-6-8'
```

尝试用这个正则表达式来匹配数据会失败，这是为什么呢？因为匹配从字符串的起始位置开始进行的，而我们要找的数值字符串在末尾。我们只能再写一个匹配全部字符串的正则表达式。还有一个偷懒的办法，就是用“.+”来表示任意个字符集，后面再接上我们真正感兴趣的数据：

```
patt = '.+\d+-\d+-\d+'
>>> re.match(patt, data).group()         #全部匹配部分
'Thu Feb 15 17:46:04 2007::uzifzf@dpyivihw.gov::1171590364-6-8'
```

这个方法不错，可是我们只想获得每行末尾数字的字段，而不是整个字符串，所以需要用圆括号将

我们感兴趣的那部分数据分成一组：

```
>>> patt = '.+(\d+-\d+-\d+)'
>>> re.match(patt, data).group(1)          #子组 1
'4-6-8'
```

到底怎么回事呢？我们本应该得到数据“1171590364-6-8”，而不应该是“4-6-8”啊。第一个整型字段的前半部分到哪里去了呢？原因是：正则表达式本身默认是贪心匹配的。也就是说，如果正则表达式模式中使用到通配字，那它在按照从左到右的顺序求值时，会尽量“抓取”满足匹配的最长字符串。在我们上面的例子里，“.+”会从字符串的起始处抓取满足模式的最长字符，其中包括我们想得到的第一个整型字段的中的大部分。“\d+”只需一位数字就可以匹配，所以它匹配了数字“4”，而“.+”则匹配了从字符串起始到这个第一位数字“4”之间的所有字符：“Thu Feb 15 17:46:04 2007::uzifzf@dpyivihw.gov::117159036”，如图 15-2 所示。

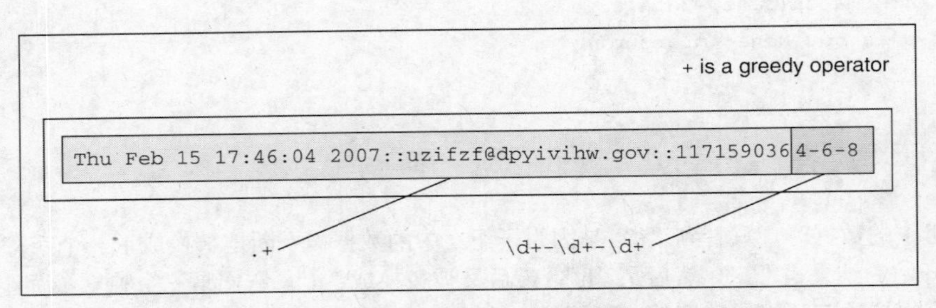

图 15-2 为什么匹配错了：“+”是贪心的量词（操作符）

一个解决办法是用“非贪婪”操作符“?”。这个操作符可以用在“*”、“+”或“?”的后面。它的作用是要求正则表达式引擎匹配的字符越少越好。因此，如果我们把“?”放在“.+”的后面，我们就得到了想要的结果，见图 15-3。

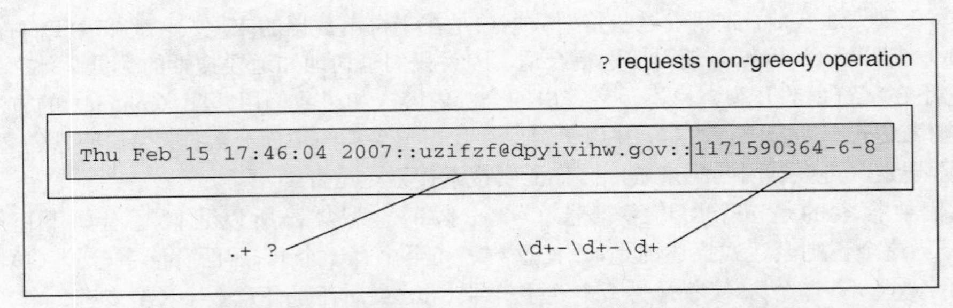

图 15-3 解决“贪婪”匹配问题：“?”要求非“贪婪”匹配

```
>>> patt = '.+?(\d+-\d+-\d+)'
>>> re.match(patt, data).group(1)          # 子组 1
'1171590364-6-8'
```

另一种办法，更简单，注意运用“::”做字段分隔符号。你可以用一般字符串的 strip('::')方法，得到全部字符，然后用 strip('-')得到你要找的三个整型字段。我们现在不采用这种方法，因为我们的脚本 gendata.py 正是通过这种方法把字符组合到一起的。

最后一个例子：假设我们只想抽取三个整型字段里中间的那个整型部分。我们是这么做的（用搜索，这样就不必匹配整个字符了）：“-(\d+)-”。用这个模式“-(\d+)-”，我们得到：

```
>>> patt = '-(\d+)-'
>>> m = re.search(patt, data)
>>> m.group()                    #整个匹配
```

```
'-6-'
>>> m.group(1)                       #子组1
'6'
```

在本章中，有很多正则表达式的强大功能我们未能涉及，由于篇幅所限，我们无法详细介绍它们。但我们希望所提供的信息和技巧对你的编程实践有所帮助。我们建议你参阅有关文档以获得更多在Python语言中使用正则表达式的知识。要精通正则表达式，我们建议你阅读Jeffrey E. F. Friedl所编写的《精通正则表达式》（Mastering Regular Expressions）一书。

15.5 练习

正则表达式。根据要求写出练习15-1～15-12相应的正则表达式

15-1.识别下列字符串："bat"、"bit"、"but"、"hat"、"hit"或"hut"。

15-2.匹配用一个空格分隔的任意一对单词，比如名和姓。

15-3.匹配用一个逗号和一个空格分开的一个单词和一个字母。例如英文人名中的姓和名的首字母。

15-4.匹配所有合法的Python标识符。

15-5.请根据你（读者）本地关于地址的格式写法匹配一个街道地址（写出的正则表达式要尽可能通用以匹配任意数目的表示街道名字的单词，包括类型指示）。比如，美国的街道地址使用这样的格式：1180 Bordeaux Drive。使你写的正则表达式尽可能通用，要求能够匹配多个单词的街道名字，如：3120 De la Cruz Boulevard。

15-6.匹配简单的以"www."开头，以".com"作结尾的Web域名，例如：www.yahoo.com.
附加题：使你写的正则表达式还支持其他顶级域名如.edu、.net等比如www.ucsc.edu。

15-7.匹配全体Python整型的字符串表示形式的集合。

15-8.匹配全体Python长整型的字符串表示形式的集合。

15-9.匹配全体Python浮点型的字符串表示形式的集合。

15-10.匹配全体Python复数的字符串表示形式的集合。

15-11.匹配所有合法的电子邮件地址（先写出一个限制比较宽松的正则表达式，然后尽可能加强限制条件，但要保证功能的正确性）。

15-12.匹配所有合法的Web网站地址（URL）（先写出一个限制比较宽松的正则表达式，然后尽可能加强限制条件，但要保证功能的正确性）。

15-13.type(). type()内建函数返回一个对象类型，此对象显示为Python的字符串形式，如下所示：

```
>>> type(0)
<type 'int'>
>>> type(.34)
<type 'float'>
>>> type(dir)
<type 'builtin_function_or_method'>
```

请写一个正则表达式，能从这个字符串中提取出类型的名字。 你的函数能实现以下功能：如果以字符串"<type 'int'>"做输入，会返回类型"int"（返回其他类型也同理，如，返回类型'float'，'builtin_function_or_method'等）。提示：正确的结果保存在类和某些内建类型的__name__属性里。

15-14.正则表达式。在15.2小节里，我们给出一个匹配由一位或两位数字代表一月到九月的字符串形式（"0?[1-9]"）。请写出一个正则表达式表示标准日历上其他的三个月（十月、十一月、十二月）。

15-15.正则表达式。在15.2小节里，我们给出一个匹配信用卡卡号的模式：（"[0-9]{15,16}"）。但这个模式不允许用连字符号分割信用卡卡号中的数字。请写出一个允许使用连字符的正则表达

式，但要求连字符必须出现在正确的位置。例如，15 位的信用卡卡号的格式是 4-6-5，表示四个数字，一个连字符，后面接 6 个数字、1 个连字符，最后是 5 个数字。16 位的信用卡卡号的格式是 4-4-4-4，数位不足时，添 0 补位。附加题：有一个用于确定某个信用卡卡号是否合法的算法。请写一段代码，它不但能识别格式正确的信用卡卡号，还能验证它的有效性。

下面几个问题（练习 15-16～15-27）专门处理 gendata.py 生成的数据。在做练习 15-17 和 15-18 之前，请先把练习 15-16 和所有正则表达式做出来。

15-16.修改脚本 gendata.py 的代码，使数据直接写入文件 redata.txt 中，而不是输出到屏幕上。

15-17.统计生成的 redata.txt 文件中，星期中的每一天出现的次数（或统计各月份出现的次数）。

15-18.通过检查每个输出行中整型字段部分的第一个整型是否和该行开头的时间戳相匹配来验证 redata.txt 中的数据是否完好。

根据各练习的要求写出相应的正则表达式。

15-19.提取出每行中完整的时间戳字段。

15-20.提取出每行中完整的电子邮件地址。

15-21.只提取出时间戳字段中的月份。

15-22.只提取出时间戳字段中的年份。

15-23.只提取出时间戳字段中的值（格式：HH:MM:SS）。

15-24.只从电子邮件地址中提取出登录名和域名（包括主域名和顶级域名，二者连在一起）。

15-25.只从电子邮件地址中提取出登录名和域名（包括主域名和顶级域名，二者分别提取）。

15-26.将每行中的电子邮件地址替换为你自己的电子邮件地址。

15-27.提取出时间戳中的月、日、年，并按照格式“月 日，年”显示出来，且每行仅遍历一次。

我们在小节 15.2 中使用的一个匹配电话号码的正则表达式，其中电话号码允许包含可选的区号前缀：\d{3}-\d{3}-\d{4}. 请在练习 15-28 和 15-29 中，修改这个正则表达式，使它满足：

15-28.区号(第一组的三个数字和它后面的连字符)是可选的，即，你写的正则表达式对 800-555-1212 和 555-1212 都可以匹配。

15-29.区号中可以包含圆括号或是连字符，而且它们是可选的，就是说你写的正则表达式可以匹配 800-555-1212、555-1212 或（800）555-1212。

第 16 章　网络编程

本章主题

- 引言：客户端/服务器架构
- 套接字：通信终点
- 套接字地址
- 面向连接与无连接套接字
- Python 中的网络编程
- SOCKET 模块
- 套接字对象方法
- TCP/IP 客户端和服务器
- UDP/IP 客户端和服务器
- SocketServer 模块
- Twisted 框架介绍
- 相关模块

在本章中，我们将简要介绍如何使用套接字进行网络编程。首先，我们将给出一些网络编程方面的背景资料和 Python 中使用套接字的方法，然后介绍如何使用 Python 的一些模块来创建网络化的应用程序。

16.1 引言

16.1.1 什么是客户端/服务器架构

什么是客户端/服务器架构？不同的人有不同的答案。这要看你问的是什么人，以及指的是软件系统还是硬件系统了。但是，有一点是共通的：服务器是一个软件或硬件，用于向一个或多个客户端（客户）提供所需要的“服务”。服务器存在的唯一目的就是等待客户的请求，给这些客户服务，然后再等待其他的请求。

另一方面，客户连上一个（预先已知的）服务器，提出自己的请求，发送必要的数据，然后就等待服务器的完成请求或说明失败原因的反馈。服务器不停地处理外来的请求，而客户一次只能提出一个服务的请求，等待结果。然后结束这个事务。客户之后也可以再提出其他的请求，只是，这个请求会被视为另一个不同的事务了。

图 16-1 展示了如今最常见的“客户端/服务器”结构。一个用户或客户端电脑通过因特网从服务器上取数据。这的确是一个客户端/服务器架构的系统，但还有更多类似的系统满足客户端/服务器架构。而且，客户端/服务器架构也可以像应用到软件上那样应用到计算机硬件上。

图 16-1 因特网上典型的客户端/服务器概念

1．硬件的客户端/服务器架构

打印（机）服务器是一个硬件服务器的例子。它们处理打印任务，并把任务发给相连的打印机（或其他打印设备）。这样的计算机一般是可以通过网络访问的，而且客户机器可以远程发送打印请求给它。

另一个硬件服务器的例子是文件服务器。它们一般拥有大量的存储空间，客户可以远程访问。客户端计算机可以把服务器的磁盘映射到自己本地，就像本地磁盘一样使用它们。其中，Sun 公司的 Network File System (NFS)是使用最为广泛的网络文件系统之一。如果你事实上已经映射了一个网络上的磁盘，但你却不知道它到底是本地的还是网络的，那客户端/服务器系统就很好的完成了它们的工作。其目的就是要让用户使用起来感觉就像使用本地磁盘一样。“抽象”到“一般的磁盘访问”这一层面之后，所有的操作就都是一样的了，而让所有操作都一样的“实现”则要依靠各自的程序了。

2．软件客户端/服务器架构

软件服务器也是运行在某个硬件上的。但不像硬件服务器那样，有专门的设备，如打印机、磁盘等。

软件服务器提供的服务主要是程序的运行、数据的发送与接收、合并、升级或其他的程序或数据的操作。

如今，最常用的软件服务器是 Web 服务器。一台机器里放一些网页或 Web 应用程序，然后启动服务。这样的服务器的任务就是接受客户端的请求，把网页发给客户端（如用户计算机上的浏览器），然后等待下一个客户端请求。这些服务启动后的目标就是"永远运行下去"。虽然它们不可能实现这样的目标，但只要没有关机或硬件出错等外力干扰，它们就能够运行非常长的一段时间。

数据库服务器是另一种软件服务器。它们接受客户端的保存或读取请求，完成请求，然后再等待其他的请求。它们也被设计为要能"永远"运行。

我们要讨论的最后一种软件服务器是窗口服务器。这些服务器几乎可以被认为是硬件服务器了。它们运行于一个有显示器的机器上。窗口客户端实际上是那些在运行时需要窗口环境的程序，它们一般叫做图形用户界面（GUI）程序。这些程序如果在一个 DOS 窗口或 Unix 的 shell 等没有窗口服务器的纯文本环境中运行，将无法启动。一旦窗口服务器可以使用时，那一切就正常了。

当世界有了网络，那这样的环境就开始变得更有趣了。一般情况下，窗口客户端的显示和窗口服务器的提供都在同一台电脑上。但在 X Window 之类的网络化的窗口环境中，你可以选择其他电脑的窗口服务器来做显示。即你可以在一台电脑上运行 GUI 程序，而在另一台电脑上显示它！

3. 银行出纳是服务器吗

理解客户端/服务器架构的一个方法是，想象一个不吃不喝不睡觉的银行出纳，他依次向排成长龙的顾客们提供一个又一个的服务（图 16-2）。有时，队伍可能很长，有时也可能没人。但顾客随时都可能出现。当然，在以前，是不可能有这样的出纳的。但现在的 ATM 机与这个模型很像。

图 16-2 图中的银行出纳"永远不停歇"地为客户提供服务

当然，出纳就是一个运行在无限循环里的服务器。每一个顾客就是一个想要得到服务的客户。顾客到了之后，就按先来先服务（first-come-first-served，FCFS）的原则得到服务。一个事务结束后，客户就离开了，而服务器则要么马上为下一个顾客服务，要么坐着等待下一个顾客的到来。

为什么这些概念那么重要？因为，这种执行的方式就是客户端/服务器架构的特点。现在你对此已经有了大体的认识，我们就可以把客户端/服务器架构模型应用到网络编程中。

出纳运行在一个接收请求，处理请求然后再处理其他请求或等待其他客户的无限循环中。客户有可能已经排起了长龙，也有可能根本就没有客户。但是，无论如何，服务器都不会结束工作。

16.1.2 客户端/服务器网络编程

在完成服务之前，服务器必需要先完成一些设置。先要创建一个通讯端点，让服务器能“监听”请求。你可以把我们的服务器比做一个公司的接待员或回答公司总线电话的话务员，一旦电话和设备安装完成，话务员也就位之后，服务就可以开始了。

在网络世界里，基本上也是这样——一旦通信端点创建好之后，我们在“监听”的服务器就可以进入它那等待和处理客户请求的无限循环中了。当然，我们也不能忘记在信纸上、杂志里、广告中印上公司的电话号码。否则，就没有人会打电话进来了！

同样地，服务器在准备好之后，也要通知潜在的客户，让它们知道服务器已经准备好处理服务了，否则没有人会提请求的。比方说，你建立了一个全新的网站。这个网站非常出色，非常的吸引人，非常的有用，是所有网站中最酷的一个。但如果你不把网站的网址或者说统一资源定位符（URL）广而告之的话，没有人会知道这个网站的存在的。这个网站也就永远不见天日了。对于公司总部的新电话也是这样，你不把电话公之于众，那就没有人会打电话进来。

现在，你对服务器如何工作已经有了一个很好的认识。你已经完成了最难的那一部分。客户端的编程相对服务器端来说就简单得多了。所有的客户只要创建一个通信端点，建立到服务器的连接。然后客户端就可以提出请求了。请求中，也可以包含必要的数据交互。一旦请求处理完成，客户端收到了结果，通信就结束了。

16.2 套接字：通信端点

16.2.1 什么是套接字

套接字是一种具有之前所说的“通信端点”概念的计算机网络数据结构。网络化的应用程序在开始任何通讯之前都必需要创建套接字。就像电话的插口一样，没有它就完全没办法通信。

套接字起源于20世纪70年代加州大学伯克利分校版本的Unix，即人们所说的BSD Unix。因此，有时人们也把套接字称为“伯克利套接字”或“BSD 套接字”。一开始，套接字被设计用在同一台主机上多个应用程序之间的通讯。这也被称作进程间通讯，或IPC。套接字有两种，分别是基于文件型的和基于网络型的。

Unix 套接字是我们要介绍的第一个套接字家族。其“家族名”为AF_UNIX（在POSIX1.g标准中也叫AF_LOCAL），表示“地址家族：UNIX”。包括Python在内的大多数流行平台上都使用术语“地址家族”及其缩写“AF”。而老一点的系统中，地址家族被称为“域”或“协议家族”，并使用缩写“PF”而不是“AF”。同样的，AF_LOCAL（在2000-2001年被列为标准）将会代替AF_UNIX。不过，为了向后兼容，很多系统上，两者是等价的。Python自己则仍然使用AF_UNIX。

由于两个进程都运行在同一台机器上，而且这些套接字是基于文件的。所以，它们的底层结构是由文件系统来支持的。这样做相当有道理，因为，同一台电脑上，文件系统的确是不同的进程都能访问的。

另一种套接字是基于网络的，它有自己的家族名字：AF_INET，或叫“地址家族：Internet”。还有一种地址家族AF_INET6被用于网际协议第6版（IPv6）寻址上。还有一些其他的地址家族，不过，它们要么是只用在某个平台上，要么就是已经被废弃，或是很少被使用，或是根本就还没有实现。所有地址家族中，AF_INET是使用最广泛的一个。Python 2.5中加入了一种Linux套接字的支持：AF_NETLINK（无连接(稍后讲解)）套接字家族让用户代码与内核代码之间的IPC可以使用标准BSD套接字接口。而且，相对之前那些往操作系统中加入新的系统调用、proc文件系统支持或是“IOCTL”等复杂的方案来说，这种方法显得更为精巧，更为安全。

Python只支持AF_UNIX，AF_NETLINK，和AF_INET家族。由于我们只关心网络编程，所以在本章的大部分时候，我们都只用AF_INET。

16.2.2 套接字地址：主机与端口

如果把套接字比做电话的插口——即通信的最底层结构，那主机与端口就像区号与电话号码的一对组合。有了能打电话的硬件还不够，你还要知道你要打给谁，往哪打。一个因特网地址由网络通信所必需的主机与端口组成。而且不用说，另一端一定要有人在听才可以。否则，你就会听到熟悉的声音“对不起，您拨的是空号，请查询后再拨”。你在上网的时候，可能也见过类似的情况，如“不能连接该服务器。服务器无响应或不可达”。

合法的端口号范围为 0～65535。其中，小于 1024 的端口号为系统保留端口。如果你所使用的是 Unix 操作系统，那么就可以通过/etc/services 文件获得保留的端口号（及其对应的服务/协议和套接字类型）。常用端口号列表可以从下面这个网站获得：

```
http://www.iana.org/assignments/port-numbers
```

16.2.3 面向连接与无连接

1．面向连接

无论你使用哪一种地址家族，套接字的类型只有两种。一种是面向连接的套接字，即在通信之前一定要建立一条连接，就像跟朋友打电话时那样。这种通信方式也被称为“虚电路”或“流套接字”。面向连接的通信方式提供了顺序的、可靠的、不会重复的数据传输，而且也不会被加上数据边界。这也意味着，每一个要发送的信息，可能会被拆分成多份，每一份都会不多不少地正确到达目的地。然后被重新按顺序拼装起来，传给正在等待的应用程序。

实现这种连接的主要协议就是传输控制协议（即 TCP）。要创建 TCP 套接字就得在创建的时候指定套接字类型为 SOCK_STREAM。TCP 套接字采用 SOCK_STREAM 这个名字，表达了它作为流套接字的特点。由于这些套接字使用网际协议（IP）来查找网络中的主机，所以这样形成的整个系统，一般会由这两个协议（TCP 和 IP）名的组合来描述，即 TCP/IP。

2．无连接

与虚电路完全相反的是数据报型的无连接套接字。这意味着，无需建立连接就可以进行通讯。但这时，数据到达的顺序、可靠性及不重复性就无法保证了。数据报会保留数据边界，这就表示，数据是整个发送的，不会像面向连接的协议那样被先拆分成小块。

使用数据报来传输数据就像邮政服务一样。邮件和包裹不一定会按它们发送的顺序到达。事实上，它们还有可能根本到达不了！而且，在网络中报文甚至会重复发送，这也增加了复杂性。

既然数据报有这么多缺点，为什么还要使用它呢？（一定有能胜过流套接字的功能！）由于面向连接套接字要提供一些保证，以及要维持虚电路连接，这都是很重的额外负担。数据报没有这些负担，所以它更“便宜”。通常能提供更好的性能，更适合某些应用场合。

实现这种连接的主要协议就是用户数据报协议（即 UDP）。要创建 UDP 套接字就得在创建的时候指定套接字类型为 SOCK_DGRAM。SOCK_DGRAM 这个名字，也许你已经猜到了，来自于单词“datagram”（“数据报”）。由于这些套接字使用网际协议来查找网络中的主机，这样形成的整个系统，一般会由这两个协议（UDP 和 IP）名的组合来描述，即 UDP/IP。

16.3 Python 中的网络编程

现在，你已经有了足够的客户端/服务器架构、套接字和网络方面的知识。我们现在就开始把这些概念带到 Python 中来。本节中，我们将主要使用 socket 模块。模块中的 socket()函数被用来创建套接字。套接字也有自己的一套函数来提供基于套接字的网络通信。

16.3.1 socket()模块函数

要使用 socket.socket()函数来创建套接字。其语法如下：

```
socket(socket_family, socket_type, protocol=0)
```

如前所述，Socket, family 不是 AF_VNIX 就是 AF_INET socket_type 可以是 SOCK_STREAM 或 SOCK_DGRAM，这一点前面已说过。protocol 一般不填，默认值为 0。

创建一个 TCP/IP 的套接字，你要这样调用 socket.socket():

```
tcpSock = socket.socket(socket.AF_INET, socket.SOCK_STREAM)
```

同样地，创建一个 UDP/IP 的套接字，你要这样：

```
udpSock = socket.socket(socket.AF_INET, socket.SOCK_DGRAM)
```

由于 socket 模块中有太多的属性，我们在这里破例使用了'from module import *'语句。使用'from socket import *'，我们就把 socket 模块里的所有属性都带到我们的命名空间里了，这样能大幅减短我们的代码。

```
tcpSock = socket(AF_INET, SOCK_STREAM)
```

当我们创建了套接字对象后，所有的交互都将通过对该套接字对象的方法调用来进行。

16.3.2 套接字对象（内建）方法

表 16.1 中，我们列出了最常用的套接字对象的方法。在下一个小节中，我们将分别创建 TCP 和 UDP 的客户端和服务器，它们都要用到这些方法。虽然我们只关心因特网套接字，但是这些方法在 Unix 套接字中的也有类似的意义。

表 16.1 套接字对象的常用函数

函　数	描　述
服务器端套接字函数	
s.bind()	绑定地址（主机名，端口号对）到套接字
s.listen()	开始 TCP 监听
s.accept()	被动接受 TCP 客户端连接，（阻塞式）等待连接的到来
客户端套接字函数	
s.connect()	主动初始化 TCP 服务器连接
s.connect_ex()	connect()函数的扩展版本，出错时返回出错码，而不是抛出异常
公共用途的套接字函数	
s.recv()	接收 TCP 数据
s.send()	发送 TCP 数据
s.sendall()	完整发送 TCP 数据
s.recvfrom()	接收 UDP 数据
s.sendto()	发送 UDP 数据

续表

函 数	描 述
s.getpeername()	连接到当前套接字的远端的地址（TCP 连接）
s.getsockname()	当前套接字的地址
s.getsockopt()	返回指定套接字的参数
s.setsockopt()	设置指定套接字的参数
s.close()	关闭套接字
面向模块的套接字函数	
s.setblocking()	设置套接字的阻塞与非阻塞模式
s.settimeout()[a]	设置阻塞套接字操作的超时时间
s.gettimeout()[a]	得到阻塞套接字操作的超时时间
面向文件的套接字函数	
s.fileno()	套接字的文件描述符
s.makefile()	创建一个与该套接字关连的文件对象

a. （Python 2.3 版本新加入的函数）。

核心提示：在运行网络应用程序时，最好在不同的电脑上执行服务器和客户端的程序。

在本章的例子中，你将看到大量的代码和输出中提及“localhost”主机和 127.0.0.1 IP 地址。例子中客户端与服务器运行在同一台电脑上，我们建议读者改掉主机名，并把代码放到不同的电脑上运行。眼看着自己的代码让不同的电脑在网络上进行通讯，这一时刻，你更能体会到开发的乐趣。

16.3.3 创建一个 TCP 服务器

我们首先将给出一个关于如何创建一个通用的 TCP 服务器的伪代码，然后解释会发生什么问题。要注意的是，这只是设计服务器的一种方法，当你对服务器的设计有了一定的了解之后，你就能用你所希望的方式来修改这段伪代码：

```
    ss = socket()                 # 创建服务器套接字
    ss.bind()                     # 把地址绑定到套接字上
    ss.listen()                   # 监听连接
    inf_loop:                     # 服务器无限循环
        cs = ss.accept()          # 接受客户端连接
    comm_loop:                    # 通信循环
        cs.recv()/cs.send()       # 对话（接收与发送）
    cs.close()                    # 关闭客户端套接字
ss.close()                        # 关闭服务器套接字（可选）
```

所有的套接字都用 socket.socket()函数来创建。服务器需要“坐在某个端口上”等待请求。所以它们必需要“绑定”到一个本地的地址上。由于 TCP 是一个面向连接的通信系统，在 TCP 服务器可以开始工作之前，要先完成一些设置。TCP 服务器必须“监听”（进来的）连接，设置完成之后，服务器就可以进入无限循环了。

一个简单的（单线程的）服务器会调用 accept()函数等待连接的到来。默认情况下，accept()函数是阻塞式的，即程序在连接到来之前会处于挂起状态。套接字也支持非阻塞模式。请参阅相关文档或操作系统手册以了解为何及如何使用非阻塞套接字。

一旦接收到一个连接，accept()函数就会返回一个单独的客户端套接字用于后续的通信。使用新的客户端套接字就像把客户的电话转给一个客户服务人员。当一个客户打电话进来的时候，总机接了电话，然后把电话转到合适的人那里来处理客户的需求。

这样就可以空出总机，也就是最初的那个服务器套接字，于是，话务员就可以等待下一个电话（客户端请求），与此同时，前一个客户与对应的客户服务人员在另一条线路上进行着他们之间的对话。同样的，当一个请求到来时，要创建一个新的端口，然后直接在那个端口上与客户对话，这样就可以空出主端口来接受其他客户的连接。

核心提示：创建线程来处理客户端请求。

我们不打算在例子里实现这样的功能。但是，创建一个新的线程或进程来完成与客户端通讯是一种非常常用的手段。SocketServer 模块是一个基于 socket 模块的高级别的套接字通讯模块，它支持在新的线程或进程中处理客户端请求。建议读者参阅相关文章及第17章的习题，以了解更多的信息。

在临时套接字创建好之后，通信就可以开始了。客户与服务器都使用这个新创建的套接字进行数据的发送与接收，直到通讯的某一方关闭了连接或发送了一个空字符串之后，通讯就结束了。

在代码中，当客户端连接关闭后，服务器继续等待下一个客户端的连接。代码的最后一行，会把服务器的套接字关闭。由于服务器处在无限循环中，不可能会走到这一步，所以，这一步是可选的。我们写这一句话的主要目的是要提醒读者，在设计一个更智能的退出方案时，比方说，服务器被通知要关闭时，要确保 close()函数会被调用。

在例 16.1 的 tsTserv.py 文件中，会创建一个 TCP 服务器程序，这个程序会把客户端发送过来的字符串加上一个时间戳（格式：'[时间]数据'）返回给客户端（“tsTserv”代表时间戳 TCP 服务器。其他文档的命令将与此类似）。

例 16.1 TCP 时间戳服务器（tsTserv.py）

创建一个能接收客户端的消息，在消息前加一个时间戳后返回的 TCP 服务器。

```
1  #!/usr/bin/env python
2
3  from socket import *
4  from time import ctime
5
6  HOST=''
7  PORT=21567
8  BUFSIZ = 1024
9  ADDR = (HOST, PORT)
10
11 tcpSerSock = socket(AF_INET, SOCK_STREAM)
12 tcpSerSock.bind(ADDR)
13 tcpSerSock.listen(5)
14
15 while True:
16     print 'waiting for connection...'
17     tcpCliSock, addr = tcpSerSock.accept()
18     print '...connected from:', addr
19
20     while True:
21         data = tcpCliSock.recv(BUFSIZ)
22         if not data:
```

```
23              break
24          tcpCliSock.send('[%s] %s' % (
25              ctime(), data))
26
27          tcpCliSock.close()
28  tcpSerSock.close()
```

逐行解释

1～4 行

第 1 行是 Unix 的启动信息行，随后我们导入了 time.ctime()函数和 socket 模块的所有属性。

6～13 行

HOST 变量为空，表示 bind()函数可以绑定在所有有效的地址上。我们还选用了一个随机生成的未被占用的端口号。在程序中，我们把缓冲区的大小设定为 1K。你可以根据网络情况和应用的需要来修改这个大小。listen()函数的参数只是表示最多允许多少个连接同时连进来，而后来的连接就会被拒绝掉。

TCP 服务器的套接字（tcpSerSock）在第 11 行被生成。随后把套接字绑定到服务器的地址上，然后开始 TCP 监听。

15～28 行

在进入到服务器的无限循环后，我们（被动地）等待连接的到来。当有连接时，我们进入对话循环，等待客户端发送数据。如果消息为空，表示客户端已经退出，那就再去等待下一个客户端连接。得到客户端消息后，我们在消息前加一个时间戳然后返回。最后一行不会被执行到，放在这里用于提醒读者，在服务器要退出的时候，要记得调用 close()函数。

16.3.4 创建 TCP 客户端

创建 TCP 客户端相对服务器来说更为容易。与 TCP 服务器那节类似，我们也是先给出伪代码及其解释，然后再给出真正的代码。

```
cs = socket()                  # 创建客户端套接字
cs.connect()                   # 尝试连接服务器
comm_loop:                     # 通信循环
    cs.send()/cs.recv()        # 对话（发送/接收）
cs.close()                     # 关闭客户端套接字
```

如前所述，所有的套接字都由 socket.socket()函数创建。在客户端有了套接字之后，马上就可以调用 connect()函数去连接服务器。连接建立后，就可以与服务器开始对话了。在对话结束后，客户端就可以关闭套接字，结束连接。

在例 16.2 中，我们给出了 TsTclnt.py 的代码。程序连接到服务器，提示用户输入要传输的数据，然后通过客户端代码显示服务器返回的加了时间戳的结果。

逐行解释

1～3 行

第 1 行是 Unix 的启动信息行，随后我们导入了 socket 模块的所有属性。

例 16.2 TCP 时间戳客户端（tsTclnt.py）

创建一个 TCP 客户端，程序会提示用户输入要传给服务器的信息，显示服务器返回的加了时间戳的结果。

```
1   #!/usr/bin/env python
2
```

```
3  from socket import *
4
5  HOST=' localhost '
6  PORT=21567
7  BUFSIZ = 1024
8  ADDR = (HOST, PORT)
9
10 tcpCliSock = socket(AF_INET, SOCK_STREAM)
11 tcpCliSock.connect(ADDR)
12
13 while True:
14     data = raw_input('> ')
15     if not data:
16         break
17     tcpCliSock.send(data)
18     data = tcpCliSock.recv(BUFSIZ)
19     if not data:
20         break
21     print data
22
23 tcpCliSock.close()
```

5~11行

HOST和PORT变量表示服务器的主机名与端口号。由于我们在同一台电脑上进行测试，所以HOST里放的是本机的主机名（如果你的服务器运行在其他电脑上，要做相应的修改）。端口号要与服务器上的设置完全相同（不然就没办法通信了）。缓冲区的大小还是设为1K。

TCP客户套接字（tcpCliSock）在第10行创建。然后就去连接服务器。

13~23行

客户端也有一个无限循环，但这跟服务器的那个不期望退出的无限循环不一样。客户端的循环在以下两个条件的任意一个发生后就退出：用户没有输入任何内容（14～16行）或服务器由于某种原因退出，导致recv()函数失败（18～20行）。否则，在一般情况下，客户端会把用户输入的字符串发给服务器进行处理，然后接收并显示服务器传回来的加了时间戳的字符串。

16.3.5 运行我们的客户端与TCP服务器

现在，我们来运行服务器和客户端程序，看看它们的运行情况如何。我们应该先运行服务器还是客户呢？很显然，如果我们先运行客户端，由于没有服务器在等待请求，客户端没办法做连接。服务器是一个被动端，它先创建自己然后被动地等待连接。而客户端则是主动端，由它主动地建立一个连接。所以：

要先开服务器，后开客户端。

我们在运行客户端和服务器的例子中，使用了同一台电脑。其实也可以把服务器放在其他的电脑上，这时只要改改主机名就好了。（看到自己写的第一个网络程序运行在不同的电脑上，那是多么激动人心的事啊）。

下面就是客户端的输入与输出，不输入数据直接按回车键就可以退出程序：

```
$ tsTclnt.py
> hi
```

```
[Sat Jun 17 17:27:21 2006] hi
> spanish inquisition
[Sat Jun 17 17:27:37 2006] spanish inquisition
>
$
```

服务器的输出主要用于调试目的：

```
$ tsTserv.py
waiting for connection...
...connected from: ('127.0.0.1', 1040)
waiting for connection...
```

当有客户端连接上来的时候，会显示一个"... connected from ..."信息。在客户端接受服务的时候，服务器又回去等待其他客户端连接。在从服务器退出的时候，我们要跳出那个无限循环，这时会触发一个异常。避免这种错误的方法是采用一种更优雅的退出方式。

核心提示：优雅的退出和调用服务器的 close()函数

"友好地"退出的一个方法就是把服务器的 while 循环放在一个 try-except 语句的 except 子句当中，并捕获 EOFError 和 KeyboardInterrupt 异常。在 except 子句中，调用 close() 函数关闭服务器的套接字。

这个简单的网络应用程序的有趣之处并不仅仅在于我们演示了数据怎样从客户端传到服务器，然后又传回给客户端，而且我们还把这个服务器当成了"时间服务器"，因为，字符串中的时间戳完全是来自于服务器的。

16.3.6 创建一个 UDP 服务器

由于 UDP 服务器不是面向连接的，所以不用像 TCP 服务器那样做那么多设置工作。事实上，并不用设置什么东西，直接等待进来的连接就好了。

```
ss = socket()                          # 创建一个服务器套接字
ss.bind()                              # 绑定服务器套接字
inf_loop:                              # 服务器无限循环
    cs = ss.recvfrom()/ss.sendto()     # 对话（接收与发送）
ss.close()                             # 关闭服务器套接字
```

从伪代码中可以看出，使用的还是那套先创建套接字然后绑定到本地地址（主机/端口对）的方法。无限循环中包含了从客户端接收消息，返回加了时间戳的结果和回去等下一个消息这三步。同样的，由于代码不会跳出无限循环，所以，close()函数调用是可选的。我们写这一句话的原因是要提醒读者，在设计一个更智能的退出方案的时候，要确保 close()函数会被调用。

例 16.3 UDP 时间戳服务器（tsUserv.py）

创建一个能接收客户端消息、在消息前加一个时间戳后返回的 UDP 服务器。

```
1   #!/usr/bin/env python
2
3   from socket import *
4   from time import ctime
5
6   HOST=''
```

```
7   PORT=21567
8   BUFSIZ = 1024
9   ADDR = (HOST, PORT)
10
11  udpSerSock = socket(AF_INET, SOCK_DGRAM)
12  udpSerSock.bind(ADDR)
13
14  while True:
15      print 'waiting for message...'
16      data, addr = udpSerSock.recvfrom(BUFSIZ)
17      udpSerSock.sendto('[%s] %s' % (
18          ctime(), data), addr)
19      print '...received from and returned to:', addr
20
21  udpSerSock.close()
```

UDP 和 TCP 服务器的另一个重要的区别是，由于数据报套接字是无连接的，所以无法把客户端连接交给另外的套接字进行后续的通讯。这些服务器只是接受消息，需要的话，给客户端返回一个结果就可以了。

例 16.3 的 tsUserv.py 是之前那个 TCP 服务器的 UDP 版本，它接收客户端消息，加时间戳后返回给客户端。

逐行解释

1 ~ 4 行

就像 TCP 服务器的设置那样，在 Unix 的启动信息行后，我们导入了 time.ctime()函数和 socket 模块的所有属性。

6 ~ 12 行

HOST 和 PORT 变量与之前完全一样。socket()函数的调用有一些不同，我们现在要的是一个数据报/UDP 的套接字类型。不过 bind()函数的调用方式还是跟 TCP 版本的一样。同样地，由于 UDP 是无连接的，就不用调用 listen()函数来监听进来的连接了。

14 ~ 21 行

在进入到服务器的无限循环后，我们（被动地）等待（数据报）消息的到来。当有消息进来时，就处理它（在前面加时间戳），把结果返回去，然后再去等待下一个消息。就像之前一样，那个 close()函数只是一个演示而已。

16.3.7　创建一个 UDP 客户端

这一节中介绍的 4 段程序中，下面的这段 UDP 客户端代码是最短的。伪代码如下：

```
cs = socket()                          # 创建客户端套接字
comm_loop:                             # 通讯循环
    cs.sendto()/cs.recvfrom()  # 对话（发送/接收）
cs.close()                             # 关闭客户端套接字
```

在套接字对象创建好之后，我们就进入一个与服务器的对话循环。在通信结束后，套接字就被关闭了。tsUclnt.py 真实的代码在例 16.4 中给出。

逐行解释

1 ~ 3 行

还是跟 TCP 版本的客户端一样，在 Unix 的启动信息行后，我们导入了 socket 模块的所有属性。

5 ~ 10 行

因为我们的服务器也是运行在本机，我们的客户端还是使用本机和相同的端口号。自然地，缓冲区的大小也还是 1K。创建套接字的方法跟 UDP 服务器中的一样。

12～22 行

UDP 客户端的循环基本上与 TCP 客户端的完全一样。唯一的区别就是，我们不用先去跟 UDP 服务器建立连接，而是直接把消息发送出去，然后等待服务器的回复。得到加了时间戳的字符串后，把它显示到屏幕上，然后再继续其他的消息。在输入结束后，退出循环，关闭套接字。

例 16.4　UDP 时间戳客户端（tsUclnt.py）

创建一个 UDP 客户端，程序会提示用户输入要传给服务器的信息，显示服务器返回的加了时间戳的结果。

```
1   #!/usr/bin/env python
2
3   from socket import *
4
5   HOST=' localhost '
6   PORT=21567
7   BUFSIZ = 1024
8   ADDR = (HOST, PORT)
9
10  udpCliSock = socket(AF_INET, SOCK_DGRAM)
11
12  while True:
13      data = raw_input('> ')
14      if not data:
15          break
16      udpCliSock.sendto(data, ADDR)
17      data, ADDR = udpCliSock.recvfrom(BUFSIZ)
18      if not data:
19          break
20      print dataudpClisock.close()
21
22  udpCliSock.close()
```

16.3.8　执行 UDP 服务器和客户端

UDP 客户端与 TCP 客户端的表现类似：

```
$ tsUclnt.py
> hi
[Sat Jun 17 19:55:36 2006] hi
> spam! spam! spam!
[Sat Jun 17 19:55:40 2006] spam! spam! spam!
>
$
```

服务器也差不多：

```
$ tsUserv.py
waiting for message...
...received from and returned to: ('127.0.0.1', 1025)
waiting for message...
```

我们输出客户端信息的原因是，服务器可能会得到并回复多个客户端消息，这时，输出就可以让我们了解消息来自哪里。对于 TCP 服务器来说，由于客户端会创建一个连接，我们自然就能知道消息来自哪里。注意，我们的提示信息写的是“waiting for message”（“等待消息”）而不是“waiting for connection”（“等待连接”）。

16.3.9 Socket 模块属性

除了我们已经很熟悉的 socket.socket()函数之外，socket 模块还有很多属性可供网络应用程序使用。表 16.2 中列出了最常用的几个。

表 16.2 Socket 模块属性

属性名字	描述
数据属性	
AF_UNIX, AF_INET, AF_INET6[a]	Python 支持的套接字地址家族
SO_STREAM, SO_DGRAM	套接字类型（TCP = 流，UDP = 数据报）
has_ipv6[b]	表示是否支持 IPv6 的布尔型标志
异常	
error	套接字相关错误
herror[a]	主机和地址相关的错误
gaierror[a]	地址相关的错误
timeout[b]	超时
函数	
socket()	用指定的地址家族、套接字类型和协议类型创建一个套接字对象（可选）
socketpair()[c]	用指定的地址家族、套接字类型和协议类型创建一对套接字对象（可选）
fromfd()	用一个已经打开的文件描述符创建一个套接字对象
ssl()[d]	在套接字上发起一个安全套接字层（SSL）。不做证书验证
getaddrinfo()[a]	得到地址信息
getfqdn()[e]	返回完整的域的名字
gethostname()	得到当前主机名
gethostbyname()	由主机名得到对应的 IP 地址
gethostbyname_ex()	gethostbyname()的扩展版本，返回主机名、主机所有的别名和 IP 地址列表
gethostbyaddr()	由 IP 地址得到 DNS 信息，返回一个类似 gethostbyname_ex()的 3 元组
getprotobyname()	由协议名（如'tcp'）得到对应的号码
getservbyname()/getservbyport()	由服务名得到对应的端口号或反之；两个函数中，协议名都是可选的
ntohl()/ntohs()	把一个整型由网络字节序转换为主机字节序
htonl()/htons()	把一个整型由主机字节序转换为网络字节序
inet_aton()/inet_ntoa()	把 IP 地址转为 32 位整型，或反之（仅对 IPv4 地址有效）
inet_pton()/inet_ntop()[b]	把 IP 地址转为二进制格式或反之（对 IPv4 和 Ipv6 地址都有效）
getdefaulttimeout()/setdefaulttimeout()[b]	得到/设置默认的套接字超时时间，单位秒（浮点型）

a. Python 2.2 新增。

b. Python 2.3 新增。

c. Python 2.4 新增。

d. Python 1.6 新增。

e. Python 2.0 新增。

请参考《Python Library Reference》中 socket 模块的文档以了解更多的信息。

16.4 *SocketServer 模块

SocketServer 是标准库中一个高级别的模块。用于简化实现网络客户端与服务器所心需的大量样板代码。该模块中，已经实现了一些可供使用的类。

表 16.3 SocketServer 模块的类

类	描 述
BaseServer	包含服务器的核心功能与混合（mix-in）类挂钩；这个类只用于派生，所以不会生成这个类的实例；可以考虑使用 TCPServer 和 UDPServer
TCPServer/UDPServer	基本的网络同步 TCP/UDP 服务器
UnixStreamServer/ UnixDatagramServer	基本的基于文件同步 TCP/UDP 服务器
ForkingMixIn/ ThreadingMixIn	实现了核心的进程化或线程化的功能；作为混合类，与服务器类一并使用以提供一些异步特性；这个类不会直接实例化
ForkingTCPServer/ ForkingUDPServer	ForkingMixIn 和 TCPServer/UDPServer 的组合
ThreadingTCPServer/ ThreadingUDPServer	ThreadingMixIn 和 TCPServer/UDPServer 的组合
BaseRequestHandler	包含处理服务请求的核心功能。这个类只用于派生，所以不会生成这个类的实例可以考虑使用 StreamRequestHandler 或 DatagramRequestHandler
StreamRequestHandler/ DatagramRequestHandler	用于 TCP/UDP 服务器的服务处理工具

我们将再次实现之前的那个基本 TCP 的例子，生成一个 TCP 客户端和服务器。你会注意到新实现与之前有很多相似之处，但你也要注意到，现在很多繁杂的事情已经被封装好了，你不用再去关心那个样板代码了。例子给出的是一个最简单的同步服务器。记得要看看本章最后的把服务器改成异步的习题。

为了要隐藏实现的细节，我们现在写程序时会使用类，这是与之前代码的另一个不同。用面向对象的方法可以帮助我们更好的组织数据与逻辑功能。你也会注意到，我们的程序现在是“事件驱动”了。这就意味着，只有在事件出现的时候，程序才有“反应”。

事件包含发送与接收数据两种。事实上，你会看到，我们的类定义中只包含了接收客户端消息的事件处理器。其他的功能从我们所使用的 SocketServer 继承而来。GUI 编程（第 19 章）也是事件驱动的。你会注意到有一个相似之处，即在代码的最后一行都有一个服务器的无限循环，等待并处理客户端服务请求。本章之前创建的基本 TCP 服务器也有一个类似的无限 while 循环。

在之前的服务器循环中，我们阻塞等待请求，有请求来的时候就处理请求，然后再回去继续等待。现在的服务器循环中，就不用在服务器里写代码了，改成定义一个处理器，服务器在收到进来的请求的时候，可以调用你的处理函数。

16.4.1 创建一个 SocketServerTCP 服务器

在代码中，先导入我们的服务器类，然后像之前一样定义主机常量。主机常量后就是我们的请求处理器类，然后是启动代码。在下面的代码片段中可以看到更多细节。

逐行解释

1 ~ 9 行

最开始的部分是从 SocketServer 导入需要的类。注意，我们在使用 Python 2.4 的多行导入的方式。如果你使用老版本的 Python，那么你要使用模块的形如 module.attribute 的名字。或者在导入的时候，把代码写在同一行里：

```
from SocketServer import TCPServer as TCP, StreamRequestHandler as SRH
```

例 16.5 SocketServer 时间戳 TCP 服务器（TsTservss.py）

使用 SocketServer 里的 TCPServer 和 StreamRequestHandler 类创建一个时间戳 TCP 服务器。

```
1   #!/usr/bin/env python
2
3   from SocketServer import (TCPServer as TCP,
4        StreamRequestHandler as SRH)
5   from time import ctime
6
7   HOST = ''
8   PORT = 21567
9   ADDR = (HOST, PORT)
10
11  class MyRequestHandler(SRH):
12      def handle(self):
13          print '...connected from:', self.client_address
14          self.wfile.write('[%s] %s' % (ctime(),
15              self.rfile.readline()))
16
17  tcpServ = TCP(ADDR, MyRequestHandler)
18  print 'waiting for connection...'
19  tcpServ.serve_forever()
```

11～15 行

主要的工作在这里。我们从 SocketServer 的 StreamRequestHandler 类中派生出一个子类，并重写 handle()函数。在 BaseRequest 类中，这个函数因没有默认动作而被中断：

```
def handle(self):
    pass
```

在有客户消息进来的时候，handle()函数就会被调用。StreamRequestHandler 类支持像操作文件对象那样操作输入输出套接字。我们可以用 readline()函数得到客户消息，用 write()函数把字符串发给客户端。

为了保持一致性，我们要在客户端与服务器两端的代码里都加上回车与换行。实际上，你在代码中看不到这个，因为，我们重用了客户端传过来的回车与换行。除了这些我们刚刚说到的不同之处外，代码看上去与之前的那个服务器是一样的。

17～19 行

代码的最后部分用给定的主机信息和请求处理类创建 TCP 服务器。然后进入等待客户端请求与处理客户请求的无限循环中。

16.4.2 创建 SocketServerTCP 客户端

很自然地，我们的客户端与之前的客户端的代码很相似，比服务器还相似得多。但客户端要做一些相应的调整以适应新的服务器。

逐行解释

1～8 行

没什么特别的，与原来的客户端代码完全相同。

例 16.6 SocketServer 时间戳 TCP 客户端（tsTclntSS.py）

这是一个时间戳 TCP 客户端，它知道如何与类似于文档的 SocketServer 里 StreamRequest Handler 对象进行通讯。

```
1   #!/usr/bin/env python
2
3   from socket import *
4
5   HOST=' localhost '
6   PORT=21567
7   BUFSIZ = 1024
8   ADDR = (HOST, PORT)
9
10  while True:
11      tcpCliSock = socket(AF_INET, SOCK_STREAM)
12      tcpCliSock.connect(ADDR)
13      data = raw_input('> ')
14      if not data:
15          break
16      tcpCliSock.send('%s\r\n' % data)
17      data = tcpCliSock.recv(BUFSIZ)
18      if not data:
19          break
20      print data.strip()
21      tcpCliSock.close()
```

10~21 行

SocketServer 的请求处理器的默认行为是接受连接，得到请求，然后就关闭连接。这使得我们不能在程序运行时，一直保持连接状态，而是每次发送数据到服务器的时候都要创建一个新的套接字。

这种行为使得 TCP 服务器的行为有些像 UDP 服务器。不过，这种行为也可以通过重写请求处理器中相应的函数来改变。我们把这个留在本章最后的练习中。

现在，我们的客户端有点完全不一样了（我们得每次都创建一个连接）。其他的小区别在服务器代码的逐行解释中已经看到了：我们使用的处理器类像文件一样操作套接字，所以我们每次都要发送行结束字符（回车与换行）。服务器只是保留并重用我们发送的行结束字符。当我们从服务器得到数据的时候，我们使用 strip()函数去掉它们，然后使用 print 语句自动提供的回车。

16.4.3 执行 TCP 服务器和客户端

下面是我们 SocketServer TCP 客户端的输出：

```
$ tsTclntSS.py
> 'Tis but a scratch.
[Tue Apr 18 20:55:49 2006] 'Tis but a scratch.
> Just a flesh wound.
[Tue Apr 18 20:55:56 2006] Just a flesh wound.
>
$
```

下面是服务器的输出：

```
$ tsTservSS.py
waiting for connection...
```

```
...connected from: ('127.0.0.1', 53476)
...connected from: ('127.0.0.1', 53477)
```

输出与我们之前的 TCP 客户端与服务器相似。不过，你能看到，我们连接了服务器两次。

16.5 Twisted 框架介绍

Twisted 是一个完全事件驱动的网络框架。它允许你使用和开发完全异步的网络应用程序和协议。在写本书的时候，它还不是 Python 标准库的一部分，要使用它，你必须另外下载并安装它（在本章最后能找到链接）。它为你创建一个完整系统提供了很大的帮助。系统中可以有：网络协议、线程、安全和认证、聊天/即时通讯、数据库管理、关系数据库集成、Wed/Internet、电子邮件、命令行参数、图形界面集成等。

使用 Twisted 来实现我们这个简单的例子有牛刀杀鸡的感觉。不过，学东西总要有切入点吧，我们先实现一个“Hello World”的网络应用程序。

像 SocketServer 一样，Twisted 的大部分功能都在它的类里面。在我们的例子中，我们将使用 Twisted 的 Internet 组件中 reactor 和 protocol 包的类。

16.5.1 创建一个 Twisted Reactor TCP 服务器

你会发现我们的代码与 SocketServer 例子有些相似。我们创建一个协议类，并像安装回调函数那样重写几个函数，而不是写一个处理器类。同样的，我们的例子是异步的。先来看服务器：

逐行解释

1～6 行

一开始的代码照常是模块导入部分。要注意 twisted.internet 中 protocol 和 reactor 包和端口号常量。

8～14 行

我们从 Protocol 类中派生出 TSServProtocol 类作为时间戳服务器。然后重写 connectionMade()函数，这个函数在有客户端连接的时候被调用，以及 dataReceived()函数，这个函数在客户端通过网络发送数据过来时被调用。reactor 把数据当成参数传到这个函数中，这样我们就不用自己去解析数据了。

例 16.7 Twisted Reactor 时间戳服务器（tsTservTW.py）

这是一个使用 Twisted Internet 类的时间戳 TCP 服务器。

```
1   #!/usr/bin/env python
2
3   from twisted.internet import protocol, reactor
4   from time import ctime
5
6   PORT = 21567
7
8   class TSServProtocol(protocol.Protocol):
9       def connectionMade(self):
10          clnt = self.clnt = self.transport.getPeer().host
11          print '...connected from:', clnt
12      def dataReceived(self, data):
13          self.transport.write('[%s] %s' % (
14              ctime(), data))
15
16  factory = protocol.Factory()
```

```
17 factory.protocol = TSServProtocol
18 print 'waiting for connection...'
19 reactor.listenTCP(PORT, factory)
20 reactor.run()
```

我们通过 transport 实例对象与客户端进行通信。你可以看到在 connectionMade()函数中，我们如何得到主机的信息，以及在 dataReceived()函数中，我们如何把数据传回客户端。

16 ~ 20 行

在服务器的最后一部分，我们创建一个 protocol Factory()。它被称为“工厂”是因为，每次我们有连接进来的时候，它都会“生产”一个我们的 protocol 对象。然后在 reactor 中安装一个 TCP 监听器以等待服务请求。当有请求进来时，创建一个 TSServProtocol 实例来服务那个客户端。

16.5.2 创建一个 Twisted Reactor TCP 客户端

与 SocketServer TCP 客户端不一样的是，这个例子与之前的所有其他客户端看上去都不大一样。它是完全 Twisted 的。

例 16.8 Twisted Reactor Timestamp TCP 客户端（tsTclntTW.py）

用 Twisted 重写我们已经熟悉的时间戳 TCP 客户端。

```
1  #!/usr/bin/env python
2
3  from twisted.internet import protocol, reactor
4
5  HOST=' localhost '
6  PORT=21567
7
8  class TSClntProtocol(protocol.Protocol):
9      def sendData(self):
           data = raw_input('> ')
11         if data:
12             print '...sending %s...' % data
13             self.transport.write(data)
14         else:
15             self.transport.loseConnection()
16
17     def connectionMade(self):
18         self.sendData()
19
20     def dataReceived(self, data):
21         print data
22         self.sendData()
23
24 class TSClntFactory(protocol.ClientFactory):
25     protocol = TSClntProtocol
26     clientConnectionLost = clientConnectionFailed = \
27         lambda self, connector, reason: reactor.stop()
28
29 reactor.connectTCP(HOST, PORT, TSClntFactory())
30 reactor.run()
```

逐行解释

1～6 行

跟之前所有的客户端程序类似，这里还是导入 Twisted 的组件。

8～22 行

与服务器一样，我们扩展 Protocol，重写同样的函数 connectionMade()和 dataReceived()。这两个函数的用途也跟服务器一样。我们新加一个自己的函数 sendData()，用于在需要发送数据时调用。

由于我们现在是客户端，所以我们要主动发起跟服务器的对话。一旦连接建立好之后，我们先发送一个消息，服务器回复这个消息，我们把收到的回复显示在屏幕上，然后再发送其他消息给服务器。

这个过程会一直循环，直到用户没有给任何输入时，连接结束。结束时，就不是调用 transport 对象的 write()函数传数据给服务器了，而是调用 loseConnection()函数来关闭套接字。这时，工厂的 clientConnectionLost()函数会被调用，同时，reactor 就被关闭，脚本的执行就结束了。由于某些原因，clientConnectionFailed()被调用时，reactor 也会被关闭。

脚本的最后一部分是创建一个客户端工厂，连接到服务器，然后运行 reactor。注意，我们在这里实例化了客户端工厂，而不是像在服务器里那样把它传到 reactor 中。这是因为，我们不是等待客户端连接的服务器，服务器在有连接时要为每个连接创建一个新的 protocol 对象。我们只是一个客户端，所以我们只要创建一个 protocol 对象，连接到服务器，服务器的工厂会创建一个 protocol 对象来与我们对话。

16.5.3 执行 TCP 服务器和客户端

Twisted 客户端显示的内容与我们之前的客户端类似：

```
$ tsTclntTW.py
> Where is hope
...sending Where is hope...
[Tue Apr 18 23:53:09 2006] Where is hope
> When words fail
...sending When words fail...
[Tue Apr 18 23:53:14 2006] When words fail
>
$
```

服务器又回到了只有一个连接的情况。Twisted 维护连接，不会在每个消息后都关 transport。

```
$ tsTservTW.py
waiting for connection...
...connected from: 127.0.0.1
```

“connection from”输出没有其他的信息，因为我们只向服务器的 transport 对象的 getPeer()函数要了主机/地址的信息。

16.6 相关模块

表 16.4 列出了其他与网络和套接字相关的 Python 模块。select 模块通常在底层套接字程序中与 socket 模块联合使用。它提供的 select()函数可以同时管理多个套接字对象。它最有用的功能就是同时监听多个套接字的连接。select()函数会阻塞，直到有至少一个套接字准备好要进行通讯的时候才退出。它提供了哪些套接字已经准备好可以开始读取的集合（它也能决定了哪些套接字已经准备好可以开始写的集合，不过这个功能相对来说不大常用）。

表 16.4 网络/套接字编程相关模块

模块	描述
socket	底层网络接口，本章讨论过
asyncore/ asynchat	为能异步处理客户端请求的网络应用程序提供底层功能
select	在单线程网络服务器程序中，管理多个套接字连接
SocketServer	包含了为网络应用程序提供服务器的高级别模块，还提供各种进程和线程的版本

async*和 SocketServer 模块在创建服务器方面都提供了高层次的功能。由于是基于 socket 和（或）select 模块，封装了所有的底层的代码，它们使你可以快速开发客户端/服务器的系统。你所需要做的只是从适当的基类中派生出一个新的类。所有的东西就已经就绪了。就像之前所说的，SocketServer 甚至提供了把线程或进程集成到服务器中的功能，以实现更好的对客户端请求的并行处理能力。

虽然 async*是标准库提供的唯一的异步开发支持库，我们也可选择如 Twisted 这样相对于标准库更现代、更强大的第三方库。虽然这里看到的例子代码比之前的什么都自己处理的代码稍微长那么一点，Twisted 提供了更为强大、更具弹性的框架。它已经实现了很多协议。你可以在下面的网站找到更多有关 Twisted 的信息：

```
http://twistedmatrix.com
```

本章所讨论的主题涵盖了在 Python 中用 socket 网络编程和如何用低级别的协议如 TCP/IP 和 UDP/IP 来创建应用程序。如果你想要开发高层次的网页和因特网应用程序，强烈建议你阅读第 17 章和第 20 章。

16.7 练习

16-1.套接字。面向连接和无连接有什么区别？

16-2.客户端/服务器架构。用你自己的语言描述这个架构，并给出几个例子。

16-3.套接字。TCP 和 UDP 中，哪一种服务器在接受连接后，把连接交给不同的套接字处理与客户端的通讯。

16-4.客户端。修改 TCP (tsTclnt.py)和 UDP (tsUclnt.py)客户端，让服务器的名字不要在代码里写死，要允许用户指定一个主机名和端口，只有在两个值都没有输入的时候才使用默认值。

16-5.网络互联和套接字。找到《Python Library Reference》中 7.2.2 节 Guido van Rossum 的示例 TCP 客户端/服务器程序，实现它并让它运行起来。先运行服务器，然后是客户端。源代码的一个在线版本可以在这里找到：

```
http://www.python.org/doc/current/lib/ Socket_Example.html
```

你认为这个服务器太无聊了，决定要修改服务器，让它能识别以下命令：

date	服务器将返回它的当前时间，即 time.ctime(time.time())
os	得到操作系统的信息（os.name）
ls	得到当前目录的文件列表（提示：os.listdir()可以得到目录列表，os.curdir 能得到当前目录）。附加题：要能接受“ls dir”指令，并返回 dir 目录的文件列表。

做这个作业的时候，你不一定要有网络——你的机器可以跟自己通讯。注：在服务器退出后，要清除绑定后才能再次运行。否则，有可能得碰到“端口已经被使用”（“port already bound”）的错误信息。操作系统一般会在 5 分钟内清除绑定。所以，请耐心等待。

16-6.日期时间服务。使用 socket.getservbyname()函数得到 UDP 协议中“daytime”服务所对应的端口。请参考 getservbyname()函数的文档，查阅如何使用的详细语法。（即：socket.getservbyname.__doc__）。

现在，写一个程序发送一个随便什么数据过去，等待回答。一旦你收到了服务器的信息，显示到屏幕上。

16-7.半双工聊天。创建一个简单的半双工聊天程序。“半双工”的意思是当创建一个连接，服务启动的时候，只有一个人可以打字，另一个人只有在等到有消息通知他输入消息时，才能说话。一旦消息发送出去后，要等到有回复了才能发送下一条消息。一个人是服务端，另一个人是客户端。

16-8.全双工聊天。修改你刚才的程序，改成全双工，即两个人可以独立地发送和接收消息。

16-9.多用户全双工聊天。再次修改你的程序，把聊天服务改成支持多用户版本。

16-10.多用户、多房间全双工聊天。现在把聊天服务改成支持多个用户、多个房间。

16-11.网页客户端。写一个 TCP 客户端，连到你最喜欢的网站的 80 端口（去掉“http://”和其他的后缀信息，只用主机名）。一旦创建了一个连接，发送 HTTP 命令字符串“GET/ \n”，把服务器返回的所有数据写到一个文件中（GET 命令用于得到网页，“/”表示要得到的文件，“\n”把命令发送到服务器）。检查得到的文件的内容，它是什么？怎么检查你得到的数据是否正确？（注：你可能要在命令后加一个或是两个回车，一般来说，一个就可以了）。

16-12.休眠服务器。创建一个“休眠”服务器，客户端可以要求要“休眠”几秒钟。服务器就去做休眠的操作。休眠结束后，返回一个消息给客户端，表示结束。客户端在收到消息的时候应该刚好等待了指定的时间。这就是一个简单的“远程过程调用”（“remote procedure call”），即客户端发送一个指令，网络另一边的远程的机器执行这个命令。

16-13.名字服务器。设计并实现一个名字服务器。这个服务器负责维护一个主机名－端口号对的数据库，以及一个描述这个服务器提供的服务的字符串。选择一个或几个服务器到你的名字服务器上“注册”（注意，这时，这些服务器是名字服务器的客户端）。每一个客户端在启动的时候，都不知道它们想要找的服务器的信息。名字服务器的客户端也是这样。这些客户端应该发送一个请求到名字服务器，说明它们想要得到什么服务。名字服务器返回一个主机名－端口号对给客户端，客户端这时就可以连到合适的服务器来处理它的请求。

附加题：

（1）在名字服务器中，加入对常用请求的缓冲。

（2）在名字服务器中，加入日志功能，记录下哪个服务器注册了，客户端在请求哪一个服务。

（3）名字服务器应该周期性地“ping”这些注册了的服务器的对应端口号，以确定这些服务器还在运行中。在连续数次 ping 失败后，就把这个服务器从列表中删除。

你可以实现一些真实的服务，来注册到你的名字服务器上，或者也可以使用一些哑服务（它们根本不对请求做应答）。

16-14.错误检查和优雅地退出。本章中，我们所有客户端和服务器的例子代码都没有做错误检查。我们没有检查用户是否按下了^C 来退出服务，或^D 来结束客户输入，也没有检查 raw_input()函数得到的输入的合法性，也没有检查网络错误。由于这些弱点，我们很可能会在退出程序的时候，没有关闭套接字，也有可能会丢失数据。选择一对客户端/服务器例子，加入足够的错误检查，让程序能正常退出。比方说会关闭网络连接。

16-15.异步和 SocketServer。选取 TCP 服务器例子，使用某一个混合类（mix-in），让你的程序成为一个异步服务器。测试你的服务器，创建并同时运行多个客户端，在服务器的输出里查看你的服务器是否在同时响应多个请求。

16-16.*扩展 SocketServer 类。在 SocketServer TCP 服务器代码中，我们不能使用原来的 TCP 客户端，要做修改。这是因为 SocketServer 类在多个请求之间不保持连接。

（a）从 TCPServer 和 StreamRequestHandler 中派生出新的类，重新设计服务器的架构，让服务器能为每个客户端只使用一个连接（而不是每个请求一个连接）。

（b）把前一个问题的解决方案应用到（a）部分，让多个客户端的请求可以被并行地处理。

第 17 章　网络客户端编程

本章主题

- ✦ 引言
- ✦ 文件传输
- ✦ 文件传输协议（FTP）
- ✦ 网络新闻、Usenet 和新闻组
- ✦ 网络新闻传输协议（NNTP）
- ✦ 电子邮件
- ✦ 简单邮件传输协议（SMTP）
- ✦ 邮局协议 3 (POP3)
- ✦ 相关模块

在之前的章节中，我们已经大致了解了那些使用套接字的低级别的网络通讯协议。这种网络互连是当今互联网中大部分客户端/服务器协议的核心。这些网络协议包括文件传输（FTP，SCP 等）、阅读 Usenet 新闻组（NNTP）、电子邮件发送（SMTP）、从服务器上下载电子邮件（POP3，IMAP）等。这些协议的工作方式与之前在套接字编程中介绍的客户端/服务器的例子很像。唯一的不同在于，我们已经使用过 TCP/IP 等低级别的协议，并基于此创建了新的，更具体的协议来实现我们刚刚描述的服务。

17.1 什么是因特网客户端

在着手研究这些协议之前，我们要先问一个问题："因特网客户端到底是什么？" 要回答这个问题，我们把因特网简化成一个数据交换中心，数据交换的参与者是一个服务提供者和一个服务的使用者。有的人把它称为"生产者－消费者"（虽然这个词一般只用在讲解操作系统相关信息时）。服务器就是生产者，它提供服务，一般只有一个服务器（进程或主机等）和多个消费者，就像我们之前看的客户端/服务器模型那样。虽然现在我们不再使用低级别的套接字来创建因特网客户端，但模型是完全相同的。

这里，我们将详细了解三个网际协议——FTP、NNTP 和 POP3，并写出它们的客户端程序。通过这些程序，你将会发现这些协议的 API 是多么的相似——由于保持接口的一致性有很大的好处，所以，这些相似性在设计之初就考虑到了——更重要的是，你还能学会如何写出这些协议与其他协议实用的客户端程序来。虽然我们只着重说了这三个协议在看完这些协议后，你就能有足够的信心和能力写出任何网际协议的客户端程序了。

17.2 文件传输

17.2.1 文件传输网际协议

因特网中最流行的事情就是文件的交换。文件交换无处不在。有很多协议可以供因特网上传输文件使用。最流行的有文件传输协议（File Transfer Protocol，FTP）、Unix-to-Unix 复制协议（Unix-to-Unix Copy Protocol，UUCP）和网页的超文本传输协议（Hypertext Transfer Protocol，HTTP）。另外，还有（Unix 下的）远程文件复制指令 rcp（以及更安全、更灵活的 scp 和 rsync）。

迄今为止，HTTP、FTP 和 scp/rsync 还是非常流行的。HTTP 主要用于网页文件的下载和访问 Web 服务上。它一般不要求用户输入登录的用户名密码就可以访问服务器上的文件和服务。HTTP 文件传输请求主要是用于获取网页（文件下载）。

相对的，scp 和 rsync 要求用户登录到服务器，否则不能上传或下载文件。至于 FTP，跟 scp/rsync 一样，可以上传或下载文件，还采用了 Unix 的多用户的概念，用户一定要输入有效的用户名和密码才能使用。不过，FTP 也允许匿名登录。接下来，我们先仔细看看 FTP。

17.2.2 文件传输协议（FTP）

文件传输协议由已故的 Jon Postel（作者这里使用的 Jon 是 Jonathon 的简写，下文中会使用全名）和 Joyce Reynolds 开发，记录在 RFC (Request for Comment)959 号文档中，于 1985 年 10 月发布，主要用于匿名下载公共文件。也可以用于在两台电脑之间传输文件，尤其是在使用 Unix 系统作为文件存储系统，使用其他机器来工作的情况。早在网络流行之前，FTP 就是在因特网上文件传输、软件和源代码下载的主要手段之一。

FTP 要求输入用户名和密码才能访问远程的 FTP 服务器，但它也允许没有账号的用户以匿名用户登录。不过，管理员要先设置 FTP 服务器允许匿名用户登录。这时，匿名用户的用户名是"匿名"

（anonymous），密码一般是用户的电子邮件地址。与特定的用户拥有特定的账户不同，这有点像是把 FTP 公开出来让大家访问。匿名用户通过 FTP 协议可以使用的命令与一般的用户相比来说，限制更多。

图 17-1 展示了这个协议，其工作流程如下：

1．客户端连接远程的 FTP 服务器；
2．客户端输入用户名和密码（或“匿名”和电子邮件地址）；
3．客户端做各种文件传输和信息查询操作；
4．客户端登出远程 FTP 服务器，结束通讯。

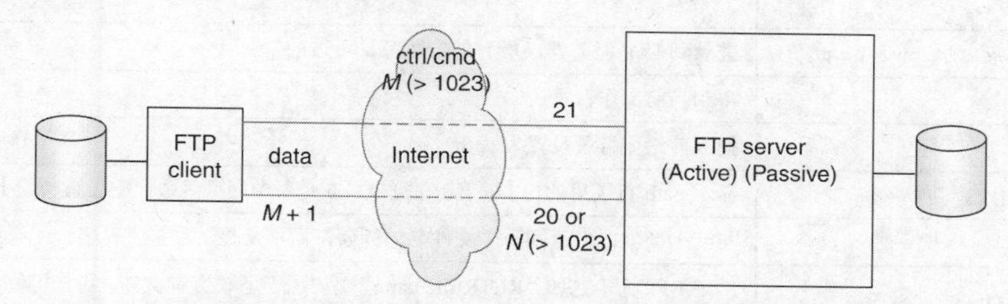

图 17-1 因特网上的 FTP 客户端和服务器。客户端和服务器使用指令和控制端口发送 FTP 协议，而数据通过数据端口传输。

当然，这只是一个大致流程。有时，由于网络两边电脑的崩溃或是网络的问题，会导致整个事务在完成之前被中断。一般在客户端超过 15 分钟（900 秒）不活动之后，连接就会被关闭。

在底层上，FTP 只使用 TCP（见前面网络编程相关章节）——它不使用 UDP。而且，FTP 是客户端/服务器编程中很“与众不同”的例子。客户端和服务器都使用两个套接字来通讯：一个是控制和命令端口（21 号端口），另一个是数据端口（有时是 20 号端口）。

我们说“有时”是因为 FTP 有两种模式：主动和被动。只有在主动模式服务器才使用数据端口。在服务器把 20 号端口设置为数据端口后，它“主动”连接客户端的数据端口。而被动模式中，服务器只是告诉客户端它的随机端口的号码，客户端必须主动建立数据连接。在这种模式下，你会看到，FTP 服务器在建立数据连接时是“被动”的。最后，现在已经有了一种扩展被动模式来支持第 6 版本的网际协议（IPv6）地址——见 RFC 2428。

Python 已经支持了包括 FTP 在内的大多数据网际协议。支持各个协议的客户端模块可以在 http://docs.python.org/lib/internet.html 找到。现在看看用 Python 创建一个因特网客户端程序有多简单。

17.2.3 Python 和 FTP

那么，我们怎么用 Python 写 FTP 客户端程序呢？其实，我们之前已经提到过一些了。现在还要再加上相应的 Python 模块导入和调用的操作。现在再来回顾一下流程：

1．连接到服务器；
2．登录；
3．发出服务请求（有可能有返回信息）；
4．退出。

在使用 Python 的 FTP 支持时，你所需要做的就是导入 ftplib 模块，并实例化一个 ftplib.FTP 类对象，所有的 FTP 操作（如登录，传输文件和登出等）都要使用这个对象来完成。下面是一段 Python 的伪代码：

```
from ftplib import FTP
f = FTP('ftp.python.org')
f.login('anonymous', 'guess@who.org')
    :
f.quit()
```

在看真实的例子之前，我们要先熟悉一下 ftplib.FTP 类的方法，这些方法将在代码中用到。

17.2.4 ftplib.FTP 类方法

在表17.1中列出了最常用的方法，这个表并不全面——想查看所有的方法，请参阅模块源代码——但这里列出的方法组成了我们在Python中FTP客户端编程的“API”。

表17.1 FTP对象相关方法

方 法	描 述
login(*user*='*anonymous*', *passwd*='', *acct*='')	登录到FTP服务器，所有的参数都是可选的
pwd()	得到当前工作目录
cwd(*path*)	把当前工作目录设置为path
dir([*path*[,...[,*cb*]])	显示path目录里的内容，可选的参数cb是一个回调函数，它会被传给retrlines()方法
nlst([path[,...]])	与dir()类似，但返回一个文件名的列表，而不是显示这些文件名
retrlines(cmd [, *cb*])	给定FTP命令（如“RETR filename”），用于下载文本文件。可选的回调函数cb用于处理文件的每一行
retrbinary(*cmd*, *cb*[,*bs*=8192[, ra]])	与retrlines()类似，只是这个指令处理二进制文件。回调函数cb用于处理每一块（块大小默认为8K）下载的数据
storlines(*cmd*, *f*)	给定FTP命令（如“STOR filename”），以上传文本文件。要给定一个文件对象f
storbinary(*cmd*, *f*[,*bs*=8192])	与storlines()类似，只是这个指令处理二进制文件。要给定一个文件对象f，上传块大小bs默认为8K
rename(*old*, *new*)	把远程文件old改名为new
delete(*path*)	删除位于path的远程文件
mkd(*directory*)	创建远程目录
rmd(*directory*)	删除远程目录
quit()	关闭连接并退出

也就是说，你不一定要使用其他的方法，因为它们或者是辅助函数，或者是管理函数，或者是被API调用的。

在一般的FTP通讯中，要使用到的指令有login()、cwd()、dir()、pwd()、stor*()、retr*()和quit()。有一些没有列出的FTP对象方法也是很有用的。请参阅Python的文档以得到更多关于FTP对象的信息：

```
http://python.org/docs/current/lib/ftp-objects.html
```

17.2.5 交互式FTP示例

在Python中使用FTP非常的简单，你甚至可以不用写脚本，直接在交互式解释器中实时地看到交互与输出。下面这个例子是在几年前，python.org还支持ftp服务的时候做的。

```
>>> from ftplib import FTP
>>> f = FTP('ftp.python.org')
>>> f.login('anonymous', '-help@python.org')
'230 Guest login ok, access restrictions apply.'
>>> f.dir()
total 38
drwxrwxr-x   10 1075    4127   512 May 17    2000 .
drwxrwxr-x   10 1075    4127   512 May 17    2000 ..
drwxr-xr-x    3 root    wheel  512 May 19    1998 bin
drwxr-sr-x    3 root    1400   512 Jun  9    1997 dev
```

```
drwxr-xr-x   3 root   wheel  512 May 19   1998 etc
lrwxrwxrwx   1 root   bin      7 Jun 29   1999 lib ->usr/lib
-r--r--r--   1 guido 4127    52 Mar 24   2000 motd
drwxrwsr-x   8 1122   4127   512 May 17   2000 pub
drwxr-xr-x   5 root   wheel  512 May 19   1998 usr
>>> f.retrlines('RETR motd')
Sun Microsystems Inc. SunOS 5.6    Generic August 1997
'226 Transfer complete.
>>> f.quit()
'221 Goodbye.'
```

17.2.6 客户端 FTP 程序举例

之前我们说过，你可以不写脚本，在交互环境中使用 FTP。不过，下面我们还是要写一段脚本，假设你要从 Mozilla 的网站下载最新的 Bugzilla 的代码。例 17.1 就是用来完成这个工作的。我们在试着写一个应用程序，不过，你也可以交互式地运行这段代码。我们的程序使用 FTP 库来下载文件，也做了一些错误检测。

不过，程序并不完全自动。你要自己决定什么时候要去下载。如果你在使用类 Unix 系统，你可以设定一个“cron”任务来自动下载。另一个问题是，如果文件的文件名或目录名改了的话，程序就不能正常工作了。

这个程序用于下载网站中最新版本的文件。你可以修改这个程序让它下载你喜欢的程序。

```
1   #!/usr/bin/env python
2
3   import ftplib
4   import os
5   import socket
6
7   HOST = 'ftp.mozilla.org'
8   DIRN = 'pub/mozilla.org/webtools'
9   FILE = 'bugzilla-LATEST.tar.gz'
10
11  def main():
12      try:
13          f = ftplib.FTP(HOST)
14      except (socket.error, socket.gaierror), e:
15          print 'ERROR: cannot reach "%s"' % HOST
16          return
17      print '*** Connected to host "%s"' % HOST
18
19      try:
20          f.login()
21      except ftplib.error_perm:
22          print 'ERROR: cannot login anonymously'
23          f.quit()
24          return
25      print '*** Logged in as "anonymous"'
26
27      try:
28          f.cwd(DIRN)
29      except ftplib.error_perm:
30          print 'ERROR: cannot CD to "%s"' % DIRN
```

```
31          f.quit()
32          return
33      print '*** Changed to "%s" folder' % DIRN
34
35      try:
36          f.retrbinary('RETR %s' % FILE,
37               open(FILE, 'wb').write)
38      except ftplib.error_perm:
39          print 'ERROR: cannot read file "%s"' % FILE
40          os.unlink(FILE)
41      else:
42          print '*** Downloaded "%s" to CWD' % FILE
43      f.quit()
44      return
45
46  if __name__ == '__main__':
47      main()
```

如果运行脚本时没有出错，则会得到如下输出：

```
$ getLatestFTP.py
*** Connected to host "ftp.mozilla.org"
*** Logged in as "anonymous"
*** Changed to "pub/mozilla.org/webtools" folder
*** Downloaded "bugzilla-LATEST.tar.gz" to CWD
$
```

逐行解释

1 ~ 9 行

代码前几行导入要用的模块和设置一些常量。

11 ~ 44 行

main()函数分为以下几步：创建一个FTP对象，尝试连接到FTP服务器（12～17行）然后返回。在有任何错误发生的时候退出。我们尝试用“匿名”登录，如果不行就结束（19～25 行）。下一步就是转到发布目录（27～33行），最后，下载文件（35～44行）。

在35～36行，我们传了一个回调函数给retrbinary()，它在每接收到一块二进制数据的时候都会被调用。这个函数就是我们创建的本地文件对应文件对象的write方法。在传输结束的时候，Python解释器会自动关闭这个文件对象，而不会丢失数据。虽然这样方便，但最好还是不要这样做，作为一个程序员，要尽量做到在资源不再被使用的时候就直接释放，而不是依赖其他代码来做释放操作。在这里，我们应该把文件对象保存到一个变量中，如变量loc，然后把loc.write传给ftp.retrbinary()方法。

在代码中，如果由于某些原因我们无法保存这个文件，那要把存在的空文件给删掉，以防搞乱文件系统（40行）。最后，我们使用了try-except-else语句（35～42行），而不是写两遍关闭FTP连接然后返回的代码。

46 ~ 47 行

这是运行独立脚本的惯用方法。

17.2.7 FTP的其他方面

Python同时支持主动和被动模式。注意，在Python2.0及以前版本中，被动模式支持默认是关闭的，在Python2.1及以后版本中，默认是打开的。

以下是一些典型的FTP客户端类型：

- 命令行客户端程序：你可以使用一些 FTP 文件传输工具如/bin/ftp 或 NcFTP，它们允许用户在命令行交互式的参与到 FTP 通讯中来。
- GUI 客户端程序：与命令行客户端程序相似，只是它是一个 GUI 程序。如 WsFTP 和 Fetch 等。
- 网页浏览器：在使用 HTTP 之外，大多数网页浏览器（也是一个客户端）可以进行 FTP 通讯。URL/URI 的第一部分就用来表示所使用的协议，如"http://blahblah."这就告诉浏览器要使用 HTTP 作为与给定网站进行通讯的协议。修改协议部分，就可以发使用 FTP 的请求，如"ftp://blahblah."，这跟使用 HTTP 的网页的 URL 很像（当然，"ftp://" 后面的 "blahblah" 可以展开为 "host/path?attributes"）。如果要登录，用户可以把登录信息（以明文方式）放在 URL 里，如："ftp://user:passwd@host/path?attr1=val1&attr2=val2. . ."。
- 定制程序：你自己写的用于 FTP 文件传输的程序。由于程序用于特殊目的，一般这种程序都不允许用户与服务器接触。

这 4 种客户端类型都可以用 Python 来写。上面，我们用 ftplib 来创建了一个自己的定制程序，你也可以自己做一个命令行的应用程序。在命令行的基础上，你可以使用一些界面工具包，如 Tk、wxWidgets、GTK+、Qt、MFC，甚至 Swing（要导入相应的 Python[或 Jython]的接口模块）来创建一个完整的 GUI 程序。最后，你可以使用 Python 的 urllib 模块来解析 FTP 的 URL 并进行 FTP 传输。在 urllib 的内部也导入并使用了 ftplib，urllib 也是 ftplib 的客户端。

FTP 不仅可以用在下载应用程序上，还可以用在系统之间文件的转移上。比如，如果你是一个工程师或是系统管理员，你需要传输文件。在跨网络的时候，很明显可以使用 scp 或 rsync 命令，或者把文件放到一个外部能访问的服务器上。不过，在一个安全网络的内部机器之间移动大量的日志或数据库文件，这种方法的开销就太大了，要注意安全性、加密、压缩、解压缩等。如果你想要做的只是写一个 FTP 程序来帮助你在下班后自动移动文件，那用 Python 是一个非常好的主意。

从 FTP 协议定义/规范（RFC 959）中，你可以得到更多关于 FTP 的信息：ftp://ftp.isi.edu/in- notes/rfc959.txt 以及网页 http://www.networksorcery.com/enp/protocol/ ftp.htm。其他相关的 RFC 有 2228、2389、2428、2577、2640 和 4217。想了解更多 Python 对 FTP 的支持，可以访问网址 http://python.org/docs/ current/lib/module- ftplib.html。

17.3 网络新闻

17.3.1 Usenet 与新闻组

Usenet 新闻系统是一个全球存档的"电子公告板"。各种主题的新闻组一应俱全，从诗歌到政治，从自然语言学到计算机语言，从软件到硬件，从种植到烹饪以及招工、应聘、音乐、魔术、分手、求爱等。新闻组可以是面向全球泛泛而谈，也可以是只面向某个地理区域。

整个系统是一个由大量计算机组成的一个庞大的全球网络，计算机之间共享 Usenet 上的帖子。如果某一个用户发了一个帖子到本地的 Usenet 计算机上，这个帖子会被传播到其他相连的计算机上，并再由这些计算机传到与它们相连的计算机上，直到这个帖子传播到了全世界，每个人都收到这个帖子为止。

每个系统都有一个它已经"订阅"的新闻组的列表，它只接收它感兴趣的新闻组里的帖子——而不是服务器上所有新闻组的帖子。Usenet 新闻组服务内容取决于服务提供者，很多都是可供公众访问的，也有一些只允许特定的用户使用，例如付费用户、特定大学的学生等。如果 Usenet 系统管理员设置了的话，有可能会要求输入用户名和密码。管理员也可以设置是否只允许上传或只允许下载。

17.3.2 网络新闻传输协议（NNTP）

供用户在新闻组中下载或发表帖子的方法叫网络新闻传输协议（NNTP）。Brain Kantor（加利福尼亚大学圣地亚哥分校）和 Phil Lapsley（加利福尼亚大学伯克利分校）创建并记录在 RFC 977 中，于 1986

年 2 月公布。其后的更新记录在 RFC 2980，于 2000 年 10 月公布。

作为客户端/服务器架构的另一个例子，NNTP 与 FTP 的操作方式很像，而且简单得多。FTP 需要不同的端口来做登录、数据传输和控制，而 NNTP 只使用一个标准端口 119 来做通讯。你给服务器一个请求，它做相应的反馈，见图 17-2。

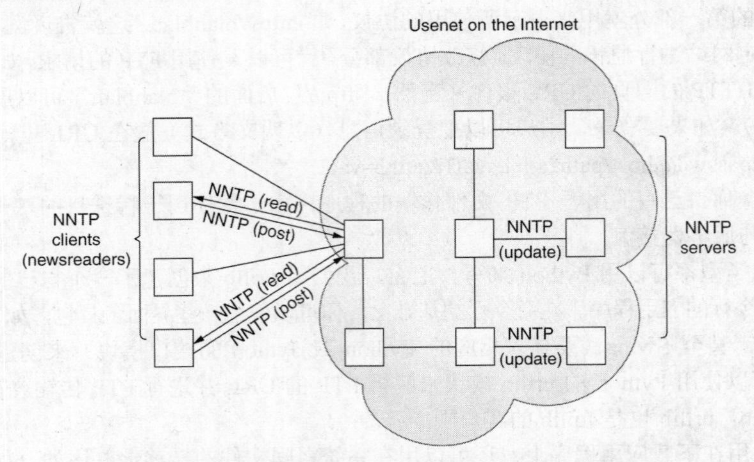

图 17-2 因特网上的 NNTP 客户端和服务器。客户端主要阅读新闻，有时也发帖子。文章会在服务器之间做同步

17.3.3 Python 和 NNTP

由于之前已经有了 Python 和 FTP 的经验，你也许可以猜到，一定有一个库 nntplib 和一个类 nntplib.NNTP，你要实例化这个类。你猜对了。和 FTP 一样，我们所要做的就是导入那个 Python 模块，然后调用相应的方法。我们先大致看一下这个协议：

1. 连接到服务器；
2. 登录（如果需要的话）；
3. 发送请求；
4. 退出。

是不是有点熟悉？是的，这几乎就是完全复制了 FTP 协议。唯一的不同就是根据 NNTP 服务器的配置不一样，登录这一步是可选的。

下面是一段 Python 的伪代码：

```
from nntplib import NNTP
n = NNTP('your.nntp.server')
r,c,f,l,g = n.group('comp.lang.python')
...
n.quit()
```

一般来说，在你登录完成后，你要调用 group()方法来选择一个感兴趣的新闻组。方法返回服务器的返回信息、文章的数量、第一个和最后一个文章的 ID 和组的名字。在有了这些信息后，你会做一些其他的操作，如从头到尾看文章、下载整个帖子（文章的标题和内容）或发表一篇文章等。

在看真实的例子之前，我们要先介绍一下 nntplib.NNTP 类的一些常用的方法。

17.3.4 nntplib.NNTP 类方法

跟前一节列出 ftplib.FTP 类的方法时一样，我们不会列出 nntplib.NNTP 的所有方法，只列出你创建 NNTP 客户端程序时可能用得着的方法。

跟上一节的 FTP 对象表一样，还有一些 NNTP 对象的方法没有提及。为了避免混乱，我们只列出了你可能用得到的。其余的，我们再次建议你参考 Python 手册。

17.3.5 交互式 NNTP 举例

接下来，是一个如何使用 Python 中 NNTP 库的交互式的例子。它看上去跟交互式的 FTP 的例子差不多（出于保密的原因，电子邮件地址都做了修改）。

在调用表 17.2 中所列的 group()方法连接到一个组的时候，你会得到一个 5 元组。

表 17.2 NNTP 对象的方法

方　法	描　述
group(*name*)	选择一个组的名字，返回一个元组（rsp, ct, fst, lst, group）：服务器的返回信息文章的数量、第一个和最后一个文章的号码以及组名，所有数据都是字符串（返回的 group 与我们传进去的 name 应该是相同的）
xhdr(*hdr*, *artrg*, [*ofile*])	返回文章范围 artrg（“头-尾”的格式）内文章 hdr 头的列表，或输出到文件 ofile 中
body(*id*[,*ofile*])	给定文章的 id，id 可以是消息的 ID（放在尖括号里），或一个文章号（是一个字符串），返回一个元组（rsp, anum, mid, data）：服务器的返回信息、文章号（是一个字符串）、消息的 ID（放在尖括号里）和文章所有行的列表或把数据输出到文件 ofile 中
head(*id*)	与 body()相似，只是返回的元组中那个行的列表中只包含了文章的标题
article(*id*)	也跟 body()一样，只是返回的元组中那个行的列表中包含了文章的标题和内容
stat(*id*)	让文章的“指针”指向 id（同上，是一个消息的 ID 或是文章的号码）。返回一个跟 body 一样的元组（rsp, anum, mid），但不包含文章的数据
next()	用法和 stat()类似，把文章指针移到下一篇文章，返回与 stat()相似的元组
last()	用法和 stat()类似，把文章指针移到最后一篇文章，返回与 stat()相似的元组
post(*ufile*)	上传 ufile 文件对象里的内容（使用 ufile.readline()），并在当前新闻组发表
quit()	关闭连接，然后退出

```
>>> from nntplib import NNTP
>>> n = NNTP('your.nntp.server')
>>> rsp, ct, fst, lst, grp = n.group('comp.lang.python')
>>> rsp, anum, mid, data = n.article('110457')
>>> for eachLine in data:
...     print eachLine
From: "Alex Martelli" <alex@...>
Subject: Re: Rounding Question
Date: Wed, 21 Feb 2001 17:05:36 +0100
"Remco Gerlich" <remco@...> wrote:
> Jacob Kaplan-Moss <jacob@...> wrote in comp.lang.python:
>> So I've got a number between 40 and 130 that I want to round up to
>> the nearest 10. That is:
>>
>>    40 --> 40, 41 --> 50, ..., 49 --> 50, 50 --> 50, 51 --> 60
>> Rounding like this is the same as adding 5 to the number and then
> rounding down. Rounding down is substracting the remainder if you were
> to divide by 10, for which we use the % operator in Python.
This will work if you use +9 in each case rather than +5 (note that he
doesn't really want rounding -- he wants 41 to 'round' to 50, for ex).
Alex
>>> n.quit()
```

```
'205 closing connection - goodbye!'
>>>
```

17.3.6 客户端程序 NNTP 举例

在 NNTP 客户端例子中，我们来点更复杂的。在之前的 FTP 客户端例子中，我们是下载最新的文件，这一次，我们要下载 Python 语言新闻组 com.lang.python 里的最后一篇文章。下载完成后，我们会显示文章的前 20 行，而且是前 20 行有意义的内容。有意义的内容是指那些不是被引用的文本（引用以“>”或“|”开头），也不是像这样的文本“In article <. . .>, soAndSo@some.domain wrote:”。

最后，我们要智能地处理空行。在文章中出现了一行空行，那我们就显示一行空行，但如果有多行连续的空行，那只显示一行空行。只有有数据的行才算在“前 20 行”之中。所以，最多可能显示 39 行输出，20 行实际数据间隔了 19 行空行。

如果脚本的运行正常的话，我们可能会看到这样的输出：

```
$ getLatestNNTP.py
*** Connected to host "your.nntp.server"
*** Found newsgroup "comp.lang.python"
*** Found last article (#471526):
    From: "Gerard Flanagan" <grflanagan@...>
    Subject: Re: Generate a sequence of random numbers that sum up to 1?
    Date: Sat Apr 22 10:48:20 CEST 2006
*** First (<= 20) meaningful lines:
    def partition(N=5):
        vals = sorted( random.random() for _ in range(2*N) )
        vals = [0] + vals + [1]
        for j in range(2*N+1):
            yield vals[j:j+2]
    deltas = [ x[1]-x[0] for x in partition() ]
    print deltas
    print sum(deltas)
     [0.10271966686994982, 0.13826576491042208, 0.064146913555132801,
    0.11906452454467387, 0.10501198456091299, 0.011732423830768779,
    0.11785369256442912, 0.065927165520102249, 0.098351305878176198,
    0.077786747076205365, 0.099139810689226726]
    1.0
$
```

这个脚本下载并显示 Python 新闻组 comp.lang.python 最后一篇文章的前 20 个“有意义的”行。

```
1   #!/usr/bin/env python
2
3   import nntplib
4   import socket
5
6   HOST= 'your.nntp.server '
7   GRNM= 'comp.lang.python '
8   USER= 'wesley '
9   PASS= "you'llNeverGuess"
10
11  def main():
12
```

```
13      try:
14          n = nntplib.NNTP(HOST)
15          #, user=USER, password=PASS,
16      except socket.gaierror, e:
17          print 'ERROR: cannot reach host "%s"' % HOST
18          print '   ("%s")' % eval(str(e))[1]
19          return
20      except nntplib.NNTPPermanentError, e:
21          print 'ERROR: access denied on "%s"' % HOST
22          print '   ("%s")' % str(e)
23          return
24      print '*** Connected to host "%s"' % HOST
25
26      try:
27          rsp, ct, fst, lst, grp = n.group(GRNM)
28      except nntplib.NNTPTemporaryError, e:
29          print 'ERROR: cannot load group "%s"' % GRNM
30          print '   ("%s")' % str(e)
31          print '   Server may require authentication'
32          print '   Uncomment/edit login line above'
33          n.quit()
34          return
35      except nntplib.NNTPTemporaryError, e:
36          print 'ERROR: group "%s" unavailable' % GRNM
37          print '   ("%s")' % str(e)
38          n.quit()
39          return
40      print '*** Found newsgroup "%s"' % GRNM
41
42          rng = '%s-%s' % (lst, lst)
43          rsp, frm = n.xhdr('from', rng)
44          rsp, sub = n.xhdr('subject', rng)
45          rsp, dat = n.xhdr('date', rng)
46          print '''*** Found last article (#%s):
47
48      From: %s
49      Subject: %s
50      Date: %s
51  '''% (lst, frm[0][1], sub[0][1], dat[0][1])
52
53      rsp, anum, mid, data = n.body(lst)
54      displayFirst20(data)
55      n.quit()
56
57  def displayFirst20(data):
58      print '*** First (<= 20) meaningful lines:\n'
59      count = 0
60      lines = (line.rstrip() for line in data)
61      lastBlank = True
```

```
62      for line in lines:
63          if line:
64              lower = line.lower()
65              if (lower.startswith('>') and not \
66                  lower.startswith('>>>')) or \
67                  lower.startswith('|') or \
68                  lower.startswith('in article') or \
69                  lower.endswith('writes: ') or \
70                  lower.endswith('wrote: '):
71                      continue
72          if not lastBlank or (lastBlank and line):
73              print '    %s' % line
74              if line:
75                  count += 1
76                  lastBlank = False
77              else:
78                  lastBlank = True
79          if count == 20:
80              break
81
82  if __name__ == '__main__':
83      main()
```

这个输出显示了新闻组帖子的原始内容，如下：

```
From: "Gerard Flanagan" <grflanagan@...>
Subject: Re: Generate a sequence of random numbers that sum up to 1?
Date: Sat Apr 22 10:48:20 CEST 2006
Groups: comp.lang.python
Gerard Flanagan wrote:
> Anthony Liu wrote:
> > I am at my wit's end.
> > I want to generate a certain number of random numbers.
> >  This is easy, I can repeatedly do uniform(0, 1) for
> > example.
> > But, I want the random numbers just generated sum up
> > to 1 .
> > I am not sure how to do this.  Any idea?  Thanks.
> --------------------------------------------------------------
> import random
> def partition(start=0,stop=1,eps=5):
>     d = stop - start
>     vals = [ start + d * random.random() for _ in range(2*eps) ]
>     vals = [start] + vals + [stop]
>     vals.sort()
>     return vals
> P = partition()
> intervals = [ P[i:i+2] for i in range(len(P)-1) ]
> deltas = [ x[1] - x[0] for x in intervals ]
> print deltas
```

```
> print sum(deltas)
> ---------------------------------------------------------------
def partition(N=5):
    vals = sorted( random.random() for _ in range(2*N) )
    vals = [0] + vals + [1]
    for j in range(2*N+1):
        yield vals[j:j+2]
deltas = [ x[1]-x[0] for x in partition() ]
print deltas
print sum(deltas)
[0.10271966686994982, 0.13826576491042208, 0.064146913555132801,
0.11906452454467387, 0.10501198456091299, 0.011732423830768779,
0.11785369256442912, 0.065927165520102249, 0.098351305878176198,
0.077786747076205365, 0.099139810689226726]
1.0
```

当然，由于新文章不断出现，输出经常会不一样。只要你的服务器里一有文章更新，输出就会不一样了。

逐行解释

1～9 行

程序开始是一些导入语句和常量定义，跟 FTP 客户端差不多。

11～40 行

在第一部分，我们尝试连接到 NNTP 服务器，如果失败就退出（13～24 行）。第 15 行故意注释掉了，如果需要输入用户名和密码进行认证的话，可以打开这一行，并修改第 14 行。后面是尝试读取指定的新闻组。同样，如果新闻组不存在，服务器没有保存这个新闻组，或是需要认证的话，退出（26～40 行）。

42～55 行

下面这一部分，我们读一些头信息，并显示出来（42～51 行）。最有用处的头信息包括作者、主题和日期。这些数据会被读取并显示给用户。在每一次调用 xhdr()方法时，都要给定想要提取信息头的文章的范围。我们只想取一条信息，所以范围就是“X-X”，其中，X 是最后一条信息的号码。

xhdr()方法返回一个 2 元组，包含了服务器的返回信息（rsp）和我们指定范围的信息头的列表。由于我们只指定了一个消息（最后一个），我们只取列表的第一个元素（hdr[0]）。数据元素是一个 2 元组，包含文章号和数据字符串。由于我们已经知道了文章号（我们在请求中给出了），我们只关心第二个元素，数据字符串（hdr[0][1]）。

最后一部分是下载文章的内容（53～55 行）。先调用 body()方法，然后显示前 20 个有意义的行，最后登出服务器，完成执行。

57～80 行

主要的处理任务由 displayFirst20()函数完成（57～80 行）。它接受文章的所有行作为参数，并做一些预处理，如把计数器清 0，创建一个生成器表达式对文章内容的所有行做一些处理，然后“假装”我们刚碰到并显示了一行空行（59～61 行，稍后细说）。由于前导空格可能是 Python 代码的一部分，所以在我们去掉字符串中的空格的时候，只删除字符串右边的空格（rstrip()）。

我们要做的是，我们不要显示引用的文本和引用文本指示行。这就是 65～71 行（也包含 64 行）的那个大 if 语句所要做的事。如果这一行不是空行的时候，才做这个检查（63 行）。检查的时候，会把字符串转成小写，这样就能做到比较的时候大小写无关（64 行）。

如果一行以“>”或“|”开头，说明这一般是一个引用。不过，我们认为“>>>”是一个例外，因为这有可能是交互命令行的提示，虽然这样可能有问题，因为它也可能是一段被引用了三次的消息（1 段文本到第 4 个回复的帖子时被引用了 3 次）却被显示了。

现在来处理空行。我们想让程序聪明一些，它应该能显示文章中的空行，但对空行的处理要做到智能。如果有多个连续的空行，则只显示第一个，这样用户不用看那么多行信息，导致有用的信息却在屏幕之外。我们也不能把空行计算到20行有意义的行之中。所有这些要求都在72～78行内实现。

72行的if语句表示只有在上一行不为空，或者上一行为空但当前行不为空的时候才显示。也就是说，如果显示了当前行的话，就说明要么当前行不为空，要么当前行为空但上一行不为空。这是另一个比较有技巧的地方：如果我们碰到了一个非空行，计数器加1，并设置lastBlank标志为False，以表示这一行非空（74～76行）。否则，表示我们碰到了空行，把标志设为True。

现在回到第61行，我们设lastBlank标志为True，是因为，如果内容的第一行实际数据（不是前导数据或是引用数据）是一个空行，我们不会显示它。因为我们想要看第一行实际数据！

最后，如果我们已经显示了20行非空行，则退出，放弃其余的行（79～80行）。否则，我们应该已经遍历了所有行，循环也正常结束了。

17.3.7 NNTP的其他方面

从NNTP协议定义/规范（RFC 977）中，你可以得到更多关于NNTP的信息：ftp://ftp.isi.edu/in-notes/rfc977.txt以及网页http://www.networksorcery.com/enp/protocol/nntp.htm。其他相关的RFC有1036、2980。想了解更多Python对NNTP的支持，可以从这里开始：http://python.org/docs/current/lib/module-nntplib.html。

17.4 电子邮件

电子邮件既古老又现代。对于我们这些从很早就开始用因特网的人来说，电子邮件看上去是如此的“古老”，尤其是相对于基于网页的在线聊天，即时通讯（IM）和数字电话即VOIP（Voice Over Internet Protocol）等更新更快的通讯方式来说更是如此。下一节中，我们将从宏观上介绍一下电子邮件是如何工作的。如果你已经对此相当了解，只想看如何用Python做电子邮件相关的开发，你可以跳到后续章节。

在看电子邮件的底层的结构之前，你有没有问过自己，电子邮件的确切定义到底是什么？根据RFC 2822，“消息由头域（合起来叫消息头）以及后面可选的消息体组成”。对于一般用户来说，一说起电子邮件就会让我们想到它的内容，不管它是一封真的邮件还是一封不请自来的商业广告（即spam，垃圾邮件），都应该有内容。不过，RFC规定，邮件体是可选的，只有邮件头是必要的。这一点要特别注意。

17.4.1 电子邮件系统组件和协议

不管你是怎么样想的，电子邮件实际上在现代的因特网出现之前就已经出现了。它一开始用于大型机的用户之间简单的交换信息。注意，由于他们都在使用同一台电脑，所以，这里甚至都没有涉及到网络。后来，当网络成为现实的时候，用户就可以在不同的主机之间交换信息。当然，由于用户使用着不同的电脑，电脑之间使用着不同的协议，信息交换成了一个很复杂的概念。直到20世纪80年代，因特网上用电子邮件进行信息交换才有了一个事实上的统一的标准。

在深入细节之前，我们先问问自己，电子邮件是怎么工作的？一条消息是如何从发件人那通过浩瀚的因特网，到达收件人的？简单点来说，有一台发送电脑（发件人的消息从这里发送出去），和一台目的电脑（收件人的信件服务器）。最好的解决方案是发送电脑知道如何连接到接收电脑，这样一来，它就可以直接把消息发送过去。不过，实际上一般并不这么顺利。

发送电脑要查询到某一台中间主机，这台中间主机能到达最后的收件主机。然后这台中间主机要找一台离目的主机更近一些的主机。所以，在发送主机和目的主机之间，可能会有多台叫做“跳板”的主机。如果你仔细看看你收到的电子邮件的邮件头，你会看到一个“passport”标记，其中记录了邮件寄给你这一路上都到过了哪些地方。

为了让描述清楚一些，让我们先看看电子邮件系统的各个组件。最主要的组件是消息传输代理（message

transport agent，MTA）。这是一个在邮件交换主机上运行的一个服务器程序，它负责邮件的路由、队列和发送工作。它们就是邮件从源主机到目的主机所要经过的跳板。所以也被称为是“信息传输”的“代理”。

要让所有这些工作起来，MTA 要知道两件事情：1）如何找到消息应该去的下一台 MTA；2）如何与另一台 MTA 通讯。第一件事由域名服务（domain name service，DNS）来查找目的域名的 MX（邮件交换，Mail eXchange）来完成。这对于最后的收件人是不必要的，但对其他的跳板来说，则是必要的。对于第二件事，MTA 怎么把消息转给其他的 MTA 呢？

17.4.2 发送电子邮件

要能发送电子邮件，你的邮件客户端一定要连接到一个 MTA，它们靠某种协议进行通讯。MTA 之间通讯所使用的协议叫消息传输系统（MTS）。只有两个 MTA 都使用这个协议时才能进行通讯。在本节开始时就说过，由于以前存在很多不同的计算机系统，每个系统都使用不同的网络软件，这种通讯很危险，具有不可预知性。更复杂的是，有的电脑使用互连的网络，而有的电脑使用调制解调器拨号，消息的发送时间也是不可预知的。事实上，笔者曾经有一封邮件在发送 9 个月后才收到！互连网的速度怎么会这么慢？出于对这些复杂度的考虑，现代电子邮件的基础之一，简单邮件传输协议（Simple Mail Transfer Protocol，SMTP）于 1982 年出现了。

SMTP

SMTP 由已故的乔纳森·波斯特（Jonathan Postel，加利福尼亚大学信息学院）创建，记录在 RFC 821 中，于 1982 年 8 月公布。其后的修改记录在 RFC 2821 中，于 2001 年 4 月公布。一些已经实现了 SMTP 的著名 MTA 包括：

开源 MTA

- Sendmail
- Postfix
- Exim
- qmail（免费发布，但不开源）

商业 MTA

- Microsoft Exchange
- Lotus Notes Domino Mail Server

注意，虽然它们都实现了 RFC 2821 中定义的最小化 SMTP 协议，它们中的大多数，尤其是一些商业 MTA，都在服务器中加入了协议定义之外的特有的功能。

SMTP 是在因特网上 MTA 之间用于消息交换的最常用的 MTS。它被 MTA 用来把电子邮件从一台主机传送到另一台主机。在你发电子邮件的时候，你必须要连接到一个外部的 SMTP 服务器，这时，你的邮件程序是一个 SMTP 客户端。你的 SMTP 服务器也因此成为了你的消息的第一个跳板。

17.4.3 Python 和 SMTP

是的，也存在一个 smtplib 模块和一个 smtplib.SMTP 类要实例化。再来看看这个已经熟悉的过程吧：

1. 连接到服务器；
2. 登录（如果需要的话）；
3. 发出服务请求；
4. 退出。

像 NNTP 一样，登录是可选的，只有在服务器打开了 SMTP 认证（SMTP-AUTH）时才要登录。SMTP-AUTH 在 RFC 2554 中定义。还是跟 NNTP 一样，SMTP 通讯时，只要一个端口 25。

下面是一些 Python 的伪代码：

```
from smtplib import SMTP
n = SMTP('smtp.yourdomain.com')
...
n.quit()
```

在看真实的例子之前，我们要先介绍一下 smtplib.SMTP 类的一些常用的方法。

17.4.4　smtplib.SMTP 类方法

跟之前一样，我们会列出 smtplib.SMTP 类的方法，但不会列出所有的方法，只列出你创建 SMTP 客户端程序所需要的方法。对大多数电子邮件发送程序来说，只有两个方法是必须的，即 sendmail()和 quit()。

sendmail()的所有参数都要遵循 RFC 2822，即电子邮件地址必须要有正确的格式，消息体要有正确的前导头，前导头后面是两个回车和换行（\r\n）对。

注意，实际的消息体不是必要的。根据 RFC 2822，“唯一要求的头信息只有发送日期和发送地址”，即“Date:”和“From:”：（MAIL FROM, RCPT TO, DATA）。

还有一些方法没有被提到，不过，一般来说，它们不是发送电子邮件所必须的。请参考 Python 文档以获取 SMTP 对象的所有方法的信息。

表 17.3　　SMTP 对象相关方法

方　法	描　述
sendmail (*from*, *to*, *msg*[,*mopts*, *ropts*])	把 msg 从 from 发送给 to（列表或元组）。ESMTP 设置（mopts）和收件人设置（ropts）为可选
quit()	关闭连接，然后退出
login(*user*, *passwd*)[a]	使用 user 用户和 passwd 密码登录到 SMTP 服务器只在有 SMTP-AUTH 时使用

a. SMTP-AUTH only。

17.4.5　交互式 SMTP 示例

同样地，我们先给一个交互式的例子：

```
>>> from smtplib import SMTP as smtp
>>> s = smtp('smtp.python.is.cool')
>>> s.set_debuglevel(1)
>>> s.sendmail('wesley@python.is.cool',
('wesley@python.is.cool','chun@python.is.cool'),''' From: wesley@python.is.cool\r\nTo:
wesley@python.is.cool, chun@python.is.cool\r\nSubject: test
msg\r\n\r\nxxx\r\n.''')
send: 'ehlo myMac.local\r\n'
reply: '250-python.is.cool\r\n'
reply: '250-7BIT\r\n'
reply: '250-8BITMIME\r\n'
reply: '250-AUTH CRAM-MD5 LOGIN PLAIN\r\n'
reply: '250-DSN\r\n'
reply: '250-EXPN\r\n'
reply: '250-HELP\r\n'
reply: '250-NOOP\r\n'
reply: '250-PIPELINING\r\n'
reply: '250-SIZE 15728640\r\n'
reply: '250-STARTTLS\r\n'
```

```
reply: '250-VERS V05.00c++\r\n'
reply: '250 XMVP 2\r\n'
reply: retcode (250); Msg: python.is.cool
7BIT
8BITMIME
AUTH CRAM-MD5 LOGIN PLAIN
DSN
EXPN
HELP
NOOP
PIPELINING
SIZE 15728640
STARTTLS
VERS V05.00c++
XMVP 2
send: 'mail FROM:<wesley@python.is.cool> size=108\r\n'
reply: '250 ok\r\n'
reply: retcode (250); Msg: ok
send: 'rcpt TO:<wesley@python.is.cool>\r\n'
reply: '250 ok\r\n'
reply: retcode (250); Msg: ok
send: 'data\r\n'
reply: '354 ok\r\n'
reply: retcode (354); Msg: ok
data: (354, 'ok')
send: 'From: wesley@python.is.cool\r\nTo:
wesley@python.is.cool\r\nSubject: test
msg\r\n\r\nxxx\r\n..\r\n.\r\n'
reply: '250 ok ; id=2005122623583701300or7hhe\r\n'
reply: retcode (250); Msg: ok ; id=2005122623583701300or7hhe
data: (250, 'ok ; id=2005122623583701300or7hhe')
{}
>>> s.quit()
send: 'quit\r\n'
reply: '221 python.is.cool\r\n'
reply: retcode (221); Msg: python.is.cool
```

17.4.6 SMTP 的其他方面

从 SMTP 协议定义/规范（RFC 2821）中，你可以得到更多关于 SMTP 的信息：ftp://ftp.isi.edu/in-notes/rfc2821.txt 以及网页 http://www.networksorcery.com/enp/protocol/smtp.htm。想了解更多 Python 对 SMTP 的支持，可以从这里开始：http://python.org/docs/current/lib/module-smtplib.html。

我们还没有讨论的电子邮件的一个很重要的方面是如何正确地设定因特网地址的格式和电子邮件消息。这些信息详细记录在因特网信息格式 RFC 2822 中，可以在 ftp://ftp.isi.edu/in-notes/rfc2822.txt 下载。

17.4.7 接收电子邮件

在以前，在因特网上用电子邮件通讯的只有大学学生、研究人员和工商企业的雇员。桌面电脑还都是类Unix操作系统。家庭用户只是拨号到PC上，并不真的使用电子邮件。在20世纪90年代中期因特网大爆炸的时候，电子邮件进入了千家万户。

对于家族用户来说，在家里放一个工作站来运行SMTP是不现实的。必须要设计一种新的系统，能够周期性地把信件下载到本地计算机，以供离线时使用。这样的系统就要有一套新的协议和新的应用程序来与邮件服务器通讯。

在家用电脑中运行的应用程序叫邮件用户代理（mail user agent，MUA）。MUA从服务器上下载邮件，在这个过程中可能会自动删除它们（也可能不删除，留在服务器上，让用户手动删除）。不过，MUA也必须要能发送邮件。也就是说，在发送邮件的时候，它要能直接与MTA用SMTP进行通讯。在前面讲SMTP的章节中，我们已经看过这种客户端了。那下载邮件的呢？

17.4.8 POP和IMAP

用于下载邮件的第一个协议叫邮局协议，记录在RFC 918中，于1984年10月公布。"邮局协议（POP）的目的是让用户的工作站可以访问邮箱服务器里的邮件。邮件要能从工作站通过简单邮件传输协议（SMTP）发送到邮件服务器"。POP协议的最新版本是第3版，也叫POP3。POP3在RFC 1939中定义，至今为止仍在被广泛地使用，也是我们下面的客户端例子的主要内容。

在POP之后几年，出现了另一个协议，叫交互式邮件访问协议（Interactive Mail Access Protocol，IMAP）。第一个版本是实验性的，直到第2版时，其RFC 1064才在1988年被公布。现在被使用的IMAP版本是IMAP4rev1，它也被广泛地使用。事实上，当今世界上占有邮件服务器大多数市场的Microsoft Exchange就使用IMAP作为其下载机制。IMAP4rev1协议定义在RFC 3501，于2003年3月公布。IMAP的目的是要提供一个更全面的解决方案。不过，它比POP更为复杂。对IMAP的进一步讨论超出了本章剩余部分的范围。我们建议感兴趣的用户参考上述RFC文档。图17-3展示的复杂系统就是我们所认为的简单的电子邮件。

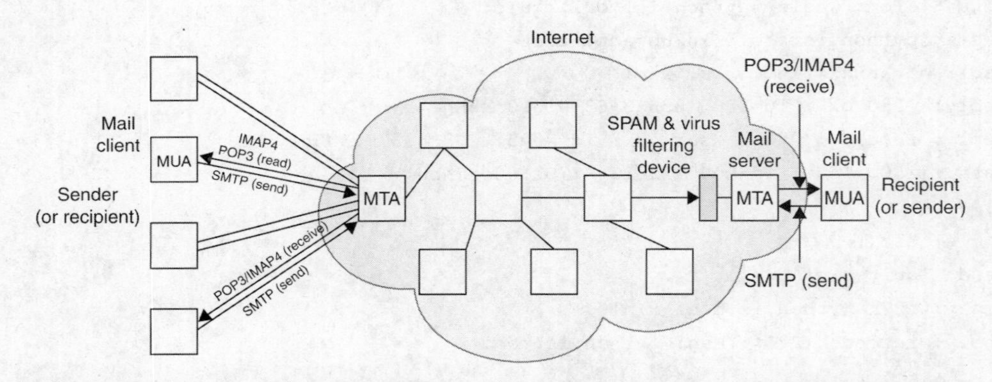

图17-3 因特网上的电子邮件发件人和收件人。客户端通过他们的MUA和相应的MTA进行通讯，来下载和发送邮件。电子邮件从一个MTA"跳"到另一个MTA，直到到达目的地为止

17.4.9 Python和POP3

毫不奇怪，我们要做的是导入poplib，实例化poplib.POP3类。标准的做法如下：

1. 连接到服务器；
2. 登录；
3. 发出服务请求；
4. 退出。

Python的伪代码如下：

```
from poplib import POP3
p = POP3('pop.python.is.cool')
p.user(...)
p.pass_(...)
...
p.quit()
```

在看真实的例子之前，我们要先看一个交互式的例子以及介绍一下 poplib.POP3 类的一些基本的方法。

17.4.10 交互式 POP3 举例

下面是使用 Python poplib 模块的交互式的例子：

```
>>> from poplib import POP3
>>> p = POP3('pop.python.is.cool')
>>> p.user('techNstuff4U')
'+OK'
>>> p.pass_('notMyPasswd')
Traceback (most recent call last):
  File "<stdin>", line 1, in ?
  File "/usr/local/lib/python2.4/poplib.py", line 202,
in pass_
    return self._shortcmd('PASS %s' % pswd)
  File "/usr/local/lib/python2.4/poplib.py", line 165,
in _shortcmd
    return self._getresp()
  File "/usr/local/lib/python2.4/poplib.py", line 141,
in _getresp
    raise error_proto(resp)
poplib.error_proto: -ERR directory status: BAD PASSWORD
>>> p.user('techNstuff4U')
'+OK'
>>> p.pass_('youllNeverGuess')
'+OK ready'
>>> p.stat()
  (102, 2023455)
>>> rsp, msg, siz = p.retr(102)
>>> rsp, siz
('+OK', 480)
>>> for eachLine in msg:
...   print eachLine
...
Date: Mon, 26 Dec 2005 23:58:38 +0000 (GMT)
Received: from c-42-32-25-43.smtp.python.is.cool
          by python.is.cool (scmrch31) with ESMTP
          id <20051226235837013000r7hhe>; Mon, 26 Dec 2005
23:58:37 +0000
From: wesley@python.is.cool
To: wesley@python.is.cool
Subject: test msg
xxx
```

```
>>> p.quit()
'+OK python.is.cool'
```

17.4.11　poplib.POP3 类方法

POP3 类有无数的方法来帮助你下载和离线管理你的邮箱。最常用的列在表 17.4 中。

表 17.4　　POP3 对象的常用方法

方　法	描　述
user(*login*)	发送用户名 login 到服务器，并等候服务器的正在等待用户密码的返回信息
pass_(*passwd*)	发送密码 passwd（在使用 user()登录之后使用）。如果登录失败，引发一个异常
stat()	返回邮件的状态，一个 2 元组（msg_ct, mbox_siz）：消息的数量和消息的总大小也即字节数
list([*msgnum*])	stat()的扩展，从服务器返回一个 3 元组的消息列表（rsp, msg_list, rsp_siz）：服务器的返回信息，消息的列表，返回信息的大小。如果给了 msgnum 的话，只返回指定消息的数据
retr(*msgnum*)	从服务器中得到消息 msgnum，并设置其“已读”标志。返回一个 3 元组（rsp, msglines, msgsiz）：服务器的返回信息、消息 msgnum 的所有行、消息的字节数
dele(*msgnum*)	把消息 msgnum 标记为删除，大多数服务器在调用 quit()后执行删除操作
quit()	登出，保存修改（如，执行“已读”和“删除”标记等），解锁邮箱，结束连接，然后退出

在登录时，user()方法不仅向服务器发送了用户名，也要等待服务器正在等待用户密码的返回信息。如果 pass_()方法认证失败，会引发一个 poplib.error_proto 的异常。如果成功，会得到一个以“+”号开头的返回信息，如“+OK ready”，然后服务器上的该邮箱就被锁定了，直到调用了 quit()方法为止。

调用 list()方法时，msg_list 的格式为['msgnum msgsiz',…]，其中 msgnum 和 msgsiz 分别是每个消息的编号和消息的大小。

还有一些方法未被列出，想要了解更多信息，请参考 Python 手册里 poplib 的文档。

17.4.12　客户端程序 SMTP 和 POP3 举例

下面的例子演示了如何使用 SMTP 和 POP3 来创建一个既能接收和下载电子邮件也能上传和发送电子邮件的客户端。我们将要先用 SMTP 发一封电子邮件给自己（或其他测试账户），等待一段时间——我们随便选了一个时间，10 秒钟——然后使用 POP3 下载这封电子邮件，下载下来的内容跟发送的内容应该是完全一样的。如果程序悄无声息地结束，没有输出也没有异常，那就说明我们的操作都成功了。

这个脚本（通过 SMTP 邮件服务器）发送一封测试电子邮件到目的地址，并马上（通过 POP）把电子邮件从服务器上收回来。要让程序能正常工作，你需要修改服务器的名字和电子邮件的地址。

```
1   #!/usr/bin/env python
2
3   from smtplib import SMTP
4   from poplib import POP3
5   from time import sleep
6
7   SMTPSVR='smtp.python.is.cool'
8   POP3SVR='pop.python.is.cool'
9
10  origHdrs = ['From: wesley@python.is.cool',
11      'To: wesley@python.is.cool',
```

```
12         'Subject: test msg']
13 origBody = ['xxx', 'yyy', 'zzz']
14 origMsg = '\r\n\r\n'.join(['\r\n'.join(origHdrs),
   '\r\n'.join(origBody)])
15
16 sendSvr = SMTP(SMTPSVR)
17 errs = sendSvr.sendmail('wesley@python.is.cool',
18         ('wesley@python.is.cool',), origMsg)
19 sendSvr.quit()
20 assert len(errs) == 0, errs
21 sleep(10)     # wait for mail to be delivered
22
23 recvSvr = POP3(POP3SVR)
24 recvSvr.user('wesley')
25 recvSvr.pass_('youllNeverGuess')
26 rsp, msg, siz = recvSvr.retr(recvSvr.stat()[0])
27 # strip headers and compare to orig msg
28 sep = msg.index('')
29 recvBody = msg[sep+1:]
30 assert origBody == recvBody # assert identical
```

逐行解释

1～8 行

跟本章前面的例子一样，程序一开始是一些导入语句和常量的定义。常量分别是发送邮件和接收邮件的服务器。

10～14 行

这几行是消息内容的准备工作。这里，我们放了三行消息头然后是消息体。From 和 To 两个头分别表示消息的发件人和收件人。14 行把消息头和消息体放在一起组成一个可以发送的消息，按 RFC 2822 的要求，这两部分用空行隔开。

16～21 行

我们连接到发送（SMTP）服务器来发送我们的消息。这里还有一对 From 和 To 的地址，这些地址是“真实”的电子邮件地址，或者说是信封格式（envlelope）的地址。收件人参数应该是一个可迭代的对象，如果传的是一个字符串，就会被转成一个只有一个元素的列表。不请自来的垃圾邮件中，消息头和信封头总是不一致的。

sendmail()的第三个参数是电子邮件信息本身。这个函数返回之后，我们就登出 SMTP 服务器，并判断是否有错误发生过。我们要等待一段时间，等待服务器完成消息的发送与接收。

23～30 行

程序的最后一部分是下载刚刚发送的消息，并断言发送的和接收的消息是完全一样的。先给出用户名和密码，连接到 POP3 服务器，在登录成功后，调用 stat()方法得到有效的消息的列表。我们先选第一条消息（[0]），然后调用 retr()下载这个消息。

我们用空行来分隔头和信息，去掉头部分，比较原始信息体和收到的信息体。如果它们相同，什么都不显示，程序正常退出；否则，会出现一个断言失败的错误。

由于错误的类型太多，我们在这个脚本里不做错误检查，这样的好处是你可以直接看到出现了什么错误。在本章末尾有一个习题就是做错误检查的。

现在，你对如何发送和接收电子邮件有了一个很全面的了解。如果你想深入了解这一方面的编程，请参阅下一章里介绍的电子邮件相关的模块，它们在程序开发方面有相当大的帮助。

17.5 相关模块

Python 最好的一个方面就是它在标准库中提供了相当的全面的网络支持，尤其在网际协议和客户端开发方面的支持更为全面。下面列出了一些相关模块，首先是电子邮件相关的，随后是一般用途的网际协议相关的。

17.5.1 电子邮件

Python 自带了很多电子邮件模块和包可以帮助你创建应用程序。表 17.5 中列出了一部分。

表 17.5 E-Mail 相关模块

模块/包	描　述
email	电子邮件处理的包（也支持 MIME）
rfc822	RFC2822 邮件头解析器
smtpd	SMTP 服务器
base64	Base 16、32 和 64 数据编码（RFC 3548）
mhlib	处理 MH 文件夹和信息的类
mailbox	支持 mailbox 文件格式解析的类
mailcap	“mailcap”文件的处理模块
mimetools	（不建议使用）MIME 信息解析工具（使用上面的 email）
mimetypes	在文件名或 URL 到相关的 MIME 类型之间转换的模块
MimeWriter	（不建议使用）MIME 信息处理模块（使用上面的 email）
mimify	（不建议使用）信息的 MIME 处理工具（使用上面的 email）
binascii	二进制和 ASCII 转换
binhex	Binhex 4 编码和解码支持

17.5.2 其他网络协议

表 17.6

模　块	描　述
ftplib	FTP 协议客户端
gopherlib	Gopher 协议客户端
httplib	HTTP 和 HTTPS 协议客户端
imaplib	IMAP4 协议客户端
nntplib	NNTP 协议客户端
poplib	POP3 协议客户端
smtplib	SMTP 协议客户端
telnetlib	Telnet 协议客户端类

17.6 练习

FTP

17-1.简单 FTP 客户端。参考本章的 FTP 例子，写一个小的 FTP 客户端程序，能够去你喜欢的网站下载你使用的软件的最新版本。这个脚本应该每几个月就运行一次，以确保你在用的软件是“最新和最好的”。你应该把 FTP 地址，登录信息放在一个表里，省得每次都要修改。

17-2.简单 FTP 客户端和模式匹配。在上一个练习的基础上创建一个新的 FTP 客户端程序。它可以上传和下载指定模式的文件。比方说，如果想把一些 Python 的文件和 PDF 文件从一台电脑传到另一台电脑上，那用户可以输入“*.py”或“doc*.pdf”，程序会只传这些文件名匹配的文件。

17-3.智能 FTP 命令行客户端程序。创建一个跟 Unix 下/bin/ftp 类似的命令行下的 FTP 程序，不过，这个 FTP 客户端要更好一些，能提供更有用的功能。你可以看看 http://ncftp.com 的 ncFTP 作为样板。它有以下功能：历史记录、书签（可以保存 FTP 地址和登录信息）、下载进度显示等。你可以使用 readline 来记录历史命令，用 curses 来控制屏幕。

17-4.FTP 和多线程。创建一个能使用 Python 的线程库下载文件的 FTP 客户端程序。你可以通过修改上一个练习的程序或者重写一个简单的客户端来下载文件。你可以在命令行参数里指定要下载的文件，也可以做一个 GUI，在界面中让用户选择要下载的文件。附加题：要能支持模式，如*.exe。要使用不同的线程来下载每个文件。

17-5.FTP 和 GUI。在你上面写的 FTP 客户端程序中加入 GUI，让你的程序成为一个完整的 FTP 应用程序。你可以使用 Python 的任何 GUI 工具包。

17-6.子类化。从 ftplib.FTP 派生出一个类 FTP2，在这个类中，你不用像之前那 4 个 retr*()和 stor*()方法中那样要给定“STOR filename”或“RETR filename”这样的命令，只要传文件名就好了。你可以重写已有的方法也可以在方法后加一个 2，如 retrlines2()。

Python 发布包中有一个 Tools/scripts/ftpmirror.py 脚本，它使用 ftplib 模块，可以对整个 FTP 站点或 FTP 站点的一部分做镜像。它可以作为 ftplib 模块应用的扩展例子来使用。解答下面 5 个问题时，可以参考这个脚本。你可以直接使用 ftpmirror.py 里的代码，也可以以这个脚本为样板，自己重新写一个。

17-7.递归。ftpmirror.py 脚本递归的复制一个远程的目录。写一个与 ftpmirror.py 相似的脚本，它的默认行为是不递归的。只有在传入了“-r”参数的时候，才递归的把文件复制到本地目录。

17-8.模式匹配。ftpmirror.py 脚本支持“-s”参数让用户指定能匹配模式的文件不下载，如“*.exe”。重新写一个简单的 FTP 客户端程序或修改之前的程序，实现让用户指定通配符程序只下载能匹配模式的文件。可以在你之前练习的答案基础上实现。

17-9.递归和模式匹配。写一个 FTP 客户端程序，把上面两个练习的脚本集成在一起。

17-10.递归和 ZIP 文件。这个练习与上面的第一个递归练习有些相似，只是不再直接把文件下载到本地文件系统，而是文件下载后压缩到一个 ZIP（或 TGZ，或 BZ2）文件中。同样，你可以在之前脚本的基础上改，也可以重写一个。使用“-z”参数让用户可以自动地备份一个 FTP 站点。

17-11.集成。实现一个最终的，全功能的 FTP 应用程序，包含上面几个练习的所有功能。即，支持“-r”“-s”和“-z”参数。

NNTP

17-12.NNTP 介绍。修改例 17.2 (getLatestNNTP.py)，让它显示第一封（而不是最后一封）有效文章的有意义的内容。

17-13.代码改进。修正 getLatestNNTP.py 的会输出 3 次引用问题，这是因为我们想输出 Python 交互解释的内容，而不是被 3 次引用的文本。用检查“>>>”后的代码是否为合法 Python 代码的方式来解决这个问题。如果合法，那就显示这一行数据，如果不合法，认为是引用文本，不显示。附加题：你的解决方案再解决这样一个小问题：我们没有去掉前导的空格，因为它可能是 Python 代码的缩进。如果真的是代码的缩进，就显示它，否则，认为它是一般的文本，先对字符串用 lstrip()方法处理后再显示。

17-14. 查找文章。写一个 NNTP 客户端程序，让用户能选择并登录感兴趣的新闻组。在登录成功后，提示用户输入一些关键字，使用这些关键字来查找文章的标题。把符合要求的文章列出来显示给用户。用户可以在列表中选择某一篇文章进行阅读，这时要能显示选定文章的内容。程序还要有简单的导航功能，如分页等。如果没有给出搜索关键字，则显示所有的文章。

17-15. 搜索内容。修改上一题你的脚本，让脚本同时搜索主题和文章内容。允许关键字的"与"（AND）和"或"（OR）的操作。也要允许指定在标题和文章内容的"与"（AND）和"或"（OR）即，关键字要只在标题里出现，只在内容里出现或两者里面都要出现。

17-16. 线索化的新闻阅读工具。把不同的回帖组织到一个"文章线索"中。也就是说，把相关的文章放在一起，与文章什么时候发的没有关系。同一个线索中的文章按时间顺序排列。用户可以：

（a）选择某一篇文章进行阅读，然后可以选择回到文章列表，顺序阅读当前线索的前一篇文章或是后一篇文章。

（b）允许回复线索，可以选择复制并引用之前文章，用跟贴的方式回复到整个新闻组。附加题：也允许私下用电子邮件进行回复。

（c）永久地删除线索，即后续的相关文章不会在文章列表中显示。要实现这个功能，你应该把要删除的文章的列表暂时记录下来。一个线索在几个月之后还没有人回复的话，你可以认为这个线索已经死了。

17-17. GUI 新闻阅读工具。跟上面的 FTP 练习差不多，选择一个 GUI 工具包来实现一个完整的、独立的 GUI 新闻阅读工具。

17-18. 重构。跟 FTP 的 ftpmirror.py 一样，NNTP 也有一个示例脚本：Demo/scripts/newslist.py。运行它。这个脚本在很久之前就写好了，你可以做一些翻新工作。作为练习，你要用 Python 新版本的一些特性和你的 Python 开发技巧来重构这个脚本，让这个脚本运行得更快。你可以使用列表解析和生成器表达式，用更智能的字符串连接而不是调用不必要的函数等。

17-19. 缓冲。如其作者所说，newslist.py 的另一个问题是，"我应该把要忽略的空的新闻组的列表保存下来，在每次运行的时候检查一下是否有新的文章，但我真的抽不出时间"。你来实现这个功能。你可以直接修改它，也可以修改你之前的脚本。

电子邮件

17-20. 标识符。POP3 的 pass_()方法用于在调用 login()方法传了用户名之后传递密码。你能不能说出，为什么这个方法命名时要在后面加一个下划线，即"pass_()"，而不是"pass()"？

17-21. IMAP。现在，你已经熟悉了 POP 是怎么工作的。这方面的经验对你写一个 IMAP 客户端程序也是有帮助的。研究一下 IMAP 协议的 RFC 文档，使用 Python 的 imaplib 模块来实现一个 IMAP 客户端程序。

下面的练习题跟本章（例 17.3）中的 myMail.py 程序有关。

17-22. 电子邮件头。在 myMail.py 的最后几行，比较了发送的信息体与接收到的电子邮件的信息体。写一段相似的代码，比较信息头。注意，要忽略新加入的头。

17-23. 错误检查。加入 SMTP 和 POP3 的错误检查。

17-24. SMTP 和 IMAP。在简单的 myMail.py 中，加入 IMAP 的支持。附加题：支持两种邮件下载协议，让用户选择要使用哪一种协议。

17-25. 撰写电子邮件。再次扩展你之前的程序，允许用户撰写和发送电子邮件。

17-26. 电子邮件应用程序。再次扩展你的电子邮件应用程序，在其中加入更有用的邮箱管理功能。你的程序要能读出当前所有电子邮件的信息，并显示其主题。用户可以选择想要看的邮件。附加题：要能支持用外部程序查看附件。

17-27.GUI.给你的脚本加入 GUI 的功能，让它成为一个实用的完整的电子邮件应用程序。

17-28.垃圾邮件的特点。不请自来的垃圾邮件（spam）是当今的一大问题。所幸，针对这个问题有不少好的解决方案。我们不用你来重新发明轮子，我们想让你了解一些垃圾邮件的特点。

（a）“mbox”格式。在开始之前，我们要把你想处理的电子邮件信息转为一个公共的格式。比如“mbox”格式。（如果你愿意，你也可以使用别的格式。）如果你已经有了一些 mbox 格式的消息，把它们合并到一个文件中。

（b）头。很多电子邮件的头上就看出有垃圾邮件的线索。（你可以用 email 包或自己解析头）。写一段代码来回答以下问题：

-发送这个消息的电子邮件客户端软件是什么？（检查 X-Mailer 头）

-报文 ID（Message-ID 头）的格式是否合法？

-From, Received 和 Return-Path 头的域名是否不匹配？域名和 IP 地址是否不匹配？有没有 X-Authentication-Warning 头？如果有的话，内容是什么？

（c）信息服务器。一些服务器如 WHOIS, SenderBase.org 等可以根据 IP 地址或域名帮助你找到电子邮件来自何方。找到一些这样的服务，写一些代码来得到来源地的国别、城市、网络所有者的名字、联系方法等。

（d）关键字。垃圾邮件中，有一些字经常出现。你之前一定见过，它们是单个的字母，开头大写的随机字母等。把你常见的一些大量在垃圾邮件中出现的词汇放在一个列表中。把出现了这些词汇的邮件作为疑似垃圾邮件隔离。附加题：设计一种算法或加入一些关键字的变形来找出这些邮件。

（e）钓鱼。这些垃圾邮件总是想把他们伪装成来自大银行或某个知名的网站的合法的电子邮件。里面包含某种链接，引诱用户输入自己私密的或是敏感的信息，如登录用户名、密码和信用卡的卡号等。这些骗子往往做得足以以假乱真。不过，他们还是免不了要让用户登录到与他们声称的并不相符的网站。这里，就可能会透露出很多信息，如，看上去很乱七八糟的域名，只用了 IP 地址，或是 32 位整型形式而不是字节形式的 IP 地址等。写一段代码来判断一封看上去像正式交流的电子邮件是真的还是假的。

其他

可以在 http://www.networksorcery.com/enp/topic/ipsuite.htm#Application%20layer%20protocols 找到包含本章中所列的那些协议在内的各种网际协议的列表。Python（当前）所支持的网际协议列表可以在 http://docs.python.org/lib/internet.html 找到。

17-29.开发其他因特网客户端程序。现在，你已经看到了 4 个 Python 开发因特网客户端程序的例子。选一种 Python 标准库中支持的其他协议，开发一个对应的客户端程序。

17-30.*开发一种新的因特网客户端程序。这个难度比较大：找到一个不常用的，或是还未成型的 Python 尚未支持的协议，实现它。如果做得好的话，你可以考虑提交一个 PEP，把你的实现加入到以后版本 Python 的标准库中发布。

第 18 章　多线程编程

本章主题

- 引言/动机
- 线程和进程
- 线程和 Python
- thread 模块
- threading 模块
- 生产者-消费者问题和 Queue 模块
- 相关模块

本章中，我们将探索在Python中，用多线程编程技术实现代码并行性的几种不同的方法。在前面几节中，我们将介绍进程与线程的区别。然后介绍多线程编程的概念（已经熟悉多线程编程的读者可以直接跳到第18.3.5节）。本章的最后几节将演示在Python中如何使用threading和Queue模块来实现多线程编程。

18.1 引言/动机

在多线程（multithreaded，MT）编程出现之前，电脑程序的运行由一个执行序列组成，执行序列按顺序在主机的中央处理器（CPU）中运行。无论是任务本身要求顺序执行还是整个程序是由多个子任务组成，程序都是按这种方式执行的。即使子任务相互独立，互相无关（即，一个子任务的结果不影响其他子任务的结果）时也是这样。这样是不是有点不合逻辑？会不会想要并行运行这些相互独立的子任务呢？这样的并行处理可以大幅度地提升整个任务的效率。这就是多线程编程的目的。

多线程编程对于某些任务来说是最理想的。这些任务具有以下特点：它们本质上就是异步的，需要有多个并发事务，各个事务的运行顺序可以是不确定的、随机的、不可预测的。这样的编程任务可以被分成多个执行流，每个流都有一个要完成的目标。根据应用的不同，这些子任务可能都要计算出一个中间结果，用于合并得到最后的结果。

运算密集型的任务一般都比较容易分隔成多个子任务，可以顺序执行或以多线程的方式执行。单线程处理多个外部输入源的的任务就不是那么容易了。这种编程任务如果不用多线程的方式处理，则一定要使用一个或多个计时器来实现。

一个顺序执行的程序要从每个I/O（输入/输出）终端信道检查用户的输入时，程序无论如何也不能在读取I/O终端信道的时候阻塞。因为用户输入的到达是不确定的，阻塞会导致其他I/O信息的数据不能被处理。顺序执行的程序必须使用非阻塞I/O，或是带有计时器的阻塞I/O（这样才能保证阻塞只是暂时的）。

由于顺序执行的程序只有一个线程在运行。它要保证它要做的多任务，不会有某个任务占用太多的时间，而且要合理地分配用户的响应时间。执行多任务的顺序执行的程序一般程序控制流程都很复杂，难以理解。

使用多线程编程和一个共享的数据结构如Queue（本章后面会介绍的一种多线程队列数据结构），这种程序任务可以用几个功能单一的线程来组织。

- UserRequestThread：负责读取客户的输入，可能是一个I/O信道。程序可能创建多个线程，每个客户一个，请求会被放入队列中。
- RequestProcessor：一个负责从队列中获取并处理请求的线程，它为下面那种线程提供输出。
- ReplyThread：负责把给用户的输出取出来，如果是网络应用程序就把结果发送出去，否则就保存到本地文件系统或数据库中。

把这种编程任务用多线程来组织可以降低程序的复杂度，并使得干净、有效和具有良好组织的程序结构实现变得可能。每个线程的逻辑都不会很复杂，因为它要做的事情很清楚。例如，UserRequestThread只是从用户或某个数据源读取数据，放到一个队列中，等待其他线程进一步的处理，等等，每个线程都有自己明确的任务。你只要设计好每个线程要做什么，并把要做的事做好就可以了。对某些任务使用线程跟亨利·福特制造汽车时使用的流水线模型有些相似。

18.2 线程和进程

18.2.1 什么是进程

计算机程序只不过是磁盘中可执行的二进制（或其他类型）的数据。它们只有在被读取到内存中，被操作系统调用的时候才开始它们的生命期。进程（有时被称为重量级进程）是程序的一次执行。每个进程都有自己的地址空间、内存、数据栈及其他记录其运行轨迹的辅助数据。操作系统管理在其上运行的所有进程，并为这些进程公平地分配时间、进程也可以通过 fork 和 spawn 操作来完成其他的任务。不过各个进程有自己的内存空间、数据栈等，所以只能使用进程间通讯（interprocess communication ，IPC），而不能直接共享信息。

18.2.2 什么是线程

线程（有时被称为轻量级进程）跟进程有些相似，不同的是，所有的线程运行在同一个进程中，共享相同的运行环境。它们可以被想象成是在主进程或“主线程”中并行运行的“迷你进程”。

线程有开始，顺序执行和结束三部分。它有一个自己的指令指针，记录自己运行到什么地方。线程的运行可能被抢占（中断），或暂时的被挂起（也叫睡眠），让其他的线程运行，这叫做让步。一个进程中的各个线程之间共享同一片数据空间，所以线程之间可以比进程之间更方便地共享数据以及相互通讯。线程一般都是并发执行的，正是由于这种并行和数据共享的机制使得多个任务的合作变为可能。实际上，在单 CPU 的系统中，真正的并发是不可能的，每个线程会被安排成每次只运行一小会儿，然后就把 CPU 让出来，让其他的线程去运行。在进程的整个运行过程中，每个线程都只做自己的事，在需要的时候跟其他的线程共享运行的结果。

当然，这样的共享并不是完全没有危险的。如果多个线程共同访问同一片数据，则由于数据访问的顺序不一样，有可能导致数据结果的不一致的问题。这叫做竞态条件（race condition）。幸运的是，大多数线程库都带有一系列的同步原语，来控制线程的执行和数据的访问。

另一个要注意的地方是，由于有的函数会在完成之前阻塞住，在没有特别为多线程做修改的情况下，这种“贪婪”的函数会让 CPU 的时间分配有所倾斜。导致各个线程分配到的运行时间可能不尽相同，不尽公平。

18.3 Python、线程和全局解释器锁

18.3.1 全局解释器锁（GIL）

Python 代码的执行由 Python 虚拟机（也叫解释器主循环）来控制。Python 在设计之初就考虑到要在主循环中，同时只有一个线程在执行，就像单 CPU 的系统中运行多个进程那样，内存中可以存放多个程序，但任意时刻，只有一个程序在 CPU 中运行。同样地，虽然 Python 解释器中可以“运行”多个线程，但在任意时刻，只有一个线程在解释器中运行。

对 Python 虚拟机的访问由全局解释器锁（global interpreter lock，GIL）来控制，正是这个锁能保证同一时刻只有一个线程在运行。在多线程环境中，Python 虚拟机按以下方式执行。

1. 设置 GIL。
2. 切换到一个线程去运行。
3. 运行：
   a. 指定数量的字节码的指令，或者
   b. 线程主动让出控制（可以调用 time.sleep(0)）。
4. 把线程设置为睡眠状态。
5. 解锁 GIL。
6. 再次重复以上所有步骤。

在调用外部代码（如 C/C++扩展函数）的时候，GIL 将会被锁定，直到这个函数结束为止（由于在这期间没有 Python 的字节码被运行，所以不会做线程切换）。编写扩展的程序员可以主动解锁 GIL。不

过，Python的开发人员则不用担心在这些情况下你的Python代码会被锁住。

例如，对所有面向I/O的（会调用内建的操作系统C代码的）程序来说，GIL会在这个I/O调用之前被释放，以允许其他的线程在这个线程等待I/O的时候运行。如果某线程并未使用很多I/O操作，它会在自己的时间片内一直占用处理器（和GIL）。也就是说，I/O密集型的Python程序比计算密集型的程序更能充分利用多线程环境的好处。

对源代码，解释器主循环和GIL感兴趣的人，可以看看Python/ceval.c文件。

18.3.2 退出线程

当一个线程结束计算，它就退出了。线程可以调用thread.exit()之类的退出函数，也可以使用Python退出进程的标准方法，如 sys.exit()或抛出一个 SystemExit 异常等。不过，你不可以直接“杀掉”（kill）一个线程。

在下面一节中，我们将要讨论两个跟线程有关的模块。这两个模块中，我们不建议使用thread模块。这样做有很多原因，很明显的一个原因是，当主线程退出的时候，所有其他线程没有被清除就退出了。但另一个模块 threading 就能确保所有“重要的”子线程都退出后，进程才会结束。（我们等一会儿会详细说明什么叫“重要的”，请参阅守护线程的“核心提示”）。

主线程应该是一个好的管理者，它要了解每个线程都要做些什么事，线程都需要什么数据和什么参数，以及在线程结束的时候，它们都提供了什么结果。这样，主线程就可以把各个线程的结果组合成一个有意义的最后结果。

18.3.3 在Python中使用线程

在Win32和Linux, Solaris, MacOS, *BSD等大多数类Unix系统上运行时，Python支持多线程编程。Python使用POSIX兼容的线程，即pthreads。

默认情况下，从源代码编译的（2.0及以上版本的）Python以及Win32的安装包里，线程支持是打开的。想要从解释器里判断线程是否可用，只要简单地在交互式解释器里尝试导入thread模块就行了，只要没出现错误就表示线程可用。

```
>>> import thread
>>>
```

如果你的Python解释器在编译时，没有打开线程支持，导入模块会失败：

```
>>> import thread
Traceback (innermost last):
File "<stdin>", line 1, in ?
ImportError: No module named thread
```

这种情况下，你就要重新编译你的Python解释器才能使用线程。你可以在运行配置脚本的时候，加上“--with-thread”参数。参考你的发布版的README文件，以获取如何编译支持线程的Python的相关信息。

18.3.4 没有线程支持的情况

第一个例子中，我们会使用 time.sleep()函数来演示线程是怎样工作的。time.sleep()需要一个浮点型的参数，来指定“睡眠”的时间（以秒为单位）。这就意味着，程序的运行会被挂起指定的时间。

我们要创建两个“计时循环”。一个睡眠4秒种，一个睡眠2秒种，分别是loop0()和loop1()。（我们命名为“loop0”和“loop1”表示我们将有一个循环的序列）。如果我们像例18.1的onethr.py中那样，在一个进程或一个线程中，顺序地执行 loop0()和 loop1()，那运行的总时间为 6 秒。在启动 loop0()，loop1()和其他的代码时，也要花去一些时间，所以，我们看到的总时间也有可能会是 7 秒钟。

在单线程中顺序执行两个循环。一个循环结束后，另一个才能开始。总时间是各个循环运行时间之和。

例 18.1

```
1   #!/usr/bin/env python
2
3   from time import sleep, ctime
4
5   def loop0():
6       print 'start loop 0 at:', ctime()
7       sleep(4)
8       print 'loop 0 done at:', ctime()
9
10  def loop1():
11      print 'start loop 1 at:', ctime()
12      sleep(2)
13      print 'loop 1 done at:', ctime()
14
15  def main():
16      print 'starting at:', ctime()
17      loop0()
18      loop1()
19      print 'all DONE at:', ctime()
20
21  if __name__ == '__main__':
22      main()
```

我们可以通过运行 onethr.py 来验证这一点，下面是运行的输出：

```
$ onethr.py
starting at: Sun Aug 13 05:03:34 2006
start loop 0 at: Sun Aug 13 05:03:34 2006
loop 0 done at: Sun Aug 13 05:03:38 2006
start loop 1 at: Sun Aug 13 05:03:38 2006
loop 1 done at: Sun Aug 13 05:03:40 2006
all DONE at: Sun Aug 13 05:03:40 2006
```

假定 loop0()和 loop1()里做的不是睡眠，而是各自独立的，不相关的运算，各自的运算结果到最后将会汇总成一个最终的结果。这时，如果能让这些计算并行执行的话，那不是可以减少总的运行时间吗？这就是我们现在要介绍的多线程编程的前提条件。

18.3.5 Python 的 threading 模块

Python 提供了几个用于多线程编程的模块，包括 thread、threading 和 Queue 等。thread 和 threading 模块允许程序员创建和管理线程。thread 模块提供了基本的线程和锁的支持，而 threading 提供了更高级别，功能更强的线程管理的功能。Queue 模块允许用户创建一个可以用于多个线程之间共享数据的队列数据结构。我们将分别介绍这几个模块，并给出一些例子和中等大小的应用。

核心提示：避免使用 thread 模块

出于以下几点考虑，我们不建议您使用 thread 模块。首先，更高级别的 threading 模块更为先进，对线程的支持更为完善，而且使用 thread 模块里的属性有可能会与 threading 出现冲突。其次，低级别的 thread 模块的同步原语很少（实际上只有一个），而 threading 模块则有很多。

不过，出于对学习 Python 和线程的兴趣，我们将给出一点使用 thread 模块的例子。这些代码只用于学习目的，让你对为什么应该避免使用 thread 模块有更深的认识，以及让你了解在把代码改为使用 threading 和 Queue 模块时，我们能获得多大的便利。

另一个不要使用 thread 原因是，对于你的进程什么时候应该结束完全没有控制，当主线程结束时，所有的线程都会被强制结束掉，没有警告也不会有正常的清除工作。我们之前说过，至少 threading 模块能确保重要的子线程退出后进程才退出。

只建议那些有经验的专家在想访问线程的底层结构的时候，才使用 thread 模块。而使用线程的新手们则应该看看我们是如何把线程应用到我们的第一个程序，从而增加代码的可读性，以及第一段例子如何进化到我们本章的主要的代码的。如果可以的话，你的第一个多线程程序应该尽可能地使用 threading 等高级别的线程模块。

18.4 thread 模块

我们先看看 thread 模块都提供了些什么。除了产生线程外，thread 模块也提供了基本的同步数据结构锁对象（lock object，也叫原语锁、简单锁、互斥锁、互斥量、二值信号量）。如之前所说，同步原语与线程的管理是密不可分的。

表 18.1 中所列的是常用的线程函数以及 LockType 类型的锁对象的方法。

表 18.1　　thread 模块和锁对象

函　数	描　述
模块函数	
start_new_thread(*function*, *args kwargs*=None)	产生一个新的线程，在新线程中用指定的参数和可选的 kwargs 来调用这个函数
allocate_lock()	分配一个 LockType 类型的锁对象
exit()	让线程退出
LockType 类型锁对象方法	
acquire(*wait*=None)	尝试获取锁对象
locked()	如果获取了锁对象返回 True，否则返回 False
release()	释放锁

start_new_thread()函数是 thread 模块的一个关键函数，它的语法与内建的 apply()函数完全一样，其参数为：函数，函数的参数以及可选的关键字参数。不同的是，函数不是在主线程里运行，而是产生一个新的线程来运行这个函数。

现在，把线程加入到我们的 onethr.py 例子中。稍微改变一下 loop*()函数的调用方法，我们得到了例 18.2 的 mtsleep1.py。

这儿执行的是和 onethr.py 中一样的循环，不同的是，这一次我们使用的是 thread 模块提供的简单的多线程的机制。两个循环并发地被执行（显然，短的那个先结束）。总的运行时间为最慢的那个线程的运行时间，而不是所有的线程的运行时间之和。

例 18.2

```
1   #!/usr/bin/env python
2
3   import thread
4   from time import sleep, ctime
5
6   def loop0():
7       print 'start loop 0 at:', ctime()
8       sleep(4)
9       print 'loop 0 done at:', ctime()
10
11  def loop1():
12      print 'start loop 1 at:', ctime()
13      sleep(2)
14      print 'loop 1 done at:', ctime()
15
16  def main():
17      print 'starting at:', ctime()
18      thread.start_new_thread(loop0,())
19      thread.start_new_thread(loop1,())
20      sleep(6)
21      print 'all DONE at: ',ctime()
22
23  if __name__ == '__main__':
24      main()
```

start_new_thread()要求一定要有前两个参数。所以，就算我们想要运行的函数不要参数，我们也要传一个空的元组。

这个程序的输出与之前的输出大不相同，之前是运行了6～7秒，而现在则是4秒，是最长的循环的运行时间与其他的代码的时间总和。

```
$ mtsleep1.py
starting at: Sun Aug 13 05:04:50 2006
start loop 0 at: Sun Aug 13 05:04:50 2006
start loop 1 at: Sun Aug 13 05:04:50 2006
loop 1 done at: Sun Aug 13 05:04:52 2006
loop 0 done at: Sun Aug 13 05:04:54 2006
all DONE at: Sun Aug 13 05:04:56 2006
```

睡眠4秒和2秒的代码现在是并发执行的。这样，就使得总的运行时间被缩短了。可以看到，loop1甚至在loop0前面就结束了。程序的一大不同之处就是多了一个“sleep(6)”的函数调用。为什么要加上这一句呢？因为如果我们没有让主线程停下来，那主线程就会运行下一条语句，显示“all done”，然后就关闭运行着loop0()和loop1()的两个线程，退出了。

我们没有写让主线程停下来等所有子线程结束之后再继续运行的代码，这就是我们之前说线程需要同步的原因。在这里，我们使用了sleep()函数作为我们的同步机制。我们使用6秒是因为我们已经知道，两个线程（你知道，一个要4秒，一个要2秒）在主线程等待6秒后应该已经结束了。

你也许在想，应该有什么好的管理线程的方法，而不是在主线程里做一个额外的延时6秒的操作。因为这样一来，我们的总的运行时间并不比单线程的版本来得少。而且，像这样使用sleep()函数做线程的同步操作是不可靠的。如果我们的循环的执行时间不能事先确定的话，那怎么办呢？这可能造成主线程过早或过晚退出。这就是锁的用武之地了。

上一次修改程序，我们去掉了 loop 函数，现在，我们要再一次修改程序为例 18.3 的 mtsleep2.py，引入锁的概念。运行它，我们看到，其输出与 mtsleep1.py 很相似，唯一的区别是我们不用为线程什么时候结束再做额外的等待。使用了锁，我们就可以在两个线程都退出后，马上退出。

```
$ mtsleep2.py
starting at: Sun Aug 13 16:34:41 2006
start loop 0 at: Sun Aug 13 16:34:41 2006
start loop 1 at: Sun Aug 13 16:34:41 2006
loop 1 done at: Sun Aug 13 16:34:43 2006
loop 0 done at: Sun Aug 13 16:34:45 2006
all DONE at: Sun Aug 13 16:34:45 2006
```

我们是怎么通过锁来完成任务的呢？先看一看代码吧。

例 18.3 使用线程和锁（mtsleep2.py）

这里，使用锁比 mtsleep1.py 那里在主线程中使用 sleep()函数更合理。

```
1  #!/usr/bin/env python
2
3  import thread
4  from time import sleep, ctime
5
6  loops = [4,2]
7
8  def loop(nloop, nsec, lock):
9      print 'start loop', nloop, 'at:', ctime()
10     sleep(nsec)
11     print 'loop', nloop, 'done at:', ctime()
12     lock.release()
13
14 def main():
15     Print 'starting at:',ctime()
16     locks = []
17     nloops = range(len(loops))
18
19     for i in nloops:
20         lock = thread.allocate_lock()
21         lock.acquire()
22         locks.append(lock)
23
24     for i in nloops:
25         thread.start_new_thread(loop,
26             (i, loops[i], locks[i]))
27
28     for i in nloops:
29         while locks[i].locked(): pass
30
31     print 'all DONE at:', ctime()
32
33 if __name__ == '__main__':
34     main()
```

逐行解释

1 ~ 6 行

在 Unix 启动信息行后面，我们导入了 thread 模块和 time 模块里我们早已熟悉的几个函数。我们不再在函数里写死要等 4 秒和 2 秒，而是使用一个 loop()函数，把这些常量放在一个列表 loops 里。

8 ~ 12 行

loop()函数替换了我们之前的那几个 loop*()函数。在 loop()函数里，增加了一些锁的操作。一个很明显的改变是，我们现在要在函数中记录下循环的号码和要睡眠的时间。最后一个不一样的地方就是那个锁了。每个线程都会被分配一个事先已经获得的锁，在 sleep()的时间到了之后就释放相应的锁以通知主线程，这个线程已经结束了。

14 ~ 34 行

主要的工作在包含三个循环的 main()函数中完成。我们先调用 thread.allocate_lock()函数创建一个锁的列表，并分别调用各个锁的 acquire()函数获得锁。获得锁表示“把锁锁上”。锁上后，我们就把锁放到锁列表 locks 中。下一个循环创建线程，每个线程都用各自的循环号，睡眠时间和锁为参数去调用 loop()函数。为什么我们不在创建锁的循环里创建线程呢？有以下几个原因：（1）我们想到实现线程的同步，所以要让“所有的马同时冲出栅栏”。（2）获取锁要花一些时间，如果你的线程退出得“太快”，可能会导致还没有获得锁，线程就已经结束了的情况。

在线程结束的时候，线程要自己去做解锁操作。最后一个循环只是坐在那一直等（达到暂停主线程的目的），直到两个锁都被解锁为止才继续运行。由于我们顺序检查每一个锁，所以我们可能会要长时间地等待运行时间长且放在前面的线程，当这些线程的锁释放之后，后面的锁可能早就释放了（表示对应的线程已经运行完了）。结果主线程只能毫不停歇地完成对后面这些锁的检查。最后两行代码的意思你应该已经知道了，就是只有在我们直接运行这个脚本时，才运行 main()函数。

在核心笔记中我们就已经说过，使用 thread 模块只是为了给读者演示如何进行多线程编程。你的多线程程序应该使用更高级别的模块，如 threading 等。现在我们就开始讨论它。

18.5 threading 模块

接下来，我们要介绍的是更高级别的 threading 模块，它不仅提供了 Thread 类，还提供了各种非常好用的同步机制。表 18.2 列出了 threading 模块里所有的对象。

在这一节中，我们会演示如何使用 Thread 类来实现多线程。之前已经介绍过锁的基本概念，这里我们将不会提到锁原语。而 Thread 类也有某种同步机制，所以，没有必要详细介绍锁原语。

表 18.2

threading 模块对象	描　述
Thread	表示一个线程的执行的对象
Lock	锁原语对象（跟 thread 模块里的锁对象相同）
RLock	可重入锁对象。使单线程可以再次获得已经获得了的锁（递归锁定）
Condition	条件变量对象能让一个线程停下来，等待其他线程满足了某个“条件”。如，状态的改变或值的改变
Event	通用的条件变量。多个线程可以等待某个事件的发生，在事件发生后，所有的线程都会被激活
Semaphore	为等待锁的线程提供一个类似“等候室”的结构
BoundedSemaphore	与 Semaphore 类似，只是它不允许超过初始值
Timer	与 Thread 相似，只是它要等待一段时间后才开始运行

核心提示：守护线程

另一个避免使用 thread 模块的原因是，它不支持守护线程。当主线程退出时，所有的子线程不论它们是否还在工作，都会被强行退出。有时我们并不期望这种行为，这时就引入了守护线程的概念。

Threading 模块支持守护线程，它们是这样工作的：守护线程一般是一个等待客户请求服务器，如果没有客户提出请求，它就在那等着。如果你设定一个线程为守护线程，就表示你在说这个线程是不重要的，在进程退出的时候，不用等待这个线程退出。就像你在第 16 章网络编程看到的，服务器线程运行在一个无限循环中，一般不会退出。

如果你的主线程要退出的时候，不用等待那些子线程完成，那就设定这些线程的 daemon 属性。即，在线程开始（调用 thread.start()）之前，调用 setDaemon()函数设定线程的 daemon 标志（thread.setDaemon(True)）就表示这个线程"不重要"。

如果你想要等待子线程完成再退出，那就什么都不用做，或者显式地调用 thread.setDaemon(False)以保证其 daemon 标志为 False。你可以调用 thread.isDaemon()函数来判断其 daemon 标志的值。新的子线程会继承其父线程的 daemon 标志。整个 Python 会在所有的非守护线程退出后才会结束,即进程中没有非守护线程存在的时候才结束。

18.5.1 Thread 类

threading 的 Thread 类是你主要的运行对象。它有很多 thread 模块里没有的函数，详见表 18.3。

用 Thread 类，你可以用多种方法来创建线程。我们在这里介绍三种比较相像的方法。你可以任选一种你喜欢的，或最适合你的程序以及最能满足程序可扩展性的（我们一般比较喜欢最后一个选择）：

- 创建一个 Thread 的实例，传给它一个函数；
- 创建一个 Thread 的实例，传给它一个可调用的类对象；
- 从 Thread 派生出一个子类，创建一个这个子类的实例。

表 18.3

函　数	描　述
start()	开始线程的执行
run()	定义线程的功能的函数（一般会被子类重写）
join(*timeout*=None)	程序挂起，直到线程结束；如果给了 timeout，则最多阻塞 timeout 秒
getName()	返回线程的名字
setName(*name*)	设置线程的名字
isAlive()	布尔标志，表示这个线程是否还在运行中
isDaemon()	返回线程的 daemon 标志
setDaemon(*daemonic*)	把线程的 daemon 标志设为 daemonic（一定要在调用 start()函数前调用）

创建一个 Thread 的实例，传给它一个函数。

第一个例子中，我们将初始化一个 Thread 对象，把函数（及其参数）像上一个例子那样传进去。在线程开始执行的时候，这个函数会被执行。把 mtsleep2.py 脚本拿过来，一些调整加入 Thread 对象的使用，就成了例 18.4 中的 mtsleep3.py。

运行的输出跟之前很相似：

```
$ mtsleep3.py
starting at: Sun Aug 13 18:16:38 2006
start loop 0 at: Sun Aug 13 18:16:38 2006
```

```
start loop 1 at: Sun Aug 13 18:16:38 2006
loop 1 done at: Sun Aug 13 18:16:40 2006
loop 0 done at: Sun Aug 13 18:16:42 2006
all DONE at: Sun Aug 13 18:16:42 2006
```

那么，都做了些什么修改呢？在使用 thread 模块时使用的锁没有了，新加了一些 Thread 对象。在实例化每个 Thread 对象的时候，我们把函数（target）和参数（args）传进去，得到返回的 Thread 实例。实例化一个 Thread（调用 Thread()）与调用 thread.start_new_thread()之间最大的区别就是，新的线程不会立即开始。在你创建线程对象，但不想马上开始运行线程的时候，这是一个很有用的同步特性。

例 18.4 使用 threading 模块（mtsleep3.py）

threading 模块的 Thread 类有一个 join()函数，允许主线程等待线程的结束。

```
1   #!/usr/bin/env python
2
3   import threading
4   from time import sleep, ctime
5
6   loops = [4,2]
7
8   def loop(nloop, nsec):
9       print 'start loop', nloop, 'at:', ctime()
10      sleep(nsec)
11      print 'loop', nloop, 'done at:', ctime()
12
13  def main():
14      print 'starting at:', ctime()
15      threads = []
16      nloops = range(len(loops))
17
18      for i in nloops:
19          t=threading.Thread(target=loop,
20              args=(i,loops[i]))
21          threads.append(t)
22
23      for i in nloops:        # start threads
24          threads[i].start()
25
26      for i in nloops:        # wait for all
27          threads[i].join() # threads to finish
28
29      print 'all DONE at:', ctime()
30
31  if __name__ == '__main__':
32      main()
```

所有的线程都创建了之后，再一起调用 start()函数启动，而不是创建一个启动一个。而且，不用再管理一堆锁（分配锁、获得锁、释放锁、检查锁的状态等），只要简单地对每个线程调用 join()函数就可以了。

join()会等到线程结束，或者在给了 timeout 参数的时候，等到超时为止。使用 join()看上去会比使用一个等待锁释放的无限循环清楚一些（这种锁也被称为“自旋锁”）。

join()的另一个比较重要的方面是它可以完全不用调用。一旦线程启动后，就会一直运行，直到线程的函数结束，退出为止。如果你的主线程除了等线程结束外，还有其他的事情要做（如处理或等待其他的客户请求），那就不用调用 join()，只有在你要等待线程结束的时候才要调用 join()。

创建一个 Thread 的实例，传给它一个可调用的类对象。

与传一个函数很相似的另一个方法是在创建线程的时候，传一个可调用的类的实例供线程启动的时候执行——这是多线程编程的一个更为面向对象的方法。相对于一个或几个函数来说，由于类对象里可以使用类的强大的功能，可以保存更多的信息，这种方法更为灵活。

把 ThreadFunc 类加入到 mtsleep3.py 代码中，并做一些其他的小修改后，就得到了例 18.5 中的 mtsleep4.py。运行它，就会得到如下的输出：

```
$ mtsleep4.py
starting at: Sun Aug 13 18:49:17 2006
start loop 0 at: Sun Aug 13 18:49:17 2006
start loop 1 at: Sun Aug 13 18:49:17 2006
loop 1 done at: Sun Aug 13 18:49:19 2006
loop 0 done at: Sun Aug 13 18:49:21 2006
all DONE at: Sun Aug 13 18:49:21 2006
```

那么，这次又改了些什么呢？主要是增加了 ThreadFunc 类和创建 Thread 对象时会实例化一个可调用类 ThreadFunc 的类对象。也就是说，我们实例化了两个对象。下面，来仔细地看一看 ThreadFunc 类吧。

我们想让这个类在调用什么函数方面尽量地通用，并不局限于那个 loop()函数。所以，我们加了一些修改，如，这个类保存了函数的参数，函数本身以及函数的名字字符串。构造器__init__()里做了这些值的赋值工作。

创建新线程的时候，Thread 对象会调用我们的 ThreadFunc 对象，这时会用到一个特殊函数__call__()。由于我们已经有了要用的参数，所以就不用再传到 Thread()的构造器中。由于我们有一个参数的元组，这时要在代码中使用 apply()函数。如果你使用的是 Python1.6 或是更高版本，你可以使用 11.6.3 节中所说的新的调用语法，而不用像第 16 行那样使用 apply()函数：

```
self.res = self.func(*self.args)
```

此例中，我们传了一个可调用的类（的实例），而不是仅传一个函数。相对 mtsleep3.py 中的方法来说，这样做更具面向对象的概念。

例 18.5

```
1   #!/usr/bin/env python
2
3   import threading
4   from time import sleep, ctime
5
6   loops = [4,2]
7
8   class ThreadFunc(object):
9
10      def __init__(self, func, args, name=''):
11          self.name=name
12          self.func=func
13          self.args=args
14
15      def __call__(self):
```

```
16          apply(self.func, self.args)
17
18  def loop(nloop, nsec):
19      print 'start loop', nloop, 'at:', ctime()
20      sleep(nsec)
21      print 'loop', nloop, 'done at:', ctime()
22
23  def main():
24      print 'starting at:', ctime()
25      threads = []
26      nloops = range(len(loops))
27
28      for i in nloops: # create all threads
29          t = threading.Thread(
30              target=ThreadFunc(loop,(i,loops[i]),
31              loop.__name__))
32          threads.append(t)
33
34      for i in nloops: # start all threads
35          threads[i].start()
36
37      for i in nloops: # wait for completion
38          threads[i].join()
39
40      print 'all DONE at:', ctime()
41
42  if __name__ == '__main__':
43      main()
```

从 Thread 派生出一个子类，创建一个这个子类的实例。

最后一个例子介绍如何子类化 Thread 类，这与上一个例子中的创建一个可调用的类非常像。使用子类化创建线程（第 29～30 行）使代码看上去更清晰明了。我们将在例 18.6 中给出 mtsleep5.py 的代码，以及代码运行的输出。比较 mtsleep5.py 和 mtsleep4.py 的任务则留给读者作为练习。

下面是 mtsleep5.py 的输出，同样，跟我们的期望一致：

```
$ mtsleep5.py
starting at: Sun Aug 13 19:14:26 2006
start loop 0 at: Sun Aug 13 19:14:26 2006
start loop 1 at: Sun Aug 13 19:14:26 2006
loop 1 done at: Sun Aug 13 19:14:28 2006
loop 0 done at: Sun Aug 13 19:14:30 2006
all DONE at: Sun Aug 13 19:14:30 2006
```

在读者比较 mtsleep4 和 mtsleep5 两个模块的代码之前，我们想指出最重要的两点改变：

（1）我们的 MyThread 子类的构造器一定要先调用基类的构造器（第 9 行）；（2）之前的特殊函数__call__()在子类中，名字要改为 run()。

现在，在 MyThread 类中，加入一些用于调试的输出信息，把代码保存到 myThread 模块中（见例 18.7），并在下面的例子中导入这个类。除了简单地使用 apply()函数来运行这些函数之外，我们还把结果保存到实现的 self.res 属性中，并创建一个新的函数 getResult()来得到结果。

18.5.2 斐波那契、阶乘和累加和

例 18.8 中的 mtfacfib.py 脚本比较了递归求斐波那契、阶乘和累加和函数的运行。脚本先在单线程中运行这三个函数，然后在多线程中做同样的事，以说明多线程的好处。

我们现在要子类化 Thread 类，而不是创建它的实例。这样做可以更灵活地定制我们的线程对象，而且在创建线程的时候也更简单。

例 18.6

```
1   #!/usr/bin/env python
2
3   import threading
4   from time import sleep, ctime
5
6   loops = (4, 2)
7
8   class MyThread(threading.Thread):
9       def __init__(self, func, args, name=''):
10          threading.Thread.__init__(self)
11          self.name=name
12          self.func=func
13          self.args=args
14
15      def run(self):
16          apply(self.func, self.args)
17
18      def loop(nloop, nsec):
19          print 'start loop', nloop, 'at:', ctime()
20          sleep(nsec)
21          print 'loop', nloop, 'done at:', ctime()
22
23      def main():
24          print 'starting at:', ctime()
25          threads = []
26          nloops = range(len(loops))
27
28      for i in nloops:
29          t = MyThread(loop, (i, loops[i]),
30              loop.__name__)
31          threads.append(t)
32
33      for i in nloops:
34          threads[i].start()
35
36      for i in nloops:
37          threads[i].join()
38
39      print 'all DONE at:', ctime()'
40
41  if __name__ == '__main__':
42      main()
```

例 18.7　MyThread 子类化 Thread　（myThread.py）

为了让 mtsleep5.py 中，Thread 的子类更为通用，我们把子类单独放在一个模块中，并加上一个 getResult()函数用以返回函数的运行结果。

```
1   #!/usr/bin/env python
2
3   import threading
4   from time import ctime
5
6   class MyThread(threading.Thread):
7       def __init__(self, func, args, name=''):
8           threading.Thread.__init__(self)
9           self.name=name
10          self.func=func
11          self.args=args
12
13      def getResult(self):
14          return self.res
15
16      def run(self):
17          print 'starting', self.name, 'at:', \
18              ctime()
19          self.res = apply(self.func, self.args)
20          print self.name, 'finished at:', \
21              ctime()
```

在单线程中运行只要简单地逐个调用这些函数，在函数结束后显示对应的结果。在多线程中，我们不马上显示结果。由于我们想让 MyThread 类尽可能地通用（能同时适应有输出和没输出的函数），我们会等到要结束时才会调用 getResult()函数，并在最后显示每个函数的结果。

由于这些函数运行得很快（斐波那契函数会慢一些），你会看到，我们得在每个函数中加上一个 sleep()函数，让函数慢下来，以便于我们能方便地看到多线程能在多大程度上加速程序的运行。不过实际工作中，你一般不会想在程序中加上 sleep()函数的。下面是程序的输出：

```
$ mtfacfib.py
*** SINGLE THREAD
starting fib at: Sun Jun 18 19:52:20 2006
233
fib finished at: Sun Jun 18 19:52:24 2006
```

在这个多线程程序中，我们会分别在单线程和多线程环境中，运行三个递归函数。

例 18.8

```
1   #!/usr/bin/env python
2
3   from myThread import MyThread
4   from time import ctime, sleep
5
6   def fib(x):
7       sleep(0.005)
8       if x < 2: return 1
9       return (fib(x-2) + fib(x-1))
```

```
10
11 def fac(x):
12     sleep(0.1)
13     if x<2: retuen 1
14     return (x * fac(x-1))
15
16 def sum(x):
17     sleep(0.1)
18     if x<2: retuen 1
19     return (x +sum(x-1))
20
21 funcs = [fib, fac, sum]
22 n = 12
23
24 def main():
25     nfuncs = range(len(funcs))
26
27     print '*** SINGLE THREAD'
28     for i in nfuncs:
29         print 'starting', funcs[i].__name__, 'at:', \
30             ctime()
31         print funcs[i](n)
32         print funcs[i].__name__, 'finished at:', \
33             ctime()
34
35     print '\n*** MULTIPLE THREADS'
36     threads = []
37     for i in nfuncs:
38         t=MyThread(funcs[i],(n,),
39             funcs[i].__name__)
40         threads.append(t)
41
42     for i in nfuncs:
43         threads[i].start()
44
45     for i in nfuncs:
46         threads[i].join()
47         print threads[i].getResult()
48
49     print 'all DONE'
50
51 if __name__ == '__main__':
52     main()
```

```
starting fac at: Sun Jun 18 19:52:24 2006
479001600
fac finished at: Sun Jun 18 19:52:26 2006
starting sum at: Sun Jun 18 19:52:26 2006
78
sum finished at: Sun Jun 18 19:52:27 2006

*** MULTIPLE THREADS
```

```
starting fib at: Sun Jun 18 19:52:27 2006
starting fac at: Sun Jun 18 19:52:27 2006
starting sum at: Sun Jun 18 19:52:27 2006
fac finished at: Sun Jun 18 19:52:28 2006
sum finished at: Sun Jun 18 19:52:28 2006
fib finished at: Sun Jun 18 19:52:31 2006
233
479001600
78
all DONE
```

18.5.3 threading 模块中的其他函数

除了各种同步对象和线程对象外，threading 模块还提供了一些函数。见表 18.4。

表 18.4 threading 模块的函数

函　数	描　述
activeCount()	当前活动的线程对象的数量
currentThread()	返回当前线程对象
enumerate()	返回当前活动线程的列表
settrace(*func*)[a]	为所有线程设置一个跟踪函数
setprofile(*func*)[a]	为所有线程设置一个 profile 函数

a. Python 2.3 新增

18.5.4 生产者–消费者问题和 Queue 模块

最后一个例子演示了生产者和消费者的场景。生产者生产货物，然后把货物放到一个队列之类的数据结构中，生产货物所要花费的时间无法预先确定。消费者消耗生产者生产的货物的时间也是不确定的。

Queue 模块可以用来进行线程间通讯，让各个线程之间共享数据。现在，我们创建一个队列，让生产者（线程）把新生产的货物放进去供消费者（线程）使用。要达到这个目的，我们要使用到 Queue 模块的以下属性（见表 18.5）。

表 18.5 通用队列模块属性

函　数	描　述
Queue 模块函数	
queue(*size*)	创建一个大小为 size 的 Queue 对象
Queue 对象函数	
qsize()	返回队列的大小（由于在返回的时候，队列可能会被其他线程修改，所以这个值是近似值）
empty()	如果队列为空返回 True，否则返回 False
full()	如果队列已满返回 True，否则返回 False
put(*item*, *block*=0)	把 item 放到队列中，如果给了 block（不为 0），函数会一直阻塞到队列中有空间为止
get(*block*=0)	从队列中取一个对象，如果给了 block（不为 0），函数会一直阻塞到队列中有对象为止

很容易地，我们就能写出例 18.9 的 prodcons.py 的代码。

下面是这个脚本的运行输出：

```
$ prodcons.py
starting writer at: Sun Jun 18 20:27:07 2006
producing object for Q... size now 1
starting reader at: Sun Jun 18 20:27:07 2006
consumed object from Q... size now 0
producing object for Q... size now 1
consumed object from Q... size now 0
producing object for Q... size now 1
producing object for Q... size now 2
producing object for Q... size now 3
consumed object from Q... size now 2
consumed object from Q... size now 1
writer finished at: Sun Jun 18 20:27:17 2006
consumed object from Q... size now 0
reader finished at: Sun Jun 18 20:27:25 2006
all DONE
```

如你所见，生产者和消费者不一定是轮流执行的（多亏有了随机数）。实际上，真实生活总是充满了随机性和不确定性。

逐行解释

1 ~ 6 行

在这个模块中，我们要使用 Queue.Queue 对象和我们在例 18.7 中给出的线程类 myThread. MyThread。我们将使用 random.randint()函数来随机进行生产和消耗，并从 time 模块中导入常用的属性。

8 ~ 16 行

writeQ()和 readQ()函数分别用来把对象放入队列和消耗队列中的一个对象。在这里我们使用字符串'xxx'来表示队列中的对象。

18 ~ 26 行

writer()函数只做一件事，就是一次往队列中放入一个对象，等待一会儿，然后再做指定次数的同样的事，这个次数是由脚本运行时随机生成的。reader()函数做的事比较类似，只是它是用来消耗对象的。

你会注意到，writer 睡眠的时间一般会比 reader 睡眠的时间短。这可以减少 reader 尝试从空队列中取数据的机会。writer 的睡眠时间短，那 reader 在想要数据的时候总是能拿到数据。

28 ~ 29 行

设置有多少个线程要被运行。

例 18.9 生产者-消费者问题（prodcons.py）

这个实现中使用了 Queue 对象和随机地生产（和消耗）货物的方式。生产者和消费者相互独立并且并发地运行。

```
1   #!/usr/bin/env python
2
3   from random import randint
4   from time import sleep
5   from Queue import Queue
6   from myThread import MyThread
7
```

```
8  def writeQ(queue):
9      print 'producing object for Q...',
10     queue.put('xxx', 1)
11     print "size now", queue.qsize()
12
13 def readQ(queue):
14     val = queue.get(1)
15     print 'consumed object from Q... size now', \
16         queue.qsize()
17
18 def writer(queue, loops):
19     for i in range(loops):
20         writeQ(queue)
21         sleep(randint(1, 3))
22
23 def reader(queue, loops):
24     for i in range(loops):
25         readQ(queue)
26         sleep(randint(2, 5))
27
28 funcs = [writer, reader]
29 nfuncs = range(len(funcs))
30
31 def main():
32     nloops = randint(2, 5)
33     q = Queue(32)
34
35     threads = []
36     for i in nfuncs:
37         t = MyThread(funcs[i], (q, nloops),
38             funcs[i].__name__)
39         threads.append(t)
40
41     for i in nfuncs:
42         threads[i].start()
43
44     for i in nfuncs:
45         threads[i].join()
46
47     print 'all DONE'
48
49 if __name__ == '__main__':
50     main()
```

31～47行

最后，就到了main()函数，它与之前的所有脚本的main()函数都很像。先是创建所有的线程，然后运行它们，最后，等两个线程都结束后，得到最后的运行结果。

从本例中，我们可以了解到，一个要完成多项任务的程序，可以考虑每个任务使用一个线程。这样的程序在设计上相对于单线程做所有事的程序来说，更为清晰明了。

本章中，我们看到了单线程的程序在程序性能上的限制。尤其在有相互独立的，运行时间不确定的多个任务的程序里，把多个任务分隔成多个线程同时运行会比顺序运行速度更快。由于 Python 解释器是单线程的，所以不是所有的程序都能从多线程中得到好处。不过，你已经对 Python 下的多线程有所了解，在适当的时候，可以利用它来改善程序的性能。

18.6 相关模块

下表列出了一些多线程编程中可能用得到的模块：

表 18.6

模　块	描　述
thread	基本的、低级别的线程模块
threading	高级别的线程和同步对象
Queue	供多线程使用的同步先进先出（FIFO）队列
mutex	互斥对象
SocketServer	具有线程控制的 TCP 和 UDP 管理器

18.7 练习

18-1.进程与线程。线程与进程的区别是什么？

18-2. Python 的线程。在 Python 中，哪一种多线程的程序表现得更好，I/O 密集型的还是计算密集型的？

18-3.线程。你认为多 CPU 的系统与一般的系统有什么大的不同？多线程的程序在这种系统上的表现会怎么样？

18-4.线程和文件。把练习 9-19 的答案做一些改进。我们要得到一个字节值，一个文件名，然后显示在文件中那个字节出现了多少次。假设这个文件非常大。文件是可以有多个读者的，那我们就可以创建多个线程，每个线程负责文件的一部分。最后，把所有的线程的结果相加。使用 timeit() 对单线程和多线程分别进行计时，对性能的改进进行讨论。

18-5.线程，文件和正则表达式。你有一个非常大的 mailbox 文件——如果没有的话，你可以把你所有的电子邮件的原始信息放到一个文本文件中。你现在要做的是，使用在 15 章写的识别电子邮件地址和网页 URL 的正则表达式，分析出这个大文件里的所有的电子邮件地址和 URL，把这些链接写到一个.html（或.htm）文件中。在这个文件生成时，会自动显示一个浏览器，打开这个文件，显示所有的链接。使用多线程来分隔处理大文件和把结果写到一个新的.html 文件的操作。在浏览器中测试一下你的结果，确保那些链接都能正常工作。

18-6.线程和网络。你在之前做的聊天服务器程序（练习 16-7 到 16-10）也许会用到重量级线程或者说进程，把那个代码改成多线程的。

18-7.*线程和 Web 编程。练习 19.1 中的爬虫，是一个单线程的网页下载程序， 但可以利用多线程提高性能。修改 crawl.py（你可以叫它 mtcrawl.py），让它可以使用多个不相关的线程来下载网页。注意要使用某种锁的机制以确保不会在访问链接队列的时候出现访问冲突。

18-8.线程池。修改例 18.9 的代码，不再是一个生产者和一个消费者，而是可以有任意个消费者线程（一个线程池），每个线程可以在任意时刻处理或消耗任意多个产品。

18-9.文件。创建一些线程来计算一些（可能很大量的）文件中一共有多少行。你可以选择要使用多少个线程。比较单线程与多线程的性能差异。提示：回顾一下第 9 章（文件和 I/O）的练习。

18-10.把你之前的解决方案应用到你选择的几个任务中，如，处理一些电子邮件，下载一些网页，处理一些 RSS 和 Atom feeds，聊天时的消息处理，解一个谜题等。

第 19 章 图形用户界面编程

本章主题

- ✦ 引言
- ✦ Tkinter 与 Python 编程
- ✦ Tkinter 模块
- ✦ Tk 组件库
- ✦ Tkinter 使用举例
- ✦ 标签、按钮与进度条组件
- ✦ 一个使用 Tk 的中级范例
- ✦ 其他 GUI 简介（Tix、Pmw、wxPython 和 PyGTK）
- ✦ 相关模块和其他 GUI

本章我们将对图形用户界面（graphical user interface，GUI）编程进行简介。不论你是初次涉及该领域还是想学到更多，抑或只是想看看 Python 是如何做的，这一章都会适合你。在这短短的一章里我们无法对 GUI 程序开发介绍得面面俱到，但我们将讲解最核心的内容。Python 的默认 GUI 工具集是 Tk，它也是我们将使用的最基本的 GUI 工具集，我们可以通过 Python 接口 Tkinter 来使用 Tk（Tkinter 正是“Tk 接口”之意）。

Tk 并非“最强、最新”，也不是包含 GUI 构建模块最多的工具集，但它非常简单，并且可以开发出能运行于大多数平台的 GUI 程序。我们将用 Tkinter 举几个例子其中包括一个中级范例，随后我们还将给出几个其他工具集的例子。一旦完成了本章的学习，你将掌握构建复杂应用程序的技巧，也有能力转向那些更流行的图形工具集。Python 有许多对主流工具集的绑定（Binding）或转接（Adaptor），其中不乏对商业系统的，这里就不多介绍了。

19.1 简介

19.1.1 什么是 Tcl、Tk 和 Tkinter

Tkinter 是 Python 的默认 GUI 库，它基于 Tk 工具集，后者最初是为工具命令语言（Tcl）设计的。Tk 流行后被移植到许多其他脚本语言中，包括 Perl(Perl/Tk)、Ruby(Ruby/Tk)和 Python (Tkinter)。借助于 Tk 开发 GUI 的可移植性和灵活性，加上脚本语言的简洁和系统语言的强劲，我们得到了一件可与商业软件相匹敌的利器，它可以用于快速开发各种 GUI 程序。

如果是初涉 GUI 编程，你会惊喜地发现一切竟如此简单。你也会发现 Python 搭配 Tkinter 提供了一种高效的、激动人心的应用程序构建方式，可以用来开发出有趣（并且往往还有用）的程序。而同样的程序如果直接使用 C/C++，基于本地窗口系统库开发，将多花很长的时间。一旦设计好了程序及相应外观，接下来要做的只是用那些被称作组件的基本构造块去搭建想要的模块，最终再赋予其功能就能让一切“活起来”。

如果你是个 Tk 老手，不论是使用过 Tcl 还是 Perl，都会发现 Python 提供了一种进行 GUI 编程的全新方式。Python 基于 Tk 提供了一种更高效的快速原型系统用以创建应用。别忘了你同时还享有 Python 的系统访问、网络操作、XML、数字可视化、数据库访问、以及所有其他标准库和第三方模块。

一旦你在自己的系统中装好了 Tkinter，用不了 15 分钟就可以让你的第一个 GUI 程序运行起来！

19.1.2 安装和使用 Tkinter

类似于线程模块，你系统中的 Tkinter 未必是默认开启的。你可以通过尝试导入 Tkinter 模块来判断它是否能被 Python 解释器使用。如果 Tkinter 是可用的，不会出现任何错误：

```
>>> import Tkinter
>>>
```

而如果你的 Python 解释器在编译时没有启用 Tkinter，导入过程将失败。

```
>>> import Tkinter
Traceback (innermost last):
   File "<stdin>", line 1, in ?
   File "/usr/lib/python1.5/lib-tk/Tkinter.py", line 8, in ?
      import _tkinter # If this fails your Python may not
be configured for Tk
ImportError: No module named _tkinter
```

这时你不得不重编译 Python 解释器来访问 Tkinter。这通常会涉及编辑 Modules/Setup 文件和启用所有正确选项来编译你的Python解释器，以确保Tkinter能被选择安装在系统中。请检查你Python发行包中的README文件，里面有把Tkinter编译进系统的操作说明。请确定你编译完后启动的是刚刚创建的新Python解释器，否则它会像那个旧的不含Tkinter的解释器一样工作（实际上，它就是你那个旧解释器）。

19.1.3 客户端/服务器架构

在之前介绍的网络编程中，我们介绍了客户端/服务器计算模式的概念。窗口系统就是软件服务器的另一个例子，它们运行在一个有显示设备的机器上，比如带有一个某种类型的显示器。当然还有客户端（那些需要窗口环境来运行的程序，也就是我们所说的GUI程序），这些程序无法脱离窗口系统单独运行。

这种架构混合网络应用将显得更加有趣。通常一个GUI程序被执行时会在启动它的机器上显示（通过窗口服务器），但也可以在一些网络化的窗口环境中（例如Unix的X Window系统）选择其他机器的窗口服务器去显示。这样，你就可以在一台机器上运行GUI程序而在另一台机器上显示它！

19.2 Tkinter与Python编程

19.2.1 Tkinter模块：把Tk引入你的程序

为了让 Tkinter 成为你程序的一部分，应该怎么做呢？这并不是说你一定要先有一个应用程序。只要你愿意，当然可以创建一个纯粹的GUI程序，但如果没有让人感兴趣的功能的话，这个程序也许不会很有用。

要创建并运行你的GUI程序，下面五步是基本的。

1. 导入 `Tkinter` 模块（import Tkinter 或者 **from** Tkinter **import** *）。
2. 创建一个顶层窗口对象，来容纳你的整个GUI程序。
3. 在你的顶层窗口对象上（或者说在“其中”）创建所有的GUI模块（以及功能）。
4. 把这些GUI模块与底层程序代码相连接。
5. 进入主事件循环。

第一步很明显：所有使用Tkinter的GUI程序必须先导入Tkinter模块。第一步就是为了获得Tkinter的访问权（参见19.1.1小节）。

19.2.2 GUI程序开发简介

在举例之前，我们将先从宏观上来给你简单介绍一下GUI程序开发。这将给你以后的学习提供一些必要的背景知识。

创建GUI程序与画家作画有些相似。通常画家只会在一块画布上开展自己的创作。工作步骤或许是这样的：首先要找来一块干净的石板，你将在这个“顶层”窗口对象上创建所有其他模块。可以把这一步想象成一座房屋的地基或者某个画家的画架。换言之，在搭建各实物或展开画布之前，你必须先给地基浇灌好混凝土或者架好画架。对Tkinter而言，这个基础被称为顶层窗口对象。

在 GUI 程序中，会有一个顶层根窗口对象，它包含着所有小窗口对象，它们共同组成一个完整的GUI程序。这些小窗口对象可以是文字标签、按钮、列表框等等。这些独立的GUI构件就是所谓的组件。所以当我们说创建一个顶层窗口的时候，我们实际上是指你需要一个放置所有组件的地方。典型的Python语句如下行：

```
top = Tkinter.Tk() # 如果上文是"from Tkinter import *", Tk()就够了
```

Tkinter.Tk()返回的对象通常被称作根窗口，正因为如此，有些程序用 root 来指示它，而非 top。顶层窗口是指那些在你的程序中独立显示的部分。你可以在GUI程序中创建多个顶层窗口，但它们中只能有一个是根窗口。你可以采用先完全设计好组件再添加实际功能的开发方式，也可以二者同时进行。（这

意味着交替执行上述 5 步中的第 3 步和第 4 步。）

组件既可以是独立的也可以作为容器存在。如果一个组件“包含”其他组件，它就被认为是这些组件的父组件。相应地，如果一个组件被“包含”在其他组件中，它就被认为是父组件的孩子，父组件则是直接包围其外的那个容器组件。

通常，组件会有一些相应的行为，例如按钮被按下，或者文本框被写入。这种形式的用户行为被称为事件，而 GUI 程序对事件所采取的响应动作被称为回调。

用户操作包括按下（以及释放）按钮、移动鼠标、按下 RETURN 或 Enter 键等等，所有的这些从系统角度都被看作事件。GUI 程序正是由这件随其始末的整套事件体系所驱动的。这个过程被称作事件驱动处理。

一个事件及其回调的例子是鼠标移动。我们假设鼠标指针停在你 GUI 程序的某处。如果鼠标被移到了程序的别处，一定是有什么东西引起了屏幕上指针的移动，从而表现这种位置的转移。系统必须处理这些鼠标移动事件才能展现（并实现）鼠标在窗口上的移动。一旦你释放了鼠标，就不再会有事件需要处理，相应地，屏幕上的一切又复归平静。

GUI 程序的事件驱动特性恰好体现出它的客户端/服务器架构。当你启动一个 GUI 程序时，它必须执行一些初始化例程来为核心功能的运行做准备，正如启动一个网络服务器时必须先申请一个套接字并把它绑定在一个本地地址上一样。Tk 有两个坐标管理器用来协助把组件放在正确的位置上；你将经常用到的一个称为“包”，亦即 packer。另一个坐标管理器是网格（Grid）。你可以用它来把 GUI 组件放在网格坐标系中，Grid 将依据 GUI 中的网格坐标来生成每个对象。我们将紧扣 packer 讲解。

一旦 packer 决定好你所有组件的尺寸和对齐方式，它将为你在屏幕上放置它们。当所有这些组件，包括顶层窗口，最终显示在你屏幕上时，GUI 程序就会进入一个“服务器式”的无限循环。这个无限循环包括等待 GUI 事件、处理事件、然后返回等待模式，等待下一个事件。

上述最后一步说明所有组件就绪后立即进入主循环。这正是我们提及的“服务器式”无限循环。对 Tkinter 而言，相应代码如下：

```
Tkinter.mainloop()
```

这通常是你程序执行的最后一段代码。一旦进入主循环，GUI 便从此掌握控制权。所有其他动作都来自回调函数，包括程序退出。当你拉下文件菜单点击“退出”菜单项或直接关闭窗口时，必须要唤起一个回调来结束你的程序。

19.2.3 顶层窗口：Tkinter.Tk()

我们前面提到所有的主要组件都建立在顶层窗口对象内。这个对象是由 Tkinter 中的 Tk 类创建的，并且是由普通构造器创建的：

```
>>> import Tkinter
>>> top = Tkinter.Tk()
```

在这个窗口中，你可以放置独立组件或集成的模块来构建你的 GUI。那么，都有哪些组件可用呢？我们下面就来介绍 Tk 组件。

19.2.4 Tk 组件

Tk 目前有 15 种组件。我们在表 19.1 中列出了它们。

我们不准备对所有 Tk 组件都一一详细讲解，因为已经有许多关于它们的很好的文章可供参考——不论是从 Python 网站的 Tkinter 主题页面还是数量可观的 Tcl/Tk 印刷品，抑或是在线资源（其中一些可以在附录 B 中找到）。然而，我们将讲解一些例子来帮你启航。

表19.1 Tk组件

组 件	描 述
Button	按钮。类似标签，但提供额外的功能，例如鼠标掠过、按下、释放以及键盘操作/事件
Canvas	画布。提供绘图功能（直线、椭圆、多边形、矩形）；可以包含图形或位图
Checkbutton	选择按钮。一组方框，可以选择其中的任意个（类似HTML中的checkbox）
Entry	文本框。单行文字域，用来收集键盘输入（类似HTML中的text）
Frame	框架。包含其他组件的纯容器
Label	标签。用来显示文字或图片
Listbox	列表框。一个选项列表，用户可以从中选择
Menu	菜单。点下菜单按钮后弹出的一个选项列表，用户可以从中选择
Menubutton	菜单按钮。用来包含菜单的组件（有下拉式、层叠式等等）
Message	消息框。类似于标签，但可以显示多行文本
Radiobutton	单选按钮。一组按钮，其中只有一个可被"按下"（类似HTML的radio）
Scale	进度条。线性"滑块"组件，可设定起始值和结束值，会显示当前位置的精确值
Scrollbar	滚动条。对其支持的组件（文本域、画布、列表框、文本框）提供滚动功能
Text	文本域。多行文字区域，可用来收集（或显示）用户输入的文字（类似HTML中的textarea）
Toplevel	顶级。类似框架，但提供一个独立的窗口容器

核心笔记：默认参数是你的朋友

GUI开发从Python的缺省参数机制获益匪浅，因为Tkinter组件有大量的默认动作。除非你熟知自己使用的每一个组件的每一个可用选项，否则最好只设置你关心的参数而把其他的交由系统处理。这些缺省值是精心选出的。

如果你没有提供这些值也不必担心程序会在屏幕上表现怪异。作为一条基本规则，程序都由一系列经优化的缺省值创建，并且只有当你明确知道如何配置你的组件时，才有必要用自己的值替换这些缺省值。

例19.1

我们的第一个Tkinter例子是……还能是什么呢？"Hello World!"具体地说，是介绍我们的第一个组件：标签。

```
1  #!/usr/bin/env python
2
3  import Tkinter
4
5  top = Tkinter.Tk()
6  label = Tkinter.Label(top, text='Hello World!')
7  label.pack()
8  Tkinter.mainloop()
```

19.3 Tkinter举例

19.3.1 标签组件

在例19.1中，我们展示了Tkinter版的"Hello World!"——tkhello1.py。实际上，它利用组件向你展示了如何创建一个Tkinter应用程序。

第一行，我们先创建了一个顶层窗口。随后是写着那串举世闻名的字符的标签组件。我们指明用packer来管理和显示组件，并最终调用mainloop()来运行GUI程序。图19-1展示了运行该GUI程序

图19-1 Tkinter标签组件（tkhello1.py）

后，你将会看到的效果。

19.3.2 按钮组件

第二个例子和第一个很相似。但我们这次将创建一个按钮而不只是显示一个简单的文字标签。例 19.2 是 tkhello2.py 的源码。

例 19.2

本例和 tkhello1.py 完全相同，除了我们创建的是按钮组件而非标签组件。

```
1   #!/usr/bin/env python
2
3   import Tkinter
4
5   top = Tkinter.Tk()
6   quit = Tkinter.Button(top, text='Hello World!',
7        command=top.quit)
8   quit.pack()
9   Tkinter.mainloop()
```

前面几行是相同的，不同的只是我们创建的是按钮组件。我们的按钮有一个额外的参数，Tkinter.quit()方法。这将给我们的按钮安装一个回调函数，在按钮按下（并释放）后让整个程序退出。最后的两行是通常的 pack()和进入 mainloop()。这个简单的按钮应用程序展示在图 19-2 中。

图 19-2 Tkinter 标签组件（tkhello1.py）

19.3.3 标签和按钮组件

我们把 tkhello1.py 和 tkhello2.py 组合到 tkhello3.py 中，得到一个同时包含标签和按钮的脚本。另外，我们现在还使用了更多的参数，而不再满足于完全使用那些自动添入的缺省参数。例 19.3 给出了 tkhello3.py 的源码。

除了对组件新加的参数，我们还看到对 packer 的一些参数。fill 参数告诉 packer 让 QUIT 按钮填充水平方向的剩余空间，而 expand 参数则引导 packer 填充了水平方向的所有可视空间，并拉伸按钮到达窗口的左右边界。

例 19.3

本例同时展示了标签和按钮组件。既然我们已经了解了按钮组件和如何配置它，我们就可以设置得更多一些，而不必像以前那样大都使用缺省参数。

```
1   #!/usr/bin/env python
2
3   import Tkinter
4   top = Tkinter.Tk()
5
6   hello = Tkinter.Label(top, text='Hello World!')
7   hello.pack()
8
9   quit = Tkinter.Button(top, text='QUIT',
10      command=top.quit, bg='red',  fg='white')
```

```
11  quit.pack(fill=Tkinter.X, expand=1)
12
13  Tkinter.mainloop()
```

正如你在图19-3中看到的，对packer没有其他指令时，组件是按垂直顺序放置的（依次放在其他组件的上面）。要水平放置则需要创建一个框架对象，再用它来添加按钮。作为父对象的唯一子对象，框架将占据父对象的空间（参见19.3.6小节例19.6中listdir.py模块对按钮的处理）。

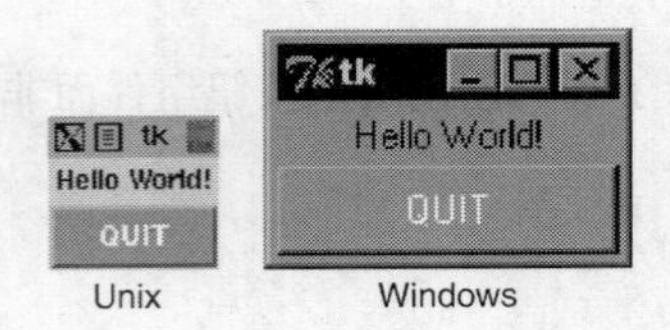

图19-3 Tkinter标签和按钮控件（tkhello3.py）

19.3.4 标签、按钮和进度条组件

我们的最后一个例子tkhello4.py，增加了一个进度条组件。具体来说，这个进度条是用来和标签组件交互的。进度条的滑块被用作控制标签组件文本大小的工具。滑块的位置值越大字体就越大，反之亦然，越小的位置值意味着越小的字体。例19.4展示了tkhello4.py的源码。

例19.4

我们最后一个组件例子介绍了进度条组件，重点放在组件间通过回调函数的交互[诸如resize()]。你对进度条组件的动作将影响标签组件上的文字。

```
1   #!/usr/bin/env python
2
3   from Tkinter import *
4
5   def resize(ev=None):
6       label.config(font='Helvetica -%d bold' % \
7           scale.get())
8
9   top = Tk()
10  top.geometry('250x150')
11
12  label = Label(top, text='Hello World!',
13      font='Helvetica -12 bold')
14  label.pack(fill=Y, expand=1)
15
16  scale = Scale(top, from_=10, to=40,
17      orient=HORIZONTAL, command=resize)
18  scale.set(12)
19  scale.pack(fill=X, expand=1)
20
21  quit = Button(top, text="QUIT",
22      command=top.quit, activeforeground='white',
23      activebackground='red')
24  quit.pack()
25
```

```
26 mainloop()
```

这段脚本新增加的 resizing()回调函数（5～7 行）附加在进度条组件上。这段代码在进度条的滑块被移动时激活，调整标签里文字的大小。

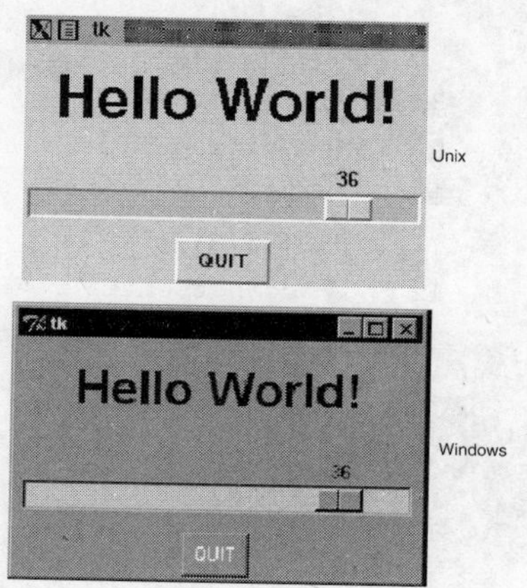

图 19-4 Tkinter 标签、按钮和滑块控件（tkhello4.py）

我们还限定了顶层窗口的尺寸（250×150）（第 10 行）。这段脚本和前 3 段的最后一个不同点是用“**from** Tkinter **import** *”把 Tkinter 模块的属性引入我们的名称空间。虽然不建议这样做，因为这会“污染”你的名称空间，但这个程序涉及大量对 Tkinter 属性的引用，这正是我们这样做的主要原因。这种方式（译者注：指 import Tkinter 的方式）要求访问每个属性时都使用它们的全部限定性名称。而通过这种不被推荐的快捷方式，我们可以在访问属性时减少输入并且让代码易于理解，但同时也付出了一些代价。

正如你在图 19-4 所看到的，滑块装置及当前位置值都显示在窗口的显著位置。图 19-4 展示了用户把进度条/滑块移动到 36 时的 GUI 程序状态。

从代码中可以看出，进度条的初始值在程序启动时被设置为 12（第 18 行）。

19.3.5 偏函数应用举例

在看更大的 GUI 程序之前，我们先回顾一下第 11 章 11.7.3 节介绍的偏函数应用（Partial Function Application，PFA）。

Python2.5 新增了 PFA 等一系列新特性，它们显著提高了 Python 对函数编程的支持。

偏函数允许你“预存”一些函数变量并有效地“冻结”了这些预定参数，在运行时你获得了所需的其他变量后再把它们“解冻”出来，用这些最终确定的参数去调用函数。

最妙的是，PFA 不仅仅局限于函数。它们对任何“可调用”的东西都有效，任何有函数接口的对象，比如类、方法、或可调用对象，只要是有括号的。对于有许多待调对象并且许多调用都反复使用相同参数的情况，用 PFA 是最合适不过的。

GUI 编程有很好的操作环境，因为很有可能你需要 GUI 组件有某些一致的外观和体验，而这些一致性表现在可以使用相同的参数创建相似的对象。我们现在要展示的应用程序中，将有多个按钮有着相同的前景色和背景色。对这些仅有细小差别的按钮，每次调相同的构造器作初始化时都输入些相同的参数实在是一种浪费：前景和背景色都一样，只是文字有细小差别。

我们将用交通指示牌作为例子，程序中尝试创造一种文字型的交通指示牌，并且把它们分成如下几类：危急、警告、通知（正好和日志信息级别相类似）。指示牌的类型决定了它们在创建时的颜色格局。例如，危急指示牌使用亮红文字和白色背景，警告指示牌使用黑色文字和金色背景，通知也就是普通指示牌使用黑色文字和白色背景。我们约定“Do Not Enter”和“Wrong Way”标识为危急，“Merging Traffic”和“Railroad Crossinig”标识为警告，“Speed Limit”和“One Way”标识为通知。该程序创造“指示牌”，它们都只是些按钮。当用户点下按钮时，将简单地弹出一个 Tk 响应对话框，显示危急/错误、警告、通知。这的确不够好玩，但如何创建这些按钮却很有趣。你将在例 19.5 看到这里所描述的程序。

例 19.5 运用 PFA 的路灯指示牌 GUI 程序（pfaGUI2.py）

按照指示类型创建适当前景、背景色的路灯指示牌。使用 PFA 帮助“模板化”常用 GUI 参数。

```
1    #!/usr/bin/env python
2
3    from functools import partial as pto
```

```
4   from Tkinter import Tk, Button, X
5   from tkMessageBox import showinfo, showwarning, showerror
6
7   WARN = 'warn'
8   CRIT = 'crit'
9   REGU = 'regu'
10
11  SIGNS = {
12      'do not enter': CRIT,
13      'railroad crossing': WARN,
14      '55\nspeed limit': REGU,
15      'wrong way': CRIT,
16      'merging traffic': WARN,
17      'one way': REGU,
18  }
19
20  critCB = lambda: showerror('Error', 'Error Button Pressed!')
21  warnCB = lambda: showwarning('Warning',
22      'Warning Button Pressed!')
23  infoCB = lambda: showinfo('Info', 'Info Button Pressed!')
24
25  top = Tk()
26  top.title('Road Signs')
27  Button(top, text='QUIT', command=top.quit,
28      bg='red', fg='white').pack()
29
30  MyButton = pto(Button, top)
31  CritButton = pto(MyButton, command=critCB, bg='white', fg='red')
32  WarnButton = pto(MyButton, command=warnCB, bg='goldenrod1')
33  ReguButton = pto(MyButton, command=infoCB, bg='white')
34
35  for eachSign in SIGNS:
36      signType = SIGNS[eachSign]
37      cmd = '%sButton(text=%r%s).pack(fill=X, expand=True)' % (
38          signType.title(), eachSign,
39          '.upper()' if signType == CRIT else '.title()')
40      eval(cmd)
41
42  top.mainloop()
```

当你执行这个程序时，会看到一个类似图 19-5 的 GUI。

逐行解释

1 ~ 18 行

作为开始，我们导入了 functional.partial()、一些 Tkinter 属性以及 Tk 对话框（1~5 行）。然后，我们定义了一些标识及其相应类型。

20 ~ 28 行

Tk 对话框被关联到按钮回调函数，我们将在创建按钮时使用它们（20~23 行）。然后加载 Tk，设置标题，并创建了一个 QUIT 按钮（25～28 行）。

30 ~ 33 行

这些行展示了 PFA 的魔力。我们通过两个步骤实现 PFA。第一步是模板化的按钮类及根窗口 top。这样当每次我们调用 MyButton 时，它会转而调用 Button（Tkinter.Button()创建了一个按钮）并使用 top 作为其第一个参数。我们把这一切“冻结”在了 MyButton 里。

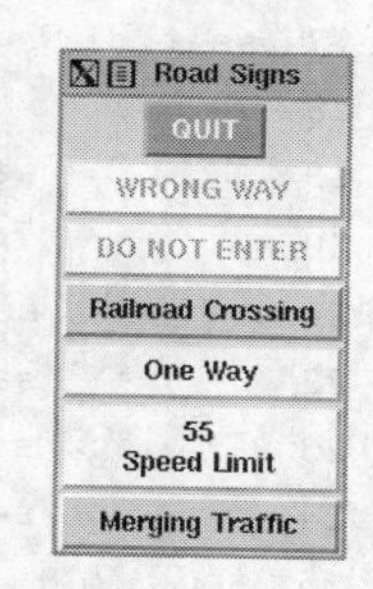

图 19-5 在使用 Mac OSX 的 XDarwin 服务器运用 PFA 的路灯指示牌 GUI 应用程序 on XDarwin in MacOS X（pfaGUI2.py）

PFA 的第二步使用了第一步的结果——MyButton，并再次对它模板化。我们对每个不同的指示类型都创建了单独类型的按钮。当用户创建一个危急按钮 CritButton 时（通过调用 CritButton()），它会转而调用 MyButton 并使用恰当的按钮回调和前景、背景色参数，这意味着用 top、按钮回调、前景、后景去调用 Button。你看出它是如何展开并逐步调用低层直到按钮组件了吗？如果没有 PFA 这个特性，它执行的那些调用本该由你自己执行。我们把同样的步骤应用到 WarnButton 和 ReguButton 上。

35 ~ 42 行

按钮类创建过程结束后，我们遍历了指示列表并创建出指示牌。我们使用了一个 Python 求值字串，它由正确的按钮名字、作为按钮标签传入的 text 参数组成，然后再 pack()一下。如果这是个危急指示牌，我们就把按钮文字全转成大写，否则的话就以标题形式显示。最后一步在第 39 行完成，同时也展示了 Python2.5 引入的另一个特性，临时操作符。随后我们对每一个按钮创建字串施以 eval()，每次创建一个按钮，最终形成了前面看到的图形。最后我们进入主事件循环，启动 GUI。

这个应用程序使用了一些 Python2.5 的新特性，所以你不能在旧版上运行它。

19.3.6 中级 Tkinter 范例

我们以一个比较大型的例子来总结本节，listdir.py。这个应用程序是一个目录树遍历工具。它从当前目录开始并提供文件列表功能。双击列表中的任意其他目录都会让该工具转向这个新的目录，同时用新目录中的文件列表替换原有的文件列表。源码作为例 19.6 给出。

例 19.6

这个稍高级一些的 GUI 程序扩大了组建的使用范围，演员名单里新增了列表框、文本框和滚动条。而且还有大量的回调函数，例如鼠标点击、键盘输入和滚动条操作。

```
1   #!/usr/bin/env python
2
3   import os
4   from time import sleep
5   from Tkinter import *
6
7   class DirList(object):
8
9       def __init__(self, initdir=None):
10          self.top = Tk()
11          self.label = Label(self.top,
12              text='Directory Lister v1.1')
13          self.label.pack()
14
15  self.cwd = StringVar(self.top)
16
```

```
17 self.dirl = Label(self.top, fg='blue',
18         font=('Helvetica', 12, 'bold'))
19     self.dirl.pack()
20
21     self.dirfm = Frame(self.top)
22     self.dirsb = Scrollbar(self.dirfm)
23     self.dirsb.pack(side=RIGHT, fill=Y)
24     self.dirs = Listbox(self.dirfm, height=15,
25         width=50, yscrollcommand=self.dirsb.set)
26     self.dirs.bind('<Double-1>', self.setDirAndGo)
27     self.dirsb.config(command=self.dirs.yview)
28     self.dirs.pack(side=LEFT, fill=BOTH)
29     self.dirfm.pack()
30
31     self.dirn = Entry(self.top, width=50,
32         textvariable=self.cwd)
33     self.dirn.bind('<Return>', self.doLS)
34     self.dirn.pack()
35
36     self.bfm = Frame(self.top)
37     self.clr = Button(self.bfm, text='Clear',
38         command=self.clrDir,
39         activeforeground='white',
40         activebackground='blue')
41     self.ls = Button(self.bfm,
42         text='List Directory',
43         command=self.doLS,
44         activeforeground='white',
45         activebackground='green')
46     self.quit = Button(self.bfm, text='Quit',
47         command=self.top.quit,
48         activeforeground='white',
49         activebackground='red')
50     self.clr.pack(side=LEFT)
51     self.ls.pack(side=LEFT)
52     self.quit.pack(side=LEFT)
53     self.bfm.pack()
54
55     if initdir:
56         self.cwd.set(os.curdir)
57         self.doLS()
58
59 def clrDir(self, ev=None):
60     self.cwd.set('')
61
62 def setDirAndGo(self, ev=None):
63     self.last = self.cwd.get()
64     self.dirs.config(selectbackground='red')
```

```
65          check = self.dirs.get(self.dirs.curselection())
66          if not check:
67              check = os.curdir
68          self.cwd.set(check)
69          self.doLS()
70
71      def doLS(self, ev=None):
72          error = ''
73          tdir = self.cwd.get()
74          if not tdir: tdir = os.curdir
75
76          if not os.path.exists(tdir):
77              error = tdir + ': no such file'
78          elif not os.path.isdir(tdir):
79              error = tdir + ': not a directory'
80
81          if error:
82              self.cwd.set(error)
83              self.top.update()
84              sleep(2)
85              if not (hasattr(self, 'last') \
86                  and self.last):
87                  self.last = os.curdir
88              self.cwd.set(self.last)
89              self.dirs.config(\
90                  selectbackground='LightSkyBlue')
91              self.top.update()
92              return
93
94          self.cwd.set(\
95              'FETCHING DIRECTORY CONTENTS...')
96          self.top.update()
97          dirlist = os.listdir(tdir)
98          dirlist.sort()
99          os.chdir(tdir)
100         self.dirl.config(text=os.getcwd())
101         self.dirs.delete(0, END)
102         self.dirs.insert(END, os.curdir)
103         self.dirs.insert(END, os.pardir)
104         for eachFile in dirlist:
105             self.dirs.insert(END, eachFile)
106         self.cwd.set(os.curdir)
107         self.dirs.config(\
108             selectbackground='LightSkyBlue')
109
110 def main():
```

```
111     d = DirList(os.curdir)
112     mainloop()
113
114 if __name__ == '__main__':
115     main()
```

在图19-6中，我们展示了Windows环境中的GUI外观。

这个程序的Unix版本在图19-7中展示。

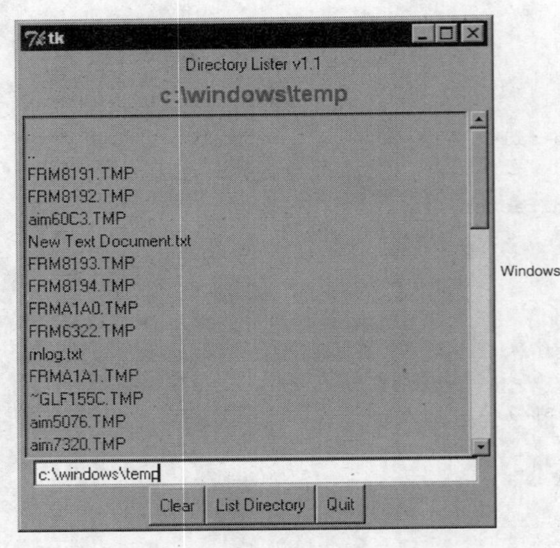

图19-6 Windows下的表目录GUI应用程序（listdir.py）

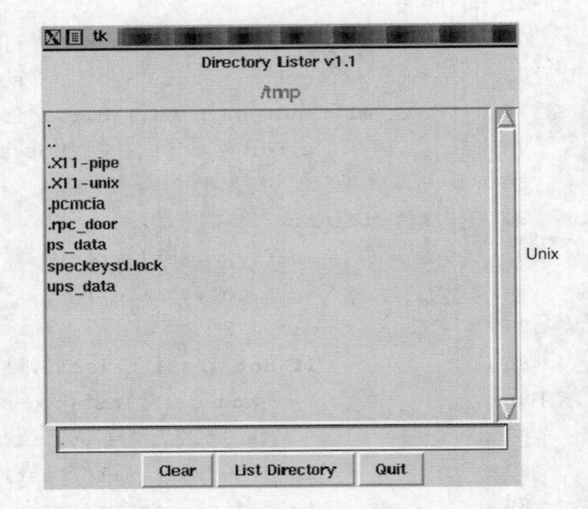

图19-7 Unix下的表目录GUI应用程序（Listdir.py）

逐行解释

1～5行

开始的几行包括通常的Unix启动行和导入os模块、time.sleep函数及Tkinter模块的所有属性。

9～13行

这些行定义了DirList类的构造器，以及一个代表我们程序的对象。我们创建的第一个标签包含了应用程序的主标题和它的版本号。

15～19行

我们声明了一个名为cwd的Tk变量来保存当前所在目录的名字——我们马上就会看到这个值从哪来。还创建了另一个标签来显示当前目录的名字。

21～29行

这段代码定义了我们这个GUI程序的核心，dirs（列表框）包含了被列目录的文件列表。使用一个滚动条以便用户在文件数目超过列表框窗口尺寸时移动列表。这两个组件都包含在一个框架组件中。列表框用bind()方法把回调函数（setDirAndGo）和列表项绑定起来。

绑定意味着把一个回调函数连接在键盘输入、鼠标动作或其他什么事件上，当这个事件被用户触发时就会执行这个回调函数。当列表框中的任一项被双击时setDirAndGo()函数就会被调用。滚动条被Scrollbar.config()方法贴附在列表框上。

31～34行

随后我们创建了一个文本框让用户输入目录名，以便转到他/她想去的目录，并在列表框中显示该目录中的文件。我们为该文字输入区加入了一个RETURN或Enter键的绑定，这样用户就能用敲RETURN的方法代替按钮点击，同样的事也会发生在上面提到的列表框中。当用户双击列表项时，效果等同于用户在文本框中输入目录名然后点击“go”按钮。

36～53 行

接下来我们定义了一个按钮框架（bfm）来保管这三个按钮：一个“clear”按钮（clr），一个“go”按钮（ls）和一个“quit”按钮（quite）。每一个按钮都有各自不同的配置和点击时的回调函数。

55～57 行

构造器的最后一部分初始化了这个 GUI 程序，程序将从当前工作目录开始。

59～60 行

clrDir()方法清空 Tk 字符串变量 cwd，其中保存着当前的“活动”目录。这个变量用来跟踪我们当前所处的目录，更重要的是，在错误发生时协助返回上一个目录。你一定注意到了回调函数中的 ev 参数的缺省值是 None。这样的任意值都可能由窗口系统传回，它们在你的回调函数里可以用也可以不用。

62～69 行

setDirAndGo()方法设置了要到达的目录并产生一个对 doLS()方法的调用，后者负责实现其余的一切。

71～108 行

现在看来，doLS()是整个 GUI 程序的关键。它负责所有的安全性检查（目标是否是一个目录以及它是否存在？）如果有错误发生，最终目录会被设置为当前目录。如果一切正确，它调用 os.listdir()来取得新的文件集合并替换列表框中的列表。当后台忙于获取新目录信息时，高亮的蓝色条会变成亮红色。当新目录设置完毕，它会恢复蓝色。

110～115 行

listdir.py 中的最后一段代码明显是代码的主体。main()函数只有在该脚本被直接调用时才会执行，并且当它执行时会创建 GUI 程序，后者随之掌控该程序。

我们把该程序的所有其他方面都留给读者作为练习，再次提醒，把整个程序看成是一系列组件和功能的组合，一切就都会简单起来。如果你清楚地知道每个单独程序段的意思，那么整个脚本就不会再显得可怕了。

但愿我们给了你一个够好的关于 Python 和 Tkinter 的 GUI 编程介绍。请记住熟悉 Tkinter 编程最好的方法就是实践和模仿一些例子！Python 发行包附带了很多可供你学习的应用程序范例。

如果你下载了源码包，就会在 Lib/lib-tk、Lib/idlelib 和 Demo/tkinter 下发现 Tkinter 的演示代码。如果你把 Win32 版本的 Python 安装在 C:\Python2.x，那么可以在 Lib\lib-tk 和 Lib\idlelib 下找到这些演示代码。最后那个目录包含了最出名的 Tkinter 例子程序：IDLE IDE 本身。还有一些关于 Tk 编程的书籍供进一步参考，其中一本是专为 Tkinter 编写的。

19.4 其他 GUI 简介

我们期望最终能编写出独立的一章来对 GUI 编程作总体介绍，Python 拥有的大量图形工具集中有很多内容值得一讲，然而，这只能是以后的事了。作为替代，我们将使用其中 4 种比较流行且可用的工具集来编写同一个 GUI 程序例：Tix（Tk Interface eXtensions）、Pmw（Python MegaWidgets 的 Tkinter 扩展）、wxPython（wxWidgets 的 Python 绑定）和 PyGTK（GTK+的 Python 绑定）。你可以在本章末尾参考部分获取更多信息和下载这些工具集的地方。

Tix 模块包含在 Python 标准库中，已经可用了。其他工具集是第三方的，你必须自己下载。因为 Pmw 只是对 Tkinter 的一个扩展，它的安装是最简便的（只需解压到你的网络包目录下）。wxPython 和 PyGTK 涉及下载多个文件并编译（除非你使用的是 Win32 版本，这样的话通常有安装包可用）。一旦这些工具集安装好并通过证，我们就能开始了。我们不打算局限在本章已经讲过的那些组件上，我们准备在后面的例子中介绍一些更复杂的组件。

除了我们已经看到过的标签和按钮组件，我们还准备介绍控制按钮（Control，又叫微调按钮，SpinButton）和组合框组件（ComboBox）。控制组件是一个文本组件和一对箭头按钮的组合，文本值受旁边按钮的“控制”或者说“旋上、旋下”，而组合框则通常包括一个文本组件和一个下拉菜单，菜单项列表中当前激活或选中的项目将显示在文本组件中。

我们的应用程序相当简单：成对的动物要被搬走，动物的总数在从一对到一打（12 只）的范围内。用控制组件来显示总数，用组合框显示动物种类列表菜单供用户选择。注意默认的动物数量是 2，且没有选择动物类型。

一旦我们开始执行这个程序，事物就变得不同了，图 19-9 就是例证，它显示的是在 Tix 程序中改变一些元素后的结果。

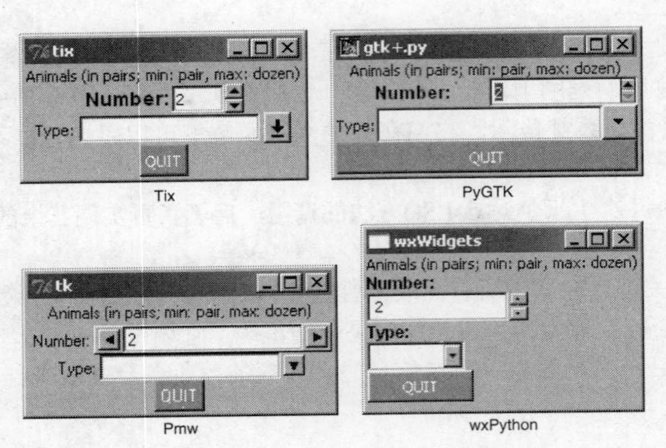

图 19-8 Win32 下使用各种 GUI 的应用程序（animal*.pyw）

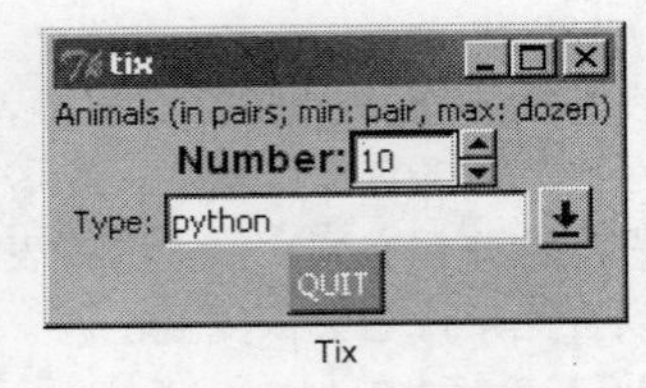

图 19-9 修改我们应用程序的 Tix GUI 版本后（animalTix.pyw）

下面，你将看到所有 4 个版本的 GUI 程序代码。你会发现尽管它们有些相似，但每一个都有自己的特别之处。而且我们使用.pyw 作为文件后缀，这样可以防止弹出 Dos 命令窗口或终端窗口。

19.4.1 Tk Interface eXtensions (Tix)

我们从一个使用 Tix 模块的例子（19.7）开始。Tix 是对 Td/T（译者注：应该是 Tcl/Tk，应为作者笔误）的一个扩展库，其中增加了许多新的组件、图像类型和其他一些命令，提高 Tk 作为 GUI 开发工具集的可用性。我们现在来看看如何在 Python 中使用 Tix。

例 19.7 Tix GUI 编程演示（animalTix.pyw）

我们的第一个例子使用 Tix 模块。Tix 已经是 Python 的一部分了！

```
1    #!/usr/bin/env python
2
3    from Tkinter import Label, Button, END
4    from Tix import Tk, Control, ComboBox
5
6    top = Tk()
7    top.tk.eval('package require Tix')
8
9    lb = Label(top,
10       text='Animals (in pairs; min: pair, max: dozen)')
11   lb.pack()
12
13   ct = Control(top, label='Number:',
14       integer=True, max=12, min=2, value=2, step=2)
15   ct.label.config(font='Helvetica -14 bold')
16   ct.pack()
17
```

```
18  cb = ComboBox(top, label='Type:', editable=True)
19  for animal in ('dog', 'cat', 'hamster', 'python'):
20      cb.insert(END, animal)
21  cb.pack()
22
23  qb = Button(top, text='QUIT',
24      command=top.quit, bg='red', fg='white')
25  qb.pack()
26
27  top.mainloop()
```

逐行解释

1～7 行

这里都是些初始化代码，模块导入操作，以及基本的 GUI 操作。第 7 行的断言要求程序可以使用 Tix 模块。

8～27 行

这些行创建了所有的组件：标签（9～11 行）、控制（13～16 行）、组合框（18～21 行）和退出按钮（23～25 行）。组件构造器里的参数都很浅显明了无需更多解释。最后，我们在第 27 行进入 GUI 主事件循环。

19.4.2 Python MegaWidgets (PMW)

下面通过例 19.8 让我们来看看 Python MegaWidgets。这个模块体现了 Tkinter 悠久的历史。它基本上是通过在 GUI 工具集中添加一些新式的组件来延长 Tkinter 的寿命。

这个 Pmw 的例子和上面 Tix 的例子是如此相似，以致我们不准备对读者逐行解释它。代码中区别最大的一行是控制组件的构造器，那个 Pmw 的控制组件。它提供了验证函数的入口。不同于直接在组件构造器中以关键字参数的形式传入最大、最小值，Pmw 使用“验证器”来确保值不会超出我们可接受的范围。

现在我们终于要离开 Tk 的世界了。Tix 和 Pmw 分别扩展了 Tk 和 Tkinter，然而我们现在将改变方向去看看完全不同的工具集，即 wxWidgets 和 GTK+。在使用这些现代的、健壮的 GUI 工具集时，你将发现代码的行数增加了，这是因为我们使用了更多的面向对象特性。

19.4.3 wxWidgets 和 wxPython

wxWidgets（以前称作 wxWindows）是一个跨平台的工具集，用来构建图像用户程序。它用 C++实现并在各种平台上广泛使用，wxWidgets 为这些平台定义了一致、通用的 API。wxWidgets 最大的优点是它在每个平台上都使用原生 GUI，所以你的程序将和所有其他桌面程序有相同的外观和用户体验。另一个特点是你不会被局限于使用 C++开发 wxWidgets 应用程序。它有对 Python 和 Perl 的接口。

例 19.8 使用 wxPython 展示了我们那个动物应用程序。

例 19.8

我们的第二个例子使用 Python MegaWidgets 包。

```
1  #!/usr/bin/env python
2
3  from Tkinter import Button, END, Label, W
4  from Pmw import initialise, ComboBox, Counter
5
6  top = initialise()
7
```

```
8   lb = Label(top,
9       text='Animals (in pairs; min: pair, max: dozen)')
10  lb.pack()
11
12  ct = Counter(top, labelpos=W, label_text='Number:',
13      datatype='integer', entryfield_value=2,
14      increment=2, entryfield_validate={'validator':
15      'integer', 'min': 2, 'max': 12})
16  ct.pack()
17
18  cb = ComboBox(top, labelpos=W, label_text='Type:')
19  for animal in ('dog', 'cat', 'hamster', 'python'):
20      cb.insert(end, animal)
21  cb.pack()
22
23  qb = Button(top, text='QUIT',
24      command=top.quit, bg='red', fg='white')
25  qb.pack()
26
27  top.mainloop()
```

逐行解释

5～37 行

这里我们先编写了一个框架类（5～8 行），它的唯一成员即其构造器。这个方法的唯一实用目的就是创建我们的组件。在框架组件中，我们创建了一个画板组件（panel）。在画板中我们用 BoxSizer 来包含所有其他组件并对其布局（第 10 行和第 36 行），这些组件是标签（12～14 行）、微调按钮（16～20 行）、列表框（22～27 行）和退出按钮（29～34 行）。

例 19.9 wxPython GUI 演示（animal Wx.pyw）

我们的第三个例子使用 wxPython 及 wxWidgets。注意我们把所有的组件都放在一个布局管理器里，以及该程序中更多的面向对象本质。

```
1   #!/usr/bin/env python
2
3   import wx
4
5   class MyFrame(wx.Frame):
6     def __init__(self, parent=None, id=-1, title=''):
7         wx.Frame.__init__(self, parent, id, title,
8         size=(200, 140))
9         top = wx.Panel(self)
10        sizer = wx.BoxSizer(wx.VERTICAL)
11        font = wx.Font(9, wx.SWISS, wx.NORMAL, wx.BOLD)
12        lb = wx.StaticText(top, -1,
13           'Animals (in pairs; min: pair, max: dozen)')
14        sizer.Add(lb)
15
16        c1 = wx.StaticText(top, -1, 'Number:')
17        c1.SetFont(font)
18        ct = wx.SpinCtrl(top, -1, '2', min=2, max=12)
```

```
19          sizer.Add(c1)
20          sizer.Add(ct)
21
22          c2 = wx.StaticText(top, -1, 'Type:')
23          c2.SetFont(font)
24          cb = wx.ComboBox(top,-1, '',
25              choices=('dog', 'cat', 'hamster','python'))
26          sizer.Add(c2)
27          sizer.Add(cb)
28
29          qb = wx.Button(top, -1, "QUIT")
30          qb.SetBackgroundColour('red')
31          qb.SetForegroundColour('white')
32          self.Bind(wx.EVT_BUTTON,
33              lambda e: self.Close(True), qb)
34          sizer.Add(qb)
35
36          top.SetSizer(sizer)
37          self.Layout()
38
39  class MyApp(wx.App):
40      def OnInit(self):
41          frame = MyFrame(title="wxWidgets")
42          frame.Show(True)
43          self.SetTopWindow(frame)
44          return True
45
46  def main():
47      app = MyApp()
48      app.MainLoop()
49
50  if __name__ == '__main__':
51      main()
```

我们不得不手工为微调按钮和组合框组件添加标签，因为它们看起来并不包含标签。一旦我们创建好这些，就把他们加到布局管理器中，再把布局管理器交给画板组件，并确定其中每个组件的布局。你会注意到第 10 行说明布局管理器是垂直走向的，这表明我们所有的组件都会按从上到下的顺序排列。

微调按钮组件有一个弱点，它不支持“步进”功能。在其他 3 个例子中，我们可以点箭头按钮让控制组件每次增加或减少 2，但对这个组件却不行。

39 ~ 51 行

我们的应用程序类实例化了一个刚才设计的框架对象，把它绘制在屏幕上，并设置成程序的顶层窗口。最后，几行安装代码实例化了 GUI 应用程序对象并启动之。

19.4.4 GTK+和 PyGTK

最后是 PyGTK 版的例子，它和 wxPython GUI 程序非常相似（见例 19.10）。最大的不同是我们只用一个类，还有那些设置对象——实际上就是按钮——前景、背景色的代码实在是很冗长。

逐行解释

1～6行

我们导入了3个不同的模块和包，PyGTK、GTK和Pango。Pango是一个用来布局和生成文本的库，专用于实现I18N。这里需要这个库是因为它体现了GTK+（2.x）对文字和字体处理的核心思想。

我们最后一个例子使用PyGTK（和GTK+）。类似wxPython的例子，这里对应用程序也用了一个类。对比一下这两个GUI程序例子的相似和不同点是很有趣的。这种现象并不奇怪，它使得开发者可以比较容易的转用其他工具集。

```
1   #!/usr/bin/env python
2
3   import pygtk
4   pygtk.require('2.0')
5   import gtk
6   import pango
7
8   class GTKapp(object):
9       def __init__(self):
10      top = gtk.Window(gtk.WINDOW_TOPLEVEL)
11      top.connect("delete_event", gtk.main_quit)
12      top.connect("destroy", gtk.main_quit)
13      box = gtk.VBox(False, 0)
14      lb = gtk.Label(
15        'Animals (in pairs; min: pair, max: dozen)')
16      box.pack_start(lb)
17
18      sb = gtk.HBox(False, 0)
19      adj = gtk.Adjustment(2, 2, 12, 2, 4, 0)
20      sl = gtk.Label('Number:')
21      sl.modify_font(
22         pango.FontDescription("Arial Bold 10"))
23      sb.pack_start(sl)
24      ct = gtk.SpinButton(adj, 0, 0)
25      sb.pack_start(ct)
26      box.pack_start(sb)
27
28      cb = gtk.HBox(False, 0)
29      c2 = gtk.Label('Type:')
30      cb.pack_start(c2)
31      ce = gtk.combo_box_entry_new_text()
32      for animal in ('dog', 'cat','hamster', 'python'):
33        ce.append_text(animal)
34      cb.pack_start(ce)
35      box.pack_start(cb)
36
37      qb = gtk.Button("")
38      red = gtk.gdk.color_parse('red')
39      sty = qb.get_style()
40      for st in (gtk.STATE_NORMAL,
```

```
41              gtk.STATE_PRELIGHT, gtk.STATE_ACTIVE):
42              sty.bg[st] = red
43          qb.set_style(sty)
44          ql = qb.child
45          ql.set_markup('<span color="white">QUIT</span>')
46          qb.connect_object("clicked",
47              gtk.Widget.destroy, top)
48          box.pack_start(qb)
49          top.add(box)
50          top.show_all()
51
52  if __name__ == '__main__':
53      animal = GTKapp()
54      gtk.main()
```

8~15 行

GTKapp 类反应了本程序中所有的组件。顶层窗口在这里创建（窗口管理器负责关闭它），而且还创建了一个垂直走向的布局管理器（VBox）来掌管我们的主要组件。这些实际上和我们在 wxPython GUI 程序中作的一样。

然而，为了让微调按钮和组合框的静态文本能出现它们的左侧（wxPython 例子中出现在上方），我们创建了小型的水平走向的方框来包括标签组件对（18～36 行），而且还把这些 HBox 完全置于 VBox 的掌控之下。

接下来我们创建了退出按钮并把 VBox 添加到顶层窗口中，然后把一切绘制到屏幕上。你一定注意到我们刚开始用空标题创建了按钮。我们这样做是为了让标签（子）对象能作为按钮的一部分被创建。在 45～46 行，我们取得标签的访问权并用白色字体设置了文字。

我们这样做的原因是如果你直接设置前景风格——通过 41～44 行的循环和辅助代码——那么前景只会对按钮起作用而对其他——例如标签——却是无效的，假如你把前景设为白色并把焦点置在按钮上（通过按 TAB 键可以“选中”它），你将看到用来标识选中组件的内点画线是白色的，而标签文字却依然是黑色的，除非你像我们在第 45 行（译者注：原文为“第 46 行”，应为作者笔误）那样改一下。

53~55 行

我们在这里创建了应用程序并进入主事件循环。

19.5 相关模块和其他 GUI

Python 还有一些其他的 GUI 开发系统。我们在表 19.2 中列出适当的模块及其对应的窗口系统。

表 19.2

GUI 模块或系统	描 述
Tk 相关模块	
Tkinter	TK INTERface: Python 的默认 GUI 工具集 http://wiki.python.org/moin/TkInter
Pmw	Python MegaWidgets（Tkinter 扩展） http://pmw.sf.net
Tix	Tk Interface eXtension（Tk 扩展） http://tix.sf.net

续表

GUI 模块或系统	描　述
TkZinc (Zinc)	Extended Tk canvas type（Tk 扩展） http://www.tkzinc.org
EasyGUI (easygui)	非常简单的非事件驱动 GUI（Tkinter 扩展） http://ferg.org/easygui
TIDE + (IDE Studio)	Tix 集成开发环境（包括 IDE Studio，一个 Tix 加强版的标准 IDLE IDE）http://starship .python.net/ crew/ mike
wxWidgets 相关模块	
wxPython	Python 对 wxWidgets 的绑定，一个跨平台的 GUI 框架库（早期称为 wxWindows）http://wxpython.org
Boa Constructor	Python 集成开发环境兼 wxPython GUI 构造工具 http://boa-constructor.sf.net
PythonCard	基于 wxPython 的 GUI 桌面应用程序工具集（从 HyperCard 获得灵感） http://pythoncard.sf.net
wxGlade	另一个 wxPython GUI 设计工具（从 Glade（GTK+/GNOME 的 GUI 构建工具）受到启发） http://wxglade.sf.net
GTK+/GNOME 相关模块	
PyGTK	Python 对 GIMP 工具集（GTK+）的封装库 http://pygtk.org
GNOME-Python	对 GNOME 桌面开发库的绑定 Python http://gnome.org/start/unstable/bindings http://download.gnome.org/sources/gnome-python
Glade	一个针对 GTK+和 GNOME 的 GUI 构建工具 http://glade.gnome.org
PyGUI (GUI)	“Pythonic”式的跨平台 GUI 程序编程接口（MacOS X 中基于 Cocoa，POSIX/X11 和 Win32 中基于 GTK+） http://www.cosc. canterbury.ac.nz/～greg/python_gui
Qt/KDE 相关模块	
PyQt	Trolltech 开发的 Python 对 Qt GUI/XML/SQL 工具集的绑定(双协议，部分开源) http://riverbankcomputing.co.uk/pyqt
PyKDE	Python 对 KDE 桌面环境的绑定 http://riverbankcomputing.co.uk/pykde
eric	Python 使用 Qscintilla editor 组件编写的 PyQt 集成开发环境 http://die-offenbachs.de/detlev/eric3 http://ericide.python-hosting.com/
PyQtGPL	包括 Qt（Win32 Cygwin 移植版）、Sip、QScintilla 和 PyQt 的工具包 http://pythonqt.vanrietpaap.nl
其他开源 GUI 工具集	
FXPy	Python 对 FOX 工具集的绑定（http://fox-toolkit.org） http://fxpy.sf.net
pyFLTK (fltk)	Python 对 FLTK 工具集的绑定（http://fltk.org） http://pyfltk.sf.net
PyOpenGL (OpenGL)	Python 对 OpenGL 的绑定（http://opengl.org） http://pyopengl.sf.net
商业软件	
win32ui	Python 版的 Microsoft MFC（基于 Python 的 Windows 扩展） http://starship.python.net/crew/mhammond/win32
swing	Python 版的 Sun Microsystems Java/Swing（基于 Jython） http://jython.org

你还能从 Python 的 GUI 编程简介 wiki 页面 http://wiki.python.org/moin/GuiProgramming 上找到更多有关 Python GUI 编程的东西。

19.6 练习

19-1. 客户端/服务器架构。请描述窗口服务器的角色和窗口客户端的角色。

19-2. 面向对象编程。请描述子窗口和父窗口的关系。

19-3. 标签组件。请修改 tkhello1.py 脚本，让它显示你自定义的消息而非“Hello World!”

19-4. 标签和按钮组件。请修改 tkhello3.py 脚本，除了 QUIT 按钮以外再新增 3 个按钮。按下这 3 个按钮中的任意一个都将改变标签文字，显示被按下的按钮（组件）上的文字。

19-5. 标签、按钮和单选按钮组件。请对你上一问题的答案作修改，用 3 个单选按钮实现对标签文字的选择。现在有两个按钮：QUIT 按钮和“更新”按钮。当更新按钮被按下时，标签里的文字变成选中的单项按钮上的文字。如果没有选中任何单选按钮，则标签内容保持不变。

19-6. 标签、按钮和文本框组件。请对你上一问题的答案作修改，用一个单行的文本框组件替换那 3 个单选按钮，文本框的默认值为“Hello World!”（和标签的初始字符串保持一致）。用户可以编辑文本框，输入新的字符串，标签组件会在更新按钮被按下时显示这个新的字符串。

19-7. 标签、文本框组件及 Python I/O。创建包含一个文本框的 GUI 程序，用户可以在其中输入一个文本文件名。打开该文件并读取，把其中的内容显示在标签组件上。附加题（菜单）：把文本框换成一个包含文件打开选项的菜单，它会弹出一个窗口供用户选择要读取的文件。再给菜单加上一个 Exit 或 Quit 选项，这样就用不着 QUIT 按钮了。

19-8. 简单的文本编辑器。在你上一题答案的基础上创建一个简单的文本编辑器。可以用剪贴板或读文件的方式在一个文本域里显示一些文字供用户编辑。当用户退出程序时（通过 QUIT 按钮或 Quit/Exit 菜单项）会询问用户是否保存所作的修改。附加题：给你的脚本添加一个拼写检查接口，增加一个按钮或菜单项来对文件进行拼写检查。拼写错误的词句应在文本域组件中用不同的背景或前景色高亮显示出来。

19-9. 多线程聊天应用程序。第 13、16、17 章讲到的聊天程序可以完成了。创建一个全功能的多线程聊天服务器。这个服务器其实并不需要有 GUI，除非你想给它创建一个前端配置界面，配置端口号、名称、到域名服务器的连接等。创建一个多线程的聊天客户端，使用单独的线程监视用户输入（并以广播方式给服务器发送消息），另一个线程用来接收消息并显示给用户。客户端的 GUI 聊天窗口应当由两部分组成：较大的部分用来多行显示所有的对话，较小的文本域用来接收用户输入。

19-10. 使用其他 GUI。19.4 中的例子使用到了各种各样的工具集，这些 GUI 程序看起来很相似；然而，它们并不完全一样。尽管不可能让所有的例子看起来完全一样，但请尽量调整它们，让它们比现在看起来更一致些。

19-11. 使用 GUI 构建工具。下载 Boa Constructor（wxWidgets 平台）或 Glade（GTK+平台）（或者都下载），然后实现那个“动物”GUI 程序，只用从相应的工具栏拖曳一些组件就好了。给你的新 GUI 加上回调函数，让它能有本章例子程序中的那些行为。

第20章 Web编程

本章主题

- Python的Web应用：简单的Web客户端
- urlparse和urllib模块
- 高级的Web客户端
- 网络爬虫/蜘蛛/机器人
- CGI:帮助Web服务器处理客户端数据
- 创建CGI应用程序
- 在CGI中使用Unicode
- 高级CGI
- 创建Web服务器
- 相关模块

20.1 介绍

本章是有关 Web 编程的介绍，可以帮助你对 Python 在因特网上的各种基础应用有个概要了解，例如通过 Web 页面建立用户反馈表单，通过 CGI 动态生成输出页面。

20.1.1 Web 应用：客户端/服务器计算

Web 应用遵循我们反复提到的客户端/服务器架构。这里，Web 的客户端是浏览器，应用程序允许用户在万维网上查询文档。另外 Web 服务器端，进程运行在信息提供商的主机上。这些服务器等待客户和文档请求，进行相应的处理，返回相关的数据。正如大多数客户端/服务器的服务器端一样，Web 服务器端被设置为“永远”运行。图 20-1 列举了 Web 应用的体验。这里，一个用户执行一个像浏览器的这类客户端程序与 Web 服务器取得连接，就可以在因特网上任何地方获得数据。

图 20-1 因特网上的 Web 客户端和 Web 服务器。在因特网上客户端向服务器端发送一个请求，然后服务器端响应这个请求并将相应的数据返回给客户端

客户端可能向服务器端发出各种请求。这些请求可能包括获得一个网页视图或者提交一个包含数据的表单。这个请求经过服务器端的处理，然后会以特定的格式（HTML 等）返回给客户端浏览。

Web 客户端和服务器端交互使用的“语言”，Web 交互的标准协议是 HTTP（超文本传输协议）。HTTP 协议是 TCP/IP 协议的上层协议，这意味着 HTTP 协议依靠 TCP/IP 协议来进行低层的交流工作。它的职责不是路由或者传递消息（TCP/IP 协议处理这些），而是通过发送、接收 HTTP 消息来处理客户端的请求。

HTTP 协议属于无状态协议，它不跟踪从一个客户端到另一个客户端的请求信息，这点和我们现今使用的客户端/服务器端架构很像。服务器端持续运行，但是客户端的活动是按照这种结构独立进行的：一旦一个客户的请求完成后，活动将被终止。可以随时发送新的请求，但是他们会被处理成独立的服务请求。由于每个请求缺乏上下文背景，你可以注意到有些 URL 会有很长的变量和值作为请求的一部分，以便提供一些状态信息。另外一个选项是“cookie”——保存在客户端的客户状态信息。在本章的后面部分，我们将会看到如何使用 URL 和 cookie 来保存状态信息。

20.1.2 因特网

因特网是一个连接全球客户端和服务器端的变幻莫测的“迷雾”。客户端最终连接到服务器的通路，实际包含了不定节点的连通。作为一个客户端用户，所有这些实现细节都会被隐藏起来。抽象成为了从客户端到所访问的服务器端的直接连接。被隐藏起来的 HTTP，TCP / IP 协议将会处理所有的繁重工作。中间的环节信息用户并不关心，所以将这些执行过程隐藏起来是有好处的。图 20-2 展示了因特网的扩展视图。

如图 20-2 所示，因特网是由多种工作在一定规则下的（也许非连贯的）相互连接的网络组成的。图表左侧的焦点是 Web 客户端，在家上网的用户通过拨号连接到 ISP（因特网供应商）上，上班族使用的则是公司的局域网。

图表的右半部分关注的是 Web 服务器端及位置所在。具有大型 Web 站点的公司会将他们全部的“Web 服务器”放在 ISP 那里。这种物理安放被称为“整合”，这意味着你的服务器和其他客户的服务器一同放在 ISP 处被“集中管理”。这些服务器或许为客户提供了不同的数据或者有一部分为应付重负荷（高数量用户群）而设计成了可以存储重复数据的系统。小公司的 Web 站点或许不需要这么大的硬盘或者网络设备，也许仅有一个或者几个“整合”服务器安放在他们的 ISP 处就可以了。

在任何一种情况下，大多数“整合”服务器被部署在大型ISP提供的骨干网上，这意味着他们具有更高的“带宽”，如果你愿意，可以更接近因特网的核心点，从而可以更快地与因特网取得连接。这就允许客户端可以绕过许多网络直接快速的访问服务器，从而在指定的时间内可以使得更多的客户获得服务。

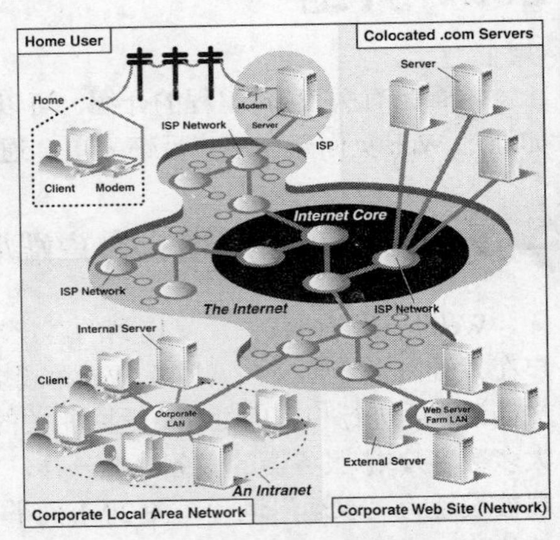

图20-2 因特网的统览。左侧指明了在哪里你可以找到Web客户端，而右侧则暗示了Web服务器的具体位置

有一点需要记清楚，Web应用是网络应用的一种最普遍的形式，但不是唯一的也不是最古老的一种形式。因特网的出现早于Web近30年。在Web出现之前，因特网主要用于教学和科研目的。因特网上的大多数系统都是运行在Unix平台上的——一个多用户操作系统，许多最初的网际协议至今仍被沿用。

这些协议包括telnet（允许用户在因特网上登录到远程的主机上，沿用至今），FTP协议（文本传输协议，用户通过上传和下载文件可以共享文件和数据，沿用至今），Gopher（Web搜索引擎的雏形——一个在互联网上爬动的小软件“gopher”可以自动寻找你感兴趣的数据），SMTP或者叫做简单邮件传输协议（这个协议用于最古老的也是应用最广泛的电子邮件），NNTP（新闻对新闻传输协议）。

由于Python的最初偏重的就是因特网编程，除了其他一些东西外你还可以找到上边提及的所有协议。可以这样区分“因特网编程”和“Web编程”，后者仅包括针对Web的应用程序开发，也就是说Web客户端和服务器是本章的焦点。

因特网编程涵盖更多范围的应用程序：包括我们之前提及的一些网际协议，例如FTP、SMTP等，同时也包括我们前一章提到的网络编程和套接字编程。

20.2 使用Python进行Web应用：创建一个简单的Web客户端

有一点需要记清楚，浏览器只是Web客户端的一种。任何一个通过向服务器端发送请求来获得数据的应用程序都被认为是“客户端”。当然，也可以建立其他的客户端从而在因特网上检索出文档和数据。这样做的一个重要原因就是浏览器的能力有限，也就是说，它主要用于查看并同其他Web站点交互。另一方面，一个客户端程序，有能力做得更多——它不仅可以下载数据，同时也可以存储、操作数据，甚至或可以将其传送到另外一个地方或者传给另外一个应用。

一个使用urllib模块下载或者访问Web上的信息的应用程序[使用urllib.urlopen()或者urllib.urlretrieve()]可以被认为是简单的Web客户端。你所要做的就是提供一个有效的Web地址。

20.2.1 统一资源定位符

简单的Web应用包括使用被称为URL（统一资源定位器，Uniform Resource Locator）的Web地址。这个地址用来在Web上定位一个文档，或者调用一个CGI程序来为你的客户端产生一个文档。URL是大型标识符URI（统一资源标识，Uniform Resource Identifier）的一部分。这个超集是建立在已有的命名惯例基础上的。一个URL是一个简单的URI，使用已存在的协议或规划（也就是http，ftp等）作为地址的一部分。为了进一步描绘这些，我们将会引入非URL的URI，有时这些被成为URN（统一资源名称，Uniform Resource Name），但是在今天我们唯一使用的一种URI是URL，至于URI和URN你也许没有听到太多，这或许已被保存成XML标识符了。

如街道地址一样，Web地址也有一些结构。美国的街道地址通常是这种格式“号码 街道名称”，例如“123 主大街”。这个和其他国家不同，他们有自己的规则。URL使用这种格式：

```
prot_sch://net_loc/path;params?query#frag
```

表 20.1 描述了各个部件。

表 20.1 Web 地址元素

URL 部件	描　述
prot_sch	网络协议或者下载规划
net_loc	服务器位置（或许也有用户信息）
path	斜杠（/）限定文件或者 CGI 应用程序的路径
params	可选参数
query	连接符（&）连接键值对
frag	拆分文档中的特殊锚

net_loc 可以进一步拆分成多个部件，有些是必备的，其他的是可选部件，net_loc 字符串如下：

```
user:passwd@host:port
```

表 20.2 中分别描述了这些部件。

表 20.2 网络定位元素

net_loc 部件	描述
user	登录名
password	用户的密码
host	Web 服务器运行的机器名或地址（必须字段）
port	端口号（默认 80）

在这 4 个部件中，host 主机名是最重要的。端口号只有在 Web 服务器运行其他非默认端口上时才会被使用（如果你不确定所使用的端口号，可以参考第 16 章）。

用户名和密码部分只有在使用 FTP 连接时候才有可能用到，因为即使是使用 FTP，大多数的连接都是使用“匿名”这时是不需要用户名和密码的。

Python 支持两种不同的模块，分别以不同的功能和兼容性来处理 URL。一种是 urlparse，另一种是 urllib。这里我们将会简单的介绍下它们的功能。

20.2.2 urlparse 模块

urlpasrse 模块提供了操作 URL 字符串的基本功能。这些功能包括 urlparse()、urlunparse()和 urljoin()。

urlparse.urlparse()

urlparse()将 URL 字符串拆分成如上所描述的一些主要部件。语法结构如下：

```
urlparse(urlstr, defProtSch=None, allowFrag=None)
```

urlparse()将 urlstr 解析成一个 6 元组（prot_sch、net_loc、path、params、query、frag）。这里的每个部件在上边已经描述过了。如果 urlstr 中没有提供默认的网络协议或下载规划时可以使用 defProtSch。allowFrag 标识一个 URL 是否允许使用零部件。下边是一个给定 URL 经 urlparse() 后的输出：

```
>>>urlparse.urlparse('http://www.python.org/doc/FAQ.html')
('http', 'www.python.org', '/doc/FAQ.html', '', '', '')
```

urlparse.urlunparse()

urlunparse()的功能与 urlpase()完全相反：它拼合一个 6 元组（prot_sch、net_loc、path、params、query、 frag）-urltup，它可能是一个 URL 经 urlparse()后的输出返回值。于是，我们可以用如下方式表示：

```
urlunparse(urlparse(urlstr)) ≡ urlstr
```

你或许已经猜到了 urlunpase()的语法：

```
urlunparse(urltup)
```

urlparse.urljoin()

在需要多个相关的 URL 时我们就需要使用 urljoin()的功能了，如在一个 Web 页中生成的一系列页面的 URL。Urljoin()的语法是：

```
urljoin(baseurl, newurl, allowFrag=None)
```

表 20.3 urlparse 模块核心函数

urlparse 功能	描　述
urlparse(*urlstr*, *defProtSch*=None, *allowFrag*=None)	将 urlstr 解析成各个部件，如果在 rulstr 中没有给定协议或者规划将使用 defProtSch；allowFrag 决定是否允许有 URL 零部件
urlunparse(*urltup*)	将 URL 数据(urltup)的一个元组反解析成一个 URL 字符串
urljoin(*baseurl*, *newurl*, *allowFrag* =None)	将 URL 的基部件 baseurl 和 newurl 拼合成一个完整的 URL；allowFrag 的作用和 urlpase()中相同

urljoin()取得 baseurl，并将其基路径（net_loc 附加一个完整的路径，但是不包括终端的文件）与 newurl 连接起来。例如：

```
>>> urlparse.urljoin('http://www.python.org/doc/FAQ.html', \
... 'current/lib/lib.htm')
'http://www.python.org/doc/current/lib/lib.html'
```

在表 20.3 中可以找到 urlparse 的功能概述。

20.2.3 urllib 模块

核心模块：urllib

urllib 模块提供了所有你需要的功能，除非你计划写一个更加低层的网络客户端。urllib 提供了一个高级的 Web 交流库，支持 Web 协议、HTTP、FTP 和 Gopher 协议，同时也支持对本地文件的访问。urllib 模块的特殊功能是利用上述协议下载数据（从因特网、局域网、主机上下载）。使用这个模块可以避免使用 httplib、ftplib 和 gopherlib 这些模块，除非你想用更低层的功能。在那些情况下这些模块都是可选择的（注意：大多数以*lib 命名的模块用于客户端相关协议开发。并不是所有情况都是这样的，或许 urllib 应该被命名为“internetlib”或其他相似的名字）。

Urllib 模块提供了在给定的 URL 地址下载数据的功能，同时也可以通过字符串的编码、解码来确保它们是有效 URL 字符串的一部分。我们接下来要谈的功能包括 urlopen()、urlretrieve()、quote()、unquote()、quote_plus()、unquote_plus()和 urlencode()。我们可以使用 urlopen()方法返回文件类型对象。你会觉得这些方法不陌生，因为在第 9 章我们已经涉及到了文件方面的内容。

1．urllib.urlopen()

urlopen()打开一个给定 URL 字符串与 Web 连接，并返回了文件类的对象。语法结构如下：

```
urlopen(urlstr, postQueryData=None)
```

urlopen()打开 urlstr 所指向的 URL。如果没有给定协议或者下载规划，或者文件规划早已传入，urlopen()则会打开一个本地的文件。

对于所有的 HTTP 请求，常见的请求类型是“GET”。在这些情况中，向 Web 服务器发送的请求字符串（编码键值或引用，如 urlencode()函数的字符串输出（如下））应该是 urlstr 的一部分。

如果要求使用“POST”方法，请求的字符串（编码的）应该被放到 postQueryData 变量中。（要了解更多关于“GET”和“POST”方法的信息，请查看 CGI 应用编程部分的普通文档或者文本，这些我们在下边也会讨论）。GET 和 POST 请求是向 Web 服务器上传数据的两种方法。

一旦连接成功，urlopen()将会返回一个文件类型对象，就像在目标路径下打开了一个可读文件。例如，如果我们的文件对象是 f，那么我们的“句柄”将会支持可读方法，如 f.read()、f.readline()、f.readlines()、f.close()和 f.fileno().

此外，f.info()方法可以返回 MIME（多目标因特网邮件扩展，Multipurpose Internet Mail Extension）头文件。这个头文件通知浏览器返回的文件类型可以用哪类应用程序打开。例如，浏览器本身可以查看 HTML（超文本标记语言，HyperText Markup Language），纯文本文件，生成（指由数据显示图像——译者注）PNG（Portable Network Graohics）、JPEG（Joint Photographic Experts Group）或者 GIF（Graphics Interchange Format）文件。其他如多媒体文件、特殊类型文件需要通过扩展的应用程序才能打开。

最后，geturl()方法在考虑了所有可能发生的间接导向后，从最终打开的文件中获得真实的 URL，这些文件类型对象的方法在表 20.4 中有描述。

表 20.4 Urllib. Urlopen()

urlopen()对象方法	描　述
f.read([*bytes*])	从 f 中读出所有或 bytes 个字节
f.readline()	从 f 中读出一行
f.readlines()	从 f 中读出所有行并返回一个列表
f.close()	关闭 f 的 URL 的连接
f.fileno()	返回 f 的文件句柄
f.info()	获得 f 的 MIME 头文件
f.geturl()	返回 f 所打开的真正的 URL

如果你打算访问更加复杂的 URL 或者想要处理更复杂的情况，如基于数字的权限验证、重定位、cookie 等问题，我们建议你使用 urllib2 模块，这个在 1.6 版本中有介绍（多数是试验模块）。它同时还有一个 urlopen()函数，但也提供了其他的可以打开各种 URL 的函数和类。关于 urllib2 的更多信息，将会在本章的下一部分介绍。

2．urllib.urlretrieve()

如果你对整个 URL 文档的工作感兴趣，urlretrieve()可以帮你快速处理一些繁重的工作。下面是 urlretrieve()的语法：

```
urlretrieve (urlstr, localfile=None, downloadSta- tusHook=None)
```

除了像 urlopen()这样从 URL 中读取内容，urlretrieve()可以方便地将 urlstr 定位到的整个 HTML 文件下载到你本地的硬盘上。你可以将下载后的数据存成一个本地文件或者一个临时文件。如果该文件已经被复制到本地或者已经是一个本地文件，后续的下载动作将不会发生。

如果可能，downloadStatusHook 这个函数将会在每块数据下载或传输完成后被调用。调用时使用下边三个参数：目前读入的块数、块的字节数和文件的总字节数。如果你正在用文本或图表向用户演示

“下载状态”信息，这个函数将会是非常有用的。

urlretrieve()返回一个2元组，(filename, mime_hdrs).filename是包含下载数据的本地文件名，mime_hdrs是对Web服务器响应后返回的一系列MIME文件头。要获得更多的信息，可以看mimetools的Message类。对本地文件来说mime_hdrs是空的。

关于urlretrieve()的简单应用，可以看11.4（grabweb.py）中的例子。在本章的20.2小节中将会介绍urlretrieve()更深层的应用。

3．Urllib.quote()和urllib.quote-plus()

quote*()函数获取URL数据，并将其编码，从而适用于URL字符串中。尤其是一些不能被打印的或者不被Web服务器作为有效URL接收的特殊字符串必须被转换。这就是quote*()函数的功能。quote*()函数的语法如下：

```
quote(urldata, safe='/')
```

逗号、下划线、句点、斜线和字母数字这类符号是不需要转化的。其他的则均需要转换。另外，那些不被允许的字符前边会被加上百分号（%）同时转换成16进制,例如：“%xx”，“xx”代表这个字母的ASCII码的十六进制值。当调用quote*()时，urldata字符串被转换成了一个可在URL字符串中使用的等价值。safe字符串可以包含一系列不能被转换的字符。默认的是斜线（/）。

quote_plus() 与quote()很像，另外它还可以将空格编码成(+)号。下边是一个使用quote()和quote_plus()的例子：

```
>>> name = 'joe mama'
>>> number = 6
>>> base = 'http://www/~foo/cgi-bin/s.py'
>>> final = '%s?name=%s&num=%d' % (base, name, number)
>>> final
'http://www/~foo/cgi-bin/s.py?name=joe mama&num=6'
>>>
>>> urllib.quote(final)
'http:%3a//www/%7efoo/cgi-bin/s.py%3fname%3djoe%20mama%26num%3d6'
>>>
>>> urllib.quote_plus(final)
'http%3a//www/%7efoo/cgi-bin/
s.py%3fname%3djoe+mama%26num%3d6'
```

4．urllib.unquote() 和 urllib.unquote_plus()

也许和你猜到的一样，unquote*()函数与 quote*()函数的功能完全相反——它将所有编码为“%xx”式的字母都转换成它们的ASCII码值。Unquote*()的语法如下：

```
unquote*(urldata)
```

调用 unquote()函数将会把 urldata 中所有的 URL-编码字母都解码，并返回字符串。Unquote_plus()函数会将加号转换成空格符。

5．urllib.urlencode()

在1.5.2版的Python中，urlopen()函数接收字典的键-值对，并将其编译成CGI请求的URL字符串的一部分。键值对的格式是“键=值”,以连接符（&）划分。更进一步，键和它们的值被传到quote_plus()函数中进行适当的编码。下边是urlencode()输出的一个例子：

```
>>> aDict = { 'name': 'Georgina Garcia', 'hmdir': '~ggarcia' }
>>> urllib.urlencode(aDict)
'name=Georgina+Garcia&hmdir=%7eggarcia'
```

urllib 和 urlparse 还有一些其他的功能，在这里我们就不一一概述了。阅读相关文档可以获得更多信息。

6．安全套接字层支持

在 1.6 版中 urllib 模块通过安全套接字层（Secure Socket Layer，SSL）支持开放的 HTTP 连接 socket 模块的核心变化是增加并实现了 SSL。随后，urllib 和 httplib 模块被上传用于支持 URL 在“https”连接规划中的应用。除了那两个模块以外，其他的含有 SSL 的模块还有 imaplib、poplib 和 smtplib。

在表 20.5 中可以看到关于本节讨论的 urllib 函数的总结。

表 20.5 核心 urllib 模块函数

urllib 函数	描　述
urlopen(*urlstr*, *postQuery- Data*=None)	打开 URL urlstr,如果必要则通过 postQueryData 发送请求
urlretrieve(*urlstr*, *local- file*=None, *downloadStatusHook*=None)	将 URL urlstr 定位的文件下载到 localfile 或临时文件中（当 localfile 没有给定时）；如果文件已经存在 downloaStatusHook 将会获得下载的统计信息
quote(*urldata*, *safe*='/')	将 urldata 的无效的 URL 字符编码；在 safe 列的则不必编码
quote_plus(*urldata*, *safe*='/')	将空格编译成加（+）号（并非%20）外，其他功能与 quote()相似
unquote(*urldata*)	将 urldata 中编码后的字母解码
unquote_plus(*urldata*)	除了将加号转换成空格后其他功能与 unquote()相似
urlencode(*dict*)	将字典键-值对编译成有效的 CGI 请求字符串，用 quote_plus()对键和值字符串分别编码

20.2.4 urllib2 模块

正如前面所提到的，urllib2 可以处理更复杂 URL 的打开问题。一个例子就是有基本认证（登录名和密码）需求的 Web 站点。最简单的“获得已验证参数”的方法是使用前边章节中描述的 URL 部件 net_loc，也就是说：http://user:passwd@www.python.org.这种解决方案的问题是不具有可编程性的。然而使用 urllib2，我们可以通过两种不同的方式来解决这个问题。

我们可以建立一个基础认证处理器（urllib2.HTTPBasicAuthHandler）,同时在基本 URL 或域上注册一个登录密码，这就意味着我们在 Web 站点上定义了个安全区域。（关于域的更多信息可以查看 RFC 2617（HTTP 认证：基本数字认证））。一旦完成这些，你可以安装 URL 打开器，通过这个处理器打开所有的 URL。

另一个可选的办法就是当浏览器提示的时候，输入用户名和密码，这样就发送了一个带有适当用户请求的认证头。在 20.1 的例子中，我们可以很容易的区分出这两种方法。

逐行解释

1～7 行

普通的初始化过程，外加几个为后续脚本使用的常量。

9～15 行

代码的“handler”版本分配了一个前面提到的基本处理器类，并添加了认证信息。之后该处理器被用于建立一个 URL-opener，并安装它以便所有已打开的 URL 能用到这些认证信息。这段代码和 urllib2 模块的 Python 官方文档是兼容的。

例 20.1 HTTP 认证客户端（urlopenAuth.py）

```
1    #!/usr/bin/env python
2
3    import urllib2
4
```

```
5   LOGIN = 'wesc'
6   PASSWD = "you'llNeverGuess"
7   URL = 'http://localhost'
8
9   def handler_version(url):
10      from urlparse import urlparse as up
11      hdlr = urllib2.HTTPBasicAuthHandler()
12      hdlr.add_password('Archives', up(url)[1], LOGIN, PASSWD)
13      opener = urllib2.build_opener(hdlr)
14      urllib2.install_opener(opener)
15      return url
16
17  def request_version(url):
18      from base64 import encodestring
19      req = urllib2.Request(url)
20      b64str = encodestring('%s:%s' % (LOGIN, PASSWD))[:-1]
21      req.add_header("Authorization", "Basic %s" % b64str)
22      return req
23
24  for funcType in ('handler', 'request'):
25      print '*** Using %s:' % funcType.upper()
26      url = eval('%s_version')(URL)
27      f = urllib2.urlopen(url)
28      print f.readline()
29      f.close()
```

17～22行

这段代码的"request"版本创建了一个Request对象，并在HTTP请求中添加了基本的base64编码认证头信息。返回"主体"后（译者注：指for循环）调用urlopen()时，该请求被用来替换其中的URL字符串。注意原始URL内建在Requst对象中，因此在随后的urllib2.urlopen()调用中替换URL字符串才不会产生问题。这段代码的灵感来自Mike Foord和Lee Harr在Python Cookbook上的回复，具体位置在：

http://aspn.activestate.com/ASPN/Cookbook/Python/Recipe/305288

http://aspn.activestate.com/ASPN/Cookbook/Python/Recipe/267197

如果能直接用哈尔的HTTPRealmFinder类就更好了，那样我们就没必要在例子里使用硬编码了。

24～29行

这个脚本的剩余部分只是用两种技术分别打开了给定的URL，并显示服务器返回的HTML页面第一行（舍弃了其他行），当然前提是要通过认证。注意如果认证信息无效的话会返回一个HTTP错误（并且不会有HTML）。

程序的输出应当如下所示：

```
$ python urlopen-auth.py
 Using handler:
 <html>

 Using request:
 <html>
```

还有一个很有用的文档可以在 http://www.voidspace.org.uk/python/articles/urllib2.shtml 找到，你可以把它作为Python官方文档的补充。

20.3 高级Web客户端

Web 浏览器是基本的 Web 客户端，主要用来在 Web 上查询或者下载文件。而 Web 的高级客户端并不只是从因特网上下载文档。

高级 Web 客户端的一个例子就是网络爬虫（也称蜘蛛或机器人）。这些程序可以基于不同目的在因特网上探索和下载页面，其中包括：

- 为 Google 和 Yahoo 这类大型的搜索引擎建索引；
- 脱机浏览——将文档下载到本地，重新设定超链接，为本地浏览器创建镜像；
- 下载并保存历史记录或框架；
- Web 页的缓存，节省再次访问 Web 站点的下载时间。

我们下边介绍网络爬虫:crawl.py,抓取 Web 的开始页面地址（URL），下载该页面和其他后续链接页面，但是仅限于那些与开始页面有着相同域名的页面。如果没有这个限制的话，你的硬盘将会被耗尽！crwal.py 的代码在例 20.2 中展示。

逐行（逐个类）解释

1 ~ 11 行

该脚本的开始部分包括 Python 在 Unix 上标准的初始化行和一些模块属性的导入，它们都会在本应用程序中用到。

13 ~ 49 行

Retriever 类的责任是从 Web 下载页面，解析每个文档中的链接并在必要的时候把它们加入“to-do”队列。我们为每个从网上下载的页面都创建一个 Retriever 类的实例。Retriever 中的方法展现了它的功能：构造器（__init__()）、filename()、download()和 parseAndGetLinks()。

filename()方法使用给定的 URL 找出安全、有效的相关文件名并存储在本地。大体上说，它会去掉 URL 的“http://”前缀，使用剩余的部分作为文件名，并创建必要的文件夹路径。那些没有文件名前缀的 URL 则会被赋予一个默认的文件名“index.htm”(可以在调用 filename()时重新指定这个名字)。

构造器实例化了一个 Retriever 对象，并把 URL 和通过 filename()获得的相应文件名都作为本地属性保存起来。

例 20.2　高级 Web 客户端：网络爬虫（crawl.py）

这个爬虫程序包括两个类，一个管理整个 crawling 进程（Crawler），一个检索并解析每一个下载的 Web 页面（Retriever）。

```
1  #!/usr/bin/env python
2
3  from sys import argv
4  from os import makedirs, unlink, sep
5  from os.path import dirname, exists, isdir, splitext
6  from string import replace, find, lower
7  from htmllib import HTMLParser
8  from urllib import urlretrieve
9  from urlparse import urlparse, urljoin
10 from formatter import DumbWriter, AbstractFormatter
11 from cStringIO import StringIO
12
13 class Retriever(object):# download Web pages
```

```
14
15      def __init__(self, url):
16          self.url = url
17          self.file = self.filename(url)
18
19      def filename(self, url, deffile='index.htm'):
20          parsedurl = urlparse(url, 'http:', 0) ## parse path
21          path = parsedurl[1] + parsedurl[2]
22          ext = splitext(path)
23          if ext[1] == '': # no file, use default
24              if path[-1] == '/':
25                  path += deffile
26              else:
27                  path += '/' + deffile
28          ldir = dirname(path) # local directory
29          if sep != '/':   # os-indep. path separator
30              ldir = replace(ldir, '/', sep)
31          if not isdir(ldir):  # create archive dir if nec.
32              if exists(ldir): unlink(ldir)
33              makedirs(ldir)
34          return path
35
36      def download(self):   # download Web page
37          try:
38              retval = urlretrieve(self.url, self.file)
39          except IOError:
40              retval = ('*** ERROR: invalid URL "%s"' %\
41                  self.url,)
42          return retval
43
44      def parseAndGetLinks(self):# parse HTML, save links
45          self.parser = HTMLParser(AbstractFormatter(\
46              DumbWriter(StringIO())))
47          self.parser.feed(open(self.file).read())
48          self.parser.close()
49          return self.parser.anchorlist
50
51  class Crawler(object):# manage entire crawling process
52
53      count = 0   # static downloaded page counter
54
55      def __init__(self, url):
56          self.q = [url]
57          self.seen = []
58          self.dom = urlparse(url)[1]
59
60      def getPage(self, url):
61          r = Retriever(url)
```

```
62          retval = r.download()
63          if retval[0] == '*': # error situation, do not parse
64              print retval, '... skipping parse'
65              return
66          Crawler.count += 1
67          print '\n(', Crawler.count, ')'
68          print 'URL:', url
69          print 'FILE:', retval[0]
70          self.seen.append(url)
71
72          links = r.parseAndGetLinks() # get and process links
73          for eachLink in links:
74              if eachLink[:4] != 'http' and \
75                      find(eachLink, '://') == -1:
76                  eachLink = urljoin(url, eachLink)
77              print '* ', eachLink,
78
79              if find(lower(eachLink), 'mailto:') != -1:
80                  print '... discarded, mailto link'
81                  continue
82
83              if eachLink not in self.seen:
84                  if find(eachLink, self.dom) == -1:
85                      print '... discarded, not in domain'
86                  else:
87                      if eachLink not in self.q:
88                          self.q.append(eachLink)
89                          print '... new, added to Q'
90                      else:
91                          print '... discarded, already in Q'
92              else:
93                      print '... discarded, already processed'
94
95      def go(self):# process links in queue
96          while self.q:
97              url = self.q.pop()
98              self.getPage(url)
99
100     def main():
101         if len(argv) > 1:
102             url = argv[1]

103         else:
104             try:
105             url = raw_input('Enter starting URL: ')
106         except (KeyboardInterrupt, EOFError):
107             url = ''
108
```

```
109        if not url: return
110        robot = Crawler(url)
111        robot.go()
112
113    if __name__ == '__main__':
114        main()
```

正如你想象的，download()方法实际会连上网络去下载给定链接的页面。它使用 URL 调用 urllib.urlretrieve()函数并把结果保存在 filename 中（该值由 filename()返回）。如果下载成功，parse()方法会被调用来解析刚从网络拷贝下来的页面；否则会返回一个错误字符串。

如果 Crawler 判定没有错误发生，它会调用 parseAndGetLinks()方法来解析新下载的页面并决定该页面中每个链接的后续动作。

51 ~ 98 行

Crawler 类是这次演示中的“明星”，掌管在一个 Web 站点上的整个抓爬过程。如果我们为应用程序添加线程，就可以为每个待抓爬的站点分别创建实例。Crawler 的构造器在初始化过程中存储了三样东西，第一个是 q，一个待下载链接的队列。这个队列在运行过程中会有涨落，有页面处理完毕它就变短，在下载的页面中发现新的链接则会让它变长。

Crawler 包含的另两个数值是 seen，一个所有“我们已看过”（已下载）的链接的列表和 dom，我们把主链接的域名存储在这里，并用这个值来判定后续链接是否是该域的一部分。

Crawler 还有一个静态数据成员 count。这个计数器只是用来保存我们已经从网上下载的对象数目。每一个页面成功下载它就会增加。

除了构造器 Crawler 还有其他两个方法，getPage()和 go()。go()只是简单地启动 Crawler，它在代码的主体部分被调用。go()中有一个循环，只有队列中还有待下载的新链接它就会不停的执行。然而这个的真正工作者，却是 getPage()方法。

getPage()初始化了一个 Retriever 对象，并把第一个链接赋给它然后让它执行。如果页面下载成功，计数器会增加并且链接会被加到“已看”列表。它会反复地检查每个已下载页面中的所有链接并判决是否有链接要被加入待下载队列。go()中的主循环会不停地推进处理过程直到队列为空，这时便大功告成。

属于其他域的链接、已经下载过的链接、已在队列中待处理的链接和“mailto:”类型的链接在扩充队列时都会被忽略掉。

100 ~ 114 行

main()是程序运行的起点，它在该脚本被直接调用时执行。其他导入 crawl.py 的模块则需要调用 main()来启动处理过程。main()需要一个 URL 来启动处理，如果在命令行指定了一个（例如这个脚本被直接调用时），它就会使用这个指定的。否则，脚本进入交互模式，提示用户输入起始 URL。一旦有了起始链接，Crawler 就会被实例化并启动开来。

一个调用 crawl.py 的例子如下所示：

```
% crawl.py
Enter starting URL: http://www.null.com/home/index.html

( 1 )
URL: http://www.null.com/home/index.html
FILE: www.null.com/home/index.html
* http://www.null.com/home/overview.html ... new, added to Q
* http://www.null.com/home/synopsis.html ... new, added to Q
* http://www.null.com/home/order.html ... new, added to Q
* mailto:postmaster@null.com ... discarded, mailto link
* http://www.null.com/home/overview.html ... discarded, already in Q
```

```
* http://www.null.com/home/synopsis.html ... discarded, already in Q
* http://www.null.com/home/order.html ... discarded, already in Q
* mailto:postmaster@null.com ... discarded, mailto link
* http://bogus.com/index.html ... discarded, not in domain

( 2 )
URL: http://www.null.com/home/order.html
FILE: www.null.com/home/order.html
* mailto:postmaster@null.com ... discarded, mailto link
* http://www.null.com/home/index.html ... discarded, already processed

* http://www.null.com/home/synopsis.html ... discarded, already in Q
* http://www.null.com/home/overview.html ... discarded, already in Q

( 3 )
URL: http://www.null.com/home/synopsis.html
FILE: www.null.com/home/synopsis.html
* http://www.null.com/home/index.html ... discarded, already processed
* http://www.null.com/home/order.html ... discarded, already processed
* http://www.null.com/home/overview.html ... discarded, already in Q

( 4 )
URL: http://www.null.com/home/overview.html
FILE: www.null.com/home/overview.html
* http://www.null.com/home/synopsis.html ... discarded, already processed
* http://www.null.com/home/index.html ... discarded, already processed
* http://www.null.com/home/synopsis.html ... discarded, already processed
* http://www.null.com/home/order.html ... discarded, already processed
```

执行后，在本地的系统文件中将会在创建一个名为 www.null.com 的目录及子目录。左右的 HTML 文件都会显示在主目录下。

20.4 CGI：帮助 Web 服务器处理客户端数据

20.4.1 CGI 介绍

Web 开发的最初目的是在全球范围内对文档进行存储和归档（大多是教学和科研目的的）。这些零碎的信息通常产生于静态的文本或 HTML。

HTML 是一个文本格式而算不上是一种语言，它包括改变字体的类型、大小、风格。HTML 的主要特性在于它对超文本的兼容性，文本以某种高亮的形式指向另外一个相关文档。可以通过鼠标点击或者其他用户的选择机制来访问这类文档。这些静态的 HTML 文档在 Web 服务器上，在有请求时，将被送到客户端。

随着因特网和 Web 服务器的形成，产生了处理用户输入的需求。在线零售商需要能够单独订货，网上银行和搜索引擎需要为用户分别建立账号。因此发明了这种执行模式，并成为了 Web 站点可以从用户那里获得特殊信息的唯一形式（在 Java applet 出现之前）。反过来，在客户提交了特定数据后，就要求立即生成 HTML 页面。

现在 Web 服务器仅有一点做得很不错：获取用户对文件的请求，并将这个文件（也就是说 HTML 文件）返回给客户端。它们现在还不具有处理字段类特殊数据的机制。将这些请求送到可以生成动态 HTML 页面的扩展应用程序中并返回给客户端，这些还没有成为 Web 服务器的职责。

这整个过程开始于 Web 服务器从客户端接到了请求（GET 或者 POST），并调用合适的程序。然后开始等待 HTML 页面——与此同时，客户端也在等待。一旦程序完成，会将生成的动态 HTML 页面返回到服务器端，然后服务器端再将这个最终结果返回给用户。服务器接到表单反馈，与外部应用程序交互，收到并返回新生成的 HTML 页面都发生在一个叫做 Web 服务器 CGI（标准网关接口，Common Gateway Interface）的接口上。图 20-3 描述了 CGI 的工作原理，逐步展示了一个用户从提交表单到返回最终结果 Web 页面的整个执行过程和数据流。

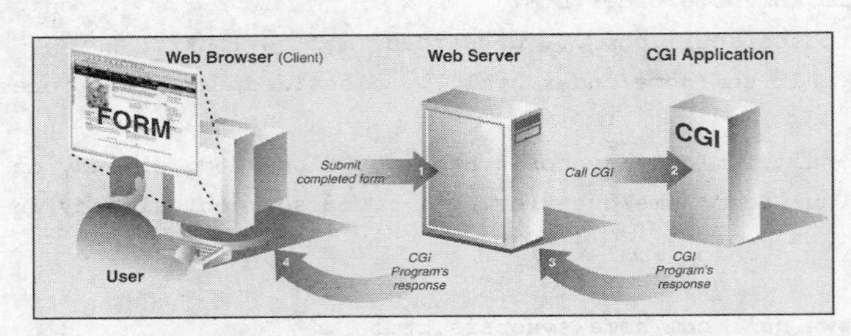

图 20-3 CGI 工作概要图。CGI 代表了在一个 Web 服务器和能够处理用户表单、生成并返回动态 HTML 页的应用程序间的交互

客户端输入给 Web 服务器端的表单可能包括处理过程和一些存储在后台数据库中的表单。需要记住的是，在任何时候都可能有任何一个用户去填写这个字段，或者点击提交按钮或图片，这更像激活了某种 CGI 活动。

创建 HTML 的 CGI 应用程序通常是用高级编程语言来实现的，可以接受、处理数据，向服务器端返回 HTML 页面。目前使用的编程语言有 Perl、PHP、C/C++或 Python。

在我们研究 CGI 之前，我们必须告诉你典型的 Web 应用产品已经不再使用 CGI 了。

由于它词义的局限性和允许 Web 服务器处理大量模拟客户端数据能力的局限性，CGI 几乎绝迹。Web 服务的关键使命依赖于遵循像 C/C++这样的语言规范。如今的 Web 服务器典型的部件有 Aphache 和集成的数据库部件（MySQL 或者 PostgreSQL）、Java（Tomcat）、PHP 和各种 Perl 模块、Python 模块，以及 SSL/security。然而，如果你工作在私人小型的或者小组织的 Web 网站上的话就没有必要使用这种强大而复杂的 Web 服务器，CGI 是一个适用于小型 Web 网站开发的工具。

更进一步来说，有很多 Web 应用程序开发框架和内容管理系统，这些都弥补了过去 CGI 的不足。然而，在这些浓缩和升华下，它们仍旧遵循 CGI 最初提供的模式，可以允许用户输入，根据输入执行拷贝，并提供了一个有效的 HTML 作为最终的客户端输出。因此，为了开发更加高效的 Web 服务，有必要理解 CGI 实现的基本原理。

在下一部分中，我们将会关注在 cgi 模块的协助下如何在 Python 中建立一个 CGI 应用程序。

20.4.2 CGI 应用程序

CGI 应用程序和典型的应用程序有些不同。主要的区别在于输入、输出及用户和计算机交互方面。当一个 CGI 脚本开始执行时，它需要检索“用户-支持”表单，但这些数据必须要从 Web 的客户端才可以获得，而不是从服务器或者硬盘上获得。

这些不同于标准输出的输出将会返回到连接的 Web 客户端，而不是返回到屏幕、CUI 窗口或者硬盘上。这些返回来的数据必须是具有一系列有效头文件的 HTML。否则，如果浏览器是 Web 的客户端，由于浏览器只能识别有效的 HTTP 数据（也就是 MIME 头和 HTML），那么返回的也只能是个错误消息（具体的就是因特网服务器错误）。

最后，可能和你想象的一样，用户不能与脚本进行交互。所有的交互都将发生在 Web 客户端（用户的行为）、Web 服务器端和 CGI 应用程序间。

20.4.3　cgi 模块

在 cgi 模块中有个主要类，即 FieldStorage 类，它完成了所有的工作。在 Python CGI 脚本开始时这个类将会被实例化，它会从 Web 客户端（具有 Web 服务器）读出有关的用户信息。一旦这个对象被实例化，它将会包含一个类似字典的对象，具有一系列的键-值对，键就是通过表单传入的表单条目的名字，而值则包含相应的数据。

这些值本身可以是以下三种对象之一。它们既可以是 FieldStorage 对象（实例），也可以是另一个类似的名为 MiniFieldStorage 类的实例，后者用在没有文件上传或 mulitple-part 格式数据的情况。MiniFieldStorage 实例只包含名字和数据的键-值对。最后，它们还可以是这些对象的列表。这发生在表单中的某个域有多个输入值的情况下。

对于简单的 Web 表单，你将会经常发现所有的 MiniFieldStorage 实例。下边包含的所有的例子都仅针对这种情况。

20.5　建立 CGI 应用程序

20.5.1　建立 Web 服务器

为了可以用 Python 进行 CGI 开发，你首先需要安装一个 Web 服务器，将其配置成可以处理 Python CGI 请求的模式，然后让你的 Web 服务器访问 CGI 脚本。其中有些操作你也许需要获得系统管理员的帮助。

如果你需要一个真正的 Web 服务器，可以下载并安装 Aphache。Aphache 的插件或模块可以处理 Python CGI，但这在我们的例子里并不是必要的。如果你准备把自己的服务“带入真实世界”，也许会想安装这些软件，尽管它们似乎过于强大。

为了学习的目的或者是建立小型的 Web 站点，使用 Python 自身带的 Web 服务器就已经足够了。在第 20.8 节，你将会实际地学习如何建立和配置简单的基于 Python 的 Web 服务器。如果你想在本阶段获得更多知识，也可以现在提前阅读那部分。然而，这并不是本章的焦点。

如果你只是想建立一个基于 Web 的服务器，可以直接执行下边的 Python 语句。

```
$ python -m CGIHTTPServer
```

-m 选项是在 2.4 中新引进的，如果你使用的是比这旧的 Python 版本，或者想看一下它执行的不同方式，请看 14.4.3 节。无论如何，最终它需要工作起来。

这将会在当前机器的当前目录下建立一个端口号为 8000 的 Web 服务器，然后可以在启动这个服务器的目录下建立一个 Cgi－bin，将 Python CGI 脚本放到那里。将一些 HTML 文件放到那个目录下，或许有些.py CGI 脚本在 Cgi-bin 中，然后就可以在地址栏中输入这些地址来访问 Web 站点了。

http://localhost:8000/friends.htm

http://localhost:8000/cgi-bin/friends2.py

20.5.2　建立表单页

在例 20.3 中，我们写了一个简单的 Web 表单 friends.html.

正如你可以在代码中看到的一样，这个表单包括两个输入变量：person 和 howmany,这两个值将会被传到我们的 CGI 脚本 friends1.py 中。

你会注意到在例子中我们将 CGI 脚本初始化到主机默认的 cgi-bin 目录下（“Action”连接）（如果这个信息与你开发环境不一样的话，在测试 Web 页面和 CGI 之前请更新你的表单事件）。同时由于表单事件中缺少 METHOD 子标签，所有的请求将会采用默认的 GET 方法。选择 GET 方法是因为我们的表单没有太多的字段，同时我们希望我们的请求字段可以在“位置”（aka“Address”，“Go To”）条中显示，以便你可以看到被送到服务器端的 URL。

例 20.3 静态表单页（friends.htm）

这个 HTML 文件展示给用户一个空文档，含有用户名和一系列可供用户选择的单选按钮。

```
1  <HTML><HEAD><TITLE>
2  Friends CGI Demo (static screen)
3  </TITLE></HEAD>
4  <BODY><H3>Friends list for: <I>NEW USER</I></H3>
5  <FORM ACTION="/cgi-bin/friends1.py">
6  <B>Enter your Name:</B>
7  <INPUT TYPE=text NAME=person VALUE="NEW USER" SIZE=15>
8  <P><B>How many friends do you have?</B>
9  <INPUT TYPE=radio NAME=howmany VALUE="0" CHECKED> 0
10 <INPUT TYPE=radio NAME=howmany VALUE="10"> 10
11 <INPUT TYPE=radio NAME=howmany VALUE="25"> 25
12 <INPUT TYPE=radio NAME=howmany VALUE="50"> 50
13 <INPUT TYPE=radio NAME=howmany VALUE="100"> 100
14   <P><INPUT TYPE=submit></FORM></BODY></HTML>
```

让我们看看 friends.htm 提交后在客户端屏幕上的显示（图 20-4 Safari，MacOS 和图 20-5 IE6）

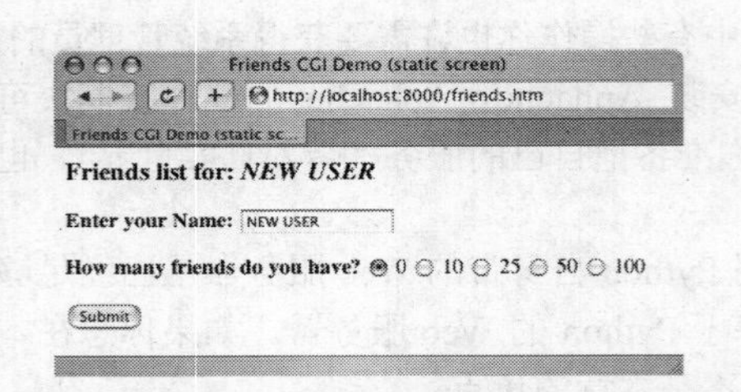

图 20-4 Friends 表单页在 Mac OS X 操作系统 Safari 浏览器上的显示（friends.htm）

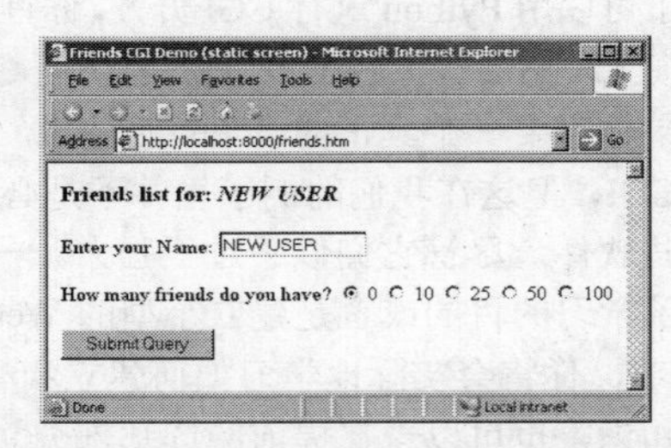

图 20-5 friends 表单页面在 Win32 操作系统 IE 6 浏览器上的显示（friends.htm）

通过本章，我们将会展示来自不同 Web 浏览器和操作系统的屏幕截图。

20.5.3 生成结果页

这些输入是由用户完成的，然后按下了“Submit”按钮（可选的，用户也可以在该文本字段中按下回车键获得相同的效果）。当这些发生后，在例 20.4 中的脚本，friends1.py 将会随 CGI 一起被执行。

这个脚本包含了所有的编程功能，读出并处理表单的输入，同时向用户返回结果 HTML 页面。所有的这些“实际”的工作仅是通过 4 行 Python 代码来实现的（14～17 行）。

表单的变量是 FieldStorage 的实例，包含 person 和 howmanyh 字段的值。我们把这些值本分别存入 Python 的 who 和 howmany 变量中。变量 reshtml 包含需要返回的 HTML 文本的正文，还有一些动态填好的字段，这些数据都是从表单中读入的。

例 20.4 CGI 代码结果示图（friendsl.py）

CGI 脚本在表单上抓取 person 和 howmany 字段，并用这些数据生成动态的结果示图。

```
1  #!/usr/bin/env python
2
3  import cgi
4
```

```
5   reshtml = '''Content-Type: text/html\n
6   <HTML><HEAD><TITLE>
7   Friends CGI Demo (dynamic screen)
8   </TITLE></HEAD>
9   <BODY><H3>Friends list for: <I>%s</I></H3>
10  Your name is: <B>%s</B><P>
11  You have <B>%s</B> friends.
12  </BODY></HTML>'''
13
14  form = cgi.FieldStorage()
15  who = form['person'].value
16  howmany = form['howmany'].value
17  print reshtml % (who, who, howmany)
```

核心提示：HTML 头文件是从 HTML 中分离出来的

有一点需要向 CGI 初学者指明的是，在向 CGI 脚本返回结果时，须先返回一个适当的 HTTP 头文件后才会返回结果 HTML 页面。进一步说，为了区分这些头文件和结果 HTML 页面，需要在 friends1.py 的第 5 行中插入几个换行符。在本章后边的代码中也是这样处理的。

图 20-6 是可能出现的屏幕显示，假设用户输入的名字为“erick allen”，单击“10 friends”单选按钮。这次的屏幕截图展示的是在 Windows 环境下 IE 3 浏览器中的效果。

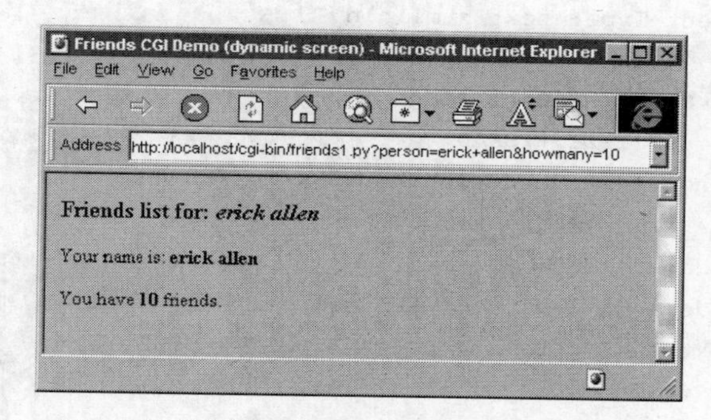

图 20-6 Friends 的结果页面在 Win32 操作系统 IE 3 浏览器上的显示

如果你是一个 Web 站点的生产商，你也许会想，“如果这个人忘记了的话，我能自动地将这个人的名字大写，会不会更好些？”这个通过 Python 的 CGI 可以很容易地实现（我们很快就会进行试验！）。

注意 GET 请求是如何将表单中的变量和值加载在 URL 地址条中的。你是否观察到了 friends.htm 页面的标题有个“static”，而 friends.py 脚本输出到屏幕上的则是“dynamic”？我们这样做的一个原因就是：指明 friends.htm 文件是一个静态的文本，而结果页面却是动态生成的。换句话说，结果页面的 HTML 不是以文本文件的形式存在硬盘上的，而是由我们的 CGI 脚本生成的，并且将其以本地文件的形式返回。

在下边的例子中，我们将会更新我们的 CGI 脚本，使其变得更灵活些，从而完全绕过静态文件。

20.5.4 生成表单和结果页面

我们删除 fiends.html 文件并将其合并到 friends2.py 中。这个脚本现在将会同时生成表单页和结果页面。但是我们如何控制生成哪个页面呢？好吧，如果有表单数据被发送，那就意味着我们需要建立一个结果页面。如果我们没有获得任何的信息，这就说明我们需要生成一个用户可以输入数据的表单页面。

例 20.5 展示的就是我们的新脚本 friends2.py。

那么我们改变了哪些脚本呢？让我们一起看下这个脚本的代码块。

逐行解释

1 ~ 5 行

除了通常的起始和模块导入行，我们还把 HTTP MIMI 头从后面的 HTML 正文部分分离出来，放在了这里。因为我们将在返回的两种页面（表单页面和结果页面）中都使用它，而又不想重复写文本。当需要输出时，我们将把这个头字串加在相应的 HTML 正文中。

7 ~ 29 行

所有这些代码都是为了整合 CGI 脚本里的 friends.htm 表单页面。我们对表单页面的文本使用一个变量 formhtml，还有一个用来创建单选按钮的字符串变量 fradio。我们从 friends.htm 复制了这个单选按钮 HTML 文本，但我们意在展示如何使用 Python 来生成更多的动态输出——见 22～27 行的 for 循环。

showForm()函数负责对用户输入生成表单页。它为单选按钮创建了一个文字集，并把这些 HTML 文本行合并到了 formhtml 主体中，然后给表单加上头信息，最后通过把整个字符串输出到标准输出的方式给客户端返回了整块数据。

例 20.5 生成表单和结果页面（friends2.py）

将 friends.html 和 friends1.py 合并成 friends2.py。得到的脚本可以同时显示表单和动态生成的 HTML 结果页面，同时可以巧妙地知道应该输出哪个页面。

```
1   #!/usr/bin/env python
2
3   import cgi
4
5   header = 'Content-Type: text/html\n\n'
6
7   formhtml = '''<HTML><HEAD><TITLE>
8   Friends CGI Demo</TITLE></HEAD>
9   <BODY><H3>Friends list for: <I>NEW USER</I></H3>
10  <FORM ACTION="/cgi-bin/friends2.py">
11  <B>Enter your Name:</B>
12  <INPUT TYPE=hidden NAME=action VALUE=edit>
13  <INPUT TYPE=text NAME=person VALUE="NEW USER" SIZE=15>
14  <P><B>How many friends do you have?</B>
15  %s
16  <P><INPUT TYPE=submit></FORM></BODY></HTML>'''
17
18  fradio = '<INPUT TYPE=radio NAME=howmany VALUE="%s" %s> %s\n'
19
20  def showForm():
21      friends = ''
22      for i in [0, 10, 25, 50, 100]:
23          checked = ''
24          if i == 0:
25              checked = 'CHECKED'
26          friends = friends + fradio % \
27              (str(i), checked, str(i))
28
29      print header + formhtml % (friends)
30
31  reshtml = '''<HTML><HEAD><TITLE>
```

```
32 Friends CGI Demo</TITLE></HEAD>
33 <BODY><H3>Friends list for: <I>%s</I></H3>
34 Your name is: <B>%s</B><P>
35 You have <B>%s</B> friends.
36 </BODY></HTML>'''
37
38 def doResults(who, howmany):
39     print header + reshtml % (who, who, howmany)
40
41 def process()
42     form = cgi.FieldStorage()
43     if form.has_key('person'):
44         who = form['person'].value
45     else:
46         who = 'NEW USER'
47
48     if form.has_key('howmany'):
49 howmany = form['howmany'].value
50     else:
51         howmany = 0
52
53     if form.has_key('action'):
54         doResults(who, howmany)
55     else:
56         showForm()
57
58 if __name__ == '__main__':
59     process()
```

这段代码中有两件有趣的事值得注意。第一点是表单中 12 行 action 处的“hidden”变量，这里的值为“edit”。我们决定显示哪个页面（表单页面或是结果页面）的唯一途径是通过这个字段。我们将在第 53～56 行看到这个字段如何起作用。

还有，请注意我们在生成所有按钮的循环里把单选按钮 0 设置为默认按钮。这表明我们可以在一行代码里（第 18 行）更新单选按钮的布局和/或它们的值，而不用再写多行文字。这也同时提供了更多的灵活性，可以用逻辑来判断哪个单选按钮被选中，见我们脚本的下一个升级版，后面的 friends3.py。

现在你或许会想“既然我也可以选择 person 或 howmany 是否出现，那为什么我们要用一个 action 变量呢？”这是一个很好的问题，因为在这种情况下你当然可以只用 person 或 hwomany。

然而，action 变量代表了一种更明显的出现，不光是它的名字还有它的作用，其代码很容易理解。person 和 howmany 变量都是对其值起作用，而 action 变量则被用作一个标志。

创立 action 的另一个原因是我们将会再一次使用它来帮助我们决定生成哪一页。具体来说，我们需要在 person 变量出现时会显示一个表单（而不是生成结果页面）——如果在这里仅依赖 person 变量,你的代码运行将失败。

31 ~ 39 行

显示结果页的代码实际上和 friends1.py 中的一样。

41 ~ 56 行

因为这个脚本可以产生出不同的页面，所以我们创建了一个包括一切的 process()函数来获得表单数据并决定采用何种动作。看起来 process()的主体部分也和 friends1.py 中主体部分的代码相似。然而它们有两个主要的不同。

因为这个脚本也许可以，也许不能取得所期待的字段（例如，第一次运行脚本时生成一个表单页，这样的话就不会给服务器传递任何字段），我们需要用 if 语句把从表单项取得的值“括起来”，并检查它们此时是否有效。还有我们上面提到的 action 字段，它可以帮助我们判定应生成哪一个页面。第 53～56 行作了这种判定。

在图 20-7 和图 20-8 中，你会先看到脚本生成的表单页面（已经输入了一个名字并选择了一个单选按钮），然后是结果页面，也是这个脚本生成的。

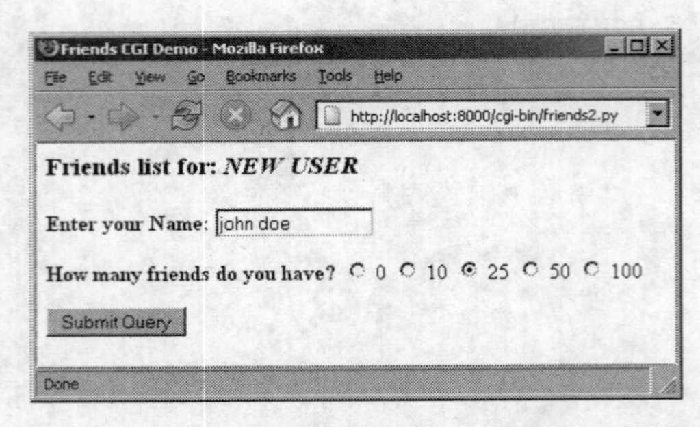

图 20-7 Friends 表单页面在 Win32 操作系统 Firefox 1.x 浏览器上的显示（friends2.py）

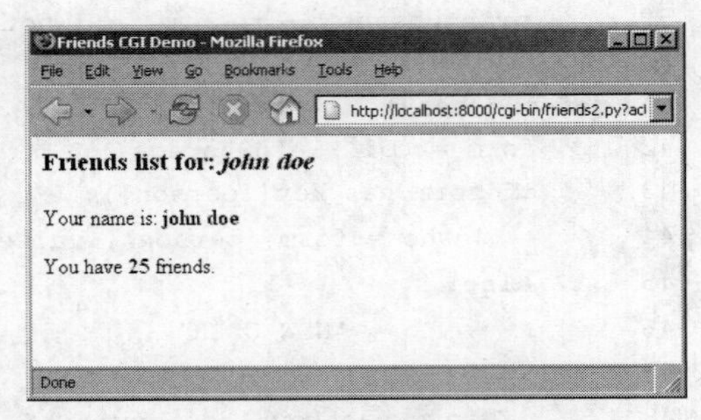

图 20-8 Friends 结果页面在 Win32 操作系统 Firefox 浏览器上的显示（friends2.py）

如果看一下位置或“转到”栏，你将不会看到一个对 friends.htm 静态文件的 URL，而在图 20-4 和图 20-5 中都有。

20.5.5 全面交互的 Web 站点

我们最后一个例子将会完成这个循环。如在前面中，用户在表单页中输入他的信息，然后我们处理这些数据，并输出一个结果页面。现在我们将会在结果页面上加个链接允许返回到表单页面 ，但是我们返回的是含有用户输入信息的页面而不是一个空白页面。我们页加上了一些错误处理程序，来展示它是如何实现的。

现在在例子 20.6 中我们展示我们最后的更新，friends3.py。

friends3.py 和 friends2.py 没有太大的不同。我们请读者比较不同处；这里我们简要的介绍了主要的不同点。

简略的逐行解释

第 8 行

我们把 URL 从表单中抽出来是因为现在有两个地方需要它，结果页面是它的新顾客。

10～19 行、69～71 行、75～82 行

所有这些行都用来处理新特性——错误页面。如果用户没有选择单选按钮，指明朋友数量，那么 howmany 字段就不会传送给服务器，在这种情况下，showError()函数会返回一个错误页面给客户。

错误页面的显示使用了 JavaScript 的“后退”按钮。因为按钮都是输入类型的，所以需要一个表单，但不需要有动作，因为我们只是简单地后退到浏览器历史中的上一个页面。尽管我们的脚本目前只支持（或者说探测、测试）一种类型的错误，但我们仍然使用了一个通用的 error 变量，这是为了以后还可以继续开发这个脚本，给它增加更多的错误检测。

例 20.6 全用户交互和错误处理（friends3.py）

通过加上返回输入信息的表单页面的连接，我们实现了整个循环，给了用户一次完整的 Web 应用体验。我们的应用程序现在也进行了一些简单的错误验证，在用户没有选择任何单选按钮时，可以通知用户。

```
1  #!/usr/bin/env python
2
3  import cgi
4  from urllib import quote_plus
5  from string import capwords
6
7  header = 'Content-Type: text/html\n\n'
8  url = '/cgi-bin/friends3.py'
9
10 errhtml = '''<HTML><HEAD><TITLE>
11 Friends CGI Demo</TITLE></HEAD>
12 <BODY><H3>ERROR</H3>
13 <B>%s</B><P>
14 <FORM><INPUT> TYPE=button VALUE=Back
15 ONCLICK="window.history.back()"></FORM>
16 </BODY></HTML>'''
17
18 def showError(error_str):
19   print header + errhtml % (error_str)
20
21 formhtml = '''<HTML><HEAD><TITLE>
22 Friends CGI Demo</TITLE></HEAD>
23 <BODY><H3>Friends list for: <I>%s</I></H3>
24 <FORM ACTION="%s">
25 <B>Your Name:</B>
26 <INPUT TYPE=hidden NAME=action VALUE=edit>
27 <INPUT TYPE=text NAME=person VALUE="%s" SIZE=15>
28 <P><B>How many friends do you have?</B>
29 %s
30 <P><INPUT TYPE=submit></FORM></BODY></HTML>'''
31
32 fradio = '<INPUT TYPE=radio NAME=howmany VALUE="%s" %s>
   %s\n'
33
34 def showForm(who, howmany):
35   friends = ''
36   for i in [0, 10, 25, 50, 100]:
37       checked = ''
38       if str(i) == howmany:
39           checked = 'CHECKED'
40       friends = friends + fradio % \
41           (str(i), checked, str(i))
42   print header + formhtml % (who, url, who, friends)
43
44 reshtml = '''<HTML><HEAD><TITLE>
45 Friends CGI Demo</TITLE></HEAD>
46 <BODY><H3>Friends list for: <I>%s</I></H3>
47 Your name is: <B>%s</B><P>
48 You have <B>%s</B> friends.
```

```
49 <P>Click <A HREF="%s">here</A> to edit your data again.
50 </BODY></HTML>'''
51
52 def doResults(who, howmany):
53   newurl = url + '?action=reedit&person=%s&howmany=%s'%\
54       (quote_plus(who), howmany)
55   print header + reshtml % (who, who, howmany, newurl)
56
57 def process():
58   error = ''
59   form = cgi.FieldStorage()
60
61   if form.has_key('person'):
62       who = capwords(form['person'].value)
63   else:
64       who = 'NEW USER'
65
66   if form.has_key('howmany'):
67       howmany = form['howmany'].value
68   else:
69       if form.has_key('action') and \
70               form['action'].value == 'edit':
71           error = 'Please select number of friends.'
72       else:
73           howmany = 0
74
75   if not error:
76       if form.has_key('action') and \
77               form['action'].value != 'reedit':
78           doResults(who, howmany)
79       else:
80           showForm(who, howmany)
81   else:
82           showError(error)
83
84 if __name__ == '__main__':
85   process()
```

第27行、38～41行、49行、52～55行

这个脚本的一个目的是创建一个有意义的链接，以便从结果页面返回表单页面。当有错误发生时，用户可以使用这个链接返回表单页面去更新他/她填写的数据。新的表单页面只有当它包含了用户先前输入的信息时才有意义（如果让用户重复输入这些信息会很令人沮丧）。

为了实现这一点，我们需要把当前值嵌入到更新过的表单中。在第27行，我们给name新增了一个值。这个值如果给出的话，会被插入到name字段。显然，在初始表单页面上它将是空值。第38～41行，我们根据当前选定的朋友数目设置了单选按钮。最后，通过第49行和第52～55行更新了的doResults()函数，我们创建了这个包含已有信息的链接，它会让用户“返回”到我们更改后的表单页面。

62行

最后我们从美学角度上加了一个简单的特性。在friends1.py和friends2.py的截屏中，可以看到返回

结果和用户的输入一字不差。在上述的截屏中，如果用户的名字没有大写这将影响返回的页面。我们加了一个对 string.capwords()函数的调用从而自动的将用户名置成大写。capwords()函数可以将传进来的每个单词的第一个字母置成大写的。这也许是或许不是必要的特性，但是我们还是愿意一起分享它，以便你知道这个功能的存在。

下边我们将会展示 4 个截屏，表明用户和 CGI 表单及脚本的交互过程。

在图 20-9 中，我们调用 friends3.py 生成了一个熟悉的新表单页面。输入“fool bar”，同时故意忘记检查单选按钮。单击 Submit 按钮后将会返回错误页面，请看图 20-10。

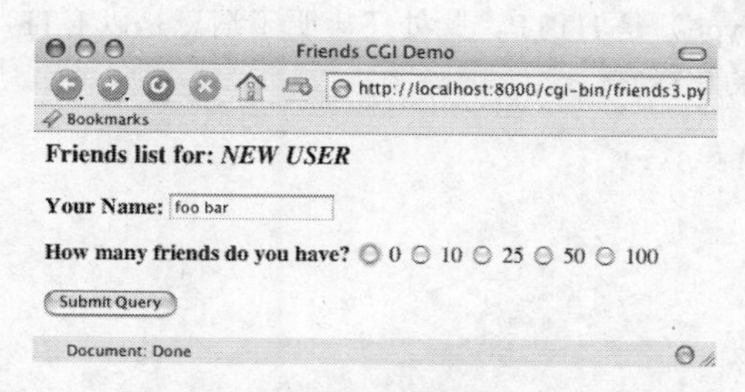

图 20-9 Friends 的初始表单页面在 MacOS X 操作系统 Camino 浏览器上的显示（friends3.py）

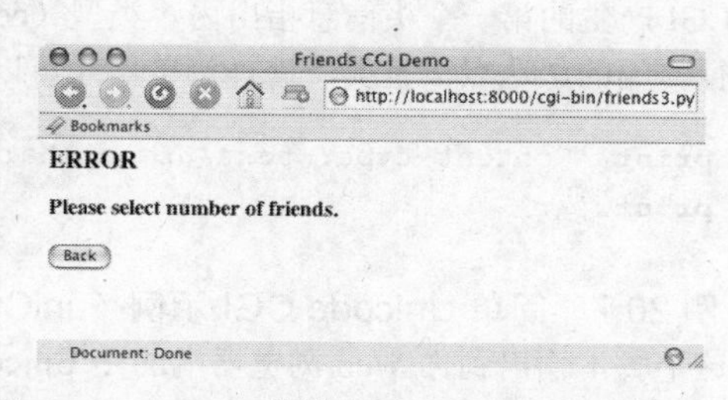

图 20-10 Friends 的错误页面（无效的用户输入）在 Camino 浏览器上的显示（Friends3.py）

我们单击“后退”按钮，选择“50”单选按钮，重新提交表单。结果页面如图 20-11 所示，看起来很熟悉，但是现在在页面底部有个额外的连接。这个连接将会把我们带到表单页面。新表单页面和最初的页面的唯一区别是所有用户输入的数据都被设置成了“默认值”，这意味着这些值在表单中已经存在了。我们可以看图 20-12。

图 20-11 带有当前信息的更新后的 friends 表单页面

图 20-12 friends 结果页面（无效输入）（friends3.py）

这时用户可以更改任何一个字段，或者重新提交表单。

毫无疑问你会开始注意到我们的表单和数据已经变得复杂多了，生成的 HTML 页面是这样，结果页面更是复杂。如果你有 HTML 文本和应用程序的接入点的话，你可能会考虑与 Python 的 HTMLgen 模块的连接，HTMLgen 是 Python 的一个扩展模块，专用于生成 HTML 页面。

20.6 在 CGI 中使用 Unicode 编码

在第 6 章中，我们介绍了 Unicode 字符串的使用。在 6.8.5 部分，我们给了个简单的例子脚本：取得 Unicode 字符串，写入一个文件，并重新读出来。在这里，我们将演示一个具有 Unicode 输出的简单 CGI 脚本，并给浏览器足够的提示，从而可以正确的生成这些字符。唯一的要求是你的计算机必须装有对应的东亚字体以便浏览器可以显示它们。

为了看到 Unicode 的作用，我们将会用 CGI 脚本生成一个多语言功能的 Web 页面。首先我们用 Unicode 字符串定义一些消息。我们假设你的编辑器只能输入 ASCII 编码。因此，非 ASCII 编码的字符使用\u 转义符输入。实际上从文件或数据库中也能读取这些消息。

```
# Greeting in English, Spanish,
# Chinese and Japanese.
UNICODE_HELLO = u"""
Hello!
\u00A1Hola!
\u4F60\u597D!
\u3053\u3093\u306B\u3061\u306F!
"""
```

CGI产生的第一个头信息指出内容类型（content-type）是HTTP。此处还声明了消息是以UTF-8编码进行传输的，这点很重要，这样浏览器才可以正确的解释它。

```
print 'Content-type: text/html; charset=UTF-8\r'
print '\r'
```

例20.7 简单Unicode CGI示例（uniCGI.py）

这个脚本输出到你Web浏览器端的是Unicode字符串。

```
1 #!/usr/bin/env python
2
3 CODEC = 'UTF-8'
4 UNICODE_HELLO = u'''
5 Hello!
6 \u00A1Hola!
7 \u4F60\u597D!
8 \u3053\u3093\u306B\u3061\u306F!
9 '''
10
11 print 'Content-Type: text/html; charset=%s\r' % CODEC
12 print '\r'
13 print '<HTML><HEAD><TITLE>Unicode CGI Demo</TITLE></HEAD>'
14 print '<BODY>'
15 print UNICODE_HELLO.encode(CODEC)
16 print '</BODY></HTML>'
```

然后输出真正的消息。事先用string类的encode()方法先将这个字符串转换成UTF-8序列。

```
print UNICODE_HELLO.encode('UTF-8')
```

例20.7中显示了完整的程序。

如果你在你的浏览器中运行这个CGI，你将会获得如图20-13所示的输出。

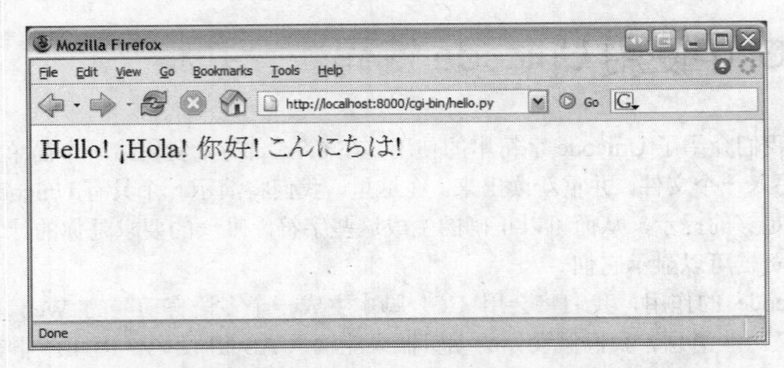

图20-13 简单的CGI Unicode编码在Firefox上的输出（uniCGI.py）

20.7 高级 CGI

现在我们来看看 CGI 编程的高级方面。这包括 cookie 的使用（保存在客户端的缓存数据），同一个 CGI 字段的多重值和用 multipart 表单实现的文件上传。为了节省空间，我们将会在同一个程序中向你展示这三个特性。首先让我们看一下多次提交问题。

20.7.1 Mulitipart 表单提交和文件的上传

目前，CGI 特别指出只允许两种表单编码，即“application/x-www-form-urlencoded”和“multipart/form-dat”。由于前者是默认的，就没有必要像下边那样在 FORM 标签里声明编码方式。

```
<FORM enctype="application/x-www-form-urlencoded" ...>
```

但是对于 multipart 表单，你需要像这样明确给出编码：

```
<FORM enctype="multipart/form-data" ...>
```

在表单提交时你可以使用任一种编码，但在目前上传的文件仅能表现为 multipart 编码。Multipart 编码是由网景在早期开发的，但是已经被微软（开始于 IE 4）和其他浏览器采用。

通过使用输入文件类型完成文件上传：

```
<INPUT type=file name=...>
```

这个指令表现为一个空的文本字段，同时旁边有个按钮，可以让你浏览文件目录系统，找到要上传的文件。在使用 multipart 编码时，你客户端提交到服务器端的表单看起来会很像带有附件的 email。同时还需要有一个单独的编码，因为它还没有聪明到“通过 URL 编码”的程度，尤其是对一个二进制文件。这些信息仍然会到达服务器，只是以一种不同的“封装”形式而已。

不论你使用的是默认编码还是 multipart 编码，cgi 模块都会以同样的方式来处理它们，在表单提交时提供键和相应的值。你还可以像以前那样通过 FieldStorage 实例来访问数据。

20.7.2 多值字段

除了上传文件，我们将会展示如何处理具有多值的字段。最常见的情况就是你有一系列的复选框允许用户有多个选择。每个复选框都会标上相同的字段名，但是为了区分它们，会有不同的值与特定的复选框关联。

正如你所知道的，在表单提交时，数据从用户端以键-值对形式发送到服务器端。当提交不止一个复选框时，就会有多个值对应同一个键。在这种情况下，cgi 模块将会建立一个这类实例的列表，你可以遍历获得所有的值，而不是为你的数据指定一个 MiniFielStorage 实例。总的来说不是很痛苦。

20.7.3 cookie

最后，我们会在例子中使用 cookie。如果你对 cookie 还不太熟悉的话，可以把它们看成是 Web 站点服务器要求保存在客户端（例如浏览器）上的二进制数据。

由于 HTTP 是一个“无状态信息”的协议，如你在本章最开始看到的截图一样，是通过 GET 请求中的键值对来完成信息从一个页面到另一个页面的传递。实现这个功能的另外一种方法如我们以前看到的一样，是使用隐藏的表单字段，如在后期 friends.py 脚本中对 action 变量的处理。这些信息必须被嵌入新生成的页面中并返回给客户端，所以这些变量和值由服务器来管理。

还有一种可以保持对多个页面浏览连续性的方法就是在客户端保存这些数据。这就是引进 cookie 的原因。服务器可以向客户端发送一个请求来保存 cookie，而不必用在返回的 Web 页面中嵌入数据的方法来保持数据。cookie 连接到最初的服务器的主域上（这样一个服务器就不能设置或者覆盖其他服务器上的 cookie），并且有一定的生存期限（因此你的浏览器不会堆满 cookie）。

这两个属性是通过有关数据条目的键-值对和 cookie 联系在一起的。cookie 还有一些其他的属性，如域子路径、cookie 安全传输请求。

有了 cookie，我们不再需要为了跟踪用户而将数据从一页传到另一页了。虽然这在隐私问题上也引发了大量的争论，多数 Web 站点还是合理地使用了 cookie。为了准备代码，在客户端获得请求文件前，Web 服务器向客户端发送“SetCookie”头文件要求客户端存储 cookie。

一旦在客户端建立了 cookie，HTTP_COOKIE 环境变量会将那些 cookie 自动放到请求中发送给服务器。cookie 是以分号分隔的键值对存在的。要访问这些数据，你的应用程序就要多次拆分这些字符串（也就是说，使用 str.split()或者手动解析）。cookie 以分号（;）分隔，每个键-值对中间都由等号（=）分开。

和 multipart 编码一样，cookie 同样起源于网景，他们实现了 cookie 并制定出第一个规范并沿用至今，在下边的 Web 站点中你可以接触这些文档: http://www.netscape.com/newsref/std/cookie_spec.html。

一旦 cookie 标准化以后，这些文档最终都被废除了，你可以从评论请求文档（Request for Comment，RFC）中获得更多现在的信息。现今发布的最新的 cookie 的文件是 RFC 2109。

20.7.4 使用高级 CGI

现在我们来展示 CGI 应用程序 advcgi.py，它的代码号功能和本章前部分讲到的 friends3.py 的差别不是很大。默认的第一页是用户填写的表单，它由 4 个主要部分组成：用户设置 cookie 字符串、姓名字段、编程语言复选框列表、文件提交框。在图 20-14 中可以看到示图。

图 20-15 是在另一个浏览器看到的表单效果图，在这个表单中，我们可以输入自己的信息，如图 20-16 中给的样式。注意查找文件的按钮在不同的浏览器中显示的文字是不同的，如“Browse...”、“Choose”、“...”等。

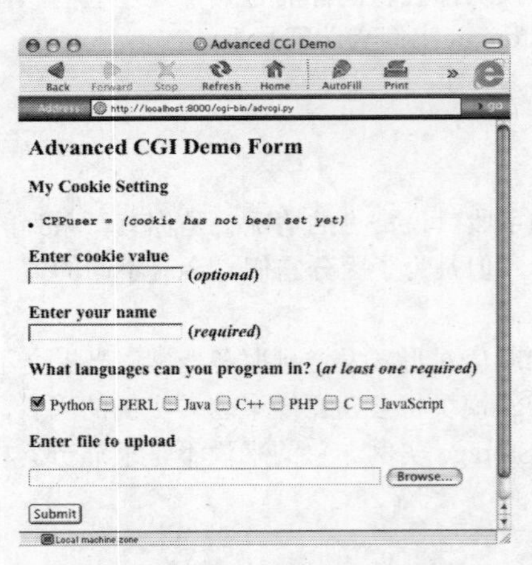

图 20-14 MacOS X 系统 IE5 浏览器中上传及填写多值表单页

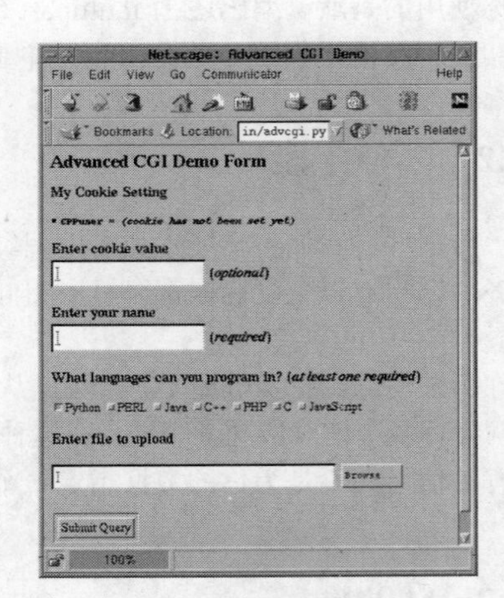

图 20-15 Linux 系统 Netscape4 浏览器中的同一个高级 CGI

这些数据以 mutipart 编码提交到服务器端，在服务器端以同样的方式用 FieldStorage 实例获取。唯一不同的就是对上传文件的检索。在我们的应用程序中，我们选择的是逐行读取，遍历文件。如果你不介意文件的大小的话，也可以一次读入整个文件。

由于这是服务器端第一次接到数据，这时，当我们向客户端返回结果页面时，我们使用“SetCookie:”头文件来捕获浏览器端的 cookie。

在图 20-17 中，你可以看到数据提交后的结果展示。用户输入的所有数据都可以在页面中显示出来。在最后对话框中指定的文件也被上传到了服务器端，并显示出来。

你也会注意到在结果页面下方的那个链接，它使用相同的 CGI 脚本，可以帮我们返回表单页。

如果我们单击下方的那个链接，没有任何表单数据提交给我们的脚本，因此会显示一个表单页面。然而，如你在图 20-17 中看到的一样，所有的东西都可以显示出来，并非是一个空的表单！我们前边输入的信息都被显示出来了！在没有表单数据的情况下我们是怎样做到这一点的呢（将其隐藏或者作为 URL 中的请求参数）？实际上秘密是这些数据都被保存在客户端的 cookie 中了。

用户的 cookie 将用户输入表单中的值都保存了起来，用户名、使用的语言、上传文件的信息都会存储在 cookie 中。

当脚本检测到表单没有数据时，它会返回一个表单页面，但是在表单页面建立前，它们从客户端的 cookie 中抓取了数据（当用户在单击了那个链接的时候将会自动传入）并且相应的将其填入表单中。因此当表单最终显示出来时，先前的输入便会魔术般地显示在用户面前（如图 20-18 所示）。

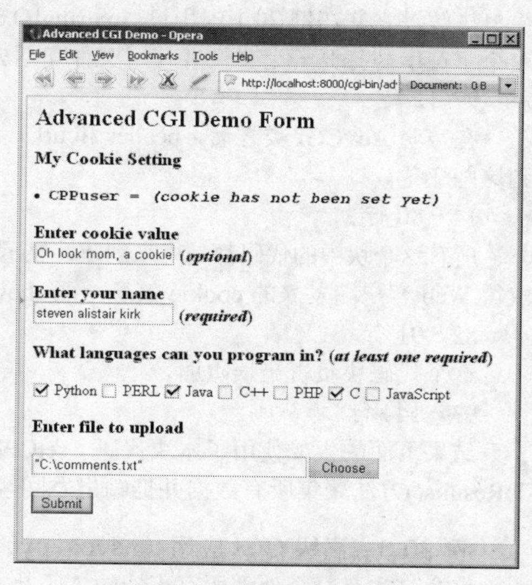

图 20-16 高级 CGI 提交演示，Win32 系统 Opera 8 浏览器

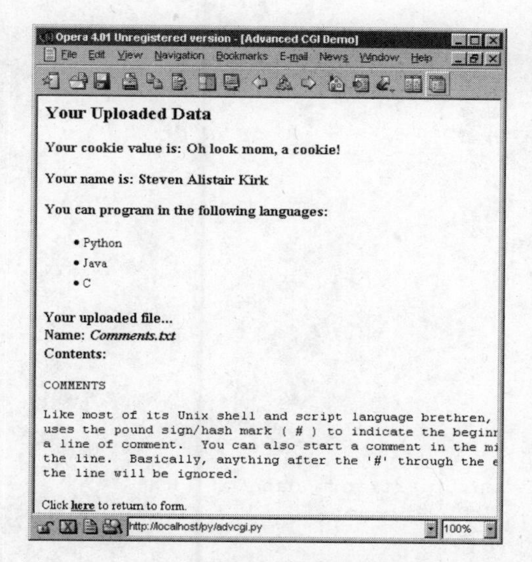

图 20-17 由 Web 服务器生成和返回的结果页面，Win 32 系统 Opera 4 浏览器

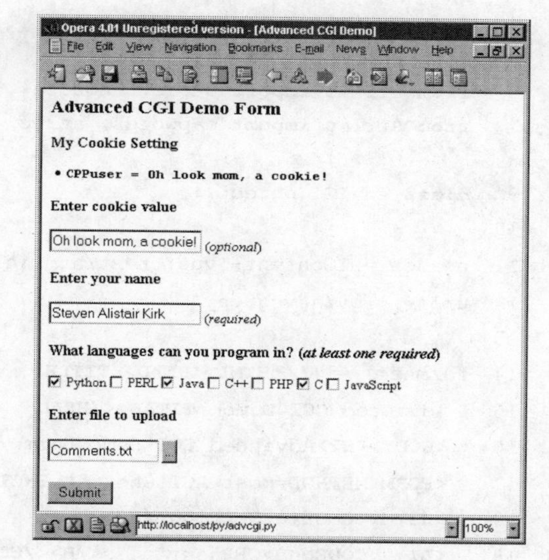

图 20-18 通过客户端 cookie 载入数据的表单页

我们相信你现在已经迫不及待的想看下这个程序了，详见例 20.8。

advcgi.py 和我们本章前部分提到的 CGI 脚本 friends3.py 相当像，它有表单页、结果页、错误页可以返回。新的脚本中除了有所有的高级 CGI 特性外，还在脚本中增加了更多的面向对象特征：用类和方法代替了一系列的函数。我们页面的 HTML 文本对我们的类来说都是静态的了，这就意味着它们在实例中都是以常量出现的——虽然我们这里仅有一个实例。

逐行（逐块）解释

1～7 行

普通的起始和模块导入行出现在这里。你可能不太熟悉的唯一模块是 cStringIO，我们曾在第 10 章简单讲解过它并在例 20.1 中用过。cStringIO.StingIO()会在字符串上创建一个类似文件的对象，所以访问这个字符串与打开一个文件并使用文件句柄去访问数据很相似。

9 ~ 12 行

在声明 AdvCGI 类之后，header 和 url（静态）变量被创建出来，在显示所有不同页面的方法中会用到这些变量。

14 ~ 80 行

所有这个块中的代码都是用来创建、显示表单页面的。那些数据属性都是不言自明的。getCPPcookie()取得 Web 客户端发来的 cookie 信息，而 showForm()校对所有这些信息并把表单页面返回给客户端。

82 ~ 91 行

这个代码块负责错误页面。

93 ~ 144 行

结果页面的生成使用了本块代码。setCPPcookie()方法要求客户端为我们的应用程序存储 cookie，而 doResults()方法聚集所有数据并把输出发回客户端。

例 20.8 高级 CGI 应用（asvcgi.py）

这个脚本有一个处理所有事情的主函数，AdvCGI，它有方法显示表单、错误或结果页面，同时也可以从客户端（Web 浏览器）读写 cookie。

```
1  #!/usr/bin/env python
2
3  from cgi import FieldStorage
4  from os import environ
5  from cStringIO import StringIO
6  from urllib import quote, unquote
7  from string import capwords, strip, split, join
8
9  class AdvCGI(object):
10
11 header = 'Content-Type: text/html\n\n'
12 url = '/py/advcgi.py'
13
14 formhtml = '''<HTML><HEAD><TITLE>
15   Advanced CGI Demo</TITLE></HEAD>
16   <BODY><H2>Advanced CGI Demo Form</H2>
17   <FORM METHOD=post ACTION="%s" ENCTYPE="multipart/form-data">
18   <H3>My Cookie Setting</H3>
19   <LI> <CODE><B>CPPuser = %s</B></CODE>
20   <H3>Enter cookie value<BR>
21   <INPUT NAME=cookie value="%s"> (<I>optional</I>)</H3>
22   <H3>Enter your name<BR>
23   <INPUT NAME=person VALUE="%s"> (<I>required</I>)</H3>
24   <H3>What languages can you program in?
25   (<I>at least one required</I>)</H3>
26    %s
27    <H3>Enter file to upload </H3>
28   <INPUT TYPE=file NAME=upfile VALUE="%s" SIZE=45>
29   <P><INPUT TYPE=submit>
30   </FORM></BODY></HTML>'''
```

```
31
32      langSet = ('Phython', 'PERL', 'Java', 'C++', 'PHP',
33                  'C', JavaScript')
34      langItem = \
35          '<INPUT TYPE=checkbox NAME=lang VALUE="%s"%s> %s\n'
36
37     def getCPPCookies(self):  # read cookies from client
38         if environ.has_key('HTTP_COOKIE'):
39             for eachCookie in map(strip, \
40                     split(environ['HTTP_COOKIE'], ';')):
41                 if len(eachCookie) > 6 and \
42                         eachCookie[:3] == 'CPP':
43                     tag = eachCookie[3:7]
44                     try:
45                         self.cookies[tag] = \
46                             eval(unquote(eachCookie[8:]))
47                     except (NameError, SyntaxError):
48                         self.cookies[tag] = \
49                             unquote(eachCookie[8:])
50     else:
51         self.cookies['info'] = self.cookies['user'] = ''
52
53     if self.cookies['info'] != '':
54         self.who, langStr, self.fn = \
55                 split(self.cookies['info'], ':')
56             self.langs = split(langStr, ',')
57         else:
58             self.who = self.fn = ' '
59             self.langs = ['Python']
60
61     def showForm(self):  # show fill-out form
62         self.getCPPCookies()
63         langStr = ''
64         for eachLang in AdvCGI.langSet:
65         if eachLang in self.langs:
66             langStr += AdvCGI.langItem % \
67                 (eachLang, ' CHECKED', eachLang)
68         else:
69             langStr += AdvCGI.langItem % \
70                 (eachLang, '', eachLang)
71
72         if not self.cookies.has_key('user') or \
73                 self.cookies['user'] == '':
74           cookStatus = '<I>(cookie has not been set yet)</I>'
75           userCook = ''
76         else:
77           userCook = cookStatus = self.cookies['user']
```

```
78
79          print AdvCGI.header + AdvCGI.formhtml % (AdvCGI.url,
80              cookStatus, userCook, self.who, langStr, self.fn)
81
82      errhtml = '''<HTML><HEAD><TITLE>
83  Advanced CGI Demo</TITLE></HEAD>
84  <BODY><H3>ERROR</H3>
85  <B>%s</B><P>
86  <FORM><INPUT TYPE=button VALUE=Back
87  ONCLICK="window.history.back()"></FORM>
88  </BODY></HTML>'''
89
90      def showError(self):
91          print AdvCGI.header + AdvCGI.errhtml % (self.error)
92
93      reshtml = '''<HTML><HEAD><TITLE>
94  Advanced CGI Demo</TITLE></HEAD>
95  <BODY><H2>Your Uploaded Data</H2>
96  <H3>Your cookie value is: <B>%s</B></H3>
97  <H3>Your name is: <B>%s</B></H3>
98  <H3>You can program in the following languages:</H3>
99  <UL>%s</UL>
100 <H3>Your uploaded file...<BR>
101 Name: <I>%s</I><BR>
102 Contents:</H3>
103 <PRE>%s</PRE>
104 Click <A HREF="%s"><B>here</B></A> to return to form.
105 </BODY></HTML>'''
106
107     def setCPPCookies(self):# tell client to store cookies
108         for eachCookie in self.cookies.keys():
109             print 'Set-Cookie: CPP%s=%s; path=/' % \
110                 (eachCookie, quote(self.cookies[eachCookie]))
111
112     def doResults(self):# display results page
113         MAXBYTES = 1024
114         langlist = ''
115         for eachLang in self.langs:
116           langlist = langlist + '<LI>%s<BR>' % eachLang
117
118     filedata = ''
119     while len(filedata) < MAXBYTES:# read file chunks
120         data = self.fp.readline()
121         if data == '': break
122         filedata += data
123     else:                          # truncate if too long
124         filedata += \
125          '... <B><I>(file truncated due to size)</I></B>'
126     self.fp.close()
```

```
127        if filedata == '':
128            filedata = \
129        '<B><I>(file upload error or file not given)</I></B>'
130        filename = self.fn
131
132        if not self.cookies.has_key('user') or \
133                self.cookies['user'] == '':
134            cookStatus = '<I>(cookie has not been set yet)</I>'
135            userCook = ''
136        else:
137            userCook = cookStatus = self.cookies['user']
138
139        self.cookies['info'] = join([self.who, \
140            join(self.langs, ','), filename], ':')
141        self.setCPPCookies()
142        print AdvCGI.header + AdvCGI.reshtml % \
143                (cookStatus, self.who, langlist,
144                filename, filedata, AdvCGI.url)
145
146    def go(self): # determine which page to return
147        self.cookies = {}
148        self.error = ''
149        form = FieldStorage()
150        if form.keys() == []:
151            self.showForm()
152            return
153
154        if form.has_key('person'):
155            self.who = capwords(strip(form['person'].value))
156            if self.who == '':
157                self.error = 'Your name is required. (blank)'
158        else:
159            self.error = 'Your name is required. (missing)'
160
161        if form.has_key('cookie'):
162            self.cookie['user'] = unquote(strip(\
163                        form['cookie'].value))
164        else:
165                self.cookies['user'] = ''
166
167            self.langs = []
168    if form.has_key('lang'):
169            langdata = form['lang']
170        if type(langdata) == type([]):
171            for eachLang in langdata:
172            self.langs.append(eachLang.value)
173            else:
174            self.langs.append(langdata.value)
175        else:
```

```
176            self.error = 'At least one language required.'
177
178        if form.has_key('upfile'):
179            upfile = form["upfile"]
180            self.fn = upfile.filename or ''
181            if upfile.file:
182                self.fp = upfile.file
183            else:
184            self.fp = StringIO('(no data)')
185        else:
186            self.fp = StringIO('(no file)')
187            self.fn = ''
188
189        if not self.error:
190            self.doResults()
191        else:
192            self.showError()
193
194    if __name__ == '__main__':
195        page = AdvCGI()
196        page.go()
```

doResults()方法收集所有数据并把输出发回客户端。

146～196行

脚本一开始就实例化了一个AdvCGI页面对象，然后调用它的go()方法让一切运转起来，这和严格的基于过程编写的程序不同。go()方法中包含读取所有新到的数据并决定显示哪个页面的逻辑。

如果没有给出名字或选定语言，错误页面将会被显示。如果没有收到任何输入数据，将调用showForm()方法来输出表单，否则将调用doResults()方法来显示结果页面。通过设置self.error变量可以创建错误页面，这样做有两个目的。它不但可以让你把错误原因设置在字符串里，并且可以作为一个标记表明有错误发生。如果该变量不为空，用户将会被导向到错误页面。

处理person字段（第154～159行）的方法和我们先前看到的一样，一个键-值对；然而，在收集语言信息时却需要一点技巧，原因是我们必须检查一个（Mini）FieldStorage对象或一个该对象的列表。我们将使用熟悉的type()内建函数来达到目的。最终，我们会有一个单独或多个语言名的列表，具体依赖于用户的选择情况。

使用cookie（第161～165行）来保管数据展示了如何利用它们来避免使用任何类型的CGI字段。你一定注意到了代码里包含这些数据的地方没有调用CGI处理，这意味着数据并非来自FieldStorage对象。这些数据是由Web客户端通过每一次请求和从cookie取得的值（包括用户的选择结果和用来填充后续表单的已有信息）传给我们的。

因为showResults()方法从客户那里取得了新的收入值，所以它负责通过调用setCPPcookie()设置cookie。而showForm()必须读出cookie中的值才能用表单页显示用户的当前选项。这通过它对getCPPcookie()的调用实现。

最后，我们看看文件上传处理（第178～187行）。不论一个文件是否已经上传，FieldStorage都会从file属性中获得一个文件句柄。在第180行，如果没有指明文件名，那么我们只须把它设成空字符串。如果访问过value属性，那么文件的整个内容都会被放到value里。还有一个更好的做法，你可以去访问文件指针——file属性——并且可以每次只读一行或者其他更慢一些的处理方法。

在我们的例子里，文件上传只是用户提交过程的一部分，所以我们可以简单地把文件指针传给doResults()函数，从文件中抽取数据。由于空间限制doResults()将只显示文件最前面1K的内容，这也表明显示一个4M的二进制文件是没必要（或未必有效/有用）的。

20.8 Web（HTTP）服务器

到现在为止，我们已经讨论了如何使用 Python 建立 Web 客户端并用 CGI 请求处理帮助 Web 服务器执行了一些工作。我们通过第 20.2 节和第 20.3 节的学习知道了 Python 可以用来建立简单和复杂的 Web 客户端，而对复杂的 CGI 请求没有说明。

然而，我们在这章的焦点是探索建立 Web 服务器。如果说 Firefox、Mozilla、IE、Opera、Netscape、AOL、Safari、Camino、Epiphany、Galeon 和 Lynx 浏览器是最流行的一些 Web 客户端，那么什么是最常用的 Web 服务器呢？它们就是 Apache、Netscape IIS、 thttpd、Zeus 和 Zope。由于这些服务器都远远超过了你的应用程序要求，这里我们使用 Python 建立简单但有用的 Web 服务器。

用 Python 建立 Web 服务器

由于已经打算建立这样的一个应用程序，很自然就需要创建个人素材，但是你将要用到的所有的基础代码都在 Python 的标准库中。要建立一个 Web 服务、一个基本的服务器和一个“处理器”是必备的。

基础的（Web）服务器是一个必备的模具。它的角色是在客户端和服务器端完成必要 HTTP 交互。在 BaseHTTPServer 模块中可以找到一个名叫 HTTPServer 的服务器基本类。

处理器是一些处理主要“Web 服务”的简单软件。它们处理客户端的请求，并返回适当的文件，静态的文本或者由 CGI 生成的动态文件。处理器的复杂性决定了你的 Web 服务器的复杂程度。Python 标准库提供了三种不同的处理器。

最基本、最普通的是 vanilla 处理器，被命名为 BaseHTTPResquestHandler，这个可以在基本 Web 服务器的 BaseHTTPServer 模块中找到。除了获得客户端的请求外，不再执行其他的处理工作，因此你必须自己完成它们，这样就导致了 myhttpd.py 服务的出现。

用于 SimpleHTTPServer 模块中的 SimpleHTTPRequestHandler 建立在 BaseHTTPResquestHandler 基础上，直接执行标准的 GET 和 HEAD 请求。这虽然还不算完美，但已经可以完成一些简单的功能了。

最后，我们来看下用于 CGIHTTPServer 模块中的 CGIHTTPRequestHandler 处理器，它可以获取 SimpleHTTPRequestHandler 并为 POST 请求提供支持。它可以调用 CGI 脚本完成请求处理过程，也可以将生成的 HTML 脚本返回给客户端。

这三个模块和他们的类在表 20.6 中有描述。

为了能理解在 SimpleHTTPServer 和 CGIHTTPServer 模块中的其他高级处理器是如何工作的，我们将对 BaseHTTPRequestHandler 实现简单的 GET 处理功能。

表 20.6 Web 服务器模块和类

模　块	描　述
BaseHTTPServer	提供基本的 Web 服务和处理器类，分别是 HTTPServer 和 BaseHTTPRequestHandler
SimpleHTTPServer	包含执行 GET 和 HEAD 请求的 SimpleHTTPRequestHandler 类
CGIHTTPServer	包含处理 POST 请求和执行 CGICGIHTTPRequestHandler 类

在例 20.9 中，我们展示了一个 Web 服务器（myhttpd.py）的全部工作代码。

这个服务的子类 BaseHTTPRequestHandler 只包含 do_GET()方法，在基础服务器接到 GET 请求时被调用。尝试打开客户端传来的路径，如果实现了，将会返回“OK”状态（200），并转发下载的 Web 页面，否则将会返回 404 状态。

main()函数只是简单的将Web服务器类实例化，然后启动它进入永不停息的服务循环，如果遇到了^C中断或者类似的键输入则会将其关闭。如果你可以访问并运行这个服务器，你就会发现它会显示出一些类似这样的登录输出：

```
# myhttpd.py
Welcome to the machine... Press ^C once or twice to quit
localhost - - [26/Aug/2000 03:01:35] "GET /index.html HTTP/1.0" 200 -
localhost - - [26/Aug/2000 03:01:29] code 404, message File Not Found: /x.html
localhost - - [26/Aug/2000 03:01:29] "GET /dummy.html HTTP/1.0" 404 -
localhost - - [26/Aug/2000 03:02:03] "GET /hotlist.htm HTTP/1.0" 200 -
```

当然，我们的Web服务器实在太简单了，它甚至还不能处理普通的文本文件。我们将这部分的解决方案留给读者研发——在本章最后的练习题中。

正如你所看到的一样，建立一个Web服务器并在纯Python脚本中运行并不会花太多时间。为你的特定应用程序定制改进处理器将需要做更多事情。请查看本部分的相关库来获得更多模块及其类的信息。

例20.9 简单Web服务器（myhttpd.py）

这个简单的Web服务器可以读取GET请求，获取Web页面（.html文件）并将其返回给客户端。它通过使用BaseHTTPServer的BaseHTTPRequestHandler处理器执行do_GET()方法来处理GET请求。

```
1  #!/usr/bin/env python
2
3  from os import curdir, sep
4  from BaseHTTPServer import \
5          BaseHTTPRequestHandler, HTTPServer
6
7  class MyHandler(BaseHTTPRequestHandler):
8
9  def do_GET(Self);
10     try:
11             f = open(curdir + sep + self.path)
12             self.send_response(200)
13             self.send_header('Content-type',
14                                 'text/html')
15             self.end_headers()
16             self.wfile.write(f.read())
17             f.close()
18         except IOError:
19              self.send_error(404,
20                  'File Not Found: %s' % self.path)
21
22 def main():
23     try:
24         server = HTTPServer(('', 80), MyHandler)
25         print 'Welcome to the machine...',
26         print 'Press ^C once or twice to quit.'
27         server.serve_forever()
28     except KeyboardInterrupt:
29         print '^C received, shutting down server'
```

```
30          server.socket.close()
31
32  if __name__ == '__main__':
33      main()
```

20.9 相关模块

在表 20.7 中，我们列出了对 Web 开发有用的模块。也许你会想看下第 17 章的因特网客户端编程，还有第 23 章的 Web 服务部分的模块，这些对 Web 应用都是很有用的。

表 20.7 Web 编程相关模块

模块/包	描　述
Web 应用程序	
cgi	从标准网关接口（CGI）获取数据
cgitb[c]	处理 CGI 返回数据
htmllib	解析 HTML 文件时用的旧 HTML 解析器；HTMLParser 类扩展自 sgmllib.SGMLParser
HTMLparser[c]	新的非基于 SGML 的 HTML、XHTML 解析器
htmlentitydefs	HTML 普通实体定义
cookie	用于 HTTP 状态管理的服务器端 cookie
cookielib[e]	HTTP 客户端的 cookie 处理类
webbrowser[b]	控制器：向浏览器加载 Web 文档
sgmllib	解析简单的 SGML 文件
robotparser[a]	解析 robots.txt 文件作 URL 的“可获得性”分析
httplib[a]	用来创建 HTTP 客户端
XML 解析	
xmllib	原始的简单 XML 解析器（已过时/不推荐使用）
xml[b]	包含许多不同 XML 特点的解析器（见下文）
xml.sax[b]	简单的适用于 SAX2 的 XML(SAX)解析器
xml.dom[b]	文本对象模型（DOM）的 XML 解析器
xml.etree[f]	树型的 XML 解析器，基于 Elemnt flexible container 对象
xml.parsers.expat[b]	非验证型 Expat XML 解析器的接口
xmlrpclib[c]	通过 HTTP 提供 XML 远程过程调用（RPC）客户端
XML 解析	
SimpleXMLRPCServer[c]	Python XML-RPC 服务器的基本框架
DocXMLRPCServer[d]	自描述 XML-RPC 服务器的框架
Web 服务器	
BaseHTTPServer	用来开发 Web 服务器的抽象类
SimpleHTTPServer	处理最简单的 HTTP 请求（HEAD 和 GET）
CGIHTTPServer	不但能像 SimpleHTTPServers 一样处理 Web 文件，还能处理 CGI 请求（HTTP POST）
wsgiref[f]	Web 服务器和 Python Web 应用程序间的标准接口
第三方开发包（非标准库）	
HTMLgen	协助 CGI 把 Python 对象转换成可用的 HTML http://starship.python.net/crew/friedrich/HTMLgen/ html/main.html

续表

模块/包	描　述
BeautifulSoup	HTML、XML 解析器及转换器 http://crummy.com/software/BeautifulSoup
邮件客户端协议	
poplib	用来创建 POP3 客户端
imaplib	用来创建 IMAP4 客户端
邮件、MIME 处理及数据编码格式	
email[c]	管理 e-mail 消息的工具包，包括 MIME 和其他基于 RFC2822 的消息
mailbox	e-mail 消息的信箱类
mailcap	解析 mailcap 文件，从中获得 MIME 应用授权
邮件、MIME 处理及数据编码格式	
mimetools	提供封装 MIME 编码信息的功能
mimetypes	提供和 MIME 类型相关的功能
MimeWriter	生成 MIME 编码的多种文件
multifile	可以解析多种 MIME 编码文件
quopri	编解码使用 quoted-printable 规范的数据
rfc822	解析符合 RFC822 标准的 e-mail 头信息
smtplib	用来创建 SMTP（简单邮件传输协议）客户端
base64	编解码使用 base64 标准的数据
binascii	编解码使用 base64、binhex、uu（模块）格式的数据
binhex	编解码使用 binhex4 标准的数据
uu	编解码使用 uuencode 格式的数据
网际协议	
httplib[a]	用来创建 HTTP 客户端
ftplib	用来创建 FTP(File Transfer Protocol)客户端
gopherlib	用来创建 Gopher 客户端
telnetlib	用来创建 Telnet 客户端
nntplib	用来创建 NNTP（网络新闻传输协议[Usenet]）客户端

a. Python 1.6 中新增。

b. Python 2.0 中新增。

c. Python 2.2 中新增。

d. Python 2.2 中新增。

e. Python 2.4 中新增。

f. Python 2.5 中新增。

20.10 练习

20-1.urllib 模块及文件。

请修改 friends3.py 脚本，把名字和相应的朋友数量存储在一个两列的磁盘文本文件中，以后每次运行脚本都添加名字。附加题：增加一些代码把这种文件的内容转储到 Web 浏览器里（以 HTML 格式）。附加题：增加一个链接，用以清空文件中的所有名字。

20-2.urllib 模块。编写一个程序，它接收一个用户输入的 URL（可以是一个 Web 页面或一个 FTP

文件，例如，http:// python.org 或 ftp://ftp.python.org/pub/python/README），然后下载它并以相同的文件名（如果你的系统不支持也可以把它改成和原文件相似的名字）存储到电脑上。Web 页面（HTTP）应保存成.htm 或.html 文件，而 FTP 文件应保持其扩展名。

20-3.urllib 模块。重写例 11.4 的 grabWeb.py 脚本，它会下载一个 Web 页面，并显示生成的 HTML 文件的第一个和最后一个非空白行，你应使用 urlopen()来代替 urlretrieve()来直接处理数据（这样就不必先下载所有文件再处理它了）。

20-4.URL 和正则表达式。你的浏览器也许会保存你最喜欢的 Web 站点的 URL，并把它们保存成“书签”里的一个 HTML 文件（Mozilla 衍生浏览器）或是“收藏夹”中的一组 URL 文件（IE）。找出你浏览器记录 “热门链接”的方法，并找出其所在和存储方式。不去更改任何文件，剔除对应 Web 站点（如果给定了的话）的 URL 和名字，生成一个以名字和链接作为输出的双列列表，并把这些数据保存到硬盘文件中。截取站点名和 URL，确保每一行的输出不超过 80 个字符。

20-5.URL、urllib 模块、异常、已编码正则表达式。作为对上一个问题的延伸，给你的脚本增加代码来测试你所喜欢的链接。记录无效链接（及其名字），包括无效的 Web 站点和已经被删除的 Web 页面。只输出并在磁盘中保存依然有效的链接。

20-6.错误检测。friends3.py 脚本在没有选择任意一个单选按钮指定好友的数目时会返回一个错误提示。在更新 CGI 脚本时如果没有输入名字（例如空字符或空白）也会返回一个错误。附加题：目前为止我们探讨的仅是服务器端的错误检测。研究 JavaScript 编程，并通过创建 JavaScript 代码来同时检测错误，以确保这些错误在到达服务器前被终止，这样便实现了客户端错误检测。

下面的问题 20-7～问题 20-10 涉及 Web 服务器的访问日志文件和正则表达式。Web 服务器（及其管理员）通常需要保存访问日志文件（一般是主 Web 的 server 文件夹里的 logs/access_log）来跟踪文件请求。一段时间之后，这些逐渐变大的文件需要被保存或删节。为什么不能仅保存有用的信息而删除这些文件来节省磁盘空间呢？通过下面的习题，你会练习正则表达式和如何使用它们进行归档及分析 Web 服务器数据。

20-7.计算日志文件中有多少种请求（GET vs POST）。

20-8.计算成功下载的页面/数据：显示所有返回值为 200（OK（没有错误发生））的链接，以及每个链接被访问的次数。

20-9.计算错误：显示所有产生错误的链接（返回值为 400 或 500）以及每个链接被访问的次数。

20-10.跟踪 IP 地址：对每个 IP 地址，输出每个页面/数据下载情况的列表，以及这些链接被访问的次数。

20-11.简单 CGI。为 Web 站点创建“评论”或“反馈”页面。由表单获得用户反馈，在脚本中处理数据，最后返回一个“感谢”页面。

20-12.简单 CGI。创建一个 Web 客户簿。接受用户输入的名字、电子邮件地址、日志，并将其保存到文件中（自定义格式）。类似上一个题，返回一个“感谢你对本页的填写”页面。同时再给用户提供一个查看客户簿的链接。

20-13.Web 浏览器 Cookie 和 Web 站点注册。更改你对习题 20-4 的答案。你现在可以使用用户名-密码信息来注册 Web 站点，而不必只用简单的基于文本的菜单系统。附加题：想办法让自己熟悉 Web 浏览器 cookie，并在最后登录成功后将会话保持 4 个小时。

20-14.Web 客户端。移植例 20.1 的 Web 爬虫脚本 crawler.py，使用 HTMLParser 模块或 BeautifulSoup 解析系统。

20-15.错误处理。当一个 CGI 脚本崩溃时会发生什么？如何用 cgitb 模块提供帮助？

20-16.CGI、文件升级及 Zip 文件。创建一个不仅能保存文件到服务器磁盘，而且能智能解压 Zip 文件（或其他压缩档）到同名子文件夹的 CGI 应用程序。

20-17.Zope、Plone、TurboGears 及 Django。研究每一个复杂的 Web 开发平台并分别创建一个简单的应用程序。

20-18.Web 数据库应用程序。思考对你 Web 数据库应用程序支持的数据库构架。对于多用户的应用程序，你需要支持每个用户对数据库的全部内容的访问，但每个人可能分别输入。一个例子就是你家人及亲属的“地址簿”。每个成员成功登录后，显示出来的页面应该有几个选项 “添加条目”、“查看我的条目”、“更新条目”、“移动或删除条目”以及“查看所有条目”。

20-19.电子商务引擎。使用你在习题 13-11 中建立的类，增加一些产品清单建立一个电子商务 Web 站点。确保你的应用程序支持多个用户，机器每个用户的注册功能。

20-20.字典及 cgi 模块 相关。正如你所知道的，cgi.FieldStorage()方法返回一个字典类对象，包括提交的 CGI 变量的键值对。你可以使用这个对象的 keys()和 has_key()方法。在 Python1.5 中，get()方法被添加到字典中，用它可以返回给定键的值，当键不存在时返回一个默认值。FieldStorage 对象却没有这个方法。让我们依照用户手册的形式：

```
form = cgi.FieldStorage()
```

为 cgi.py 中类的定义添加一个类似的 get()方法（你可以把它重命名为 mycgi.py 或其他你喜欢的名字），以便能像下面这样操作：

```
if form.has_key('who'):
    who = form['who'].value
else:
    who = '(no name submitted)'
```

... 也可以用一行实现，这样就更像字典的形式了：

```
howmany = form.get('who', '(no name submitted)')
```

20-21.高级 Web 客户端。在 20.7 小节中的 myhttpd.py 代码只能读取 HTML 文件并将其返回到客户端。添加对以“.txt”结束的普通的文本的支持。确保返回正确的“text/plain” de MIME 类。附加题：添加对以“.jpg”及“.jpeg”结束的 JPEG 文件的支持，并返回“image/jpeg”的 MIME 类型。

20-22.高级 Web 客户端。作为 crawl.py 的输入的 URL 必须是以“http://”协议指示符开头，高层的 URL 必须包含一个反斜线，例如: http:// www.prenhallprofessional.com/。加强 crawl.py 的功能，允许用户只输入主机名（没有协议部分[确保是 HTTP]），反斜线是可选的。例如：www.prenhallprofessional.com 应该是可接受的输入形式。

20-23.高级 Web 客户端。更改 20.3 小节中的 crawl.py 脚本，让它也下载“ftp:”型的链接。所有的“mailto:”都会被 crawl.py 忽略。增加代码确保它也忽略“telnet:”、“news:”、“gopher:”和“about:”型的链接。

20-24.高级 Web 客户端。20.3 小节中的 crawl.py 脚本仅从相同站点内的 Web 页面中找到链接，下载了.html 文件，却不处理/保存图片这类对页面同样有意义的“文件”。对于那些允许 URL 缺少末端斜线（/）的服务器，这个脚本也不能处理。给 crawl.py 增添两个类来解决这些问题。

一个是 urllib.FancyURLOpener 类的子类 My404UrlOpener，它仅包含一个方法，http_error_404()，用该方法来判断收到的 404 错误中是不是包含缺少末端斜线的 URL。如果有，它就添加斜线并重新请求（仅一次）。如果仍然失败，才返回一个真正的 404 错误。你必须用该类的一个实例来设置 urllib._urlopener，这样 urllib 才能使用它。

创建另一个类 LinkImageParser，它派生自 htmllib.HTMLParser。这个类应有一个构造器用来调用基类的构造器，并且初始化一个列表用来保存从 Web 页面中解析出的图片文件。应重写 handle_image()方法，把图片文件名添加到图片列表中（这样就不会像现在的基类方法那样丢弃它们了）。

第 21 章　数据库编程

本章主题

- 介绍
- 数据库和 Python，以及 Python 的 RDBMS、ORM
- 数据库应用程序程序员接口（DB-API）
- 关系型数据库（RDBM）
- 对象-关系管理器（ORM）
- 相关模块
- 练习

本章的主题是如何通过 Python 访问数据库。前面我们已经了解了简单持久存储，但是在更多场合下，我们的应用程序需要的是一个功能齐全的关系型数据库（Relational Database Management System，RDBMS）。

21.1 介绍

21.1.1 持久存储

在任何的应用程序中，都需要持久存储。一般说来，有三种基本的存储机制：文件、关系型数据库或其他的一些变种，例如现有系统的 API、ORM、文件管理器、电子表格、配置文件等。

在前面的章节中，我们研究了通过基于常规文件的 Python 和 DBM 接口来实现持久存储、比如*dbm、dbhas/bsddb 文件、helve（pickle 和 DBM 的结合）。这些接口都提供了类似字典的对象接口。本章的主题是如何在中大型项目中使用关系型数据库（对这些项目而言，那些接口力不从心）。

21.1.2 基本的数据库操作和 SQL 语言

在深入主题之前，下面先简单介绍一下基本的数据库概念和结构化查询语言（Structured Query Language，SQL）。如果你有足够的经验，可以跳过，也可以通过阅读正文来复习一下。

1．底层存储

数据库的底层存储通常使用文件系统，它可以是普通操作系统文件、专用操作系统文件，甚至有可能是磁盘分区。

2．用户界面

大部分的数据库系统会提供一个命令行工具来执行 SQL 命令和查询，当然也有一些使用图形界面的漂漂亮亮的客户端程序来干同样的事。

3．数据库

关系型数据库管理系统通常通常都支持多个数据库，例如销售库、市场库、客户支持库等。如果你使用的关系数据库管理系统是基于服务器的，这些数据库就都在同一台服务器上（一些简单的关系型数据库没有服务器，如 sqlite）。本章的例子中，MySQL 是一种基于服务器的关系数据库管理系统（只要服务器在运行，它就一直在等待运行指令），SQLite 和 Gadfly 则是另一种轻量型的基于文件的关系数据库（它们没有服务器）。

4．组件

你可以将数据库存储想像为一个表格，每行数据都有一个或多个字段对应着数据库中的列。每个表每个列及其数据类型的集合构成数据库结构的定义。数据库能够被创建，也可以被删除，表也一样。往数据库里增加一条记录称为插入（inserting），修改库中一条已有的记录则称为更新（updating），删除表中已经有的数据行称为删除（deleting）。这些操作通常作为数据库操作命令来提交。从一个数据库中请求符合条件的数据称为查询（querying）。当你对一个数据库进行查询时，你可以一步取回所有符合条件的数据，也可以循环逐条取出每一行。有些数据库使用游标的概念来表示 SQL 命令、查询、取回结果集等。

5．SQL

数据库命令和查询操作需要通过 SQL 语句来执行，不是所有的数据库都使用 SQL，但所有主流的关系型数据库都使用 SQL。下面是一些 SQL 命令的例子，绝大多数数据库被配置为大小写不敏感，除了数据库操作命令以外。被广为接受的书写 SQL 的基本风格是关键字大写。绝大多数命令行程序要求用一个分号来结束一条 SQL 语句。

（1）创建数据库

```
CREATE DATABASE test;
GRANT ALL ON test.* to user(s);
```

第一行创建一个名为“test”的数据库，第二行将该数据库的权限赋给具体用户（或者全部用户），以便它们可以执行下面的数据库操作。

（2）选择要使用的数据库

```
USE test;
```

如果在登录数据库时没有指定要使用那个数据库，这条简单的语句就可以指定你打算访问的数据库。

（3）删除数据库

```
DROP DATABASE test;
```

这条短短的语句具有极大的威力，它用来删除数据库（包括数据库中所有的表及表中的数据）。在输入完这条语句按下回车之前，好好想想你是否真的打算这么做。

（4）创建表

```
CREATE TABLE users (login VARCHAR(8), uid INT, prid INT);
```

这个语句用于创建表 users，它有一个类型为字符串的列 login 和两个类型为整型的字段 uid 和 prid。

（5）删除表

```
DROP TABLE users;
```

这个简单的语句删除数据库中的一个表和它的所有数据。

（6）插入行

```
INSERT INTO users VALUES('leanna', 311, 1);
```

INSERT 语句用来向数据库中添加新的数据行。语句中必须指定要插入的表及该表中各个字段的值。上例中，表名是 users，字符串'leanna'对应着 login 字段，311 和 1 分别对应着 uid 和 prid。

（7）更新行

```
UPDATE users SET prid=4 WHERE prid=2;
UPDATE users SET prid=1 WHERE uid=311;
```

UPDATE 语句用来改变数据库中的已有记录。使用 SET 关键字来指定你要修改的字段及新值，你可以指定条件来筛选出需要更新的记录。在第一个例子中，所有 prid 字段值为 2 的记录，其 prid 字段的值都变更为 4。在第二个例子里，uid 字段值为 311 的用户，其 prid 字段的新值被置为 1。

（8）删除行

```
DELETE FROM users WHERE prid=%d;
DELETE FROM users;
```

DELETE FROM 命令用来删除数据。必须指定你要删除的数据所在表名，如果未提供(可选的)筛选条件，就像第二个例子一样，表中所有的数据都会被删除。

现在你已经了解数据库的基本概念，有了这些基础，本章余下的部分学起来会更加容易。如果需要进一步了解数据库知识，市面上有数不清的数据库书籍可供选择。

21.1.3 数据库和Python

下面我们要详细了解Python数据库API。Python能够直接通过数据库接口，也可以通过ORM（不需要自己书写SQL）来访问关系数据库。

关于数据库原理、并发能力、视图、原子性、数据完整性、数据可恢复性、左连接、触发器、查询优化、事务支持及存储过程等主题，（市面上）有数不清的资源可供参考。本章不讨论这些主题，我们将从一个Python应用程序开始，了解在Python框架下如何将数据保存到数据库，如何将数据从数据库中取出来。之后你就可以决定哪种方式适用于你手头的项目。通过学习示例代码，你可以立刻动手把某种数据库整合到你的Python应用程序当中。

在Python世界里，无需怀疑，与数据库协同工作已经几乎是所有应用程序的核心部分了。在本章中，我们将不仅仅使用“万能”的Python标准库，尽管我们需要从标准库开始。

作为一个软件工程师，在你的职业生涯中，你可能永远不需要学习数据库知识：如何使用命令行工具、如何使用SQL、如何添加和更新数据等。但是如果Python是你的编程工具，那么为你的Python应用添加数据库支持会让它事半功倍。下面我们先来介绍一下Python的DB-API，然后给出使用这个标准的例子。

我们的例子会使用开源的数据库系统。不过我们不会去讨论是开源产品还是商业产品更好。要适应其他的数据库也相当容易，需要特别提到的是 亚伦·沃特（Aaron Watter）的Gadfly数据库，一个完全由Python代码写成的数据库系统。

从Python中访问数据库需要接口程序，接口程序是一个Python模块，它提供数据库客户端库(通常是 C 语言写成的）的接口供你访问。需要提到一点，所有 Python 接口程序都一定程度上遵守 Python DB-API规范，这也是本章的第一个主要主题。

图21-1演绎了Python数据库应用程序的结构（包括使用和不使用ORM）。你可以看到DB-API是数据库客户端C库的接口。

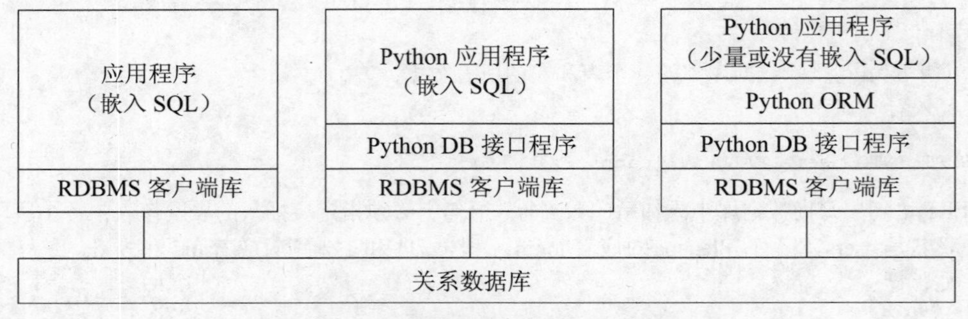

图21-1 数据库和应用程序之间的多层通讯

第一个框中一般是C/C++程序，你的程序通过DB-API兼容接口程序访问数据库。

ORM通过程序处理数据库细节来简化数据库开发。

21.2 Python数据库应用程序 程序员接口（DB-API）

去哪儿找一个合适的接口访问数据库？很简单，去python.org找到数据库主题那一节，你会发现所有支持DB-API 2.0的各种数据库模块、文档、SIG等。从那时起，DB-API被移到PEP 249中（这个PEP废弃了老的DB-API 1.0，也就是PEP248标准）。那么，什么是DB-API？

DB-API 是一个规范。它定义了一系列必需的对象和数据库存取方式，以便为各种各样的底层数据库系统和多种多样的数据库接口程序提供一致的访问接口。像绝大多数社区成果一样，这个API的产生来自于强烈的需求。

在过去，不同的人为各种各样的数据库实现了各种各样的数据库接口程序。同一个轮子被不同的人一遍又一遍地重复发明。这些接口由不同的人在不同的时间实现，功能接口各不兼容，这意味着使用这些接口的程序必须自定义他们选择的接口模块。当这个接口模块变化时，应用程序的代码也必须随之更新。

一个处理 Python 数据库事务的特殊事物小组（special interest group，SIG）因此诞生，最后 DB-API 1.0 问世。DB-API 为不同的数据库提供了一致的访问接口，在不同的数据库之间移植代码成为一件轻松的事情（一般来说，只修要修改几行代码）。接下来你会看到这样的例子。

21.2.1 模块属性

DB-API 规范里的以下特性和属性必须提供。一个 DB-API 兼容的模块必须定义如下，表 21.1 中定义的所有全局属性。

表 21.1 DB-API 模块属性

属性名	描述
apilevel	模块兼容的 DB-API 版本号
threadsafety	线程安全级别
paramstyle	该模块支持的 SQL 语句参数风格
connect()	连接函数
（异常）	（参见表 21.4）

1. 数据属性

（1）apilevel

apilevel 这个字符串（不是浮点型）表示这个 DB-API 模块所兼容的 DB-API 最高版本号。如“1.0”，“2.0”等。如果未定义，则默认是“1.0”。

（2）Threadsafety

这是一个整型，取值范围如下：

- 0: 不支持线程安全，多个线程不能共享此模块
- 1: 初级线程安全支持：线程可以共享模块，但不能共享连接
- 2: 中级线程安全支持： 线程可以共享模块和连接，但不能共享游标
- 3: 完全线程安全支持： 线程可以共享模块、连接及游标

如果一个资源被共享，就必需使用自旋锁或者是信号量这样的同步原语对其进行原子目标锁定。对这个目标来说，磁盘文件和全局变量都不可靠，并且有可能妨碍 mutex（互斥量）的操作。请参阅 threading 模块或第 16 章（多线程编程）来了解如何使用锁。

（3）Paramstyle

DB-API 支持多种方式的 SQL 参数风格。这个参数是一个字符串，表明 SQL 语句中字符串替代的方式。（参阅表 21.2）

表 21.2 数据库参数风格

参数风格	描述	示例
numeric（数字）	数字位置风格	WHERE name=:1
named（命名）	命名参数风格	WHERE name=:name
pyformat	字典格式转换	WHERE name=%(name)s
qmark（问号）	问号风格	WHERE name=?
format	标准 ANSI C 格式转换	WHERE name=%s

2．函数属性

connect 方法生成一个 connect 对象，我们通过这个对象来访问数据库。符合标准的模块都会实现 connect 方法。表 21.3 列出了 connect()函数的参数。

表 21.3 connect()*函数参数

参 数	描 述
user	Username
password	Password
host	Hostname
database	Database name
dsn	Data source name

数据库连接参数可以以一个 DSN 字符串的形式提供，也可以以多个位置相关参数的形式提供（如果你明确知道参数的顺序的话），也可以以关键字参数的形式提供。下面是一个来自 PEP 249 的使用 connect()的例子：

```
connect (dsn='myhost: MYDB',user='guido',password='234$')
```

使用 DSN 字符串还是独立参数？这要看你连接的是哪种数据库。举例来说，如果你使用类似 ODBC 或 JDBC 的 API，你就应该使用 DSN 字符串。如果你直接访问数据库，你就会更倾向于使用独立参数。另一个使用独立参数的原因是，很多数据库接口程序还不支持 DSN 参数。下面是一个非 DSN 的例子。

connect()调用。注意不是所有的接口程序都是严格按照规范实现的。MySQLdb 就使用了 db 参数而不是规范推荐的 database 参数来表示要访问的数据库。

- `MySQLdb.connect(host='dbserv', db='inv', user='smith')`
- `PgSQL.connect(database='sales')`
- `psycopg.connect(database='template1', user='pgsql')`
- `gadfly.dbapi20.connect('csrDB', '/usr/local/database')`
- `sqlite3.connect('marketing/test')`

3．异常

兼容标准的模块也应该提供这些异常类。见表 21.4。

表 21.4 DB-API 异常类

异 常	描 述
Warning	警告异常基类
Error	错误异常基类
InterfaceError	数据库接口错误
DatabaseError	数据库错误
DataError	处理数据时出错
OperationalError	数据库执行命令时出错
IntegrityError	数据完整性错误
InternalError	数据库内部出错
ProgrammingError	SQL 执行失败
NotSupportedError	试图执行数据库不支持的特性

21.2.2 连接对象

要与数据库进行通信，必须先和数据库建立连接。连接对象处理将命令送往服务器，以及从服务器接收数据等基础功能。连接（或一个连接池）成功后你就能够向数据库服务器发送请求，得到响应。

方法

连接对象没有必须定义的数据属性，但是它至少应该定义表 21.5 中的这些方法。

表 21.5 connection 对象方法

方法名	描述
close()	关闭数据库连接
commit()	提交当前事务
rollback()	取消当前事务
cursor()	使用这个连接创建并返回一个游标或类游标的对象
errorhandler (cxn,cur, errcls, errval)	作为已给游标的句柄

一旦执行了 close()方法，再试图使用连接对象的方法将会导致异常。

对不支持事务的数据库，或者虽然支持事务但设置了自动提交(auto-commit)的数据库系统来说，commit()方法什么也不做。如果你确实需要，可以实现一个自定义方法来关闭自动提交行为。由于 DB-API 要求必须实现此方法，所以对那些没有事务概念的数据库来说，这个方法只需要有一条 pass 语句就可以了。

类似 commit()、rollback()方法仅对支持事务的数据库有意义。执行完 rollback()，数据库将恢复到提交事务前的状态。根据 PEP249，在提交 commit()之前关闭数据库连接将会自动调用 rollback()方法。

对不支持游标的数据库来说，cursor()方法仍然会返回一个尽量模仿游标对象的对象。这是最低要求。特定数据库接口程序的开发者可以任意为他们的接口程序添加额外的属性，只要他们愿意。

DB-API 规范建议但不强制接口程序的开发者为所有数据库接口模块编写异常类。如果没有提供异常类，则假定该连接对象会引发一致的模块级异常。一旦你完成了数据库连接，并且关闭了游标对象，你应该执行 commit()提交你的操作，然后关闭这个连接。

21.2.3 游标对象

当你建立连接之后，就可以与数据库进行交互。就像我们在前一小节提到的，一个游标允许用户执行数据库命令和得到查询结果。一个 Python DB-API 游标对象总是扮演游标的角色，无论数据库是否真正支持游标。从这一点讲，数据库接口程序必须实现游标对象。只有这样，才能保证无论使用何种后端数据库你的代码都不需要做任何改变。

创建游标对象之后，你就可以执行查询或其他命令(或者多个查询和多个命令)，也可以从结果集中取出一条或多条记录。表 21.6 列举了游标对象拥有的属性和方法。

表 21.6 游标对象的属性

对象属性	描述
arraysize	使用 fechmany()方法一次取出多少条记录，默认值为 1
connection	创建此游标对象的连接(可选)
description	返回游标活动状态（一个包含七个元素的元组）：(name，type_code，display_size，internal_size，precision，scale，null_ok)；只有 name 和 type_code 是必须提供的
lastrowid	返回最后更新行的 id（可选），(如果数据库不支持行 id，默认返回 None)
rowcount	最后一次 execute()操作返回或影响的行数
callproc(*func*[,*args*])	调用一个存储过程
close()	关闭游标对象
execute(*op*[,*args*])	执行一个数据库查询或命令
executemany(*op*,*args*)	类似 execute()和 map()的结合，为给定的每一个参数准备并执行一个数据库查询/命令

续表

对象属性	描述
fetchone()	得到结果集的下一行
fetchmany([*size*=cursor.arraysize])	得到结果集的下几行
fetchall()	返回结果集中剩下的所有行
__iter__ ()	创建一个迭代对象（可选；参阅 next()）
messages	游标执行后数据库返回的信息列表（元组集合）(可选)
next()	使用迭代对象得到结果集的下一行(可选；类似 fetchone()，参阅 __iter__ ())
nextset()	移到下一个结果集（如果支持的话）
rownumber	当前结果集中游标的索引（以行为单位，从 0 开始）(可选)
setinput- sizes(*sizes*)	设置输入最大值（必须有，但具体实现是可选的）
setoutput- size(*size*[,*col*])	设置大列的缓冲区大写(必须有，但具体实现是可选的)

游标对象最重要的属性是 execute*()和 fetch*()方法。所有对数据库服务器的请求都由它们来完成。对 fetchmany()方法来说，设置一个合理的 arraysize 属性会很有用。当然，在不需要时关掉游标对象也是个好主意。如果你的数据库支持存储过程，你就可以使用 callproc()方法。

21.2.4 类型对象和构造器

通常两个不同系统的接口要求的参数类型是不一致的，譬如 Python 调用 C 函数时 Python 对象和 C 类型之间就需要数据格式的转换，反之亦然。类似地，在 Python 对象和原生数据库对象之间也是如此。对于 Python DB-API 的开发者来说，你传递给数据库的参数是字符串形式的，但数据库会根据需要将它转换为多种不同的形式。以确保每次查询能被正确执行。

举例来说，一个 Python 字符串可能被转换为一个 VARCHAR 或一个 TEXT，或一个 BLOB，或一个原生 BINARY 对象，或一个 DATE 或 TIME 对象。一个字符串到底会被转换成什么类型?必须小心地尽可能以数据库期望的数据类型来提供输入，因此另一个 DB-API 的需求是创建一个构造器以生成特殊的对象，以便能够方便地将 Python 对象转换为合适的数据库对象。表 21.7 描述了可以用于此目的的类。SQL 的 NULL 值被映射为 Pyhton 的 NULL 对象，也就是 None。

表 21.7 类型对象和构造器

类型对象	描述
Date(*yr*,*mo*,*dy*)	日期值对象
Time(*hr*,*min*,*sec*)	时间值对象
Timestamp(*yr*,*mo*,*dy*,*hr*, *min*,*sec*)	时间戳对象
DateFromTicks(*ticks*)	通过自 1970-01-01 00:00:01 utc 以来的 ticks 秒数得到日期
TimeFromTicks(*ticks*)	通过自 1970-01-01 00:00:01 utc 以来的 ticks 秒数得到时间值对象
TimestampFromTicks(*ticks*)	通过自 1970-01-01 00:00:01 utc 以来的 ticks 秒数得到时间戳对象
Binary(*string*)	对应二进制长字符串值的对象
STRING	描述字符串列的对象，比如 VARCHAR
BINARY	描述二进制长列的对象 比如 RAW、BLOB
NUMBER	描述数字列的对象
DATETIME	描述日期时间列的对象
ROWID	描述“row ID”列的对象

DB-API 版本变更

有几个重要的变更发生在 DB-API 从 1.0(1996)升级到 2.0(1999)时：

- 从 API 中移除了原来必须的 dbi 模块；
- 更新了类型对象；
- 增加了新的属性以提供更易用的数据库绑定；
- 变更了 callproc()的语义并重定义了 execute()的返回值；
- 基于异常的错误处理。

自从 DB-API 2.0 发布以来，曾经在 2002 年加入了一些可选的 DB-API 扩展，但一直没有什么重大的变更。在 DB-SIG 邮件列表中一直在讨论 DB-API 的未来版本——暂时命名为 DB-API 3.0。它将包括以下特性：

- 当有一个新的结果集时 nextset()会有一个更合适的返回值；
- float 变更为 Decimal；
- 支持更灵活的参数风格；
- 预备语句或语句缓存；
- 优化事务模型；
- 确定 DB-API 可移值性的角色；
- 增加单元测试。

如果你对这些 API 特别感兴趣，欢迎积极参与。下面有一些手边的资源。

- http://python.org/topics/database。
- http://www.linuxjournal.com/article/2605。
- http://wiki.python.org/moin/DbApi3。

21.2.5 关系数据库

现在我们准备开始，一个问题摆在面前，在 Pyhton 里我可以使用哪种数据库接口？换言之，Python 支持哪些平台？答案是几乎所有的平台。下面是一个不怎么完整的数据库支持列表。

商业关系数据库管理系统

- Informix；
- Sybase；
- Oracle；
- MS SQL Server；
- DB/2；
- SAP；
- Interbase；
- Ingres。

开源关系数据库管理系统

- MySQL；
- PostgreSQL；
- SQLite；
- Gadfly。

数据库 API

- JDBC；
- ODBC。

想要了解 Python 都支持哪些数据库，请参阅下面网址：

http://python.org/topics/database/modules.html

21.2.6 数据库和Python：接口程序

对每一种支持的数据库，都有一个或多个Python接口程序允许你连接到目标数据库系统。某些数据库，比如Sybase、SAP、Oracle和SQLServer，都有两个或更多个接口程序可供选择。你要做的就是挑选一个最能满足你需求的接口程序。你挑选接口程序的标准可以是，性能如何、文档或WEB站点的质量如何、是否有一个活跃的用户或开发社区、接口程序的质量和稳定性如何等。记住绝大多数接口程序只提供基本的连接功能，你可能需要一些额外的特性。高级应用代码，如线程和线程管理及数据库连接池的管理等，需要你自己来完成。

如果你不想处理这些，比方说你不喜欢自己写SQL，也不想参与数据库管理的细节——那么本章后面讲到的ORM（Object-Relational Mappers，对象-关系管理器）应该可以满足你的要求。现在来看一些使用接口程序访问数据库的例子，关键之处在于设置数据库连接。在建立连接之后，不管后端是何种数据库，对DB-API对象的属性和方法进行操作都是一样的。

21.2.7 使用数据库接口程序举例

首先，我们来看一下例子代码：创建数据库、创建表、使用表。我们分别提供了使用MySQL、PostgreSQL和SQLite的例子。

1．MySQL

这里我们以MySQL数据库为例，使用唯一的MySQL接口程序MySQLdb，这个接口程序又名MySQL-python。在这部分代码里，我们故意在例子里埋下一个错误。

首先我们以管理员身份登录，创建一个数据库，并赋予相应权限，之后我们再以普通用户身份登录数据库，以便你能了解你希望得到什么，这样你会想到为它创建一个事件处理程序。

```
>>> import MySQLdb
>>> cxn = MySQLdb.connect(user='root')
>>> cxn.query('DROP DATABASE test')
Traceback (most recent call last):
  File "<stdin>", line 1, in ?
_mysql_exceptions.OperationalError: (1008, "Can't drop database 'test';database
doesn't exist")
>>> cxn.query('CREATE DATABASE test')
>>> cxn.query("GRANT ALL ON test.* to ''@'localhost'")
>>> cxn.commit()
>>> cxn.close()
```

在上面的代码中，我们没有使用cursor对象。某些（但不是所有的）接口程序拥有连接对象，这些连接对象拥有query()方法，可以执行SQL查询。我们建议你不要使用这个方法，或者事先检查该方法在当前接口程序当中是否可用。之后我们以普通用户身份再次连接这个新数据，创建表，然后通过Python执行SQL查询和命令，来完成我们的工作。这次我们使用游标对象（cursors）和它们的execute()方法，下一个交互集演示了创建表。

下面的代码演示了如何创建一个表。在删除一个表之前如果试图重建这个表将产生错误。

```
>>> cxn = MySQLdb.connect(db='test')
>>> cur = cxn.cursor()
>>> cur.execute('CREATE TABLE users(login VARCHAR(8), uid INT)')
0L
```

现在我们来插入几行数据到数据库，然后再将它们取出来。

```
>>> cur.execute("INSERT INTO users VALUES('john', 7000)")
1L
>>> cur.execute("INSERT INTO users VALUES('jane', 7001)")
1L
>>> cur.execute("INSERT INTO users VALUES('bob', 7200)")
1L
>>> cur.execute("SELECT * FROM users WHERE login LIKE 'j%'")
2L
>>> for data in cur.fetchall():
...   print '%s\t%s' % data
...
john    7000
jane    7001
```

最后一个特性是更新表，包括更新或删除数据。

```
>>> cur.execute("UPDATE users SET uid=7100 WHERE uid=7001")
1L
>>> cur.execute("SELECT * FROM users")
3L
>>> for data in cur.fetchall():
...   print '%s\t%s' % data
...
john    7000
jane    7100
bob     7200
>>> cur.execute('DELETE FROM users WHERE login="bob"')
1L
>>> cur.execute('DROP TABLE users')
0L
>>> cur.close()
>>> cxn.commit()
>>> cxn.close()
```

MySQL 是最流行的开源数据库之一。毫无疑问会有一个针对 MySQL 的 Python 接口程序。不过 Python 标准库中并没有集成这个接口程序，这是一个第三方包，你需要单独下载并安装它。在本章末尾的索引页，你可以找到如何下载它。

2. PostgreSQL

另一个著名的开源数据库是 PostgreSQL。与 MySQL 不同，有至少 3 个 Python 接口程序可以访问 PosgreSQL: psycopg，PyPgSQL 和 PyGreSQL，第四个，PoPy，现在已经被废弃（2003 年，它贡献出自己的代码，与 PygreSQL 整合在一起）。这三个接口程序各有长处，各有缺点，根据实践结果来选择使用哪个接口更为明智。

多亏他们都支持 DB-API，所以他们的接口基本一致，你只需要写一个应用程序，然后分别测试这三个接口的性能（如果性能对你的程序很重要的话）。下面我给出这三个接口的连接代码：

psycopg

```
>>> import psycopg
>>> cxn = psycopg.connect(user='pgsql')
```

PyPgSQL

```
>>> from pyPgSQL import PgSQL
>>> cxn = PgSQL.connect(user='pgsql')
```

PyGreSQL

```
>>> import pgdb
>>> cxn = pgdb.connect(user='pgsql')
```

好，下面的代码就能够在所有接口程序下工作了。

```
>>> cur = cxn.cursor()
>>> cur.execute('SELECT * FROM pg_database')
>>> rows = cur.fetchall()
>>> for i in rows:
...   print i
>>> cur.close()
>>> cxn.commit()
>>> cxn.close()
```

最后，你会发现他们的输出有一点点轻微的不同。

PyPgSQL

```
sales
template1
template0
```

Psycopg

```
('sales', 1, 0, 0, 1, 17140, '140626', '3221366099',
'', None, None)
('template1', 1, 0, 1, 1, 17140, '462', '462', '', None,
'{pgsql=C*T*/pgsql}')
('template0', 1, 0, 1, 0, 17140, '462', '462', '', None,
'{pgsql=C*T*/pgsql}')
```

PyGreSQL

```
['sales', 1, 0, False, True, 17140L, '140626',
'3221366099', '', None, None]
['template1', 1, 0, True, True, 17140L, '462', '462',
'', None, '{pgsql=C*T*/pgsql}']
['template0', 1, 0, True, False, 17140L, '462',
'462', '', None, '{pgsql=C*T*/pgsql}']
```

3．SQLite

对非常简单的应用来说，使用文件进行持久存储通常就足够了。但对于绝大多数数据驱动的应用程序必须使用全功能的关系数据库。SQLite 介于二者之间，它定位于中小规模的应用。它是相当轻量级的全功能关系型数据库，速度很快，几乎不用配置，并且不需要服务器。

SQLite 正在迅速流行起来。并且在各个平台上都能用。Python2.5 中就集成了前面介绍的 pysqlite 数据库接口程序，作为 Python2.5 的 sqlite3 模块。这是 Python 第一次将一个数据库接口程序纳入标准库，也许这标志着一个新的开始。

它被打包到 Python 当中并不是因为他比其他的数据库接口程序更优秀，而是因为他足够简单，使用文件（或内存）作为它的后端存储，就像 DBM 模块做的那样，不需要服务器，而且也不存在授权问题。它是 Python 中其他的持久存储解决方案的一个替代品，一个拥有 SQL 访问界面的优秀替代品。在标准库中有这么一个模块，就能方便用户使用 Python 和 SQLite 进行软件开发，等到软件产品正式上市发布时，只要有需要，就能够很容易的将产品使用的数据库后端变更为一个全功能的、更强大的类似 MySQL、PostgreSQL、Oracle 或 SQL Server 那样的数据库。当然，对那些不需要那么大马力的应用程序来说，SQLite 已经足够使用。

尽管标准库已经提供了数据库接口程序，你仍然需要自己下载真正的数据库软件。一旦安装好之后，你就只需要打开 Python 解释器，下面是一个例子：

```
>>> import sqlite3
>>> cxn = sqlite3.connect('sqlite_test/test')
>>> cur = cxn.cursor()
>>> cur.execute('CREATE TABLE users(login VARCHAR(8), uid
    INTEGER)')
>>> cur.execute('INSERT INTO users VALUES("john", 100)')
>>> cur.execute('INSERT INTO users VALUES("jane", 110)')
>>> cur.execute('SELECT * FROM users')
>>> for eachUser in cur.fetchall():
...     print eachUser
...
(u'john', 100)
(u'jane', 110)
>>> cur.execute('DROP TABLE users')
<sqlite3.Cursor object at 0x3d4320>
>>> cur.close()
>>> cxn.commit()
>>> cxn.close()
```

OK，这个小例子已经足够了。接下来，我们来看一个小程序，它类似前面使用 MySQL 的例子，但完成几种新的功能：

- 创建一个数据库（如果必要）
- 创建一个表
- 在表中插入行
- 在表中更新行
- 在表中删除行
- 删除表

这个例子中，我们仍然使用两个其他的开源数据库。SQLite 现如今已经相当流行。它体积小，而且足够快，是一个拥有几乎全部功能的相当轻量级的数据库。这个例子中用到的另一个数据库是 Gadfly，一个基本兼容 SQL 的纯 Python 写成的关系数据库。（某些关键的数据库结构有一个 C 模块，不过 Gadfly 没有它也一样可以运行（当然，会慢不少，嘿嘿））。

在进入代码之前，有几件事要提醒。SQLite 和 Gadfly 需要用户指定保存数据库文件的位置（MySQL 有一个默认区域保存数据，在使用 MySQL 数据库时无需指定这个）。另外，Gadfly 目前的版本还不兼容 DB-API 2.0，也就是说，它缺失一些功能，尤其是缺少我们例子中用到的 cursor 属性 rowcount。

4．数据库接口程序应用程序举例

在下面这个例子里，我们演示了 Python 如何访问数据库。事实上，我们的程序支持三种不同的数据库系统：Gadfly、SQLite 和 MySQL。我们将要创建一个数据库（如果它不存在的话），然后进行多种数据库操作，比如创建表、删除表、插入数据、更新数据、删除数据等。在下一小节中的 ORM 中我们将

重复例子21.1的这些功能。

5. 逐行解释

第1~18行

脚本的第一部分导入必须的模块，创建一些“全局常量”（列的显示大小及我们的程序支持的数据库）。其中setup()函数提供一个简单界面让用户选择使用哪种数据库。

值得留意的是DB_EXC常量，它代表数据库异常。他最终的值由用户最终选择使用的数据库决定。也就是说，如果用户选择MySQL，DB_EXC将是_mysql_exceptions，依此类推。如果我们用流行的面向对象的方式来开发这个应用，它将会以一个实例属性的方式表示，比如self.db_exc_module或者什么别的名字。

第20~75行

这里的connect()函数表现了数据库存取一致性。在每一小节的开头，我们尝试载入需要的数据库模块。如果找不到合适的模块，None值被返回，表示这个数据库系统暂不支持。

在数据库连接建立以后，其余的代码对数据库和接口程序来说都是透明的（不区分哪种数据库、哪种接口程序，代码都可以工作）。有一个唯一的例外，就是脚本的insert()函数。在这部分代码的所有3小段中，数据库连接成功后会返回一个连接对象cxn。

如果选中了SQLite(24行～36行)，我们尝试载入一个数据库接口程序。我们首先尝试载入标准库模块sqlite3(Python2.5及更高版本支持)，如果载入失败，就会去寻找第三方pysqlite2包。这个包支持Python 2.4.x或更老些的系统。

如果成功导入合适的接口程序，由于SQLite是基于文件的数据库系统，同我们需要确认一下数据库文件所在的目录是否存在（当然，你也可以选择在内存里创建一个数据库）。当调用connect()函数时，如果这个数据库文件已经存在，SQLite会使用这个数据库，如果文件不存，它就会创建一个新文件。

例21.1 数据库接口程序示例

这段脚本使用同样的接口对多种数据库执行了一些数据库基本操作。

```
1   #!/usr/bin/env python
2
3   import os
4   from random import randrange as rrange
5
6   COLSIZ = 10
7   RDBMSs = {'s': 'sqlite', 'm': 'mysql', 'g': 'gadfly'}
8   DB_EXC = None
9
10  def setup():
11      return RDBMSs[raw_input('''
12  Choose a database system:
13
14  (M)ySQL
15  (G)adfly
16  (S)QLite
17
18  Enter choice: ''').strip().lower()[0]]
19
20  def connect(db, dbName):
21      global DB_EXC
22      dbDir = '%s_%s' % (db, dbName)
23
```

```
24     if db == 'sqlite':
25         try:
26             import sqlite3
27         except ImportError, e:
28             try:
29                 from pysqlite2 import dbapi2 as sqlite3
30             except ImportError, e:
31                 return None
32 
33         DB_EXC = sqlite3
34         if not os.path.isdir(dbDir):
35             os.mkdir(dbDir)
36         cxn = sqlite.connect(os.path.join(dbDir, dbName))
37 
38     elif db == 'mysql':
39         try:
40             import MySQLdb
41             import _mysql_exceptions as DB_EXC
42         except ImportError, e:
43             return None
44 
45         try:
46             cxn = MySQLdb.connect(db=dbName)
47         except _mysql_exceptions.OperationalError, e:
48             cxn = MySQLdb.connect(user='root')
49             try:
50                 cxn.query('DROP DATABASE %s' % dbName)
51             except DB_EXC.OperationalError, e:
52                 pass
53             cxn.query('CREATE DATABASE %s' % dbName)
54             cxn.query("GRANT ALL ON %s.* to ''@'localhost'" % dbName)
55             cxn.commit()
56             cxn.close()
57             cxn = MySQLdb.connect(db=dbName)
58 
59     elif db == 'gadfly':
60         try:
61             from gadfly import gadfly
62             DB_EXC = gadfly
63         except ImportError, e:
64             return None
65 
66         try:
67             cxn = gadfly(dbName, dbDir)
68         except IOError, e:
69             cxn = gadfly()
70             if not os.path.isdir(dbDir):
71                 os.mkdir(dbDir)
72             cxn.startup(dbName, dbDir)
```

```
73      else:
74          return None
75      return cxn
76
77  def create(cur):
78      try:
79          cur.execute('''
80            CREATE TABLE users (
81              login VARCHAR(8),
82              uid INTEGER,
83              prid INTEGER)
84          ''')
85      except DB_EXC.OperationalError, e:
86          drop(cur)
87          create(cur)
88
89  drop = lambda cur: cur.execute('DROP TABLE users')
90
91  NAMES = (
92      ('aaron', 8312), ('angela', 7603), ('dave', 7306),
93      ('davina',7902), ('elliot', 7911), ('ernie', 7410),
94      ('jess', 7912), ('jim', 7512), ('larry', 7311),
95      ('leslie', 7808), ('melissa', 8602), ('pat', 7711),
96      ('serena', 7003), ('stan', 7607), ('faye', 6812),
97      ('amy', 7209),
98  )
99
100 def randName():
101     pick = list(NAMES)
102     while len(pick) > 0:
103         yield pick.pop(rrange(len(pick)))
104
105 def insert(cur, db):
106     if db == 'sqlite':
107         cur.executemany("INSERT INTO users VALUES(?, ?, ?)",
108         [(who, uid, rrange(1,5)) for who, uid in randName()])
109     elif db == 'gadfly':
110         for who, uid in randName():
111             cur.execute("INSERT INTO users VALUES(?, ?, ?)",
112                 (who, uid, rrange(1,5)))
113     elif db == 'mysql':
114         cur.executemany("INSERT INTO users VALUES(%s, %s, %s)",
115         [(who, uid, rrange(1,5)) for who, uid in randName()])
116
117 getRC = lambda cur: cur.rowcount if hasattr(cur,
    'rowcount') else -1
118
119 def update(cur):
120     fr = rrange(1,5)
```

```
121      to = rrange(1,5)
122      cur.execute(
123          "UPDATE users SET prid=%d WHERE prid=%d" % (to, fr))
124      return fr, to, getRC(cur)
125
126  def delete(cur):
127      rm = rrange(1,5)
128      cur.execute('DELETE FROM users WHERE prid=%d' % rm)
129      return rm, getRC(cur)
130
131  def dbDump(cur):
132      cur.execute('SELECT * FROM users')
133      print '\n%s%s%s' % ('LOGIN'.ljust(COLSIZ),
134          'USERID'.ljust(COLSIZ), 'PROJ#'.ljust(COLSIZ))
135     for data in cur.fetchall():
136          print '%s%s%s' % tuple([str(s).title().ljust(COLSIZ) \
137              for s in data])
138
139  def main():
140      db = setup()
141      print '*** Connecting to %r database' % db
142      cxn = connect(db, 'test')
143      if not cxn:
144          print 'ERROR: %r not supported, exiting' % db
145          return
146      cur = cxn.cursor()
147
148      print '\n*** Creating users table'
149      create(cur)
150
151      print '\n*** Inserting names into table'
152      insert(cur, db)
153      dbDump(cur)
154
155      print '\n*** Randomly moving folks',
156      fr, to, num = update(cur)
157      print 'from one group (%d) to another (%d)' % (fr, to)
158      print '\t(%d users moved)' % num
159      dbDump(cur)
160
161      print '\n*** Randomly choosing group',
162      rm, num = delete(cur)
163      print '(%d) to delete' % rm
164      print '\t(%d users removed)' % num
165      dbDump(cur)
166
167      print '\n*** Dropping users table'
168      drop(cur)
169      cur.close()
```

```
170         cxn.commit()
171         cxn.close()
172
173 if __name__ == '__main__':
174         main()
```

MySQL(38～57行)的数据文件会存保在默认的数据存储区域，所以不需要用户指定存储位置。我们的代码尝试连接指定的数据库。如果发生错误，有可能是数据库不存在，或者虽然数据库存在但我们没有权限访问它。由于这仅仅是一个测试应用程序，我们选择完全先删掉这个数据库（忽略掉如果数据库不存在可能引发的错误），然后重建该库，然后给访问它的用户赋予权限。

我们的应用程序支持的最后一个数据库是Gadfly（第59～75行)。在本书写作的时候，这个数据库已经几乎但还没有完全兼容DB-API，你也会在这个程序里看到这一点。)它使用类似SQLite的启动机制：它的启动目录是数据文件所在的目录。如果数据文件在那儿，那没有问题，如果那儿没有数据文件，你必须重新启动一个新的数据库（为什么非要这样，我们也不十分清楚。我们认为startup()函数应该被合并到构造器函数gadfly.gadfly()当中去)。

77～89行

create()函数在数据库中创建一个新的users表，如果中间产生问题，几乎肯定是因为这个表已经存在。如果正是这个原因的话，删掉这个表，然后递归调用create()函数来重新创建它。这个代码有一个缺陷，就是当重建表仍然失败的话，你将陷入死循环，直至内存耗尽。在本章最后有一道习题就是这个问题，你可以试着修复这个潜在的bug。

91～103行

这可能是除了数据库操作之外最有趣的代码部分了。它由一组固定用户名及ID值的集合及一个生成器函数randName()构成。这个函数的代码也可以在11.10节找到。NAMES常量是一个元组，因为我们在randName()这个生成器里需要改变它的值，所以我们必须在randName()里先将它转换为一个列表。我们一次随机移除一个名字，直到列表为空为止。如果NAMES本身是一个列表，我们只能使用它一次（它就被消耗光了)。我们将它设计成为一个元组，这样我们就可以多次从这个元组生成一个列表供生成器使用。

105～115行

由于各种数据库之间有一些细微差别，insert()函数里的代码是依赖具体数据库的。举例来说，SQLite和MySQL的接口程序都是DB-API兼容的，所以它们的游标对象都拥有executemany()方法，可是Gadfly没有这个方法，因此它只能一次插入一行。

另一个不同之处在于SQLite和Gadfly的参数风格是qmark，而MySQL的参数风格是format.由于这些原因，格式字符串必须不同。如果你比较细心的话，你会看到他们的参数创建过程非常相似。

这段代码的功能是：对每个name-userID数据对，随机分配一个项目小组ID,然后存入数据库。

117行

这独立的一行是有一个条件表达式（读作Python 3目操作符），它返回最后一步操作所影响的行数，如果游标对象不支持这个属性（也就是说这个接口程序不兼容DB-API）的话，它返回–1。python 2.5中新增了条件表达式，如果你使用的是python 2.4.x或更老版本，你可能就需要将它转换为老风格的方式了，如下所示。

```
getRC = lambda cur: (hasattr(cur, 'rowcount') \
    and [cur.rowcount] or [-1])[0]
```

如果你看不太明白这行代码，不用着急。看看FAQ就能知道为什么最终Python 2.5中加入了条件表达式。如果你能弄明白，你就彻底搞明白了Python对象以及他们的布尔值。

119～129行

update()和delete()函数随机从一个组里选择了几条记录，如果是update操作，就将他们从当前小组移到另一个小组（也是随机选择的)。如果是delete操作，则删除它们。

131～137 行

dbDump()函数从数据库中读取所有数据，并将数据进行格式化，然后显示给用户看。**print** 语句显示每个用户不够清晰，所以我们将它分开显示。

首先，通过 fetchall()方法读取数据，然后迭代遍历每个用户，将三列数据（login、uid、prid）转换为字符串（如果它们还不是的话），并将姓和名的首字母大写，再格式化整个字符为左对齐的 COLSIZ 列（右边留白）。由代码生成的字符串是一个列表（通过列表解析），我们需要将它们转换成一个元组以支持 % 操作符。

139～174 行

本部影片的导演 main()出场。它将上面定义的这些函数组织起来，让它们尽情发挥。（假定它们没有因为找不到数据库接口程序或者不能得到有效连接对象而中途退出（第 143～145 行））。它的大部分代码都是能够自我解释的 **print** 语句。最后 main()关闭游标对象，提交操作，然后关闭数据库连接。脚本的最后几行代码用来启动脚本的执行。

21.3　对象-关系管理器（ORM）

通过前一节我们知道，如今有很多种数据库系统，他们中的绝大多数都有 Python 接口，以方便你驾驭他们的能量。这些系统唯一的缺点是需要你懂得 SQL。如果你喜欢折腾 Python 对象却讨厌 SQL 查询，又想使用关系型数据库作为你的数据存储的后端，你就完全具备成为一个 ORM 用户的天资。

21.3.1　考虑对象，而不是 SQL

这些系统的创建者将绝大多数纯 SQL 层功能抽象为 Python 对象，这样你就无需编写 SQL 也能够完成同样的任务。如果你在某些情况下实在需要 SQL，有些系统也允许你拥有这种灵活性。但绝大多数情况下，你应该尽量避免进行直接的 SQL 查询。

数据库的表被转换为 Python 类，它具有列属性和操作数据库的方法。让你的应用程序支持 ORM 非常类似使用那些标准的数据库接口程序。由于大部分工作由 ORM 代为处理，相比直接使用接口程序来说，一些事情可能实际需要更多的代码。令人欣慰的是，一点点额外的付出会回报你更高的生产率。

21.3.2　Python 和 ORM

如今最知名的 Python ORM 模块是 SQLAlchemy 和 SQLObject。由于二者有着不同的设计哲学，我们会分别给出 SQLAlchemy 和 SQLObject 的例子。只要你能搞清楚这两种 ORM 的使用，转到其他的 ORM 将是相当简单的事。

其他的 Python ORM 包括 pyDO/PyDO2、PDO、Dejavu、Durus、QLime 和 ForgetSQL。一些大型的 Web 开发工具/框架也可以有自己的 ORM 组件，如 WebWare MiddleKit 和 Django 的数据库 API。需要指出的是，知名的 ORM 并不意味着就是最适合你的应用程序的 ORM。那些其他的 ORM 虽然没有纳入我们的讨论范围，但一样有可能是适合你的应用程序的选择。

21.3.3　雇员数据库举例

现在我们将 shuffle 应用程序 ushuffle_db.py 改造为使用 SQLAlchemy 和 SQLObject 实现。数据库后端仍然是 MySQL。相对于直接使用原始 SQL 来讲，我们使用 ORM 时用类代替了函数，这样会更有对象的感觉。两个例子都使用了 ushuffle_db.py 中的 NAMES 集合和随机名字选择函数。这是为了避免将同样的代码到处复制粘贴，代码能够被有效重用是件好事情。

1.SQLAlchemy

与SQLObject相比，SQLAlchemy的接口在某种程度上更接近SQL，所以我们先从SQLAlchemy开始。SQLAlchemy的抽象层确实相当完美，而且在你必须使用SQL完成某些功能时，它提供了足够的灵活性。你会发现这两个ORM模块在设置及存取数据时使用的术语非常相似，代码长度也很接近，都比ushuffle_db.py少（包括共享的names列表和随机名字生成器）。

2．逐行解释

1～10行

和前面一样，第一件事是导入相关的模块和常量。我们提倡首先导入Python标准库模块，然后再导入第三方或扩展模块，最后导入本地模块这种风格。这些常量都是自解释的。

12～31行

12～31行是类的构造器，类似ushuffle_db.connect()。它确保数据库可用并返回一个有效连接（第18～31行）。这也是唯一能看到原始SQL的地方。这是一种典型的操作任务，不是面向应用的任务。

33～44行

这个try-except子句（33～40行）用来重新载入一个已有的表，或者在表不存在的情况下创建一个新表。最终我们得到一个合适的对象实例。

例21.2

这个user shuffle程序的主角是SQLAlchemy前端和MySQL数据库后端。

```
1     #!/usr/bin/env python
2
3     import os
4     from random import randrange as rrange
5     from sqlalchemy import *
6     from ushuffle_db import NAMES, randName
7
8     FIELDS = ('login', 'uid', 'prid')
9     DBNAME='test'
10    COLSIZ=10
11
12    class MySQLAlchemy(object):
13        def __init__(self, db, dbName):
14            import MySQLdb
15            import _mysql_exceptions
16            MySQLdb = pool.manage(MySQLdb)
17            url = 'mysql://db=%s' % DBNAME
18            eng = create_engine(url)
19            try:
20                cxn = eng.connection()
21            except _mysql_exceptions.OperationalError, e:
22                eng1 = create_engine('mysql://user=root')
23                try:
24                    eng1.execute('DROP DATABASE %s' % DBNAME)
25                except _mysql_exceptions.OperationalError, e:
26                    pass
27                eng1.execute('CREATE DATABASE %s' % DBNAME)
28                eng1.execute(
```

```
29            "GRANT ALL ON %s.* TO ''@'localhost'" % DBNAME)
30            eng1.commit()
31            cxn = eng.connection()
32
33        try:
34            users = Table('users', eng, autoload=True)
35        except exceptions.SQLError, e:
36            users = Table('users', eng,
37                Column('login', String(8)),
38                Column('uid', Integer),
39                Column('prid', Integer),
40                redefine=True)
41
42        self.eng=eng
43        self.cxn=cxn
44        self.users = users
45
46    def create(self):
47        users = self.users
48        try:
49            users.drop()
50        except exceptions.SQLError, e:
51            pass
52        users.create()
53
54    def insert(self):
55        d = [dict(zip(FIELDS,
56        [who, uid, rrange(1,5)])) for who,uid in randName()]
57        return self.users.insert().execute(*d).rowcount
58
59    def update(self):
60        users = self.users
61        fr = rrange(1,5)
62        to = rrange(1,5)
63        return fr, to, \
64    users.update(users.c.prid==fr).execute(prid=to).rowcount
65
66    def delete(self):
67        users = self.users
68        rm = rrange(1,5)
69        return rm, \
70    users.delete(users.c.prid==rm).execute().rowcount
71
72    def dbDump(self):
73        res = self.users.select().execute()
74        print '\n%s%s%s' % ('LOGIN'.ljust(COLSIZ),
75            'USERID'.ljust(COLSIZ), 'PROJ#'.ljust(COLSIZ))
76        for data in res.fetchall():
77            print '%s%s%s' % tuple([str(s).title().ljust
```

```
(COLSIZ) for s in data])
78
79      def __getattr__(self, attr):
80          return getattr(self.users, attr)
81
82      def finish(self):
83          self.cxn.commit()
84          self.eng.commit()
85
86  def main():
87      print '*** Connecting to %r database' % DBNAME
88      orm = MySQLAlchemy('mysql', DBNAME)
89
90      print '\n*** Creating users table'
91      orm.create()
92
93      print '\n*** Inserting names into table'
94      orm.insert()
95      orm.dbDump()
96
97      print '\n*** Randomly moving folks',
98      fr, to, num = orm.update()
99      print 'from one group (%d) to another (%d)' % (fr, to)
100     print '\t(%d users moved)' % num
101     orm.dbDump()
102
103     print '\n*** Randomly choosing group',
104     rm, num = orm.delete()
105     print '(%d) to delete' % rm
106     print '\t(%d users removed)' % num
107     orm.dbDump()
108
109     print '\n*** Dropping users table'
110     orm.drop()
111     orm.finish()
112
113 if __name__ == '__main__':
114     main()
```

46～70 行

这 4 个方法处理数据库核心功能：创建表（46～52 行、插入数据（54～57 行）、更新数据（59～64 行）、删除数据（66～70 行)。我们也有一个方法用来删除表。

```
def drop(self):
    self.users.drop()
```

或

```
drop = lambda self: self.users.drop()
```

不过，我们还是决定提供另一种授权处理方式（曾在第 13 章中介绍)。授权就是指一个方法调用不存在时，转交给另一个拥有此方法的对象去处理。参见第 79～80 行的解释。

72～77 行

输出内容由 dbDump()方法完成。它从数据库中得到数据，就像 ushuffle_db.py 中那样对数据进行美化，事实上，这部分代码几乎完全相同。

79～80 行

应该尽量避免为一个表创建一个 drop()方法，因为这总是会调用 table 自身的 drop()方法。同样，既然没有新增功能，那我们有什么必要创建另一个函数？无论属性查找是否成功，特殊方法__getattr__()总是会被调用。如果调用 orm.drop()却发现这个对象并没有 drop()方法，getattr(orm，'drop')就会被调用。发生这种情况时，__getattr__()被调用，之后将这个属性名委托给 self.users.解释器会发现 self.users 有一个 drop 属性并执行。

例 21.3 SQLObject ORM 示例（ushuffle_so.py）

这个 user shuffle 应用程序的主角前端是 SQLObject，后端是 MySQL 数据库。

```
1   #!/usr/bin/env python
2
3   import os
4   from random import randrange as rrange
5   from sqlobject import *
6   from ushuffle_db import NAMES, randName
7
8   DBNAME = 'test'
9   COLSIZ = 10
10  FIELDS = ('login', 'uid', 'prid')
11
12  class MySQLObject(object):
13      def __init__(self, db, dbName):
14          import MySQLdb
15          import _mysql_exceptions
16          url = 'mysql://localhost/%s' % DBNAME
17
18          while True:
19              cxn = connectionForURI(url)
20              sqlhub.processConnection=cxn
21              #cxn.debug=True
22              try:
23                  class Users(SQLObject):
24                      class sqlmeta:
25                          fromDatabase = True
26                      login = StringCol(length=8)
27                      uid = IntCol()
28                      prid = IntCol()
29                  break
30              except _mysql_exceptions.ProgrammingError, e:
31                  class Users(SQLObject):
32                      login = StringCol(length=8)
33                      uid = IntCol()
34                      prid= IntCol()
35                  break
36              except_mysql_exceptions.operationalError,e:
```

```
37                  cxn1=sqlhub.processConnection=
connectionForURI('mysql://root@localhost')
38                  cxn1.query("CREATE DATABASE %s" % DBNAME)
39                  cxn1.query("GRANT ALL ON %s.* TO ''@'
localhost'" % DBNAME)
40                  cxn1.close()
41          self.users = Users
42          self.cxn = cxn
43
44      def create(self):
45          Users = self.users
46          Users.dropTable(True)
47          Users.createTable()
48
49      def insert(self):
50          for who, uid in randName():
51              self.users(**dict(zip(FIELDS,
52                  [who, uid, rrange(1,5)])))
53
54      def update(self):
55          fr = rrange(1,5)
56          to = rrange(1,5)
57          users = self.users.selectBy(prid=fr)
58          for i, user in enumerate(users):
59              user.prid = to
60          return fr, to, i+1
61
62      def delete(self):
63          rm = rrange(1,5)
64          users = self.users.selectBy(prid=rm)
65          for i, user in enumerate(users):
66              user.destroySelf()
67          return rm, i+1
68
69      def dbDump(self):
70          print '\n%s%s%s' % ('LOGIN'.ljust(COLSIZ),
71              'USERID'.ljust(COLSIZ), 'PROJ#'.ljust(COLSIZ))
72          for usr in self.users.select():
73              print '%s%s%s' % (tuple([str(getattr(usr,
74                  field)).title().ljust(COLSIZ) \
75                  for field in FIELDS]))
76
77      drop = lambda self: self.users.dropTable()
78      finish = lambda self: self.cxn.close()
79
80  def main():
81      print '*** Connecting to %r database' % DBNAME
82      orm = MySQLObject('mysql', DBNAME)
83
```

```
84      print '\n*** Creating users table'
85      orm.create()
86
87      print '\n*** Inserting names into table'
88      orm.insert()
89      orm.dbDump()
90
91      print '\n*** Randomly moving folks',
92      fr, to, num = orm.update()
93      print 'from one group (%d) to another (%d)' % (fr, to)
94      print '\t(%d users moved)' % num
95      orm.dbDump()
96
97      print '\n*** Randomly choosing group',
98      rm, num = orm.delete()
99      print '(%d) to delete' % rm
100     print '\t(%d users removed)' % num
101     orm.dbDump()
102
103     print '\n*** Dropping users table'
104     orm.drop()
105     orm.finish()
106
107 if __name__ == '__main__':
108     main()
```

82 ~ 84 行

最后一个方法是 finish，它来提交整个事务。

86 ~ 114 行

main()函数是整个应用程序的入口，它创建了一个 MySQLAlchemy 对象并通过它完成所有的数据库操作。这段脚本和 ushuffle_db.py 功能一样。你会注意到数据库参数 db 是可选的，而且在 ushuffle_sa.py 和即将碰到的 ushuffle_so.py 中，它不起任何作用。它只是一个占位符以方便你对这个应用程序添加其他的数据库支持（参见本章后面的习题)。

运行这段脚本，你会看到类似下面的输出：

```
$ ushuffle_sa.py
***连接 test 数据库
***创建 users 表
***向users 表插入姓名数据
 LOGIN      USERID     PROJ#
 Serena     7003       4
 Faye       6812       4
 Leslie     7808       3
 Ernie      7410       1
 Dave       7306       2
 Melissa    8602       1
 Amy        7209       3
 Angela     7603       4
 Jess       7912       2
 Larry      7311       1
```

```
Jim        7512      2
Davina     7902      3
Stan       7607      4
Pat        7711      2
Aaron      8312      2
Elliot     7911      3
***随机将几个人从一个组（1）移动到另一个组（3）
（3个组被移动）
LOGIN      USERID    PROJ#
Serena     7003      4
Faye       6812      4
Leslie     7808      3
Ernie      7410      3
Dave       7306      2
Melissa    8602      3
Amy        7209      3
Angela     7603      4
Jess       7912      2
Larry      7311      3
Jim        7512      2
Davina     7902      3
Stan       7607      4
Pat        7711      2
Aaron      8312      2
Elliot     7911      3
***随机选中一个组（2）删除
（5 个用户被删除）
LOGIN      USERID    PROJ#
Serena     7003      4
Faye       6812      4
Leslie     7808      3
Ernie      7410      3
Melissa    8602      3
Amy        7209      3
Angela     7603      4
Larry      7311      3
Davina     7902      3
Stan       7607      4
Elliot     7911      3
***删除表
$
```

3．逐行解释

1～10 行

除了我们使用的是 SQLObject 而不是 SQLAlchemy 以外，导入模块和常量声明几乎与 ushuffle_sa.py 相同。

12～42 行

类似我们的 SQLAlchemy 例子，类的构造器做大量工作以确保有一个数据库可用，然后返回一个连接。同样的，这也是你能在程序里看到 SQL 语句的唯一位置。我们这个程序，如果因为某种原因造成 SQLObject 无法成功创建用户表，就会陷入无限循环当中。

我们尝试能够聪明地处理错误，解决掉这个重建表的问题。因为 SQLObject 使用元类，我们知道类的创建幕后发生特殊事件，所以我们不得不定义两个不同的类，一个用于表已经存在的情况，一个用于表不存在的情况。代码工作原理如下。

1．尝试建立一个连接到一个已经存在的表。如果正常工作，成功（第 23～29 行）。

2．如果第一步不成功，则从零开始为这个表创建一个类，如果成功，成功（第 31～36 行）。

3．如果第二步仍不成功，我们的数据库可能遇到麻烦，那就重新创建一个新的数据库（第 37～40 行）。

4．重新开始新的循环。

希望程序最终能在第一步或第二步成功完成。当循环结束时，类似 ushuffle_sa.py，我们得到合适的对象实例。

44 ~ 67 行、77 ~ 78 行

这些行处理数据库操作。我们在 44～47 行创建了表，并在 77 行删掉了表。在 49～52 行插入数据，在 54～60 行更新数据，在 62～67 行删除了数据。78 行调用了 finish()方法来关闭数据库连接。我们不能像 SQLAlchemy 那样使用授权删表代理，因为 SQLObject 的删表代理名为 dropTable()而不是 drop()。

69 ~ 75 行

使用 dbDump()方法，我们从数据库中得到数据，并将它显示在屏幕上。

80 ~ 108 行

又到了 main()函数。它工作的方式非常类似 ushuffle_sa.py。同样，构造器的 db 参数仅仅是一个占位符，用以支持其他的数据库系统（参阅本章最后的习题）。

当你运行这段脚本时，你的输出可能类似这样：

```
$ ushuffle_so.py
*** 连接 test 数据库
*** 创建 users 表
*** 向表里插入姓名数据
 LOGIN        USERID     PROJ#
 Jess         7912       1
 Amy          7209       4
 Melissa      8602       2
 Dave         7306       4
 Angela       7603       4
 Serena       7003       2
 Aaron        8312       1
 Leslie       7808       1
 Stan         7607       3
 Pat          7711       3
 Jim          7512       4
 Larry        7311       3
 Ernie        7410       2
 Faye         6812       4
 Davina       7902       1
 Elliot       7911       4
***随机将三个人从一个组（2）移动到另一个组（3）
（3 个用户被移动）
LOGIN        USERID     PROJ#
Jess         7912       1
Amy          7209       4
Melissa      8602       3
Dave         7306       4
```

```
Angela      7603    4
Serena      7003    3
Aaron       8312    1
Leslie      7808    1
Stan        7607    3
Pat         7711    3
Jim         7512    4
Larry       7311    3
Ernie       7410    3
Faye        6812    4
Davina      7902    1
Elliot      7911    4
***随即选择删除组（3）
  （6个用户被删除）
 LOGIN      USERID    PROJ#
 Jess       7912    1
 Amy        7209    4
 Dave       7306    4
 Angela     7603    4
 Aaron      8312    1
 Leslie     7808    1
 Jim        7512    4
 Faye       6812    4
 Davina     7902    1
 Elliot     7911    4
*** 删除用户表
$
```

21.3.4 总结

关于如何在 Python 中使用关系型数据库，希望我们前面介绍的东西对你有用。当你应用程序的需求超出纯文本或类似 DBM 等特殊文件的能力时，有多种数据库可供选择，别忘了还有一个完全由 Python 实现的真正的免安装维护和管理的真实数据库系统。你能在下面找到多种 Python 数据库接口程序和 ORM 系统。我们也建议你研究一下互联网上的 DB-SIG 的网页和邮件列表。类似其他的软件开发领域，只不过 Python 更简单易学，用户体验更好。

21.4 相关模块

表 21.8 列出了常见的 Python 数据库接口程序，注意不是所有的接口程序都是 DB-API 兼容的。

表 21.8 数据库相关模块和网址

名 字	网站参考或描述
数据库	
Gadfly	http://gadfly.sf.net
MySQL	http://mysql.com or http://mysql.org
MySQLdb a.k.a.	http://sf.net/projects/mysql-python

续表

名　字	网站参考或描述
MySQL-python	
PostgreSQL	http://postgresql.org
Psycopg	http://initd.org/projects/psycopg1
psycopg2	http://initd.org/software/initd/psycopg/
PyPgSQL	http://pypgsql.sf.net
PyGreSQL	http://pygresql.org
PoPy	已废弃，与 PyGreSQL 项目合并
SQLite	http://sqlite.org
pysqlite	http://initd.org/projects/pysqlite
sqlite3[a]	pysqlite 已经整合到 Python 标准库；除非你要下载最新的补丁，否则建议使用标准库
APSW	http://rogerbinns.com/apsw.html
MaxDB (SAP)	http://mysql.com/products/maxdb
sdb	http://dev.mysql.com/downloads/maxdb/7.6.00.html#Python
sapdb	http://sapdb.org/sapdbPython.html
Firebird (InterBase)	http://firebird.sf.net
KInterbasDB	http://kinterbasdb.sf.net
SQL Server	http://microsoft.com/sql
pymssql	http://pymssql.sf.net (requires FreeTDS [http://freetds.org])
adodbapi	http://adodbapi.sf.net
Sybase	http://sybase.com
sybase	http://object-craft.com.au/projects/sybase
Oracle	http://oracle.com
cx_Oracle	http://starship.python.net/crew/atuining/cx_Oracle
DCOracle2	http://zope.org/Members/matt/dco2(older, for Oracle8 only)
Ingres	http://ingres.com
Ingres DBI	http://ingres.com/products/Prod_Download_Python_DBI.html
ingmod	http://www.informatik.uni-rostock.de/～hme/software/
ORMs	
SQLObject	http://sqlobject.org
SQLAlchemy	http://sqlalchemy.org
PyDO/PyDO2	http://skunkweb.sf.net/pydo.html

a．pysqlite 已经添加到 Python2.5 中，作为它的 sqlite3 模块。

21.5 练习

21-1.什么是 Python DB-API？它是一个好东西吗？为什么是（或为什么不是）？

21-2.描述一下数据库模块参数风格之间的不同在哪儿？

21-3.游标对象的 execute*()系列方法有何区别？

21-4.游标对象的 fetch*()系列方法有何区别？

21-5.研究一下你使用的数据库及相应的 Python 模块。它是否与 DB-API 兼容？该模块是否提供了 DB-API 必须功能之外的更多特性？

21-6.针对你使用的数据库和 DB-API 接口程序，学习使用 Type 对象写一段小的脚本，至少要用到其中的一个对象。

21-7.重构。例 21.1（ushuffle_db.py）中的 create()函数，一个 table 会先被删除，然后递归调用 create()函数重建这个 table。如果在重建这个 table 时失败，就会陷入无限循环之中。通过在异常处理中不再调用 create 命令（cur.execute()）修复这个问题，搞一个更实用的解决方案出来。附加题：实现如果创建 table 失败，在返回失败之前最多重试 3 次。

21-8.数据库和 HTML。利用现有数据库的一个表和你在第 20 章学到的开发知识，读出数据库表的内容，将它放到一个 HTML table 中去。

21-9.数据库网站开发。给我们的 user shuffle 例子写一个网页界面。

21-10.数据库界面编程。给我们的 user shuffle 例子写一个图形界面。

21-11.股票投资组合类。修改第 13 章股票数据的例子，将它改造为使用某一种关系数据库保存数据。

21-12.切换 ORM 后端为其他的数据库。将 SQLAlchemy(ushuffle_sa.py)或 SQLObject (ushuffle_so.py)应用程序后端数据库由 MySQL 切换为另一种数据库系统。

第22章 扩展Python

本章主题

- 引言/动机
- 扩展 Python
- 创建应用程序代码
- 用样板包装你的代码
- 编译
- 导入并测试
- 引用计数
- 线程和 GIL
- 相关话题

在本章中，我们将讨论如何编写扩展代码并将它们的功能整合到 Python 编程环境中来。首先我们会给出这样做的原因，然后一步步地教您如何做。应当指出的是，虽然大部分 Python 的扩展都是用 C 语言写的，并且下面的所有样例代码也都是由纯 C 语言写的，但请放心，这些代码很容易就可以移植到 C++中。

22.1 引言/动机

22.1.1 什么是扩展

一般来说，所有能被整合或导入到其他 Python 脚本的代码，都可以称为扩展。您可以用纯 Python 来写扩展，也可以用 C 和 C++之类的编译型语言来写扩展（或者也可以用 Java 给 Jython 写扩展，也可以用 C#或 Visual Basic.NET 给 IronPython 写扩展）。

Python 的一大特点就是，扩展和解释器之间的交互方式与普通的 Python 模块完全一样。Python 在设计之初就考虑到要让模块的导入机制足够抽象，抽象到让使用模块的代码无法了解到模块的具体实现细节。除非那个程序员在磁盘中搜索这个模块文件，否则，他就连这个模块到底是用 Python 写的，还是用某种编译语言写的都分辨不出来。

核心笔记：在不同平台上创建扩展

我们要注意的是，如果你曾自己编译过 Python 解释器，那么，在这样的环境中，扩展一般都是可以使用的。自己手动编译扩展，和获取扩展的二进制文件是有些不同的。虽然自己编译比简单地下载安装复杂一些，但由此得来的好处就是，你可以自由选择你想使用的 Python 版本。虽然本章中的例子都是在 Unix 系统中开发的(一般的 Unix 中都自带编译器)。但只要你能使用 C/C++(或 Java)的编译器并且在 C/C++(或 Java)中有 Python 的开发环境，那唯一的区别只是怎样来编译而已。无论在哪一个平台上，真正起作用的代码都是一样的。如果你在 Win32 平台上进行开发，你需要有 Visual C++开发环境。Python 的发布包中自带了 7.1 版本的项目文件。当然，你也可以使用老版本的 VC。想了解更多的关于如何在 Win32 上开发扩展的信息，你可以访问如下网页：

http://docs.python.org/ext/building-on-windows.html

警告：就算是相同架构的两台电脑之间最好也不要互相共享二进制文件。最好是在各自的电脑上编译 Python 和扩展，因为有时就算是编译器或是 CPU 之间的些许差异，也会导致代码不能正常工作。

22.1.2 为什么要扩展 Python

纵观软件工程的历史，编程语言都不具备可扩展性，你只能使用已有的功能，而不能为语言增加新功能。现如今的编程环境中，可定制性也是一个很大的卖点，它可以促进代码的复用。TCL 和 Python 等语言是第一批提供可扩展性的语言。那么，为什么我们会想要扩展像 Python 这种已经很完善的语言呢？有以下几点好理由。

- 添加/额外的（非 Python）功能

扩展 Python 的一个原因就是对一些新功能的需要，而 Python 语言的核心部分并没有提供这些功能。这时，通过纯 Python 代码或者编译扩展都可以做到。但是有些情况，比如创建新的数据类型或者将 Python 嵌入到其他已经存在的应用程序中，则必须得编译。

- 性能瓶颈的效率提升

众所周知，由于解释型的语言是在运行时动态地翻译解释代码，这导致其运行速度比编译型的语言慢。一般说来，把所有代码都放到扩展中，可以提升软件的整体性能。但有时由于时间与精力有限，这样做并不划算。

通常，先做一个简单的代码性能测试，看看瓶颈在哪里，然后把瓶颈部分在扩展中实现会是一个比较简单有效的做法。效果立竿见影不说，而且还不用花费太多的时间与精力。

• 保持专有源代码私密

创建扩展的另一个很重要的原因是脚本语言都有一个共同的缺陷，那就是所有的脚本语言执行的都是源代码，这样一来源代码的保密性便无从谈起了。

把一部分代码从 Python 转到编译语言就可以保持专有源代码私密，因为你只要发布二进制文件就可以了。编译后的文件相对来说更不容易被反向工程出来。因此，代码能实现保密。尤其是涉及到特殊的算法、加密方法及软件安全的时候，这样做就显得非常至关重要了。

另一种对代码保密的方法是只发布预编译后的.pyc 文件。这是介于发布源代码(.py 文件)和把代码移植到扩展这两种方法之间的一种较好的折中方法。

22.2 创建 Python 扩展

为 Python 创建扩展需要 3 个主要的步骤：

1．创建应用程序代码；

2．利用样板来包装代码；

3．编译与测试。

在这一节中，我们会将这 3 步逐一介绍给大家。

22.2.1 创建您的应用程序代码

首先，我们要建立的是一个“库”，要记住，我们要建立的是将在 Python 内运行的一个模块。所以在设计你所需要的函数与对象的时候要注意到，你的 C 代码要能够很好地与 Python 的代码进行双向的交互和数据共享。

然后，写一些测试代码来保障你的代码的正确性。你可以在 C 代码中放一个 main()函数，使得你的代码可以被编译并链接成一个可执行文件（而不是一个动态库），当你运行这个可执行文件时，程序可以对你的软件库进行回归测试。这是一种很符合 Python 风格的做法。

在下面的例子中，我们就将采用这种做法。测试用例分别针对我们想要导出到 Python 世界的两个函数。一个是递归求阶乘的函数 fac()。另一个 reverse()函数则实现了一个简单的字符串反转算法，其主要目的是修改传入的字符串，使其内容完全反转，但不需要用申请内存后反着复制的方法。由于涉及到指针的使用，我们务必要在设计和调试时小心谨慎，以防把问题带入 Python。

例 22.1 中所列出的 Extest1.c 是我们的第一个版本。

代码中，包含了两个函数 fac()和 reverse()。分别实现了我们刚刚所说的两个功能。fac()接受一个整型参数并递归计算结果，在退出最后一层调用后最终返回到调用代码中。

最后一段代码是必要的 main()函数。我们在这里面写测试代码，传不同的参数给 fac()和 reverse()。有了这个函数，我们就可以了解我们的代码是否能得到正确的结果。

现在，我们就可以编译这段代码了。在大部分有 gcc 编译器的 Unix 系统中，我们都可以用以下指令进行编译：

```
$ gcc Extest1.c -o Extest
$
```

我们可以输入以下命令来运行我们的程序，并得到如下输出：

```
$ Extest
4! == 24
```

```
8! == 40320
12! == 479001600
reversing 'abcdef', we get 'fedcba'
reversing 'madam', we get 'madam'
$
```

例 22.1 纯 C 版本库（Extestl.c）

下面列出了我们想要包装并在 Python 解释器中使用的 C 函数的代码,main()是测试函数。

```
1  #include<stdio.h>
2  #include<stdlib.h>
3  #include<string.h>
4
5  int fac(int n)
6  {
7    if (n < 2) return(1); /* 0! == 1! == 1 */
8    return (n)*fac(n-1); /* n! == n*(n-1)! */
9  }
10
11 char *reverse(char *s)
12 {
13         register char t,      /* 中间变量 t */
14                 *p = s,       /* fwd */
15                 *q = (s + (strlen(s)-1)); /* bwd */
16
17         while (p < q)                /* if p < q */
18         {                          /*swap & mv ptrs */
19             t = *p;
20             *p++ = *q;
21             *q-- = t;
22         }
23         return s;
24 }
25
26 int main()
27 {
28     char s[BUFSIZ];
29     printf("4! == %d\n", fac(4));
30     printf("8! == %d\n", fac(8));
31     printf("12! == %d\n", fac(12));
32     strcpy(s, "abcdef");
33     printf("reversing 'abcdef', we get '%s'\n", \
34         reverse(s));
35     strcpy(s, "madam");
36     printf("reversing 'madam', we get '%s'\n", \
37         reverse(s));
38     return 0;
39 }
```

我们要再强调一次，你应该尽可能地完善你的代码。因为，在把代码集成到 Python 中后再来调试你的核心代码，查找潜在的 bug 是件很痛苦的事情。也就是说，调试核心代码与调试集成这两件事应该分开来做。要知道，与 Python 的接口代码写得越完善，集成的正确性就越容易保证。

我们的两个函数都只接受一个参数，并返回一个值。这是很标准的情况，与 Python 集成的时候应该不会有什么问题。注意，到现在为止，我们所做的都还与 Python 没什么关系。我们只是简单地创建了一个 C/C++的应用程序而已。

22.2.2 用样板来包装你的代码

整个扩展的实现都是围绕着 13.15.1 节所说的“包装”这个概念进行的。你的设计要尽可能让你的实现语言与 Python 无缝结合。接口的代码被称为“样板”代码，它是你的代码与 Python 解释器之间进行交互所必不可少的一部分。

我们的样板主要分为 4 步。

1．包含 Python 的头文件。

2．为每个模块的每一个函数增加一个形如 PyObject* Module_func()的包装函数。

3．为每个模块增加一个形如 PyMethodDef ModuleMethods[]的数组。

4．增加模块初始化函数 void initModule()。

1．包含 Python 头文件

首先，你要找到 Python 的头文件在哪，并且确保你的编译器有权限访问它们。在大多数类 Unix 的系统里，它们都会在/usr/local/include/python2.x 或/usr/include/python2.x 目录中。其中，“2.x”是你所使用的 Python 的版本号。如果你曾编译并安装过 Python 解释器，那应该不会碰到什么问题，因为这时，系统一般都会知道你的文件安装在哪。像下面这样在你的代码里加入一行：

```
#include "Python.h"
```

这部分比较简单。接下来再看看怎么在样板中加入其他的部分。

2．为每个模块的每一个函数增加一个型如 PyObject* Module_func()的包装函数

这一部分最需要技巧。你需要为所有想被 Python 环境访问的函数都增加一个静态的函数，函数的返回值类型为 PyObject*，函数名前面要加上模块名和一个下划线(_)。

比方说，我们希望在 Python 中，能够导入（import）我们的 fac()函数，其所在的模块名为 Extest，那么我们就要创建一个包装函数叫 Extest_fac()。在使用这个函数的 Python 脚本中，使用方法是先“**import** Extest”然后调用“Extest.fac()”（或者先“**from** Extest **import** fac”，然后直接调用“fac()”）

包装函数的用处就是先把 Python 的值传递给 C，然后调用我们想要调用的相关函数。当这个函数完成要返回 Python 的时候，把函数的计算结果转换成 Python 的对象，然后返回给 Python。

对于 fac()函数来说，当客户程序调用 Extest.fac()的时候，我们的包装函数就会被调用。它接受一个 Python 的整型参数，把它转为 C 的整型，然后调用 C 的 fac()函数，得到一个整型的返回值，最后把这个返回值转为 Python 的整型数作为整个函数调用的结果返回（在你头脑中，要保持一个想法：我们所写的其实就是“**def** fac(n)”这段声明的一个代理函数，当代理函数返回的时候，就像是这个想像中 Python 的 fac()函数在返回一样）。

那么怎样才能完成这样的转换呢？答案是，在从 Python 到 C 的转换就用 PyArg_Parse*()系列函数；在从 C 转到 Python 的时候，就用 Py_BuildValue()函数。

PyArg_Parse()系列函数的用法跟 C 的 sscanf()函数很像，都接受一个字符串流，并根据一个指定的格式字符串进行解析，把结果放入到相应的指针所指的变量中去。它们的返回值为 1 表示解析成功，返回值为 0 表示失败。

Py_BuildValue()的用法跟 sprintf()很像，把所有的参数按格式字符串所指定的格式转换成一个 Python 的对象。

表 22.1 罗列了这些函数的概要。

表 22.1 Python 和 C/C++之间的数据转换

函　数	描　述
Python 到 C	
int PyArg_ParseTuple()	把 Python 传过来的参数转为 C
int PyArg_ParseTupleAndKeywords()	与 PyArg_ParseTuple()作用相同，但是同时解析关键字参数
C 到 Python	
PyObject* Py_BuildValue()	把 C 的数据转为 Python 的一个或一组对象，然后返回之

表 22.2 所列出的转换代码用于在 C 与 Python 之间做数据的转换。

表 22.2 Python 和 C/C++之间数据转换的通用代码

格式代码	Python 型	C/C++型
s	str	**char***
z	str/None	**char***/NULL
i	int	**int**
l	long	**long**
c	str	**char**
d	float	**double**
D	complex	Py_Complex*
O	(any)	PyObject*
S	str	PyStringObject

这些转换代码出现在格式字符串当中，用于指定各个值的数据类型，以便于在两种语言之间做转换。注：由于 Java 的所有数据类型都是类，所以 Java 的转换类型不一样。Python 对象在 Java 中所对应的数据类型请参考 Jython 的相关文档。C#也有同样的问题。

下面是完整的 Extest_fac()包装函数：

```
static PyObject *
Extest_fac(PyObject *self, PyObject *args) {
        int res;                                // parse result
        int num;                                // arg for fac()
    PyObject* retval;                           // return value

    res = PyArg_ParseTuple(args, "i", &num);
     if (!res) {      // TypeError
             return NULL;
     }
     res = fac(num);
     retval = (PyObject*)Py_BuildValue("i", res);
     return retval;
```

首先，我们要解析 Python 传过来的数据。例子中，我们使用格式字符串“i”，表示我们期望得到一个整型的变量。如果传进来的的确是一个整型的变量，那就把它保存到 num 变量中。否则，PyArg_ParseTuple()会返回 NULL，同时，我们的函数也返回一个 NULL。这时，就会产生一个 TypeError 异常，通知客户我们期望传入一个整型变量。

然后，我们会调用 fac()函数，其参数为 num，把返回结果放在 res 变量中。最后，通过调用 Py_BuildValue()函数，格式字符串为“i”，把结果转为 Python 的整型类型并返回。这样，我们就完成了整个调用过程。

事实上，包装函数写得多了之后，你会慢慢地把代码写得越来越短，以减少中间变量的使用，同时也会增加代码的可读性。我们以 Extest_fac()函数为例，把它改写得短小一些，只使用一个变量 num：

```
static PyObject *
Extest_fac(PyObject *self, PyObject *args) {
    int num;
    if (!PyArg_ParseTuple(args, "i", &num))
        return NULL;
    return (PyObject*)Py_BuildValue("i", fac(num));
}
```

那么 reverse()怎么实现呢？既然你已经知道怎么返回一个值了，那我们把 reverse()的需求稍微改一下，变成返回两个值。我们将返回一个包含两个字符串的元组。第一个值是传进来的字符串，第二个值是反转后的字符串。

我们将把这个函数命名为 Extest.doppel()，以示与 reverse()函数的区别。把代码包装到 Extest_doppel()函数后，我们得到如下代码：

```
static PyObject *
Extest_doppel(PyObject *self, PyObject *args) {
    char *orig_str;
    if (!PyArg_ParseTuple(args, "s", &orig_str)) return NULL;
    return (PyObject*)Py_BuildValue("ss", orig_str, \
        reverse(strdup(orig_str)));
}
```

跟 Extest_fac()类似，我们接收一个字符串型的参数，保存到 orig_str 中。注意，这次，我们要使用“s”格式字符串。然后调用 strdup()函数把这个字符串复制一份（由于我们要同时返回原始字符串和反转后的字符串，所以我们需要复制一份）。把新复制的字符串传给 reverse 函数，我们就得到了反转后的字符串。

如你所见，我们用“ss”格式字符串让 Py_BuildValue()函数生成了一个含有两个字符串的元组，分别放了原始字符串和反转后的字符串。这样就完成所有的工作了吗？很不幸，还没有。

我们碰到了 C 语言的一个陷阱：内存泄漏。即内存被申请了，但没有被释放。就像去图书馆借了书，但是没有还一样。无论何时，你都应该释放所有你申请的，不再需要的内存。看，我们写的代码犯了多大的罪过啊（虽然看上去好像很无辜的样子）！

Py_BuildValue()函数生成要返回的 Python 对象的时候，会把转入的数据复制一份。上例中，那两个字符串就会被复制出来。问题就在于，我们申请了用于存放第二个字符串的内存，但是，在退出的时候没有释放它。于是，这片内存就泄漏了。正确的做法是：先生成要返回的对象，然后释放在包装函数中申请的内存。我们必须要这样修改我们的代码：

```
static PyObject *
Extest_doppel(PyObject *self, PyObject *args) {
    char *orig_str; // 原始字符串
```

```
    char *dupe_str; // 反转后的字符串
    PyObject* retval;
    if (!PyArg_ParseTuple(args, "s", &orig_str))  return NULL;
    retval = (PyObject*)Py_BuildValue("ss", orig_str, \
        dupe_str=reverse(strdup(orig_str)));
    free(dupe_str);
    return retval;
}
```

我们用 dupe_str 变量指向了新申请的字符串，并依此生成了要返回的对象。然后，我们调用 free()函数释放这个字符串，最后返回到调用程序，终于完成了我们要做的事情。

为每个模块增加一个形如 PyMethodDef ModuleMethods[]的数组。

现在，我们已经完成了两个包装函数。我们需要把它们列在某个地方，以便于 Python 解释器能够导入并调用它们。这就是 ModuleMethods[]数组要做的事情。

这个数组由多个数组组成。其中的每一个数组都包含了一个函数的信息。最后放一个 NULL 数组表示列表的结束。我们为 Extest 模块创建一个 ExtestMethods[]数组：

```
static PyMethodDef
ExtestMethods[] = {
    { "fac", Extest_fac, METH_VARARGS },
    { "doppel", Extest_doppel, METH_VARARGS },
    { NULL, NULL },
};
```

每一个数组都包含了函数在 Python 中的名字，相应的包装函数的名字以及一个 METH_VARARGS 常量。其中，METH_VARARGS 常量表示参数以元组形式传入。如果我们要使用 PyArg_ParseTupleAndKeywords()函数来分析命名参数的话，我们还需要让这个标志常量与 METH_KEYWORDS 常量进行逻辑与运算常量。最后，用两个 NULL 来结束我们的函数信息列表。

3. 增加模块初始化函数 void initModule()

所有工作的最后一部分就是模块的初始化函数。这部分代码在模块导入的时候被解释器调用。在这段代码中，我们需要调用 Py_InitModule()函数，并把模块名和 ModuleMethods[]数组的名字传递进去，以便解释器能正确地调用我们模块中的函数。对 Extest 模块来说，initExtest()函数应该是这个样子的：

```
void initExtest() {
        Py_InitModule("Extest", ExtestMethods);
}
```

这样，所有的包装都已经完成了。我们把以上代码与之前的 Extest1.c 合并到一个新文件——Extest2.c 中。到此为止，我们的开发阶段就已经结束了。

创建扩展的另一种方法是先写包装代码，使用桩函数、测试函数或哑函数。在开发过程中慢慢地把这些函数用有实际功能的函数替换。这样，你可以确保 Python 和 C 之间的接口函数是正确的，并用它们来测试你的 C 代码。

22.2.3 编译

现在，我们已经到了编译阶段。为了让你的新 Python 扩展能被创建，你需要把它们与 Python 库放在一起编译。现在已经有了一套跨 30 多个平台的规范，它极大地方便了编写扩展的人。distutils 包被用来编译、安装和分发这些模块、扩展和包。这个模块在 Python2.0 的时候就已经出现了，并用于代替 1.x 版本时的用 Makefile 来编译扩展的方法。使用 distutils 包的时候我们可以方便地按以下步骤来做：

1. 创建 setup.py；
2. 通过运行 setup.py 来编译和连接您的代码；
3. 从 Python 中导入您的模块；
4. 测试功能。

1. 创建 setup.py

下一步就是要创建一个 setup.py 文件。编译最主要的工作由 setup()函数来完成。在这个函数调用之前的所有代码，都是一些预备动作。为了能编译扩展，你要为每一个扩展创建一个 Extension 实例，在这里，我们只有一个扩展，所以只要创建一个 Extension 实例：

```
Extension('Extest', sources=['Extest2.c'])
```

第一个参数是（完整的）扩展的名字，如果模块是包的一部分的话，还要加上用“.”分隔的完整的包的名字。我们这里的扩展是独立的，所以名字只要写“Extest”就好了。sources 参数是所有源代码的文件列表。同样，我们也只有一个文件 Extest2.c。

现在，我们可以调用 setup()了。Setup()需要两个参数：一个名字参数表示要编译哪个东西，一个列表列出要编译的对象。由于我们要编译的是一个扩展，我们把 ext_modules 参数的值设为扩展模块的列表。语法如下：

```
setup('Extest', ext_modules=[...])
```

例 22.2

这个脚本会把我们的扩展编译到 build/lib.*子目录中。

```
1 #!/usr/bin/env python
2
3 from distutils.core import setup, Extension
4
5 MOD = 'Extest'
6 setup(name=MOD, ext_modules=[
7     Extension(MOD, sources=['Extest2.c'])])
```

由于我们只有一个模块，我们把我们扩展模块对象的实例化操作放到了 setup()的调用代码中。模块的名字我们就传预先定义的“常量”MOD：

```
MOD = 'Extest'
setup(name=MOD, ext_modules=[
   Extension(MOD,sources=['Extest2.c'])])
```

setup()函数还有很多选项可以设置。限于篇幅，不能完全罗列。读者可以在本章最后所列的官方文档中找到 setup.py 和 setup()函数相关的信息。例 22.2 给出了我们例子所要用的完整的脚本代码。

2. 通过运行 setup.py 来编译和连接代码

现在，我们已经有了 setup.py 文件。运行 setup.py build 命令就可以开始编译我们的扩展了。在我们的 Mac 机上的输出如下（使用不同版本的 Python 或是不一样的操作系统时，输出会有一些不同）：

```
$ python setup.py build
running build
running build_ext
building 'Extest' extension
creating build
creating build/temp.macosx-10.x-fat-2.x
gcc -fno-strict-aliasing -Wno-long-double -no-cpp-
```

```
precomp -mno-fused-madd -fno-common -dynamic -DNDEBUG -g
-I/usr/include -I/usr/local/include -I/sw/include -I/ usr/local/include/python2.x -c
Extest2.c -o build/ temp.macosx-10.x-fat-2.x/Extest2.o
creating build/lib.macosx-10.x-fat-2.x
gcc -g -bundle -undefined dynamic_lookup -L/usr/lib -L/ usr/local/lib -L/sw/lib
-I/usr/include -I/usr/local/ include -I/sw/include build/temp.macosx-10.x-fat-2.x/
Extest2.o -o build/lib.macosx-10.x-fat-2.x/Extest.so
```

22.2.4 导入和测试

1．从 Python 中导入您的模块

你的扩展会被创建在你运行 setup.py 脚本所在目录下的 build/lib.*目录中。你可以切换到那个目录中来测试你的模块，或者也可以用以下命令把它安装到你的 Python 中。

```
$ python setup.py install
```

如果安装成功，你会看到：

```
running install
running build
running build_ext
running install_lib
copying build/lib.macosx-10.x-fat-2.x/Extest.so ->
/usr/local/lib/python2.x/site-packages
```

现在，我们可以在解释器里测试我们的模块了：

```
>>> import Extest
>>> Extest.fac(5)
120
>>> Extest.fac(9)
362880
>>> Extest.doppel('abcdefgh')
('abcdefgh', 'hgfedcba')
>>> Extest.doppel("Madam, I'm Adam.")
("Madam, I'm Adam.", ".madA m'I ,madaM")
```

2．测试功能

我们想要做的最后一件事就是加上一个测试函数。事实上，我们已经写好一个了，就是 main()函数。现在，在我们代码中放一个 main()函数是一件比较危险的事，因为一个系统中只能有一个 main()函数。我们把 main()函数改名为 test()，加个 Extest_test()函数把它包装起来，然后在 ExtestMethods 中加入这个函数就不会有这样的问题了。代码如下：

```
static PyObject *
Extest_test(PyObject *self, PyObject *args) {
    test();
    return (PyObject*)Py_BuildValue("");
}
static PyMethodDef
ExtestMethods[] = {
{ "fac", Extest_fac, METH_VARARGS },
```

```
    { "doppel", Extest_doppel, METH_VARARGS },
    { "test", Extest_test, METH_VARARGS },
    { NULL, NULL },
};
```

Extest_test()模块函数只负责运行 test()函数，并返回一个空字符串。Python 的 None 作为返回值，传给了调用者。现在，我们可以在 Python 中调用同样的 test()函数了：

```
>>> Extest.test()
4! == 24
8! == 40320
12! == 479001600
reversing 'abcdef', we get 'fedcba'
reversing 'madam', we get 'madam'
>>>
```

在例 22.3 中，我们给出了 Extest2.c 的最终版本。这个版本会输出我们刚才所看到的结果。

在本例中，我们把我们的 C 代码和 Python 相关的代码分开放，一段在上面，一段在下面。

这样可以让代码更具可读性。对于小程序来说，没有任何问题。但在实际应用中，源代码会越写越大。一部分人就会考虑把他们的包装函数放在另一个源文件中。起个诸如 ExtestWrappers.c 之类好记的名字。

22.2.5 引用计数

也许你还记得，Python 使用引用计数作为跟踪一个对象是否不再被使用，所占内存是否应该被回收的手段。它是垃圾回收机制的一部分。当创建扩展时，你必需对如何操作 Python 对象格外小心。你时时刻刻都要注意是否要改变某个对象的引用计数。

一个对象可能有两类引用。一种是拥有引用，你要对这个对象的引用计数加 1，以表示你也拥有这个对象的所有权。如果这个 Python 对象是你自己创建的，那么这时你肯定拥有这个对象的所有权。

当你不再需要一个 Python 对象时，你必须要交出你的所有权，要么把引用计数减 1，要么把所有权交给别人，要么就把这个对象存到其他的容器中(元组、列表等)。没有交出所有权就会导致内存泄漏。

你也可以拥有对象的借引用。相对来说，这种方式的责任就小一些。除非是别人在外面把对象传递给你。否则，不要用任何方式修改对象里的数据。你也不用时刻考虑对象引用计数的问题，只要你不会在对象的引用计数减为 0 之后再去使用这个对象。你也可以把借引用对象用的数量加 1，从而真正地引用这个对象。

例 22.3 C 库的 Python 包装版本(Extest2.c)

```
1   #include<stdio.h>
2   #include<stdlib.h>
3   #include<string.h>
4
5   int fac(int n)
6   {
7       if (n < 2) return(1);
8       return (n)*fac(n-1);
9   }
10
11  char *reverse(char *s)
12  {
```

```
13      register char t,
14              *p = s,
15              *q = (s + (strlen(s) - 1));
16
17      while (s && (p < q))
18      {
19          t = *p;
20          *p++ = *q;
21          *q-- = t;
22      }
23      return s;
24  }
25
26  int test()
27  {
28      char s[BUFSIZ];
29      printf("4! == %d\n", fac(4));
30      printf("8! == %d\n", fac(8));
31      printf("12! == %d\n", fac(12));
32      strcpy(s, "abcdef");
33      printf("reversing 'abcdef', we get '%s'\n", \
34          reverse(s));
35      strcpy(s, "madam");
36      printf("reversing 'madam', we get '%s'\n", \
37          reverse(s));
38      return 0;
39  }
40
41  #include "Python.h"
42
43  static PyObject *
44  Extest_fac(PyObject *self, PyObject *args)
45  {
46      int num;
47      if (!PyArg_ParseTuple(args, "i", &num))
48          return NULL;
49      return (PyObject*)Py_BuildValue("i", fac(num));}
50  }
51
52  static PyObject *
53  Extest_doppel(PyObject *self, PyObject *args)
54  {
55          char *orig_str;
56          char *dupe_str;
57          PyObject* retval;
58
59          if (!PyArg_ParseTuple(args, "s", &orig_str))
60              return NULL;
61          retval = (PyObject*)Py_BuildValue("ss", orig_str, \
```

```
62              dupe_str=reverse(strdup(orig_str));
63          free(dupe_str);
64          return retval;
65  }
66
67  static PyObject *
68  Extest_test(PyObject *self, PyObject *args)
69  {
70      test();
71      return (PyObject*)Py_BuildValue("");
72  }
73
74  static PyMethodDef
75  ExtestMethods[] =
76  {
77      { "fac", Extest_fac, METH_VARARGS },
78      { "doppel", Extest_doppel, METH_VARARGS },
79      { "test", Extest_test, METH_VARARGS },
80      { NULL, NULL },
81  };
82
83  void initExtest()
84  {
85      Py_InitModule("Extest", ExtestMethods);
86  }
```

Python 提供了一对 C 的宏，可以用来改变 Python 对象的引用计数，见表 22.3。

表 22.3 执行 Python 对象引用计数的宏

函 数	说 明
Py_INCREF(*obj*)	增加对象 obj 的引用计数
Py_DECREF(*obj*)	减少对象 obj 的引用计数

在上面的 Extest_test()函数中，我们创建了一个空字符串的 PyObject 对象，用以返回 None。或者，你也可以对空对象(PyNone)的引用计数加 1，成为 PyNone 的拥有者，然后直接返回 PyNone，见下例。

```
static PyObject *
Extest_test(PyObject *self, PyObject *args) {
        test();
        Py_INCREF(Py_None);
        return PyNone;
}
```

Py_INCREF()和 Py_DECREF()两个函数也有一个先检查对象是否为空的版本，分别为 Py_XINCREF()和 Py_XDECREF()。

我们强烈建议读者阅读 Python 文档的扩展和嵌入 Python 部分中的关于引用计数的内容（见附录中的文档参考部分）。

22.2.6 线程和全局解释器锁（GIL）

编译扩展的人必须要注意，他们的代码有可能会被运行在一个多线程的 Python 环境中。早在 18.3.1

节，我们就介绍了 Python 虚拟机（PVM）和全局解释器锁（GIL），并描述了在 PVM 中，任何情况下同时只会有一个线程被运行，其他线程会被 GIL 停下来。而且，我们指出调用扩展代码等外部函数时，代码会被 GIL 锁住，直到函数返回为止。

前面我们也提到过一种折衷方案，可以让编写扩展的程序员释放 GIL，例如在系统调用前就可以做到。这是通过将你的代码和线程隔离实现的，这些线程使用了另外两个 C 宏 Py_BEGIN_ALLOW_THREADS 和 Py_END_ALLOW_THREADS，保证了运行和非运行时的安全性。由这些宏包裹的代码将会允许其他线程的运行。

同引用计数宏一样，我们强烈建议阅读关于扩展和嵌入 Python 的文档和 Python/C API 参考手册。

22.3 相关话题

1. SWIG

有一个外部工具叫 SWIG，是 Simplified Wrapper and Interface Generator 的缩写。其作者为大卫·比兹利（David Beazley），同时也是《Python Essential Referenc》一书的作者。这个工具可以根据特别注释过的 C/C++头文件生成能给 Python、Tcl 和 Perl 使用的包装代码。使用 SWIG 可以省去你写前面所说的样板代码的时间，你只要关心怎么用 C/C++解决你的实际问题就好了。你所要做的就是按 SWIG 的格式编写文件，其余的就都由 SWIG 来完成。你可以通过下面的网址找到关于 SWIG 的更多信息。

http://swig.org

2. Pyrex

创建 C/C++扩展的一个很明显的缺点是你必须要写 C/C++代码。你能利用它们的优点，但更重要的是，你也会碰到它们的缺点。Pyrex 可以让你只取扩展的优点，而完全没有后顾之忧。它是一种更偏向 Python 的 C 语言和 Python 语言的混合语言。事实上，Pyrex 的官方网站上就说“Pyrex 是具有 C 数据类型的 Python”。你只要用 Pyrex 的语法写代码，然后运行 Pyrex 编译器去编译源代码。Pyrex 会生成相应的 C 代码，这些代码可以被编译成普通的扩展。你可以在它的官方网站下载到 Pyrex：

http://cosc.canterbury.ac.nz/~greg/python/Pyrex

3. Psyco

Pyrex 免去了我们再去写纯 C 代码的麻烦。不过，你要去学会它的那一套与众不同的语法。最后，你的 Pyrex 代码还是会被转成 C 的代码。无论你用 C/C++、C/C++加上 SWIG，或者是 Pyrex，都是因为你想要加快你的程序的速度。如果你可以在不改动你的 Python 代码的同时，又能获得速度的提升，那该多好啊。

Psyco 的理念与其他的方法截然不同。与其改成 C 的代码，为何不让你已有的 Python 代码运行的更快一些呢？

Psyco 是一个 just-in-time(JIT)编译器，它能在运行时自动把字节码转为本地代码运行。所以，你只要（在运行时）导入 Psyco 模块，然后告诉它要开始优化代码就可以了，而不用修改自己的代码。

Psyco 也可以检查你代码各个部分的运行时间，以找出瓶颈所在。你甚至可以打开日志功能，来查看 Psyco 在优化你的代码的时候都做了些什么。你可以访问以下网站获取更多的信息：

http://psyco.sf.net

4. 嵌入

嵌入是 Python 的另一功能。与把 C 代码包装到 Python 中的扩展相对的，嵌入是把 Python 解释器包装到 C 的程序中。这样做可以给大型的、单一的、要求严格的、私有的并且（或者）极其重要的应用程序内嵌 Python 解释器的能力。一旦内嵌了 Python，世界完全不一样了。

Python 提供了很多官方文档供写扩展的人参考。

下面是一些与本章相关的 Python 文档：

扩展与嵌入

http://docs.python.org/ext

Python/C API

http://docs.python.org/api

分发 Python 模块

http://docs.python.org/dist

22.4 练习

22-1.扩展 Python。编写 Python 扩展有什么好处？

22-2.扩展 Python。编写 Python 扩展有什么不好或是危险的地方？

22-3.编写扩展。下载或找到一个 C/C++编译器，并写一个小程序（重新）熟悉一下 C/C++编程。找到你的 Python 所在的目录，并找到 Misc/Makefile.pre.in 文件。把你刚写的程序包装到 Python 当中。按步骤把你的模块编译成动态库，从 Python 中调用你的模块并测试一下是否正确。

22-4 把 Python 移植到 C。选几个你在前几章写的代码，并把它们作为模块移植到 C/C++中。

22-5.包装 C 代码。找一段你之前写的，想移植到 Python 的 C/C++代码。不要去移植，把这段代码改成扩展模块。

22-6.编写扩展。在 13-3 的练习中，你写了一个 dollarize()函数，它能把浮点型转为前置美元符号，逗号分隔的货币金额字符串。请创建一个扩展，包装 dollarize()函数，并在模块中增加一个回归测试函数 test()。附加题：除了创建 C 扩展外，再用 Pyrex 重写 dollarize()函数。

22-7.扩展和嵌入。扩展和嵌入的区别是什么？

第 23 章 其他话题

本章主题

- 引言
- Web 服务
- 用 Win32 的 COM 来操作 Microsoft Office
- 用 Jython 写 Python 和 Java 的程序
- 练习

本章将简单介绍一下有关 Python 编程的一些杂项，很可惜，我们没有足够的时间来更深入的探讨这些主题。希望在本书的下一版中，将每个相关主题单列一章。

23.1 Web 服务

在网络上，有大量的 Web 服务和应用，它们提供各式各样的服务。您会发现多数大型服务商都会提供（其服务的）应用程序接口（API），比如 Yahoo!、Google、eBay 和 Amazon 等。过去 API 仅仅被用来访问使用这些服务的数据，但是今天的 API 已经不同，它们不但丰富而且功能齐全，而且您可以将这些 Web 服务整合到您自己的个人网站和网页中，这通常被称作“Mash-ups”[1]

这是一些很有意思的功能，但是，暂时我们只简单的尝试一个很有用，同时提供时间也比较长的服务，即 Yahoo!提供的股票报价服务。其网址是 http://finance.yahoo.com。

Yahoo! 金融股票报价服务器[2]

如果访问下面的网站查询某支股票的价格，就会在标了“Download Data”的基本报价那里看到一个连接。这个连接允许你下载一个可以导入 Microsoft Excel 和 Intuit Quicken 的 CSV 格式文件。

http://finance.yahoo.com/d/
quotes.csv?s=GOOG&f=sl1d1t1c1ohgv&e=.csv

如果浏览器的 MIME 设置正确的话，你的浏览器将启动 Excel 打开下载好的文件。这主要是因为连接中包含了 e=.csv 的设置。这样的设置将使 server 返回 CSV 格式的结果。

如果我们使用 urllib.urlopen()来得到报价，会得到一行 CSV 格式的返回结果：

```
>>> from urllib import urlopen
>>> u = urlopen('http://quote.yahoo.com/d/
    quotes.csv?s=YHOO&f=sl1d1t1c1ohgv')
>>> for row in u:
...     print 'row'
...
'"YHOO", 30. 76,"5/23/
    2006","4:00pm", +0.30, 31.07, 31.63, 30.76, 28594020\r\n'
>>> f.close()
```

您可以手工解析这个返回的字符串（去掉头尾的空白字符，根据逗号进行分割），或者也可以使用 Python2.3 版本新加入的 csv 模块。这个模块自动完成字符串分割和去掉头尾空白字符的功能。使用 csv 的话，我们就可以其他的代码不变，把上面的那个 for 循环改为：

```
>>> import csv
>>> for row in csv.reader(u):
...     print row
...
['YHOO', '30.76', '5/23/2006', '4:00pm', '+0.30',
    '31.07', '31.63', '30.76', '28594020']
```

分析传递给 server 的 f 参数并看了 Yahoo!的这个服务的在线帮助后，我们可以知道，符号 sl1d1t1c1ohgv 对应着：订单号、最后的价格、日期、时间、变化量、开盘价、当日最高、当日最低和成交量。

您可以通过访问 Yahoo! Finance 帮助页面获得更多的信息——只要搜索“download data”或“download spreadsheet format”就可以了。

深入的分析这个 API，我们可以得到更多的信息，如：上一次收盘价，52 周内的最高和最低价等。

总而言之，表 23.1 列出了返回数据的格式。

每一段的名字按你想要的数据的顺序排列。只要把它们连接在一起整个作为参数 f，加到请求 URL 中。

表 23.1 Yahoo! Finance 股票报价服务器参数

股票报价数据	Field Name[a]	Format Returned[b]
Stock ticker symbol	s	"YHOO"
Price of last trade	l1	328
Last trade date	d1	"2/2/2000"
Time of last trade	t1	"4:00pm"
Change from previous close	c1	+10.625
Percentage change from previous close	p2	"+3.35%"
Previous closing price	p	317.375
Last opening price	o	321.484375
Daily high price	h	337
Daily low price	g	317
52-week range	w	"110 - 500.125"
Volume for the day	v	6703300
Market capitalization	j1	86.343B
Earnings per share	e	0.20
Price-to-earnings ratio	r	1586.88
Company name	n	"YAHOO INC"

a．字段名的第一个字符是一个字母，第二个字符（如果有的话）是数字。

b．有一些值是用双引号括起来的。

有些返回结果是用引号括起来的。解析代码要能正确地解析这些数据。观察上面手工解析返回字符串和用 csv 模块解析返回字符串所得到的结果。如果某个值不存在报价，服务器会返回“N/A”。

例如，如果我们给服务器的 f 字段为 f=sl1d1c1p2，我们会得到如下的字符串：

```
"YHOO",166.203125,"2/23/2000",+12.390625,"+8.06%"
```

如果是不公开交易的股票，我们会得到如下的结果（注意，不少列都是双引号引起来的，包括 N/A）：

```
"PBLS.OB",0.00,"N/A",N/A,"N/A"
```

报价服务器也支持同时指定多支股票，如 s=YHOO,GOOG,EBAY,AMZN。返回的结果是每支股票信息占一行。要记住 Yahoo! Finance 帮助页面所说的：任何把 Yahoo!显示的数据再次发布的行为都是严格禁止的。所以，你只能把这些信息用于私人用途。同时也要记住，所有你得到的数据，都是有一定延时的。用我们已有的知识，我们可以实现一个应用程序（例 23.1），用于读取并显示一些我们关心的互连网公司的股票报价信息。

例 23.1 Yahoo! Finance 股票报价示例（stock.py）

这个脚本能从 Yahoo!报价服务器下载并显示股票的价格。

```
1    #!/usr/bin/env python
2
```

```
3   from time import ctime
4   from urllib import urlopen
5
6   ticks = ('YHOO', 'GOOG', 'EBAY', 'AMZN')
7   URL = 'http://quote.yahoo.com/d/quotes.csv?s=%s&f=sl1c1p2'
8
9   print '\nPrices quoted as of:', ctime()
10  print '\nTICKER'.ljust(9), 'PRICE'.ljust(8), 'CHG'.ljust(5), '%AGE'
11  print '------'.ljust(8), '-----'.ljust(8), '---'.ljust(5), '----'
12  u = urlopen(URL % ','.join(ticks))
13
14  for row in u:
15      tick, price, chg, per = row.split(',')
16      print eval(tick).ljust(7), \
17                ('%.2f' % round(float(price), 2)).rjust(6), \
18                chg.rjust(6), eval(per.rstrip()).rjust(6)
19
20  f.close()
```

如果我们执行这个脚本，会得到如下的输出：

```
$ stock.py
Prices quoted as of: Sat May 27 03:25:56 2006
TICKER   PRICE    CHG     %AGE
------   -----    ---     ----
YHOO     33.02    +0.10   +0.30%
GOOG    381.35    -1.64   -0.43%
EBAY     34.20    +0.32   +0.94%
AMZN     36.07    +0.44   +1.23%
```

23.2 用 Win32 的 COM 来操作微软 Office

在你日常工作环境中所能做的最有用的事情之一就是集成对 Win32 程序的支持。实现从这样的应用程序中读写数据是很容易的事。虽然你所在的部门可能用不着 Win32 环境，但很有可能你的经理或是其他的工程组在用。Mark Hammond 的 Python 的 Windows 扩展使得程序员可以在本地环境直接与 Win32 程序进行交互。

Win32 编程是一个相当广泛的概念。Python 的 Windows 扩展包包含了其中的大部分。如：Windows API、进程、Microsoft Foundation Classes (MFC)图形界面接口（GUI）开发、Windows 多线程开发、服务、远程访问、管道、COM 服务端编程和事件。还有一个能在.NET/Mono 开发环境中使用的 Python 语言的 C#实现：IronPython。在本节，我们主要关注 Win32 程序设计的一部分——客户端 COM 编程，它有着相当广泛的实际用途。

23.2.1 客户端 COM 编程

我们可以使用组件对象模型，另一个比较熟悉的名字是 COM（市场化的名字是 ActiveX）来与诸如 Outlook 和 Excel 之类的工具进行通讯。对于程序员来说，能在 Python 代码中直接“控制”一个本地 Office 应用程序是一件很快乐的事情。

特别地，当说到使用一个 COM 对象时，即启动一个应用程序，并允许代码访问该应用程序提供的方法，被称为客户端的 COM 编程。实现一个 COM 对象供其他客户端调用则被称为服务端的 COM 编程。

核心笔记： Python 与微软 COM(客户端)编程

在 Windows 32 位平台上，Python 与 COM 是可以相互操作的。COM 是微软的一种接口技术，它定义了语言及格式无关的对象与对象之间或是更高层次的应用程序与应用程序之间的通讯。本节中，我们将看到如何把 Python 与 COM(客户端编程)组合起来，与微软 Office 的应用程序如 Word、Excel、PowerPoint 和 Outlook 之间进行通讯。

本节的先决条件是要运行在 Win32 平台上，并且安装了 Python 和 Python 的 Windows 扩展。同时，必需要安装一个或多个例子中用到的微软应用程序。Python 的 Windows 扩展的下载说明很容易看懂，照着做一般不会出问题。我们推荐用扩展自带的 PythonWin 作为创建和测试你 Win32 脚本的 IDE。

在本节中，我们将演示如何与 Office 应用程序进行交互。我们将给出几个示例，并详细解释它们。其中有一些例子是非常实用的。你也能在“Python Cookbook”网站找到一部分例子。必须承认的是，我们并不是 COM 或是 Visual Basic 的专家，同时，我们也知道，这些例子还有很大的可以改进的空间。我们强烈希望所有读者把您认为对大家有用的评论、建议或改进发给我们。

我们先从很简单的微软 Excel、Word、PowerPoint、Outlook 的启动和交互开始。在展示例子之前，我们要先指出，客户端 COM 应用程序运行时都遵循相同的几个步骤。与这些应用程序进行交互的典型的方法是这样的：

1．启动应用程序；
2．打开要编辑的文档；
3．显示应用程序（如果有必要的话）；
4．对文档做一定的操作；
5．保存或放弃文档；
6．退出。

说的够多了，下面开始看一些代码吧。以下是一系列脚本，用于控制不同的微软的应用程序。这些脚本都导入了 win32com.client 模块和一些 Tk 模块来控制各个应用程序的启动（和其他操作）。同第 19 章一样，我们采用.pyw 后缀来避免不必要的 DOS 命令窗口。

23.2.2 微软 Excel

我们的第一个例子演示如何使用 Excel。在整个 Office 系列软件中，我们发现 Excel 是最可编程的。用 Excel 处理数据非常的有用，一方面可以利用电子表格的功能优势，另一方面可以用非常好的打印格式来查看数据。而且可以从电子表格中读取数据，然后使用像 Python 这样的编程语言来处理数据，这一点也非常有用。在这一部分的最后我们会给出一个使用 Excel 的更加复杂一点的例子，但是我们总得开始吧，所以我们先从例 23.2 开始。

例 23.2 Excel 例子（excel.pyw）

这个脚本启动 Excel，然后将数据填到电子表格的空格中。

```
1  #!/usr/bin/env python
2
3  from Tkinter import Tk
4  from time import sleep
5  from tkMessageBox import showwarning
6  import win32com.client as win32
7
8  warn = lambda app: showwarning(app, 'Exit?')
9  RANGE = range(3, 8)
```

```
10
11 def excel():
12     app = 'Excel'
13     xl = win32.gencache.EnsureDispatch('%s.Application' % app)
14     ss = xl.Workbooks.Add()
15     sh = ss.ActiveSheet
16     xl.Visible = True
17     sleep(1)
18
19     sh.Cells(1,1).Value = 'Python-to-%s Demo' % app
20     sleep(1)
21     for i in RANGE:
22         sh.Cells(i,1).Value = 'Line %d' % i
23         sleep(1)
24     sh.Cells(i+2,1).Value = "Th-th-th-that's all folks!"
25
26     warn(app)
27     ss.Close(False)
28     xl.Application.Quit()
29
30 if __name__=='__main__':
31     Tk().withdraw()
32     excel()
```

逐行解释

1~6、31 行

我们导入 Tkinter 和 tkMessageBox 模块只是为了使用 showwarning 消息框来终止演示。在显示对话框（26 行）之前，我们调用 withdraw()函数先绘出 Tk 最顶层的窗口（31 行）。如果你不首先初始化顶层窗口，系统会自动地为你创建一个，不过，自动创建的不会自动关闭，而会很讨厌地显示在屏幕上。

11~17 行

当代码启动（或调用）Excel 后，我们添加了一个工作簿（就是包含了多个可以写数据的工作表的电子表格）。并得到了正在显示的活动表格的句柄。不要在术语上花太多精力，因为“工作簿包含好几个工作表”这种话很容易使人迷惑。

核心笔记：静态和动态调用

在第 13 行，我们使用的是静态调用。在运行这个脚本之前，我们从 PythonWin 中运行 Makepy 工具（启动 IDE，选择 Tools --> COM Makepy 工具，然后选择相应的应用程序库），这个工具创建并缓存应用程序需要的对象。没有这些预先准备工作，对象和属性得在运行时建立。如果是在运行时创建对象和属性，那么就叫做动态调用。如果您想动态运行，那么请使用常用的 Dispatch()函数。

```
xl = win32com.client.Dispatch('%s.Application' % app)
```

Visible 标记必须设为 True，这样才可以让应用程序显示在桌面上，然后停下来，这样用户可以看到演示的每一步（行 16）。要知道第 17 行 sleep()调用的含义，请阅读接下来的内容。

19~24 行

在这个脚本程序的应用部分（application portion），我们把这个演示的标题写到了左上角的第一格，也就是（A1）或（1，1），然后跳过了一行，把“Line N”写到相应的格中，N 是从 3 到 7 的数字。在写每一行的时候中间停顿 1 秒，这样您就可以看到演示过程了（如果没有延迟，写每一行的过程会非常快）。

26～32 行

在演示结束的时候，会弹出一个消息对话框，以方便用户在看完输出后，结束演示程序。电子表格关闭时不会被保存，首先调用 ss.Close([SaveChanges=]False)，然后应用程序结束。最后，脚本的“main”部分只是初始化 Tk，然后执行应用程序的核心部分。运行这个脚本程序，会弹出一个 Excel 应用程序窗口，如图 23-1 所示。

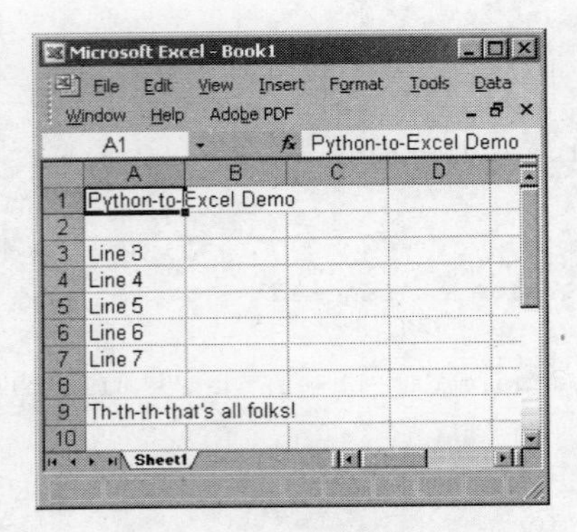

图 23-1 Python-to-Excel 示例脚本（excel.pyw）

23.2.3 微软 Word

下面来演示一下如何使用 Word。由于涉及到的数据不多，用 Word 写文档的可编程性就不是那么强了。你可以考虑用 Word 来自动生成格式化的信件等。不过，在例 23.3 中，我们将创建一个文档，然后简单地写几行字。

例 23.3 Word 例子（word.pyw）

这个脚本启动 Word，然后向文档中写数据。

```
1   #!/usr/bin/env python
2
3   from Tkinter import Tk
4   from time import sleep
5   from tkMessageBox import showwarning
6   import win32com.client as win32
7
8   warn = lambda app: showwarning(app, 'Exit?')
9   RANGE = range(3, 8)
10
11  def word():
12      app = 'Word'
13      word = win32.gencache.EnsureDispatch('%s.Application' % app)
14      doc = word.Documents.Add()
15      word.Visible = True
16      sleep(1)
17
18      rng = doc.Range(0,0)
19      rng.InsertAfter('Python-to-%s Test\r\n\r\n' % app)
20      sleep(1)
21      for i in RANGE:
```

```
22            rng.InsertAfter('Line %d\r\n' % i)
23            sleep(1)
24        rng.InsertAfter("\r\nTh-th-th-that's all folks!\r\n")
25
26        warn(app)
27        doc.Close(False)
28        word.Application.Quit()
29
30    if __name__=='__main__':
31        Tk().withdraw()
32        word()
```

这个 Word 的例子和上面的 Excel 例子非常相似，惟一的不同是我们要在文档“范围”内插入字符串，每写一次向前移动一下光标，而不是像在 Excel 中那样写在每一格中。我们还要在程序中写明行结束符，也就是回车换行（\r\n）。

如果我们执行这个脚本程序，会显示如图 23-2 的界面。

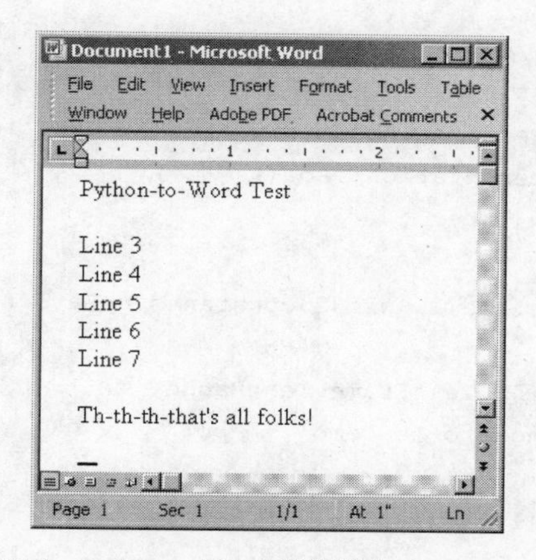

图 23-2 Python-to-Word 示例脚本（word.pyw）

23.2.4 微软 PowerPoint

在应用程序中使用 PowerPoint 并不太常见，但是当您急于制作演示文稿的时候可能会考虑使用它。您可以在飞机上用文本文件写下核心内容，然后在抵达酒店的夜里用脚本程序处理这个文件来自动生成一系列的幻灯片。您甚至可以通过添加背景和动画等东西来增强效果，这些都可以通过 COM 接口做到。另外一个使用到的情况就是当您不得不自动生成或修改新的或已存在的演示文档的时候。您可以通过 shell 脚本程序控制 COM 脚本来创建或者调整每个生成的幻灯片。好了，解释得够多了……现在来看一下我们的 PowerPoint 例子，如例 23.4 所示。

您会再一次注意到这个例子和上面的 Excel 和 Word 演示非常相似。PowerPoint 的不同之处在于您写入数据的对象不一样了。不是向单独的表格或文档中写入数据，PowerPoint 更为复杂，因为每一张幻灯片可以有不同的布局。在一个演示文档中，您有多张幻灯片，其中每一张幻灯片可以有不同的布局（最新版本的 PowerPoint 有 30 种不同的布局）。你可以进行的操作依您所选的布局不一样而各有不同。

在本例中，我们选用一个只有标题和文本的布局（17 行），并填充主标题（19～20 行），即 Shape[0] 或 Shape(1)——Python 的下标从 0 开始，微软的软件从 1 开始——然后填充文本(22～26 行)，即 Shape[1] 或 Shape(2)。为了了解要使用哪一个常量，你需要一个所有可用的常量列表。例如，ppLayoutText

常量的值被定义为 2(整型)，ppLayoutTitle 为 1，等等。你可以在大多数微软 VB/Office 编程的书中或根据名字在线查找相关的定义。或者，你也可以直接使用整型值，而不使用 win32.constants 中的名字。

例 23.4 PowerPoint 示例（ppoint.pyw）

这个脚本启动 PowerPoint 并在幻灯片中写入一些数据。

```
1  #!/usr/bin/env python
2
3  from Tkinter import Tk
4  from time import sleep
5  from tkMessageBox import showwarning
6  import win32com.client as win32
7
8  warn = lambda app: showwarning(app, 'Exit?')
9  RANGE = range(3, 8)
10
11 def ppoint():
12     app = 'PowerPoint'
13     ppoint = win32.gencache.EnsureDispatch('%s.Application' % app)
14     pres = ppoint.Presentations.Add()
15     ppoint.Visible = True
16
17     s1 = pres.Slides.Add(1, win32.constants.ppLayoutText)
18     sleep(1)
19     s1a = s1.Shapes[0].TextFrame.TextRange
20     s1a.Text = 'Python-to-%s Demo' % app
21     sleep(1)
22     s1b = s1.Shapes[1].TextFrame.TextRange
23     for i in RANGE:
24         s1b.InsertAfter("Line %d\r\n" % i)
25         sleep(1)
26     s1b.InsertAfter("\r\nTh-th-th-that's all folks!")
27
28     warn(app)
29     pres.Close()
30     ppoint.Quit()
31
32 if __name__=='__main__':
33     Tk().withdraw()
34     ppoint()
```

23.2.5 微软 Outlook

最后，我们给出一个 Outlook 的例子，它使用了比 PowerPoint 例子更多的常量，作为一个十分常见和通用的工具软件，在应用程序中使用 Outlook 非常有意义，这与前面 Excel 的例子一样。总是有电子邮件地址、邮件和其他数据可以在 Python 程序中轻松地处理。例 23.5 就是 Outlook 的一个例子，但是比前面的例子都要复杂一点。

在这个例子中，我们用 Outlook 给自己发了一封电子邮件。为了更好地演示这个例子，你需要先关闭网络访问，以确保你的 email 并不会真正被发送出去，这样，你就可以在发件箱里看到这封邮件(如果需要的话,还可以在看完后删除它)。启动 Outlook 后，我们写一封新的电子邮件，然后填好各个栏，例如收信人、主题和信件内容等（15～21 行）。然后调用 send()（22 行）将信存储到发件箱，在这里，信件一旦被确实发送到邮件服务器上，就会被移动到“已发送”。

图 23-3 Python-to-PowerPoint 示例脚本（ppoint.pyw）

像 PowerPoint 一样，Outlook 有很多可以使用的常量……olMailItem（其值为 0）常量被用于电子邮件信息。其他常用的 Outlook 常量有：olAppointmentItem(1)、olContactItem(2)、olTaskItem(3)。当然，还有很多没有一一列出，你可以在介绍 VB/Office 编程的书中或者在线文档中查找相关常量的定义。

下一部分(24～27 行)，我们使用了另一个常量 olFolderOutbox (4)，来打开并显示发件箱目录，我们找到最新的几封邮件（有可能是我们刚刚创建的）并显示它们。其他几个常用的目录有：olFolderInbox (6)、olFolderCalendar (9)、olFolderContacts(10)、olFolderDrafts (16)、olFolderSentMail (5)和 olFolderTasks (13)。如果你使用动态调用，你可能要使用具体的数值，而不是常量的名字（见之前的核心笔记）。

例 23.5 Outlook 例子（olook.pyw）

这个脚本启动 Outlook，创建一封邮件，“发送”这封邮件，并允许你打开发件箱浏览这封邮件。

```
1  #!/usr/bin/env python
2
3  from Tkinter import Tk
4  from time import sleep
5  from tkMessageBox import showwarning
6  import win32com.client as win32
7
8  warn = lambda app: showwarning(app, 'Exit?')
9  RANGE = range(3, 8)
10
11 def outlook():
12     app = 'Outlook'
13     olook = win32.gencache.EnsureDispatch('%s.Application' % app)
14
15     mail = olook.CreateItem(win32.constants.olMailItem)
16     recip = mail.Recipients.Add('you@127.0.0.1')
17     subj = mail.Subject = 'Python-to-%s Demo' % app
18     body = ["Line %d" % i for i in RANGE]
19     body.insert(0, '%s\r\n' % subj)
20     body.append("\r\nTh-th-th-that's all folks!")
21     mail.Body = '\r\n'.join(body)
22     mail.Send()
23
24     ns = olook.GetNamespace("MAPI")
25     obox = ns.GetDefaultFolder(win32.constants.olFolderOutbox)
26     obox.Display()
```

```
27         obox.Items.Item(1).Display()
28
29         warn(app)
30         olook.Quit()
31
32     if __name__=='__main__':
33         Tk().withdraw()
34         outlook()
```

图 23-4 为邮件窗口的截图

由于以前的 Outlook 总是被用于各种各样的攻击中，微软在 Outlook 中加入了一些保护措施，来限制对通讯簿的访问以及代表你发送邮件。当外部程序想要访问你的 Outlook 的数据的时候，会弹出一个如图 23-5 所示的对话框，以征取你的同意。

当你想要用外部程序发送邮件的时候，你会看到一个如图 23-6 所示的警告对话框。你必需等到计时器倒数结束后才能点击“确定”按钮。

一旦你完成了所有安全检查，其他所有的事都能很顺利地完成。也有一些软件可以帮助你绕过这些检查，但它们需要单独下载和安装。

在本书的网站 http://corepython.com 上，你能找到一个把这所有 4 个小脚本集成在一起的一个脚本，允许用户选择要运行哪一个示例。

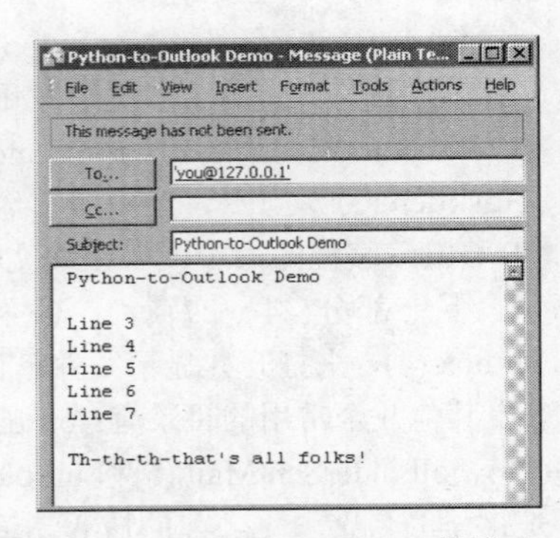

图 23-4 Python-to-Outlook 示例脚本 (olook.pyw)

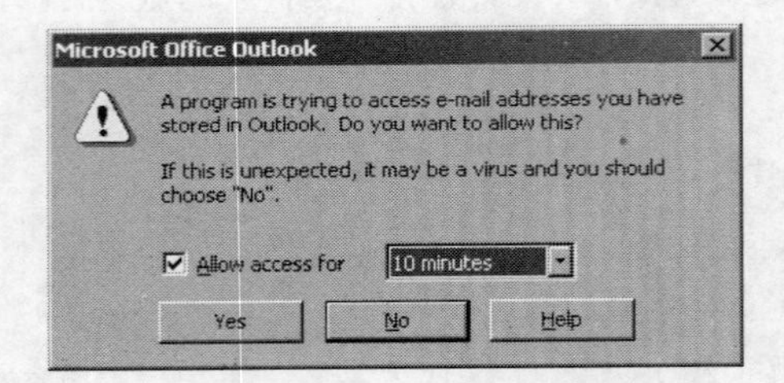

图 23-5 Outlook 地址簿访问警告

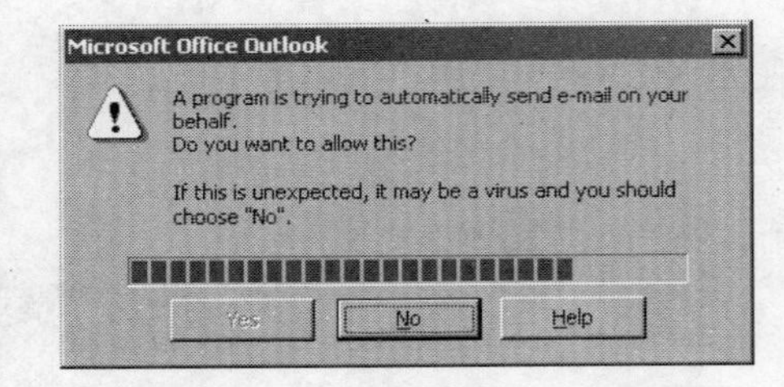

图 23-6 Outlook 电子邮件传输警告

23.2.6 中等规模的例子

现在，我们对 Office 编程已经有了一些概念，接下来，我们要把本节所列的知识与 Web 服务那一节的知识组合起来，写一个更实用的应用程序。如果我们把股票报价的例子与 Excel 演示脚本合起来，就能形成一个能从网上下载股票报价，并把结果直接放到 Excel 中的应用程序，而不用把数据放在 CSV 文件中作为中介。

逐行解释

1 ~ 13 行

我们导入股票报价和 Excel 脚本两个例子中的所使用的模块与常量。

15 ~ 32 行

核心功能的第一部分是像之前那个脚本（17～21 行）那样启动 Excel。把标题和时间写到相应的单元格中（23～29 行），然后是粗体（30 行）的列的头。从第 6 行开始（32 行）的单元格会写入实际的股票报价的数据。

34 ~ 43 行

如同之前一样，打开一个 URL（34 行），但不再把结果写到标准输出，我们把结果填到电子表格的单元格中。一次放一列数据，每行一个公司的股票信息（35～42 行）。

45～51 行

脚本的剩下几行作用与之前看到的一样。

例 23.6 股票报价与 Excel 例子（estock.pyw）

这个脚本从 Yahoo!下载股票报价并把数据写入到 Excel。

```
1   #!/usr/bin/env python
2
3   from Tkinter import Tk
4   from time import sleep, ctime
5   from tkMessageBox import showwarning
6   from urllib import urlopen
7   import win32com.client as win32
8
9   warn = lambda app: showwarning(app, 'Exit?')
10  RANGE = range(3, 8)
11  TICKS = ('YHOO', 'GOOG', 'EBAY', 'AMZN')
12  COLS = ('TICKER', 'PRICE', 'CHG', '%AGE')
13  URL = 'http://quote.yahoo.com/d/quotes.csv?s=%s&f=sl1c1p2'
14
15  def excel():
16      app = 'Excel'
17      xl = win32.gencache.EnsureDispatch('%s.Application' % app)
18      ss = xl.Workbooks.Add()
19      sh = ss.ActiveSheet
20      xl.Visible = True
21      sleep(1)
22
23      sh.Cells(1, 1).Value = 'Python-to-%s Stock Quote Demo' % app
24      sleep(1)
25      sh.Cells(3, 1).Value = 'Prices quoted as of: %s' % ctime()
26      sleep(1)
27      for i in range(4):
28          sh.Cells(5, i+1).Value = COLS[i]
29      sleep(1)
30      sh.Range(sh.Cells(5, 1), sh.Cells(5, 4)).Font.Bold = True
31      sleep(1)
32      row = 6
33
34      u = urlopen(URL % ','.join(TICKS))
35      for data in u:
36          tick, price, chg, per = data.split(',')
37          sh.Cells(row, 1).Value = eval(tick)
38          sh.Cells(row, 2).Value = ('%.2f' % round(float(price), 2))
39          sh.Cells(row, 3).Value = chg
40          sh.Cells(row, 4).Value = eval(per.rstrip())
41          row += 1
42          sleep(1)
43      f.close()
```

```
44
45      warn(app)
46      ss.Close(False)
47      xl.Application.Quit()
48
49  if __name__=='__main__':
50      Tk().withdraw()
51      excel()
```

图 23-7 显示的是运行了我们的脚本后有实际数据的窗口。

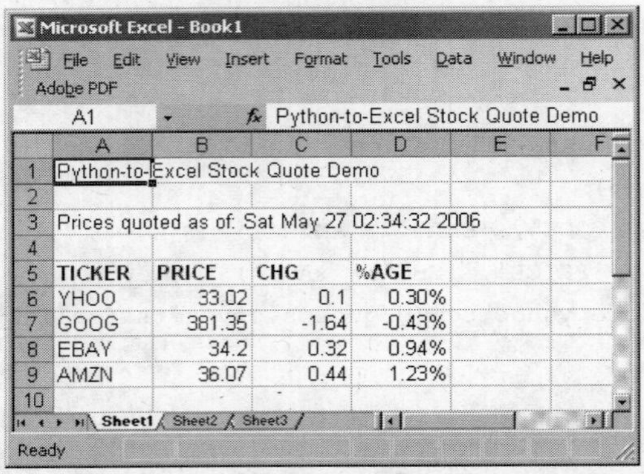

	A	B	C	D
1	Python-to-Excel Stock Quote Demo			
2				
3	Prices quoted as of: Sat May 27 02:34:32 2006			
4				
5	TICKER	PRICE	CHG	%AGE
6	YHOO	33.02	0.1	0.30%
7	GOOG	381.35	-1.64	-0.43%
8	EBAY	34.2	0.32	0.94%
9	AMZN	36.07	0.44	1.23%
10				

图 23-7 Python-to-Excel 股票报价示例脚本（estock.pyw）

注意，存放数字的那几列的原始格式信息已经没有了，因为 Excel 用默认的单元格格式把它们存为数字了。我们把数字的格式改为保留小数点后两位。例如，虽然 Python 传递的是“34.20”，但显示的时候，还是显示“34.2”。而“自上次收盘的变动”那一列，则不仅少了小数点后的数字，而且数字前面的用于表示升值的正号（+）也没了（这是 Excel 的输出和原始文本版的比较。这些问题在本章结尾的练习中有详细说明）。

23.3 用 Jython 写 Python 和 Java 的程序

23.3.1 什么是 Jython

Jython 是一种可以把两种不同的编程语言结合在一起的工具。首先，它使 Python 程序员介入到 Java 开发环境并让他们能快速开发方案原型，以便无缝地集成到现有的 Java 平台上。其次，它能在 Java 中加入脚本语言，并以此来简化数计百万计的 Java 程序员的工作。Java 程序员们再也不用为他们刚写的一个类写一大堆的测试用例或驱动程序。

Jython 提供了 Python 的大部分功能，以及实例化 Java 类并与 Java 类交互的功能。Jython 代码被动态地编译成 Java 字节码，因此，你可以用 Jython 扩展 Java 类，也可以用 Java 来扩展 Python。在 Python 中写一个类，像使用 Java 类一样使用这个类是很容易的事情。你甚至可以把 Jython 脚本静态地编译为 Java 字节码。

你可以从本书的网站或 http://jython.org 下载 Jython。在安装完，并阅读了一些处理新的.jar 文件的默认启动注意事项后，启动 Jython 的交互解释器就跟用 Python 一样简单。而且，你也可以像在 Python 中一样，写一个“Hello World!”：

```
$ jython
Jython 2.2a1 on java1.4.2_09 (JIT: null)
```

```
Type "copyright", "credits" or "license" for more
    information.
>>> print 'Hello World!'
Hello World!
>>>
>>> import sys
>>> sys.stdout.write('Hello World!\n')
Hello World!
```

惟一的不同是，现在，你不得不等待 Java 那超长的启动时间。如果你能忍受这个，你就能做一些更有用的事了。用 Jython 交互解释器的一个更有趣的方面就是，现在你可以用 Java 来写“Hello World!”了：

```
>>> from java.lang import System
>>> System.out.write('Hello World!\n')
Hello World!
```

Java 给了 Python 用户一些额外的好处，即可以使用本地异常处理（这在标准 Python——相对于其他实现来说，也被称为“CPython”——里是没有的），以及可以使用 Java 的垃圾收集器(这样就没必要再为 Java 开发一套 Python 的实现了)。

23.3.2 Swing GUI 开发(Java 或者 Python!)

有了对所有 Java 类的访问能力，我们能做的事就太多了，例如，图形界面(GUI)的开发。在 Python 中，我们用 Tkinter 模块中的 Tk 作为默认 GUI，但是，Tk 不是 Python 的本地工具包。不过，Java 有 Swing，它是本地的。用 Jython，我们可以用 Swing 组件写一个 GUI 应用程序，不是用 Java，而是用 Python。

一个简单的“Hello World!”GUI 程序的 Java 版本和对应的 Python 版本分别在例 23.7 和例 23.8 中给出。这两个版本都模仿了图像界面编程那一章的 Tk 例子 tkhello3.py。这两段程序分别叫 swhello.java 和 swhello.py。

例 23.7 在 Java 中，用 Swing 写“Hello World”（swhello.java）

本程序像 tkhello3.py 那样，创建一个 GUI。使用 Swing 而不是 Tk，使用的语言是 Java。

```
1   import java.awt.*;
2   import java.awt.event.*;
3   import javax.swing.*;
4   import java.lang.*;
5
6   public class swhello extends JFrame {
7       JPanel box;
8       JLabel hello;
9       JButton quit;
10
11      public swhello() {
12          super("JSwing");
13          JPanel box = new JPanel(new BorderLayout());
14          JLabel hello = new JLabel("Hello World!");
15          JButton quit = new JButton("QUIT");
16
17          ActionListener quitAction = new ActionListener() {
18              public void actionPerformed(ActionEvent e) {
```

```
19                  System.exit(0);
20              }
21          };
22          quit.setBackground(Color.red);
23          quit.setForeground(Color.white);
24          quit.addActionListener(quitAction);
25          box.add(hello, BorderLayout.NORTH);
26          box.add(quit, BorderLayout.SOUTH);
27
28          addWindowListener(new WindowAdapter() {
29              public void windowClosing(WindowEvent e) {
30                  System.exit(0);
31              }
32          });
33          getContentPane().add(box);
34          pack();
35          setVisible(true);
36      }
37
38      public static void main(String args[]) {
39          swhello app = new swhello();
40      }
41 }
```

例 23.8 在 Python 中用 Swing 写“Hello World” (swhello.py)

下面的 Python 脚本代码具有和上面的 Java 程序具有相同的功能，需要在 Jython 解释器中执行。

```
1   #!/usr/bin/env jython
2
3   from pawt import swing
4   import sys
5   from java.awt import Color, BorderLayout
6
7   def quit(e):
8       sys.exit()
9
10  top = swing.JFrame("PySwing")
11  box = swing.JPanel()
12  hello = swing.JLabel("Hello World!")
13  quit = swing.JButton("QUIT", actionPerformed=quit,
14      background=Color.red, foreground=Color.white)
15
16  box.add("North", hello)
17  box.add("South", quit)
18  top.contentPane.add(box)
19  top.pack()
20  top.visible = 1  # or True for Jython 2.2+
```

两段代码都与 tkhello3.py 一致，惟一的区别就是它们使用了 Swing 而不是 Tk。Python 版本的特点是，做同样的事，Python 所要写的代码相对于 Java 大幅减少。Python 代码的表达能力更强，所以每一行都显得更为重要。简单地说，就是“白色噪音”（译者注：指 Java 大量换行造成的留白部分）更少了。Java 的代码更趋向于用更多的“样板”代码来完成工作，而 Python 则让你把注意力集中在你的应用的重要部位，即你要解决的问题的解决方案上。

由于两个程序都会被编译为 Java 字节码，在同一个平台上两个程序看上去完全一样也就没什么好奇怪的了（见图 23-8）。

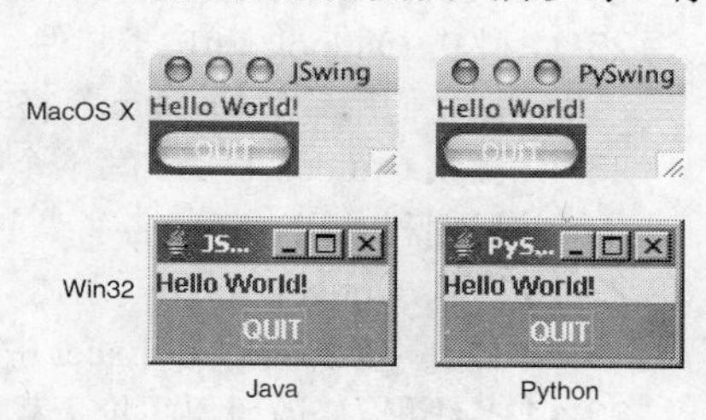

图 23-8 Swing 的 Hello World 示例脚本（swhello.java 和 swhello.py）

Jython 是一个很伟大的工具。因为你可以同时得到了 Python 的强大的表达能力，以及 Java 库中丰富的 API。如果你现在是一个 Java 程序员，希望我们已经引起了你对你身后 Python 的强大力量的兴趣。如果你是 Java 新手，Jython 能让你更为轻松。你可以用 Jython 写原型，然后在必要的时候轻松地移植到 Java 中。

23.4 练习

Web 服务

23-1.Web 服务。使用 yahoo!股票报价示例(stock.py)并把这个程序改为把报价数据保存到一个文件中，而不在屏幕上显示。可选题：你可以修改脚本，让用户可以选择是显示报价还是保存到文件中。

23-2.Web 服务。修改 yahoo!股票报价示例(stock.py)，让程序可以下载上面所列的其他参数数据。可选题：你可以把这个功能加到上一题的程序中。

23-3.Web 服务和 csv 模块。修改 stock.py，像我们在示例代码中那样，使用 csv 模块来解析得到的数据。附加题：用同样的方法修改这个脚本的 Excel 版本(estock.py)。

23-4.REST 与 Web 服务。学习现在的 Web 服务 API 和应用程序中，REST 与 XML 是如何被使用的。与老式的 Web 服务，像 Yahoo!报价服务这种用 URL 参数的方式相比较，额外提供了哪些功能。

23-5.REST 与 Web 服务。利用 Python 对 REST 和 XML 的支持，创建一个应用程序的框架，这个框架要能在写使用如今这些更新的 Web 服务和 API 应用程序的时候，能实现代码的共享和重用。展示你的使用 Yahoo!、Google、eBay 及(或)Amazon 服务的代码。

微软 **Office** 编程

23-6.微软 Excel 和网页。创建一个应用程序，读取 Excel 电子表格中的数据，并生成一个对应的 HTML 表格（你可能需要第三方的 HTMLgen 模块）。

23-7.微软 Office 应用程序与 Web 服务。连接到任何现有的 Web 服务，无论是基于 REST 还是 URL 的，并把数据写到 Excel 电子表格中，或设置一个比较好看的格式，然后放到 Word 文档中。格式要适于打印。附加题：要同时支持 Excel 和 Word。

23-8.微软 Outlook 和 Web 服务。与之前的问题相似，做同样的事情，并把数据放到一封新的电子邮件中，并用 Outlook 发送出去。附加题：做同样的事，但是用普通的 SMTP 服务器来发送电子邮件，而不使用 Outlook（你可能想要参考第 17 章 Internet 客户端编程）。

23-9.微软 PowerPoint。设计一个演示文档生成器。设计一种用 Word 或普通文本编辑器就能生成的文本文件的格式。从遵循该格式的文本文件中，读出要演示的数据，并生成对应的 PowerPoint 幻灯片放在一个演示文档中。

23-10.微软 Outlook、数据库和你的地址簿。写一个程序，从 Outlook 的地址簿中读出数据，把想要的字段保存到数据库中。数据库可以是一个文本文件、DBM 文件或是一个关系数据库（你可能想要参考第 21 章）。附加题：完成反向的工作。即从数据库（或允许用户直接输入）中读取联系人的信息，添加或更新记录到 Outlook 中。

23-11. 微软 Outlook 和电子邮件。开发一个程序读取收件箱和（或）其他重要的文件夹的数据，并把它们用普通的“box”格式保存到磁盘上。

23-12. 微软 Outlook 日历。写一个脚本创建新的 Outlook 任务。至少要允许用户输入以下信息：开始日期和时间、任务名字或主题及任务持续时间。

23-13. 微软 Outlook 日历。创建一个应用程序，导出你的所有任务信息到一个你指定的地方，如屏幕上、数据库中和 Excel 中等。附加题：程序也要可以导出 Outlook 任务。

23-14. 多线程。修改股票报价下载脚本(estock.pyw)，使用多个 Python 线程，让数据下载部分可以“并行”。可选题：你也可以试用 win32process.beginthreadex()产生 VisualC++的线程来完成本题。

23-15. Excel 单元格格式。在股票报价下载脚本(estock.pyw)的电子表格版本中，我们在图 23-7 中看到股票价格并不是默认到小数点后两位，就算我们传进去的是有后缀 0 的也不行。当 Excel 把这个字符串转为数字的时候，就自动使用数字格式的设定。

（a）把单元格的 NumberFormat 属性设为“0.00”就可以把数字的格式正确的设定为两个小数位。

（b）我们也看到“change from previous close”那一列除了小数点后的小数之外，还丢了“+”号。可是，方法（a）中的修正方法只能解决小数点后的小数的问题。对所有的数字，那个“+”号都会被自动丢掉。解决方法是，把这一栏设为文本，而不是数字。你可以把单元格的 NumberFormat 属性设为“@”来解决这个问题。

（c）问题是，把单元格的格式由数字改为文本的一个问题是，我们丢失了数字的自动对齐方式。在（b）的解决方案之外，还要再设置单元格的 HorizontalAlignment 属性为 Win32Excel 的 xlRight 常量。当你完成了上面三部分后，你的输出结果看上去就更令人满意了，如图 23-9 所示。

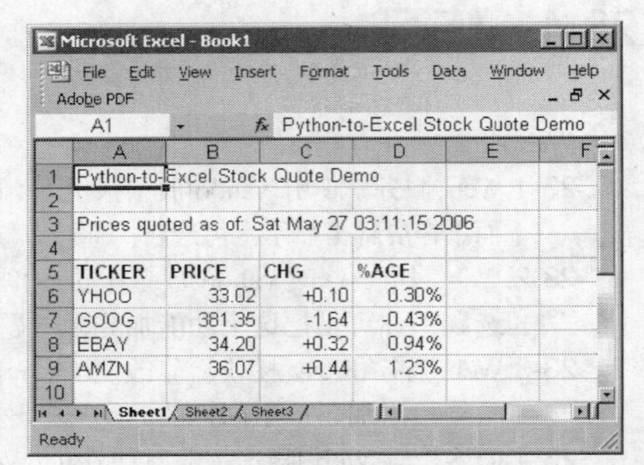

图 23-9　改进 Python-to-Excel 股票报价脚本（estock.pyw）

Java、Python、Jython

23-16. Jython。Jython 与 CPython 的区别是什么？

23-17. Java 和 Python。选一个已经存在的 Java 应用程序，移植到 Python 中。在日记中写下你的经验。完成后，总结一下，都有哪些事是必需要做的，最重要的步骤是什么，移植的中一定要做的，公共的部分有哪些。

23-18. Java 和 Python。研究 Jython 的源代码。描述一些 Python 标准类型是如何在 Java 中实现的。

23-19. Java 和 Python。用 Java 写一个扩展来扩展 Python。哪几步是必要的？在 Jython 交互解释器中演示你的结果。

23-20. Jython 和数据库。从第 21 章中找到一个比较有意思的练习，移植到 Jython 中。Jython 最好的一件事就是，从 2.1 版本开始，它自带了一个 JDBC 数据库模块叫 zxJDBC，而且它基本上遵循 Python DB-API 2.0 版本协议。

23-21. Python 和 Jython。找到一个目前 Jython 中还没有的 Python 模块，并移植它。考虑把移植的结果作为一个补丁提交给 Jython 发布版。

注 1：Mash-ups，有人译作“混搭”或“混搭式网站”，意为通过多源头信息整合完成的服务。是与维基（Wiki）、网志（Blog）并举的 Web2.0 技术。目前最典型的代表是 Google。

注 2：本章中的 Yahoo！服务均来自“雅虎”而不是“雅虎中国”，为了不让读者混淆，以及能随本书进行相关实践，故而 Yahoo 没有翻译成“雅虎”。各项服务名称也保留了原文。